NEW
2022
완전정복

간호사 국가시험

파워 파이널 완성

10주

정답 및 해설

심정은 김묘연 최성희 장효열 류정림 김향하 박선영

KOONJA

2022
간호사 국가시험
파워 파이널

10주 완성_정답 및 해설

1판 1쇄 인쇄	|	2018년 08월 20일
1판 1쇄 발행	|	2018년 08월 31일
2판 1쇄 인쇄	|	2021년 09월 06일
2판 1쇄 발행	|	2021년 09월 17일

저   자 심정은, 김묘연, 최성희, 장효열, 류정림, 김향하, 박선영
발 행 인 장주연
기   획 한인수
책 임 편 집 임유리
표 지 디 자 인 양란희
편 집 디 자 인 유현숙
발 행 처 군자출판사(주)
　　　　　등록 제 4-139호(1991. 6. 24)
　　　　　본사 (10881) **파주출판단지** 경기도 파주시 회동길 338(서페동 474-1)
　　　　　전화 (031) 943-1888　팩스 (031) 955-9545
　　　　　홈페이지 \| www.koonja.co.kr

ISBN 979-11-5955-757-6
　　　 979-11-5955-755-2(SET)
가격 25,000원
※ 단권으로는 판매하지 않습니다.

2022 간호사 국가시험 파워 파이널

10주 완성_정답 및 해설

담당교수	과목	경력
심정은	성인간호학	한양대학교 간호학과 석사학위 한양대학교 간호학과 박사학위 현) 경민대학교 간호학과 성인간호학 강의전담 교수
김묘연	성인간호학	이화여자대학교 간호학과 석사학위 한양대학교 간호학과 박사수료 현) 삼성의료원(강북) 파트장
최성희	지역사회간호학, 간호관리학	충남대학교 간호학과 석사학위 한양대학교 간호학과 박사수료 현) 해커스 공무원 간호직, 보건직 대표 교수 현) 원광대학교 간호학과 지역사회간호학 외래교수
장효열	정신간호학, 의료법규	대전대학교 석사학위 대전대학교 박사학위 현) 전북과학대학교 정신간호학 교수
류정림	모성간호학	원광대학교 의과대학교 간호학과 석사학위 충남대학교 간호학과 박사학위 현) 군산간호대학교 모성간호학 교수
김향하	아동간호학	전북대학교 간호학과 석사학위 전북대학교 간호학과 박사학위 현) 전남과학대학교 아동간호학 교수
박선영	기본간호학	현) 아산병원(정읍) 간호사 현) 전북과학대학교 겸임교수

KOONJA

Contents 목차

PART 1

진단편

정답 및 해설

1교시 정답 및 해설

성인간호학

001 ④

해설 | **아나필락시스**

이전의 페니실린 사용에 의해 획득된 항체가 활성화되어 아나필락시스 반응이 유발된 상황이다. 전신적인 아나필락시스 증상이 나타나면 가능한 빨리 에피네프린 0.3~0.5 mg을 피하로 주사해야 한다. 에피네프린은 교감신경 흥분제로 말초혈관을 수축시켜 혈압을 상승시키는 효과가 있다. 그리고 호흡곤란 시 기관지 확장을 시키고, 심장을 자극시키며 말초 혈관을 수축시켜 심근 수축력을 증가시킨다.

POWER 특강

에피네프린(아드레날린)

- 작용: 아드레날린 작동 수용체(α, β)를 자극, 심근수축력 증강시켜 심박출량 증가, 호흡기계 평활근을 이완시켜 기관지 확장, 소동맥의 혈관수축으로 혈압 상승
- 적응증: 심정지, 아나필락시스, 급성 중증 천식
- 부작용: 불안, 진전, 빈맥, 두통, 사지 냉감, 부정맥, 뇌출혈, 폐부종, 오심, 발한, 어지러움
- 금기: 심장질환, 녹내장

002 ④

해설 | **요로감염**

신장이식 환자는 면역억제제의 투여로 체내 면역력이 저하되어 요로감염 증상이 나타날 수 있다. 요로감염의 증상에는 고열, 오한, 악취나는 탁한 소변, 방광이 자극되어 나타나는 증상(배뇨통, 빈뇨, 야간뇨, 긴급뇨)이 있고, 소변 검사 시 소변에서 백혈구와 세균이 검출된다.

— **comment** —

무뇨, 핍뇨는 급성 거부반응에서 보일 수 있는 임상소견이다.

003 ④

해설 | **저혈량성 쇼크**

복강 내 출혈로 인해 저혈량성 쇼크(순환혈액량 감소)가 유발될 수 있다. 저혈량성 쇼크 환자의 증상으로는 발한, 청색증, 창백, 차고 축축한 피부, 빠르고 얕은 호흡, 혈압 감소, 저혈압, 빠르고 약한 맥박, 저체온증, 소변량 감소 등이 있다. 원인교정을 위해 쇼크체위를 취하고 출혈부위를 압박하며, 체액손실을 수혈과 수액요법으로 조절해야 한다.

▶ 저혈량성 쇼크 시 혈액관류

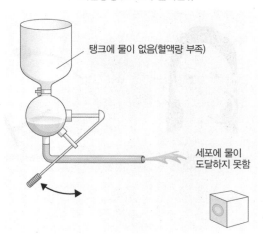

탱크에 물이 없음(혈액량 부족)

세포에 물이
도달하지 못함

004 ③

해설 | **해독**

즉시 구토할 경우 강산성 물질에 의해 식도가 손상을 입을 수 있으므로 구토를 유발시키지 않으며, 물을 마셔 위에 잔류하고 있는 강산성 물질의 농도를 희석한다. 부식성 물질을 흡입하였을 경우 금식시키며, 숯에 흡수되는 독물이라면 활성탄을 투여한다. 음독 2시간 이내일 경우 측위를 취해 위세척을 시행한다.

005 ①

해설 | **쇼크(아나필락시스)**

아나필락틱 쇼크는 항원항체과민반응으로 나타나는 급성 과민성 쇼크이다. 이 경우 호흡기계 증상으로 후두부종이 와서 산소포화도가 감소되므로 가장 우선적으로 기도를 확보하고 산소를 투여하는 것이 중요하다. 기타 간호중재로 정맥로 확보, 에피네프린, 항히스타민제, 스테로이드제를 정맥 또는 피하주사한다.

006 ①

해설 | **전해질 불균형**

혈중 칼슘농도가 높은 고칼슘혈증일 때 신경근이 무력해지고 감각기능, 반사기능이 손상되어 무긴장성 근육반사가 나타나며, 뼈 통증 또한 나타난다.

── **comment** ──

반대로 저칼슘혈증은 긴장도가 높은 강직 증상이 나타난다 ▶ 테타니, Chvostek's sign (+), Trousseau's sign (+)

7

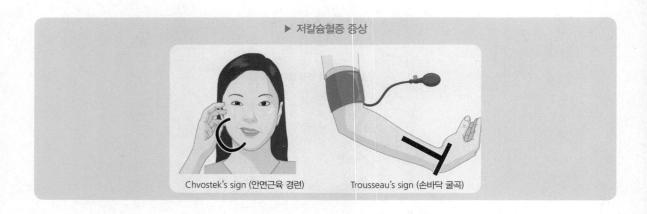

▶ 저칼슘혈증 증상

Chvostek's sign (안면근육 경련)   Trousseau's sign (손바닥 굴곡)

007 ①

해설 | 결핵

결핵균은 공기전파(비말감염)로 전파된다. 따라서 결핵 환자를 음압이 작용하는 1인실에 격리하여야 환자의 신체 내부에 활동하고 있는 결핵균의 감염전파를 예방할 수 있다.

오답 ② 2~4주 약물치료 후에는 격리하지 않아도 되나, 그 전에는 타인과의 접촉을 제한한다. 약물을 제대로 복약할 경우 타인에게 전염되지 않는다.

③ 결핵균은 햇빛과 열에 파괴되므로 일광소독한다.

④ 기침 시 코와 입을 휴지로 가리게 하고, 휴지와 가래 등은 따로 비닐에 모아 소각한다.

008 ⑤

해설 | 신부전

⑤ 검사결과는 핍뇨와 함께 낮은 사구체여과율(정상 GFR: 90 이상)을 보여주고 있다. 즉, 환자는 만성 신부전에 가까운 상태임을 알 수 있다. 따라서 요소가 체외로 배출되지 못하여 혈액에 쌓여 혈중요소질소가 80 mg/dL로 정상치(10~26 mg/dL)에서 크게 웃돌고 있는 상태를 유추할 수 있다.

• 만성 신부전 증상: BUN 및 Cr 증가, 고나트륨혈증, 고칼슘혈증, 고마그네슘혈증, 고인산혈증 등

오답 ①의 크레아티닌은 1.0으로 정상치(0.7~1.2 mg/dL)에 해당한다.

②, ③의 나트륨과 칼륨은 정상수치에 해당하고, ④의 중탄산염은 정상수치를 살짝 웃도는 정도이다.

009 ④

해설 | 요로감염

유치도뇨는 신체에 침습적인 처치이므로 도뇨관을 몸에 삽입하는 기간이 길어질수록 균이 번식해 감염의 위험이 높다. 도뇨 부위에서 균이 번식해 상행하여 요로감염을 유발할 수 있기 때문에 수술 후 유치도뇨 기간을 최소화하는 것이 요로감염을 예방할 수 있는 방법이다.

오답 ①, ③ 회음을 습하게 하는 조이는 속옷은 피하고 면제품을 사용한다. 통목욕보다는 샤워를 권장한다.

② 감염으로 대사가 증가하므로 열량이 높고 모든 식품군을 포함한 식사를 제공한다.

⑤ 하루 3~4 L 이상의 수분 섭취를 격려하여 소변을 희석시키고 요도를 세척한다.

010 ①

해설 | 전해질 불균형

① 나트륨 농도(정상치: 135~145 mEq/L)와 중탄산염 농도(22~26 mEq/L)는 모두 정상이고, 현재 고칼슘혈증인 상태이다(정상치: 4.5~5.5 mEq/L). 고칼슘혈증일 때 부정맥, 심장마비가 나타날 수 있으며, EKG 검사 결과 ST 분절이 감소하고 QT 간격이 감소한다.

오답 ③ 저칼륨혈증 시 P파 약간 상승, PR간격 약간 길어짐, ST분절 내려가고 길어짐, T파 내려가고 편평해진다.

④ 고칼륨혈증 시 P파 넓고 편평, PR간격 넓어짐, T파 좁고 뾰족해짐, QRS 간격 넓어짐, ST 분절이 낮아진다.

—— **comment** ——

저칼륨혈증 시 *ECG* 외우기

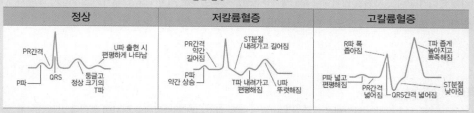

정상	저칼륨혈증	고칼륨혈증

저칼륨혈증 시 ECG 파형을 묻는 문제가 많이 나온다. 잘 외워두시길!

- 피(P)상적인 스타일(ST)내길 좋아하는 저칼륨혈증을 피할(PR)길이 없으니 티(T)내지마
- P 상승 ST 내려가고 길어짐 PR길어짐 T내려가고 편평

011 ④

해설 | 진통제

Acetaminophen의 진통능력은 아스피린과 유사하지만 위장점막에 영향을 주지 않는다는 장점이 있고, aspirin과 달리 출혈에 영향을 주지 않는다. 하지만, acetaminophen을 장기간 복용 시 간 독성과 신장 독성이 나타날 수 있다.

POWER 특강

NSAIDs

- 항염증제 중, 마약성 진통제와 스테로이드를 제외하고 소염진통 작용을 하는 약물들의 총칭
- *Aspirin, ibuprofen, naproxen, fenbufen, diclofenac, piroxicam*
- 기전: 프로스타글란딘의 합성에 필요한 COX (cyclo-oxygenase) 효소를 억제함으로써 작용함
- 작용: 관절염 등 만성 염증질환에 효과적임, 통증 완화 효과는 즉각적이지만, 항염 작용은 약 3주 정도 필요함
- 부작용: 위염과 소화성 궤양 등
- *Aspirin*은 항혈소판제제 투여(혈전색전증 이차예방 등)

—— **comment** ——

Acetaminophen (Tylenol)은 NSAID와 다르게 소염작용이 약하고 대신 해열작용이 있어 NSAIDs 약물로 분류되지 않는다.

012 ③

해설 | **간호진단 우선순위**

현재 가장 우선적인 문제는 질병과 관련된 급성 통증이기 때문에 가장 먼저 간호중재를 수행하여야 한다. 음주와 흡연 등의 습관은 응급기가 지난 이후 추후에 교육으로 중재를 해야 한다.

013 ⑤

해설 | **식도암 환자**

식도암 수술 후 환자에게 무리가 갈 수 있으므로 수술 후 초기에는 목소리를 내는 것을 삼가도록 하고, 꾸준한 **구강간호**를 통해 감염을 예방한다. 머리를 올리기 보다는 체위를 반좌위나 좌위를 취해준다. 식도암 수술 시 마취로 인해 구개반사(gag reflex)가 돌아오기 이전에 구강섭취를 한다면 흡인의 위험이 있으므로 반사가 돌아오는지 확인하고 구강 섭취를 시작한다.

014 ②

해설 | **아트로핀**

② 아트로핀(atropine)은 부교감신경 차단제로 호흡기 분비물의 양을 감소시켜 편도절제술 환자의 흡인을 방지하는 효과가 있다.

POWER 특강

아트로핀(Atropine)

- 항무스카린성 제제로, 무스카린성 아세틸콜린 수용체를 차단하고 부교감 신경계의 작용을 감소시킴
- 심박수를 증가시키는 작용이 있어 특히 저혈압을 동반하는 서맥, 서맥성 부정맥 등에도 투여함
- 소화기계 평활근 수축을 감소시켜 복통(근수축) 완화 작용
- 기관지 분비물을 감소시키고 미주신경 자극에 의한 기관지 경련을 감소시킴
- 동공을 산대시켜 안약 점적 시 사용됨

---

015 ④

해설 | **암환자 간호**

말기 암환자의 통증을 경감하기 위해 신경절제술을 시행한 후 감각지각 능력이 저하되므로 뜨거운 것을 잘 느끼지 못해 화상에 대한 위험이 존재한다. 따라서 환자의 피부에 닿는 물체의 온도에 주의하여야 한다.

016 ⑤

해설 | **급속이동 증후군(Dumping syndrome)**

위절제술 후 흔히 일어나는 합병증인 급속이동 증후군에 관한 문제이다. 음식물이 십이지장을 통과하지 못하고 너무 빠르게 공장으로 유입되기 때문에 발생한다. 급속이동 증후군에 대한 간호중재로는 고단백, 고지방, 저탄수화물 식이를 이행하고, 식사 전후 수분 섭취를 금지한다. 식사 시에는 횡와위, 식후에는 좌측위 또는 앙와위를 취한다. 그리고 음식을 소량씩 자주 섭취하여 공장으로 한꺼번에 음식물이 들어가는 것을 예방할 수 있다.

---

comment

'위절제술을 받은 환자가 식사 후 ~ 증상을 호소하였다.' → dumping syndrome부터 떠올리자!

017 ③

해설 | **담낭염**

급성 담낭염의 통증은 특징적으로 담관 폐쇄로 인해 강한 담도산통(biliary colic)이 우상복부(RUQ)와 심와부에서 갑자기 발생하고 오른쪽 어깨와 견갑골로 우상복부의 통증이 방사된다. 또한 우측 상복부 갈비뼈 아래 경계부위를 가볍게 누른 상태에서 숨을 깊게 들이마시면 갑자기 통증이 유발되어 숨을 더 이상 들이마실 수 없는 Murphy's sign (+)이 확인된다.

018 ③

해설 | **당뇨병 합병증**

고혈당 고삼투성 증후군은 제2형 당뇨병 환자가 심한 고혈당, 고삼투압, 탈수 등의 증상을 나타낼 때 일컫는 말이다. 심한 고혈당, 삼투성 이뇨로 극심한 다뇨, 다음, 빈맥, 저혈압, 심한 탈수가 나타난다. 당뇨병성 케톤산증과 달리 호흡 시 아세톤 냄새가 나는 Kussmaul 호흡은 나타나지 않는다. 고삼투압성 비케톤산증 혼수는 당뇨병의 급성 합병증인 고혈당 고삼투성 증후군과 상응하는 말이다.

019 ②

해설 | **저혈당**

저혈당의 증상에는 빈맥, 심계항진, 진전, 불안, 과민, 발한, 공복감, 이상감각, 두통, 쇠약감, 피로, 신경학적 이상, 경련, 혼수 등이 있다.

020 ①

해설 | **크론병 vs 궤양성 대장염**

크론병과 궤양성 대장염은 설사, 복통, 체중감소, 발열과 같은 공통적인 증상이 있지만, 궤양성 대장염에서는 출혈성 설사(혈변)가 특징적이다.

021 ⑤

해설 | **B형 간염**

B형 간염은 모유, 타액, 정액, 질 분비물 등 혈액이나 체액을 통한 직접, 간접 접촉에 의하므로 이것을 차단하여야 한다. 오염된 바늘이나 체액 또는 혈액과 접촉된 기구에 의해 접촉 우려가 있을 때 장갑, 마스크, 가운 등을 착용한다. 환자의 감염력이 떨어진 게 아니니 역격리나 멸균 처치는 필요하지 않으며, 사용한 바늘은 뚜껑을 닫지 않은 채로 폐기하여야 한다.

comment

역(易; 바꿀 역) 격리는 극도로 면역력이 약해진 상태의 환자가 오히려 외부 환경에 의해 미생물에 감염되는 것을 우려하여 무균실 등에 격리하는 것을 말한다.

022 ⑤

해설 | 담낭절제술 후 간호

담낭절제술 후 담관이 치유되는 동안은 정상적으로 담즙이 십이지장으로 유입되지 못한다. 따라서 지방의 소화가 어렵기 때문에 수술 후 4~6주 동안은 저지방 식이를 제공하고, 영양 결핍을 예방하기 위해 고탄수화물 식이를 제공한다. 4~6주가 지난 이후에는 과량의 지방이 아닌 적당량의 지방은 섭취가 가능하다.

> **오답** ① 튀긴 음식, 가스생성 유발음식, 계란, 튀김, 알코올을 제한한다.
> ② 수술 후 4~6주 동안 저지방식이를 유지하며, 이후 일반식이 가능하나 과도한 지방섭취는 제한한다.
> ③ 오심 및 구토 호소 시 금식한다.
> ④ Morphine은 오디괄약근의 경련을 증가시키므로 사용을 금기한다.

023 ④

해설 | 소화성 궤양

④ 둔하고(dull) 쓰린(burning) 통증은 소화성 궤양의 주 증상이다. 헬리코박터 파일로리 균 검사로 소화성 궤양을 진단할 수 있으므로 위 증상을 호소하는 환자에게 진단을 위해 우선적으로 검사를 수행해야 한다.

> **오답** ① 십이지장 궤양의 병태생리는 과도한 산 분비에 의하므로 제산제가 효과가 있지만, 위궤양은 점막의 방어능력의 결함 때문에 발생하기 때문에 제산제가 효과가 없다.
> ② 알코올이나 카페인은 위산의 분비를 촉진시키므로 옳지 않다.
> ③ 소화성 궤양 환자는 아스피린이나 NSAIDs 약물을 피하는 것이 좋다.

024 ②

해설 | 척수마취 부작용

척수마취의 합병증에는 서맥, 저혈압, 호흡억제 및 정지, 오심, 구토가 있다. 척수마취 후 부작용 예방을 위해 뇌척수액이 빠져나오지 않도록 베개 없이 편평하게 6~12시간 동안 앙와위로 안정을 시키며, 적당한 수분 공급을 한다.

025 ①

해설 | COPD 환자 간호

① COPD 환자는 분당 1~2 L의 저농도 산소를 투여해야 한다.

만성폐쇄성 폐질환 환자는 pursed lip breathing을 통해 기도 허탈을 예방한다. 식이로는 소량씩 잦은 식사, 고열량, 고단백 음식을 섭취한다. 흡연은 질환을 악화시키므로 금연을 실시해야 하며, 2~3 L/일 수분섭취를 통해 분비물을 묽게 해야 한다.

026 ②

해설 | 산–염기 균형

정상 ABGA의 결과는 다음과 같다.

pH	7.35~7.45
PaO_2	80~100 mmHg
$PaCO_2$	35~45 mmHg
HCO_3^-	22~26 mEg/L

따라서 사례의 경우 낮은 pH (산증)와 높은 $PaCO_2$ (호흡성) 정상 범위의 HCO_3^-를 통해 호흡성 산증임을 알 수 있다.

<table>
<tr><td colspan="4">POWER 특강</td></tr>
<tr><td colspan="4">산-염기 균형</td></tr>
<tr><td></td><td>pH 7.35~7.45</td><td>$PaCO_2$ 35~45 mmHg</td><td>HCO_3^- 22~26 mEq/L</td></tr>
<tr><td>호흡성 산증</td><td>↓</td><td>↑</td><td>↑ (보상성)</td></tr>
<tr><td>호흡성 알칼리증</td><td>↑</td><td>↓</td><td>↓ (보상성)</td></tr>
<tr><td>대사성 산증</td><td>↓</td><td>↓ (보상성)</td><td>↓</td></tr>
<tr><td>대사성 알칼리증</td><td>↑</td><td>↑ (보상성)</td><td>↑</td></tr>
</table>

027 ⑤

해설 | **신장 결석**

신장의 결석이 재발하는 것을 방지하기 위해 수분섭취를 증진하여 하루 소변량이 2 L 이상이 되도록 하기 위해 하루에 3 L 이상 물을 마시도록 한다. 그리고 비타민 D, 염분, 퓨린, 인산, 산성 식품 섭취를 제한하여야 한다.

028 ②

해설 | **경요도 전립선절제술 후 간호**

경요도 전립선절제술 후 매일 2,500~3,000 ml의 수분 섭취를 하고 감염 예방을 위해 항생제 복용과 방광세척을 실시한다. 방광세척은 무균술로 생리식염수를 사용하여 간헐적, 지속적으로 시행하며, 물이나 저장성 용액은 전해질 결핍을 유발하므로 사용해서는 안 된다. 치골상부를 온찜질하거나 좌욕을 통해 혈액순환이 잘 되도록 하고 자가도뇨를 통해 섭취량과 배설량을 정확하게 기록하도록 해야 한다.

029 ⑤

해설 | **메니에르병**

메니에르병 증상으로는 이명, 감각신경성 난청, 현훈이 있다. 현기증을 유발하는 동작은 회피하기보다 반복하여 손상된 균형체계를 보상한다. 점적제 용기는 체온과 같아지도록 따뜻한 물에 담가두어야 한다. 귀의 가려움증 완화를 위해 70% 알코올로 닦아준다. 갑작스러운 현훈 발생 시 평편한 바닥에 누워 현훈이 사라질 때까지 눈을 감고 있어야 한다.

030 ②

해설 | **통풍 식이**

통풍은 단백질의 일종인 퓨린(purine)의 대사장애로서 저퓨린식품과 알칼리성 식품을 섭취해야 한다. 저퓨린 식품에는 곡류, 계란, 우유, 치즈, 과일 및 주스류, 당류, 야채류가 있다. 고퓨린식품에는 내장류, 고깃국, 멸치, 술이 있다.

031 ④

해설 | **골관절염**

골관절염의 증상 중 특징적인 징후에는 손가락 원위지 관절에 골이 증식하는 해버딘 결절(Heberden's node)과 손가락 근위지 관절에 골이 증식하는 부르샤 결절(Bouchard's node)이 있다.

⑤ 골관절염 시 국소 통증은 휴식하면 완화되고, 춥거나 습기가 많을 경우 악화된다.

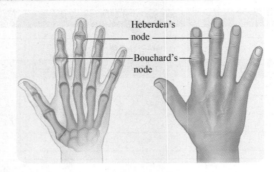

032 ③
해설 | **고관절 치환술**

고관절 전치환술 후 간호중재에 관한 문제이다. 대퇴골절 치환술(고관절 전치환술) 후 대퇴관절을 외전 상태로 유지하여야 한다. 내전 방지를 위해 다리 사이에 베개를 끼워주고, 낮은 의자에 앉거나 다리를 꼬고 앉지 않도록 하여야 한다. 관절의 굴곡은 수술 후 6~7일에는 60° 정도, 2~4개월에는 90° 정도로 제한한다.

▶ 고관절 전치환술(THA) 후 주의사항

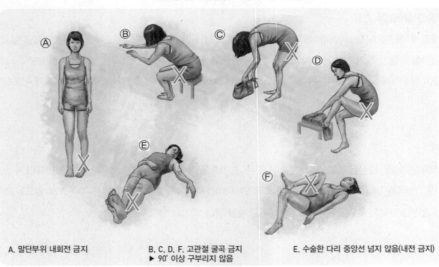

A. 말단부위 내회전 금지   B. C. D. F. 고관절 굴곡 금지   E. 수술한 다리 중앙선 넘지 않음(내전 금지)
　　　　　　　　　　　　　　　▶ 90° 이상 구부리지 않음

033 ②
해설 | **대퇴골절 내고정술**

대퇴골절 내고정술 이후 대퇴사두근 운동을 통해 관절의 구축을 예방하고 회복을 촉진시킬 수 있다.

034 ②
해설 | **절단 환자 간호**

하지절단술을 받은 환자는 사두근 강화운동을 지속하여 관절 구축을 예방하고 운동을 증진시켜야 한다. 또한 상지근육(이두박근, 삼두근)을 강화시켜 목발 보행에 대비한 근력을 길러야 한다.

035 ⑤

해설 | 골다공증

T-score는 뼈의 밀도를 수치화한 것으로, 정상인의 수치는 0이다. 위 대상자는 T점수가 -3.5점으로 골다공증의 위험이 있으며, 과도한 음주력이 있고 식욕부진 상태이며 혼자 살고 있기 때문에 영양을 골고루 섭취하기 어려운 환경에 놓여 있다. 따라서 간호사는 식욕부진으로 인한 영양부족 위험성에 대한 간호중재를 우선적으로 해야 한다.

036 ④

해설 | 심부전 약물

ACE inhibitor는 동맥을 확장시켜 1회 심박출량을 증가시키고 전신 혈압을 강하시키며, 알도스테론 분비를 억제함으로써 체액 과부하를 감소시킨다. 부작용으로 사구체 여과압의 지나친 저하로 인한 신부전과 고칼륨혈증, 혈압 저하 등이 있다.

037 ⑤

해설 | 부정맥 ECG 판독

⑤ 선행하는 P파 없고, QRS군이 넓은 이상한 모양을 띠고 있어 조기심실수축임을 알 수 있다. 조기심실수축은 SA node에서 자극이 생기기 전에 심실의 자극이 발생하는 심실 장애이다.

오답 ① 심방조동: 심방 내 흥분이 빠른 빈도로 빙글빙글 규칙적으로 돌고 있는 상태로, P파 소실, QRS폭 정상

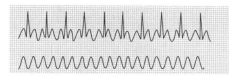

② 심방세동: 심방 내 무질서한 전기적 회귀회로가 발생해 여러 부위가 아주 빠르고 불규칙적으로 흥분한 상태로, P파 확인 불가

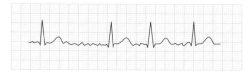

③ 심실조동: 심실이 극히 빠른 속도로 흥분하는 부정맥으로, P파 없고 QRS폭 넓음

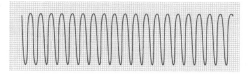

④ 심실세동: 심장이 멈춰있는 것과 같은 상태인 응급상황으로, 대부분 조기 심실수축에 의해 유발되며, P파, QRS파, T파가 없는 불규칙한 파형의 연속 상태

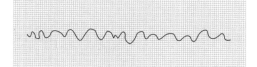

038 ④

해설 | DVT

Homan's sign 검사를 통해 심부정맥혈전증에서 다리를 뻗고 발등 쪽으로 발을 굴곡하면 다리 뒤쪽(장딴지)에서 통증이 느껴짐을 알 수 있다.

▶ Homan's sign: 장딴지에 통증이 있을 경우 양성

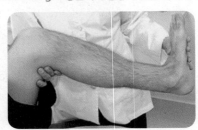

039 ④

해설 | 협심증

불안정형 협심증은 죽상경화반의 파열이나 미란과 이에 동반된 비폐쇄성 혈전으로, 안정 시 나타나는 통증이 10분 이상 지속되며 점점 악화된다. 통증이 NTG에 반응하지 않는다.

		안정형 협심증	불안정형 협심증
예측		○ (운동 등 촉진요인에 의해 발생)	X (일반적 패턴에서 벗어나 신체활동과 무관하게 나타남 ▶ 응급상황)
지속시간		5분 이내	10분 이상 지속
완화	NGT	○	X
	휴식	○	X
ECG		ST분절 하강	

[오답] ②,③ 심근경색의 진단 기준이다.

─ comment ─

안정형 협심증과 불안정형 협심증의 차이를 구분하고, 협심증과 심근경색의 차이를 구분하는 답가지가 주로 출제된다.

040 ③

해설 | 심혈관계 약물

③ Atenolol과 propranolol(Inderal)은 β₁-antagonist로 교감신경을 차단함으로써 심박동수를 감소시키고 혈압 저하, 심근 수축력 저하, 전신 혈관저항을 감소시켜 심근의 산소요구를 저하시킨다.

[오답] ⑤ Nitroglycerin은 심근의 산소요구량을 감소시키고 심근의 혈류를 증가시켜 협심증 치료에 가장 중요한 역할을 하는 약물로, 스트레스가 예견되는 상황 전에 미리 복용하면 효과적이다.

POWER 특강

베타차단제(교감신경차단제)

- Atenolol, propranolol (Inderal), esmolol
- 베타 수용체는 두 가지로 분류됨: β_1 (주로 심장), β_2 (주로 기도, 말초 혈관, 기타 기관)
- β_1 수용체의 자극은 심근수축력과 심박수를 증가시킴
- 베타차단제는 심근수축력을 감소시켜 심박수를 낮춤
- 심장선택성 베타차단제는 협심증 및 심근경색, 고혈압, 부정맥, 편두통 등에 적용

── comment ──

Inderal은 답가지의 오답으로 여러 번 출제되었다. Inderal, atenolol은 심장선택성 약물로 협심증, 심근경색, 고혈압에 투여하는 교감신경차단제이니, 급성 중증 천식에 사용되는 aminophylline과 헷갈리지 말자!

---

041 ③

해설 | 인공심박동기(pacemaker)

③ 고장 위험성 때문에 고압전류, 자력, 방사선, MRI를 피해야 한다.

- 매일 맥박을 측정함으로써 설정해 놓은 수와 비교해야 한다.
- 공항검색대, 도난방지기는 심박동기에 영향을 주지 않으나 간혹 경보음이 울릴 수 있으므로 심박동기 카드를 제시해야 한다.
- 가전제품과 전자제품은 정상적으로 사용할 수 있고, 항공기 탑승도 가능하다.

오답 ④ 현기증, 기절, 심계항진 시 보고해야 한다.

POWER 특강

인공 심장박동기(pacemaker)

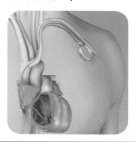

가능한 활동	불가능한 활동
• TV, 컴퓨터, 전자레인지, 전기담요, 드라이기, 복사기, 팩스 등 이용 　*cf* 절연체 히터, 10만 볼트 이상의 TV 및 라디오 접촉은 위험 • 사우나, 성생활, 운전 • CT, 초음파 검사	• 수술 후 3개월까지 심한 운동 • 이식 방향의 팔로 무거운 물건 들기 • 이식 방향으로 핸드폰 사용 및 이식방향의 주머니에 핸드폰 보관 • MRI 검사

042 ②

해설 | **심낭 압전(cardiac tamponade)**

- 심낭 압전이란 심낭염의 합병증으로 심장 눌림증을 말한다. 삼출액이 심낭강에 축적되어 발생하며 귀환 정맥혈이 감소하고 심박출량이 감소하여 심부전을 야기한다. 증상으로 혼돈, 불안, 안절부절, 경정맥 확장과 기이맥의 출현, 심음 감소가 있다.
- 기이맥이란 흡기 시 수축기 혈압이 비정상적으로 떨어지고 파동의 진폭이 작아지는 맥을 말한다.

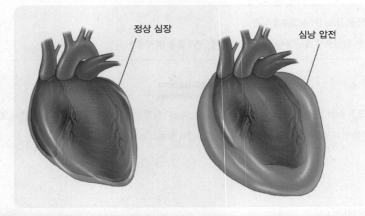

정상 심장   심낭 압전

POWER 특강

기이맥(paradoxical pulse)

- 원래 흡기 시와 호기 시에는 동맥압 차이가 발생하는데(정상적으로 8 mmHg 이하), 그 차이가 10 mmHg 이상인 경우 기이맥이라고 함
  ▶ 깊이 흡입 시 혈압 저하함
- 기이맥이 나타나는 질환 ▶ 'SPECT'
  - S: (hypovolemic) Shock
  - P: (constrictive) Pericarditis, (협착)심낭염
  - E: (pulmonary) Embolism, (폐)색전증
  - C: COPD
  - T: (cardiac) Tamponade, 심낭 압전

043 ③

해설 | **이뇨제**

Furosemide (Lasix)는 이뇨제로 정체된 수분을 배출하여 혈액량, 즉 심실의 용적(전부하)을 줄여줌으로써 결과적으로 심장의 부담을 줄여준다.

POWER 특강

루프이뇨제: frosemide (Lasix)

- 상행성 헨레고리에 작용
- 특징: 가장 효과가 강력한 이뇨제로, 소변으로 나트륨, 염소, 칼륨, 마그네슘 및 칼슘 등의 배설을 증가시키는 고효능이뇨제(high-ceiling diuretics)
- 혈관확장 작용이 있어 고혈압, 울혈성 심부전, 신성 부종, 간성 부종(복수), 말초혈관성 부종에 효과적
- 부작용: 대부분 전해질불균형과 관련(저나트륨혈증, 저칼륨혈증, 저칼슘혈증, 저마그네슘혈증), 저혈압

044 ⑤

해설 | **관상동맥우회술(CABG)**

⑤ 관상동맥우회술은 협착된 관상동맥 원위부에 내유선동맥, 우위대망동맥, 복재정맥을 이식하여 심근에 혈액을 공급해주는 수술이다. 흉관 배액 시 매 시간 100 ml 이상의 지속적 배액이 있으면 과다출혈을 의미하므로 보고해야 한다.

▶ Coronary artery bypass graft (CABG)

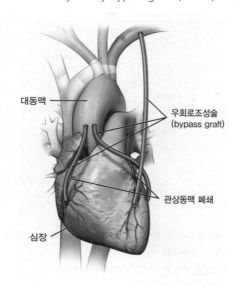

045 ④

해설 | 폐쇄성 동맥질환

④ 걷거나 운동할 때 종아리나 엉덩이가 당기는 증상이 가장 먼저 나타나는데, 이는 평소에는 혈액공급이 어느 정도 되지만 운동으로 인하여 산소가 더 많이 필요하게 될 때, 환측 혈관을 통해 피가 더 많이 공급되지 못하기 때문에 발생한다.

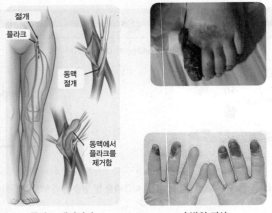

플라크 제거 수술   손발의 괴사

폐쇄성 동맥질환은 동맥내막 안쪽에서 일어나는 동맥 경화성 협착이나 진행성 또는 급성 동맥폐색, 퇴행성 변화에 의해 발생한다. 초기 증상으로 운동 시 통증이 있는 간헐적 파행이 나타나며 창백, 맥박 소실, 감각이상, 변온증(손상 부위의 냉감) 등이 나타난다.

오답 ⑤ 다리를 아래로 떨어뜨리면, 올릴 때보다 피가 조금 더 잘 통하게 되므로 통증이 약간 줄어드는 현상을 볼 수 있다.

046 ⑤

해설 | 혈전성 정맥염

대퇴혈전성 정맥염 환자에게 마사지를 하면 혈전이 떨어져 나와 혈관을 막는 색전이 일어날 수 있기 때문에 마사지를 금한다.

POWER 특강

심부정맥 혈전증(DVT)

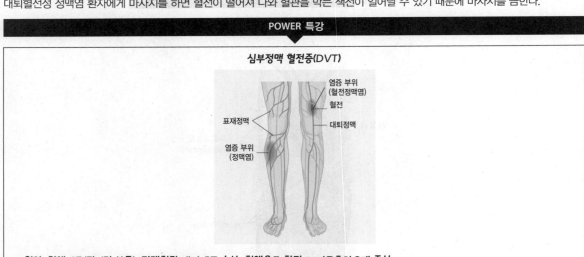

- 원인: 혈액저류(장기간 부동), 정맥혈관 내피세포 손상, 혈액응고 항진 ▶ 비르효의 3대 증상
- 증상: 요흔성 부종은 없음, 압통, 발적 및 열감, 다리감각 이상
- Homan's sign (+): 누워서 다리를 들고 발을 배굴할 때 장딴지에 통증 나타남
- 예방이 중요: 마사지 금지, 조기이상, 체위변경, 탄력스타킹, 다리 상승
- 약물: 헤파린, 와파린

047 ③

해설 | **악성빈혈**

위장관 흡수장애가 있거나 위전절제술을 받은 환자는 Vitamin B₁₂가 회장에서 흡수되지 않아 내인자 부족으로 인한 악성빈혈인 거대적 아구성 빈혈을 초래할 수 있다.

POWER 특강
악성빈혈(Vit. B₁₂ 결핍성 빈혈) • **원인:** Vit. B_{12} 부족, 위전절제술(내인자 결핍되어 위장관에서 Vit. B_{12} 흡수 방해받음) • **진단:** *Schilling test* **(+)** • **치료:** Vit. B_{12} 평생 동안 매달 근육주사(내인자 없으므로 경구로 투여해도 흡수 불능임)

048 ①

해설 | **악성빈혈**

악성빈혈은 위선분비에서 내인자의 결핍으로 인해 Vitamin B₁₂의 흡수불량으로 나타나는 자가면역질환이다. Vitamin B₁₂가 부족하면 DNA 합성이 잘 이뤄지지 않아 크기가 큰 RBC가 형성된다. 따라서 치료로는 Vitamin B₁₂를 근육주사하여 정상 적혈구를 형성해야 한다.

049 ①

해설 | **호지킨 림프종**

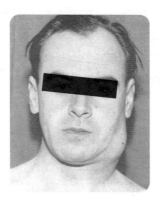

호지킨병은 림프절에 있는 비정상의 거대 다핵세포인 Reed-stemberg cell의 과다 증식으로 나타난다. 증상으로 체중감소, 열, 야간발한 등(B symptom)이 있으며 림프절이 서서히 비대하는 특징이 있다.

호지킨림프종 vs 비호지킨림프종 비교

	호지킨림프종	비호지킨림프종
빈도	10%	90%
초발부위	림프절	림프절 외(40%)
진행양식	연속성, 규칙적	비연속성, 무작위
세포 유래	밝혀지지 않음	B-CLL (90%), T-CLL (10%)
조직분류 및 병기분류	병기분류가 중요	조직분류가 중요
치료	방사선치료가 중요	화학요법 비중이 큼
백혈병 전환	어려움	쉬움
예후	비교적 양호	호지킨림프종보다 나쁨

050 ⑤

해설 | **조혈모세포 이식**

조혈모세포 이식이란 공여자의 골수, 말초혈액, 제대혈 등에서 조혈모세포를 채취하여 환자에게 이식하는 것을 말한다. 합병증으로 이식거부와 급성, 만성 이식편대숙주병이 있다. 이를 예방하기 위해 조직적합성 항원 검사를 통해 수혜자와 공여자의 HLA를 비교하여야 한다.

HLA (human leukocyte antigen, 사람백혈구항원)

조직적합성 항원(histocompatibility antigen)의 하나로, 유전자에 의해 형태가 결정된다. HLA가 적합하지 않은 것 사이의 이식은 다른 동종이형항원이 적합하지 않은 것 사이의 이식보다도 거절반응이 생기는 경향이 강하므로 이식항원에서는 가장 중요하다.

051 ③

해설 | **산-염기 균형**

정상 ABGA의 결과는 다음과 같다.

pH	7.35~7.45
PaO_2	80~100 mmHg
$PaCO_2$	35~45 mmHg
HCO_3^-	22~26 mEq/L

따라서 사례의 경우 낮은 pH (산증)와 정상 $PaCO_2$, 낮은 범위의 HCO_3^- (대사성)를 통해 대사성 산증임을 알 수 있다.

산-염기 균형			
	pH 7.35~7.45	PaCO₂ 35~45 mmHg	HCO₃⁻ 22~26 mEq/L
호흡성 산증	↓	↑	↑ (보상성)
호흡성 알칼리증	↑	↓	↓ (보상성)
대사성 산증	↓	↓ (보상성)	↓
대사성 알칼리증	↑	↑ (보상성)	↑

052 ②

해설 | 객담 대상자 간호

과도한 객담으로 인한 고압이 발생하였기 때문에 흡인을 통해 객담을 제거해주어야 한다. 흡인 전후 1~2분간은 산소 100%를 공급해야 한다.

053 ③

해설 | 무의식 환자 간호

의식이 저하된 환자가 구토 중일 경우 흡인의 위험이 있기 때문에 가장 먼저 측위를 취해줌으로써 분비물이 기도로 들어가지 않도록 해야 한다.

054 ⑤

해설 | 만성 기관지염

만성 기관지염은 감염성 자극물이나 담배연기와 같은 비감염성 자극물에 지속적으로 노출되어 발생한다. 점액선의 수와 크기가 증가하고 기관지벽이 두꺼워짐으로써 점액이 과잉생산되고 기도가 폐쇄된다.

만성 기관지염 vs 폐기종

만성 기관지염이란 2년 연속, 1년에 3개월 이상 가래가 있고 기침이 지속되는 질환이다. 만성 기관지염은 폐기종과 질병의 발생 기전 및 질병의 경과가 유사하여 이 두 질환을 한데 묶어 COPD (기도가 폐쇄되거나 좁아져 공기의 흐름 속도가 감소하는 질환) 질환군으로 분류한다.

	만성 기관지염	폐기종
병태생리	자극물에 지속적으로 노출되어 점액선 수 · 크기, 기관지벽 두꺼워짐 → 점액 과잉생산, 기도 폐쇄	지속적인 폐포 확장으로 폐포벽의 파괴와 폐의 과팽창 → 폐탄력성 손상되어 호흡곤란 두드러짐
특징적 증상	• 이른 아침 가래 섞인 기침 지속 • 호흡성 산증, 과탄산혈증, 저산소혈증	타진 시 과공명음

055 ⑤

해설 | **간호진단(폐 농양)**

화농성 객담, 분비물이 기도에 있을 때 들리는 수포음, 낮은 spO$_2$를 통해 과도한 양의 객담으로 인한 비효율적 기도 청결을 간호진단으로 내릴 수 있다.

POWER 특강

폐농양

- 병원균(주로 혐기성균)에 의해 염증이 생긴 폐 조직의 세포가 죽어서 고름이 되고, 이것이 폐 내에 고름 주머니 상태로 차있는 것을 말하며, 대부분 폐렴의 합병증으로 발생
- 증상: 객담(누렇고 악취), 기침, 호흡곤란, 흉통, 고열, 악설음·둔탁음
- 치료: 항생제(페니실린) 6주 이상

056 ①

해설 | **흉막삼출(plerural effusion)**

흉막삼출이란 늑막의 병변이 생겨 늑막 표면에 삼출액이 과잉 생산되어 늑막강 내 액체가 비정상적으로 축적된 것을 말한다. 증상으로 흡기, 기침 시 악화되는 일측성 흉통과 마른기침, 고열, 전신 쇠약감, 청진 시 호흡음 감소가 있다.

POWER 특강

흉막삼출(늑막삼출, 흉수)

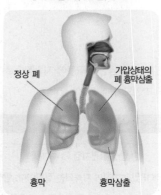

정상 폐 　　가압상태의 폐 흉막삼출

흉막 　　흉막삼출

흉막삼출이란 흉막강 내 정상 이상으로 고인 액체를 말한다. 흉막강은 벽측 흉막과 장측 흉막으로 둘러싸인 공간으로, 흉막강에는 정상적으로 소량(5~10 ml)의 흉수가 존재하며, 생리적으로 호흡 운동 시 폐 확장을 촉진하는 한편, 폐와 흉벽을 연결함으로써 폐의 팽창을 유지하게끔 도와주는 역할을 한다. 정상적인 흉수는 모세혈관의 정수압과 삼투압의 차이 및 림프관으로의 배출 등을 통해 일정한 양이 유지된다. 이러한 생성-흡수의 기전에 변화가 초래되면 과도한 양의 흉수가 발생하게 된다. 흉막삼출이 발생하면 일반적으로 흉막성 흉통이 발생하는데 이는 기침이나 깊은 숨을 쉴 때 흉벽 쪽으로 유발되는 통증을 말하며, 그 양이 많은 경우 호흡 곤란을 초래할 수 있다.

057 ③

해설 | **COPD**

- 정상 ABGA의 결과는 다음과 같다.

pH	7.35~7.45
PaO₂	80~100 mmHg
PaCO₂	35~45 mmHg
HCO₃⁻	22~26 mEq/L

따라서 사례의 경우 낮은 pH (산증)와 높은 PaCO₂ (호흡성), 정상 범위의 HCO₃⁻를 통해 호흡성 산증이 나타난 대상자임을 알 수 있다.

- 호흡 증진 간호를 실시한다: 반좌위, 수분섭취 증가 및 가습요법을 통한 객담 연화, 기도청결을 위해 체위배액 및 폐 물리요법, 입술 오므린 호흡 등
- 산소는 비강 캐뉼라를 통해 낮은 농도로 공급한다.

058 ③

해설 | **장루 간호**

장루주위 피부는 물로 깨끗이 닦고 완전히 건조시키며 순한 비누를 사용하여야 한다. 주머니는 1/3~1/2 정도 찼을 때 비우며 2,000~3,000 ml/일 수분 섭취를 권장한다. 회장루의 경우 대변의 농도가 액체성에서 반액체성이므로 주머니와 피부보호막이 항상 필요하다.

POWER 특강

장루(인공항문)

- 소장 및 대장 내 질병으로 인해 소장 혹은 대장의 일부를 복벽을 통해 꺼내서 장에 구멍을 내어 복부에 고정한 것
- 항문을 대신하여 변을 배출하며 장루 이하 부위의 항문 쪽 하부장관으로 장 내용물이 지나가는 것을 방지하거나, 하부장관이 막혀서 장이 늘어난 경우에 장 팽창을 감압하기 위하여 만듦
- 장루 조설이 필요한 질환: 직장암, 대장암, 궤양성 대장염, 크론씨병, 항문암 등
- 합병증: 대변, 알러지에 의한 피부 손상, 장루주위 탈장, 출혈, 장루 탈출, 함몰
- 장루 교환: 장루 활동이 활발하지 않은 시간대에 교환, 수술 초기에는 주 2회 정도 교체하나 개인마다 적절한 교체시기를 찾아 일반적으로 5~7일마다 교체함
- 장 세척: 장루 속으로 세척액을 주입하여 대장을 팽창시키고 대장벽의 신경을 자극하여 대장의 수축을 유발하여 배변을 효과적으로 할 수 있도록 함
- 식이: 2,000-3,000 ml/일 수분섭취 권장, 장운동 항진될 수 있는 고지방 · 고섬유식이 제한함. 양파, 달걀 등의 냄새 유발 식이는 섭취 시 주의함
- 일상생활: 관리방법 숙지하면 수영, 사우나, 성생활 등 일상생활 가능하나, 격렬한 운동은 피하도록 함

059 ⑤

알츠하이머 환자를 간호 시 안전한 환경을 제공해야 하기 때문에 환자가 혼란스러워 할 때 함께 있어주는 것이 바람직하다. 과거의 경험에 대해 적절히 회상하여 기억력을 증진시키고 간단한 단어와 문장을 사용하여 이해를 도모해야 한다.

POWER 특강

알츠하이머병

신경원섬유 변화
세포내의 타우단백질이 꼬인 섬유를 형성하여 축적된다.

변성된 신경세포

노인반점

아밀로이드

별모양의 글리아세포

소글리아세포

아밀로이드 β 단백질이 아밀로이드라 불리는 가는 섬유를 형성하여 신경세포 공간에 침착한다.

대뇌피질에 나타나는 신경원섬유 변화

대뇌피질에 나타나는 노인반점

- 치매를 일으키는 가장 흔한 퇴행성 뇌질환으로 서서히 발병하여 기억력을 포함한 인지기능의 악화가 점진적으로 진행되는 병
- 육안 관찰 시 신경세포 소실로 인해 전반적 뇌 위축 소견이 보임, 뇌조직 검사 시 신경반과 신경섬유 다발 등이 관찰됨
- 증상: 기억력 감퇴, 언어능력 저하, 지남력 저하, 판단력 및 일상생활수행능력 저하, 정신행동 증가(성격변화, 초조행동, 우울증, 망상, 환각, 공격성 증가, 수면장애, 무감동 및 무관심), 일몰증후군(저녁이 되면 혼돈이 심해짐)

060 ⑤

알츠하이머 환자의 경우 지남력을 증진시키고, 배회 시 안전한 환경을 제공해야 한다. 억제대와 격리, 진정제 투여는 증상을 악화시킬 여지가 있으므로 사용하지 않는다.

061 ⑤

해설 | 섬망 간호

노인환자의 경우 수술 후 급성적으로 섬망 증상이 나타날 수 있다. 섬망 시 사고장애, 착각, 불안, 흥분 등을 보인다. 따라서 섬망 증상의
여부를 확인하고 안전한 환경을 제공해야 한다.

POWER 특강

섬망의 구분

- 다양한 원인에 의해 갑자기 발생한 의식의 장애, 주의력 저하, 언어력 저하 등 인지기능 전반의 장애와 정신병적 증상을 유발하는 신경정신
  질환이다.
- 혼돈(confusion)과 비슷하지만 심한 과다행동(예를 들어 안절부절 못하고, 잠을 안 자고, 소리를 지르고, 주사기를 빼내는 행위)과 생생
  한 환각, 초조함과 떨림 등이 자주 나타난다.
- 치매와 구별해 본다면 가장 뚜렷한 차이점은 '지속성'이다. 섬망은 증상이 수일 이내 급격히 발생하여 원인이 교정되면 수일 이내 호전되고
  하루 중에도 증상의 변동이 심한 편이지만, 이에 비해 치매(퇴행성 치매)는 수개월에 걸쳐 증상이 생기고 증상의 심각성 역시 비교적 큰 변
  동 없이 일정한 편이다.

062 ④

해설 | 알츠하이머병 증상

알츠하이머의 초기 증상으로는 최근 기억을 중심으로 한 기억상실이 두드러진다. 알츠하이머가 진전되면 언어 장애, 지남력 상실, 인지
력 감소가 나타난다.

POWER 특강

알츠하이머병

기억력 감퇴는 알츠하이머병의 초기부터 가장 흔하게 나타나는 증상이다. 최근의 대화 내용을 반복적으로 묻게 되고, 약속을 잊는 일이 잦아지
며, 최근에 있었던 일이나 사건을 기억하지 못하는 등의 증상이 나타나게 된다. 좀 더 진행하면 사람 만난 일을 잊거나 식사를 하고 난 지 얼마
되지 않아 밥을 찾기도 하며 금방 들었던 말도 곧 잊어버리게 된다. 초기에는 자신의 신상에 관한 정보(가족 이름, 주소, 태어난 곳, 출신 학교,
직업 등)나 오래된 과거에 대한 기억은 비교적 잘 유지되는데, 병이 진행하면 점차 이마저도 잊게 된다.

063 ②

해설 | 일과성 허혈발작

마비 증세와 의식 상실 이후 24시간 내에 후유증 없이 회복된 것으로 보아 일과성 허혈발작임을 알 수 있다. 일시적 뇌혈류 부전현상으
로 발생하였으며, 이는 향후 뇌졸중이 초래될 수 있다는 경고 및 전구증상이 되므로 뇌졸중 검사를 받아볼 필요가 있다.

일과성 허혈발작(transient ischemic attack, TIA)

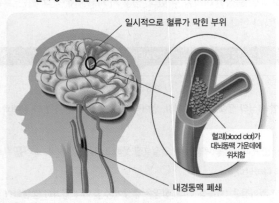

일시적으로 혈류가 막힌 부위

혈괴(blood clot)가
대뇌동맥 가운데에
위치함

내경동맥 폐쇄

- 뇌졸중은 뇌허혈성 뇌졸중과 출혈성 뇌졸중으로 구분되는데, 일과성 허혈발작은 뇌로 가는 혈액이 일시적으로 부족해서 생기는 뇌졸중 증상이 발생한 지 24시간 이내에(보통 수분에서 1시간 이내) 완전히 회복되는 것을 말한다.
- 일과성 허혈발작은 뇌경색이 올 수 있다는 경고 또는 전구증상임에도 불구하고 보통 일반인들은 뇌졸중이 저절로 치료되었다고 생각하면서 적절한 진료를 받지 않는 경우가 흔하다. 발생한 직후에는 특히 뇌경색이 발생할 위험이 높아, 이틀 이내에 5%, 1주일 이내에 11%의 환자에서 뇌경색이 따라 발생하며, 특히 발작이 여러 번 있을수록 뇌경색의 발생 위험도가 증가한다.

064 ④

해설 | **신경계 검사**

뇌혈관 조영술은 뇌혈관의 순환상태를 확인하기 위해 실시한다. 형광투시경 하에 대퇴동맥이나 요골동맥으로 도관을 삽입하여 추골동맥이나 총경동맥을 통해 두개 내 혈관 상태를 관찰한다.

뇌혈관 조영술

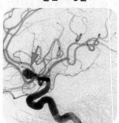

- 뇌혈관 조영검사란 뇌혈관 속에 조영제를 주입하고 X선 촬영을 하여 뇌혈관 이상 유무를 확인하는 검사법이다. 하지의 대퇴동맥 혹은 상지의 요골동맥으로 도관(카테터)을 넣고 뇌혈관에 위치시킨 후 적절한 양의 조영제를 주입하면서 수초간 연속적으로 X선 촬영을 하면 뇌혈관이 진하게 잘 보인다.
- 진단 질환: 뇌동맥류, 뇌혈관 협착, 뇌졸중, 뇌동정맥 기형, 뇌동정맥루, 과혈관성 뇌종양

065 ④

해설 | **뇌막염(수막염, 뇌수막염)**

뇌막염은 세균이나 바이러스로 인해 발병한다. 많은 양의 항생제 투여를 통해 치료를 시작하며 배양결과가 나오고 항생제에 의한 효과가 보일 때까지 24시간 동안 격리해야 한다.

POWER 특강

뇌막염(meningitis)

- 수막이나 뇌와 척수에 있는 막의 염증으로, 지주막과 연막 사이에 존재하는 지주막하 공간에 호발
- 바이러스가 뇌척수액 공간으로 침투하여 발생하는 급성 무균성 수막염, 폐렴연쇄구균·인플루엔자간균·수막구균에 의한 세균성 수막염으로 분류
- 증상: 갑작스럽게 열, 두통, 오한, 고열(38 ℃ 이상) 등이 나타나며, 진찰상 수막자극징후(목 경직, 광선공포증) 등이 있음
  ▶ 일반적인 감기나 독감과 비교할 때 그 강도가 상당히 심함
- 진단: 뇌막자극 증상(Kernig sign, Brudzinski sign 양성) 뇌척수액 검사(백혈구증가, 당 수치 감소), CT, MRI
- 치료: 세균성 수막염이 의심되면 즉시 항생제를 투여해야 함, 바이러스성 수막염은 열, 두통, 탈수증세 등에 대한 증상 완화 요법만으로도 충분함

▶ 뇌막 자극 징후

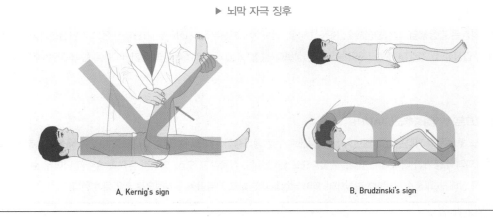

A. Kernig's sign B. Brudzinski's sign

---

066 ②

해설 | **안면신경 마비**

안면신경 마비(Bell's palsy)의 증상으로, 얼굴근육의 마비로 인해 입이 비뚤어지고 눈이 잘 감기지 않으며 이마의 주름을 만들 수 없다. 또한 감각이 둔화되고 미각이 감소하며 혀의 마비와 구음장애가 올 수 있다. 얼굴, 눈, 귀 뒤에 통증이 있으며 눈을 깜박이지 못하여 각막이 건조한 토안이 있을 수 있다.

안면신경 마비(Bell's palsy)

· 안면근육을 지배하는 제7뇌신경을 침범하여 갑자기 마비를 초래하는 신경장애
· 제7뇌신경: 안면근육의 운동, 혀의 전면 2/3의 미각 담당
· 입이 비뚤어지고 얼굴의 이상감각, 환측 눈이 감기지 않음, 혀의 마비 및 미각 감소

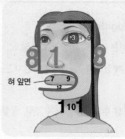

혀 앞면

▶ 뇌신경이 지배하는 부위

▶ 안면신경 마비

067 ⑤

해설 | **갑상샘 기능저하증**

갑상샘 기능저하증은 갑상샘염, 갑상샘절제술, 중동석 약물, 뇌하수체 기능부전, 시상하부 기능부전 등으로 발생한다. TSH (갑상샘자극호르몬)의 증가, 갑상샘 호르몬(T4 또는 T3)의 농도가 정상보다 감소, 혈청 내 콜레스테롤의 증가, ECG를 통해 진단 내릴 수 있다.

068 ④

해설 | **항이뇨호르몬 부적절증후군(SIADH)**

SIADH는 항이뇨 호르몬의 과다분비로 인한 수분의 정체로 수분 중독증이 나타날 수 있다. 소변으로 나트륨 배설과 수분의 재흡수가 일어나 부종, 세포외액의 증가가 나타나며 저나트륨혈증으로 인한 두통, 식욕감퇴, 오심, 의식의 혼탁과 혼수가 나타날 수 있다. 따라서 대상자의 신경학적 상태 변화(혼수, 경련)를 관찰해야 하며 낙상을 예방하고 지남력을 주기적으로 확인해야 한다.

SIADH

항이뇨호르몬이나 항이뇨호르몬 유사물질의 생성과 분비가 부적절하게 지속되는 상태를 말한다. SIADH가 발생하게 되면 혈중 삼투압이 낮은 데에도 불구하고 항이뇨호르몬이 계속 분비됨에 따라 몸 안에 수분이 저류되어 저나트륨혈증이 발생하고 혈류량이 증가하게 된다. 수분 저류에 의해 순환 혈류량이 10% 이상 증가하게 되면 보상기전에 의해 저나트륨혈증이 있음에도 불구하고 소변으로 나트륨이 배출되는 현상이 일어난다. 이로 인해 수분 저류에도 불구하고 부종은 발생하지 않는 것이 특징이다.

069 ②

해설 | **부신절제술**

부신절제술 후 스테로이드 치료를 받는 환자의 경우에는 감염에 대한 저항력이 약해질 위험이 있다. 따라서 감기나 감염성 질환자와의 접촉을 피해야 한다. 스테로이드는 스케줄에 맞게 복용해야 하며 취침 전에 투약하면 수면을 방해할 수 있다. 신체적 스트레스 및 정신적 스트레스가 심할 때는 처방에 따라 용량을 증가해야 한다. 양측 절제술일 경우 평생 동안 호르몬 대체 요법이 필요하다.

부신

부신피질은 글루코코르티코이드, 염류코르티코이드, 남성 호르몬을 만들고 분비한다. 글루코코르티코이드는 스트레스나 자극에 대한 우리 몸의 대사와 면역 반응을 조절하고, 염류코르티코이드(알도스테론)는 혈압, 혈액량, 전해질 조절에 관여한다. 남성 호르몬은 이차 성징의 발현에 영향을 준다. 부신수질은 에피네프린과 노르에피네프린을 만들고 분비하는데, 이는 혈압 조절에 중요한 역할을 한다.

070 ③

해설 | 망막박리

망막박리는 망막이 찢어지거나 구멍이 나면서 망막 안쪽의 감각층과 바깥쪽의 색소상피층 사이가 분리되는 질환이다. 증상으로 통증 없이 갑자기 발생하며 눈앞이 번쩍거리는 광시, 점차적으로 악화되는 흐린 시력이 나타나며, 눈앞에 커튼이 쳐진 것처럼 느껴질 수 있다.

망막박리

- 망막박리를 암시하는 전구 증상이 있는데, 이는 눈 앞에 번쩍거리는 것이 보이거나(광시증), 먼지 같은 것이 보이는 것(비문증)을 말한다.
- 망막박리는 흔히 주변부에서 시작되어 중심부로 진행되어 시야가 좁아지게 되는데, 환자들은 눈앞에 검은 장막이 쳐진 것처럼 일부는 보이고 일부는 보이지 않아 마치 커튼이 쳐진 것 같다고 호소한다. 망막 박리가 황반부까지 진행되면 시력이 심하게 감소되고, 변형 시(사물이 찌그러져 보이는 증상)와 색각 장애(색맹)도 나타날 수 있다.
- 갑자기 눈앞에 뭔가 번쩍거리고 커튼이 쳐진 듯 시력 및 시야 장애가 생긴 경우 망막박리 및 열공을 의심하게 되며 안과적 검사를 통해 진단을 내리게 된다.

▶ 망막박리의 증상

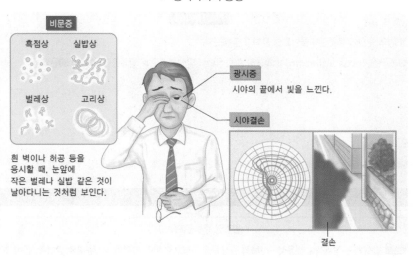

071 ③

해설 | 여성건강간호의 목적

여성건강간호의 광의의 목적, 즉 포괄적 범위는 모성 역할뿐만 아니라 여성의 삶 전체와 가족중심 접근방법으로 간호하는 것이다.

오답 ①,②,⑤ 협의의 목적으로, 여성의 성 특성과 관련하여 사춘기에서부터 폐경기 이후의 여성에 대한 접근 방법이다.

④ 어느 목적에도 부합하지 않는다.

072 ②

해설 | 월경곤란증

경구피임약은 프로스타글란딘 합성 억제제(NSAIDs)에 반응하지 않을 때 사용할 수 있는 약물이다.

POWER 특강

원발성 월경곤란증

- 골반의 기질적 병변이 없는 생리통으로, 월경주기 분비기에 발생되는 프로스타글란딘이 과도하게 합성되어 자궁근의 과도한 수축을 촉진하여 발생한다.
- 비스테로이드성 항염증제(NSAIDs, 진통제)는 자궁수축을 일으켜 통증을 유발하는 물질인 프로스타글란딘의 생성을 억제하기 때문에 월경통 시작 직전 혹은 시작된 후 복용하기 시작하여 6~8시간마다 규칙적으로 복용하여 지속적으로 프로스타글란딘의 생성을 차단한다.
- 경구 복합 피임약도 일차성 월경통의 치료제가 될 수 있다. 복합 피임제는 배란을 억제하고, 자궁내막의 증식을 억제하는 효과가 있고, 자궁내막을 프로스타글란딘 농도가 가장 낮은 초기 증식기 내막(배란 전 자궁내막) 상태로 만들어주기 때문에 일차성 월경통에 효과적이다.

comment

간혹 월경곤란증(월경통)의 원인이 무엇인지 물어보는 문제가 출제된다.

월경곤란증은 프로스타글란딘(prostaglandin)이 과도하게 합성되어 발생하죠? ▶ 월경곤란증은 피(프)곤해!

073 ③

해설 | 월경전 증후군(PMS)

카페인은 중추신경계에 작용하여 정신을 각성시켜 불안, 예민 등의 월경전 증후군 정서 증상을 악화시킬 수 있다.

POWER 특강

월경전 증후군(PMS)

- 월경 전에 반복적으로 발생하는 정서적·행동적·신체적 증상들을 특징으로 하는 일련의 증상군으로 유방통, 몸이 붓는 느낌, 두통 등의 신체적 증상과 기분의 변동, 우울감, 불안, 공격성 등의 심리적 변화 등이 흔한 증상이다.
- 단계적 치료법이 권장된다: ① 생활습관 교정(증상 기록, 식습관 교정, 유산소 운동, 스트레스 조절), ② 보충제(칼슘, 마그네슘, Vit. B_6, Vit. E), ③ 약물(NSAIDs, Spironololactone, 항정신성 약물, 배란억제제)
- 충분한 영양 섭취를 하고 소금, 알코올, 카페인, 정제된 탄수화물 및 설탕의 섭취를 줄인다.

074 ③

해설 | 자궁암

① 조직생검(Biopsy): 최종적 진단을 내리기 위한 검사, 경부 조직 일부를 떼어 내어 검사

② 쉴러검사(Schiller test): 조직 생검 전 병소를 정확히 확인, 요오드 용액 도포. 정상세포(적갈색: 정상세포는 글리코겐을 함유하여 요오드와 반응, Schiller 음성), 암세포(암세포는 글리코겐이 적거나 없어서 반응 안 함, Schiller 양성)

③ 세포진검사(Pap smear): 자궁경부암 호발 부위인 편평원주상피세포 접합부의 세포를 면봉으로 채취하여 형태 관찰

④ 질 확대경 검사(Colposcipy): 세포진 검사와 병행, 자궁경부 이상 소견의 종류, 정도, 범위 파악. 3~5% 초산을 경부에 적용하여 질 확대경을 통해 병변 확인(경부에 3~5% 초산 용액 적용 후 흰색으로 변하면 이상소견)

⑤ 원추절제술(Conization): 원추 생검으로, 일반적으로 진단과 치료를 겸한 목적으로 실시

POWER 특강

자궁경부암 진단법

- **자궁경부 세포검사(Pap test):** 자궁경부암을 조기에 진단하여 자궁경부암의 빈도를 낮추는 데 큰 기여를 한 검사 방법으로, 편평원주상피세포 접합부에서 세포를 채취함

- **쉴러 검사(Schiller test):** 조직생검 전 병소를 정확히 확인하기 위해 요오드 용액을 도포하는 검사로, 암세포 시 노란색을 띔

- **질확대경 검사(colposcopy):** 자궁경부 세포검사 결과가 비정상일 때 병적인 변화가 나타난 부분을 확대하여 관찰함으로써 조직검사나 치료를 시행하는 방법. 자궁경부의 여러 가지 이상 징후를 직접 눈으로 확인하면서 의심되는 부위에 대한 조직생검이나 치료를 시행할 수 있는 도구임

- **조직생검(biopsy):** 질확대경에 의해 병적인 변화가 관찰될 경우 조직생검을 통하여 확진해야 하는데, 이 검사는 아주 적은 부분의 자궁경부조직을 떼어내어 현미경적인 검사하여 조직학적인 진단을 얻는 과정임

- **원추 절제술(conization):** 조직생검보다 더 많은 조직이 필요할 때 자궁경부를 원추형으로 도려내어 조직학적인 진단을 얻는 방법으로, 미세침윤암의 경우 암세포가 침습한 깊이를 확인하기 위해 반드시 시행해야 하는 검사임

- **환상투열요법(LEEP):** 암은 아니지만 비정상세포가 발견되는 전암 단계에서 시행할 경우 진단과 동시에 치료도 가능하며, 시술이 쉽고 빠르며 간편함

075 ②

해설 | **기초체온**

증식기(난포기)에 저온을 유지하다가 배란기에 약간 하강 후 배란 후 분비기(황체기)에 고온(0.3~0.6 ℃)으로 상승한다.

POWER 특강

기초체온(basal body temperature)

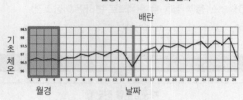

월경주기에 따른 체온변화

배란

기초체온 / 월경 / 날짜

충분한 수면을 취한 뒤 일어나 아무런 활동도 하지 않은 상태에서의 체온이다. 여성의 경우 배란(ovulation) 후에 약간 상승하기 때문에 배란이 일어나는 시기와 배란이 정상적으로 이루어지는가를 확인할 수 있다.

076 ⑤

해설 | **폐경**

초기에 에스트로겐 분비가 저하되어 에스트로겐의 시상하부에 대한 음성 되먹임 기전이 약화되고, 이로 인해 뇌하수체의 FSH (난포자극호르몬) 분비가 증가된다.

077 ⑤

해설 | **자궁암**

① 폐경 후 자궁 출혈, 만성 골반통, 월경과다, 월경통이 나타남

② 조직 생검으로 확인됨. pap-smear는 자궁경부암 조기발견 위한 선별검사임

③ 자궁내막 표면에만 국한하지 않고 근층, 장막층, 경부까지 침범

④ 옅은 색의 비정상 대하가 혈성으로 변함

⑤ 장기간 에스트로겐에 의한 자극으로 미산부, 늦은 폐경, 무배란성 월경에 의한 불임증이나 월경

POWER 특강

편평원주접합부(SCJ)와 자궁경부 상피내 종양

• 자궁경부의 상피는 내부 자궁경부에 위치하는 원주 상피세포와 외부 자궁경부에 존재하는 편평 상피세포로 나눌 수 있으며, 내부와 외부의 연결 부위는 편평원주 접합부(squamo-columnar junction, SCJ)라고 부른다. 여성 호르몬, 질 상피세포의 산성화와 체내의 생리적 변화에 의해 원주 상피세포들이 편평 상피세포로 변하는 정상적인 과정을 화생(metaplasia; 변질형성, 일단 변화된 조직이 형태 및 기능적으로 다른 조직의 성상을 띠는 것)이라고 한다.

• 편평원주 경계면 주위에서 화생이 일어나는 부위를 변형대(transformation zone)라고 하는데, 성관계에 의해 암을 일으키는 물질들이 정상적인 생리적 변화를 자극하여 변형대의 세포가 암세포의 전 단계인 이형세포로 변화되는 비정상적인 과정을 이형화(dysplasia)라고 하며, 이러한 이형세포가 존재하는 것을 자궁경부 상피내 종양(CIN)이라고 한다.

078 ④

해설 | **콘딜로마(곤지름, 성기 사마귀)**

첨형 콘딜로마(뽀족 콘딜로마): 남녀의 성기 외부에 많이 발생하는 양성 종양으로, 닭의 벗처럼 표면이 우툴두툴하고 각질화된 독특한 형태를 하고 있다. HPV가 피부, 점막의 상피세포를 감염시키고 감염된 세포는 종양화된다. 감염 후 1~6개월 이내에 증상이 나타난다.

POWER 특강

HPV (human papilloma virus) ▶ 첨형 콘딜로마 or 자궁경부암

- HPV는 현재 약 80종의 형태로 분류되어 있으며, 형태에 따라 첨형 콘딜로마가 되거나 자궁경부암이 된다는 것이다. 6, 11형(양성형)은 첨형 콘딜로마, 16, 18형은 자궁경부암, 음경암의 원인이 된다.
- 첨형 콘딜로마와 자궁경부암의 관계: 첨형 콘딜로마는 몇 년이 지나도 악성화되지 않는다. 만일 종양이 악성화되었다면 대부분의 경우는 HPV 16형 또는 18형으로 인해 생긴 종양을 첨형 콘딜로마로 오진한 것이다. 또한 악성형의 HPV에 감염되었다고 해도 암 발생으로 연결되는 것은 그 중 1% 정도이다.

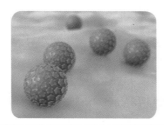

079 ⑤

해설 | **수술 후 간호**

- 수술 후 48시간 정도 유치도뇨관을 방광에 삽입하여 방광을 쉬게 함
- 잦은 체위변경과 비위관 관리는 배액과 장운동을 촉진하여 복부팽만을 예방
- 비뇨기계간호로 항생제(감염예방), 충분한 수액요법, 방광 반상출혈 가능(6주간 지속), 장기간 소변정체 시 방광 훈련
- 복강경 이용한 자궁절제술 시: 이산화탄소 가스 주입으로 인해 횡격막 신경이 자극되어 견갑통과 불편함 호소 가능(이산화탄소 흡수되면서 서서히 회복됨을 사전에 교육)

comment

전자궁절제술에 대해 묻는 문제라기보다는, 수술 후 간호중재에 대해 물어보는 문제라고 볼 수 있다. 수술 후 간호 중 항상 출제되는 개념은 심호흡 + 체위변경 → 조기이상! 조기이상이란, 수술 후 환자의 호흡이나 순환기능을 촉진해 체력의 회복을 빨리하기 위하여, 수술 직후부터 조금씩 체위변경을 시행하고 심호흡을 시켜 될 수 있는 한 빨리 환자 혼자서 기상이나 보행을 할 수 있도록 하는 것이다.

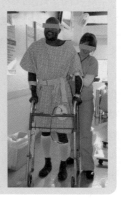

수술 후 간호: 체위변경 → 조기이상

1) 체위변경

- 목적: 신체선열 유지, 근육 구축 방지, 배액 촉진하여 효율적 호흡, 부적절한 동작으로 인한 손상 방지
- 유의사항: 체위 변경은 2시간 마다, 가능한 한 호흡하기 쉬운 체위 권장, 체위 변경 시에는 수술 부위를 복대로 지지, 혈관에 압력이 가하는 체위는 피함

2) 조기이상

- 목적: 폐 기능 회복 강화, 위장관계 기능 회복 촉진, 하지 순환 증진(혈전성 정맥염 예방), 운동 후 수면 유도, 순환 및 근수축 증가
- 유의사항: 처방 시 탄력스타킹 착용, 침대 가에 다리를 내리도록 도움, 보행은 서서히 증가

080 ①

해설 | **자궁내막증의 합병증**

자궁내막증의 대표적인 증상은 성교 곤란증, 월경 곤란증, 불임이다. 불임의 가능성은 약 75%이다.

━ comment ━

자궁내막증과 자궁내막 '증식증'을 헷갈리지 말자! 자궁내막증식증은 자궁내막이 비정상적으로 증식하여 내막조직의 구성이 달라진 상태를 말한다.

자궁내막증

자궁내막증의 발생 위치

- 자궁내막의 선(gland)조직과 기질(stroma)이 자궁이 아닌 다른 부위의 조직에 부착하여 증식하는 것을 의미한다.
- 증상으로는 성교통과 월경 직전에 동반되는 골반통(월경통), 임신율 저하, 요관폐색 등이 있다.
- 자궁내막증 치료의 목적은 병적인 변화가 나타난 부위를 제거함과 동시에 자궁내막증과 연관되는 후유증(동통 및 불임)을 치료하는 것으로, 수술 및 약물(호르몬치료)등이 병행된다.
- 합병증: 골반 내 장기끼리 서로 붙어버리는 골반유착으로 통증, 불임 등이 진행될 수 있다.

081 ④

해설 | **자궁저부 위치**

검상돌기 바로 아래까지 올라왔을 때를 최고 높이로 보는데, 일반적으로 임신 36주에 최고 높이에 도달한다. 32주에는 제와부위 3횡지 ~검상돌기 사이에 위치할 때 정상으로 간주하기 때문에, 32주에 검상돌기에 위치한 것은 자궁근 섬유의 비대 등 자궁이 비정상적으로 커져 있다고 볼 수 있다.

산과력

- 두자리 표기(G/P): 총 임신횟수(gravida)/출산수(para)
- 네자리 표기(TPAL): 만삭분만수(term birth)-조기분만수(Preterm birth)-유산수(abortion)-현재 생존아(living baby)
- 다섯자리 표기(GTPAL): 출산과 관계없이 현재 임신을 포함한 총 임신횟수(G) + 네자리 표기(TPAL)

— comment —

산과력 문제는 자주 출제된다! 개념을 잘 익혀두자. 만삭분만을 했다고 반드시 아이가 생존하는 것은 아니고, 조산하였다 해서 아이가 반드시 유산되는 것도 아니다.

- para 1-2-2-1 ▶ 만삭분만 1회, 조산 2회, 유산 2회, 생존아 1명
- para 4-2-1-1-3 ▶ 총 임신횟수 4회, 그 중 만삭분만 2회, 조산 1회, 유산 1회, 현재 생존아 3명(유산한 아이가 생존함)

082 ④

해설 | **불임 검사**

자궁내막검사는 월경주기 중 황체기(월경시작 7일 전)에 실시하며, 황체기는 배란 후 바로 시작된다.

자궁내막검사(생검)

자궁내막의 병태를 바르게 파악해 적절한 치료를 하기 위해서 쓰는 수단의 하나로, 진단의 목적으로 자궁내막조직의 일부(또는 전부)를 소파술로 채취하여 병리조직학적 구조를 조사하는 검사이다. 배란 이후 황체기에는 자궁내막이 10~14 mm 정도로, 가장 두꺼운 시기이다.

— comment —

자궁내막 검사의 적절한 시기가 연달아 여러 번 출제되었다. 배란 직후이자 월경 시작 7일 전인 황체기를 기억해 두자!

083 ②

해설 | **임신에 따른 생리적 변화**

임신 6주에 부종이 생기면서 경부가 부드러워지는 Goodell's sign이 나타난다.

오답 ① 에스트로겐, 프로게스테론의 영향으로 선조직이 활성화되어 점액분비가 증가된다.

③ 자궁 경부로의 혈류 및 결체조직이 증가하여 경부는 부드러워지고 유연해 진다(Goodell's sign).

④ 임신 동안 질 상피 내 글리코겐이 풍부해져 모닐리아성 질염 등 곰팡이균 감염이 호발한다.

⑤ Braxton–Hick's 수축은 임신 초기~말기까지 간헐적으로 나타나는 불규칙적이고 무통성인 자궁수축이다.

084 ②

해설 | 임신 중 검사

- 베타 hCG검사는 임신 60~90일 경 농도가 최고에 달하며, 임신 2~3기에는 상대적으로 감소. 임신 1기 비정상적으로 낮으면 절박유산, 자궁외 임신, 임신 2기 비정상적으로 높은 수치는 포상기태, 다태임신
- 알파태아단백은 태아의 신경관결함 확인하는 것으로 상승 시 신경관 결함(이분척추, 무뇌아 등), 하강시 염색체 삼체성(다운 증후군 등)
- 융모막융모생검은 임신 1기에 유전적 진단을 위해 영양막 조직 검사, 염색체분석, 유전질환 진단
- 매독혈청검사은 모체의 매독감염 확인. 임신 16~20주 이전에는 태반이 방어막 역할 수행, 20주 이후 태반 통과

085 ②

해설 | 태향

선진부 지적부위(Occiput, Mentum, Sacrum, Acromion process)와 모체 골반의 전 · 후(Anterior/Posterior) · 좌 · 우(Left/Right) 면과의 관계를 말한다.

▶ 태향(position)

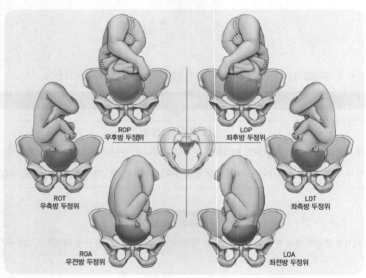

─── comment ───

태향이 LOA일 경우: Left (모체 골반의 왼쪽) / Occipito (태아 후두골이 선진부 준거지표) / Anterior (모체 골반의 전방) ▶ 태아의 후두골이 모체의 골반 왼쪽 전방에서 만져짐

086 ④

해설 | **무자극검사(NST)**

무자극검사의 목적은 자궁수축이 없는 상태에서 태동에 대한 반응으로 태아 심박수가 적절하게 증가하는지 검사하여 태아의 건강상태를 사정하는 것이다.

━━━ **comment** ━━━

진통이 있기 전 산모가 느끼는 태아의 움직임(태동)에 반응하는 태아의 심박수의 변화를 통해 태아의 건강상태를 평가하는 것이다. NST를 태동검사라고도 명칭하는데, 주 목적을 헷갈려서는 안 된다.

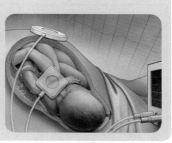

━━━━━━━━━━━━━━ **POWER 특강** ━━━━━━━━━━━━━━

NST 결과 정상 결과 ▶ 반응(reactive)

태아 심음이 기본선보다 15회 상승하여
15초 이상 지속됨(정상)

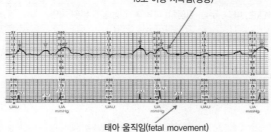

태아 움직임(fetal movement)

태아가 움직일 경우(태동, FM) 태아심음이 기본선보다 15회 상승하여 15초 이상 지속된다. 그래프의 위 부분은 태아심음(FHR)을 나타내며, 아래 부분은 자궁 수축(UA)을 나타낸다. NST 검사 시 태아심음(FHR)이 20분 동안 기본선보다 15회(bpm) 이상 상승하여 15초 이상 지속하는 것이 2회 이상 나타나야 정상인데, 이는 태아가 건강함을 의미한다.

087 ④

해설 | Leopold 촉진법

3단계는 하복부를 촉진하여 골반진입과 태세를 확인(선진부를 촉진하여 함입상태 파악)하고, 1단계의 결과와 비교하여 태위와 태향을 결정하는 단계이다.

POWER 특강

레오폴드 촉진법

복벽 상에서 태아부분을 구별하는 레오폴드 촉진법으로, 임신 6개월 말부터로 7개월 이후는 촉진에 의해 태위 · 태향 · 태세를 진단할 수 있다.

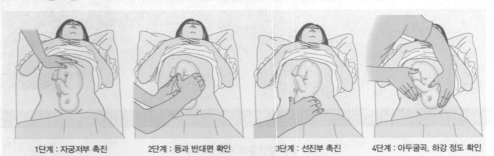

1단계 : 자궁저부 촉진 　 2단계 : 등과 반대편 확인 　 3단계 : 선진부 촉진 　 4단계 : 아두굴곡, 하강 정도 확인

1단계	자궁저부 촉진 ▶ 위치, 모양, 크기, 강도, 운동성 파악
2단계	태아의 등과 그 반대편(손, 다리, 무릎, 팔꿈치) 파악 ▶ 심음청진 부위 확인
3단계	선진부 촉진 ▶ 1~3단계의 결과를 비교하여 태위 · 태향 결정, 선진부 함입상태 파악
4단계	골반강을 향해 하복부를 깊이 누름 ▶ 아두굴곡, 하강 정도를 파악

088 ②

해설 | 포상기태

포상기태의 증상은 냄새가 고약한 암적색의 질 출혈, β-hCG 증가로 인한 심한 오심, 구토 등이 있다.

POWER 특강

포상기태

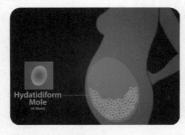 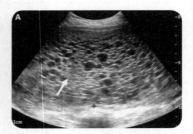

자궁 내 임신의 과정 중 영양막 세포가 비정상적으로 증식하는 질환으로, 태아조직은 없거나 있더라도 기형의 형태이며 생존이 불가능한 상태이다. 초음파상 태아가 발견되지 않고 자궁 내 융모 종창으로 인해 눈보라 현상(snowstorm pattern)을 보인다.

089 ④

해설 | **자간전증**

임신성 고혈압의 3대 증상은 고혈압, 단백뇨, 부종이고, 그 중에서도 혈압이 160/110 mmHg 이상, 2번 이상 단백뇨 3+ 이상, 전신부종은 중증 자간전증의 특징적인 증상이다. 임신성 고혈압일 때에는 질식분만을 우선적으로 고려하며, 경증 자간전증(혈압 140/90 mmHg 이하, 단백뇨 +3 이하 등)은 통원을, 중증 자간전증일 시에는 입원을 통해 경과를 확인한다.

POWER 특강

임신성 고혈압 → 자간전증 → 자간증

임신성 고혈압의 정확한 정의를 정확히 하자면, 임신 기간 중에 수축기 혈압이 140 mmHg 이상 또는 확장기 혈압이 90 mmHg 이상이고 단백뇨를 동반하지 않는 경우로, 분만 후 12주 이내에 정상 혈압이 되는 경우를 말한다. 즉 분만 후에 진단이 가능한 것이다. 그렇지만 자간전증(임신중독증)은 임신과 합병된 고혈압성 질환을 의미하는데, 임신 중 고혈압이 발생하게 되면 고혈압과 동반되어 단백뇨, 부종, 혈소판 감소, 신기능·간기능의 약화 증상이 동반되며 질병이 더 진행한 형태로 나타나기 때문에 일반적으로 임신성 고혈압의 3대 증상을 고혈압, 단백뇨, 부종이라고 한다. 여기에서 나아가 임신 중 고혈압성 원인으로 경련, 발작까지 일으키게 되면 자간증이라고 진단한다.

090 ②

해설 | **임신 중 당뇨**

임신 중 정상 공복혈당은 60~90 mg/dL로 공복혈당은 정상범위 이상이고, 식후 2시간 혈당은 120 mg/dL 미만으로 식후 2시간 혈당은 정상범위에 속한다. 공복 시, 식후 1시간, 2시간, 3시간 혈당 중 하나라도 증가되어 있으면 32주에 다시 검사한다.

오답 ④ 심한 운동을 시작하기에는 시기적으로 적절하지 않으며, 규칙적으로 매일 30분씩 걷는 정도의 운동을 한다.

⑤ 경구 혈당강하제는 태아 기형 위험 논란이 있어서 임신 중에 투여를 금기한다.

091 ①

해설 | **NST**

태아 심박수가 15박동(bpm) 이상 상승하여 15초 이상 지속되는 현상이 20분 이내에 2번 이상 나타나면 정상반응으로 해석한다.

comment

NST 결과 해석은 산과에 실습 혹은 근무할 경우 루틴으로 시행하는 간호사의 업무 중 하나이다. 특히나 '정상(reactive)' 결과의 해석을 물어보는 문제 또한 국시에 많이 출제되니 개념을 정확하게 알아두자!

092 ①

해설 | **분만 기전**

아두의 가장 긴 직경인 대횡경선이 골반입구를 통과하는 것을 진입이라 한다.

comment

분만 기전의 주요 과정 7단계 암기는 이렇게! 시험에 자주 출제된다.
▶ 진입 → 하강 → 굴곡 → 내회전 → 신전 → 외회전 → 만출
▶ 진짜로/ 하나도/ 공부 안했는데/ 내신이/ 왜/ 만점이지 ^^?

093 ③

해설 | **자궁저부**

자궁수축이 강해 가장 일정하게 측정할 수 있는 부위이기 때문이다.

---

comment

자궁저부와 관련된 모든 것!

- 자궁저부는 임신 36주에 임신 중 가장 높은 수준으로, 검상돌기와 맞닿음
- 자궁저부 높이 검사 시 방광이 차 있으면 높이에 영향을 주므로 검사 전 방광을 비움
- Leopold 복부촉진법 1단계에서는 자궁저부를 촉진하여 태아의 위치, 모양, 크기, 운동성 등을 파악함

---

094 ⑤

해설 | **니트라진 검사**

무손상 양수   양수파막

양수파막 시 청색 혹은 청록색이 나타나므로, 가장 먼저 수행할 간호중재는 산모의 활력징후 확인과 태아심박동 양상을 사정하는 것이다.

POWER 특강

진통(labor)

- 자궁경부의 소실 및 개대(자궁경부가 얇아지고 열리는 것)를 유발하는 자궁 수축을 말한다. 단순히 통증이 있는 자궁 수축은 가진통과의 감별이 어려우므로, 자궁경부의 변화가 있는 경우 진통이라고 하는 것이 더 정확하다.
- 정상 진통(순산): 진통의 1기, 2기, 3기를 거쳐 안정하게 태아를 분만하는 경우
- 비정상 진통(난산): 일반적으로 분만에 필요한 정도의 적절한 자궁 수축이 있음에도 자궁경부의 열림이 느리거나, 태아가 내려오지 않는 경우이다. 자궁경부가 3~4 cm 이상 열린 상태에서 본격적인 진통이 시작되면, 자궁경부의 열림이 빨라진다. 초산모에서 한 시간에 1.2 cm, 경산모에서 1.5 cm 이하의 속도로 열릴 경우 비정상 진통으로 진단할 수 있다. 또한 두 시간 이상 확장이 없거나 자궁경부가 모두 열린 이후에 한 시간 이상 태아가 내려오지 않는 경우 난산으로 진단할 수 있다. 이러한 경우 무조건 제왕절개 분만을 하는 것은 아니지만, 주의 깊게 산모와 태아의 상태를 관찰하고, 필요한 경우 제왕절개 분만을 하게 된다.
- 조산: 임신 20주에서 37주 이전에 분만하는 경우

095 ④

해설 | 분만 1기

분만 제1기 이행기에는 진통이 극심해지고, 항문 쪽으로 힘을 주어 대변감을 느끼는 현상이 특징적이다. 우선적으로 대변감 해소를 위해 침상 변기를 이용할 수 있는데, 이는 힘을 주다가 분만할 우려가 있기 때문에 화장실 사용을 금하기 위함이다.

POWER 특강

분만 1기

- 진통이 5~10분마다 1회 정도로 규칙적이면 분만 1기는 시작된다. 이 때부터 태아가 통과할 정도로 자궁문이 완전히 열릴 때까지, 즉 자궁의 입구가 10 cm 정도로 완전히 열린 상태까지가 분만 1기에 해당한다.
- 자궁문이 2 cm 열린 상태부터 다 열릴 때까지의 시간을 보면 초산모에서는 평균 8시간, 경산모에서는 평균 5시간이 걸린다고 볼 수 있다.
- 진통 간격이 짧아질수록 자궁문은 점점 크게 열리며, 일반적으로 진통의 간격이 5~6분일 경우 자궁문은 5 cm 이하로 벌어지고(잠재기, 활동기), 2~3분 간격일 때 7~9 cm 정도가 된다(이행기). 또한 초산모인 경우에는 5 cm 열리기까지 5~6시간, 7~8 cm 되기까지 1~2시간, 완전히 10 cm가 열리기까지는 30분~1시간이 더 소요된다

096 ⑤

해설 | 자궁기능부전

오답 ②, ③ 저긴장성 자궁수축에 해당

④ 고긴장성 자궁수축은 경우 이완기 자궁내압이 15 mmHg 이상일 때를 말함

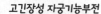

고긴장성 자궁기능부전

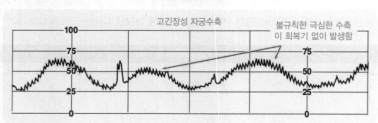

비효과적이며 강한 자궁수축이 자주 발생하며, 수축이 자궁 여러 군데 비동시적으로 발생한다. 극심한 통증과 함께 태아 질식 위험이 초기부터 발생하므로, 옥시토신 투여는 절대 금기이다. 그러므로 태아질식을 감시하는 것이 가장 우선적인 간호중재이며, 정맥 내 수액 공급을 하여 수분 전해질 균형을 유지한다.

097 ⑤

해설 | 태아 심박수

태아 심박수가 110~120회 미만의 bpm을 가지는 경우를 서맥이라고 본다. 이때, 태아의 저산소증이 심한 경우 심박수가 급격히 감소하기 때문에 저산소증을 예방하기 위해 10 L의 높은 산소포화도를 전달해야 한다.

태아 심박동의 주기적 변화

자궁수축과 관련된 태아 심박동의 변화를 보는 것이다.

	후기 하강(만기 하강)	다양성 하상(변이성 하강)
양상	자궁수축이 최고정점에 달했을 때 FHR이 감퇴하기 시작하여 수축 후에도 회복이 즉시 되지 않는 경우	• 자궁수축 동안 또는 수축 사이에 FHR이 감퇴하며, 양상은 기본선에서 U나 V모양으로 갑자기 떨어졌다가 돌연히 기본선으로 되돌아 감 • 자궁수축과 관계없이 FHR이 다양하게 변함(U, V자형)
원인	• 자궁과 태반의 혈액순환 부적절(자궁태반 기능부전으로 인한 태아 저산소증) 　– 모체의 앙와위 자세 　– 경막외 척추마취 　– 전치태반, 태반조기박리 　– 고혈압성 질환 　– 과숙아 　– 자궁태아성장지연(IUGR)	• 제대압박 　– 태아와 모체골반 사이의 제대가 끼인 모체 체위 　– 제대가 태아의 목, 팔, 다리를 감고 있음 　– 짧은 제대(제대의 매듭, 제대의 탈출)
간호중재	• 모체 체위 변경 – 좌측위 • 다리상승 → 모체저혈압 교정 • 정맥주입 속도 증가 • Oxytocin 중지 • 산소 공급(8~10 L/분) • 의사나 조산사에게 보고 • 상태호전 없을 시 즉시 분만	• 모체 체위 변경 – 좌측위, 골반고위 • Oxytocin 중지 • 산소 공급(8~10 L/분) • 의사나 조산사에게 보고 • 내진: 제대탈출 확인 • 상태호전 없을 시 즉시 분만
이론적 근거	체위변경은 대동맥과 대정맥의 압박을 이완시킴	심각한 변형 감속은 태아상태와 상관이 있으므로 체위변경은 제대 압박을 제거하는 데 도움을 줌

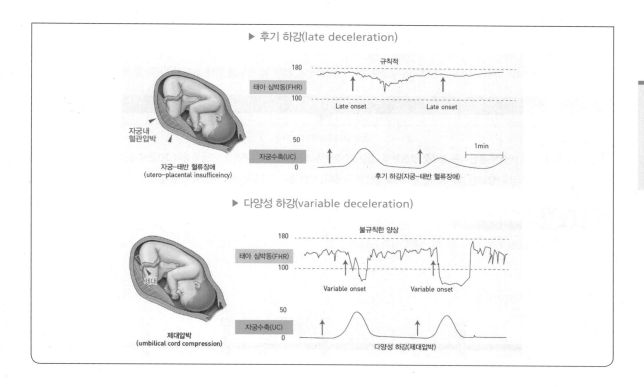

▶ 후기 하강(late deceleration)

규칙적

태아 심박동(FHR)
180 ————————————————
100

Late onset   Late onset

자궁내
혈관압박

자궁–태반 혈류장애
(utero–placental insufficeincy)

자궁수축(UC)
50
0

1min

후기 하강(자궁–태반 혈류장애)

▶ 다양성 하강(variable deceleration)

불규칙한 양상

태아 심박동(FHR)
180 ————————————————
100

Variable onset   Variable onset

제대

제대압박
(umbilical cord compression)

자궁수축(UC)
50
0

다양성 하강(제대압박)

098 ④

해설 | **제대탈출**

제대탈출 시 골반고위인 트렌델렌버그, 슬흉위, 좌측위를 취해줌으로 인해 더 심한 탈출을 예방하고 선진부 압력을 완화하여 제대압박을 감소할 수 있다.

POWER 특강

제대탈출

파막 후 태아보다 제대(탯줄) 쪽이 먼저 산도에 나타난 상태를 말하는데, 이는 즉 탈출된 제대가 선진부 하강에 따라 압박을 받아 태아–태반 관류가 방해받거나 차단되는 것을 의미한다. 태아 심박동 주기적 변화에서 다양성 하강을 나타낸다. 그러므로 간호 중재로 가장 중요한 것은 태아심음을 먼저 사정하는 것이며, 제대에 대한 압력을 완화시키기 위해 골반고위, 슬흉위, 좌측위 등을 취해줘야 한다.

099 ⑤

임신 32주 이전에 양막이 파수되지 않은 상태에서의 조기진통이 발생하면, 태아 폐 성숙을 위해 스테로이드제를 투여한다.

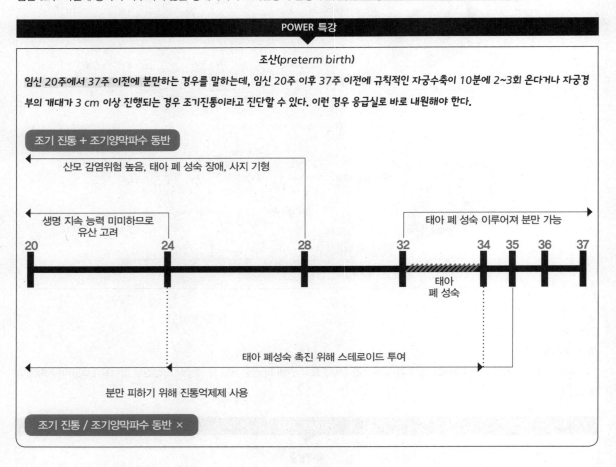

POWER 특강

조산(preterm birth)

임신 20주에서 37주 이전에 분만하는 경우를 말하는데, 임신 20주 이후 37주 이전에 규칙적인 자궁수축이 10분에 2~3회 온다거나 자궁경부의 개대가 3 cm 이상 진행되는 경우 조기진통이라고 진단할 수 있다. 이런 경우 응급실로 바로 내원해야 한다.

조기 진통 + 조기양막파수 동반

산모 감염위험 높음, 태아 폐 성숙 장애, 사지 기형

생명 지속 능력 미미하므로 유산 고려

태아 폐 성숙 이루어져 분만 가능

20 24 28 32 34 35 36 37

태아 폐 성숙

태아 폐성숙 촉진 위해 스테로이드 투여

분만 피하기 위해 진통억제제 사용

조기 진통 / 조기양막파수 동반 ×

100 ②

물렁하고 유연한 자궁저부는 자궁이완을 의미하고, 이는 출혈의 원인이 되므로 자궁저부 마사지를 통해 혈괴를 배출하고 자궁을 수축해줘야 한다.

comment

조기 산후출혈의 가장 흔한 원인은 자궁이완이며, 후기 산후출혈의 가장 흔한 원인은 태반조직 잔류이다.

101 ④

1차적 울혈과 통증을 예방하는 방법은 수유를 더 자주 해주는 것이다.

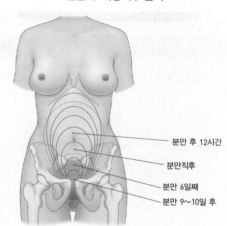

오답 ① 수유를 중지하면 오히려 유즙 정체와 농양의 원인이 되므로, 농성 분비물이 나오거나 통증이 아주 심할 시에만 중단

③ 먹다 남은 모유는 설사를 유발할 수 있으므로 버려야 하고, 모유 해동을 위해 전자레인지를 사용하는 것은 금한다.

⑤ 수유부는 비임신 시보다 하루에 500 kcal 이상 정도를 증가시킨다.

━ comment ━

모유수유를 할 경우 자궁 퇴축이 잘 되므로 산후 자궁퇴축부전을 예방할 수 있다. 그러나 자궁수축으로 인해 산후통이 증가할 수도 있다. 또한 비수유부가 분만 후 약 2~3개월 후 배란 및 월경이 재개하는 반면, 모유수유 시 평균 6개월 뒤에 배란 및 월경이 재개한다.

102 ⑤

해설 | **산후 퇴원 교육**

매일 1~2 cm씩 하강해서 9일 후부터 자궁은 복부에서 만져지지 않는다.

▶ 분만 후 자궁저부 높이

분만 후 12시간

분만직후

분만 6일째

분만 9~10일 후

	자궁저부 높이(HOF)	자궁 무게
분만 직후	배꼽 아래 2 cm	1,000 g
분만 12시간 후	배꼽 위 1 cm 수준	
분만 6일째	치골결합과 제와부 중간	500 g
분만 9~10일 후	복부에서 촉진할 수 없음	
분만 6주 후	퇴축 종결	50~60 g

오답 ① 산후 우울증은 유사 정신장애에 해당되며, 정신의학적 치료를 요하는 상태이다. 산후우울감은 일시적이고 정상적인 우울 상태로 치료를 요하지 않음

② 산욕기 운동은 산후 회복을 촉진하고 합병증을 예방하므로, 조기이상과 케겔 운동을 출산 후 가능한 한 빨리 격려하고, 활동량을 점진적으로 늘리도록 함

③ 모유수유부의 경우 배란 및 월경이 6개월경에 재개됨

④ 샤워는 자연분만 시 퇴원 직후부터, 통목욕은 산후 6주부터 가능하며, 적색 오로가 나올 시 감염위험이 있으므로 통목욕 금지

103 ③

해설 | **산후출혈**

자궁이완은 조기 산후출혈의 가장 흔한 원인이다. 거대아, 다태임신, 양수과다증, 다산부 등 자궁이 과다팽만한 경우나 급속분만, 방광팽만 등이 자궁이완의 위험 소인이다.

POWER 특강

다태임신 합병증

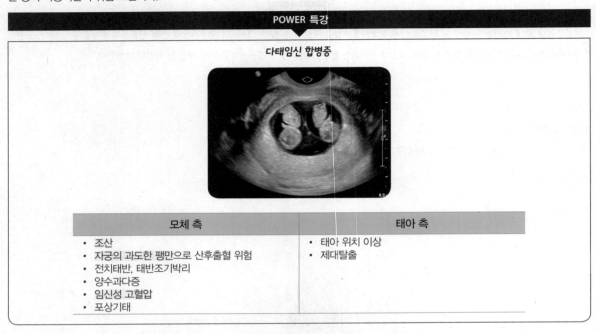

모체 측	태아 측
• 조산 • 자궁의 과도한 팽만으로 산후출혈 위험 • 전치태반, 태반조기박리 • 양수과다증 • 임신성 고혈압 • 포상기태	• 태아 위치 이상 • 제대탈출

104 ④

해설 | **혈전성 정맥염**

• 혈전성 정맥염은 혈액응고력 상승으로 발생한다.

• 예방: 조기이상, 탄력스타킹 착용(취침 시 벗어둘 것), 다리 꼬지 않도록

• 치료: 항응고제, 항생제, 다리 꼬지 않고 침상안정, 마사지 금지, 필요시 다리에 이피가(cradle) 적용, 온찜질, 침범된 다리를 올린다.

105 ③

해설 | **산후감염**

분만 24시간 이후 38 ℃ 이상의 체온 상승은 산후감염을 의미한다. 산도감염 혹은 자궁내막염을 의심할 수 있고, 이때에는 반좌위(파울러 체위)를 취해주어 배액을 증진시켜야 한다.

comment

산후감염은 이렇게 표현된다!

• '산후 2~3일이 지난 산모가 38 ℃ 이상의 고열 증상을 보인다(산후감염)' + 국소적·특징적 증상 확인하여 의심 질환을 선택한다.

• 예: '산후 2~3일에 38 ℃의 이상의 고열과 암적색의 악취 나는 오로가 나온다.'는 자궁내막염에 대한 설명으로 반좌위를 취해줘야 한다.

2교시 정답 및 해설

아동간호학

001 ②

해설 | **성장통**

- 특성: 활동적인 학령기 아동에서 흔히 발생
- 원인: 근육보다 골격의 성장이 빨라 뼈를 싸고 있는 골막이 늘어나 주위 신경을 자극
- 호발: 주로 무릎, 장딴지, 대퇴에 흔하고 밤에 더 심함
- 간호
  - 대부분 일시적인 것으로 휴식이나 자고 나면 사라짐
  - 부드러운 마사지, 따뜻한 물에 담그거나 필요시 진통제 사용
  - 학령기에 골격 성장이 지속되므로 올바른 자세를 유지
  - 과도한 운동을 피하고 적절한 휴식을 취함
  - 뼈와 근육에 무리가 가지 않도록 지도

002 ④

해설 | **발달이론**

- 학령기 아동은 학교생활을 통해 지적 능력을 개발하고, 또래와의 만남을 통해 사회의 가치관이나 규범을 획득한다. 아동은 자신만이 가진 능력이나 기술을 습득하여 또래로부터 인정받고 싶어한다. 또래와의 관계에서 무언가를 할 수 있고 자신감을 얻게 되면 근면성이 발달하나 또래들에 비해 신체성장이 저조하거나 인지기술이 부족하다고 느끼면 열등감을 느끼게 된다.
- Erikson의 심리사회적 발달이론

발달시기	과제 vs 위기	중요한 사람	중요한 지지경험
영아기(0~1세)	신뢰감 vs 불신감	주 양육자	신체 접촉(애착)과 일관성
유아기(1~3세)	자율감 vs 수치심	부모	자율성(독립성) > 공포, 불편
학령전기(3~6세)	솔선감 vs 죄책감	가족	자기주도적 행동 상상적 모험과 제한 사이의 균형
학령기(6~12세)	근면감 vs 열등감	이웃, 학교, 동성	책임, 협동
청년기(12세 이상)	정체감 vs 역할혼돈	동료, 타 집단, 지도자	자존감, 자아의식

- 주요 발달이론 비교

연령대	Erikson 심리사회 발달	Piaget 인지발달	Freud 성심리 발달
영아기(0~1세)	신뢰감 vs 불신감	감각 운동기(0~2세)	구강기
유아기(1~3세)	자율감 vs 수치심	전조작기(2~7세) ; 전개념기	항문기
학령전기(3~6세)	솔선감 vs 죄책감	전조작기(2~7세) ; 직관기	남근기
학령기(6~12세)	근면감 vs 열등감	구체적 조작기(7~11세)	잠복기
청소년기(12~18세)	정체감 vs 역할혼돈	형식적 조작기(11~15세)	생식기

① 신뢰성 – 영아기에 주 양육자와의 애착관계는 신뢰감 형성의 기초가 됨

② 자율성 – 유아는 자신의 의지를 가지고 자율적으로 행동하려는 양상을 나아냄

③ 주도성 – 학령전기는 유아기의 자율성에서 더 나아가 자기 주도적으로 무언인가를 시도하고자 하는 주도성을 나타냄

⑤ 자아정체 – 청소년기는 내가 누구인지를 깨닫는 자아정체성을 확립하는 시기임

003 ①

해설 | **물활론**

- 물활론(상징화): 생명이 없는 무생물에 생명과 감정을 부여하여 생물로 인지(예: 돌부리에 걸려 넘어졌을 때 돌을 때려달라고 말함 등)
- 중심화: 한 측면에만 초점을 두기 때문에 전체의 관점에서 모든 부분을 생각하지 못함
- 보존개념: 대상의 외양이 바뀌어도 양, 부피, 무게, 길이 등 그 속성과 본질은 바뀌지 않는다는 개념(예: 물의 양이 동일하다면 담은 컵의 모양이 달라도 양이 같음을 인지함)
- 자기중심적 사고: 타인의 생각이나 관점, 외부세계의 경험을 자신의 입장에서 바라봄(예: 외출했다가 집에 돌아올 때 할아버지 집에서 보았던 둥근 달이 자기 집에 따라왔다고 생각함)
- 학령전기의 질병과 죽음

질병	죽음
• 죄를 지어서 벌을 받는 것이라고 생각함 　– 마술적 사고: 마술을 쓰면 질병이 사라질 수 있다고 생각함 　– 통증에 대한 불안이 큼: 주사공포증 등	• 일시적이며 가역적인 것으로 생각함 ▶ 수면 or 단순한 이별이라고 받아들임

- 학령기: 죽음의 불가역성
- Piaget 인지발달이론

단계	발달시기	특징		
감각운동기	출생~24개월	• 6단계 하부단계로 구성 • 자아중심적 세계관		
		반사활동기 (0~1개월)	잡기, 빨기, 응시 등의 행위가 반사에 의해 나타남	
		1차 순환반응기 (1~4개월)	• 우연히 경험한 행위를 반복함 ▶ 목적성이 없는 단순한 행동 • 손가락 빨기, 웃기	
		2차 순환반응기 (4~8개월)	• 신체 이외의 외부에서 흥미로운 사건 발견하고 이를 반복 　(ex) 딸랑이나 봉제인형, 모빌같은 외부환경 물체 • 대상영속성 발달 시작 　부분적으로 가려진 물건을 알아차리고 찾아냄	
		2차 도식협응기 (8~12개월)	• 단순문제 해결을 위해 두 개 이상의 행동을 조합 　▶ 목표지향적 행동을 함	
		3차 순환반응기 (12~18개월)	주변 탐색 → 시행착오를 거치면서 실험 반복	
		사고의 시작 (18~24개월)	• 자신과 타인이 분리된 것 지각 • 시간감각 시작됨 • 상징 사용 가능 • 지연모방	

전조작기	2~7세	• 전개념기(2~4세), 직관적 사고기(4~7세) • 상징적 사고(모방놀이), 마술적 사고, 물활론, 중심화 경향
구체적 조작기	7~11세	• 귀납적 사고에서 → 점차 연역적 사고(논리적 조작 가능) • 보존개념, 가역성, 규칙과 가치 이해, 탈중심화
형식적 조작기	11세~성인기	• 논리적 사고와 가설적 · 추상적 사고능력, 철학적 사고 • 과거, 현재, 미래에 대한 사고 가능

004 ④

해설 | 긴장성목반사(tonic neck reflex)

안정상태에서 한쪽으로 목을 돌릴 경우 돌린 쪽의 사지는 펴지고 반대쪽은 굴곡되는 것이다. 펜싱자세같다고 하여 펜싱반사라고도 불림

✔ 흡철반사(sucking reflex): 물체를 입술에 대거나 입안에 대면 빨려고 하는 것

005 ⑤

해설 | 말더듬 현상

• 원인

– 아동의 정신적 발달과 이해 정도가 언어 발달보다 빠르기 때문에 발생

– 2~4세는 언어발달에서 가장 중요한 시기이며 말더듬이 가장 많이 발생하는 시기

– 말더듬 아동을 둔 부모의 역할

말을 더듬는 아동의 부모 교육 내용
• 부모는 충분한 시간과 인내를 가지고 아동을 대한다. • 아동이 의사를 잘 표현할 수 있도록 부드러운 가정 분위기를 조성한다. • 아동이 원하지 않으면 말하도록 강요하지 않는다. • 아동이 발음을 잘 못하거나 더듬거릴 때 고쳐 주거나 다시 하라고 하지 않는다. • 아동이 말 더듬는 것에 관심을 두지 않는다. • 부모는 아동의 말에 반응하며, 지지하고 격려하여 자신감과 성취감을 느끼게 한다. • 부모는 평상시 정확한 발음으로 바르게 말을 한다. • 책을 읽어주거나 동요를 부르는 기회를 갖는다. • 아동이 말을 더듬지 않는 환경을 기억하고 그러한 환경에 노출시킨다. • 발성기관이나 자율신경계 이상과 같은 신경계 장애로 언어문제가 나타나는지 신체검진으로 확인한다.

006 ①

해설 | 전체운동발달

• 발달 방향: 머리에서부터 발끝으로 발달

– 머리 가누기 → 뒤집기 → 앉기 → 기어 다님 → 서기 → 걷기

1개월	• 엎드린 자세에서 머리를 옆으로 돌림
2개월	• 앉은 자세에서 잠깐 머리를 똑바로 한다. • 45° 정도 고개를 들 수 있음
3개월	• 엎드린 자세에서 팔을 뻗어 몸을 받쳐 머리와 가슴을 든다. • 45~90° 정도 고개를 들 수 있음
4개월	• 머리를 가눌 수 있고, 누운 채로 좌우로 몸을 돌릴 수 있음
5개월	• 복부에서 등으로 몸을 뒤집을 수 있음

6개월	• 구를 수 있음(등에서 복부로, 양방향). 엎드린 채 양팔로 몸무게 지탱 가능
7개월	• 도움받아 앉음(순간적으로 똑바로 앉는다).
8개월	• 기대지 않고 혼자 잘 앉는다.
9개월	• 붙잡고 선다. • 배를 바닥에서 떼고 손과 무릎으로 기어 다님
10개월	• 가구 잡고 일어남
11개월	• 바닥에서 배를 떼고 기어간다.
12개월	• 혼자 선다. • 한 손을 잡고 걷는다(첫 걸음, 보행능력 획득 시점).

007 ③

해설 | **좁쌀종(매립종)**

• 원인: 피지선 증가

• 특성: 미세하고 하얀 핀 크기의 회색 구진. 주로 뺨, 코, 턱, 이마에 발생. 1~2주내에 자연 소실

008 ④

해설 | **유치(젖니) 발달**

• 대략 생후 6~8개월경 중앙 아랫니부터 나옴 → 뒤이어 4~8주 이후 중앙 윗니가 나옴

• 유치가 날 때 특징

　– 불편감으로 침을 흘리거나, 손가락을 더 빨거나, 딱딱한 물건을 물려는 증상을 보임

　– 심한 경우 보채고 잠을 자려 하지 않으며 먹는 것을 꺼릴 수 있음

• 간호

　– 음식(얼음, 얼린 **토스트 조각**)을 씹게 하거나 치아발육기를 월령에 따라 사용

　– 진통제 일시적 사용(아세트아미노펜, 이부프로펜)

• 유치관리

　– 유치가 나기 시작하면 바로 구강위생 시작

　– 칫솔보다는 젖은 헝겊으로 깨끗

• 유치의 수 계산: '월령–6'

009 ③

해설 | **가성월경**

• 임신 중에 모체의 에스트로겐과 프로락틴은 태반을 통과하여 태아에 전달됨

• 에스토로겐 영향: 분만으로 태아가 신생아와 분리되면서 에스트로겐의 갑작스런 저하로 음순 비대와 가성월경이라고 불리는 점액상의 질분비물이 신생아에게서 나타남. 남.여아 모두 유방이 커짐

• 프로락틴 영향: 신생아의 유두에서 젖이 나옴(마유, witch's milk)

• 위의 현상 모두 **저절로 소실**. 치료 불필요

010 ①

해설 | 헤모필루스 인플루엔자 b형 백신(Hib)

- 헤모필루스 인플루엔자 b형 백신(Hib)

    – 뇌수막염 예방접종 백신. DTaP, MMR 예방접종과 동시 접종 가능

- 접종대상: 면역결핍, 골수이식, 장기이식, HIV 감염 아동, 겸상적혈구 빈혈아동에게 권장

- 접종부위: 영아–대퇴부 전외측(외측광근), 소아/성인–삼각근 부위

▶ 근육주사부위

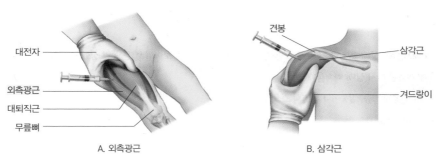

A. 외측광근   B. 삼각근

011 ②

해설 | 유아기 거부증

- Erikson: 유아기 발달과업–자율성/수치심과 의심

    – 자신의 의지를 가지고 자율적으로 행동하려는 양상을 보임

    – 자기 혼자서 하는 것에 더욱 관심

    – 질문의 내용과 상관없이 거의 모든 질문에 대해 '싫어', '안돼'라고 대답하는 거부증(negativism)을 보임으로써 자신의 자율성을 표현

- 간호

    – 부모교육: 거부증은 유아가 자신의 욕구를 처리할 수 있는 자율적이고 독립적인 사람으로 성장하는 데에 반드시 거쳐야 할 정상적

       단계임을 교육

    – 선택질문을 활용

        cf 부정적 대답 유발 질문 – "엄마와 함께 샤워할래?"

        cf 선택 질문 – "엄마와 함께 샤워하면서 고래 장난감을 가지고 놀재!" ▶ 싫어 대신 둘 중 하나를 선택하도록 유도(○)

012 ④

해설 | 악몽

- 특성

    – 무서운 꿈으로 인해 잠을 깨는 장애

    – REM수면 후반부인 새벽녘에 흔히 발생

    – 안전이나 생존과 관련된 내용이며, 일상생활의 스트레스, 불안, 우울, 죄책감이 표출

- 호발: 3~5세 아동(3세에 시작, 10세 이전 발생), 나이든 아동, 여아

- 간호

  – 자는 동안 미등을 켜두고 안심시켜줌

  – 과잉반응을 보이지 말고, 단지 꿈이었다는 사실을 확인시키며 다시 자도록 함

  – 무서운 내용의 비디오나 TV 프로그램을 보지 않도록 함

  – 성장하면서 좋아지기 때문에 대부분 치료 불필요

POWER 특강

야경증

- **특성**

  – *NREM* 수면시 발생

  – 잠이 완전히 깨지 않은 상태에서 지속적으로 울면서, 동시에 격렬한 행동을 보이며 몇 분 동안 잠에서 깨어나지 않는 수면양상

  – 5~30분 후에 아동은 다시 잠에 빠져들게 됨
- **원인: 미숙한 중추신경계 기능, 갈등이나 환경적 스트레스**
- **호발: 2~4세 사이의 아동**
- **간호**

  – 너무 지나치게 유아의 야경증에 초점을 두지 않는다.

  – 시간이 지나면 저절로 멈출 것이라는 확인을 줄 필요가 있다.

013 ③

해설 | **분리불안**

- 정의: 주된 애착 대상과의 분리에 대한 심한 불안증상을 보임
- 원인: 불완전한 대상영속성(대상이 눈으로 식별되지 않거나 탐지할 수 없을 때, 그 대상이 계속 존재하며 그 사물과 사물을 인지하는 아동이 독립적으로 공존한다고 믿음)
- 특징: 저항기 → 절망기 → 분리기의 3단계를 거치며 울고 공격적인 행동을 나타냄
- 간호

  – 낯선 사람을 안전하게 경험할 수 있는 기회(ex 친척들의 잦은 방문)를 갖도록 함

    ▶ 영아 후반기에는 아동이 다른 사람들과 친해져 부모가 자유시간을 가질 수 있게 됨

  – 외출 중에는 전화를 걸어 아동이 부모의 목소리를 들을 수 있게 함

  – 좋아하는 담요나 장난감 등을 주어 부모가 항상 아동과 함께 있음을 확신시켜 줌

이행적 대상

좋아하는 담요나 장난감 등은 부모와 떨어져있을 때 아동의 두려움과 외로움을 덜어주고 안정감을 주는 순기능을 한다. 이행적 대상을 뺏으려고 할 때 강한 저항을 하게 되는데 이는 지극히 정상적인 행동이고, 아동이 자라면서 자연스럽게 사라진다.

아동이 정서발달이 정상적이지 못할 때, 즉 분리불안이 심각한 수준일 때 나타날 수 있다. 학교에 가기 싫어하거나 학습이 부진한 것 외에도 두통, 복통 등의 신체증상을 보이기도 한다. 이러한 신체증상은 학교를 벗어나 집에 오면 사라진다.

학교공포증

아동이 정서발달이 정상적이지 못할 때, 즉 분리불안이 심각한 수준일 때 나타날 수 있다. 학교에 가기 싫어하거나 학습이 부진한 것 외에도 두통, 복통 등의 신체증상을 보이기도 한다. 이러한 신체증상은 학교를 벗어나 집에 오면 사라진다.

014 ③

해설 | **퇴행(Erikson의 심리사회적 발달이론)**

- 정의: 스트레스에 대한 반응이며, 불편이나 긴장을 표현하는 방법
- 원인: 동생의 출생, 병원생활(수술, 입원) 등 ▶ 자율성 위협받음
- 증상: 배변을 못가리거나 손가락을 빠는 등의 퇴행반응을 일시적으로 보임
- 간호: 정상적인 반응으로 일반적으로 특별한 치료를 필요로 하지 않음

유아기 자율성의 표현

유형	개념	대처
거부증	• 의지가 분리된 존재로서의 정체감(자율성)을 표현하기 위해 계속적으로 부정적인 반응을 보임 ⓔⓧ "안 해", "싫어!" 같은 부정적 표현, 소리 지르기, 발로 차기 등 • 유아기 아동의 전형적인 행동으로, 정상적인 반응	• 아동이 "싫어"라고 대답할 질문을 하지 않으며, 무조건적인 명령이 아닌 아동이 선택할 수 있는 질문을 함 • 피곤하고 배고플 때에는 과제를 주지 않음
분노발작	• 독립적인 욕구가 좌절될 때 격렬하게 저항함으로써 자율성을 표출함 ⓔⓧ 숨이 넘어갈 듯 울기, 바닥에 드러눕기 등	• 부모는 반응을 보이지 말고 일관적인 태도로 대하되, 자리를 떠나지 않고 아이를 진정시킴 • 그 후 아동을 위로하고 한계를 확실히 설정해줌
의식주의 (ritualism)	• 안정된 일상생활 반복이 통제감과 자율감을 느끼게 하므로 이에 집착함 ▶ 하지 않으면 스트레스와 불안 증가함 ⓔⓧ 같은 컵 사용, 같은 의자에 앉기 등	• 아동의 의식주의 행동을 존중해줌 ▶ 안정감 증진

015 ④

해설 | **영아기의 수면**

④ 수면은 영아의 발달단계에서 대부분의 시간을 차지하며, 뇌 및 중추신경계를 비롯한 신체기관이 정상적으로 발달하기 위한 필수적인 과정이다. 수면 동안 근육으로의 혈액 공급이 증가하고, 조직의 증식과 재생이 발생하며, 성장과 발달에 중요한 호르몬이 방출된다.

- 영아는 하루 중 대부분의 시간(~18시간)을 잔다.
- 50%는 REM 수면으로, 뇌발달을 촉진하고 눈에 산소를 공급하여 보호한다.
- 성장하면서 성인과 비슷한 자는 시간, 패턴으로 변한다.

– 밤낮 가리지 않고 잠을 잠 → 성인이 자는 밤 시간에 수면시간을 맞추게 됨

– 2세 하루에 약 12시간 → 3∼5세 때 약 11시간 → 10∼13세 때 약 10시간 잠

• 수면패턴은 개인차가 있고, '어떤 시간에 얼마만큼 자야 한다.'라는 명확한 기준은 없다.

    cf 영아돌연사증후군(SIDS)을 예방하기 위해 복위로 재우지 않고 옆으로 눕거나 똑바로 눕혀서 재운다.

POWER 특강

모유수유의 장점 및 시행방법

• 장점

– 적당한 양의 단백질 및 무기질을 함유함

– 유당(lactose)을 많이 함유: Vit. B를 합성하고 세균성장을 저지시키는 유기산을 생산함

– 불포화 지방산을 많이 함유 ▶ 지방과 칼슘의 흡수를 증진시킴

– 다량의 면역물질 포함

    ⓐ 세균성장 억제: IgA, 림프구, 대식세포, 중성구 등

    ⓑ Vit. A, Vit. B, Vit. E 풍부

• 시행방법

– 자세: 가능한 영아를 안고 수유하며, 그렇지 않을 때는 머리와 가슴을 약간 상승시킨 채로 앙와위, 우측위 취해줌

수유 전	기저귀를 갈아줌
수유 시	• 소량씩 자주 수유함 • 안정을 위해 팔다리를 마사지해줌 • 수유 중 청색증 나타날 경우 상체를 높이고 휴식을 취하면서 수유함
수유 후	머리를 높이고 우측으로 높이고, 트림을 시킴

016 ⑤

해설 | **성 성숙(사춘기)**

⑤ 이차 성징은 예측 가능한 순서로 발현·진행된다.

• 사춘기의 시작

여아	남아
• 8∼13세 유방조직이 발달(돌출)되면서 시작됨 • 남아보다 보통 2년 정도 먼저 성장함	이차 성징 전 고환의 부피가 커지는 것으로 시작됨

• 성별에 따른 이차 성징 비교

성별	발달 순서	특징
여아	유방 → 음모 → 키 → 초경 → 몸무게	• 가슴 발달(가장 먼저) • 골반의 횡직경이 커짐, 음모 • 질 분비물의 변화, 초경 시작
남아	고환 → 음모 → 사정 → 키 → 몸무게	• 고환증대(가장 먼저) • 생식기 크기가 커짐, 몽정 시작, 음모 • 목소리 변화, 어깨 폭이 넓어짐

Tanner의 성발달 단계(성 성숙도)

- 여성은 유방과 음모, 남자는 고환, 성기, 음모의 발달에 기초를 둔 5단계이다.

1단계	2단계	3단계	4단계	5단계
사춘기 전	사춘기 초기	여성: PHV (peak height velocity)	여성: 초경, PWV (peak weight velocity)	성인 상태
		여성: PHV (peak height velocity) 남성: 사정	남성: PHV	

017 ②

해설 | 아동간호 원리와 절차

- 어린 아동은 모든 것이 직접적이고 구체적이며, 사실과 환상을 구분하지 못하기 때문에 추상적인 것을 이해하지 못하고, 모든 현상을 있는 그대로 해석
- 아동에게 설명 시 단순하고 짧은 문장과 친숙한 단어를 사용하여 의사소통함
- 치료 시 발달단계에 적합하고 사실에 근거한 용어를 사용함
- 가능하다면 아동의 병실에서 떨어진 처치실에서 수행
- 기대하는 과업을 수행한 경우 아동을 칭찬함
- 아동의 분노를 표현하도록 해줌

018 ①

해설 | 팔로 4징후(Tetralogy of Fallot, TOF)

- 정의: 폐혈류 감소 심장병. 심실중격결손, 폐동맥판협착, 대동맥우위, 우심실 비대의 4가지 주 병변이 특징. 폐동맥판협착의 정도가 예후에 가장 중요한 요인
- 병태생리
  - 심실중격결손이 크고 폐동맥판협착이 심하므로 우심실과 좌심실의 압력이 같음
  - 좁아진 폐동맥으로 나가지 못하는 정맥혈이 심실중격결손을 통하여 대동맥으로 들어가므로(우−좌 단락) 청색증이 나타남. 청색증은 폐동맥판협착이 심할수록 더 심함. 울혈성 심부전은 동반되지 않음
  - 갑자기 폐동맥판협착이 심해지면 폐 혈류량이 감소하면서 심한 청색증이 생기는 무산소 발작이 나타남
- 증상

  갑작스런 청색증, 저산소증, 특징적인 심잡음, 무산소 발작(혈액공급보다 산소요구량이 많을 때 발생, 울거나 수유 후에 나타남), 곤봉상지, 운동성 호흡곤란, 적혈구 과다증, 슬흉위(정맥혈귀환을 돕고 우심실을 확대), 웅크림, 성장지연
- 치료 및 간호
  - 구강위생 철저히(심내막염 예방)
  - 철분 투여(적혈구증가증으로 인한 철 결핍성 빈혈 교정)
  - 무산소 발작: 보온, 슬흉위, 몰핀 및 산소투여, 대사성 산증 시 중탄산나트륨을 정맥 투여
  - 완전교정술: 3~12개월 사이

– Blalock Taussig shunt (폐혈류 증가, 동맥혈 산소농도 증가)

팔로 4징후	Blalock Taussig 수술
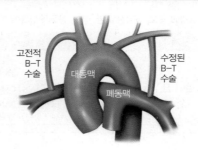 폐동맥 협착 / 대동맥 기승 (Overriding aorta) / 심실중격결손 / 우심실 비대	고전적 B-T 수술 / 수정된 B-T 수술 / 대동맥 / 폐동맥 작은 폐동맥을 키우기 위해 인조관(Gore-tex graft)을 한 쪽의 쇄골하 동맥(right subclavian artery, RSCA)과 같은 쪽 폐동맥(right pulmonary artery, RPA) 사이에 넣어 연결해 줌

019 ⑤

해설 | **백일해(Pertussis, whooping cough)**

- 원인균: Bordetella pertussis
- 잠복기: 3~12일(평균 7일)
- 감염원: 환자의 호흡기 분비물
- 전파경로: 비말에 의한 직접접촉, 간접접촉
- 임상증상
  - 카타르기: 상기도 감염증상(전염력 높음),
  - 발작기: 흡기 시 흡(whoop)하는 소리, 눈이 충혈, 구토 동반
- 전파기간: 특징적인 발작적 기침이 나타난 후 4주 정도, 항생제로 치료받은 경우는 치료 시작 후 5~7일이면 전염력 소실됨
- 치료: erythromycin
- 합병증: 기관지 폐렴, 중이염, 경련, 탈장, 비출혈
- 간호: 격리, 침상 안정

POWER 특강

성홍열(scarlet fever)

- **원인균: 연쇄상구균**
- **전파경로: 비말감염, 직접접촉, 간접접촉(손이나 물건), 음식물**
- **잠복기: 2-4일, 전파기간: 잠복기와 임상증상이 나타나는 시기(2-3주)**
- **임상증상**
  - **전구기: 고열, 두통, 구토 등**
  - **발진기: 내발진: 흰 → 붉은 딸기모양의 혀, 발진(전신), 박리**

First day — White strawberry tongue

Third day — Red strawberry tongue

- 치료: 항생제요법
- 합병증: 중이염, 경부임파절염, 급성사구체신염, 류마티스열 등
- 간호: 격리, 소독, 안정

020 ④

해설 | **아구창(칸디다증)**

- 원인균: 진균[candida albicans(monilia)]에 의한 감염질환
- 감염경로: 분만 시 산도, 불결한 고무젖꼭지, 오염된 손, 신생아실 오염 등
- 증상: 혀 끝, 입술과 뺨, 구강점막 등에 제거하기 어려운 우유 찌꺼기 같은 플라그가 보인다. 강제로 떼어낼 시 출혈이 발생하므로 주의함
- 간호
  - 개인위생: 특히 수유 시 위생을 철저히 함
    - ⓔⓧ 20분 이상 우유병 자비소독, 수유기 개별적 사용 등
  - 약물투여

칸디다 연고[Nystatin (mycostatin) 등]	1% gentian violet 용액	중탄산나트륨 연고
• 하루 4회, 6시간마다 적용 • 수유 후 물로 입안 헹군 후 장갑을 낀 손가락으로 도포함	• 하루 1~2회씩 국소 도말 • 만성인 경우 다른 항진균제와 함께 사용 가능	• 피부에 자주빛 착색 발생 시 도포하여 제거함

021 ②

해설 | **대동맥축착(COA)**

- 정의: 대동맥궁을 지나 하행 대동맥으로 이행하는 부위(특히 동맥관과 연결된 부위) 근처가 좁아지는 기형
- 증상

  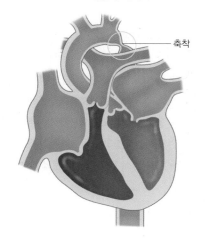

  ▶ 대동맥 축착

  - 하체 발육이 상체에 비해 느리고, 신장 혈류의 감소로 혈압 상승
  - 상지혈압이 하지혈압보다 20 mmHg 혹은 그 이상 높음
  - 튀는 듯한 맥박(bounding pulse)이 촉지(상반신은 고혈압, 두통, 현기증, 뇌출혈 등)
  - 대퇴 맥박은 없거나 미약하고 하지가 차며 혈압이 낮음(하반신은 저혈압)
- 합병증: 좌심실 기능부전, 고혈압성 뇌증, 뇌출혈, 동맥류, 대동맥 파열

022 ③

해설 | **젖병 수유**

- 보관
    - 상온, 4~6시간정도
    - 냉장, 72시간까지(가능한 24시간 이내 권장)
    - 냉동, 6개월까지 가능
- 해동
    - 55 ℃ 이하의 따뜻한 물을 담은 깨끗한 통에 모유통을 담금
    - 몇 시간동안 냉장실에서 해동
    - 금기, 전자레인지(IgA 등 영양소 파괴, 화상위험),
    - 해동된 모유는 24시간 이내 수유, 다시 냉동시키지 말 것
- 먹다 남긴 모유
    - 다시 수유 시 설사를 유발할 수 있으므로 버림
- 수유 스케줄
    - 계획된 수유보다 신생아의 배고픔에 의해 결정하는 것이 이상적(계획된 수유는 신생아의 요구를 즉각적으로 충족 못함)
- 수유 시 자세
    - 신생아와 어머니 둘 다 편안한 자세, 조용한 환경
    - 수유 후 머리를 약간 높이고 오른쪽 측위로 눕힘(삼킨 젖이 위의 아래 부분으로 내려가고 삼킨 공기가 위로 올라와 식도를 거쳐 배출, 역류와 복부팽만 예방)
- 수유시간
    - 1회 수유시간–15~20분이 적절하며 30분 이상 지속하지 않는다.

023 ③

해설 | **비대유문협착증**

- 정의: 주로 신생아 때 위 유문근이 두꺼워 유문강이 길어지고 좁아져서 우유나 모유를 먹을 때 구토하게 되는 질환
    - cf 유문: 위 속 음식물이 장으로 이동하는 위의 일부분
- 증상
    - 수유 시 관련 증상
        ⓐ 수유 동안 좌측 → 우측으로 연동운동 발생
        ⓑ 역류 및 수유 직후 담즙 섞이지 않은 분출성(투사성) 구토 ▶ 상부위장관 폐쇄
        ⓒ 수유 후에도 배고픔을 호소하며 안절부절 못함
    - 올리브 크기(모양)의 덩어리가 우측 상복부(RUQ)에서 촉진됨
    - 대사성 알칼리증 ▶ 지속적인 구토로 HCI, K 손실
    - 체중 감소, 탈수 및 농축된 소변, 변비 등

60 파파완 **10주 완성**

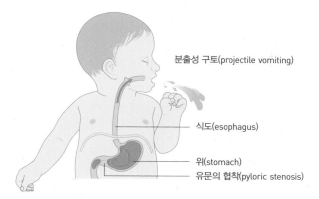

분출성 구토(projectile vomiting)

식도(esophagus)

위(stomach)

유문의 협착(pyloric stenosis)

- 진단: 복부 초음파 검사, 상부위장관조영술 ▶ K↓, Na↓, Cl↓, pH↑, CO_2↑, BUN↑
- 치료: 비후된 유문근을 절개하여 열어주는 수술(Ramstedt pyloromyotomy) ▶ 완치
  - 먼저 구토 때문에 생긴 산염기 및 전해질 대사이상 교정 후 수술 시행
  - 수술은 전신마취 후 진행되며, 배꼽 위쪽을 반원 모양으로 절개함
- 간호

수술 전	• 수술 후 48시간까지 조제유를 희석하여 제공 • 경구투여 금지: 비경구적 수액요법 적용
수술 후	• 4~6시간 후 포도당 수액 및 전해질 섭취 시작하고, 8~12시간 후 식이 재개함 • 소량씩 자주, 천천히 수유하며 I/O 관찰: 이후 곡물 섞인 농도가 진한 우유 제공 ▶ 구토방지 • 수유 후 트림시키며 반좌위에서 오른쪽으로 고개 돌려줌 • 복막염 징후 관찰: 복부팽만, 장음 감소, 빠른 흉식호흡 등

024 ①

해설 | **중이염**

- 원인: 상기도 감염, 간접흡연, 잘못된 수유방법(수유 시 부적절한 자세 등)
- 병태생리: 유스타키오관의 기능장애 → 중이에 분비물 축적 → 유스타키오관의 폐쇄 → 중이에 음압 유발 → 배액장애 → 유스타키오관내 섬모 손상

cf 유스타키오관의 형태 비교

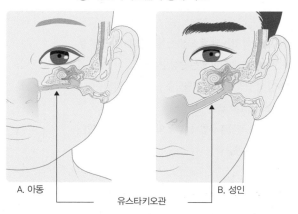

A. 아동

유스타키오관

B. 성인

아동의 유스타키오관은 성인보다 비교적 넓고 짧으며 수평으로 곧게 위치해 있음

- 증상
  - 이통: 귀를 잡아당기거나 긁는 행위, 베개에 귀를 비벼대는 행동 보임
  - 발열, 비울혈, 난청, 구토, 설사, 불안 등
- 주요 간호문제
  - 중이내압 상승과 관련된 통증(*)
  - 감염성 세균침입과 관련된 감염 위험성
  - 질병과정과 관련된 합병증 발생 위험성
- 치료 및 간호
  - 약물 투여: 해열제(acetaminophen, ibuprofen), 진통제(aspirin)
  - 예방
    ⓐ 앉힌 자세에서 상체를 높여 수유함: 앙와위 → 비인두에 우유가 고임 → 유스타키오관으로 들어감
    ▶ 중이염에 쉽게 이환될 수 있음
    ⓑ 코를 세게 풀지 않기, 집안에서 금연 및 알레르기 요인 제거
- 급성 비인두염

병태생리	상기도 상피세포에 바이러스 침범 → 염증 매개물 유리 → 혈관투과성 변화 → 부종 → 비강 폐쇄
증상	• 코 증상이 가장 일반적: 맑은 콧물, 재채기, 코막힘 • 침을 삼키지 못하고 흘림 • 발열, 안절부절 못함, 식욕부진, 구토, 설사 등

치료 및 간호	• 약물투여
	  – 충혈제거제(비점막 투여가 효과적): 비점막 부종 완화
	  – Acetaminophen or ibuprofen: 발열 및 통증 완화
	  – 금기: 라이 증후군과의 관련성 문제로 아스피린은 투여하지 않음
	• 충분한 휴식(침상안정)
	• 가습, 수분섭취 권장, 상체상승: 분비물 액화

POWER 특강

라이 증후군(Reye syndrome)

- 정의: 어린이나 사춘기 청소년들이 바이러스(감기나 수두 등)에 감염됨 → 치료 말기에 뇌압 상승과 간 기능장애로 인해 갑자기 심한 구토 및 경련·혼수상태가 유발됨 ▶ 생명의 위험
- 증상
  - 임상: 뇌압·혈중 암모니아 상승, 황달이 없는 간 효소 상승, 혈액응고시간 연장 등
  - 특징: 뇌압 상승이 있는 뇌중 + 간 비대와 황달이 없는 급성 간부전
- 치료 및 간호: 뇌압 상승, 수분전해질 및 산염기 교정, 저혈당증·고암모니아혈증에 중점을 둠
  - 뇌압 감소: Mannitol, Phenobarbital 투여
  - 10~15%의 포도당 용액을 지속적으로 정맥주사함: 뇌부종 의심 시 수액량 제한
  - 혼수: 기관내삽관을 하여 적절히 산소를 공급함
  - 출혈: 비타민 K와 신선냉동혈장 투여
  - 혈중 암모니아 감소: Neomycin과 Lactulose를 투여하며 관장을 시행함

025 ④

해설 | **성장곡선**

- 백분위수의 개념: 신체성장과 관련된 측정치를 설명하기 위해 사용
    - 해당 연령군 아동의 모든 측정치를 차례로 늘어놓고 그 개수를 백등분한 다음, 구간별 평균값을 나열하여 가장 작은 수치를 1 백분위수, 가장 큰 수치를 100 분위수로 나타낸 것
    - ⓔ 어떤 아동의 키를 측정한 결과 70 백분위수가 나옴 ▶ 100명의 동일 연령, 성별 집단의 아동 중 69명은 이 아동보다 키가 작다는 것을 의미
    - 정상범위: 아동의 개인차를 고려하여 측정치가 5~95 백분위수 범위 안에 포함되는 아동

026 ⑤

해설 | **신증후군**

- 특징
    - 사구체 손상으로 투과성이 증가하여 혈청 단백(특히 알부민)이 소변으로 소실
    - 대부분 외래에서 치료, 재발 빈도 높음
- 4대 증상
    - 심한 단백뇨(하루 2 g 이상의 단백뇨 배설)
    - 저알부민혈증(혈중 알부민 치가 2.5 g/dL 이하)
    - 고지혈증(고콜레스테롤혈증, 혈중 콜레스테롤 수치가 220 mg/dL 이상)
    - 전신부종
- 치료: 대증적 치료, 스테로이드나 면역억제제 치료, 침상안정, 저염식이
- 스테로이드 치료
    - 부종 완화, 체중 증가(체중관리 필요)
    - 위장장애, 제산제 투여
    - 구토 시 우유나 음식과 함께 투약
    - 프레드니손(Prednisone)은 안전하고 가격이 저렴하여 가장 우선적으로 선택됨
    - 백내장 및 뼈의 무기질 소실 등의 부작용 발생
    - 스테로이드는 감염에 대한 저항력을 떨어트림
    - 호흡기 감염 발생이 높아 감염의 증상과 증후에 대해 설명. 감염 조기 발견 필요(체온 측정 자주, 다수가 모이는 장소 회피)
    - 쿠싱 증후군의 특징적 외모와 체모 변화 초래
    - 부종성 피부는 쉽게 손상되어 이차감염을 초래하므로 감염 예방 필요
    - 이뇨제는 프로레드니손 부작용이 나타나거나 자주 재발하는 경우 사용
- 면역억제제(스테로이드 치료에 반응 없을 경우 병용)
    - 백혈구 감소증, 무정자증의 부작용 발생할 수 있음을 설명
- 폐렴구균 백신 미리 접종
    - 단백뇨가 없는 관해 시기에 미리 접종하여 흔한 합병증인 폐렴구균에 의한 복막염을 예방
- 신증후군과 급성 사구체 신염 비교

분류	신증후군	급성사구체신염
원인	자가면역반응이 사구체의 단백의 투과성을 증가	연쇄상구균감염 후 자가면역반응이 사구체손상을 초래
사구체여과율	정상	감소
단백뇨	다량	중등도
혈뇨	거의 없음	육안적 혈뇨
수분량	저혈량(간질액으로 수분이동)	고혈량(혈관 내에 수분정체)
혈압	정상	고혈압
부종	안면부종	안면부종

27 ③

해설 | **신생아 활력징후**

- 방사보온기
  - 장점: 체온이 낮은 신생아를 빨리 보온하기 위해 유용
  - 단점: 대류와 증발로 인해 열 소실을 방지하지 못함
- 정상범위

호흡	• 30~60회/min: 복식호흡을 하므로 1분 동안 복부를 관찰하여 측정
심박동수	• 120~160회/min: 1분 동안 측정 • 잠자는 동안 100회로 떨어지며, 울 때 180회까지 올라감
체온	• 36.5~37 ℃: 액와 측정하도록 함 – 직장 측정은 천공의 우려가 있으므로 하지 않음
혈압	• 출생 시: 평균 혈압은 80/46 mmHg • 출생 후 1~3일: 65/41 mmHg으로 저하될 수 있음

POWER 특강

APGAR 점수

- **신생아의 자궁외 생활에 대한 최초 적응을 사정하는 도구로 사용됨**
  - **구성요소(5가지): 심박동수, 호흡노력, 근긴장도, 자극에 대한 반응, 피부색**
  - **측정 시기**

출생 후 1분에 측정	출생 후 5분에 측정
자궁외 생활에 적응하는 신생아의 능력 판단	신생아 상태의 재평가

- **점수**

0~3점	4~6점	7~10점
심한 적응 곤란	중등도 적응 곤란	정상

	0	1	2
심박동수	없음	100 이하	100 이상
호흡노력	없음	느리고 불규칙, 얕은 호흡	양호하고 큰 소리로 잘 울음
근긴장도	늘어져 있음	사지의 약간의 굴곡	활발한 움직임
자극에 대한 반응 (카테터를 코 속에 넣어 반응을 봄)	무반응	얼굴을 찡그림	기침, 재채기, 울음
피부색	청색증, 창백	몸통은 분홍색, 사지는 창백	전신이 분홍색

028 ⑤

해설 | **특발성 혈소판 감소성 자반증(ITP)**

- 정의: 자가항체(or 기타 면역기전)에 의해 혈소판이 비장에서 과도하게 파괴되는 후천성 출혈성 질환으로, 2~8세에 호발함
- 증상
  - 점상출혈반, 일혈반(특히 뼈 돌출 부위)
  - 점막출혈(코피, 잇몸출혈 등) 및 내출혈(하혈, 혈관절 등)
  - 잦은 타박상, 하지의 혈종

▶ ITP 혈소판 감소

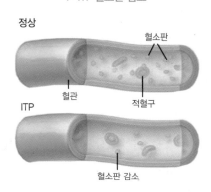

- 진단
  - 혈소판 감소: 20,000/mm^3 이하
  - 출혈시간 연장 + 응고시간, PT, PTT 정상
  - 1~3주 전 선행감염(풍진, 홍역, 호흡기 감염) 후 급성경과를 보이므로 확인함
- 치료 및 간호

치료	• 신선냉동혈장(EFP), 면역글로불린(항D면역글로불린), 스테로이드(심한 경우) • 비장적출술: 6개월 이상 스테로이드 치료 시에도 지속되거나 재발하는 경우
간호	• 손상으로 인한 출혈 예방이 가장 우선적 • 혈소판 수가 50,000~100,000/mm^3 이하일 때와 출혈이 있는 동안에는 활동을 제한 　– 자전거 타기, 스케이트보드 타기, 인라인 스케이트 타기, 체조, 등산, 달리기 등은 삼간다. 　– 활동 시에 머리보호 장구를 착용하며 머리가 손상되지 않도록 하고 외상을 입지 않도록 강조

POWER 특강

혈우병과의 비교(진단검사상)

항목	혈우병	특발성 혈소판 감소성 자반증
혈소판	정상	감소
출혈시간	정상	연장
응고시간	연장	정상
PTT (Partial Thromboplastin Time)	지연	정상
PT (Prothrombin Time)	정상	정상

029 ⑤

해설 | **급성 후두개염**

- 정의: 가장 심각한 크룹. 급속한 기도폐쇄로 응급상황 초래(6~12시간 내에 후두폐쇄)
- 원인: **세균**, 특히 Haemophilus influenza type B가 원인
- 발생빈도: 2~7세 아동에게 발생 빈도가 높음
- 치료
  - 즉시 항생제 치료를 시작(7~10일간)
  - 기관내삽관이나 기관절개술을 시행(기관절개 세트 준비)
  - 산소, 에피네프린(기관제 확장)
    ※ 사용금지: 아트로핀(분비물 건조), 몰핀(기침반사 억제)
- 간호: 검진 시 설압자 사용 금함
- 예방: Hemophilus influenzae B형 백신(Hib vaccine)을 접종

030 ①

해설 | **훈육**

- 원인: 유전, 생화학적, 바이러스 감염, 갑상선 저하증, 페닐케톤뇨증 등의 대사이상
- 정의: 사회가 요구하는 규범에 맞는 바람직한 행동을 하도록 가르치고, 교사나 부모와 같은 외적 통제에 의해서 아동의 잘못된 행동을 교정
- 훈육 지침

훈육 지침
• 일관성(consistency): 같은 위반을 했을 때는 동일한 훈육행동을 취한다.
• 일치성(unity): 아동을 돌보는 모든 사람이 동일한 위반행동에 대해 동일한 훈육을 적용한다.
• 시간(timing): 아동의 위반행동이 표출되는 즉시 훈육한다. 만약 훈육이 곤란한 상황이라면, 옳지 못함에 대해 말해주고 후에 규칙에 의해 훈육이 있을 것을 알려준다.
• 전념(commitment): 훈육이 필요한 시간과 상황에 전념한다. 훈육하는 동안 전화를 받는 등의 행위를 피한다.
• 융통성(flexibility): 아동의 연령, 기질 및 위반행위의 경중 정도에 따라서 적절한 훈육전략을 선택한다.
• 계획(planning): 훈육전략을 미리 잘 계획한다(타임아웃 또는 논리적 설명 등). 아동을 준비시키고, 부모도 차분하게 위반행동에 대해 계획한 훈육방법을 적용시킨다.
• 행위중심(behavior-orientation): 항상 아동이 아닌 행위 자체에 초점을 맞추어서 훈육한다.
• 사생활보장(privacy): 타인 앞에서 수치심을 느끼지 않도록 훈육 시에는 사생활 보장을 유의한다.
• 종결(termination): 한 번 훈육한 일에 대해서는 다시 언급하지 않는다.

- 훈육 방법
  - 논리적 설명: 행위의 부당함, 즉 왜 그 행동이 잘못 되었나를 설명(학령기 후기 이후의 아동에게 적합)
  - 보상: 긍정적인 상을 줌으로써 훈육하는 방식. 아동에게 특별한 방식으로 행동하도록 격려하므로 비행을 줄이는 데에 효과적
  - 무시하기: 바람직하지 못한 행위를 무시하는 것(ignoring)은 행위에 대한 긍정적, 부정적 강화를 없애는 것
  - 결과의 체험: 아동에게 잘못된 행동의 결과를 직접 경험하게 함. 당연성, 논리성, 비관련성의 3가지 유형
  - 타임 아웃(time out): 부적절한 행동이 발생한 장소에서 아동을 분리시켜 한정된 시간 동안 한정된 공간에 아동을 격리시키는 방법

타임아웃 방법

- 타임아웃을 하기에 적절한 장소를 찾는다.
- 시간은 1세에 1분 정도하는 것을 권장하며, 5분을 초과하지 않는다.
- 아동이 나쁜 행동을 했을 때, 즉시 분명하고 간단하게 잘못된 행동임을 말해주고 그만두라고 얘기한다. 그만두지 않을 경우 타임아웃을 할 것임을 경고한다.
- 행동을 멈추지 않으면 즉시 타임아웃을 실시한다.
- 타임아웃 기간 동안 아동이 계속 나쁜 행동을 지속한다면, 타임아웃 시간을 다시 처음부터 시작한다.
- 타임아웃이 끝난 이후 아동이 다시 활동을 할 수 있도록 허용한다.

- Erikson의 심리사회발달(학령기)

  - 발달과업: 근면성/열등감

  - 근면성 발달 영향 요인: 부모와 교사의 양육태도, 아동의 자기능력에 대한 자신감 등

- 중재

  - 아동의 지적 호기심과 성취동기에 적당한 과업을 주어 긍정적인 자아개념과 자존감을 성취할 수 있도록 환경 조성

031 ①

해설 │ **발작 중재**

- 발작 중재방법

  - 발작 시 손상에 대비한 안전한 환경 제공

  - 흡인과 산소투여 기구를 준비(침상 옆), 침상 난간을 올림

  - 서 있거나 의자에 앉아있는 상황에서 발작이 일어난 경우 조심스럽게 바닥에 눕혀 베개나 담요를 말아 머리 밑에 대고, 측위를 취해주며, 주변의 물건을 치움

  - 발작 중일 때 억지로 옮기려고 하거나 발작을 억제하기 위해 강제로 붙잡지 말아야 하며, 치아에 어떤 것도 물리지 않음

  - 옷을 느슨하게 입히고, 구토를 하면 머리를 옆으로 돌려줌

  - 아동과 가족의 프라이버시를 보호하기 위해 문을 닫고 스크린을 침

  - 발작이 끝난 후, 발작 종료시간을 확인하고, 호흡과 의식상태, 상처여부를 사정

  - 아동을 옆으로 눕히고, 완전히 회복될 때까지 아동 옆에 있으면서 구강 음식 제공 금지

  - 고열 시 찬 물수건보다 미지근한 물수건을 적용한다.

▶ 발작 시 아동 자세

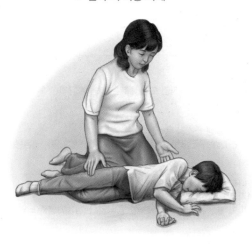

032 ④

해설 | **백일해**

- 증상: 짧고 발작적인 기침 + 밤과 이른 아침에 증상 악화
  - 흡기 시 숨을 들이쉬며 'whoop (흡)'하는 소리가 남
  - 발작 후 다량의 진하고 끈끈한 점액성 구토가 발생함
- 원인
  - 병원체: Bordetella pertussis (그람음성균)
  - 감염경로: 비말감염, 직접접촉, 오염된 기구에 의한 간접접촉

잠복기간	5~21일: 대부분 10일
감염기간	• 발작 후 4주까지 • 카타르기에 전염성이 가장 강함 ▶ 격리 – 카타르기: 1~2주 지속. 콧물, 결막염, 눈물, 경미한 기침, 낮은 발열의 가벼운 상기도 감염 증상이 나타남

- 치료 및 간호
  - 항생제 투여: 카타르기에 erythromycin 또는 ampicillin 투여
  - 백일해 면역글로불린 투여: 복부를 지지해 주고 상체를 세우며 옆에서 지지
  - 발작 유발인자 제거: 정신적 · 신체적 안정 제공하여 자극을 최소화함
  - 기도폐쇄 예방: 산소요법, 분비물 흡인, 수분섭취 증가, 따뜻하고 충분한 습기 제공
- 예방백신: DPT 혼합백신(DTaP; 디프테리아, 파상풍, 백일해 예방)

접종시기	• 기본접종: 2개월, 4개월, 6개월에 한 번씩 • 추가접종: 18개월에 1차 추가, 4~6세에 2차 추가
주의사항	접종 시 열이 나거나 질환을 앓고 있는 경우, 최근 1년 이내에 열성경련을 포함한 경련이 있었던 경우, 면역결핍(질환, 면역억제제 사용)의 경우에는 반드시 의사에게 알리도록 함
가족구성원의 감염 예방	환아와 밀접한 접촉이 불가피할 경우에는 연령, 예방 접종력, 증상 발현 여부에 관계없이 erythromycin을 14일간 복용함

033 ⑤

해설 | **홍역**

⑤ 결막의 염증으로 눈에서 분비물이 배출되고 광선과민증(수명증)이 발생할 수 있다. 생리식염수로 눈을 세척해 주고, 직사광선은 피하며 방의 조명도 어둡게 낮춰준다.

- 증상

카타르기(전구기)	• Koplick 반점
	   – 발진 2일 전 관찰
	   – 구강 협부 점막의 특징적인 모래알 같은 발진(불규칙한 홍색 반점)	

발진기	• Koplik 반점 발생 1~2일 후 • 안면에서 홍반성 구진으로 시작하여 아래로 확산됨: 머리 → 몸통 → 하지	
회복기	• 발진은 나타났던 순서대로 소실되며 색소가 침착됨 • 허물 벗겨지면 발진이 7~10일 이내에 소실 • 합병증이 잘 발생함: 폐렴(가장 흔함), 중이염, 신경계합병증(뇌염, 길랑–바레)	

- 예방백신

능동면역	수동면역
생후 12~15개월에 MMR [홍역, 이하선염(볼거리), 풍진 바이러스 예방]	환자와 접촉 시 3일 내 gamma globulin 투여하면 대부분 발병을 피할 수 있음

오답 ① 수분섭취를 격려한다.

③ 감염기간이 발진 4일 전~발진 5일 후이므로 발진 5일째까지 격리해야 한다.

④ 미온수 목욕으로 소양증을 완화시켜준다.

POWER 특강

월령별 예방접종 시기		
기본접종	생후 1주 이내	B형 간염 # 1
	생후 4주 이내	BCG, B형 간염 #2
	2개월	DTaP # 1, polio # 1
	4개월	DTaP # 2, polio # 2
	6개월	DTaP # 3, polio # 3, B형 간염 # 3
	12~15개월	MMR
	12~24개월	일본뇌염(첫해 2회 접종, 일년 후 1회 추가)
추가접종	15~18개월	DTaP
	4~6세	DTaP, polio, MMR
	14~16세	성인용 Td
임부의 예방접종		
접종금지	생균 백신: MMR [홍역(measle), 볼거리(mumps), 풍진(rubella)], Polio, 황열	
접종가능	• 사균 백신: 파상풍, 디프테리아, 콜레라, 결핵, B형 간염 • 면역글로불린 형태 or 톡소이드(toxoid) 형태의 백신, 인플루엔자 예방백신	

---

034 ⑤

해설 | **백혈병 간호**

⑤ 호중구 감소 → 감염, 혈소판 감소 ▶ 감염 및 출혈의 위험이 있다. 따라서 부드러운 칫솔이나 거즈, 면봉을 사용하여 구강위생을 도모한다.

- 정의: 조혈조직에 미성숙된 백혈구가 악성으로 증식하여 생기는 질환
    - 급성 림프구성 백혈병(acute lymphocytic leukemia, ALL) ▶ 소아백혈병
- 증상

기관 및 조직	결과	증상
골수기능장애	• 적혈구 감소 ▶ 빈혈 • 호중구 감소 ▶ 감염 • 혈소판 감소 ▶ 출혈 • 골수침범(아세포 침윤) ▶ 뼈 쇠약, 골막 침범	• 창백, 피로 • 발열 • 출혈(점상 출혈반) • 골절 경향, 뼈의 통증
간, 비장, 림프샘	침윤, 증대: 섬유조직 형성	간 비대, 비장 비대, 림프선종
중추신경계(뇌막)	뇌압 상승, 뇌실 증대, 뇌막 자극	심한 두통, 구토, 불안정, 기면, 유두부종, 혼수, 통증, 경부 및 척추강직
대사항진	세포 침범에 의한 영양소의 세포 분비	근육 소모, 체중 감소, 식욕 부진, 피로

- 치료

  – 관해요법

관해		유지	
P	**P**rednisolone	6–MP	**6–m**ercaptopurine
A	**L**–asparagine	V	**V**incristine
V	**V**incristine	P	**P**rednisolone

  – 약물 부작용

Methotrexate	Prednisone
• 백혈구 감소 • 출혈, 빈혈, 골수 억제, 감염증 • 설사, 구토 • 피부의 색소침착 • 쇼크	• 체액정체, 체중증가 • 만월형 얼굴(달덩이 얼굴) • 기분변화, 식욕증가, 소화불량 • 불면증

- 간호: 감염, 출혈, 빈혈에 중점을 둠

  – 생리식염수로 자주 구강세정 시행: 오심 · 구토, 구강점막 손상 시

   ⓐ 오심 · 구토가 있다고 해서 무조건 약물투여를 중단하지 않음

  – 감염 예방 및 치료: 광범위 항생제 투여, 방문객 제한 등

  – 출혈 예방 및 빈혈의 사정과 조절

   ⓐ 부드러운 칫솔로 양치함

   ⓑ 금지: 좌약삽입 및 침습적 행위, 격한 운동

035 ⑤

해설 | 조혈모세포 이식

- 조혈모세포(stem cell): 주로 골수에 존재하면서 증식과 분화 등을 통해 백혈구, 적혈구 및 혈소판 등의 혈액세포를 만들어내는 세포

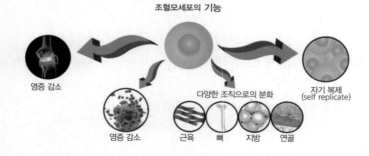

조혈모세포의 기능

염증 감소 · 다양한 조직으로의 분화 · 자기 복제 (self replicate)

염증 감소 · 근육 · 뼈 · 지방 · 연골

- 조혈모세포 이식

대상자	혈액종양 환자(백혈병, 악성 림프종, 다발성 골수종 등)
이식방법	먼저 항암화학요법 및 방사선요법으로 암세포와 환자 자신의 조혈모세포를 제거한 다음 새로운 조혈모세포를 정맥주입함(중심정맥관, CVP)
부작용	• 공여자의 골수에 대해 환자의 세포가 공격하는 거부반응 • 공여자의 건강한 골수가 환자를 공격하는 이식편대숙주병(GVHD) • GVHD – 주로 피부, 위장계, 간과 같은 기관에 나타나며 광범위하고 다양한 증상을 보임. 첫 징후는 주로 피부 홍반과 발진으로 나타남
주의점	감염 예방, 이식편대숙주(피부, 위장관, 간의 피부발진), 개인 및 주변환경 위생에 세심한 주의를 기울여야 함

이식편대숙주병(graft-versus-host disease, GVHD)

• 기전 및 증상: 수혈된 림프구가 면역기능이 저하된 숙주(수혈 받은 사람의 신체)를 공격함 ▶ 발열, 발진, 간 기능이상, 설사, 범혈구감
  소증 등
• 위험요인: 면역억제를 많이 할수록 가능성이 높아짐
  – 자궁내 수혈을 받은 신생아, 선천성 면역 결핍증
  – 악성 종양(급성 백혈병, 호지킨병 등)
• 위험성: 발생률은 아주 적지만 일단 발생하면 치명적으로 사망률이 90% 이상임

지역사회간호학

036 ④

해설 | 자유방임형 보건의료전달체계

장점	• 국민이 의료인과 의료기관을 선택할 수 있는 최대한의 권리 부여 ▶ 의료의 책임도 개개인에게 있음 • 의료의 질적 수준 높음, 의료기술의 개발이 활발함 • 의료인에게도 의료의 내용, 범위, 수준 결정에 재량권 부여
단점	• 의료기관의 자유경쟁으로 지역적, 사회계층적으로 자원의 불균형 ▶ 형평성에 어긋남 • 의료자원의 비효율적 활용으로 의료비가 매우 높음 • 의료서비스 포괄성이 낮음

037 ①

해설 | 제5차 건강증진종합계획 기본 틀

• 비전: "모든 사람이 평생건강을 누리는 사회"

  ① SDGs 등 국제동향에 맞추어 적용대상 확대: "온 국민" → "모든 사람"

  ② 전 생애주기에 걸친 건강권("평생건강")명시

• 총괄목표: 건강수명연장, 건강형평성 제고

  ① HP2030 추진의 최종 결과지표(Health Outcomes)로, HP2020 유지

  ② 건강수명 목표치 및 자료원, 건강형평성 목표지표 선정 등 구체화 예정

    – 건강수명: 73.3세

038 ③

해설 | 원인망 모형(거미줄 모형)

질병발생은 어느 한 가지 원인에 의한 것이 아니라 여러 가지 원인이 서로 연관되어 선행요소가 복잡한 계보를 이루는 결과로 질병이
발생한다는 학설

039 ④

해설 | **타당도 측정**

특이도(specificity): 질병에 걸리지 않은 사람이 음성(−)으로 나올 확률. 따라서 (60/80)x100=75이다.

040 ④

해설 | **환경위생관리**

감염병을 관리하기 위해 전파과정을 차단하는 방법 중 환경위생관리로는 전파체 관리(모기 등 유충, 성충구제, 기생충 구제), 음료수 관리(분뇨로부터 오염 유의), 식품 관리(식품 보존, 가열), 소독 관리(물리적, 화학적 방법으로 병원체 파괴)가 있다.

041 ④

해설 | **자료수집**

질병이환 상태: 지역사회 건강상태 측정의 가장 정확한 지표

▶ 급성질환 발생률, 전염병 유무, 만성질환 유병 발생률, 잠재적인 건강문제를 가진 사람 수, 풍토병 등

042 ⑤

해설 | **오렘의 자가간호이론**

질병상태와 진단과 치료에 관계된 비정상적 상태에 대한 자가 간호요구는 건강이탈적 자가간호요구에 해당한다.

043 ⑤

해설 | **목표의 기술과 지표**

① 목표가 갖추어야 할 기준(목표설정기준): 어떤 목표가 좋은 목표인가?(SMART)

　㉠ Specific (구체성): 목표는 구체적으로 기술되어야 함

　㉡ Measurable (측정가능성): 목표는 측정이 가능해야 함 → 양적으로 수량화하여 숫자로 표시하면 정확한 판단 가능

　㉢ Aggressive and Achievable (적극성과 성취가능성): 목표는 성취 가능한 수준이어야 함

　㉣ Relevant (연관성, 관련성): 목적 및 문제해결과 직접적으로 관련성이 있어야 함

　㉤ Time Limited (기한): 목표달성을 위한 기한이 명시되어야 함

044 ⑤

해설 | **건강형평성**

• 개념: 개인들이나 집단들이 불공정하거나 부당함에서 비롯된 '피할 수 있는(avoidable)' 건강상의 차이에 대한 가치 판단을 내포한 윤리적이고 도덕적인 개념

• 건강에서의 개인 간 변이가 아닌 사회경제적 위치에 따른 건강수준의 차이를 나타내는 용어로 '사회경제적 건강 불평등'을 의미

045 ③

해설 | **생활습관**

개인 또는 집단의 건강상태에 영향을 미치는 요인을 말하는데, 크게 생물학적, 개인적(생활양식), 물리적(환경적), 사회 경제적(보건의료체계 등) 요인의 네 가지 범주로 분류한다. 이 중 생활습관이 전체 60% 이상을 차지한다.

046 ①

해설 | **지역보건의료계획**

지역보건의료계획은 보건소의 사업방향이 상의 하달식에서 하의 상달식으로 전환하게 만든 데 의의가 있다. 또한 각계각층이 계획수립에 참여함으로써 보건의료에 대한 인식을 제고하며, 각 보건소는 지역실정에 맞는 보건의료계획을 수립할 수 있고 보건의료기관의 기획능력의 향상과 동기 부여에 도움이 된다.

047 ③

해설 | **PATCH 모형**

PATCH 모형의 과정은 "지역사회 조직화 → 자료 수집과 분석 → 우선순위 설정 → 포괄적인 중재계획 개발 → 평가"이다. 조직화 단계에서 지역사회위원회를 조직하고 지역회의를 개최한다.

048 ③

해설 | **평가의 유형**

결과평가는 설정한 장, 단기목표가 얼마나 달성되었는가를 평가한다.

- 단기적 효과: 대상자의 지식, 태도, 신념, 가치관, 기술, 행동 변화 측정
- 장기적 효과: 이환율, 사망률, 유병률 등 감소 측정

049 ①

해설 | **효율성**

사업의 효율성은 투입량에 대한 산출량을 보는 것으로 인적, 물적 자원을 비용으로 환산하여 그 사업의 단위 목표량에 대하여 투입된 비용이 어느 정도인가를 산출한다.

050 ③

해설 | **협력자**

다른 간호사, 약사, 의사, 물리치료사, 사회복지사, 영양사, 간호조무사 등의 보건의료 인력과 동반자적 관계를 구축하고 업무를 협력적으로 추진

051 ⑤

해설 | **지역사회 자원활용의 원리**

- 쉽게 이용 가능한 자원, 지역사회 및 가족이 이미 가지고 있는 자원부터 활용함
  - ▶ 가족이나 지역사회가 가지고 있는 자원은 스스로 문제를 해결하는 데 도움이 되므로 가장 우선적으로 이용
- 지역사회 내 보건사업의 범위와 제한점 숙지
- 사용가능한 자원 목록을 주기적으로 파악하고 관리하며, 편리하고 간편한 방법 모색

052 ⑤

해설 | **학교보건인력 배치**

초등학교			중학교, 고등학교		
18학급 이상	학교의사 1명		9학급 이상	학교의사 1명	
	학교약사 1명			학교약사 1명	
	보건교사 1명			보건교사 1명	
18학급 미만	학교의사 or 학교약사 중 1명		9학급 미만	학교의사 or 학교약사 중 1명	
	보건교사 1명			보건교사 1명	

053 ③

해설 | **작업환경관리**

- 대치: 위생대책의 근본방법으로 공정과정, 시설, 물질 등을 변경하는 것. 비용이 적게 드나 기술적 어려움이 따름
- 격리: 작업자와 유해인자 사이에 장벽(물체 · 거리 · 시간 등)을 설계하는 방법
- 환기: 오염된 공기를 작업장 안으로부터 제거하고 신선한 공기로 치환

054 ③

해설 | **Pender의 건강증진 모형(지각된 자기효능감)**

지각된 자기효능감은 특정 행위를 수행하기 위해 수행하기 위해 필요한 자신의 능력에 대한 판단, 그 행위를 수행함으로써 가져올 결과에 대한 기대와 행위를 수행할 수 있는 자신의 능력에 대한 기대에 의해 결정된다.

055 ④

해설 | **합계출산율(total fertility rate, TFR), 총출산율**

한 시점에서 연령별 출산율이 일정하다면 한 여성이 가임기간 동안 낳은 자녀 수

▶ 연령별(15~49세) 출산율을 합쳐서 산출

056 ③

해설 | **보건교육 매체(모형)**

장점으로는 실물이나 실제 상황의 활용과 거의 비슷한 효과, 세부적 부분까지 관찰 가능한 점, 교육 목적에 맞게 직접 제작, 사용하고 반복 사용이 가능하다는 점, 기술 습득이 용이하다는 점이 있다.

단점으로는 경제적으로 비효율적이며 파손되기 쉽고 보관할 공간이 필요하고 운반이 불편하며 학습자가 많을 때는 불가능하다는 점이다.

057 ②

해설 | **행동주의 이론**

행동주의 이론에서의 학습원리는 반복은 학습을 증진시키며, 새로운 자료를 간격을 두고 제시함으로써 학습을 돕는 것 등이 있다. 또한 정확하고 즉각적인 회환은 학습을 향상시키고 각성은 주의집중에 영향을 준다. 학습자의 행동 결과에 상응하는 적절한 보상을 주면서 충분히 연습하도록 하며 긍정적인 보상을 시간적 간격을 두고 적절하게 제공한다.

058 ⑤

해설 | **브레인스토밍**

특별한 문제를 해결하기 위한 단체의 협동적인 토의로 어떤 문제의 여러 면을 검토하는 방법, 기발하고 창의적 아이디어를 얻을 때 효과적이다. 재미있고 어떤 문제든지 토론의 주제로 삼을 수 있다는 장점이 있지만, 시간 낭비로 끝날 수 있고 토론을 성공적으로 이끌기 위해 고도의 기술이 필요하다.

059 ⑤

해설 | **현대사회 가족의 특징**

핵가족, 단독가족의 증가, 여성의 사회진출로 출산율 감소, 노인인구의 증가, 비혈연 가족의 증가, 가족의 기능 일부가 사회로 이전됨, 평등한 가족 관계, 가족유대와 결속력의 약화, 가정과 일터의 분리, 가족 재생산 기능의 약화, 정서적 기능 약화, 가족 유대감 약화, 자녀의 양육과 사회화 기능의 약화, 부양기능 약화 등

060 ⑤

해설 | **Duvall의 8단계 가족생활주기**

첫 자녀가 13~20세일 때 가족의 발달단계는 5단계(청소년기)로, 10대인 자녀의 자유와 책임의 균형, 안정된 결혼관계와 수입 유지, 자녀들의 성 문제 대처, 세대 간의 충돌 대처 등의 발달과업이 주어진다.

061 ③

해설 | **사회지지도**

가족 내 가장 취약한 가구원 중심으로 가족 내뿐 아니라 외부의 상호작용을 그려봄으로써 가족의 지지체계 양상을 이해한다.

062 ④

해설 | **자연독 식중독**

자연독 식중독에는 동물성, 식물성, 곰팡이독이 있다. 동물성에는 복어(tetrodotoxin 성분), 조개, 굴(venerupin 성분), 홍합(mytilo-toxin 성분) 등이 있다.

063 ③

해설 | **지역보건법**

- 지역보건의료서비스
    가. 국민건강증진·구강건강·영양관리사업 및 보건교육
    나. 감염병의 예방 및 관리
    다. 모성과 영유아의 건강유지·증진
    라. 여성·노인·장애인 등 보건의료 취약계층의 건강유지·증진
    마. 정신건강증진 및 생명존중에 관한 사항
    바. 지역주민에 대한 진료, 건강검진 및 만성질환 등의 질병관리에 관한 사항
    사. 가정 및 사회복지시설 등을 방문하여 행하는 보건의료 및 건강관리사업
    아. 난임의 예방 및 관리

①, ②, ④, ⑤번은 일차보건의료서비스 내용

- 1차 보건의료 서비스

  가. 지역사회가 가지고 있는 건강문제를 규명하고 이를 관리하는 방법 교육

  나. 식량의 공급과 영양의 증진

  다. 안전한 물의 공급

  라. 모자보건 및 가족계획

  마. 감염병 관리를 위한 예방접종

  바. 질병예방과 관리

  사. 통상질환과 상해의 치료

  아. 정신보건의 증진

  자. 기본 의약품의 제공

064 ②

해설 | **지역보건 의료계획**

지역보건 의료계획의 달성목표, 지역현황과 전망, 지역보건 의료기관과 민간 의료기관 간의 기능분담 및 발전방향, 보건소 업무의 추진 현황과 추진계획, 지역보건 의료기관의 확충 및 정비계획, 지역보건 의료와 사회복지사업 간의 연계성 확보계획이 있다.

065 ⑤

해설 | **예방 수준**

1차 예방은 개인 또는 집단의 건강 증진과 질병 예방 활동의 수준을 말한다. 2차 예방은 질병의 조기 진단 및 조기 치료를 목표로 하며, 3차 예방은 질병에 걸린 후 빠른 회복으로 기능 장애를 최소화하는 재활을 중점에 둔다.

066 ④

해설 | **사례관리의 연속성**

사례관리 서비스, 대상자와 환경에 대한 사후관리, 지지적 관계, 재평가가 연속적으로 이루어져야 한다.

067 ①

해설 | **2차 오염물질**

오염원에서 배출된 1차 오염물질이 광화학적 반응으로 다양한 물질이 생성되는데, 오존(O_3), PAN, 광화학 스모그 등이 있다.

068 ⑤

해설 | **도수율(frequency rate; 빈도율)**

연 작업 100만 시간당 재해발생 건수. 도수율은 발생 상황을 파악하기 위한 표준 지표, 작업장 간 또는 국가 간 비교 시 이용하며 (재해 건수/연 근로시간 수)X1,000,000 로 계산한다. 따라서 도수율은 (4/10,000)X1,000,000=400이다.

069 ③

해설 | **임시 건강진단**

특수 건강진단 대상 유해인자에 의한 중독, 질병의 이환 여부 또는 질병 발생원인 등을 확인하기 위해 사업주가 비용을 부담하여 실시한다. 임시 건강진단의 목적은 직업성 질환의 발생으로부터 근로자들의 건강보호 조치를 긴급히 강구하기 위함이다.

070 ③

해설 | **재해 복구단계 간호**

재난 발생 후 회복기의 접근 전략으로 간호사는 건강증진, 질병 예방 관련 업무와 위험 측정 업무에 참여하게 된다. 재난발생지역의 잠재적인 질병 발생 가능성에 대해서도 숙지하고 있어야 하며 추가적인 외상 또는 다른 문제들을 유발시키는 위험요인의 노출에 대해 예방 지도하여야 한다.

정신간호학

071 ③

해설 | **방어기제**

합리화(rationalization)는 어떤 행동을 하고 나서 논리적인 그럴 듯한 이유로 정당화시켜 체면 유지와 자기 보호를 하는 방어기전이다. 대상자는 힘들게 일한 뒤 술을 마시면 피로도 풀리고 힘이 난다고 논리적으로 그럴듯한 이유를 대며 음주를 정당화시키고 있다.

---

comment

주요 방어기제

합리화는 중독관련장애의 방어기제이다. 조현병의 주요 방어기제는 투사(환각, 망상의 증상), 강박장애는 취소(책임을 면제받고자 어떤 행위를 함), 우울증은 함입(내 탓, 내적으로 투사)이다.

POWER 특강

- **투사**: 본인의 탓으로 책임을 돌리자니 그대로 받아들이기가 너무 버거우므로 외부로 책임을 돌려버리는 것

  ⓔⓧ 내가 상대방을 싫어함 → 스스로를 남을 싫어하는 몹쓸 인간이라 생각하고 싶지 않음 → 상대방이 먼저 나를 싫어했으니 나도 상대방을 싫어하는 것이라 투사

- **주지화**: 받아들일 수 없는 불안과 스트레스를 경험하지 않기 위해 감정을 배제하고 사실적 측면에 집중하여 지적인 능력을 최대한으로 사용하고 느낌보다는 사고로 정서적 불편을 제거하려고 하는 것이다. 그러나 감정을 아예 갖지 않는 것을 의미하는 것은 아니며, 스스로 감정을 수용 가능할 때까지 감정을 차단하고 무시하는 방법을 택한 것이다.

  ⓔⓧ 아내가 사고로 사망하였다는 소식을 듣고 남편은 장례절차를 준비하고 가족들에게 사고소식을 빨리 알리느라 바쁘다. 남편은 오로지 장례를 완벽하게 치르기 위한 절차에만 집중하고, 아내와의 관계가 얼마나 소중했는지, 아내의 죽음이 본인에게 어떠한 영향을 미칠 것인지는 생각하지 않는다.

072 ④

해설 | **Erickson의 정신사회적 발달이론**

에릭슨(Erickson)은 각 단계마다 해결해야 할 정신사회적 과제들이 주어진다는 '정신사회적 발달이론'을 주장하였다. 그 중 중년기(45~65세)의 발달과업은 생산성 vs 침체로, 사회와 가정에서 능력을 발휘하고 인정받는 것을 추구하며 실패 시에는 창의력을 잃고 의기소침해진다.

POWER 특강

Erickson의 정신사회적 발달이론

Erickson은 인격발달에 대하여 단계별 과제인 발달과업 수행 유무를 통한 사회발달에 초점을 두었다.

시기	발달 과업
영아기(0~1세)	신뢰감 VS 불편감
유아기(1~3세)	자율성 VS 수치감
학령전기(3~6세)	주도성 VS 죄책감
학령기(6~12세)	근면성 VS 열등감
청소년기(12~18세)	정체감 VS 역할혼돈
성인기(18~45세)	친밀감 VS 소외감
중년기(45~65세)	생산성 VS 자기침체
노년기(65세 이후)	통합성 VS 절망감

---

comment

강조된 글자들로 암기해보자!

'신자 주면 정밀 생통(정말 쌤통)'

---

073 ①

해설 | **치료적 인간관계**

간호사-대상자의 치료적 인간관계는 '상호작용 전 단계-오리엔테이션 단계(초기단계)-활동단계-종결단계'로 이루어진다. 상호작용 전 단계에서 간호사는 대상자와의 관계 형성 전 자신에 대한 탐구로 시작해 편견과 선입견 등을 확인하는 자기탐색과정을 거친다. 또한 자신의 불안과 두려움에 대해 탐구하고, 대상자에게 유용한 자료를 수집하며 자기분석 등의 활동을 한다.

---

comment

오리엔테이션 단계

오리엔테이션 단계(초기단계)는 말 그대로 오리엔테이션을 하는 단계이다. 간호사 본인소개(자기소개, 역할)와 치료과정에서의 계약을 설정하여 치료적 분위기를 조성한다.

---

074 ⑤

해설 | **치료적 의사소통**

치료적 의사소통 기술 중 하나인 '반영'은 대상자의 생각이나 감정을 다른 말로 표현하여 모호하게 표현된 감정을 분명히 하고 대상자가 자신이 말한 것을 생각해 볼 수 있는 기회를 준다. 반영을 이용하여 직장을 계속 다닐 수 있을지 걱정하는 대상자의 마음을 말로 표현하면서 대상자가 자신의 감정을 수용하고 인정하는 데 도움을 줄 수 있다.

━ comment ━

치료적 의사소통 기법 중 '반영'은 가장 자주 출제되는 개념 중 하나이다. 대상자가 어떤 상황에 대하여 걱정하고 이에 대한 감정, 생각, 경험을 나타내는 사례가 주어졌을 경우 '반영(다른 말로 표현)'을 가장 먼저 떠올리자.

075 ④

해설 | **정신생물학적 이해**

편도체(amygdala)는 측두엽 내부와 대뇌 변연계에 존재하는 아몬드 모양의 뇌 구조로 감정을 조절하고, 공포에 대한 학습 및 기억에 중요한 역할을 한다. 공황장애에서 편도체는 감정을 담당하고 외부의 정보에 민감하게 반응하는데, 공포를 일으키는 대상이나 상황이 시상하부에서 편도체로 전달되어 온몸에서 반응이 나타나게 된다.

POWER 특강

기저핵(basal ganglia)

기저핵의 대표적인 기능은 무의식적인 자율운동 및 의도적 움직임의 조절이다. 즉 의도적인 행동을 할 때 대뇌에 흥분을 전달해 빠르고 정확하게 행동을 할 수 있도록 하고, 불수의적이거나 무의식적인 행동을 할 때 대뇌의 협조없이 움직임을 가능하게 한다. 기저핵의 대표적인 신경장애 증상은 경직(*rigidity*), 진전(*tremor*), 불수의적 움직임(*involuntary movements*)이다.

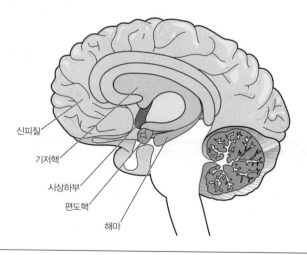

076 ①

해설 | **지각장애**

지각장애의 특징으로는 실인증, 착각, 환각 등이 있다. '환각'은 외부의 자극이 없는데도 실제처럼 지각하는 현상으로, 종류로는 환청, 환시, 환후, 환촉, 환미 등이 있다.

POWER 특강

망상

병적으로 생긴 잘못된 판단이나 확신으로, 이유나 논리로 교정되어질 수 없는 논리적으로 그릇된 믿음이다. 망상은 사고내용의 이상에 해당된다.

	피해망상	과대망상
정의	자신이 누군가에게 시달리고 있거나 속았거나 괴롭힘을 당하고 있다는 그릇된 신념	자신이 실제보다 더 위대하고 전능하며 남들이 모르는 재능이나 통찰력을 가졌거나 정부의 직책을 맡았다고 과대평가하여 믿음
예시	남이 자기를 미행한다거나, 자기를 죽이기 위해 음식에 독을 탔다거나, 남이 자기를 감시하고 있다거나, 특수한 기계를 이용하여 자신의 능력을 감소시키고 있다거나, 자기 몰래 자신의 몸속에 어떤 장치를 했을 것이라는 생각 등	자신이 초능력 인간이 되었다거나, 또는 영적인 힘을 지니게 되어 무슨 일이든지 할 수 있다고 믿는데, 이런 증상은 자신의 열등감 · 패배감 · 불안감 등을 보상하기 위해 노력하다가 생기는 경우가 많음

077 ⑤

해설 | **인지치료**

역기능적 사고 일지란 인지치료 기법을 실생활에 적용해보는 것으로, 부정적인 자동적 사고나 감정을 파악하고 스스로 통제하여 사고를 바꿀 수 있도록 도와주는 도구를 말한다.

POWER 특강

인지치료

대상자가 지닌 정서적 불편감 또는 행동 문제들과 관련된 역기능적 사고를 찾고, 대상자와 협동적으로 역기능적인 사고를 수정하여, 정서적 불편감 또는 행동 문제들을 해결해 나가는 치료법이다.

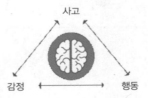

078 ②

해설 | 추체외로계 부작용(EPS)

급성 근긴장 이상증(acute dystonia)은 항정신병 약물의 신경학적 부작용 중 하나인 추체외로계 부작용(EPS)에 속한다. 목과 어깨가 갑자기 뒤틀리는 사경, 안구운동 발작, 턱 근육의 경직, 호흡곤란, 연하곤란 등이 발생하며, 즉각적으로 항파킨슨 약물을 투여하여 치료한다. 항파킨슨 약물의 종류로는 benztropine (Cogentin), biperiden (Akineton), diphenhydramine (Benadryl) 등이 있다.

POWER 특강			
추체외로계 부작용(EPS)			
가성 파킨슨증 (pseudo-pakinsonism)	• 구부정한 자세 • 발을 끌며 보행 • 경직 • 휴식 시 진전 • 알약을 굴리는 듯한 손떨림	급성 근긴장 이상 (acute dystonia)	• 찡그린 표정 • 불수의적인 상향 안구 움직임 • 혀, 얼굴, 목, 동체 근육 경련 • 목이 돌아가고 팔·다리가 뒤틀림
정좌불능증 (akathisia)	• 가만히 있지 못하고 몸을 흔들거나 앉기와 서기를 반복 • 발을 앞뒤로 지속적으로 움직임	지연성 운동이상증 (tardive diskinesia)	• 입 주위 근육의 운동장애 • 입을 오물거리고 입맛을 다시고 소리를 냄 • 사지와 손·발 등의 불수의적 움직임

079 ⑤

해설 | 지역사회 정신건강 간호

정신건강간호사업의 1차 예방에는 건강한 사람들의 안녕을 유지하는 것이 목적인 건강증진과 질병예방 등이 속한다. 퇴직예정자는 퇴직 후 스트레스로 인해 정신건강에 문제가 발생할 잠재적인 위험을 가진 군이므로, 이들의 스트레스를 예방하는 것은 1차 예방에 해당된다.

오답 ① 2차 예방

②,③,④ 3차 예방

POWER 특강		
1차 예방	2차 예방	3차 예방
건강증진, 질병예방	**조기발견, 조기치료**	**재발방지, 재활**
• 건강증진: 건강한 사람들의 안녕 유지 • 질병예방: 잠재적 위험에 대한 보호 • 질병에 걸리기 전에 원인요소를 변화시킴으로써 질병발생률을 낮추는 것	현존하는 정신건강 문제를 조기에 확인하고 정신질환 유병기간을 감소	• 정신질환으로 인한 부차적인 정신적 결함이나 사회적응장애를 줄임 • 재발방지, 재활과 지속적인 관리, 사회 복귀

080 ④

해설 | 지역사회 정신건강간호사업

지역사회 정신건강간호사업은 전통적 치료에서 벗어나 지역사회를 기반으로 하는 지속적이고 포괄적인 통합적 치료 접근으로, 지역사회 정신건강을 목적으로 지역사회 내에서 행해지는 모든 활동을 포함한다.

081 ⑤

해설 | **지지 정신치료(supportive psychotherapy)**

치료자는 대상자를 위해 지지하고 이해하는 태도를 가지고, 대상자가 사고방법과 가치관을 받아들일 수 있도록 격려하는 지지적인 정신요법을 사용할 수 있다. 면담을 통해 대상자가 분노의 원인을 확인하고, 말, 태도, 행동 변화를 촉진한다.

POWER 특강		
정신치료(psychotherapy)		
정신분석	정신분석적 정신치료	
	통찰 지향적 정신치료	지지적 정신치료
환자의 문제가 현재보다 과거의 정신적 상처가 억압되었을 때 무의식적인 갈등이 형성되는데, 이러한 무의식을 의식화하여 억압된 성욕이나 공격성의 본질과 자기 문제의 핵심을 통찰하고 전체 인격의 구조 속에 통합되도록 함	• 정신분석적 치료에 기초하되 유아기적 갈등 등, 무의식을 덜 다루면서 현재의 갈등과 정신역동도 다룸 • 치료목표: 증상완화 + 제한적 성격변화(성격구조, 방어양상의 수정)	• 환자의 장애가 된 방어기제와 통합능력을 재생시키고 강화시킴 • 치료자가 당분간 환자를 받아주고 의존을 허용함으로써 불안, 죄의식, 수치, 좌절 등으로 고통받는 약해진 환자의 자아를 지지함으로써 문제를 처리하도록 함

082 ②

해설 | **망상장애**

망상장애의 진단기준은 1가지 이상의 망상이 적어도 1개월 이상 지속될 때이다.

POWER 특강

미국 정신의학회(*American Psychiatric Association*)의 정신장애 진단 통계편람(*DSM-V*)의 진단 기준에 따르면 다음의 사항들을 모두 만족시켜야 한다.
A. 1개월 이상의 지속 기간을 가진 한 가지(혹은 그 이상) 망상이 존재한다.
B. 조현병의 진단기준 A에 맞지 않는다.
  ▶ 주의점: 환각이 있다면 뚜렷하지 않고, 망상 주제와 연관된다(ex 벌레가 우글거린다는 망상과 연관된 벌레가 꼬이는 감각).
C. 망상의 영향이나 파생 결과를 제외하면 기능이 현저하게 손상되지 않고 행동이 명백하게 기이하거나 이상하지 않다.
D. 조증이나 주요우울 삽화가 일어나는 경우, 이들은 망상기의 지속 기간에 비해 상대적으로 짧다.
E. 장애가 물질의 생리적 효과나 다른 의학적 상태로 인한 것이 아니고, 신체이형장애나 강박장애와 같은 다른 정신질환으로 더 잘 설명되지 않는다.
  ▶ 다음의 하나를 명시할 것: 색정형, 과대형, 질투형, 피해형, 신체형, 혼합형

083 ④

해설 | **망상 환자 중재**

망상 환자를 중재할 때는 논리적 설득과 비평보다는 신뢰관계 형성이 중요하며, 환자의 감정을 부정하지 않도록 한다. 환자와 함께 믿음에 대한 증거를 조사하고, 다른 시각으로 볼 수 있도록 격려한다. 문제에서는 환자가 신뢰할 수 있도록 밀봉된 음식을 제공하며, 직접 개봉하게 함으로써 걱정 없이 식사를 하게 격려할 수 있다.

POWER 특강

망상환자 정신치료

① 망상장애 환자는 의심이 많고 냉담해서 치료관계 형성이 어려움

② 지지적 정신치료가 기본이 됨(개인치료가 집단치료보다 효과적)

③ 외래치료가 우선적

④ 치료자는 정직해야 하며 환자로부터 신뢰감을 얻은 후 치료를 시작해야 함

⑤ 환자의 비밀을 지킨다는 확신을 줌

⑥ 처음에는 환자의 망상을 긍정도, 부정도 하지 말아야 함

⑦ 지나치게 환자의 요구를 들어주지 않음

⑧ 환자의 공격적 욕구를 중화시킴

⑨ 충분한 치료관계가 형성된 후 망상에 대해 접근함

⑩ 가능한 한 규칙적인 면담약속을 하고 시간을 지켜야 함

⑪ 망상의 비현실적, 비적응적 측면을 지적하여 현실 평가능력 강화 도모

084 ①

해설 | 가정폭력

가정폭력 가해자는 자존감이 낮고 쉽게 좌절하며, 폭발적인 행동으로 공격적인 충동을 자제하지 못한다. 또한 자기중심적인 이기심이 있으며 폭력을 사용하는 것을 정당화한다.

085 ⑤

해설 | 조현병

폭력의 위험 요인으로 불안, 초조 등이 있다. 정신운동적 초조의 상태에서 원인이 되는 장애물을 제거하거나 극복하기 위해 화를 내고 공격적 행동이 나타날 수 있다.

오답　① 우회증(circumstantialilty): 말하고자 하는 바를 직접적으로 말하지 못하고 불필요하게 상세한 설명이나 언급 등 지엽적인 생각으로 탈선하여 빙빙 돌다가 결론에 이르는 것

② 기행증(manerism): 이상한 버릇, 표정, 제스처, 걸음걸이 등을 반복하는 것으로, 상동증보다 덜 지속적이고 단조로우며 환자의 성격과 어울리는 데가 있는 특유의 버릇임

③ 보속증(perserveration): 화제를 바꾸려는 노력과 새로운 자극에도 불구하고 떠올랐던 생각이 계속해서 떠올라 사고의 진행이 제자리에서 맴돌고 한 개 내지 몇 개의 단어나 문장에서 벗어나지 못하고 계속 같은 말을 반복

④ 함구증(mutism): 입을 닫고 말을 전혀 하지 않는 상태

---
comment

조현병 환자에서 나타나는 변덕스럽고 충동적인 행동은 양가감정 때문이다.

086 ③

해설 | 환각 대상자 간호중재

허공에 손짓을 하고, 중얼거리거나 웃기를 반복하는 행동을 통해 환각을 경험하고 있음을 알 수 있다. 환각의 중재 중 하나로 음악을 듣거나 운동을 하는 등 전환전략을 사용한다.

POWER 특강

환각 대상자 간호중재

① 신뢰관계 형성
② 직접적이고 명확하며 구체적인 의사소통을 하고 현실에 근거한 대화
③ 환각의 내용에 대해 부정하지 않으면서 감정 수용 · 지지하면서 현실감 제공
④ 대상자가 환각에 대해 묻는다면 간호사는 그와 같은 자극을 경험하고 있지 않다고 말함
⑤ 환각을 증명하기 위한 대상자와의 논쟁은 피함
⑥ 자기중심적 사고로 오해를 생길 수 있으므로 지나친 친절이나 신체적 접촉은 유의
⑦ 환각의 내용보다는 그것에 대한 근원적인 감정에 초점
⑧ TV시청, 다른 사람과 이야기하기, 음악듣기, 운동 등 전환전략

087 ①

해설 | 죽음에 대한 반응(퀴블러 로스)

정신분석학자 퀴블러 로스는 죽음에 대한 인간의 반응을 다섯 단계로 나누어 설명하였다. '부정–분노–타협–우울–수용'이 그 단계이며, 2단계인 분노의 시기는 더 이상 거부할 수 없는 현실을 직면하면서 격분하고 복수하고 싶은 마음이 생기는 극단적 감정 상태이다.

088 ⑤

해설 | 양극성 관련장애

순환성 장애는 '양극성 및 관련 장애'의 유형 중 하나로 가벼운 형태의 양극성 장애 Ⅱ형이다. 양극성 장애 Ⅰ형보다 주기가 짧고 불규칙적이며 급격한 기분변화를 보이고, 경조증과 경우울증(양극성 장애 Ⅱ형)이 적어도 2년간 주기적으로 교대로 나타난다.

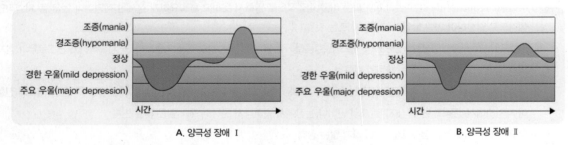

A. 양극성 장애 Ⅰ   **B. 양극성 장애 Ⅱ**

089 ⑤

해설 | 양극성 장애

사회적 상호작용 장애는 사회적 교류의 양이 불충분하거나, 지나치거나 또는 질이 비효과적일 때 내리는 진단이다. 다른 사람의 일에 참견하고 대화에 끼어들고 다투는 등의 행동은 비효과적이고 비기능적인 사회적 상호작용이다.

POWER 특강

공격성을 보이는 환자의 간호중재

① 공격의 위험성을 사정: 환경적 자극, 공격적 충동·적대감을 관찰

② 환자 자신과 다른 환자, 의료진의 안전을 위해 공격환자에게 제한점을 줌

③ 샌드백 치기, 운동 등 비경쟁적 신체적 운동 및 언어를 통해 공격 에너지와 분노 감정을 발산

④ 환자의 의견을 무시하지 말고 진지하고 일관성 있는 태도 유지

⑤ 필요시 안정제 투약: *diazepam, lorazepam, haloperidol*

⑥ 필요시 최소한의 신체적 억제, 또는 격리

---

090 ⑤

해설 | 우울장애

대상자는 상실을 경험하고 슬픔의 과정에 있다. 간호사는 대상자가 상실로 인한 고통스러운 감정에 머물러 있거나 같은 경험을 계속 반복하지 않고 애도의 전체 단계를 잘 밟아갈 수 있도록 도와주어야 하며, 자존감을 증진하도록 한다. 성취할 수 있는 간단한 작업을 통해 성취감과 능력을 강화하고 자기 가치감을 증진시킬 수 있다.

POWER 특강

우울장애 환자와의 대화법

• 온화하고 안정된 환자를 이해하는 태도, 말없이 환자 곁에 있어주며, 지나친 낙천성이나 명랑성은 피함

• 쉽게 반응이 없다 해도 환자 옆에서 일반적인 대화를 함

• 치료 참석을 억지로 강요하지 않음

• 지나치게 동정적인 태도나 위로와 관심의 말은 오히려 환자의 죄의식을 증가시킬 수 있음

• 감정표현의 촉진: 공감, 적극적 경청, 질문과 진술 유도, 피드백, 직면 등 치료적 의사소통 전략 사용

• 대상자를 수용함으로써 자기 가치감 증진시키고 강점과 성취에 초점, 실패는 최소화

• 간단한 작업을 통해 성취감과 능력을 강화 ▶ 성취할 수 있는 목표 제시하고 실천하도록 함

• 자기표현기술 교육

• 인지적 재구성: 왜곡된 사고형태 바꾸고 자신과 세계를 보다 현실적으로 보도록 도전시키는 것

• 부정적 사고를 현실적 사고로 바꾸도록 격려, 대상자의 장점·강점·업적·기회를 평가하여 긍정적 사고를 증진

• 대상자의 우울하지 않은 행동은 긍정적으로 강화, 역기능적 우울 행위는 무시

---

091 ④

해설 | 범불안장애

공포증이나 공황발작, 강박장애 없이 건강·경제·직업·인간관계 등 모든 부분에 비현실적으로 지나친 걱정과 불안을 만성적·지속적으로 광범위하게 느끼는 장애로, 보통 6개월이나 그 이상 지속되어 일상생활에 장애를 초래하는 상태며, 여자에서 2배 호발함

오답 ②, ⑤ 공황장애

③ 특정공포증

092 ④

해설 | **공황장애**

공황발작 동안 간호사의 주요 업무는 안전한 환경을 제공하고 환자의 프라이버시를 지켜주는 것이다. 환자 곁에 있어 주면서 경청하고 지지하며, 안심과 평온한 태도를 통해 환자의 불안을 감소시킬 수 있다.

POWER 특강				
불안관련장애의 진단기준				
공황장애	공포장애	강박장애	PTSD	범불안장애
특별한 이유 없이 예상치 못하게 나타나는 극단적인 불안 증상이 주요한 특징인 질환	어떤 특정한 대상이나 상황에 대한 두려움을 느낌	의지와는 무관하게 반복되는 강박적 사고와 행동을 되풀이	극심한 위협적 사건이나 스트레스로 심리적 충격을 경험한 후, 특수한 정신적 증상 유발	일상생활의 다양한 주제에 관한 과도하고 통제하기 힘든 비합리적 걱정을 주요 특징으로 하는 정신장애가 6개월 이상 지속

093 ⑤

해설 | **광장공포증**

광장공포증은 개방된 장소에 대한 두려움으로 혼자 있거나, 도망치기 어려운 공공장소에 있거나, 도움을 받을 수 없을 때 나타나는 현저한 공포이다. 광장공포증의 예로 공공운송수단을 이용하는 것, 줄을 서거나 군중 속에 있는 것, 폐쇄된 장소에 있는 것 등이 있다.

094 ④

해설 | **전환장애(conversion disorder)**

전환장애는 신경학적 또는 내과적 질환에 기인하지 않는 하나 이상의 신경학적 증상으로 감각기관이나 수의적 운동의 극적인 기능상실(마비, 감각이상, 시력마비)이 특징적이다. 억압된 욕구, 감정, 생각에서 생기는 불안이나 내적 갈등이 원인이 되어 기관 및 신체적 증상으로 상징적 전환이 된다.

POWER 특강	
전환장애와 신체증상장애	
전환장애	신체증상장애
• 감각기관, 수의기관의 극적 기능상실 • 마비, 감각이상, 시력마비 • 고부간 갈등이 있는 며느리가 시댁에만 가면 팔이 마비됨	• 감각기관, 수의기관을 제외한 모든 장기에서 다양한 신체증상(전환장애 외의 증상) • 집안에 큰일이 나가오면 편두통이 심해짐

095 ⑤

해설 | **외상 후 스트레스 장애(PTSD)**

외상 후 스트레스 장애(PTSD)는 극심한 위협적 사건이나 스트레스로 심리적 충격을 경험한 후, 특수한 정신적 증상이 유발된 장애이다. 특징적인 증상으로는 재경험, 회피, 감정의 무감각, 각성이 있다.

comment

외상 후 스트레스 장애로 인해 외상사건에 대한 반복적인 회상, 악몽, 재경험, 과민상태, 회피행동, 지속적 과민상태, 과잉각성, 흥미상실, 무관심 등의 증상들이 나타난다.

096 ③

해설 | **성격장애**

조현성 인격장애(schizoid PD)는 대인 관계 형성 및 반응 능력에 심각한 장애가 있고 대인관계에 무관심하여 사회적으로 고립된다. 회피성 인경장애와 달리 조현성 인격장애는 능동적으로 고립을 선택한다는 특징이 있다.

POWER 특강

조현성(*schizoid*) vs 조현형(*schizotypal*)	
조현성 성격장애(schizoid PD)	**조현형 성격장애(schizotypal PD)**
사회적 관계에 대한 관심 결여(능동적), 혼자 지내려는 경향, 내향성, 감정적인 냉담함 등이 특징인 인격장애	사회적으로 고립되어 있고 기이한 생각이나 행동(외모 포함)을 나타내어 사회적 부적응이 초래되는 성격
사고, 언어, 행동의 괴이한 면 없음	사고, 언어, 행동의 괴이한 면 있음(심령, 초과학, UFO, 제6감 등)
Schizoid	

조현형 성격장애(schizotypal PD)

조현형 성격장애는 "UFO"

U	Unusual perceptions (특이한 인식 및 지각)
F	Friendless except for family (가족을 제외한 대인관계 결여)
O	Odd beliefs, thinking, and speech (괴이한 믿음, 사고, 언어)

097 ⑤

해설 | 경계성 성격장애(borderline PD)

경계성 성격장애는 애착 능력 결함과 중요한 대상과의 분리(separation) 시의 부적응적인 행동패턴, 감정의 불안정성이 중심이 되는 인격장애로, 정서, 정체성, 대인관계의 불안정성, 버림받는 느낌 등을 피하기 위해 대인관계 형성에 필사적인 특성을 보인다. 간호 시에는 역전이를 주의하며 현실지향적으로 접근하고, 구조화된 규율을 확고하고 일관성 있게 적용하며 분명한 제한을 가한다.

POWER 특강

미국 정신의학회(American Psychiatric Association)의 DSM-V에 따른 진단 기준

대인관계, 자아상 및 정동의 불안정성과 현저한 충동성의 광범위한 형태로 성인기 초기에 시작되며 여러 상황에서 나타나고, 다음 중 다섯 가지(또는 그 이상) 항목을 충족시킨다.

1) 실제적 혹은 상상 속에서 버림받지 않기 위해 미친 듯이 노력함

   ▶ 주의점: 5번 기준에 있는 자살이나 자해행위는 포함하지 않음

2) 과대이상화와 과소평가의 극단 사이를 반복하는 것을 특징으로 하는 불안정하고 격렬한 대인관계의 양상

3) 주체성 장애: 자기 이미지 또는 자신에 대한 느낌의 현저하고 지속적인 불안정성

4) 자신을 손상할 가능성이 있는 최소한 두 가지 이상의 경우에서의 충동성 ⓔⓧ 소비, 물질남용, 좀도둑질, 부주의한 운전, 과식 등

   ▶ 주의점: 5번 기준에 있는 자살이나 자해행위는 포함하지 않음

5) 반복적 자살행동, 제스처, 위협 혹은 자해행동

6) 현저한 기분의 반응성으로 인한 정동의 불안정(예: 일반적으로 수 시간 동안 지속되며 단지 드물게 수일간 지속되기도 하는 격렬한 삽화적 불쾌감, 과민성 불안)

7) 만성적인 공허감

8) 부적절하게 심하게 화를 내거나 화를 조절하지 못함 (ⓔⓧ 자주 울화통을 터뜨리거나 늘 화를 내거나, 자주 신체적 싸움을 함)

9) 일시적이고 스트레스와 연관된 피해적 사고 혹은 심한 해리 증상

경계성 성격장애의 7가지 특징

4개 이상에 해당함 ────→ 적어도 1가지 이상: 충동성, 위험을 마다하지 않음, 적대감

정동의 불안정 　　불안 　　분리불안 　　우울 　　충동성 　위험을 마다하지 않음 　적대감

098 ①

해설 | 금단증상(withdrawal symptom)

알코올 금단증상은 며칠 이상 장기간의 지속적인 음주 중 술을 갑자기 중단하거나 감량하였을 때 나타나는 증상이다. 진전, 발한, 경련 발작, 진전섬망, 불면, 불안 등의 증상이 있다.

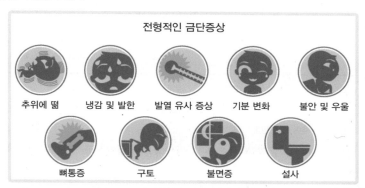

전형적인 금단증상

추위에 떪　냉감 및 발한　발열 유사 증상　기분 변화　불안 및 우울

뼈통증　구토　불면증　설사

POWER 특강

알코올 금단, 알코올 진전섬망

알코올 금단	알코올 진전섬망
반복적으로 장기간 고용량으로 복용한 후에 완전히 또는 어느 정도 중단했을 때 생기는 증상군(대개 5~15년의 과음 경력)	섬망이 동반된 금단증상
알코올 금단은 알코올 섭취를 중단한 이후 몇 시간 또는 며칠 이내에 다음 중 2개 이상의 증상이 나타날 때 해당한다(APA, 2000). 　① 자율신경계 항진(발한 또는 맥박 수가 100회 이상 증가) 　② 손 떨림 증가 　③ 불면증 　④ 메스꺼움(nausea) 및 구토 　⑤ 일시적인 환시, 환청, 환촉 또는 착각 　⑥ 정신운동성 초조증 　⑦ 불안 　⑧ 대발작	• 3대 증상 　- 의식혼탁 및 혼동 　- 환각 및 착각 　- 진전 • 금단섬망에서의 환각의 특징 　- 환각이 가장 흔하며, 환청, 환촉 순으로 호발 　- 물체가 실제보다 작게 보임 　- 밤에 환각이 나타나고 눈을 감으면 환각이 강화되며, 환각의 기복이 심함 　- 체계화 되지 않고 형태가 불분명

099 ②

해설 | 물질남용장애

마약(아편제)는 중추신경 억제 약물로, 급성 중독 시 긴장이완, 도취감, 신체조정력 상실, 동공축소, 식욕감퇴, 체중감소 등의 증상이 나타난다. 종류로는 아편, 헤로인, 몰핀, 코데인, 데메롤 등이 있다.

아편계 제제(opioids)	
중독증상	금단증상

• 부교감신경계 증상 항진
  – 동공축소, 식욕상실, 졸음, 오심 · 구토, 변비, 진통
  – 혈압하강, 체온하강, 서맥, 호흡억제
	• 교감신경계 증상 항진
	  – 초기: 하품, 눈물, 콧물, 재채기, 발한
	  – 중기: 동공산대, 식욕부진, 진전, 소름
	  – 36시간 후: 온몸에 경련, 초조, 불면, 혈압상승, 맥박증가
	  – 2~3일째 가장 심하고, 7~10일 이후 사라짐

─ **comment** ─

1) 아편류 중독 시 Naloxone을 투여하여 치료한다.

2) 중독인지 금단인지 확인하기 위해서는 동공을 확인해야 하는데, 동공이 축소되었을 시 아편 '중독'을 의미하며, 동공이 산대되었을 시 '금단' 증상 또는 환각제 중독을 의미한다.

3) 아편 중 다행감이 가장 적은 것은 Methadone으로 금단치료에 사용된다.

100 ②

해설 | 신경인지장애

알츠하이머 질환은 진행성 뇌장애로 언어나 운동 기능의 상실이 있고 성격이나 행동변화가 심해지면서 편집증, 망상, 환각을 보인다. 알츠하이머로 인한 신경인지장애에서는 인지영역, 즉 학습, 기억, 언어, 등의 기능에서 이전보다 감소를 보인다.

신경인지장애의 행동특성

• 기억력 장애(가장 주된 증상)

  – 단기 기억장애: 새로운 정보저장 능력이 감소

  – 최근 기억장애, 전진성 기억상실: 새로운 사건들을 기억하지 못함

  – 작화증(기억을 결합하여 조작하거나 메우는 행동) → 과거에 집착 → 최근 화제에서 소외

• 추상적 사고장애, 지능 · 학습 장애: 일반화, 합성화, 감별(구별), 논리적 사고력 · 추리력, 개념형성 등의 능력 감퇴

• 시간개념 없음(시간), 화장실 못 찾음(공간), 자식을 못 알아 봄(사람) 순으로 지남력 장애

• 판단력의 장애: 계획을 세우고 결정하는 것이 어렵게 됨

• 실인증: 감각장애가 없음에도 불구하고 여러 가지 감각 자극의 인식이 어려움

101 ④

해설 | 신경성 폭식증(bulimia nervosa)

신경성 폭식증은 다량의 음식을 먹는 반복적 폭식삽화와 자가 유발 구토, 하제, 이뇨제 남용 등의 부적절한 보상행동을 보이는 질환이다. 일반적으로 자기 인식에 문제가 있기 때문에 자신이 어떤 감정을 느끼고 있는지 잘 알지 못하며 표현하는 것도 어려워한다. 따라서 간호사는 어떤 감정을 느끼는지 묻고 대답할 시간을 주어 죄책감이나 불안을 표현할 수 있도록 하여, 대상자가 자신의 감정을 인식하고 감정과 섭식행동을 연관지을 수 있도록 도와준다.

신경성 식욕부진증(A/N), 신경성 폭식증(B/N)

신경성 식욕부진증(A/N)	신경성 폭식증(B/N)
• 체중 증가에 대한 극심한 공포 • 체중 감소(3개월 동안 30% 이상 체중 감소 시 입원치료 요함) • 체형, 신체에 대한 심각한 지각장애 • 월경여성에서 최소 3회 이상의 무월경 • 실제적인 식욕상실은 없음 • 때로는 모르게 게걸스럽게 먹고 일부러 구토하기도 함 • 음식에 대해 늘 생각하고 요리책을 수집하거나 다른 사람을 위해 요리를 함	• 다량의 음식을 빨리 폭식함 • 폭식 후 체중이 증가하지 않도록 약을 사용하거나 운동을 함 • Russel's sign: 손가락으로 구토를 유발하여 손등에 상처가 있음 • 체중은 대개 정상 • 죄책감, 우울증으로 괴로워함 • 신체상, 외모, 성적 매력에 관심이 많고 성적으로 적극적, 도벽이 있는 경향 • 무월경은 드묾

102 ⑤

해설 | **수면장애**

기면증은 낮 동안의 지친 졸음과 10~20분 동안 비정상적인 REM 수면이 나타나는 장애로, 저항할 수 없는 졸음, 낮잠, 탈력발작 등의 증상이 나타난다.

POWER 특강

기면증의 임상증상

수면발작 (sleep attack)	지나친 졸리움과 함께 자신도 모르게 잠에 빠져 들며 약 15분 정도 수면을 취하고 잠이 깬 후 의식은 명료하나 1~2시간 정도 지나면 다시 졸림
탈력발작 (cataplexy)	주로 감정의 변화(웃거나 화를 내거나 흥분 등)가 자극이 되어 갑자기 골격근의 긴장이 소실되어 쓰러지는 경우
입면환각 (hypnanogic hallucination)	잠이 들려고 할 때 환각을 경험
수면마비 (sleep paralysis)	아침의 각성기에 흔히 나타나는데, 환자는 각성되어 있는 것으로 보이나 근육을 움직이는 것이 가능하지 않음

103 ①

해설 | **성관련장애**

성에 관한 정보를 수집할 때 간호사는 사생활이 보장되는 장소와 시간을 정하는 것이 중요하며, 면담을 시작할 때 성에 관한 질문을 하는 이유를 충분히 설명해야 한다.

POWER 특강
성관련장애 대상자를 대하는 간호사의 태도

- 먼저 간호사 자신의 성에 대한 가치관을 인식하고 다른 사람이 자신과 다를 수 있음을 인식
- 따뜻하고 개방적, 비지시적 · 비판단적인 태도로 대상자를 있는 그대로 수용
- 정직하고 객관적인 태도, 편안하고 공손하며 평범한 태도 유지
- 대상자가 나타내는 정보에 과소 · 과잉반응 보이지 않고 사무적인 태도로 경청
- 정보수집 시 대상자의 사생활이 보장되는 장소와 시간 정함

104 ⑤

해설 | **품행장애(conduct disorder)**

품행장애는 다른 사람의 기본적인 권리를 침해하거나 규칙이나 규범을 위반하는 행위가 지속되는 질병이며, 소아나 청소년에게 흔하다. 일관성 있고 따뜻한 환경을 조성하는 것이 중요하며, 바람직한 행동을 증가시키고 바람직하지 못한 행동을 감소시키는 행동치료가 유용하다.

POWER 특강
품행장애(conduct disorder)

- 타인의 권리에 대한 계속적이고 반복된 침해, 혹은 연령에 걸맞은 규범과 사회적 규율의 위반으로 특징지어지는 부적합한 행동유형
- 행동장애의 네 가지 하위유형

사회화되지 못한 것(undersocialized)	사회화된 것(socialization)
빈약한 교우관계, 애정이나 유대감 결핍, 다른 사람의 감정에 대한 무관심, 자기중심주의	특정인에게는 애정이 있지만 외부인에게는 냉담한 것
공격적인 것	비공격적인 것
타인에 대한 신체적 공격과 범죄행위	지속적인 거짓말, 무단결석, 가출, 약물남용

행동수정요법은 내적 억제력과 긍정적 자아상을 회복하여 새로운 적응능력을 회복시키기 위해 적용된다. ① 바람직한 행동에 대하여 token economy와 같이 온정적으로 성취를 보상하고, ② 공격적 행동, 과도한 떼쓰기에는 time out 등과 같은 기법을 적용한다.

105 ②

해설 | **자폐스펙트럼장애**

자폐스펙트럼장애는 사회적 상호작용장애와 제한적이고 반복적인 행동패턴을 특징으로 보이는 행동적 증후군이다. 회피, 무관심, 미숙 등의 사회적 상호관계 장애, 의사소통 장애, 행동장애, 지능장애 등의 증상이 나타난다. 소아의 문제는 가족과 밀접하게 관련 있으며, 부모가 일관된 태도를 가지도록 교육하여야 한다.

POWER 특강	
자폐스펙트럼장애의 임상 양상	
사회적 상호작용 장애	• 엄마와 눈을 맞추지 않는다거나 소리를 들을 수는 있으면서 고개를 돌려 쳐다보지 않음 • 안아주어도 좋아하지 않고 몸을 뻗치면서 밀어내거나 엄마를 보고도 안아달라는 자세를 취하지 않음 • 사회적 미소 없음, 분리불안 없음, 낯가림 없음(낯선 사람들에게도 아무 거리낌 없이 안김)
언어발달 장애	• 언어발달이 거의 일어나지 않거나 지연 있음 • 괴성이나 반향언어(echolalia; 타인의 말을 의미도 모르면서 그대로 메아리처럼 되받아서 따라 하는 말) 있음 • 혼자서 중얼거리기도 하고 노래도 하지만 옆에서 말을 걸면 적절한 대답을 하지 못함 • 표현성 언어뿐만 아니라 수용성 언어 발달에도 심각한 장애 • 지능장애가 있으나 어느 한 가지 기능은 탁월하기도 함
행동발달 장애	• 놀이가 다양하지 못하고 제한적, 특정 장난감이나 장난감의 기능을 이해하지 못하고 부분적 집착 • 상동적 행동의 증가, 괴상한 행동을 반복 • 주의가 산만하고 부산해서 가만히 있지를 못함 • 주위환경에 대한 변화 저항

001 ②

해설 | 국제적십자사

- 전시나 사변 시 상병자, 어린이, 허약자, 임산부에 대한 보호와 관련활동 및 병원, 의료요원, 수송 포로 등에 대한 중립적인 대우와 의료, 간호 및 구호 활동을 한다.
- 평상시에는 재해방지, 안전, 구호, 예방을 하는 국제적 협력 조직체로 인간 고통이 있는 곳이면 어디든지 개입하여 생명을 보호한다.

002 ⑤

해설 | 보구여관

1903년 한국 최초의 간호사 훈련과정이 Margaret Edmunds에 의해 보구여관에 설치되었다.

003 ②

해설 | 한국 간호사 윤리강령

국내의 경우 간호사가 환자의 옹호자로 기능하거나 간호사의 자율적 결정을 뒷받침해주는 제도적 장치가 마련되어 있지 않아 간호사가 자율성을 행사하는 데 한계가 있다.

004 ②

해설 | 간호 서비스의 특징(이질성)

이질성 또는 가변성이란 서비스 제품의 양이 일정하지 않으므로 일정수준 이상으로 서비스를 유지하기 위한 표준화가 필요하다는 것이다.

005 ②

해설 | 정의의 원칙

정의의 원칙은 공정함과 공평함에 관련되어 있으므로 다른 환자들보다 1인실 환자에게 더 잘해주라는 것은 이를 위배하는 행위에 해당된다.

006 ③

해설 | 자율성 존중의 원칙

- 자율성 존중의 원칙: 자신의 생각을 가지고 선택을 하며 개인적 가치와 신념을 가지고 행동할 권리. 타인으로 하여금 자율적으로 선택할 수 있도록 촉진하는 행위
- 연명치료를 중단한 환자에게는 가장 기본적인 호스피스 간호로 구강간호, 산소치료, 진통제 투여와 위관영양이 포함된다. 따라서 환아가 연명치료를 중단하겠다고 선언하면 가장 먼저 중단해야 되는 치료는 항암요법이다.

007 ①

해설 | 주의의무

유해한 결과가 발생하지 않도록 정신을 집중할 의무. 업무 능력이 있는 사람이 이를 태만히 하여 타인의 생명 또는 건강에 위해를 초래할 경우에 이를 주의의무 태만으로 간주하고 민·형사상 책임 추궁을 할 수 있다. 따라서 수액을 제대로 확인하지 않아 환자에게 잘못 투여하게 된 것은 주의의무 태만에 해당된다. 주의의무에는 결과 예견 의무와 결과 회피의무가 있다.

008 ③

해설 | 관료제 이론

합리적, 법적 권한에 기초를 둔 이론으로 규칙과 능력을 중요시하며 조직의 목표를 수행하기 위해서 권위의 구조를 강조하고 계층에 따른 분업화를 통해 능률을 강조한다. 또한 의사결정을 문서화하여 이를 공식화하는 특징도 가지고 있다.

009 ①

해설 | 간호관리 과정

기획이란 모든 관리활동에 선행되는 첫 번째 활동으로 조직이 성취해야 하는 목표를 정하고 이를 가장 효율적으로 달성할 수 있는 방법과 절차를 의식적으로 개발하는 과정이다.

010 ④

해설 | 기획의 구성요소(정책)

정책, 절차, 규칙, 규정은 간호조직의 일반적인 계획에 포함되며, 이 중 정책이란 목표달성을 위한 지침 및 수단이 되고 목적성취를 위해 직원들의 활동범위와 경로를 제약하고 명시하는 지침이다.

절차는 20년도 기출문제정답이다.

011 ②

해설 | 의사결정 주체에 따른 유형

개인적 의사결정은 신속성, 창의성, 비용이 중요한 경우, 집단적 의사소통은 결정의 질, 수용성, 정확성이 중요한 경우에 적절한 의사결정 방법이다.

012 ①

해설 | 델파이기법

한 문제에 대한 몇 명의 전문가들의 독립적인 의견을 우편으로 수집한 후 요약하여 다시 보내어 일반적인 합의가 이루어질 때까지 논평하는 방법이다. 전문가들이 한 장소에 모일 필요가 없으며 타인들의 영향력을 배제한 의사결정을 할 수 있다.

013 ②

해설 | 행위별수가제 특징

• 행위별수가제는 사후결정방식으로 양질의 서비스, 자율성을 보장하는 장점이 있다.

• 단점으로는 과잉진료 위험성,의료비 상승, 예방보다는 치료 중심의 의료행위, 의료자원의 지역편재 경향,의료비 지불심사상의 행정절차 복잡 등이 있다.

014 ②

해설 | **라인(line)–스탭(staff) 조직**

오답 ① 라인 조직에 대한 설명이다.

③ 스탭은 라인 관리자들이 필요한 정책과 수단을 개발할 수 있도록 조언과 상담 기능을 한다.

④ 라인의 명령과 스탭의 조언의 혼란으로 책임 소재가 불분명할 수 있다.

⑤ 스탭은 상급자의 활동을 지지하기 위해 계선 외부에 설치한 조직이다.

015 ②

해설 | **기능적 간호방법**

전문직 간호사와 간호보조인력이 팀을 이루어 8~12명의 정해진 환자에 대해 입원 시부터 퇴원 후까지 책임을 지는 방법이다. 직원 이동이나 이직률이 높은 경우 등의 문제에도 효율적인 질적 간호를 제공할 수 있다.

016 ④

해설 | **직무설계(직무 충실화)**

직무내용과 환경을 재설계하는 방법으로 개인의 동기를 유발하고 자아실현의 기회를 부여하는 설계방법이다. 직무 확대와 달리 과업의 양뿐만 아니라 질을 향상시키는 방법이다.

017 ⑤

해설 | **조직문화**

사례에서는 간호사들이 변화에 대한 잘못된 상식을 가지고 있고 이에 대한 불만을 가지고 있으므로 잘못된 정보는 교육으로 다시 알려주고 의사소통으로 불만을 표출하게 하여 변화에 대한 수용성을 높이는 것이 가장 적절하다.

018 ①

해설 | **간호전달체계(모듈방법)**

모듈방법은 일차간호와 팀 간호 방법이 섞인 방법으로 전문직 간호사와 간호보조인력이 함께 팀을 이루어 간호한다는 특징을 가지고 있다. 2~3명의 간호 직원이 팀이 되어 8~12명의 정해진 환자에 대해 입원 시부터 퇴원 후까지 책임을 진다. 모듈방법의 가장 큰 장점으로는 일차간호를 수행할 간호사가 부족하거나, 직원 이동이나 이직률이 높은 경우에도 효율적인 질적 간호를 제공할 수 있다는 것이다.

019 ①

해설 | **적성검사**

직업에 대한 흥미와 직업과 적합한 성격 및 특성을 지니고 있는지 평가한다.

020 ④

해설 | **업무평가의 오류(규칙적 오류)**

④ 한 평정자가 다른 평정자에 비해 일관적으로 높은 점수를 주거나 낮은 점수를 주는 경향

오답 ② 근접오류는 평가표 상 근접하고 있는 고과요소의 평가결과 혹은 특정 시간 내에서의 고과요소 간의 평가결과가 유사하게 나타나는 경향이다.

⑤ 집중화 경향은 극단적인 평가를 기피하는 심리이다.

021 ④

해설 | 성과급

개개인의 성과를 측정하여 성과에 비례하는 임금을 지급하는 방식이다.

직무급과 연공급의 혼합형은 직능급이고 직무의 역량과 어려움에 따라 임금을 지급하는 방식은 직무급이며 근속연수, 학력, 나이 등에 따라 지급하는 방식은 연공급이다.

022 ③

해설 | 훈육의 원칙

훈육행위에 앞서 훈육의 규정을 명확히 설정하여 일관성 있게 적용하는 것, 개인의 성향이나 대인관계 보다는 문제해결에 초점, 공개적 훈육보다 사생활을 지켜주면서 훈육하는 것이다.

023 ④

해설 | Maslow의 욕구단계 이론

Maslow의 이론에 의하면 인간의 기본적인 욕구는 생리적 욕구, 안전욕구, 소속 및 애정 욕구, 자아존중의 욕구, 자아실현의 욕구 순으로 총 5단계로 이루어져 있으며, 하위 수준의 욕구가 충족되어야 상위수준의 욕구로 넘어갈 수 있다는 가정을 세웠다. 현재 신규간호사는 쉬는 시간 없이 일하고 있어서 가장 먼저 생리적인 욕구가 충족되어야 한다.

024 ②

해설 | 상황이론

조직 외부의 환경이 조직과 그 하위 시스템에 미치는 영향과 조직의 유효성이 높아지는 시스템 간의 관계를 설명하려는 이론이다. 유일한 조직이론은 없으며 상황에 따라 적절한 방법으로 수행하기 위한 틀을 제공한다.

025 ⑤

해설 | 주장행동

상대방의 권리나 감정을 존중하면서 자신의 권리, 욕구, 의견, 느낌을 상대방에게 나타내는 행동과정이다.

026 ②

해설 | 협력

상호의존적인 당사자들의 의사결정 과정이며 협의를 통해 서로 대화를 하여 각자의 주장을 조정하여 목적에 부합된 결정을 하는 방법이다. 경쟁보다는 협력을 촉진하며 팀의 공동의 목표를 달성하기 위해 협의점에 도달한다. 리더가 혼자 결정하기보다는 함께 참여할 수 있는 의사소통을 유지한다.

027 ⑤

해설 | **분배적 협상**

고정된 자원의 분배에 대한 협상으로 가장 보편적인 협상 유형이다. 협상의 결과는 어느 당사자에게 이익이 될 경우 다른 당사자에게는 그만큼 손해가 된다는 제로섬(zero-sum)의 가정에 기초한다.

028 ③

해설 | **스위스 치즈 모형**

제임스 리즌(James Reason)은 환자안전의 시스템적 오류를 과학적으로 접근하여 설명하기 위해 여러 개의 구멍이 뚫린 스위스 치즈의 모습을 본떠서 '스위스 치즈 모델'을 제안하였다. 이는 오류가 발생하는 이유가 연속된 일련의 인적 오류에 의한 것이라는 개념이다.

029 ②

해설 | **총체적 질 관리(total quality management, TQM)**

병원조직 내의 모든 구성원(임상·비임상적인 모든 과정)이 계속적으로 서비스의 질을 높이고 그 수준을 유지하기 위해 병원에서 이루어지고 있는 모든 활동과 그 결과를 감시·평가하는 작업에 직접 참여하게 되는 조직 차원의 틀

오답 ①, ③, ④, ⑤는 질 보장에 대한 설명이다.

030 ⑤

해설 | **제4차 간호사 윤리강령**

간호의 근본이념은 인간 생명의 존엄성과 기본권을 존중하고 옹호하는 것이다.

031 ④

해설 | **안전사고 예방**

산소요법을 적용하는 환자에게 가장 주의해야 하는 안전사고는 화재예방이다. 따라서 화재 위험성이 있는 물건 등을 교육하여 사용을 금지하는 것이 가장 우선적이다.

032 ④

해설 | **적신호 사건**

사고발생으로 인해 환자가 영구적 손상을 입거나 사망하게 되는 경우

033 ⑤

해설 | **환경관리**

오답 ① 병실의 벽은 조화로운 색상으로 대상자의 기분을 안정되고 밝게 해주는 것이 좋다.

② 일반 병실의 밝기는 100~200 Lux이다.

③ 병실의 채광은 눈부심이 발생하지 않는 간접조명을 사용한다.

④ 병실의 적정 소음 기준은 30 dB이다.

034 ③

해설 │ 약품관리

오답 ① 냉장보관해야 하는 약품은 인슐린, 백신이며 수액, 항생제는 실온에 보관한다.

② 응급약품은 CPR 카트에 미리 준비하고 공급되어 있도록 확인하고 미개봉 상태를 유지하여 정기적으로 유효기간을 확인한다.

④ 사용하지 않은 마약이나 사용 후 남은 마약은 병원에서 정한 규정에 따라 약국으로 반납한다.

⑤ 혼동하기 쉬운 고위험 약물은 따로 분류하여 다른 약물과 분리 보관한다.

035 ②

해설 │ 간호정보체계(정보)

정보: 사용자의 특정한 목적을 위하여 가공된 자료. 개인이나 조직이 의사결정을 하는 데 사용되도록 의미있고 유용한 형태로 처리된 자료. 수간호사가 새로운 간호정책이라는 결정을 내릴 수 있게 사용되는 예는 모두 정보에 해당된다.

오답 ⑤ 데이터베이스: 데이터베이스는 데이터의 집합이며, 어느 특정 조직체에 관련된 여러 정보들을 공유할 수 있도록 통합·저장된 형태라고 정의할 수 있다. 데이터베이스의 목적은 필요한 정보를 검색하거나 저장 및 관리하는 데 있어서 보다 효율적이고 편리한 환경을 제공하는 데 있다. 데이터베이스는 병원 정보시스템에 있어서 처방전이나 진료내용뿐 아니라 진료비, 약품, 의료소모품 등 다양한 구조를 가진 자료를 통합하고 저장하고 관리할 수 있게 하는 수단이 될 수 있다.

기본간호학

---

036 ②

해설 │ 혈압 측정 시 생기는 오류

높게 측정되는 경우	낮게 측정되는 경우
• 커프의 폭이 좁거나 느슨히 감는 경우 • 운동 및 활동 직후 • 밸브를 너무 천천히 풀 때, 공기를 너무 느리게 주입한 경우 　▶ 이완기압이 높게 측정됨 • 수은기둥이 눈높이보다 높게 있을 경우 　▶ 수은기둥을 올려다볼 때	• 커프의 폭이 넓거나 세게 감은 경우 • 밸브를 너무 빨리 풀 때 ▶ 수축기압은 낮게, 이완기압은 높게 측정됨 • 충분히 공기를 주입하지 않은 경우 ▶ 수축기압이 낮게 측정됨 • 대상자가 누워 있다가 갑자기 상체를 세우는 경우 ▶ 수축기압이 낮게 측정됨 • 수은기둥이 눈높이보다 높게 있을 경우 　▶ 수은기둥을 올려다볼 때

오답 ③ 커프 공기의 압을 너무 천천히 뺄 경우 이완기압이 높게 측정되며, 너무 빨리 뺄 경우 수축기압이 낮게, 이완기압이 높게 측정된다.

037 ⑤

해설 │ 체위 배액(postural drainage)

⑤ 우측 하엽에 농양이 있기 때문에 반대편인 좌측으로 누워 트렌델렌버그 체위를 통해 중력을 이용해 배액이 가능하다.

• 정의: 중력에 의해 여러 폐 분절에 있는 분비물을 밖으로 배출하는 방법

　– 자세: 배액을 할 폐의 부위가 가장 위쪽에 오도록 함

• 적응증: 농흉, 폐농양, 기관지확장증 등의 분비물 생성 폐질환 ▶ 주로 폐 하엽의 배액

• 방법

- 적절한 체위 → 타진 → 진동 → 기침 혹은 흡인에 의한 분비물 제거
- 적절한 시간
  ⓐ 하루에 2~3회, 10~20분 정도 실시
  ⓑ 아침 식전, 점심 식전, 오후 늦게, 잠자기 전 ⓒⓕ 식후에 바로 하면 피로와 구토를 유발
  ⓒ 호기 시 시행
- 체위배액 도중 빈맥, 심계항진, 호흡곤란, 흉통, 어지러움, 허약감, 객혈, 저혈압, 기관지경련 등이 발생 시 즉시 중단함
- 체위배액 이전에 기관지확장제나 분무치료하여 분비물을 묽게 하면 배액 용이함

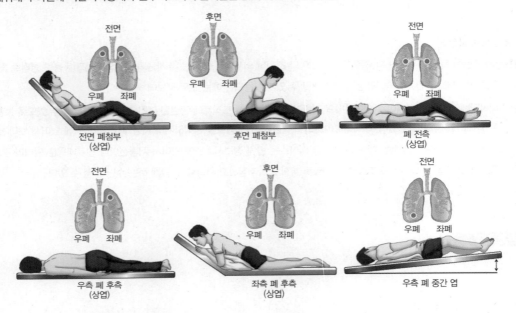

038 ⑤

해설 | **입술 오므리기 호흡(pursed-lip breathing)**

• 입술을 오므리고 호기를 의식적으로 길게 하는 호흡법 ▶ 호기는 흡기보다 2~3배 길게

• 폐로부터 공기의 흐름에 대한 저항을 만듦으로써 기관지 내 압력을 증가시키고 세기관지의 허탈을 막을 수 있고 평상시 이산화탄소의 양보다 더 많은 양을 제거함

• 과탄산혈증을 특징으로 하는 COPD 환자에게 유용

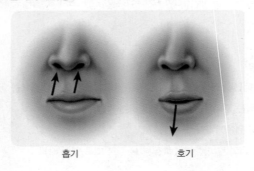

흡기   호기

오답 ① 기침은 신체의 청결기전으로, 기도의 분비물 배출과 이물질의 흡인을 방지하기 위한 정상적인 방어기전이다.

③ 쿠스말 호흡은 발작적인 호흡곤란으로 대사성 산증의 증상이다.

④ 강화 폐활량계는 흡입량을 보여줌으로써 자발적 심호흡을 격려하는 장치. 무기폐 예방 및 분비물 제거의 기능을 갖는다.

039 ④

해설 | 산소공급장치

	비강 캐뉼라	단순 안면 마스크	부분 재호흡 마스크	비재호흡 마스크	벤츄리 마스크
구분	저유량 체계: 환자의 호흡양상에 따라 산소량이 달라짐				고유량 체계: 정확한 농도로 산소 투여 가능
제공 속도	1~4 L/분	5~8 L/분	6~10 L/분	5~15 L/분	3~15 L/분
산소 농도	약 22~44%	약 40~60%	약 60~90%	약 80~100%	약 24~50%
특징	• 말하거나 먹을 때 방해가 안 됨 • 6 L/분 이상으로 공급할 경우 비강과 인두 점막 자극, 건조 유발	• 응급상태 또는 단기간 사용 • 5~6 L/분 이상으로 공급하지 않을 경우, 이산화탄소를 재흡인하게 되어 효과 없음	• 저장백(reservoir bag)이 있으나 valve는 없음 • 호기된 이산화탄소의 일부가 산소와 혼합됨	• 저장백과 one-way valve 있음 • 이산화탄소 재흡인 하지 않음 • 저장백이 완전히 수축되지 않도록 주의	• 일정량의 실내공기와 산소가 섞여서 공급 • COPD환자에게 이용

040 ①

해설 | 배설량 vs 섭취량

배설량(output)	섭취량(input)
• 체외로 배출되는 모든 것 ex 소변, 설사, 구토, 위 흡인액, 흉부 튜브나 배액관을 통한 배출액 모두 포함	• 구강으로 섭취된 모든 액체 • 비위관, 공장루, feeding tube를 통해 주입된 수분 • 비경구적인 수분 섭취 및 복막주입액 ex IV용액의 주입은 비경구적 섭취량에 기록

041 ④

해설 | TPN 제공 대상자의 간호

④ TPN 용액은 고농도 포도당이어서 미생물 성장에 용이하다.

오답 ① 투여 중단 시 용량을 서서히 감량하여 합병증 발생 위험을 최소화한다.

② TPN 관으로 약물, 혈액을 주입하면 세균오염의 위험이 있다.

③ 감염 예방을 위해 매일 주입용 튜브를 24시간마다 교환한다.

⑤ 고장액이 너무 빨리 투여될 경우 삼투성이뇨, 탈수가 일어날 수 있다.

경장영양(enteral nutrition)

- **정의:** 구강으로 음식섭취가 어려운 대상자에게 관을 삽입하여 적절한 영양소가 포함된 음식물을 관을 통해 위장으로 직접 공급하는 방법
- **목적:** 복부 수술 관련 문제 or 장운동의 감소, 구토, 가스축적과 같은 위장관 문제 해소
- **적응증**
  - 소화관에 통과장애나 흡수장애가 없음
  - 영양제 투여경로로 소화관 사용이 가능할 경우
- **투여경로**

구위관 (orogastric tube)	비위관 (nasogastric tube, NG tube)	비십이지장관 (nasoduodenal tube), 비공장관 (nasojejunal tube)	위루관 (gastrostomy tube), 공장루관 (jejunostomy tube)
• 구강을 통해 위장으로 튜브 삽입 ⓔ Ewald tube • 튜브 직경: 36~40 Fr (알약이나 위장 조직의 부스러기 등을 제거할 수 있을 정도로 큼)	• 코를 통해 위장으로 튜브 삽입 ⓔ Levin tube • 튜브 직경: 16~18 Fr	• 코를 통해 소장으로 튜브 삽입 • 소장까지 삽입해야 하므로, 튜브 끝에 무거운 팁을 달아서 위장을 쉽게 통과하도록 함	• 수술을 통해 인위적으로 만들어진 개구부인 장루를 통해 튜브 삽입
• 중독성 물질을 제거하기 위한 응급상황에서 이용	• 장기간 사용 시 비인두 불편감 호소 • 직경이 너무 크면 튜브로 인해 비인두에 압력 가해져 조직 자극되고 손상 유발		

▶ 경장영양, TPN, 말초정맥 영양법

042 ②

해설 | 저자극식이

- 정의: 섬유소와 유제품을 제한하는 식이 ▶ 장폐색, 장누공 등 장 질환 환자에게 제공
  - 섬유소: 소화와 흡수가 느리고 장에 남을 가능성이 커서 장 점막을 자극하기 쉬움
  - 유제품: 산분비를 자극하여 통증을 일으키고 질병을 악화시킬 수 있음
  - ⓒ 저잔여식이는 섬유소가 적어 빨리 소화되고 흡수되어 장에 별로 남지 않는 음식물로 구성된 식이를 말한다.

043 ④

해설 | 요배설과 관련된 문제

- 배뇨장애

요정체(urinary retention)	• 소변 생성에는 문제가 없으나 기능적, 해부학적 문제로 소변이 정체 • 원인: 요도 폐쇄, 방광요관역류, 신경인성 방광 등
배뇨곤란(dysuria)	• 배뇨의 시작이 어렵고 통증, 작열감, 불편감이 있음 • 원인: 감염, 성교 후 요도구 자극
빈뇨(frequency)	1일 10회 이상, 밤에 2회 이상 또는 소량 자주 배뇨 ⓒ 정상: 낮 5~6회, 밤 0~1회
긴박뇨(urgency)	• 배뇨욕구가 긴박하게 발생하여 변기에 도달하기 전 배뇨(참을 수 없음) • 원인: 방광의 충만, 감염, 불완전한 요도괄약근, 심리적 스트레스
야뇨증(nocturia)	• 야간 수면중 2회 이상 소변을 보기 위해 깨는 것 • 원인: 자기 전 과도한 수분섭취(커피 또는 음주), 신장질환, 노화과정
배뇨지연, 지연뇨(hesitency)	배뇨시작이 지연되고 어려움
요실금(incontinence)	소변이 불수의적으로 배출됨
유뇨증(enuresis)	4~5세가 지나도 소변을 가리지 못하고 불수의적으로 배뇨함

- 소변량 문제

무뇨(anuria)	100 mL/24hrs 이하
핍뇨(oliguria)	100~400 mL/24hrs 이하, 30 mL/hr 이하
다뇨(polyuria)	3,000 mL/24hrs 이상

- 소변 성상 문제

혈뇨(hematuria)	소변에 피가 섞여 나오는 경우
세균뇨, 농뇨(pyuria)	소변에 농이 나오는 경우, 혼탁함, 악취
당뇨(glycosuria)	소변에 비정상적으로 당이 존재함
단백뇨	소변에 단백질(albumin)이 존재, 과다한 거품이 생성

044 ④

해설 | 유치도뇨(foley catheterization; 정체도뇨)

정의	장기간 도뇨관을 유치함 ▶ 주기적인 도뇨관 교체가 필요함
적응증(목적)	• 소변배출 폐쇄 증상 완화(전립선 비대, 요도 협착증 등) • 중증 대상자의 시간당 배뇨량 측정 • 실금하는 혼수 환자, 지남력이 손상된 대상자의 피부 손상 예방 • 장시간 전신마취하에 수술을 하는 경우, 오염 및 감염 예방 • 방광 종양 및 수술 후 혈액응고 물질로부터 요도폐쇄 예방 • 하복부 수술 시 방광의 팽창 예방

유치도뇨 삽입 시 주의점	**[공통]** • 심부조직면을 소독하기 전에 피부표면 먼저 소독함 • 도뇨관의 끝에 윤활제를 발라 삽입하며, 소변이 나오기 시작하면 도뇨관을 2~4 cm 정도 더 삽입함 • 소변주머니(urine bag)가 항상 방광보다 아래에 있도록 함 ▶ 역류 방지 **[여성]** • 체위: 배횡와위(바로 눕지 못할 경우, 심스체위) • 엄지와 검지를 이용해 대음순과 소음순 분리시켜 요도구 노출시킴 • 소독: 멸균겸자로 소독솜을 집어 대음순, 소음순, 요도구를 앞쪽 → 뒤쪽으로 닦음 • 도뇨관 삽입 길이: 5~7.5 cm(여성의 요도는 4 cm 정도로 짧음) **[남성]** • 체위: 앙와위 • 소독: 멸균겸자로 소독솜을 집어 요도구의 중앙에서 바깥쪽으로 둥글게 닦음 • 도뇨관 삽입길이: 남성은 12~18 cm
유치도뇨 제거 시 주의점	• 주사기로 카테터의 풍선 내 액체를 흡입 • 제거 후 4시간 이내에 스스로 배뇨를 해야 함 • 제거 후 8~10시간 동안 환자의 배뇨상태 관찰하며 배뇨 시마다 배뇨량 측정

오답 ① 남성의 경우 12~18 cm 정도 넣는다.

③ 배횡와위로 여성에 해당하며, 남성은 앙와위를 취하게 한다.

⑤ 공기가 아니라 용액(증류수)이다.

045 ④

해설 | 변비(constipation)

• 정의: 일정 기간 동안 변의 배출이 없는 경우 or 1주일에 3회 미만의 배변 활동으로 건조하고 단단한 변이 배출됨

• 원인: 불충분한 수분섭취, 불규칙한 배변습관, 하제 남용, 투약, 심리적 스트레스, 연령, 운동부족

• 증상: 딱딱하고 건조한 굳은 변, 배변 횟수 감소, 배변 시 통증, 경련, 복통, 복부팽만, 직장팽만, 직장 내 충만감, 직장압 증가

• 변비 대상자 간호

  – 정상배변 습관 형성

    ⓐ 일정한 시간에 배변 ▶ 규칙적인 배변습관

    ⓑ 배변 촉진 자세, 프라이버시 유지

  – 수분섭취 및 고섬유식이 권장

    ⓐ 2,000~3,000 mL/day 수분섭취

    cf 주스, 뜨거운 음료, 커피, 차 등은 이뇨효과가 더 크므로 물을 마시는 것을 권장함

    ⓑ 고섬유 식이: 과일, 채소, 곡류

  – 완화제, 하제 투여

종류	작용기전	약물
부피형성 완화제	가스, 수분 등으로 덩어리를 증가시키고 변을 부드럽게 하여 배변을 유도	• psyllium hydrophilic mucilloid • methylcellulose
대변 연화제	물과 지방이 분변 속으로 침투하게 하여 변을 크고 부드럽게 함	액체 바세린, docusate sodium
윤활제	장내에서 변을 부드럽게 하여 쉽게 통과하게 함	광물성유(mineral oil)
자극제 (chemical irritants)	장 점막 자극 → 연동운동 촉진 → 수분흡수 억제	• bisacodyl (dulcolax) • 피마자 기름

식염성 삼투제 (saline osmotic)	장에서 잘 흡수되지 않는 수용성 염으로 장내 수분을 증가시켜 배변 유도	phospho-soda
습윤제	대변의 표면장력을 낮추어 분변쪽으로 수분과 지방이 스며들게 함 장의 수분흡수를 억제	Docusate (colace)

ⓒ 용수관장(finger enema)은 다른 방법으로도 해결되지 않는 분변매복의 경우 시행한다.

046 ⑤

해설 | **단순도뇨 vs 유치도뇨**

	단순도뇨(간헐적도뇨)	유치도뇨(정체도뇨)
정의	일회용의 곧은 도뇨관을 삽입함 ▶ 방광이 비워지면 즉시 도뇨관을 제거	장기간 도뇨관을 유치함 ▶ 주기적인 도뇨관 교체가 필요함
적응증 (목적)	• 무균적 소변 검사물 채취 • 배뇨 후 방광의 잔뇨량 측정 　ⓒ 잔뇨량 50 mL 이상이면 필요 시 유치도뇨관 삽입 • 진단검사 실시 전 방광 비움 • 방광팽만의 즉각적 완화 • 척수손상 및 근육 · 신경계 퇴행으로 불완전한 방광기 　능을 가진 대상자의 장기적인 관리	• 소변배출 폐쇄 증상 완화(전립선비대, 요도협착 등) • 중증 대상자의 시간당 배뇨량 측정 • 실금하는 혼수 환자, 지남력이 손상된 대상자의 피부 　손상 예방 • 장시간 전신마취하에 수술을 하는 경우, 오염 및 감염 　예방 • 수술 후 혈액응고 물질로부터 요도폐쇄 예방 • 하복부 수술 시 방광의 팽창 예방

047 ⑤

해설 | **장기간 부동**

• 영향을 받는 기능

심혈관 기능	• 기립성 저혈압: 정맥혈 정체와 정맥 귀환량 감소 → 심박출량 감소 ▶ 저혈압 • 심장부담 증가 ▶ 하지의 정체혈액을 귀환시키기 위함 • 혈전 형성: 정맥혈 정체 및 뼈의 칼슘 유리 ▶ 과잉응고
호흡 기능	• 환기량 감소: 부동으로 폐 확장 저하되고 호흡근 약화 • 산-염기 불균형: 환기량 저하 → O_2 부족 및 CO_2 정체 ▶ 호흡성 산증 • 침강성 폐렴: 폐의 확장 저하 및 호흡근 약화 호흡 ▶ 분비물 증가되고 기침 약해짐
근골격 기능	• 근육량 상실: 근육 크기가 줄어들고 위축됨 • 관절경축: 근육의 위축 및 근섬유의 단축 → 관절의 굴곡 및 고정 ▶ ROM 감소 • 골다공증: 뼈에서 칼슘이 방출됨 → 뼈의 치밀성 감소 ▶ 병리적 골절 위험 증가
피부 기능	피부손상과 욕창 위험성
배뇨/배변 기능	• 요정체: 중력에 의한 완전한 소변배출 어려움 • 신결석 ◀ 칼슘대사 변화로 인한 고칼슘혈증으로부터 초래됨 • 요로 감염 ◀ 소변 정체로 인함 • 만성 변비 ◀ 장 연동운동의 감소로 인함
사회심리적 기능	• 기대역할을 충족시키지 못함으로 인한 자아개념의 손상 • 사회적 상호작용의 기회 감소 • 우울감, 스트레스로 인한 수면양상의 변화 등

• 간호

– 올바른 신체선열을 유지

ⓐ 허리와 대퇴 사이에 두루마리를 사용하여 지지 ▶ 고관절의 외회전 방지

ⓑ 손에 두루마리를 쥐어줄 것

ⓒ 한 명의 대상자를 세 명의 간호사가 함께 동시에 이동시킴

– 심호흡, 기침을 격려 ▶ 환자의 호흡기능 유지 · 증진

– 잦은 체위변경: 피부 욕창이 생기는 것을 막을 것

– 하루 3회 이상 ROM 운동: 관절이 변형되는 것을 예방

– 등척성 운동: 근육의 힘을 기름

– 보행 시 거리가 길수록 의자를 이용하여 대상자가 쉴 수 있도록 함

POWER 특강

ROM (range of motion; 관절가동범위)

• **정의**: 동통을 유발하지 않고 신체 각 관절에서 실시할 수 있는 가능한 최대 운동범위
• **목적**: 관절 경축 예방, 부동환자에서 관절의 운동성과 유연성 유지 목적
• **종류**

	정의 및 시행방법	목적
능동적 관절가동범위 운동 (active ROM exercise)	대상자가 스스로 시행하는 ROM 운동	근육의 힘, 형태, 크기 유지 ▶ 관절가동성 유지 및 불용성 위축 · 경축 방지
수동적 관절가동범위 운동 (passive ROM exercise)	• 다른 사람에 의해 관절을 움직이는 운동 • 운동하는 사지의 관절 위와 아래를 지지하여 시행	• 관절의 강직 · 경축 방지 ▶ 기동성 유지 • 근육 피로와 손상 예방

048 ④

해설 | **신체역학(body mechanics)**

• 정의: 신체의 효과적인 기능과 적절한 균형과 자세를 통해 신체선열을 유지하기 위한 근골격계와 신경계의 조정된 노력
• 필요성

– 과도한 에너지를 사용하지 않고 효과적인 신체적 활동 가능하게 함

– 근골격계 긴장 감소, 적절한 근긴장도 유지

• 신체역학의 원리

신체역학의 원리	활용 방법
땅에 무게중심이 가까울수록 신체균형 높아짐	앉는 것은 서 있는 것보다 무게중심이 낮으므로 편함
힘의 지지면(기저면)이 넓을수록 신체균형 높아짐	다리를 벌리고 서 있는 것이 붙이는 것보다 편함
힘의 기저면과 중력선이 일치할수록 안정성을 유지함	대상물에 가능한 가깝게 서는 것이 편함
중력에 대항하여 물체를 들어 올리는 것보다 굴리거나 돌리는 것이 힘이 적게 듦	물체를 들어 올리는 것보다 당기거나 밀치거나 회전시킬 것
볼기근육, 다리근육 등 강한 근육군을 사용하여 물체를 들어 올리는 것이 근육의 피로와 손상을 막음	물체를 들어 올릴 때 둔부와 다리의 근육을 사용하기 위해 무릎을 구부리며 허리를 곧게 펴는 것이 편함

049 ③

해설 | **낙상 간호**

③ 체위성 저혈압 환자에게 낙상 발생 시 환자의 체중을 지지해주면서 앉거나 눕도록 하여야 한다.

환자의 의식, 활력징후와 머리, 목, 척추 등의 손상유무와 상태를 사정하고 응급조치를 취한다. 일어날 수 있다면 천천히 일어나도록 한다.

낙상

- 위험요인

  - 노인, 아동

  - 시력 및 균형감각 손상, 보행 또는 자세 변화, 혼돈, 지남력이 손상된 자

  - 이뇨제, 신경안정제, 항우울제, 수면제, 진정제, 최면제, 진통제 등 약물 복용자

  - 체위성 저혈압, 혼돈, 기동성 장애 등

  - 과거 낙상 경험자(6개월~1년), 입원한 지 1주일 이내의 낯선 환경

- 낙상 예방 간호중재

  - Stretcher car나 침상에 있을 때는 난간(side rail)을 항상 올려놓도록 함

  - 미끄럼 방지 슬리퍼, 매트 등을 이용하여 바닥이 미끄럽지 않도록 하며, 변기 옆이나 목욕탕에 안전 손잡이 설치함

  - 밝은 조명 사용하고, 야간등을 설치하여 바닥도 밝게 비춤

  - 체위성 저혈압(◀ 하지정맥의 혈액정체)을 예방하기 위해 서서히 일어서도록 격려함

  - 근력 강화, 유연성 제고, 균형 감각 향상시킬 수 있도록 운동을 규칙적으로 실시함

050 ①

해설 | **수면**

- 수면의 단계: NREM 1, 2, 3, 4단계 → NREM 3단계 → NREM 2단계 → REM 수면 단계로 진행

- 수면 단계의 기간 및 특징

수면단계		기간	특징	
NREM (50~90분) •안구 운동 및 EEG 느림 •생리적 기능 감소 •신체 에너지 보존	1단계	1~2분	• 안검이 무겁고 이완 • 쉽게 깸	가벼운 수면
	2단계	10~20분	• 이완된 상태 • 노력하면 깰 수 있음 • NREM을 주기적으로 반복하므로 전체 수면의 40~50% 차지함	
	3단계	15~30분	• 델타 수면 • 코를 곪 • 근긴장도 이완되어 신체적 움직임 거의 없음 • 깨어나기 어려움	깊은 수면
	4단계	15~30분 아침이 될수록 시간이 짧아짐	• 깨어나기 매우 어려움 • 전체수면 중 전반부에서만 4단계 수면 있음 • 골격성장, 단백질 합성, 조직재생 위한 성장 호르몬 분비 증가 • 몽유병, 야뇨증 나타남	
REM		평균 20분 아침이 될수록 시간이 길어짐	• 안구 운동 및 뇌파 활동 활발 • 학습, 기억, 행동적응 등의 대뇌기능 활발 • 생생한 꿈을 꿈 • 전체 수면의 20~25% 차지 • 위액 분비 증가 • 깨어나기 매우 어려움 • 코골이가 사라짐 • 정신활동 회복에 도움 • 남자의 경우 발기할 수 있음 • 혈압과 호흡률은 증가, 근긴장도 저하(불규칙한 호흡, 15~20초간 숨을 멈추기도 함)	

051 ④

해설 | 냉 · 열요법의 생리적 효과

냉요법	열요법
• 소동맥혈관의 수축(창백하고 푸른빛을 띤 피부) • 1회 심박출량의 증가 • 호흡수의 감소 • 국소조직의 체온 감소 • 모세혈관 수축(부종방지, 혈관확장에 의해 야기되는 통증 경감) • 혈액점도의 증가 • 조직대사의 감소 • 모세혈관압의 감소 • 염증 반응의 감소 • 신경전도속도 감소	• 소동맥혈관의 확장(피부의 발적) • 1회 심박출량의 감소 • 호흡수의 증가 • 국소조직의 체온 증가 • 모세혈관 확장 • 혈액점도의 감소 • 조직대사의 증가 • 통증 감소 • 백혈구의 증가 및 염증반응 증가 • 신경전도속도 증가

052 ③

해설 | **사후시반(livor mortis)**

사후시반은 혈액순환이 정지된 후에 적혈구가 파괴되어 헤모글로빈이 방출되면서 피부가 변색되는 것을 말하며 신체의 가장 낮은 부위에 나타나게 된다.

 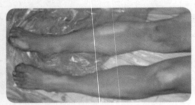

오답 ① 사망한 지 2~4시간 후에 신체가 경직되기 시작하여 98시간까지 지속된 후 사라진다. 불수의근(심장, 방광 등)에서 시작되어 머리, 목, 몸통, 사지로 진행된다.

② 사망한 후에 체온이 점차적으로 하강하는 것으로, 혈액순환이 정지되고 시상하부의 기능이 중단된다. 체온이 1시간에 1 ℃씩 하강하여 실내 온도와 같게 된다.

053 ③

해설 | **안전사고**

• 위험요인

– 고령(노인): 시력손상(노안), 보행장애, 신체적 불능, 허약, 운동 실조 등의 신체적 변화

– 심박출량 감소 및 말초순환 감소

– 관절운동범위 감소, 자율신경 반사 감소 및 신경전도 지연

– 수정체의 유연성 상실로 인한 노안

낙상

- 노인의 안전사고 중 낙상은 매우 자주 일어나며 중요한 문제이다.
- 낙상으로 인한 사망 주요요인: 두부, 엉덩이 및 대퇴, 요추 및 골반손상, 대퇴골 손상
- 대퇴골 손상
  - 증상: 심한 통증 및 보행장애가 발생한다. ▶ 경우에 따라 인공치환술 필요하다.
  - 합병증: 부동으로 인한 욕창이나 패혈증 등까지 유발될 수 있다. 이렇게 증상이 악화되면 급격한 체력저하와 후유증으로 생명을 위협받을 수도 있다.

---

054 ①

해설 | **억제대(restraints)**

- 개념: 낙상과 같은 대상자의 안전사고에 대비하기 위해 대상자의 움직임을 제한하는 도구
- 종류

장갑 억제대(손 억제대)	벙어리장갑 모양의 억제대로 대상자가 상처를 긁거나 손상을 주는 것을 예방 ex 아토피 피부염 아동이 몸을 긁을 때 이를 억제
벨트 억제대	운반차나 휠체어로 이송되는 대상자가 낙상하는 것을 예방
전신 억제대	대상자의 머리나 목의 검사 및 치료 시에 몸 전체를 홑이불로 감싸 몸통과 팔·다리(사지)의 움직임을 제한 ex 영아의 머리나 목 부위의 채혈이나 검사 시
재킷 억제대	대상자의 등 쪽에서 잠기는 억제대로 대상자가 자해하려 하거나 폭력적인 행동을 보이는 경우 사용 ex 의자 또는 휠체어에 앉아 있거나 침대에 누워 있는 동안 억제
팔·다리(사지) 억제대	손목이나 발목, 팔다리(사지)를 개별적으로 억제 ex 의식상태가 혼미한 경우, 자신과 타인을 보호하기 위해 적용
팔꿈치 억제대	팔을 감을 수 있을 정도의 헝겊에 주머니를 만들어 설압자를 넣어 사용 ex 영아들의 팔꿈치 굴곡을 방지

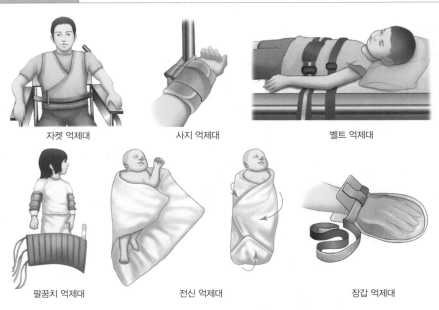

재킷 억제대   사지 억제대   벨트 억제대

팔꿈치 억제대   전신 억제대   장갑 억제대

055 ④

해설 | **상처치유 과정(증식기)**

④ 진피층의 합성과 결합에 필수요소인 비타민 C와 비타민 A를 복용하는 것이 가장 적절한 간호이다.

- 상처치유 과정

단계	기전	시기 및 기간
1단계(염증기)	• 지혈 및 식균작용 • 염증 증상: 발열, 발적, 종창, 동통, 백혈구 증가(WBC 10,000 이상) 등	손상 즉시~약 5일
2단계(증식기)	육아조직 형성, 상피세포화, 수축	손상 후 5~7일~2~3주
3단계(성숙기)	육아조직 → 반흔조직	손상 후 3주~1년 이상

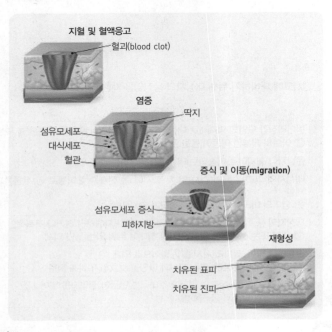

- 증식기(proliferative phase)

개념	• 진피가 미성숙하게 재생되는 단계 • 손상 후 5~7일에 시작하여 2~3주간 지속되는 기간
육아조직 형성	• 섬유아세포 및 혈관내피세포 증식 → 육아조직 형성 → 새로운 소혈관 증식 ▶ 상처치유에 필요한 상피세포의 활성을 위한 산소 및 영양소를 공급함 • 육아조직: 모세혈관이 풍부한 새로운 결합조직 　– 기능: 괴사조직 및 이물질 분리·제거, 상처로 인한 결손 부위 메우기 　– 구성성분: 섬유아세포, 풍부한 모세혈관 및 유주세포(운동성을 가짐) 　– 변화: 육아조직 → 반흔조직(교원질섬유로 가득 차 있음) ▶ 상처가 손상 전으로 회복됨
상피세포화	• 상처의 가장자리로부터 상피세포가 이동 → 손상된 부분을 덮음(섬유조직 형성 등) • 한계: 상피세포의 재생은 3 cm 정도 가능하므로 상처의 크기가 너무 클 경우 피부이식을 요함
수축	상처 주변의 피부와 조직이 서로 잡아당겨져 손상된 부분의 크기를 감소시킴

056 ⑤

해설 | **멸균(sterilization)**

• 병원균, 비병원균 및 아포를 포함한 모든 미생물을 사멸

	산화에틸렌가스(EO gas)	고압증기멸균법(autoclave)
특성	• 30~50% 습도, 45~55 ℃에서 1시간 30분~2시간 동안 멸균 • 세포 대사과정 변화시켜 미생물과 아포 파괴 • 침투력이 강하고 효과적	• 120~130 ℃, 15~17 lb/inch, 30~45분간 멸균 • 높은 압력, 높은 온도로 모든 미생물과 아포를 파괴하는 가장 확실한 방법 • 관리방법 편리하고 비용 저렴함 • 독성 없음
적용	마모되기 쉬운 기구, 열에 약한 물품, 세밀한 수술기구, 고무(각종 카테터), 종이, 플라스틱 제품, 내시경	수술용 기구(스테인레스 기구), 일반 기기 및 물품, 린넨류
주의사항	독성이 있어 멸균 후 상온에서 8~16시간 동안 방치(환기)해야 하며 비경제적임	고무 제품, 내시경 제품은 제외

057 ③

해설 | **결핵 간호(전파 예방)**

• 감염전파 예방(비말전파)

　－ 음압이 유지되는 1인실에 환자를 격리하는데, 2~4주의 약물치료 후 격리하지 않아도 됨

　－ 방안은 자주 환기시킴(단, 병실 문은 항상 닫은 채로 유지함)

　－ 마스크 착용[환자 1 m 내 마스크(N95) 이용]

　－ 기침 시 코와 입을 휴지로 가림

　－ 휴지나 가래 등은 따로 비닐에 모아 소각함

　－ 일광소독: 결핵균은 햇빛, 열에 파괴됨

• 투약교육

　－ 복합약물 사용: 약제 간 상승작용 효과, 내성발생 예방

　－ 6~18개월 이상 장기복용 중요성

　－ 철저한 약물복용 시 타인에게 전염성 없음

• 식이: 고단백, 고칼로리, 비타민 보충

058 ⑤

해설 | **외과적 무균법**

⑤ 멸균용액을 사용하기 전 용기의 입구에 있던 오염물을 제거하기 위해 용액의 소량을 먼저 따라 버린다.

오답 ① 섭자의 끝은 항상 아래로 향하게 하며 허리 아래로 내려가지 않도록 한다.

　② 이동섭자는 멸균된 물품을 용기에서 꺼낼 때와 옮길 때만 사용한다.

　③ 사용하지 않은 소독솜은 다시 넣지 않는다.

　④ 멸균포장 물품을 열 때 장갑을 끼지 않은 상태에서 연다.

무균술

종류	내과적 무균술	외과적 무균술
정의	병원균의 수를 줄이고 병원균이 한 곳에서 다른 곳으로 이동하는 것을 막는 것	물품이나 구역에 균이 완벽하게 없는 상태를 유지하는 것
방법	• 손씻기, 격리 　– 장갑은 직접적 접촉에만 착용함 　– 문은 닫아두어 공기순환 없도록 함 　– 욕실과 변기가 개인실에 따로 있어야 함 • 물품 소독: 세척제 · 소독약 · 방부제 등을 사용해서 병원성 혹은 비병원성균의 수를 감소시키는 것 　– 마스크, 신발덮개, 가운 등 모든 물품을 멸균 · 소독한 후 사용함	• 물리적 멸균법: 고압증기멸균법, 가스멸균법, 건열멸균법, 자비법, 소각법 등 　– 고압증기멸균법: 스테인레스 기구, 린넨류에 적용함. 높은 압력 및 온도로 모든 미생물과 아포를 파괴하는 가장 확실한 방법임 　– 산화에틸렌가스(EO gas): 마모되기 쉽거나 열에 약한 물품(세밀한 수술기구, 내시경, 각종 카테터 등 고무 제품, 플라스틱 제품 등)에 적용하나, 독성이 있어 멸균 후 사용 전 환기가 필요함

059 ④

해설 | 투약 관련 약어

④ qid란 하루에 네 번이라는 뜻이다. 따라서 하루 필요 용량은 2,000 mg X 3일 = 6,000 mg이다.

am	오전	q	매, ~마다	bid	하루에 두 번	PO	경구로	OD	오른쪽 눈
pm	오후	qd	매일(하루에 한번)	tid	하루에 세 번	IM	근육 내	OS	왼쪽 눈
ac	식전	qh	매시간	qid	하루에 네 번	IV	정맥 내	OU	양쪽 눈
pc	식후	qn	매일 밤마다	stat	즉시	NPO	금식		
hs	취침시간에	qod	격일로	prn	필요시마다	KVO	정맥확보		

약물 용량 계산

• 약물 계산 공식

$$투여량 = \frac{처방된\ 약물용량}{약의\ 용량} \times 용액의\ 양$$

• 수액 계산법

$$분당\ 방울\ 수 = \frac{1일\ 수액주입량(mL) \times ml당\ 방울\ 수}{24시간 \times 60분}$$

$$1방울\ 점적\ 시\ 걸리는\ 시간 = \frac{24시간 \times 60분 \times 60초}{1일\ 수액주입량(mL) \times ml당\ 방울\ 수}$$

— comment —

투약은 정확한 약물, 용량, 대상자, 경로, 시간을 항상 확인해야 한다. 정확한 투약을 위해서 약어와 약물 용량 계산법을 필수로 숙지해서 실수하지 않도록 하자.

060 ⑤

해설 | **경구 투여**

장점	단점
• 편리하고 경제적임 • 피부를 손상시키지 않음 • 약물이 대상자에게 부담이 적음 • 부작용의 발생 위험도 낮음	• 흡수가 늦고 흡수량 측정이 부정확함 • 소화액에 의해 약효가 변화될 수 있음 • 적응 불가(부적합): 심한 오심·구토, 연하곤란, 무의식, 금식(단, 위관 영양 대상자는 가능함) • 부작용: 흡인, 위장장애, 치아 변색 등

• 일반적 간호사항

  – 대상자 침상에 약을 놓아두는 데 그치지 말고, 약을 다 먹는 것을 확인해야 함

  – 대상자가 금식인 경우 약물 투여를 금함

  – 특별한 경우가 아니면 약의 형태를 변경하지 않고, 특히 장용제피는 씹어먹거나 부수어 먹어서는 절대로 안 됨

  – 특별한 지시가 없으면 두 가지 이상의 약물을 섞어 주지 않음

  – 약이 써서 먹기 힘들거나, 오심을 호소하는 경우 얼음을 물고 있게 하면 미뢰의 기능을 감소시켜 덜 쓰게 느낌

061 ②

해설 | **둔부 배면 근육주사**

• 위치: 대둔근(둔부 4분면에서 상외측)

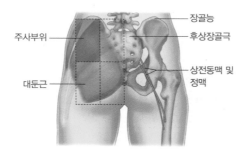

• 방법

체위	• 복위: 근육 이완을 위해 복위를 취하고 발끝 내전시킴 • 측위
주사바늘 삽입부위	후상장골극과 대전자를 잇는 가상선을 그려 4등분한 후, 대각선 중점에서 위쪽 바깥 부분(상외측)에 삽입함
주의점	좌골신경과 주요혈관 및 골조직의 손상을 피해야 함

• 적응증: 성인 및 3세 이상의 아동

• 장단점

장점	단점
근육이 커서 투여량을 충분히 흡수하며 주사 후 불편감 적음	• 3세 이하 아동은 이 부위 근육이 발달하지 않아 사용 불가 • 주사부위 정확하지 않으면, 좌골신경 손상으로 인한 하지마비 초래

062 ⑤

해설 | **헤파린 투여**

- 항응고요법(헤파린): 응고기전 억제(색전이 커지는 것 방지, 새로운 색전 발생 예방)
- 투여량: 0.1 혹은 0.01 cc 정도임
- 주사부위에 국소 출혈 예방
    - 이전 장소를 피해 돌아가면서 투여함
    - 주사기를 주사부위에 90°로 찌른 후 주사기 내관 당겨 흡인하지 않아야 함
    - 주사 후 마사지 금기
- 장기치료: 25~27 G의 주사바늘로 하복부의 지방층까지 도달하도록 깊숙이 피하주사

─ comment ─

헤파린과 마찬가지로 인슐린도 주사 후에 마사지는 금기사항이라는 걸 기억하자!

또한 헤파린 투여 시 출혈 경향이 높일 수 있으므로 처방받지 않은 아스피린은 투여하지 않는다.

POWER 특강

항응고요법

- 적응증: 심장판막·심실세동의 경우에 심장내에서 혈액이 응고되는 것을 막아주고, 다른 부위에서 색전증이 일어나는 것을 막아줌으로써 뇌경색을 예방한다.
- 종류(일반적): 헤파린, 쿠마딘
    - 헤파린

기능	트롬빈(단백질) 작용을 억제하여 혈액이 굳지 않게 한다.
적응증	혈관에 투여하므로 효과가 빨라 보통 뇌경색 발생 직후부터 사용한다.
금기	심한 출혈·외상, 장암·위궤양·중증 고혈압·비타민K 결핍증
부작용	피부염과 두드러기, 탈모, 발열, 위장장애, 백혈구 감소 등

    - 쿠마딘[와파린(warfarin)]

기능	비타민K를 억제하여 혈액 응고인자를 만들지 못하게 한다.
금기	출혈, 소화성 궤양, 절박유산, 혈액응고 검사 결과 응고 간격이 적당하지 않은 경우, 임산부(쿠마딘은 위험하므로 헤파린을 써야 함)
부작용	알레르기 반응, 혈소판 감소, 비강 출혈, 백반, 원형 탈모증, 골다공증(장기투여 시)

063 ④

해설 | 약물용량계산

④ step 1)

처방: 0.5 mg/kg/hr → 한 시간에 kg당 0.5 mg 투여

대상자는 60 kg이므로 0.5 mg * 60 kg/hr = 30 mg/60 min = 0.5 mg/min로 투여해야 한다.

step 2)

250 mg/500 ml에 혼합하였으므로, 0.5 mg/ml로 주입해야 한다.

step 3)

1분에 0.5 mg을 투여해야 하므로 1 ml를 투여해야 하며(0.5 mg/ml) drip factor가 20 gtt/ml이므로 분당 gtt는 20 gtt이다.

- gtt: 1분당 점적되는 방울 수 ▶ 1 gtt = 1분에 1방울
  - gtt/min → cc/hr로 바꾸는 공식: *3 ⓔⓧ 42 cc/hr ▶ 1,008 mL/day
  - cc/hr → gtt/min로 바꾸는 공식: /3 ⓔⓧ 21 gtt/min (3초에 1방울)

064 ⑤

해설 | 욕창

- 발생 원리: 지속적인 압력 → 일시적 순환장애(피부와 피하조직의 소동맥과 모세혈관의 압박으로 조직의 산소 결핍증 및 허혈) → 혈관조직 세포의 영구적인 손상 → 심부 침투성 괴사 → 욕창부위의 감염(피하조직, 근육, 뼈) → 좌골 점액낭의 폐쇄 → 욕창부위의 암적색 변성
- 호발 부위: 천골, 대전자, 척추극상돌기, 무릎, 전면경골능, 후두골, 복사뼈 등

▶ 체위별 욕창 호발 부위

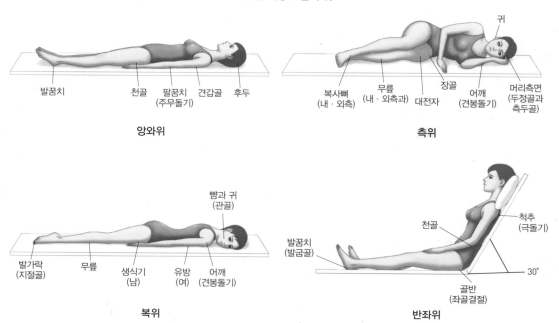

발꿈치 | 천골 | 팔꿈치(주무돌기) | 견갑골 | 후두

앙와위

복사뼈(내·외측) | 무릎(내·외측과) | 대전자 | 장골 | 어깨(견봉돌기) | 머리측면(두정골과 측두골) | 귀

측위

발가락(지절골) | 무릎 | 생식기(남) | 유방(여) | 어깨(견봉돌기) | 뺨과 귀(관골)

복위

발꿈치(발굽골) | 천골 | 척추(극돌기) | 골반(좌골결절) | 30°

반좌위

065 ⑤

해설 | **욕창 간호**

• 욕창의 단계

단계	증상	침범부위	드레싱	예시
1	발적은 있으나 피부 손상은 없음	표피	• 경증 시 드레싱 적용 안 하며 2~3시간마다 체위변경 • 투명 드레싱이나 하이드로 콜로이드	욕창 1기
2	표재성 궤양, 장액성 수포	표피+진피 일부	• 투명 드레싱 • 하이드로 콜로이드	욕창 2기
3	광범위한 손상, 깊게 패인 상처	진피+피하조직	• 삼출물이 적은 경우: 하이드로 콜로이드 + 하이드로 겔 • 삼출물이 많은 경우: 칼슘 알지네이트 팩킹	욕창 3기
4	삼출물, 괴사조직 및 사강이 있음	피하조직+근막, 근육, 뼈	하이드로 콜로이드 + 하이드로 겔 + 칼슘 알지네이트 팩킹	욕창 4기

오답 ① 가장 초기단계인 순환장애로 인한 발적 단계이므로 드레싱은 적용하지 않는다.

② 마사지는 욕창 발생 전에 적용하며, 손상된 피부나 조직의 마사지는 금한다.

③ 응전력에 의한 욕창 발생을 감소시키기 위해서는 30° 이상 높이지 않아야 한다.

④ 도넛 모양 쿠션은 국소 압력을 증가시키므로 사용하지 않는다.

보건의약관계법규

066 ⑤

해설 | **상급종합병원 지정(의료법 제3조의4)**

보건복지부장관은 다음 각 호의 요건을 갖춘 종합병원 중에서 **중증질환**에 대하여 난이도가 높은 의료행위를 전문적으로 하는 종합병원을 상급종합병원으로 지정할 수 있다.

1. 보건복지부령으로 정하는 20개 이상의 진료과목을 갖추고 각 진료과목마다 전속하는 전문의를 둘 것

2. 전문의가 되려는 자를 수련시키는 기관일 것

3. 보건복지부령으로 정하는 인력 · 시설 · 장비 등을 갖출 것

4. 질병군별 환자구성 비율이 보건복지부령으로 정하는 기준에 해당할 것

오답 ④ 보건복지부장관은 상급종합병원으로 지정받은 종합병원에 대하여 3년마다 평가를 실시하여 재지정하거나 지정을 취소할 수 있다.

067 ②

해설 | **결격사유 등(의료법 제8조)**

다음 각 호의 어느 하나에 해당하는 자는 의료인이 될 수 없다.

1. 정신질환자. 다만, 전문의가 의료인으로서 적합하다고 인정하는 사람은 그러하지 아니하다.

2. 마약·대마·향정신성의약품 중독자

3. 금치산자·한정치산자

4. 의료 관련 법령을 위반하여 금고 이상의 형을 선고받고 그 형의 집행이 종료되지 아니하였거나 집행을 받지 아니하기로 확정되지 아니한 자

068 ②

해설 | **간호기록부의 기재 사항(의료법 시행규칙 제14조)**

1. 간호를 받는 사람의 성명

2. 체온·맥박·호흡·혈압에 관한 사항

3. 투약에 관한 사항

4. 섭취 및 배설물에 관한 사항

5. 처치와 간호에 관한 사항

6. 간호 일시(日時)

069 ⑤

해설 | **보수교육(의료법 시행규칙 제20조)**

오답 ① 중앙회장은 보수교육을 각 기관으로 하여금 실시하게 할 수 있다.

② 의료인은 보수교육을 연간 8시간 이상 이수하여야 한다.

③ 면허증을 발급받은 신규 면허취득자는 해당 연도의 보수교육을 면제한다.

④ 보건복지부장관은 보수교육의 내용을 평가할 수 있다.

070 ③

해설 | **의료기관에 두는 의료인의 정원(의료법 시행규칙 별표 5)**

종합병원의 간호사 정원은 연평균 1일 입원환자를 2.5명으로 나눈 수(이 경우 소수점은 올림)로 계산한다. 외래환자 12인은 입원환자 1인으로 환산한다.

외래환자 수 환산: 240 / 12 = 20

간호사 정원: (230+20) / 2.5 = 100

필요한 간호사 수: 100명

071 ⑤

해설 | **면허취소(의료법 제65조)**

1. 결격사유의 어느 하나에 해당하게 된 경우

2. 자격 정지 처분 기간 중에 의료행위를 하거나 3회 이상 자격 정지 처분을 받은 경우

3. 면허 조건을 이행하지 아니한 경우

4. 면허증을 빌려준 경우

5. 사람의 생명 또는 신체에 중대한 위해를 발생하게 한 경우

072 ②

해설 | 정의(감염병의 예방 및 관리에 관한 법률 제2조)

"제2급감염병"이란 전파가능성을 고려하여 발생 또는 유행 시 24시간 이내에 신고하여야 하고, 격리가 필요한 다음 각 목의 감염병을 말한다. 다만, 갑작스러운 국내 유입 또는 유행이 예견되어 긴급한 예방 · 관리가 필요하여 질병관리청장이 보건복지부장관과 협의하여 지정하는 감염병을 포함한다.

제2급감염병	결핵(結核), 수두(水痘), 홍역(紅疫), 콜레라, 장티푸스, 파라티푸스, 세균성이질, 장출혈성대장균감염증, A형간염, 백일해(百日咳), 유행성이하선염(流行性耳下腺炎), 풍진(風疹), 폴리오, 수막구균 감염증, B형헤모필루스인플루엔자, 폐렴구균 감염증, 한센병, 성홍열, 반코마이신내성황색포도알균(VRSA) 감염증, 카바페넴내성장내세균속균종(CRE) 감염증, E형간염

073 ④

해설 | 업무 종사의 일시 제한(감염병의 예방 및 관리에 관한 법률 시행규칙 제33조)

해설 | 정의(감염병의 예방 및 관리에 관한 법률 제2조)

"제2급감염병"이란 전파가능성을 고려하여 발생 또는 유행 시 24시간 이내에 신고하여야 하고, 격리가 필요한 다음 각 목의 감염병을 말한다. 다만, 갑작스러운 국내 유입 또는 유행이 예견되어 긴급한 예방 · 관리가 필요하여 질병관리청장이 보건복지부장관과 협의하여 지정하는 감염병을 포함한다.

제2급감염병	결핵(結核), 수두(水痘), 홍역(紅疫), 콜레라, 장티푸스, 파라티푸스, 세균성이질, 장출혈성대장균감염증, A형간염, 백일해(百日咳), 유행성이하선염(流行性耳下腺炎), 풍진(風疹), 폴리오, 수막구균 감염증, B형헤모필루스인플루엔자, 폐렴구균 감염증, 한센병, 성홍열, 반코마이신내성황색포도알균(VRSA) 감염증, 카바페넴내성장내세균속균종(CRE) 감염증, E형간염

074 ⑤

해설 | 검역감염병의 정의(검역법 제2조)

"검역감염병"이란 다음 각 목의 어느 하나에 해당하는 것을 말한다.

가. 콜레라

나. 페스트

다. 황열

라. 중증 급성호흡기 증후군(SARS)

마. 동물인플루엔자 인체감염증

바. 신종인플루엔자

사. 중동 호흡기 증후군(MERS)

아. 에볼라바이러스병

자. 가목에서 아목까지의 것 외의 감염병으로서 외국에서 발생하여 국내로 들어올 우려가 있거나 우리나라에서 발생하여 외국으로 번질 우려가 있어 질병관리청장이 긴급 검역조치가 필요하다고 인정하여 고시하는 감염병

075 ③

해설 | 의사 또는 의료기관 등의 신고(후천성면역결핍증 예방법 제5조)

1. 감염인을 진단하거나 감염인의 사체를 검안한 의사 또는 의료기관은 보건복지부령으로 정하는 바에 따라 즉시 진단·검안 사실을 관할 보건소장에게 신고하여야 한다.

2. 학술연구 또는 혈액 및 혈액제제에 대한 검사에 의하여 감염인을 발견한 사람이나 해당 연구 또는 검사를 한 기관의 장은 즉시 보건복지부장관에게 신고하여야 한다.

3. 감염인이 사망한 경우에는 이를 처리한 의사 또는 의료기관은 즉시 관할 보건소장에게 신고하여야 한다.

076 ⑤

해설 | 건강보험심사평가원 업무(국민건강보험법 제63조)

1. 요양급여비용의 심사

2. 요양급여의 적정성 평가

3. 심사기준 및 평가기준의 개발

4. 제1호부터 제3호까지의 규정에 따른 업무와 관련된 조사연구 및 국제협력

5. 다른 법률에 따라 지급되는 급여비용의 심사 또는 의료의 적정성 평가에 관하여 위탁받은 업무

6. 건강보험과 관련하여 보건복지부장관이 필요하다고 인정한 업무

7. 그 밖에 보험급여 비용의 심사와 보험급여의 적정성 평가와 관련하여 대통령령으로 정하는 업무

077 ①

해설 | 요양비(국민건강보험법 제49조)

공단은 가입자나 피부양자가 보건복지부령으로 정하는 긴급하거나 그 밖의 부득이한 사유로 요양기관과 비슷한 기능을 하는 기관으로서 보건복지부령으로 정하는 기관에서 질병·부상·출산 등에 대하여 요양을 받거나 요양기관이 아닌 장소에서 출산한 경우에는 그 요양급여에 상당하는 금액을 가입자나 피부양자에게 요양비로 지급한다.

078 ③

해설 | 지역보건의료계획의 세부 내용(지역보건법 시행령 제4조)

1. 지역보건의료계획의 달성 목표

2. 지역현황과 전망

3. 지역보건의료기관과 보건의료 관련기관·단체 간의 기능 분담 및 발전 방향

4. 보건소의 기능 및 업무의 추진계획과 추진현황

5. 지역보건의료기관의 인력·시설 등 자원 확충 및 정비 계획

6. 취약계층의 건강관리 및 지역주민의 건강 상태 격차 해소를 위한 추진계획

7. 지역보건의료와 사회복지사업 사이의 연계성 확보 계획

8. 의료기관의 병상의 수요·공급

9. 정신질환 등의 치료를 위한 전문치료시설의 수요·공급

10. 특별자치시·특별자치도·시·군·구 지역보건의료기관의 설치·운영 지원

11. 시 · 군 · 구 지역보건의료기관 인력의 교육훈련

12. 지역보건의료기관과 보건의료 관련기관 · 단체 간의 협력 · 연계

079 ②

해설 | 보건소장(지역보건법 시행령 제13조)

보건소에 보건소장 1명을 두되, 의사 면허가 있는 사람 중에서 보건소장을 임용한다. 다만, 의사 면허가 있는 사람 중에서 임용하기 어려운 경우에는 보건 · 식품위생 · 의료기술 · 의무 · 약무 · 간호 · 보건진료 직렬의 공무원을 보건소장으로 임용할 수 있다.

080 ⑤

해설 | 마약류취급자가 아닌 자의 마약류 취급 금지(마약류 관리에 관한 법률 제4조)

다음 각 호의 어느 하나에 해당하는 경우에는 마약류취급자가 아닌 자도 마약류를 취급할 수 있다.

1. 마약 또는 향정신성의약품을 마약류취급의료업자로부터 투약받아 소지하는 경우

2. 마약 또는 향정신성의약품을 마약류소매업자로부터 구입하거나 양수하여 소지하는 경우

3. 마약류취급자를 위하여 마약류를 운반 · 보관 · 소지 또는 관리하는 경우

4. 공무상 마약류를 압류 · 수거 또는 몰수하여 관리하는 경우

081 ⑤

해설 | 마약사용의 금지(마약류 관리에 관한 법률 제39조)

마약류 취급의료업자는 마약중독자에게 그 중독 증상을 완화시키거나 치료하기 위하여 다음 각 호의 어느 하나에 해당하는 행위를 하여서는 아니 된다. 다만, 치료보호기관에서 보건복지부장관 또는 시 · 도지사의 허가를 받은 경우에는 그러하지 아니하다.

1. 마약을 투약하는 행위

2. 마약을 투약하기 위하여 제공하는 행위

3. 마약을 기재한 처방전을 발급하는 행위

082 ⑤

해설 | 응급환자의 이송(응급의료에 관한 법률 제11조)

의료인은 해당 의료기관의 능력으로는 응급환자에 대하여 적절한 응급의료를 할 수 없다고 판단한 경우에는 지체 없이 그 환자를 적절한 응급의료가 가능한 다른 의료기관으로 이송하여야 한다.

083 ⑤

해설 | 보건의료에 관한 알 권리(보건의료기본법 제11조)

1. 모든 국민은 관계 법령에서 정하는 바에 따라 국가와 지방자치단체의 보건의료시책에 관한 내용의 공개를 청구할 권리를 가진다.

2. 모든 국민은 관계 법령에서 정하는 바에 따라 보건의료인이나 보건의료기관에 대하여 자신의 보건의료와 관련한 기록 등의 열람이나 사본의 교부를 요청할 수 있다. 다만, 본인이 요청할 수 없는 경우에는 그 배우자 · 직계존비속 또는 배우자의 직계존속이, 그 배우자 · 직계존비속 및 배우자의 직계존속이 없거나 질병이나 그 밖에 직접 요청을 할 수 없는 부득이한 사유가 있는 경우에는 본인이 지정하는 대리인이 기록의 열람 등을 요청할 수 있다.

084 ①

진단편 3교시

해설 | 건강증진사업(국민건강증진법 제19조)

특별자치시장·특별자치도지사·시장·군수·구청장은 지역주민의 건강증진을 위하여 보건복지부령이 정하는 바에 의하여 보건소장으로 하여금 다음 각호의 사업을 하게 할 수 있다.

> 1. 보건교육 및 건강상담
>
> 2. 영양관리
>
> 3. 신체활동장려
>
> 4. 구강건강의 관리
>
> 5. 질병의 조기발견을 위한 검진 및 처방
>
> 6. 지역사회의 보건문제에 관한 조사·연구
>
> 7. 기타 건강교실의 운영 등 건강증진사업에 관한 사항

085 ⑤

해설 | 혈액 매매행위 등의 금지(혈액관리법 제3조)

⑤ 헌혈자 또는 그 헌혈자의 헌혈증서를 양도받은 사람은 의료기관에 그 헌혈증서를 제출하면 무상으로 혈액제제를 수혈받을 수 있다.

1. 누구든지 금전, 재산상의 이익 또는 그 밖의 대가적 급부를 받거나 받기로 하고 자신의 혈액(헌혈증서를 포함한다)을 제공하거나 제공할 것을 약속하여서는 아니 된다.

2. 누구든지 금전, 재산상의 이익 또는 그 밖의 대가적 급부를 주거나 주기로 하고 다른 사람의 혈액(헌혈증서를 포함한다)을 제공받거나 제공받을 것을 약속하여서는 아니 된다.

3. 누구든지 제1항 및 제2항에 위반되는 행위를 교사·방조 또는 알선하여서는 아니 된다.

4. 누구든지 제1항 및 제2항에 위반되는 행위가 있음을 알았을 때에는 그 행위와 관련되는 혈액을 채혈하거나 수혈하여서는 아니 된다.

NOTE

NOTE

PART 2

공략편

1회 1교시 정답 및 해설

성인간호학

001 ①

해설 | **노년기의 특성**

노인들의 계속적인 사회적 역할 참여가 노화의 긍정적 적응에 필요하다.

cf 노년기의 발달과업: 신체변화에 대한 적응, 은퇴와 수입 감소에 대한 적응, 배우자의 죽음에 대한 적응, 동년배 집단과의 애착 형성, 새로운 사회적 역할의 채택과 적응, 적절한 주거와 생활 조건 확립

002 ⑤

해설 | **노인성 장애**

⑤ 의사소통 시 밝은 곳에서, 천천히, 낮은 톤으로 대화하도록 한다.

오답 ② 독립심을 유지하기 위해 일상생활 기술훈련을 실시한다.

③, ④ 천천히 호전되며, 때로 완전히 기능을 회복할 수 없다는 것(만성적 진행)을 이해시킨다.

003 ①

해설 | **중년기 성인의 운동요법**

① 철저한 신체검사 후 운동을 시작하도록 하고, 전문가의 조언에 따라 자신에게 적합한 운동을 선택하도록 한다.

오답 ②, ③, ④ 점차적으로 운동을 증가시키며, 최대 운동시간은 30분/회 정도가 적절하다.

⑤ 비만일 경우 몸에 무리가 가지 않도록 지나치게 강도 높은 운동은 피해야 한다.

004 ②

해설 | **고칼륨혈증(화상)**

② 화상 시 과도한 세포 손상으로 칼륨이 세포 내에서 세포 외부로 이동되어 과잉상태가 되고(고칼륨혈증), 나트륨은 삼출물과 함께 부종조직으로 빠져 나와 세포 내로 이동되어 결핍된다(저나트륨혈증).

- 정의: 혈장내 K^+ 농도가 5.0 mEq/L 이상인 상태
- 원인: 산증, 조직손상, 화상, 감염 등으로 세포내액의 K^+가 세포외액으로 유리된다.
- 치료 및 간호: 칼륨섭취 제한, 산증 교정
  - 인슐린, 포도당, 중조 투여
  - Kayexalate (양이온 교환수지) 경구 or 직장투여
    ▶ 수지내 다른 양이온과 장관내 K^+을 교환시켜 대변으로 배출시킴 기출 19

cf ECG 비교(정상 vs 저칼륨혈증 vs 고칼륨혈증) 기출 18

정상	저칼륨혈증	고칼륨혈증
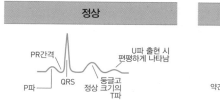	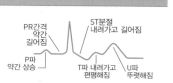	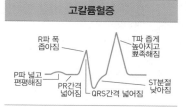

005 ⑤

해설 │ 호흡성 알칼리증

- 정의: pH 7.45 이상, $PaCO_2$ 35 mmHg 이하, HCO_3^- 정상
- 증상
  - 호흡기계: 불안·공포 → 과다환기(깊고 빠른 호흡)
  - 신경계: 사지 무딤(numbness), 저림(tingling) 등
- 중재
  - CO_2 정체를 증가시키기 위해 배출된 CO_2를 재흡입한다. 천천히 숨을 쉬게 격려한다.
  - 안정을 취하도록 하고, 경련예방을 위한 안전대책을 강구한다.

오답 ④ 과도한 기계환기가 원인이 되기도 하므로, 이 경우 호흡수를 낮춰 설정해야 한다.

─── **comment** ───

현재는 임상에서 봉지요법이 권장되지 않는 추세여서, 앞으로도 쓰일 좋은 문제는 아닐 수 있다. 하지만 과거에 이런 식으로 나왔던 것을 시험을 위해 기억해두자.

006 ①

해설 │ 세포내액량 과다 ▶ 수분중독증

- 정의: 혈관용액의 저삼투성 장애가 발생하여 세포부종이 생긴 상태
- 원인: 저삼투성 용액(0.45% 생리식염수, 5% 포도당) 과다투여, 수분 과다섭취, 항이뇨호르몬부적절증후군 등
- 증상: 뇌압상승 징후(오심구토, 두통, 불안, 안절부절못함 등), 사지부종, 체중증가, 호흡곤란, 혈압상승 등
- 중재: 의식수준 사정 및 손상 예방, 수분과 Na^+ 배설촉진(이뇨제 투여) 및 섭취제한 등

007 ①

해설 │ 급성 통증 vs 만성 통증

- 증상: 혈압 상승 or 저하, 맥박 상승, 호흡수 및 깊이 증가, 발한, 창백, 동공 이완, 근육긴장, 구역(오심), 구토, 안절부절 못함 등

오답 ②, ③, ④, ⑤는 만성 통증(3개월 이상 지속) 시 나타나는 행동적 반응이다.

008 ①

해설 | **과민반응의 유형**

제 1 형	아나필락틱, 즉시형 과민반응	아나필락틱 쇼크, 아토피 피부염, 고초열, 알레르기성 천식 및 비염 등 ▶ 전신적 과민반응
제 2 형	세포용해성–세포독성 과민반응	수혈반응(혈액형 불일치 시 세포가 용해됨)
제 3 형	면역복합체성 과민반응	혈청병(이종혈정을 주사한 후)
제 4 형	세포중개성, 지연형 과민반응	투베르쿨린 반응, 접촉성 피부염, 이식거부반응(GVHD)

- 제4형(세포중개성, 지연형 과민반응)
  - 정의: 항원이 활성화된 T림프구에 결합하여 림포카인을 분비하고 조직 손상을 유발하는 염증과 식균 작용을 야기함
  - 특징
    ⓐ 항체가 관여하지 않음
    ⓑ 원인물질: 감작된 T세포
    ⓒ 알레르기원에 노출된 지 24~72시간 후 발생
  - 반응
    ⓐ 결핵항원이나 PPD주사 후(Tuberculin skin test)
    ⓑ 접촉성 피부염: patch test (첩포검사)로 진단함
    ⓒ 이식거부반응: 조직적합성이 완전하게 일치하지 않는 장기가 이식되었을 때에 그것을 배제하려는 반응으로, 열, 압통, 피로, 빈호흡 등의 증상이 나타남

009 ②

해설 | **알레르기원을 제거한 환경 유지**

② 창문을 여닫는 대신 공기 청정기를 설치한다.

- 알레르기원

흡인성	식물 꽃가루, 집먼지(카펫 등), 동물 털이나 비듬 등 ▶ 카펫은 깔지 않고 침구는 세탁이 쉬운 면으로 교체하며, 자주 진공청소기로 청소해야 함
섭취성	우유, 계란, 견과류, 갑각류 등의 음식과 식품첨가물 등
접촉성	식물, 비누 등
약물성	Penicillin, aspirin, tetracycline, sulfonamide, insulin, 국소마취제, 항암제 등의 약물 등

오답 ③ 블라인드 대신에 세탁 가능한 면 커튼을 사용하고, ④ 실내 습도는 50% 이상으로 유지한다.

010 ③

해설 | **비특이성 면역(선천면역, 자연면역)**

- 정의: 인체가 면역원과 전혀 접촉이 없었음에도 불구하고 체내에 면역반응으로 항원에 대해 비특이적으로 반응하며, 특별한 기억작용은 없음
- 감염 시 대식세포, 호중구, 자연살해세포가 2차 방어벽 형성하여 병원체를 먹거나 손상된 세포를 파괴함 ▶ 감염 확대를 막음

▶ 면역반응 발현 기전

오답 ④ 특이성 저항(면역)에 대한 설명이다.

011 ③

해설 | 간생검 후 간호

- 간생검 후 가장 주의해야 할 합병증은 출혈이다.
  - 24시간 동안 침상휴식을 취함
  - 첫 8~12시간 동안의 V/S 관찰이 요구됨. 2시간 동안 매 15분마다 → 2시간 동안 매 30분마다 → 매 1시간마다 4회 실시. 이때 빈맥, 혈압하강 등은 출혈을 암시하므로 주의
  - 처음 1~2시간 동안 우측위로 모래주머니 압박하여 출혈, 담즙누출 예방
  - 처방 시 Vit. K 투여

---

comment

- 간생검 전 6시간 금식이 필요하며, 횡격막 파열 예방을 위해 바늘삽입 시 호기 후 5~10초간 숨을 멈추도록 한다.
- 검사 후 첫 1~2시간 동안 흉벽이 간피막을 눌러 출혈과 담즙 누출 위험을 감소시키기 위해 우측위를 취한다.

---

012 ④

해설 | 악성종양의 특징

- 세포의 성장: 성장 속도가 빠르고, 피막이 없고 성장범위가 한정되어 있지 않아 주위 조직으로의 침윤이 쉽다.
- 세포의 특성: 대부분 미분화 및 역행위축 상태. 핵이 크고 세포는 작아 핵의 비율이 크다.
- 재발과 전이가 흔하다.
- 다기관의 기능장애 및 영양장애, 궤양, 출혈, 천공, 조직괴사 등을 유발하며 예후가 좋지 않다.

013 ③

해설 | 치루

- 정의: 치루는 항문 주변의 만성적인 농양이나 항문선의 염증으로 시작하여 고름이 배출되고 나면 항문선의 안쪽과 항문 바깥쪽 피부 사이에 터널이 생겨 바깥쪽 구멍을 통해 분비물이 나오는 상태이다.

- 치료: 수술만이 유일한 치료법이다. 원칙은 첫째, 항문 괄약근 사이에 있는 1차 병소를 제거하고, 둘째, 안쪽과 바깥쪽 구멍을 처리해 주는 것이다.

014 ④

해설 | 응급환자의 분류

긴급환자(red tag)	위기 혹은 생명의 위험이 있어 즉각적인 치료를 받아야 생존이 가능한 상태	기도폐쇄, 심장마비, 심한 쇼크, 의식 불명, 연가양 흉곽, 다발성 외상 등
응급환자(yellow tag)	초기 응급 치료를 받은 후 후송을 기다릴 수 있는 상태	고열, 폐쇄성 골절, 40% 미만의 화상, 열상, 뇌졸중, 심한 통증 등
비응급환자(green tag)	구급처치 수준의 치료가 요구되는 경한 질환이나 손상	연조직 상해, 피부손상(순환장애가 없는), 염좌, 두드러기, 지속적 오심·구토 등 사지골절 등
사망(black tag)	–	–

POWER 특강

응급간호 우선순위

의식 확인 → 기도확보(기도폐쇄 관리, 인공기도 삽입, 기관내삽관, 윤상갑상연골 절제술 등) → 출혈 조절(체액보충, 외출혈·내출혈 조절, 저혈량성 쇼크 조절 등) → 기타 처치(골절 등) → 후송

---

015 ①

해설 | **출혈 간호**

- 출혈부위는 심장보다 높게 상승시킨다.
- 출혈부위 바로 위 동맥을 직접 압박한다. ⓔ 상박출혈 시 상완동맥 직접 압박함
- 드레싱 후 압박붕대, 지혈대를 적용한다.

016 ②

해설 | **판막수술 전후 간호**

② 심장수술 후 올 수 있는 말초혈관의 색전 발견을 위해 말초맥박을 측정한다. 이들의 맥박결손이 있고 피부가 차고 청색증이 있을 경우 말초 색전을 암시한다.

- 항응고요법: 판막수술 후 전신색전증 위험 증가 → 말초맥박 사정 → 혈전 생성 감소 위해 항혈전제인 wafarin (coumadin)을 PT 10~15초 투여
- 수술 전: 치과 검진 및 72시간 전 항응고제 복용 중단
- 수술 후
  - 호흡 사정
  - 출혈, 심박출량, 말초맥박(발: 후경골동맥, 족배동맥) 사정 ▶ 색전 위험 평가
  - 인공판막 사용 시 혈전색전증, 출혈, 용혈 관찰

017 ⑤

해설 | **소독간호사 vs 순환간호사**

다른 말로 멸균활동 vs 비멸균활동이라고 볼 수 있다.

소독간호사는 수술 절차 동안 멸균영역을 유지하고 엄격한 외과적 무균술을 지켜야 하며, 수술 진행 과정에 필요한 물품을 정확하게 집도의에게 전달하는 역할을 한다. 순환간호사는 수술팀의 수술 과정을 감시하고 수술 내 환경을 점검하여 지속적으로 환자의 상태를 살피며, 수술실을 관리하는 역할을 한다. 순환간호사는 수술 후 대상자를 회복실간호사에 연계하고 대상자의 상태 등을 기록하며, 검사물 관리까지 담당한다.

오답 ①, ②, ③, ④ 순환간호사의 역할이다.

━━━**comment**━━━

순환간호사가 외과 집도의뿐 아니라 소독간호사의 복장 착용도 도와준다는 데서 착안한 문제이다. 변별력보다는 합격 커트라인을 조정하기 위한 문제이니 너무 스트레스 받지 말 것!

018 ③

해설 | **척추(척수)마취**

- 작용부위
    - 전근(운동신경, 교감신경 섬유), 후근(감각신경) 차단
    - 자율신경, 감각신경, 운동신경 모두 차단
- 천자부위: 지주막하강. L_{3-4} or L_{4-5} (L_{2-5})에서 시행하는데, 척수가 L_2에서 끝나기 때문이다.

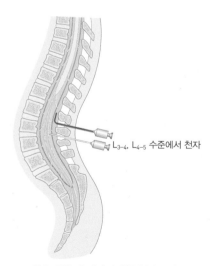

L_{3-4}, L_{4-5} 수준에서 천자

▶ 척수마취 및 경막외마취 천자부위

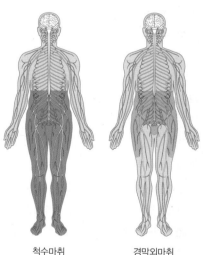

척수마취　　　　경막외마취

▶ 척수마취 및 경막외마취 마취 수준

- 마취관리
    - 초기에 생리적 변동이 많기 때문에 마취 후 15분간 활력징후를 잘 확인한다.
    - Epinephrine과 함께 사용하면 마취시간이 연장된다.
        - ⓒⓕ Epinephrine: 교감신경 흥분제 ▶ 혈관수축(α), 심근수축력 및 맥박 증가(β)

- 합병증: 혈압하강(저혈압), 두통, 마비, 뇌막염, 오심 · 구역, 구토, 호흡 억제 및 정지 기출 18
- 간호중재
  - 뇌척수액 유출을 예방하기 위해 베개 없이 편평한 상태로 6~12시간 동안 앙와위로 안정
  - 뇌척수액 생성을 촉진하기 위해 적절한 수분 공급
  - 저혈압 위험 있으므로, 혈압 자주 측정함
  - 배뇨장애 및 하지 무감각에 주의하며, 핫팩 등은 대지 않음
    ☞ 흡입마취제를 이용한 전신마취가 아니므로 호흡기계 합병증은 일으키지 않는다.

019 ②

해설 | **기형과 합병증 예방 체위**

- 똑바로 누운 체위(앙와위)
  - 머리를 옆이나 앞뒤로 두더라도 척추와 일직선으로 위치시킴
  - 체간은 고관절의 굴곡을 최소화시키도록 위치시킴
  - 하지는 신전시키고 슬와부 아래를 지지하며, 대전자 부위에 trochanter roll 적용함 ▶ 고관절 외회전을 방지함
  - 발바닥 전체가 발판에 닿게 하며, 발가락은 똑바로 위를 향하게 함
- 옆으로 눕는 체위(측위)
  - 머리는 척추와 일직선으로 둠
  - 체부는 뒤틀리지 않고 일직선으로 있게 함
  - 고관절의 윗부분을 약간 앞쪽으로 향하게 하고 약간 외전된 위치가 되도록 베개로 지지함
  - 팔을 베개로 지지하여 견관절과 주관절은 굴곡시킴
- 엎드려 누운 체위(복위)
  - 머리를 외측으로 돌리고 신체의 나머지 부분과 일직선이 되게 함
  - 손목은 신전시키고 손가락은 굴곡시켜 hand roll을 쥐어줌
  - 배꼽 수준에서 대퇴의 상부 1/3까지 신전시키고 흉부와 배꼽 사이에 작은 베개를 대줌
  - 하지는 자연스러운 자세로 있게 함

020 ④

해설 | **물리치료(마사지)**

- 효과: 혈액공급 증진, 림프 및 정맥순환 촉진, 관절주변 부종 감소, 근육위완 증진, 심박동수 및 혈압 감소, 피로회복 등
- 방법: 경찰법(문지르기), 유날법(주무르기), 경타법(두드리기), 진동법, 지압법
- 금기증: 급성 염증 반응, 혈전성 정맥염, 골수염, 출혈성 외상, 전염성 질환, 화농성 피부염, 악성 종양

021 ④

해설 | 표재성 통증 vs 심부 통증

표재성	심부
날카롭고 찌르는 듯한 통증으로, 국소적인 부분(주로 피부나 피하조직)에 국한되어 나타나 통증의 위치를 파악하기 쉬움	• 원인: 강한 압력이나 조직손상 • 부위: 건, 인대, 혈관, 신경 등에서 시작됨 • 증상: 오심, 발한, 혈압 변화

POWER 특강

급성 통증 vs 만성 통증(증상)		
	급성	만성
생리적 반응	• 혈압 상승 or 저하, 맥압 상승 • 호흡수 증가 • 동공 확대, 발한	• 혈압, 맥박, 호흡 정상 • 동공 정상 • 피부 건조
행동적 반응	불안정, 두려움, 통증 부위 보호	부동, 우울, 위축, 절망

022 ④

해설 | 활동성 결핵 진단 `기출 16, 20`

- 진단법: 투베르쿨린 반응검사(감염 여부만 확인 ▶ 확진 불가) + 흉부X선 · 배양검사(확진!)
- 투베르쿨린 반응검사(피부반응검사): PPD 주사 47~72시간 후 경결의 직경을 확인함 `기출 16`

음성	의심(의양성)	양성: 결핵균에 노출된 적 있음
0~4 mm	5~9 mm	10 mm 이상

- 흉부X선

  - 폐침윤, 결절, 공동 확인

  - 활동성인 경우 건락화(조직파괴 → 지방침착, 세포파괴 → 핵융해)

- (객담)배양검사: 아침 객담을 수집하여 검사를 3회 실시한다. 결핵균을 확인하면 결핵을 확진하는데, 전염력이 높은 상태임 `기출 20`

023 ④

해설 | 긴장성 기흉

- 원인: 개방성 or 폐쇄성 기흉의 합병증으로 발생하거나, 기관지 및 폐포의 파열 등이 원인이 됨
- 병태생리

  - 흡기 시 들어온 공기가 빠져나가지 못하고 축적됨 → 흉부내압이 지속적으로 증가함 ▶ 폐허탈, 순환부전이 발생함

  - 이환된 부위의 폐허탈 발생함

  - 종격동이 침범받지 않은 쪽으로 이동함 → 종격동의 장기압박으로 심박출량 감소, 정맥귀환 감소, 대정맥 압박이 발생함

    ▶ 응급상황

- 치료 및 간호 `기출 21`

  - 개방성 기흉 만듦: 밀폐드레싱 제거, 흉곽천자로 흉관삽입 후 밀봉배액 하여 공기 제거함

  - 항생제 투여 ▶ 농흉 예방

  - 심부정맥 발생 관찰, (반)좌위

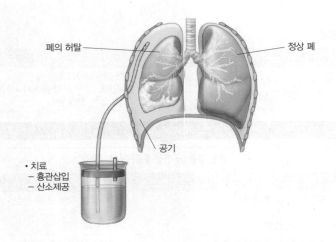

폐의 허탈   정상 폐

공기

• 치료
　– 흉관삽입
　– 산소제공

024 ④

해설 │ 정맥류(정맥부전증) 진단

- 정맥류: 정맥판막 기능이상, 정맥압 상승 ▶ 표재성 정맥이 확장되고 구불거리는 상태
- Trendelenburg test
  - 누운 자세에서 이완된 다리를 심장보다 높이 올려 정맥을 비움
  - 정맥 차단용 부드러운 고무 지혈대로 상부 대퇴부 주위를 묶은 뒤 환자를 일어서게 함
  - 양성(+) 반응: 혈류가 심부정맥에서 표재성 정맥으로 흘러 들어감 ▶ 정맥류 진단

<오답> ① Allen test: 상지 혈류의 흐름 측정을 위한 검사
② Homan's test: 혈전성 정맥염의 징후를 사정하기 위한 검사
③ Blanching test: 말초순환 사정을 위한 검사
⑤ Prothrombin time 측정: 출혈관련 병적소견 등에서 응고시간을 측정하기 위한 검사

025 ⑤

해설 │ 호지킨림프종 vs 비호지킨림프종 `기출 16`

	호지킨림프종	비호지킨림프종
정의	• Reed–Sternberg cell: 비정상 거대다핵세포로 쌍안경을 낀 듯한 모양이 특징적이며, 세포림프절에 과다증식함	• 림프조직의 악성종양 중 하나 • Reed–Sternberg cell 없음
증상	• B symptom: 체중감소, 열, 야간발한 중 하나라도 있으면 양성 • 잠행성 진행: 한쪽 경부림프절 증대 (액와, 서혜부, 반대쪽 림프절까지 침범) ▶ 림프절이 커져 주위 장기를 압박함 • 국소성인 경우가 많음	• 무통성 림프절 비대 • 1~2주 내 급속한 비대 • 종격동, 복강내 침범 • 피로, 권태, 체중감소 • 예후 나쁨: 분류에 따라 1~7년 후 사망

026 ①

해설 │ 뇌하수체 호르몬

- 전엽: 갑상샘자극호르몬(TSH), 부신겉질(피질)자극호르몬(ACTH), 성선자극호르몬(Gn; FSH, LH), 유선자극호르몬(prolactin), 성장호르몬(GH)
- 후엽: 항이뇨호르몬(ADH), 옥시토신(oxytocin)

027 ②

해설 | 쿠싱증후군(당류코르티코이드 과잉)

- 원인: 부신피질의 과잉증식으로 인한 당류코르티코이드(glucocorticoid)의 과잉분비
- 증상
  - 단백질 대사장애: 가느다란 팔·다리, 만월형 얼굴, 물소혹, 골다공증, 붉은 피부선, 골다공증, 상처치유 지연, 감염 취약
  - 수분, 나트륨 정체: 부종, 체중증가, 고혈압
  - 탄수화물 대사장애: 고혈당, 당뇨병
  - 정서적 변화: 불안, 우울, 집중력·기억력 저하, 수면장애, 전신피로
- 치료
  - 약물요법: 코티졸 합성 억제제(Ketoconazole, Metyrapone)
  - 수술: 뇌하수체절제술, 부신절제술(평생 glucocorticoid, mineralcorticoid 투여) 등

- 간호

외상 예방	• 낙상·골절 예방 • 고혈압 징후 확인: 두통, 시력장애, 기립성 저혈압
감염 예방	감염원에의 노출 방지(사람 많은 곳 피함), 철저한 손씻기 등
피부 통합성 유지	• 잦은 체위 변경 • 출혈 예방(천자 후 충분한 지혈, 부드러운 칫솔과 전기면도기 이용)
식이요법	• 체중증가 예방: 저칼로리, 저탄수화물, 저염식이 • 근육소실 및 골다공증 최소화: 고단백, 고칼슘, 비타민 D 풍부한 식이

028 ②

해설 | 건성 늑막염

- 증상: 늑막 마찰음, 옆구리의 날카로운 통증(흡기, 기침 시 악화), 얕은 호흡으로 인한 환기 저하, 전신쇠약감, 고열, 오한
- 간호중재: 호흡 시 장측 늑막과 벽측 늑막 간의 마찰로 인해 심한 통증과 얕은 호흡이 나타나므로, 통증감소를 위해 환측 가슴을 아래로 가도록 눕거나 베개로 지지하며, 심호흡과 기침법을 교육함

029 ③

해설 | 대동맥판 역류(대동맥판 폐쇄부전)

- 원인: 류마티스 질환, 강직성 척추염
- 병태생리: 심장 이완기 판막 닫히지 않음 → 이완기 동안 대동맥으로부터 좌심실로 혈액역류 → 좌심실 부담 증가 ▶ 좌심실 비대, 좌심실기능 저하
- 증상(무증상으로 10~15년간 지내는 경우가 많음)
  - 맥압(pulse pressure) 증가: 누울 때 이상한 심박동, 수축기마다 몸이 흔들거림
  - 이완기 잡음, 심계항진, 야간에 발생하는 흉통(협심증), 활동 시 호흡곤란(DOE), 기좌호흡, 야간성 발작성 호흡곤란, 부종
- 치료: 근본적인 치료는 인공판막 대치술이며, 심부전 증상 치료함(강심제, 염분제한, 이뇨제, 혈관확장제)

030 ②

해설 | 심낭염(심막염) 합병증: 심장압전

- 병태생리: 삼출액이 심낭강에 축적됨 → 내압 항진, 정맥환류 장애 발생함 → 심실 확장이 방해받음 → 귀환 정맥혈과 심박출량이 감소함 ▶ 심부전
- 증상: 청색증, 빈호흡, 빈맥, 기이맥(경정맥 확장), 혈압 저하, 정맥압 상승, 심박출량 감소, 정맥귀환 감소, 심음 감소, 맥압 감소, 혼돈, 불안, 안절부절 못함 등(※ 중요 3가지 징후: 혈압저하, 정맥압 상승, 심음감소)

031 ②

해설 | 인공심박동기 환자 교육

- 매일 맥박 측정: 1분 동안 요골맥박, 경동맥박 측정 ▶ 설정해 놓은 수와 비교
- 현기증, 기절, 심계항진 시 의료진에게 보고해야 함
- 고압전류, 자력, 방사선, MRI 피함 ▶ 고장 가능성 증가(전자레인지 안전)
- 신체접촉이 많은 운동 제한, 8주 후부터 정상생활 가능
- 금속 탐지기에 반응하는 물건에 대해 인지하도록 함(공항 검색대 등)
- 심박동기 삽입환자임을 알리는 신분증 휴대

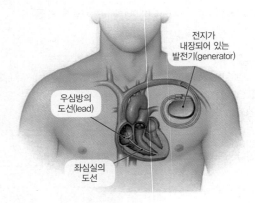

032 ③

해설 | Nitroglycerine(혈관확장제)

- 효능: 혈관평활근 이완, 전부하 및 후부하 감소, 심근 산소소모량 감소
- 적응: 협심증의 응급약으로, 운동 전, 식사 전, 정서적 스트레스를 받는 상황, 성행위 전에 설하 투여함
- 복용법
    - 햇빛을 차단하기 위해 갈색 유리병에 보관하고, 6개월마다 새 처방을 받는 것을 권장한다.
    - 혀 밑에 넣어 입을 다문 뒤 녹을 때까지 기다린다. 약의 효과가 완전할 때에 혀에서 작열감이 느껴진다.
    - 5분 간격으로 3회까지 투여 가능하고, 30분 이내에 효과가 없으면 응급실에 방문해야 한다.
- 부작용: 두통, 저혈압, 현기증, 실신, 오심 · 구토

033 ②

해설 | 심박출량

- 1분 동안 좌심실에서 대동맥계로 보내지는 혈액량
- 심박출량(CO) = 1회 박동량(SV)×심박동수(HR)
- 영향요인: 전부하, 심근수축력, 후부하
    - 전부하: 심장으로의 귀환혈량 많음 → 전부하 증가 → 심근긴장도 증가 → 수축력 증가 ▶ 1회 박출량 증가
    - 심근수축력: 심근섬유의 길이나 전부하와 관계없는 심장수축의 힘
    - 후부하: 좌심실의 혈액분출 시 수축기 동안 심실에 가해지는 tension 또는 stress를 의미하므로, 후부하 증가 → 심실긴장도 증가
        → 1회 박출량 감소의 흐름을 보임

034 ②

해설 | **간헐성 파행증**

- 정의: 하지맥관계 혈전질환 시 나타나는 초기 증상으로, 부적절한 순환에 의해 활동 시 종아리나 발바닥에 나타나는 통증
- 증상: 다리의 맥박상실, 축축함, Homan's sign 양성, 사지의 냉감, 창백함 및 무감각
- 검사: 답차 위에서 걷게 했을 때 장딴지에 통증 호소(운동 시 말초통증이 증가하고, 휴식 시 다리를 아래로 내리면 통증이 감소)
- 예방: 금연, 찬 곳에 노출 금지

035 ⑤

해설 | **심부전 간호(심근의 부하 감소)**

- 전부하와 후부하를 감소시켜 심장부담을 경감하는 것을 목표로 한다.
- 스트레스 감소
  - 휴식: 산소요구도와 호흡부담을 감소시킨다.
  - 진정제(morphine sulfate): 불안이 심할 경우 신체의 산소소모를 증가시켜 호흡곤란을 악화시킬 수 있음

---

comment

전부하와 후부하의 개념을 정확히 잡고 있도록 한다. 전부하(용적부하)는 이완기 말 심실에 채워지는 혈류량, 쉽게 말해 심장에 피를 마구 채워 넣으려는 부하이다. 반대로 후부하(압력부하)는 좌심실의 혈액분출 시 수축기 동안 심실에 가해지는 압력, 쉽게 말해 심실에서 혈액을 짜주고 있는데 잘 못 나가는 부하(출구에 끼임)이다.

---

036 ③

해설 | **인슐린**

- 정의: 췌장의 베타세포에서 분비되는 단백질로 탄수화물, 지방, 단백질, 핵산을 합성 · 저장함
- 작용: 모든 세포에서 포도당 사용을 강화시켜 혈당을 저하시킴
- 요구량
  - 증가: 외상, 감염, 발열, 과식, 정서적 긴장, 급성 상기도 감염 등
  - 감소: 활동적인 운동 등

037 ③

해설 | **Schilling test**

거대적아구성 빈혈(악성빈혈)의 정확한 진단검사는 Schilling test이다. 내인자의 비경구적 투여 전 · 후에 경구적으로 투여한 방사성 Vit. B_{12}의 위장 흡수력을 측정하는 검사로, 내인자 결핍 시 양성으로 나타난다.

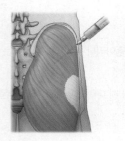
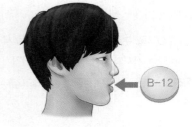

A. 비표시(nonradioactive) Vit. B_{12} 근육주사

B. 방사성 코발트로 표시한 Vit. B_{12} 경구투여

C. 24시간 소변 수집하여 Vit. B_{12} 양 측정
▶ 배설량 없음: 소장에서의 Vit. B_{12}가 흡수되지 않았음을 의미

038 ⑤

해설 | 혈소판감소증

⑤ 월경량 관찰 → 과다할 경우 출혈 의심할 수 있음

- 정의: 혈소판 수<100,000/mm^3
- 증상: 점상출혈, 반상출혈, 자반증
- 치료 및 간호
  - 코르티코스테로이드 투여
  - 혈소판 수혈
  - 출혈 예방 및 관리: 근육주사, 직장내 체온측정, 직장내 투여 등의 침습적 처치를 제한하고, 보행 시 편안한 신발을 신고 부드러운 칫솔을 사용하도록 한다.

POWER 특강

특발성 혈소판감소성 자반증(ITP)

- 정의: 자가항체 및 기타 면역기전에 의해 혈소판이 비장 등에서 파괴되는 질환
- 호발범위: 어린이, 젊은 여성
- 증상: 점상출혈, 반상출혈, 자반증, 혈뇨, 토혈, 잇몸 출혈, 월경 과다, 혈관절증 등
- 감별: 간경변, 만성 골수증식선 질환과 감별 필요한데, ITP 시 비장비대가 나타나지 않음
- 치료 및 간호
  - 스테로이드 투여: 조직의 면역반응 감소, 혈소판 파괴 감소
  - 비장적출: 스테로이드에 반응 안 할 경우
  - 면역억제요법
  - 혈소판 수혈, 출혈 예방 및 조절

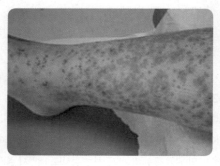

039 ⑤

해설 │ 심부정맥 혈전증(DVT)

⑤ 확진을 위해 Doppler 검사(정맥의 개방성 확인)가 필요하다.

- **원인:** 장시간 부동으로 인한 혈전 형성
- **증상:** 침범된 하지에 부종, 종창, 열감, 통증, 압통, 발적, Homan's sign 양성
- **예방:** 하지운동, 낮은 용량의 헤파린 주사, 탄력스타킹 or 탄력붕대, 조기이상, 수분섭취 `기출 17`
- **진단:** Homan's sign 양성, 즉 누워서 다리 들고 발을 배굴할 때 장딴지에 통증이 있다.
- **치료 및 간호**
    - 정맥결찰, 항응고 요법, 혈전용해요법
    - 침상안정, 온습포 적용, 마사지 금지

▶ 수술 후 하지운동

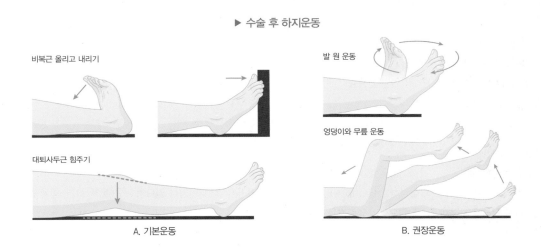

비복근 올리고 내리기

대퇴사두근 힘주기

A. 기본운동

발 원 운동

엉덩이와 무릎 운동

B. 권장운동

040 ⑤

해설 │ 레이노병(Raynaud's disease)

- **정의:** 원발성 혈관 수축성 질환이며, 45세 이전의 여성에서 호발함
- **원인:** 찬 공기 or 찬물에의 노출, 정서적 흥분, 카페인 섭취, 흡연, 손을 많이 쓰는 직업 등
- **증상**
    - 양측성 및 대칭성
    - 주로 상지, 특히 손가락에 있는 소동맥과 세동맥이 혈관경련을 일으켜 혈액공급 감소함
    - 급성통증을 유발하고 피부색 창백(혈관수축) 또는 발적
- **치료 및 간호** `기출 19, 20`
    - 예방: 추위 노출 최소화(환측 보온), 상해 및 스트레스 예방, 카페인 or 초콜릿 섭취 제한
    - 약물(경련 조절): 혈관확장제, 교감신경차단제, 칼슘채널길항제
    - 교감신경절제술(sympathectomy): 증상이 심할 경우 시행

041 ②

해설 | **역류성 식도염 간호**

- 식이 및 생활방식
    - 반고형식의 따뜻한 음식을 소량씩 자주, 천천히 섭취함(뜨겁거나 찬 음식, 술 · 담배 금지)
    - 식사 중 적당량의 수분섭취 ▶ LES 아래로 음식덩어리를 밀어냄
    - 적절한 체중 유지, 꼭 끼는 옷의 착용 피함 ▶ 복압 증가 방지
    - 잠잘 때 침상머리를 상승시킴, 수면 3시간 전부터 음식섭취 제한

042 ⑤

해설 | **십이지장궤양(증상)**

- 원인: 과도한 산 분비와 음식물이 위에서 빨리 비워지기 때문이다.
- 통증 양상
    - 위치: 복부 중앙과 우상복부(RUQ)에 발생하고, 늑골 가장자리를 따라 등쪽으로 방사된다.
    - 갉아내는 듯하고 타는 듯한 느낌
    - 공복 시 통증: 식후 2~3시간 후, 한밤중 통증
- 통증 완화: 음식 섭취, 제산제

043 ⑤

해설 | **급성 사구체신염**

- 원인: 편도선과 상기도에 흔히 침범하는 Group A β − 용혈성 연쇄상구균이 면역반응을 일으켜 2~3주 후 항원−항체 반응의 결과 복합체가 순환하다 사구체에 침전됨으로써 염증반응 초래
- 증상
    - 혈뇨, 단백뇨, 핍뇨, 무뇨(갑자기 요량 감소), 소변의 적혈구 원주체
    - 사구체여과율 감소: 수분정체, 전신부종(얼굴 및 눈 주변), 고혈압, 망막부종, 요흔성 부종
    - 발열, 오한, 쇠약감, 기면감, 복부 · 옆구리 통증 등
- 치료 및 간호
    - 상기도 감염 시 즉각 치료하며, 이환 시 우선적으로 침상안정 취함
    - 약물요법: 이뇨제(수분정체 시), 항고혈압제, 항생제, 면역억제제(항원−항체 반응 억제)
    - 식이요법: 수분제한, 저단백(증상에 따라 섭취량 조절), 저염, 고탄수화물식이, 적절한 열량 제공
- 예방: 호흡기, 피부질환 조기 치료

044 ⑤

해설 | **위장관 출혈**

- 출혈 사정: 24시간 이내 2 L 이상 출혈 시 저혈량성 쇼크의 위험이 있다.
- 저혈량성 쇼크 예방
    - 저혈량성 쇼크 치료, 탈수 및 전해질 불균형 예방
    - NPO, 정맥으로 수액공급
    - 비위관 삽입: 출혈 정도 사정, 위팽만 감소, 실온 정도의 생리식염수로 위세척 실시

045 ⑤

해설 | **B형 간염**

- 항원–항체 검사

HBsAg(+)	B형간염 표면항원 있음: B형 간염의 과거력 or 회복 중, 계속적인 만성 간염 or 보균 상태
HBeAg(+)	높은 감염력
HBeAb(+)	낮은 감염력, 전염력 없음
HBsAg(−), HBsAb(+)	예방주사에 의해 면역력이 형성됨
HBsAg(-), HBsAb(-)	예방접종 필요

- 전염 예방
  - 철저한 손 씻기
  - HBsAg (+)인 경우 혈액, 침, 정액, 질 분비물, 기타 체액 등의 접촉을 자제함(성생활 포함)
  - 바늘과 주사기는 일회용 기구를 사용하고 일회용이 아닌 경우 멸균소독 함, 사용한 주사기는 뚜껑을 닫지 않음
  - 개인용품 공동사용을 금지함(면도기, 식사도구, 칫솔, 수건, 담배 등)
  - 접촉 시 가능한 빨리 B형 간염 면역글로불린 주사 → 연속적으로 B형 간염 백신 주사
  - 환자의 방을 자주 환기시킴

046 ⑤

해설 | **Sengstaken–Blakemore tube (S–B tube)**

- S–B 튜브 적용 시 가장 심각한 합병증은 흡인과 기도폐색임
- 주의사항
  - 심호흡 및 기침 금지: 식도풍선 기도로 빠짐 ▶ 질식 위험
  - 얼음주머니 금지: 장시간 혈관수축 ▶ 식도괴사
  - 기도폐쇄 증상 발생(삽입 환자의 맥박, 호흡 수 상승): 즉시 튜브를 잘라 풍선의 공기를 뺀 다음 의사에게 보고해야 한다. 이를 위해 침상에 가위를 준비해둬야 한다.

▶ S–B tube 구조: 3개의 내관, 2개의 풍선

047 ①

해설 | **피부간호**

- 부종, 황달, 소양증으로 인한 피부 손상 및 감염 예방
- 소양증 간호
  - 미지근한 물로 통목욕 대신 샤워를 하며, 유분이 함유된 비누 사용, 보습을 위해 로션 및 크림 혹은 습포 적용
  - 시원한 환경을 유지하고 체온상승과 발한을 유발하는 운동은 피함
  - 면제품으로 된 옷을 착용
  - 스테로이드제, 항히스타민제 투여

048 ③

해설 | **급성 이자(췌장)염의 간호**

- 통증: 진통제 meperidine (Demerol) 투여 *cf* Morphine은 Oddi 괄약근의 경련을 유발하여 췌장파열의 위험 있으므로 금지
- 췌장액 분비 감소
  - 약물: 제산제, 항콜린성 제제(atropine), 히스타민길항제[cimetidine, ranitidine (Zantac)]
  - 비위관 흡인: 췌장소화액 분비자극 방지, 위팽만 감소 *cf* 지속적 위액흡인 ▶ 대사성 알칼리증 유발
  - 급성기에 췌장효소의 분비 억제를 위해 금식하고, 수액공급, 필요시 TPN
  - 고혈당증, 저칼슘혈증 관찰
- 저지방 식이 제공함, 고열량, 고지방 식이는 제한하고, 술·담배도 금함

049 ②

해설 | **두개내압 상승(IICP)**

- 정의: 두개내압이 20 mmHg 이상 *cf* 정상 범위는 5~15 mmHg
- 원인: 두부손상, 뇌졸중, 뇌종양, 뇌수종, 뇌부종 및 이로 인한 뇌탈출, 대사장애, 중추신경계 감염 등
- 기전: 두개내압 상승 → 뇌관류압 저하 → 뇌허혈이나 $PaCO_2$ 상승이 초래됨 → 다시 두개내압이 더 상승함

오답 ③, ④는 두개내압 상승 결과이다.

─── **comment** ───

IICP는 자주 출제된다. 뿐만 아니라 방치하면 뇌탈출로 이행할 위험이 있기 때문에 임상에서도 조기 대응이 중요하다는 점을 꼭 기억해두자.

050 ⑤

해설 | **혈액투석**

⑤ 투석 당일 아침에 항고혈압제를 복용하게 되면 저혈압이 합병증으로 발생할 수 있다.

- 혈액투석: 체외 투석기를 통하여 혈액 내 노폐물과 수분 제거
  - 장점: 짧은 치료시간(3~5시간), 노폐물 및 수분의 효과적 제거 가능
  - 단점: 조작이 복잡하고 훈련받은 전문 간호사가 시행해야 함

오답 ①, ④ 저혈당증을 예방하기 위해서 투석이 끝나기 15~30분 전 탄수화물을 섭취한다.

　　② 혈액투석 시에는 단백질 대사산물인 요소질소와 크레아티닌 수치를 조절하기 위해 단백질 섭취를 제한한다.

　　③ 투석 전·중·후 체중 및 활력징후 관찰하도록 한다.

051 ⑤

해설 | **신장암**

- 증상
  - 초기 증상이 없어 발견이 어렵고, 폐·간·뼈로 전이가 잘 된다.

- 3대 증상: 무통성 혈뇨, 둔한 옆구리 통증, 복부 종양덩어리 촉진
- 치료 및 간호: 방사선요법, 화학요법에 잘 반응하지 않아 수술로 제거하는 것이 좋다.
  - 신장절제술: 복부나 흉복부를 통해 신장 또는 주위조직까지 절제(부분적, 근치적)한다.
  - 신장절제술 후 간호: 일반적인 암환자 간호와 유사
    ⓐ 횡격막 근접 부위를 절제함 → 심호흡 곤란, 무기폐, 폐렴 위험 발생 ▶ 폐환기 증진(심호흡, 체위변경, 조기이상 권장)
    ⓑ 잔여 신장기능 확인: 요량(25~30 cc/hr), BUN, Cr 확인
    ⓒ 소변배설량 유지, 방광팽만 예방
    ⓓ 출혈 예방: 누워 있는 대상자의 등 쪽의 출혈 사정, 절개부위 지지
    ⓔ 배액관, 드레싱 관리 ▶ 감염관리를 위해 도뇨관, 배액관 삽입 최소화

052 ③

해설 | 복압성(스트레스성) 요실금

- 갑작스러운 복압상승 시 실금 ▶ 기침, 재채기, 웃음, 코풀기, 운동 등
- 원인: 요도괄약근 허약
  - 분만으로 인한 골반근육 이완, 에스트로겐 감소로 인한 요도 위축, 남성의 전립샘수술 후
  - 대개 여성(폐경 후, 다산부 등)에서 나타남
- 치료: 골반저근육 운동(케겔 운동)

053 ①

해설 | 방광염 치료 및 간호중재

- 광범위 항생제, 항균제 투여
- 하루 3 L 이상의 수분섭취를 권장 ▶ 소변 희석, 요도 세척, 염증성 산물의 신속한 제거
- 크랜베리 주스, 비타민 C 섭취 ▶ 소변의 산성화(원인균의 성장 저해, 결석 예방)
- 통목욕보다는 샤워를 권장함
- 회음을 습하게 꽉 조이는 속옷을 피하고 면제품을 사용함
- 성관계 전후에는 방광을 비우도록 함

───── **comment** ─────

- 수분섭취는 정확한 양이 얼마라기보다는, 충분한 양의 섭취에 포인트를 두면 좋겠다.
- 유산균 제제, 크랜베리 주스, 비타민 C, 녹차 등의 효과는 사실 확실한 근거를 두고 받아들여지고 있는 부분은 아니다. 그러나 시험에는 이렇게 출제될 가능성이 높다!

054 ①

해설 | 복막염 치료 및 간호
① 반좌위를 취하게 함으로써 농이 아래로 국한되어 다른 부위로 이동하는 것을 방지한다.

- 증상 기출 17, 19, 21

- 충수돌기염이 천공되어 합병증으로 발생함
- 복부팽만, 강직, 통증, 식욕부진, 오심, 구토, 복부근육 판자처럼 단단해짐, 통증완화 위해 횡와위에서 다리를 구부리는 자세 취함, 촉진 시 반동압통, 마비성 장폐색으로 장음 감소
- 얕은 호흡, 빈맥, 발열, 저산소증
- 치료: 조기에 감염원을 파악하고 그에 대한 치료가 시행되어야 한다.
  - 비수술적 치료: 금식, 수액 공급, 항생제 투여 및 경피적 배농, 내시경적 스텐트 삽입 등
  - 수술적 치료: 경증에서는 수액 및 항생제 투여로 호전될 수 있으나, 수술적 치료가 필요한 경우가 많음

055 ③

해설 | 궤양성 대장염

- 개요: 직장에서 시작되어 상부로 확산되는 만성 염증성 질환으로, 증상의 악화와 완화가 반복됨
- 증상: 궤양으로 인한 **직장출혈**(혈성 설사, 탈수, 대사성 산증), 물같은 설사, LLQ 산통, 발열, 빈맥 등이 나타난다. `기출 21`
- 간호
  - 염증조절: 항생제(Sulfasalazine), 스테로이드, 면역억제제(Azathioprine)
  - 설사 조절: 수분전해질 균형을 유지하고, 필요시 지사제(Loperamide) 투여
  - 통증: 마약성 진통제는 금하고 항콜린성 제제, 항경련제 투여(급성기 복부 경련 및 설사 완화)
  - 식이: 저잔여, 저지방 식이를 소량씩 자주 제공하고 수분섭취를 격려함

— **comment** —

궤양성대장염 환자에게 투여하는 항생제 Sulfasalazine은 엽산의 흡수를 방해할 수 있으므로, 엽산결핍을 유의해야 한다.

056 ⑤

해설 | 만성 신부전

- 증상
  - 대사장애: 사구체여과율 감소 ▶요산, BUN, creatinine 증가
  - 전해질 불균형: 고칼륨혈증(부정맥, 사지의 이완성 마비, 근허약), 고마그네슘혈증, 고인산혈증, 혈청 비타민 D 부족(골연화증)
  - 요독증: 고혈압, 식욕부진, 대사성 산증, 소양증, 불면, 두통, 우울, 근력 저하, 출혈 등
- 치료 및 간호
  - 식이: 단백질 제한(BUN 축적 방지), 고칼로리 식이 제공, Na$^+$ 및 K$^+$ 제한, 전해질 및 비타민 보충(철분, 칼슘, 비타민 D)
  - 수분조절(수분섭취량 = 배출량), 고혈압 관리, 감염 및 상처 예방, 소양증 관리 등

057 ④

해설 | 임질

- 원인: 임균(Neisseria gonorrhea), 성관계에 의한 접촉

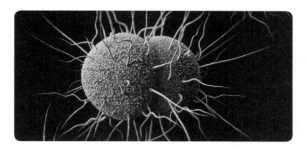

- 증상: 초기는 무증상, 다량의 황색~황록색 화농성 질 분비물, 작열감, 소양감, 요통, 배뇨 시 불편감, 발적, 부종 등
- 치료: 항생제로 치료해야 한다. 방치 시 골반염, 불임, 관절염, 심내막염, 뇌막염 등으로 발전할 수 있고, 임산부의 경우 임부(조기파막, 융모양막염 등)와 태아(신생아 안염 등) 모두에 영향을 줄 수 있다.

058 ⑤

해설 | **피부암 예방**

⑤ 피부색 변화(특히 검거나 확산되고 있을 때), 병소 크기 변화(특히 빠르게 커질 때), 병소 모양 변화(테두리가 불규칙해지거나 편평했던 면이 융기될 때 등)
- 원인: 장시간 자외선 노출, 방사선 노출, 만성 궤양이나 흉터의 조직
- 예방: 자외선(특히 자외선 B)을 철저히 차단하도록 한다. 검은 점이 새로 생긴다든지 이미 있던 점의 모양, 크기가 변하거나 통증 등의 증상이 생기는 경우에는 진료를 받는다.

059 ⑤

해설 | **화상(체액 불균형)**

- 화상 직후(초기 24시간 이내)
  - 모세혈관 투과성이 증가함 → 간질강으로 단백질이 빠져나감 ▶ 교질액(전혈, 혈장, 혈장보충제)을 공급하지 않음
  - 혈량유지: 저혈량성 쇼크를 예방하기 위해 24시간 이내 수액요법 실시(이때 소변배출량이 적절한 수분보충의 지표가 됨)
- 화상 24시간 후: 모세혈관 투과성이 감소함 → 순환혈액량이 증가함 → 혈청 전해질과 적혈구 용적이 희석되어 수치가 감소함 ▶ 교질액을 공급하여 체액 불균형을 교정함

─ comment ─

Hematocrit (Ht) 수치에 대해서 한 번 더 짚고 가자. 전혈액 중에 차지하는 적혈구 용적을 %로 표시한 것으로 적혈구 용적이라고도 한다. 또한 혈구성분과 혈장성분의 용적비를 알 수 있기 때문에 혈액 농축의 지표가 되며, 탈수증의 진단에도 도움이 된다.

060 ⑤

해설 | **가운데귀(중이)의 구성요소**
- 외이: 이개(귓바퀴), 외이도
- 중이: 고막, 이소골(귓속뼈), 이관
  - 귓속뼈는 망치뼈(추골), 모루뼈(침골), 등자뼈(등골)로 구성되어 음파를 증폭·전달한다.
- 내이: 와우각(달팽이관), 전정, 반규관(세반고리관)
  오답 ①, ②, ③은 내이, ④는 외이에 해당한다.

061 ②

해설 | 망막박리 간호

- 수술 전: 양쪽 눈에 안대를 대어줌(손상 진행 방지), 눈의 긴장 최소화(안압상승 행위 피하고 배변완화제 · 정온제 · 진정제 투여함), 처방된 수술 전 약물 점안 등
- 수술 후: 패드나 플라스틱 안대로 압박드레싱, 수술하지 않은 쪽으로 돌려 누움 등
- 퇴원 후: 눈 심부의 급성 통증 등은 합병증을 의미하므로 의사에게 보고하고, 이물질이 들어가면 자연스럽게 눈물이 흐르도록 해서 세척함

오답 ①, ④ 결막염 간호에 해당한다.

⑤ 초기 수술은 치명적인 손상과 실명을 피하기 위하여 필수적이다.

ⓒ 망막박리에 적용되는 수술

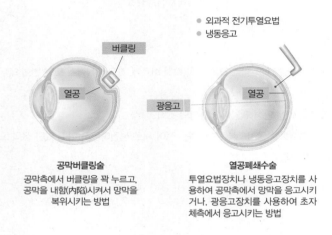

- 외과적 전기투열요법
- 냉동응고

공막버클링술
공막측에서 버클링을 꽉 누르고, 공막을 내함(內陷)시켜서 망막을 복위시키는 방법

열공폐쇄수술
투열요법장치나 냉동응고장치를 사용하여 공막측에서 망막을 응고시키거나, 광응고장치를 사용하여 초자체측에서 응고시키는 방법

062 ⑤

해설 | 맹인 환자의 간호

간호사가 병실에 들어오고 나갈 때 누구인지 말해주고 무엇을 하는지 이야기 해주어 불안을 경감시켜 준다. 또한 환자에게 직접적으로 이야기하고 사람과 물건, 장소에 대해 알려준다.

063 ②

해설 | 전도성 난청

- 정의: 소리의 기계적 전달장애로 내이까지 음파가 전달되지 못해 발생함 ▶ 보청기 사용
- 음차 검사(전도성 vs 감각신경성)

음차검사	전도성 난청	감각신경성 난청
Weber test	손상 측에서 더 잘 들림	정상 측에서 더 잘 들림
Rinne test	골전도 〉공기전도	공기전도 〉골전도

064 ④

해설 | Glasgow Coma Scale (GCS)

③ 해당 대상자는 10점으로 평가하며, 자세한 내용은 다음과 같다.

- 눈뜨기(E: 1~4점), 언어반응(V: 1~5점), 운동반사반응(M: 1~6점)으로 평가한다. 15점은 정상, 7점 이하는 일반적 혼수, 3점 이하는 완전한 혼수이다.

관찰 반응	점수	반응
눈 뜨는 반응(E) (eye opening)	4	자발적으로 눈을 뜸
	3	부르면 눈을 뜸
	2	통증 자극에 의해 눈을 뜸
	1	전혀 눈을 뜨지 않음
언어 반응(V) (best verbal response)	5	지남력 있음
	4	혼돈된 대화
	3	부적절한 언어
	2	이해불명의 언어
	1	전혀 없음
운동반사 반응(M) (best motor response)	6	명령에 따름
	5	통증에 국소적 반응이 있음
	4	자극에 움츠림
	3	이상굴절반응
	2	이상신전반응
	1	전혀 없음

- 눈뜨기(E): 소리에 의해서 눈을 뜬다 ▶ 3점
- 언어반응(V): 이해할 수 없는 소리 ▶ 2점
- 운동반사반응(M): 통증에 국소적 반응 ▶ 5점

065 ④

해설 | 뇌신경 기능

- 제9뇌신경: 설인(혀인두)신경
  - 감각: 인두와 혀 후면 1/3의 미각
  - 운동: 구개반사 조절, 연하작용, 혀의 움직임
- 제10뇌신경: 미주신경
  - 감각: 미각
  - 운동: 구개, 인두, 후두, 많은 자율신경계 기능조절

cf 뇌신경 종류 및 기능

뇌신경		기능
제1뇌신경	후각신경	감각 냄새
제2뇌신경	시신경	감각 시각

제3뇌신경	동안신경			동공수축, 안검거상
제4뇌신경	활차신경	운동	안구운동	안구내측 하부
제6뇌신경	외전신경			안구외측 편위
제5뇌신경	삼차신경	감각 안면감각, 각막반사 운동 저작기능(측두근, 저작근)		
제7뇌신경	안면신경	감각 혀의 전면 2/3의 미각, 타액 분비 운동 안면근육 운동 기출 20		
제8뇌신경	청신경	감각 청각, 평형감각(신체평형)		
제9뇌신경	설인신경	감각 인두와 혀의 후면 1/3의 미각 운동 구개반사 조절, 연하작용, 혀의 움직임		
제10뇌신경	미주신경	감각 미각 운동 구개, 인두, 후두, 많은 자율신경계 기능조절 ▶ 부교감 신경		
제11뇌신경	부신경	운동 흉쇄유돌근과 승모근 운동 조절		
제12뇌신경	설하신경	운동 혀의 운동		

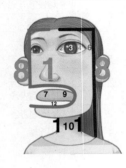

066 ⑤

해설 | **두개내압 상승(IICP) 간호**

오답 ①, ③ 두개내압의 상승 예방을 위해 15~30° 정도 침상 머리를 상승시키고, 등척성 운동, 과도한 굴곡, 기침, 구토를 피한다. 기출 16, 17, 20, 21

② 수분섭취를 제한하고 삼투성 이뇨제(Mannitol)를 투여한다. 기출 21

④ 두통이나 체온 상승 시 비마약성 진통제를 사용한다.

067 ②

해설 | **파킨슨 질환 증상**

- 4대 증상: 진전, 강직, 운동불능, 체위의 불안정
- 진전
  - 양상: 환약조제양 진전, 수전증, 손가락에서 시작하여 팔, 전신으로 진행
  - 활동 시작 및 수면 시 소실, 피곤 or 정서적 긴장, 휴식 시 악화
  - 목적적 · 수의적 운동 시 감소
- 강직, 체위의 불안정(가속보행 등), 가면 같은 얼굴, 자율신경기능 이상, 소서증 등

068 ③

해설 | **중증근무력증**

③ 후두 · 인두 근육의 침범 → 연하곤란 · 기도흡인 위험 ▶ 호흡기계 합병증으로 사망 가능하다.

오답 ① 보통 서서히 진행되나, 속발성으로 인해 갑자기 발병하는 경우도 있다.

② 아침에 근력이 가장 강하므로 활동적인 일은 오전에 하는 것이 좋다.

④ 하행성(근위부 → 원위부)이며, 목, 어깨 등과 같은 근위부에서 더 많이 침범된다.

⑤ 병태생리: 아세틸콜린(acetylcholine) 수용체에 대한 자가항체 형성 → 신경근 접합부위의 아세틸콜린 수용체 감소 → 화학적 전달 차단, 만성 자가면역질환. 근수축 시 운동신경축삭의 미토콘드리아는 아세틸콜린을 생성하는데, 이 양에 따라 효과적인 근수축이 일어난다. ▶ 아세틸콜린은 시냅스후막에 아세틸콜린 수용체와 결합하여 활동전압이 발생, 근수축을 가능하게 한다.

A. 정상 신경근 접합부   B. 중증 근무력증 시 신경근 접합부

근무력증환자에서는 아세틸콜린 자가항체들이 신경근접합 부위의 수용체 부위를 파괴하거나 차단하여 아세틸콜린의 수용을 막는다.

069 ⑤

해설 | **화상 간호(영양)**

- 식사시간 가까이에는 통증을 유발하는 처치를 피한다.
- 식사 전후에 구강간호를 제공한다.
- 고칼로리, 고단백, 고비타민, 고미네랄 식이를 섭취하도록 한다.

070 ①

해설 | **조기심실수축(PVC)**

- 정의: SA node에서 자극이 생기기 전에 심실의 자극 발생 ▶ 심실빈맥 or 심실세동 위험
- ECG

P파	PR간격	QRS폭
PVC 시에는 없음	측정 불가 (없음)	0.12초 · 3 mm 이상으로 넓고, 기괴한 모양

- 치료 및 간호
  - 기저 심질환 or 증상(심계항진, 기절) 없으면 치료할 필요 없음 ▶ 휴식
  - 심근 진정효과가 약물 투여: Lidocaine 정맥주입 ▶ 심실세동 방지
  - Lidocaine을 투여했지만 효과가 없을 경우 다음 단계로 제세동 적용
  - 금기: 흡연, 알콜, 카페인 등
- 위험한 PVC 형태: 심실세동 예고 ▶ 심장마비, 심정지

| 1분에 5회 이상의 PVC가 있음 or 다양한 양상임 | Complex PVC (couplet): PVC가 2개 연달아 나오며, 주의 깊게 추이를 살펴봐야 함 | 3개 이상 PVC가 연이어 발생함: 심실빈맥 ▶ 의사에게 보고함 |

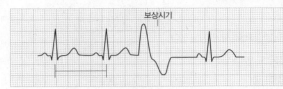 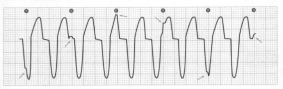

> **comment**
>
> *Lidocaine*은 항부정맥제이자 흔한 국소마취제이다. 피부염, 소양증의 불편감 완화로도 쓰이고 치과용 마취제 또는 작은 수술 등에 주사로 투여된다.

여성건강간호학

071 ⑤

해설 | **여성건강간호 접근법**

• 여성중심 + 가족중심 + 인간중심 접근

  – 생애주기별 총체적 관리

  – 가임기 여성뿐만 아니라 신생아, 남편을 포함한 가족 전체의 건강관리에 관심을 가짐

  – 여성이 자신의 건강문제를 인식하고 지식을 가지면서 스스로 결정하고 조정하는 능력을 갖게 됨 ▶ 여성주의

  – 여성뿐만 아니라 인간의 신체적, 정신적, 사회적, 영적 측면을 모두 이해함 ▶ 인간중심

072 ①

해설 | **불임 사정**

• 6가지 기초검사: 정액검사, 배란검사, 자궁경관점액검사, 난관통기검사, 자궁내막생검, 복강경검사. 검사가 가장 간편한 정액검사 (남성)부터 먼저 시행한다.

• 정액검사 시 생식능력 보유 판정기준

  – 1회 사정량: 2~5 ml 이상

  – pH: 7.2~8.0

  – 정자 밀집도: 1,500~2,000만/ml 이상

  – 정상 형태 정자비율: 60% 이상

  – 운동성: 사정 1시간 후 60% 이상, 2시간 후 50% 이상 활발한 운동

073 ④

해설 | **여성생식기 검진**

① 여성에 따라 적당한 크기의 질경을 선택하여 준비한다.

② 질경에 윤활제를 사용하면 정균작용을 하여 검사 결과에 영향을 준다.

③ 질경이 차연 근육이 긴장되어 불편감을 유발한다.

⑤ 질경은 닫은 상태에서 45° 아래쪽 방향으로 삽입한다.

074 ③

해설 | **난소절제술**

편측 절제술 시행 시, 남아 있는 한쪽 난소가 기능을 하여 난소호르몬을 분비하고 매달 배란과 월경이 있으며 자연임신도 가능하다.

> ── **comment** ──
>
> 난소절제술은 거의 배란, 월경, 임신 가능 여부에 관해 묻는 식의 단순한 문제로 출제된다. 그에 비해 보기 등으로도 자주 활용되니 기억해두자.

075 ③

해설 | **성폭력 피해여성의 간호**

– 강간에 대한 증거를 수집, 보존한다.

– 함께 있어 주며 감정을 표현하도록 한다.

– 현장 증거 수집 전에 대소변을 보거나 샤워, 질 세척 등을 하지 않도록 한다.

– 증거물 수집은 피해자의 동의가 필요하다.

– 임신을 방지하기 위해 24~72시간 사이에 응급 복합피임약을 복용하도록 한다.

076 ②

해설 | **프로스타글란딘**

– 프로스타글란딘의 과도한 합성으로 평활근 수축 촉진

– 자궁협부 긴장도 증가: 월경혈 유출장애

– 자궁내막 동맥 경련: 자궁근 경련

– 정신적으로 불안증, 신경질적인 경우

077 ④

해설 | **산과력**

Gravida (총 임신횟수)

Term births (만산 분만수)

Preterm births (조산 수)

Abortions (유산 수)

Living children (현재 생존아 수)

- 12주에 자연유산 G 1회, A 1회
- 20주에 자궁경부무력증으로 유산 G 1회, A 1회
- 39주에 분만하였으나 사망 G 1회, T 1회
- 34주에 쌍둥이 제왕절개분만, 2명 모두 건강함. G 1회, P 1회, L 2명

078 ⑤

해설 | **저혈압 시 수액주입속도 증가**

– 모르핀은 분만 20∼30분 전 투약

– 경막외 마취는 태아상태 변화 없고, 산모의식에 변화 없음

– 산모의 운동기능에 변화 없고 감각기능만 차단됨

– 저혈압 시 우선적으로 수액의 정맥 주입속도 증가

– 자세는 트랜델린버그 자세 취함

079 ①

해설 | **태반호르몬 기능**

① hCG (융모성선자극호르몬): hCG 검출로 임신 여부 확인, 입덧 유발, 임신 초기 황체기능 자극(▶ 임신 유지)

오답 ② HPL (태반락토젠): 성장호르몬(▶ 태아성장에 필요한 영양공급), 태반기능 측정 등

③ 에스트로겐: 자궁성장, 자궁내막 비후화, 태반기능 확인(estriol 측정), 유방발달 촉진, 총단백질 및 혈액응고력 증가 등

④, ⑤ 프로게스테론: 자궁내막 유지, 자궁수축 억제, 평활근 이완 등

080 ③

해설 | **레오폴드 복부촉진법**

• 1단계: 자궁저부 촉진, 모양, 크기, 강도, 운동을 촉진

   태위(종위, 회위), 선진부(두부, 둔부) 확인

   자궁저부, 크고 두드러진 불규칙 덩어리, 부구감 없음 → 엉덩이 → 선진부는 두위

   자궁저부, 작고 단단한 둥근 덩어리, 부구감 있음 → 아두 → 선진부는 둔위

• 2단계: 자궁의 양측면 촉진 → 등 또는 팔, 다리 촉진

   등: 크고 두드러진 긴 덩어리, 태아심음 잘 들림

   팔, 다리: 작고 불규칙한 덩어리, 움직임 많음

• 3단계: 치골결합 상부인 하복부 촉진, 모양, 크기, 강도, 운동을 촉진

   부구감 있음 → 진입 안함. 부구감 없음 → 진입함

   1단계와 3단계 결과 비교하여 태위와 태향 결정

• 4단계: 골반강을 향해 치골결합을 깊이 촉진. 아두굴곡 하강 정도 파악

   아두 돌출부가 등과 같은 방향 → 아두 신전 → 안면위(비정상)

   아두 돌출부가 등과 다른 방향 → 아두 굴곡 → 두정위(정상)

 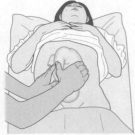 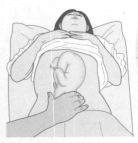 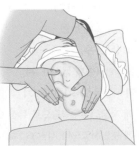

| 1단계: 자궁저부 촉진 | 2단계: 등과 반대편 확인 | 3단계: 선진부 촉진 | 4단계: 아두굴곡, 하강 정도 확인 |

081 ⑤

해설 │ 임신성 당뇨병 선별검사

- 선별검사(24~28주에 시행),
  - 50 g 경구 당 부하 검사
  - 하루 중 아무 때나 50 g의 포도당 용액 섭취 → 1시간 후 혈당 측정
  - 해석: 혈장내 혈당이 140 mg/dL 이상 경우 양성으로 판정 → 100 g 경구 당 부하 검사 실시
- 진단적 검사
  - 100 g 경구 당 부하 검사(선별 검사 양성 산모에서 시행)
    - ⓐ 공복 혈당 측정
    - ⓑ 100 g 포도당 용액 섭취
    - ⓒ 1, 2, 3시간 후에 각각 혈당 측정함

	100g 경구 당 부하 검사	75 g 경구 당 부하 검사
공복시	≧ 95	≧ 92
1시간	≧ 180	≧ 180
2시간	≧ 155	≧ 153
3시간	≧ 140	≧ 92

위의 수치 중   2개 이상 증가: 임신성 당뇨 진단

1개 이상 증가: 32주에 다시 검사

082 ⑤

해설 │ 자간전증

- 정의: 임신 20주 이후 고혈압으로, 고혈압, 단백뇨, 부종이 3대 증상이다.
- 중증 자간전증 ▶ 입원 권장
  - 혈압: 160/110 mmHg 이상 or 평소 혈압 + 60/30 mmHg 이상 상승
  - 단백뇨: 24시간 소변 내 5 g/L 검출(+3 이상)
  - 부종: 전신부종, 폐부종, 체중증가
  - HELLP 증후군(20%에서 발생): 용혈(H), 간효소 증가(EL), 저혈소판혈증(LP)

오답 ① 식이: 고단백, 복합탄수화물, 고섬유 식이 제공하고, 염분섭취는 적당량으로 제한함(▶ 부종으로 인한 체중증가 예방)

② 분만: 임신 종결이 자간증의 유일한 치료방법이며, 질식 분만을 우선적으로 고려(혈장 부족, 혈액 소실에 매우 민감)

③ 황산마그네슘(MgSO₄) 투약: 경련 예방하기 위해 일차적으로 투여되는 중추신경계 억제제(항경련제, 평활근이완제)

    ▶ 항경련, 혈압하강. Calcium gluconate는 황산마그네슘 독성작용 발생 시 투여하는 해독제임

④ 자극 최소화 및 절대안정: 조용하고 어두운 독방, 좌측위

083 ⑤

해설 | 입덧 불편감 중재

⑤ 아침에 더욱 심하므로 일어나기 전 마른 탄수화물을 섭취하고, 갑자기 일어나지 않는다.

- 공복도 과식도 피하도록 한다. 적은 양의 식사를 자주 먹도록 한다.

- 냄새가 강하거나 기름기가 많거나 자극적인 음식은 삼가고, 심리적으로 지지해준다.

084 ①

해설 | 포상기태(융모상피암 진행 위험)

- 정의: 태반의 영양막 세포가 비정상적으로 증식하는 질환이다. 이때 크기가 1~30 mm에 이를 정도로 큰 융모가 포도송이 같은 모습으로 자궁 내강을 채운다. 태아조직은 없거나 있더라도 기형의 형태이며 생존이 불가능한 상태이다.

- **오답** ② 흉부X선 촬영: 융모상피암은 폐로 가장 잘 전이되므로 β-hCG 음성이 될 때까지 1개월마다 측정한다. 그 후 1년 동안 2개월마다 촬영한다.

  ③ 진단 즉시 흡입소파수술로 자궁내용물을 제거하면서 옥시토신(Pitocin)을 점적한다.

  ④ 자궁내장치(IUD)를 제외한 방식으로 약 1년간 피임하도록 교육한다.

  ⑤ 융모상피암, 잔여기태, 침윤성 기태로 발전되는 것 감시하기 위해 β-hCG을 측정하고, 화학요법은 예방적이 아니라 융모상피암으로 진단되었거나 전이병소가 발견되었을 때 등에 적용한다.

085 ⑤

해설 | 불완전 유산

- 임신가능 유무: 절박유산 – 경관닫힘, 조직배출 없고 점적출혈(+) 복통(+)

  불가피유산 – 경관개대, 조직배출 없지만 출혈(++) 복통(++)

- 조직배출 유무: 완전유산 – 경관닫힘, 수태산물 완전배출, 복통(+), 출혈(+)

  불완전유산 – 경관개대, 태아 태반의 일부배출, 복통(+++), 출혈(+++)

- 기타: 계류유산 – 태아 사망한 채 자궁내 존재, 경관닫힘, 출혈(+), 통증, 조직배출 없음

  패혈유산 – 경관개대, 패혈 증상

  습관성 유산 – 이유 없이 자연유산 3회 이상 반복 – 기형자궁(외과적 교정), 경관무력증 치료

086 ⑤

해설 | 태반조기박리

- 주원인: 고혈압(자간전증, 자간증이 발생 원인의 50% 이상)

- 치료 원칙: 진단과 동시에 모체와 태아의 상태에 따라 즉각 치료를 시작해야 한다. 시간이 지연될수록 출혈로 인해 여러 위험한 합병증(저혈량성 쇼크, 신부전증 등)이 발생할 수 있다.

  cf 임신을 최대한 유지하려는 전치태반의 경우와는 다르다.

- 질 분만 유도

  – 태아감시, 주의 깊은 출혈량 확인

  – 출혈이 심하지 않고 태아가 생존해 있으며 태아곤란증 없으면 질 분만 시도

087 ②

② 적당한 운동을 하고 이상적인 체중을 유지한다.

- 예방 및 간호
  - 장시간 서 있거나 앉아 있는 것, 변비, 조이는 의복 등을 피한다.
  - 신발은 바닥이 편안하고 충격 흡수가 잘 되는 것이 좋다.
  - 탄력스타킹은 기상할 때 착용하고 취침 시에는 착용하지 않는다.
- 치료: 작은 크기의 정맥류에 경화제를 주사기로 주입하는 경화요법이나 정맥 결찰 등의 외과적 중재를 시행한다.

088 ④

해설 | **태아전자감시**

- 무자극 검사결과 반응(20분 이내 2번 이상의 태아심박수 상승)이 정상임
- 태아심박동 기본선의 변이성이 있음(교감신경 자극은 맥박의 증가, 부교감신경 자극은 심박동의 감소)
- 전자태아심음 감시에서 주기적인 후기감퇴가 없음
- 자궁이완시 태아심박동수가 분당 120~160회/분 정상

089 ⑤

해설 | **분만 2기**

수의적 자궁수축 적용─ 선진부가 골반층에 도달하면 산부는 대변볼 때 힘을 주듯이 힘이 주어지는 것을 느낌 → 숨을 깊게 들이마시고 횡격막과 복근 수축 → 복강내 압력 상승 → 태아만출

090 ④

해설 | **리토드린 적응증**

- 자궁경부 개대 4 cm 전
- 양막 파수 전
- 자궁수축 20분에 3~4회 미만
- 태아 생존력 있을 때
- 태아질식의 증세가 없을 때 등

091 ②

해설 | **과숙아 분만**

- 정의: 임신 42주 이후 분만
- 병태생리
  - 과숙증후군
  - 태반기능장애: 임신 38주 이후 태반의 노화가 급격하게 진행된다.
  - 태아곤란증: 태아 저산소증 등에 의한 태변 방출 · 착색 · 흡입 등이 원인이다.

- 합병증: 양수과소증, 거대아
- 치료 및 간호: 유도분만, 양소과소증 및 태변흡입증후군 예방, 좌측 앙와위 등

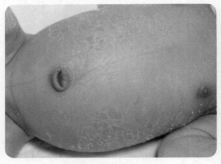

A. 건조하고 껍질이 갈라진 피부

B. 손톱이 많이 자라있고 태변 착색됨

▶ 과숙증후군(postmaturity syndrome)

092 ⑤

해설 | **분만1기 호흡법**

잠재기	느린 흉식호흡: 자궁수축 시작될 때 평상시 절반의 속도로 천천히 호흡
활동기	빠르고 얕은 흉식호흡: 평상시 2배의 호흡속도
이행기	• 빠르고 일정한 흉식호흡: 자궁수축 시작 후 심호흡 1회 → 하–하–하–하–(4번) 후~ • 과환기 ▶ 호흡성 알칼리증 위험

- 분만 1기
  - 정의: 규칙적인 자궁수축 시작(진진통) ~자궁경관의 완전개대(10 cm)까지
  - 특징

경부 거상(소실)	경부 개대
분만 1기 동안 경관이 짧아지고 얇아져 체부 쪽으로 들어 올려지는 과정	분만 1기 동안 경부외구가 아주 작은 크기에서 아기가 통과할 정도로 넓게 벌어지는 과정

093 ③

해설 | **분만 전구증상**

- 태아하강
  - 자궁저부가 낮아져 횡격막 압박 감소 ▶ 호흡 편해지고 위장압박 완화, 복부 팽만감 완화
  - 골반 및 방광 압박 증가 ▶ 다리의 통증, 하지경련, 빈뇨, 질분비물 증가

094 ⑤

해설 | **경구피임약**

- 복용법
  - 월경이 시작한 후 7일 이내 복용을 시작한다. 매일 정해진 시간에 3주간 복용하고 1주를 쉬면 1주 동안 소퇴성 출혈이 생긴다.
  - 복용을 잊은 경우: 하루를 잊은 경우 즉시 1정을 복용하고 원래 시간에 1정을 복용. 이틀을 잊은 경우는 즉시 2정 복용, 다음날 원래 시간에 2정을 복용한다.

- 부작용
  - 오심 · 구토, 유방압통, 복부팽만, 정서불안, 체중증가
  - 첫 2개월간의 소량의 출혈, 대하증, 비정상적 양상의 월경 등
- 금기: 흡연자(1일 15개피 이상, 35세 이상), 혈전성 정맥염, 유방암, 분만 2주 이내, 고혈압, 간기능장애 등

---— comment —---

부작용이 있다고 바로 복용을 중단할 필요는 없다. 보통은 여성호르몬과 황체호르몬을 포함한 복합 경구피임약을 투여하기 때문에, 전문의와 상의하여 증상에 따라 성분 함량이 다른 약제로 변경해 볼 수 있다.

095 ④

해설 | **태아곤란증(Fetal distress)**

④ 이완기의 자궁내압: 8~12 mmHg 정상

  - 태아심박동 120회 이하, 160회 이상
  - 자궁수축이 끝난 후 태아 서맥이 30초 이상 지속
  - 두정위이면서 태변 배출(둔위시 정상)
  - 자궁수축 지속기간 90초 이상 ▶ 산소공급 감소
  - 자궁수축 간격 2분 이하 ▶ 혈액순환 저하
  - 75 mmHg 이상의 자궁내압

096 ⑤

해설 | **산후 배뇨간호**

- 방광팽만 시 합병증이 올 수 있으니 산모의 분만 후 첫 자연배뇨를 반드시 확인해야 한다.
  - 산후출혈(가장 주의해야 함) 및 산후감염 예방
  - 자궁압박 완화, 방광기능 확인
- 6~8시간 이내 자연배뇨 실패할 경우 단순도뇨 실시해야 한다.
- 방광팽만의 증후　기출 11, 16, 20
  - 자궁저부가 제와부 위로 상승하고 복부 중앙선에서 옆으로 밀림
  - 치골결합 위로 방광이 밀려 올라옴
  - 방광부위 동통 과민
  - 과다한 오로, 자궁출혈
  - 150 mL 이내의 소변을 자주 배뇨함, 요실금, 잔뇨증

097 ④

해설 | **산후 심혈관계 변화**

오답 ① Hb, Hct: 분만 3~7일 이내에 상승, 4~5주 후 임신 전 상태로 회복

② 산욕기 초기 최고량이 되고, 산모의 순환혈액량이 분만 후 48시간 동안 15~35%까지 증가

③ 분만 후 2~3주 내 총혈액량 비임신 수준으로 회복 ▶ 4 L로 감소

⑤ 분만 후 24~48시간 동안 생리적 서맥 발생

098 ④

해설 | **산후 정신심리적 문제**

• 산후우울: 일시적 · 정상적인 증상이며 산후 5일경에 최고조를 찍고 이후 빠르게 해소된다.

• 산후우울증(정신장애): 산후 2주~3개월에 발생하며, 자살 위험이 있기 때문에 약물치료가 필요하다.

• 산후정신병(정신장애): 산후 1개월 이내 급성 발병하며, 자살 및 신생아 살해 위험이 있기 때문에 입원치료가 필요하다.

---◆ comment ◆---

산후 우울이 지속될 때 가볍게 생각해서는 안 된다. 산후 우울증은 질환이다. 오래 지속되면 아기를 제대로 양육하기 어렵고, 아기의 성장 발달과 모자 관계 형성에 악영향을 미치며, 가족 관계가 나빠지기도 한다.

099 ③

해설 | **자궁수축제 투여**

① 옥시토신을 투여한다.

② 모유수유를 촉진한다.

④ 자궁저부를 마사지한다.

⑤ 보존적 방법으로 출혈조절이 안 되면 수술적 중재를 요구한다.

100 ②

해설 | **산욕기 심혈관계 변화**

임신 중 축적된 수분들이 정맥순환으로 귀환하고, 자궁혈류가 전신순환으로 전환되면서 분만의 형태와 상관없이 산욕기 초기에 최고량이 된다. ▶ 순환혈액량이 분만 후 48시간 동안 15~35%까지 증가한다.

101 ③

해설 | **산후 감염**

• 원인

산전	분만 중		산후
• 산전관리 부족 • 파막 후 성교	• 조작적 중재: 태반용수박리, 내부 태아감시장치, 기계분만(겸자분만, 흡인분만) • 제왕절개 • 빈번한 내진, 도뇨 • 파수 후 분만지연, 난산 • 회음절개, 생식기계 외상 및 열상		• 산후출혈 • 태반 잔류

- 증상: 발열(분만 후 24시간 이내는 제외), 빈맥, 전신쇠약(피로, 식욕부진)
- 치료 및 간호
  - 절개배농, 배액증진 ▶ 반좌위
  - 좌욕, 회음램프 적용
  - 회음부 청결: 2~3시간마다 회음패드 교환

102 ②

해설 | **혈전성 정맥염**

오답 ① 침상에서 다리 운동을 하도록 권장한다.
      ③ 약물: 항응고제(저분자량 헤파린), 항생제(감염확산 방지), 진정제
      ④ 대퇴혈전성 – 침범된 다리 상승, 골반혈전성 – 골반고위
      ⑤ 탄력스타킹은 기상 전에 착용하고, 취침 시에는 벗어둔다.

cf 복재정맥, 슬와정맥, 대퇴정맥에서 호발한다.

103 ④

해설 | **융모상피암**

- 융모상피암은 영양배엽의 악성질환이다.
- 포상기태로 치료받고 퇴원 후 매주 혈청 hCG 농도를 측정하면서 관찰 중 주후 농도가 1.5 mLU/ml 였으나 주 이후에는 30,000 mLU/ml 로 측정
- 항암화학요법의 적용증은
  - 치료 hCG 값이 기태 제거 후에 3주 이상 연속으로 상승할 경우
  - 다른 장기로 전이되었을 경우
  - 조직병리학적 검사 상 융모상피암으로 진단되었을 경우
  - hCG 값이 기태 제거 후 주까지 정상화되지 않을 경우 등

104 ②

해설 | **폐경생리**

- 폐경기: 난소기능의 상실로 영구적으로 월경이 중단되는 시점. 12개월 연속 월경이 정지될 때이고, 갱년기 과정에 포함된다.

폐경전기	월경주기가 비교적 규칙적, 지난 3개월 이내 월경이 있음
폐경주변기	월경불순, 지난 12개월 이내 월경이 있음
폐경후기	지난 12개월 이내 월경을 하지 않음

- 조기폐경은 40세 이하 폐경으로, 임신 여부를 떠나 호르몬 치료가 꼭 필요하다.

오답 ③, ⑤ 난포자극호르몬 분비(FSH, LH)는 증가한다.

105 ①

해설 | **자궁내막증식증**

- 정의: 비정상적인 자궁출혈을 동반한 자궁내막의 비정상적인 증식 ▶ 자궁내막암으로의 이행 가능성
- 원인: 난포호르몬의 지속적 자극
- 증상

가임기 여성	폐경 후 여성
월경과다, 빈발월경, 지연월경, 부정 자궁출혈, 하복부 통증	불규칙적 자궁출혈, 하복부 통증

오답 ⑤ 자궁내막증: 자궁 안에 있어야 할 자궁내막 조직이 자궁 밖의 복강 내에서 존재한다.

— comment —

월경과다는 주의를 기울여야 할 증상이다. 에스트로겐의 과도한 영향 → 자궁내막 이상 증식 → 출혈량 증가 ▶ 자궁근종, 자궁내막질환(자궁내막증, 자궁내막증식증, 자궁내막암) 등 유발로 이어질 수 있기 때문이다.

1회 2교시 정답 및 해설

아동간호학

001 ⑤

해설 | 아동과의 의사소통

- 아동과의 의사소통을 위한 일반적인 지침
  - 대화를 시작할 때 아동이 편안하게 느낄만한 시간적 여유를 준다.
  - 아동이 부끄러워하거나 주저하면 부모에게 먼저 말을 건다.
  - 처음부터 지나친 미소, 오랜 눈맞춤, 신체접촉은 피한다.
  - 처음에는 아동에게 직접 묻는 대신 장난감, 인형과 같은 동물을 이용한다.
  - 아동에게 익숙한 물건을 이용한다.
  - 나이 든 아동과는 개별적인 면담 기회를 가지며 사생활 보장 욕구를 존중한다.
  - 긍정적으로 지시하고 제안한다.
  - 조용하고 자신감 있으며 서두르지 않는다.
  - 명백하고 구체적이며 간단한 문장으로 말한다.
  - 대화 중에는 아동에게 집중한다.
  - 아동을 판단하거나 비평하지 않는다.
  - 아동에게 정직해야 하며 수행하기 어려운 약속은 하지 않는다.
  - 아동의 눈높이로 자세를 낮춘 상태에서 대화한다.
  - 생각과 감정을 표현할 수 있도록 허용적인 분위기를 조성한다.
  - 질문할 수 있는 분위기를 조성하고 질문에 솔직하게 응답한다.
  - 가능한 경우 선택의 기회를 준다.
  - 발달 수준에 적합한 의사소통 기법을 활용한다.

002 ②

해설 | 아동의 신경계 기능사정

② 손바닥 잡기기 반사와 발바닥 잡기 반사는 생후 5~6개월에 사라진다.

🔁 모로반사: 등과 팔다리를 쭉 펴면서 외전 + 팔은 포옹하려는 듯이 움직임 + 손가락은 따로따로 펴서 엄지와 검지가 'C' 모양을 보임

오답 ① 바빈스키반사는 1세경에 소실된다.

🔁 발바닥 외측을 발꿈치에서 발가락 쪽으로 가볍게 긁었을 때, 엄지발가락이 등쪽으로 굽고 다른 발가락은 부챗살처럼 과신전되는 것이 정상적인 반응임. 1세경에 소실되고, 그 이상 지속되면 추체로의 장애를 의심함

③ 정상 만삭아는 출생 시 사지가 굴곡 상태이다.

④ 동안신경의 동공 및 반사에 대한 정상 반응을 보이고 있다.

161

⑤ Finger-nose test: 7세경이 되면 눈을 감아도 손가락을 코끝으로 가져올 수 있다.

🅒 Finger-nose test (소뇌기능): 상지의 소뇌성 운동 실조증을 확인하는 검사법. 팔꿈치를 편 위치에서 코끝에 좌우의 손가락을 빠르게 교대로 대어봄. 눈을 감으면 더욱 판별이 용이해짐

003 ⑤

해설 | **아동의 죽음 인식**

- 학령기
  - Piaget의 구체적 조작기(7~11세)에 해당. 죽음의 불가역성 개념 획득
  - 일시적 분리와 죽음의 차이를 이해
  - 9~10세 시기에 죽음의 이해가 성인과 비슷

  ※ 사람이 나이에 관계없이 죽을 수 있다는 사실을 이해하지 못함

004 ③

해설 | **전체운동발달**

- 발달 방향: 머리에서부터 발끝으로 발달
  - 머리 가누기 → 뒤집기 → 앉기 → 기어 다님 → 서기 → 걷기

1개월	• 엎드린 자세에서 머리를 옆으로 돌림
2개월	• 앉은 자세에서 잠깐 머리를 똑바로 함 • 45° 정도 고개를 들 수 있음
3개월	• 엎드린 자세에서 팔을 뻗어 몸을 받쳐 머리와 가슴을 듦 • 45~90° 정도 고개를 들 수 있음
4개월	• 머리를 가눌 수 있고, 누운 채로 좌우로 몸을 돌릴 수 있음
5개월	• 복부에서 등으로 몸을 뒤집을 수 있음
6개월	• 구를 수 있음(등에서 복부로, 양방향). 엎드린 채 양팔로 몸무게 지탱 가능
7개월	• 도움받아 앉음(순간적으로 똑바로 앉는다)
8개월	• 기대지 않고 혼자 잘 앉음
9개월	• 붙잡고 설 수 있음 • 배를 바닥에서 떼고 손과 무릎으로 기어 다님
10개월	• 가구 잡고 일어남
11개월	• 바닥에서 배를 떼고 기어감
12개월	• 혼자 설 수 있음 • 한 손을 잡고 걸음(첫 걸음, 보행능력 획득 시점)

005 ②

해설 | 놀이

- 개념: 놀이는 스스로의 동기에 의해 일어나야 하며 즐거워야 하고 목표가 없어야 한다.
- 순기능
  - 놀이를 통해 교육으로 얻을 수 없는 것을 배울 수 있다.
  - 자신을 개념화, 구조화하며 이를 표현하는 방식을 배운다.
  - 분노나 스트레스 해소에 도움이 된다. ▶ 놀이치료
  - 아동에게 신체적 · 지적 · 사회성 · 인지적 · 정서적 · 도덕적 · 창의성 발달을 촉진하여 전인적으로 영향을 미친다.
  - 아동이 치료에 협조적이게끔 한다.
- 발달단계별 놀이양상

영아기	단독놀이	• 같은 장소에서 주위의 다른 아동과는 다른 장난감을 가지고 혼자 독립적으로 노는 것 • 자신의 신체부위를 가지고 탐색
유아기	평행놀이	다른 아동의 옆에서 비슷한 장난감을 가지고 놀지만 상호작용이 없음
학령전기	연합놀이	• 동일한 놀이에 같이 참여하여 다른 아동과 함께 놀며 장난감을 빌려주기도 함 • 함께 어울리지만 조직이 없고 공동의 목표는 없음
학령기	협동놀이	조직적인 집단에서 규칙을 지키며 목표와 성취를 달성하기 위해 조직의 대표와 추종자 관계가 설정되고 각자의 역할이 있음

— comment —

놀이치료란 놀이활동을 통해 아동들이 가진 심리적인 문제를 스스로 극복하고 발달시기에 적합하게 발달하도록 돕는 치료상담의 한 형태이다. 아동은 언어능력과 표현이 미숙하여 놀이를 통해 자신의 감정이나 관계를 탐색한다.

006 ③

해설 | 골수천자 부위

- 골수천자 및 생검: 혈액질환의 진단에 있어서 매우 유용. 골수는 국소마취 하에서 천자와 침 생검을 통해 채취. 천자와 생검을 동시에 시행하여 가장 적합한 골수 채취
- 천자부위

천자부위	대상	검사 시 자세
후장골능	모든 연령층	• 엎드리게 함
전장골능	소아기	• 둔부와 무릎을 90° 굴곡시켜 옆으로 눕힘
흉골	성인	• 똑바로 눕힘
경골	18개월 미만 유아	• 골수천자만 가능

- 시술 전 간호
  - 출혈경향이 있는 아동은 골수생검을 금지
  - 이완요법 적용 혹은 진정시킴(두려움 감소)
  - 다소 고통스러울 수 있으며, 1~2일 정도는 시술 부위 통증이 있음을 알려줌
  - 시술 시 움직이지 말아야 함을 설명

– 검사 시행 동안 한 사람은 아동의 상체, 한 사람은 하지를 잡아 아동의 움직임을 제한

– 진정상태에서는 반응 저하와 호흡 수가 변화될 수 있으므로 활력징후와 산소포화도를 사정, 아동의 반응과 통증 정도를 측정

• 천자부위 간호

– 피부를 철저히 소독

– 검사 한 시간 전에 진정제 복용 필요

– 천자 후는 침을 빼고 약 5분 정도 압박(출혈 방지) 및 소독을 철저히 하고 외과적 치료

• 시술 후 간호

– 수술 후 출혈 예방 위해 10~15분간 누워있도록 하고 시술 부위가 축축하거나 따뜻해지는 느낌이 있으면 보고하도록 함(출혈)

– 장골 후방을 선택하는 경우 고관절 밑에 작은 롤을 대어 준 후 복위를 취함

▶ 골수천자부위(후방 장골능)

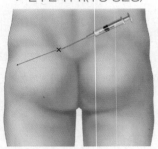

007 ③

해설 | 아프가 점수 사정

• 점수에 따른 간호

– 0~3점: 즉각적인 소생술 요구, 신생아 집중치료실에서 치료

– 4~6점: 중정도 곤란상태, 24시간 집중관리

– 7~10점: 양호한 상태, 코와 입의 흡인 및 일상적인 간호와 관찰 필요

아프가 점수			
항목	0점	1점	2점
심박동수	없음	100회/분 미만	100회/분 이상
호흡노력	없음	느리고 불규칙적	양호, 크게 울음
근강도	쳐져 있음	약간의 사지 굴곡	활발한 움직임
자극에 대한 반응	반응 없음	찡그림	기침 또는 재채기
피부색	청색 또는 창백	몸은 분홍빛, 사지는 푸른빛	전신 분홍빛

008 ④

해설 | 학령전기 문진

• 어린 아동은 생각과 감정을 말로 표현하는 능력이 부족. 놀이로 자신의 의사를 표현함

• 아동에게 놀이란 성인의 의사소통방식과 유사하므로 아동은 놀이를 통해 많은 것을 표현함

• 아이은 놀이를 통해 자유롭게 무의식적인 표현을 하므로 놀이를 관찰함으로써 내면을 볼 수 있음

- 유아기 · 학령전기 놀이: 연극놀이 또는 흉내내기 위주
- 어린 아동: 모든 것이 직접적이고 구체적이며, 사실과 환상을 구분하지 못하기 때문에 추상적인 것을 이해하지 못하고, 모든 현상을 있는 그대로 해석함. 간호사는 아동이 잘못 해석할 수 있는 말을 부주의하게 사용하지 않도록 유의
- 학령 전기 아동: 단순하고 짧은 문장과 친숙한 단어를 사용하여 의사소통함

009 ⑤

해설 | 대소변 훈련

- 유아가 신체적, 심리적 안정 시에 시작. 18~24개월 사이에 시작
- 대변 가리기를 먼저 하고, 소변 가리기를 할 수 있음
- 만 3세에 거의 완료. 만 5세가 되어도 대소변을 가리지 못할 경우 건강문제 확인
- 칭찬을 통한 강화가 중요
- 놀이에 집중했을 때에는 중간 중간 화장실을 가도록 상기시켜줌
- 주간 소변 가리기 먼저 훈련

010 ③

해설 | 구순구개열

- 수술 후 간호
  - 구순열
    - ⓐ 입에서 분비물 나오는 경우 측위
    - ⓑ 수술 부위 보호: 팔꿈치 억제대나 자켓 억제대를 적용
    - ⓒ 울기 전에 통증을 관리하고 기저귀를 갈아줌
    - ⓓ Logan bow를 수술 부위에 적용하여 봉합선이 손상되지 않게 보호
    - ⓔ 분비물 흡인 시 망울주입기 사용 가능
  - 구개열
    - ⓐ 머리를 낮춘 복위(분비물 배액). 기도흡인을 방지(망울주입기 사용 금지)
    - ⓑ 손가락을 입에 넣지 않도록 하고, 혀로 구개를 건드리지 않게 함
    - ⓒ 수술 부위 사정 시 설압자를 사용 금지(수술 부위 보호)
    - ⓓ 수술 후 2주간은 젖병을 물리지 않고 숟가락을 입안에 넣지 않음. 빨대, 설압자, 노리개젖꼭지를 물리지 않도록 함
    - ⓔ 주사기를 이용하여 입안에 젖이나 조제유를 떨러트려 주는 것이 좋음. 컵 이용 가능

011 ②

해설 | **발달지지간호**

- 정의: 고위험 신생아의 자궁 외 성장과 발달을 촉진하는 계획적이고 지속적인 중재

- 발달지지간호 지침

발달 지지 간호지침	
전반적인 지침 • 아직 자궁 내에 있다면 경험했을 자극을 제공한다. • 한 번에 한 가지 자극을 제공하여 과잉 자극이 되지 않도록 한다. • 수면과 휴식이 방해받지 않도록 간호와 처치를 한번에 모아서 한다. **체위 지지** • 둥지(nest)를 만들어 팔다리의 굴곡을 유지한다. • 담요, 수건, 물베개, 구멍이 뚫린 베개 등을 사용하여 자세를 유지한다. • 앙와위와 복위 및 측위로 체위를 자주 바꾼다. **전정 기능 향상** • 물침대나 물베개를 사용한다. • 현기증을 느끼지 않도록 과다 자극을 피한다.	**촉각 자극 제공** • 사지를 주무르고 굴곡·신전하는 촉각·운동 자극을 제공한다. • 쓰다듬고 문질러주는 마사지를 한다. • 캥거루 케어를 실시한다. **기타 감각 자극 제공** • 입술에 모유를 조금 떨어뜨려 맛을 보게 한다. • 생후 첫 주에 부모와 가까이 있게 한다. • 모유를 묻힌 천을 가까이 대준다. • 부모와 가족의 목소리를 녹음해서 들려준다. • 모빌(흑백 대비, 얼굴, 형태가 있는 물건)을 달아준다. • 위관영양을 하거나 총비경구영양을 할 때 노리개젖꼭지를 빨도록 한다.

012 ⑤

해설 | **파브릭 보장구(Pavlik harness)**

- 발달성 고관절 이형성증이 있는 생후 6개월 이전 영아에 적용

- 간호

  - 동적 외전장치, 무릎을 굴곡하고 고관절을 60° 정도 외전시켜 정복된 자세 유지

  - 1~2주마다 끈 조절

  - 면내의와 긴 면양발 신김

  - 기저귀 착용 가능

  - 필요시 띠나 고리가 있는 곳 아래에 패드를 적용함

  - 가루분과 로션 사용은 피함(피부자극)

  - 스펀지 목욕 가능, 전신목욕시 보장구 제거

  - 보호자 교육: 보장구를 관리하고 조절하는 방법, 제거할 수 있는 시간과 범위 등 임의로 보장구 제거하지 못하도록 교육

▶ 기저귀, 면티, 면양말 신은 그림

013 ④

해설 | DTaP 예방접종

- 추가 접종 시 주의가 필요한 경우
    - 3일 이내 발열을 동반하거나 경련이 발생한 경우
    - 접종 후 48시간 이내에 3시간 이상 달랠 수 없을 정도로 고성을 지르며 몹시 우는 경우
    - 허탈 또는 쇼크양 반응을 보이는 경우
    - 설명되지 않은 40.5 ℃ 이상의 고열이 발생한 경우
- 접종 시 주의사항
    - 접종 후 주사 부위 5분 이상 문지름(딱딱한 멍울 예방)
    - 접종 때마다 다른 부위에 접종
    - 육아수첩에 접종 부위 기재(이유: DTaP 성분 가운데 수산화 알루미늄 겔은 흡수되는 데 1~3개월이 걸려 재접종 시 멍울이 생기기 쉬움)
- 예방접종 유의사항
    - 예방접종 전날 미리 목욕 수행
    - 예방접종 후 하루는 목욕 삼가
    - 물수건으로 닦아주는 것은 무방
- 예방접종 금기증

예방접종 금기증
약독화 생백신 접종 금기증 • 백혈병, 림프종(lymphoma), 전신성 악성 질환, 후천성 면역 결핍증(AIDS) 등으로 면역결핍증이 있는 아동 • 스테로이드 요법, 화학 요법, 방사선 요법 등 면역 억제 요법을 받고 있는 아동 • 최근에 수혈을 했거나 면역글로불린을 접종했거나 모체로부터 전달받은 수동 항체가 있는 기간 등의 수동 면역이 있는 아동. 이러한 경우 3개월 이후에 접종함 • 임신 중에는 예방접종을 금함. 특히 MMR 백신접종을 금함. 이미 접종한 가임 여성은 백신접종 후 3개월 이후에 임신하도록 권고함. 소아마비 백신도 발병에 노출될 위험이 없는 한 임신 중에는 접종을 보류해야 함 • 먼저 접종한 백신에 알레르기 반응이 있었을 경우 • 예방접종 후 경련을 일으킨 과거력이 있는 경우 • 접종 전 1년 이내 경련이 있었던 경우(열성 경련은 제외) • 급성 열성 질환(미열, 상기도 감염, 중이염이나 경한 설사가 있을 때에는 접종 가능) • 급성기 또는 활동기 심혈간, 간장이나 신장 질환

014 ⑤

해설 | 뇌종양 수술 후 간호

- 뇌압상승과 관련된 뇌조직 관류변화의 위험성
    - 두개내압 상승 징후와 증상을 지속적 관찰
    - 활력징후, 의식 상태, 신경계 상태 자주 확인 및 기록
    - 활력징후와 동공반응 사정은 매 15분마다 측정(두개내압 상승 증상 사라질 때까지)
        ※ 두개내압 상승 증상–혈압상승, 맥박과 호흡의 저하
- 신경기능의 변화와 관련된 손상의 위험성
    - 상태 안정 후 뇌기능의 결손 여부 사정
- 수술과정, 면역능력 저하와 관련된 감염 위험성

－ 뇌수막염과 호흡기 감염(수술후 감염의 가장 흔한 유형)
- 수술 및 치료와 관련된 신체상 장애
　　－ 스테로이드 투여로 달덩이 얼굴(moon face)과 몸무게 증가: 일시적 증상으로 투약 중지 후 소실(삭발된 머리 포함)
- 정보부족과 관련된 질병관리에 대한 지식 부족(가족 간호)
　　－ 지기간호: 시술의 필요성을 설명 제공, 협조 요청
　　－ 가장 간호 교육: 퇴원 후 아동의 기능 회복과 일상적인 활동 재개
　　－ 병원에 연락해야 할 증상 숙지: 신경계의 변화, 약물의 부작용, 두개내압 상승 증상, 감염 증상

015 ⑤

해설 | **태아순환**

⑤ 산소와 영양소를 다량 함유한 모체의 혈액은 태반에서 제대정맥을 통하여 태아에게 공급되며 정맥관을 통과하여 하대정맥을 지나
　　우심방으로 공급된다.

- 태아순환 모식도

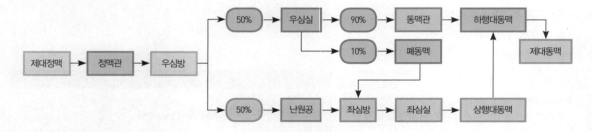

- 정맥관, 난원공 등 위치
　　－ 정맥관: 제대정맥과 우심방 사이
　　－ 난원공: 우심방과 좌심방 사이
　　－ 동맥관: 폐동맥과 대동맥 사이

016 ④

해설 | **병리적 황달**

- 정의: 혈청 빌리루빈 수치 12 mg/dL 이상 + 출생 후 24시간 내 발생~2주일 이후까지 지속
- 증상: 핵황달(kernicterus)

정의	알부민과 분리된 유리 빌리루빈이 뇌세포 내로 확산됨(혈뇌장벽 통과) → 뇌저 신경절에 축적됨(빌리루빈 뇌증) ▶ 뇌 손상
중추신경계 억압 증상	• 잘 안 먹고 심하게 울고 보챔 • 팔다리를 뻣뻣하게 뻗으며 축 늘어짐 • 발열
합병증	뇌성마비, 정신지체, 난청

- 치료

  – 광선요법

적용법 및 원리	신생아로부터 45~60 cm 거리에 광선을 적용함 ▶ 푸른빛이 피부에 흡수되면서 빌리루빈을 수용성으로 바꾸어 피부의 간접 빌리루빈을 체외로 배설시킴	
간호	• 방사열로 체온이 불안정해질 수 있어, 보육기 온도와 신생아 체온을 2~4시간마다 측정 • 광선이 피부 전체에 접촉하도록 체위변경을 자주 함 • 고체온 및 탈수를 주의 깊게 관찰하고 수분을 보충해줌 • 불투명 안대 착용(망막 손상 예방)하고 고환을 가려줌 • 수유 시 치료를 중단하고 안대를 벗겨서 시각적 · 감각적 자극을 제공함 • 금기: 오일 or 로션은 피부를 너무 태우므로 사용하지 않음	

  – 교환수혈: 용혈성 질환에 의한 고빌리루빈혈증인 경우

  – 알부민 투여: 알부민이 혈청에서 빌리루빈과의 결합성을 높여줌

017 ④

해설 │ **영아 흡인**

- 5세 미만아: 이물질 흡인에 의한 사망이 90% 이상(이 중 영아, 65%)

- 영아 질식의 주요 원인: 액체 성분(영아기 이후—풍선, 작은 물건, 핫도그, 사탕 등)

- 이물에 의한 기도폐쇄의 증상과 징후

기도에 이물이 있는 일반적 징후	완전 폐쇄가 의심되는 상황	부분적 폐쇄가 의심되는 상황
• 목격된 사고 • 기침/캑캑거림 • 갑작스러운 증상 발현 • 이물을 가지고 놀거나 입에 넣었던 최근의 병력	• 말을 하지 못함 • 기침할 때 소리가 나지 않음 • 숨을 쉴 수 없음 • 청색증 • 의식 감소	• 질문에 울거나 말로 반응함 • 거친 기침 • 기침하기 전에 호흡 가능 • 의식 온전함

- 이물질 제거

  – 1세 이하: 등 두드리기와 가슴 밀어내기

  – 1세 이상: 하임리히 요법(Heimlich maneuver)를 권장

  ※ 1세 이하 영아에게 배 밀어내기는 간 손상 유발

018 ⑤

해설 │ **뇌수종(수두증) 치료**

⑤ 증세가 있는지 여부를 알아야 한다. 뇌내압이 증가하면 제일 먼저 불안정, 식욕부진, 구토의 증세를 보인다.

- 개념: 뇌척수액의 생성 · 순환 · 흡수 불균형 ▶ 뇌실 · 지주막하의 뇌척수액 과다축적
- 증상: 두개내압(뇌압) 증가가 가장 특징적
  – 영아기: 두위 증가가 가장 특징적

증상	설명
두위(머리둘레) 증가	비정상적으로 빠른 머리의 성장
대천문 확장	두부확장을 동반하거나 하지 않음
일몰징후(sunset eyes)	아래로 전위된 눈으로 인해 공막이 동공 위로 보임
Macewen sign	두개내압 증가로 인해 두개골 봉합이 이완되고 골판이 얇아지며, 두드리면 탁음이 나지 않고 북소리나 깨진 항아리 소리와 비슷한 소리가 나는 현상
날카롭고 고음의 울음	울 때 두피정맥의 확장이 두드러짐
움푹하게 패인 눈, 의식의 변화, 구토, 기면 등	

- 치료: 뇌실복강 단락술(VP shunt)
  - 정의: 과량의 뇌척수액을 복강에서 흡수할 수 있도록 통로를 만들어줌
  - 수술 전후 간호

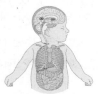

수술 전	수술 후
• 침대머리 30° 상승 ▶ 뇌압상승 방지 • 수액요법: 수액량이 신체 요구량의 75~80% 넘지 않도록 함	• 24시간 동안 머리를 상승시키지 않도록 베개 없이 편평하게 유지함 • V/S 측정, 체온 유지, 체위 변경, 흡인 시행 • 복부팽만 시 비위관 삽입

POWER 특강

두위 및 흉위 측정

- **두위 증가: 뇌의 성장 및 분화를 의미하므로, 뇌의 성장발달을 추정하는 중요한 지표임**

  - **측정방법: 눈썹과 귀 윗부분의 둘레를 잼**

  - **두위와 흉위 비교**

출생 시(cm)	12개월	1년 이후
두위(33~35) > 흉위(30.5~33)	두위 = 흉위	두위 < 흉위

019 ③

해설 | **서혜부 탈장**

- 정의: 장기가 복벽의 약한 부분을 통해 복강 밖으로 빠져 나오는 것을 탈장이라고 하며, 특히 서혜부(사타구니) 주위를 통해 빠져 나온 경우를 서혜부 탈장이라고 함 🕐 음낭수종 시 탈장이 동반되기도 함
- 증상
  - 서혜관 내 덩어리가 있으나 눌러도 통증은 없음
  - 탈장된 낭이 비어 있을 때에는 신체 증상이 없음
  - 부드러운 압박을 가하면 크기가 감소함
  - 촉진: 울거나 기침을 하면 복압이 증가함 → 복강내용물이 돌출됨 ▶ 촉진 용이함
- 진단: 새끼손가락을 서혜관 내로 넣고 복압상승을 유도하여 내용물이 닿는지 확인함

- 치료

  - 일단 도수정복(손으로 원위치시킴)을 시도함

  - 감돈(정복될 수 없는 탈장) 예방 위해 즉시 선택적 외과적 복구 실시함: 탈장낭을 제거하거나 묶고 후복벽을 보강함

  🔁 감돈: 탈장의 내용물이 탈장 입구에서 꼬여서 풀어지지 않음 ▶ 혈액순환장애

POWER 특강

음낭수종

- **정의: 음낭 내 고환초막에 액체가 고이는 질환**
- **분류**

	비교통성(non−communicating) 음낭수종	교통성(communicating) 음낭수종
개념	• 출생 시에 발견됨 • 복강과 연결되지 않은 생리적 음낭수종	• 출생 몇 주 후 처음 나타남 • 초막돌기가 음낭과 복강을 연결해 탈장이 동반될 수 있음
치료	• 점차 흡수되어 영아기 6~9개월경 자연 소실됨 ▶ 특별한 처치 필요 없음	• 수술로 교정해야 함

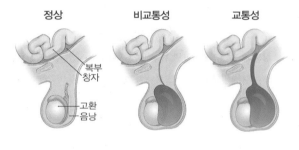

---

020 ⑤

해설 | **열성경련**

- 정의: 고열이 있을 때 급속한 체온상승과 함께 경련이 발생하는 일시적 장애

  - 중추신경계 문제와 관계없으며 대부분은 신경학적 손상으로 발전하지 않는다.

  - 재발률이 높은데, 반복적으로 발생할 시 간질로 발전할 수도 있다.

  🔁 영유아에게 발생하는 경련의 가장 흔한 원인이 고열이다.

- 위험요인

  - 연령 & 성별: 영유아기(6~24개월) & 남아에서 호발한다.

  - 가족력

- 증상

  - 15분 이내로 발작 지속: 전신이 뻣뻣해지다가 팔다리를 떠는 형태의 발작을 하는데, 안구가 돌아가거나 고정되며 의식이 없다.

    ⓐ 발작은 장시간의 고체온보다 체온 상승기에 발생한다.

    ⓑ EEG는 정상이다.

    ⓒ 열이 내린 후 7~10일이면 뇌파도 정상이다.

021 ②

해설 | **인지장애**

② 인지장애 아동은 아이의 발달사항을 고려하여 교육을 실시한다.

- 원인: 유전, 생화학적, 바이러스 감염, 갑상선 저하증, 페닐케톤뇨증 등의 대사이상
- 증상
  - 수유 곤란(수유시간 연장) 및 수유 시 비정상적인 눈 맞춤
  - 접촉 시 무반응 or 과민반응
  - 불안정
  - 운동반응 지연, 언어곤란 또는 지연
  - 소리 및 움직임에 대한 경계가 적음
- 간호
  - 발달상 위기이므로 아동과 가족 구성원 모두에게 정서적 지지를 제공함
  - 최적의 발달 도모: 발달수준에 맞는 효율적인 프로그램을 활용한 교육 ▶ 아동이 자가간호 및 새로운 기술 습득하도록 함
  - ⓔⓧ 직접적으로 과제수행을 보여주는 역할놀이

— comment —

갑상선 기능저하증은 신경계 발달지연을 유발해 정신지체(심각한 지능저하)를 초래할 수 있다. 갑상선호르몬의 평생 투여가 필요하며, 출생 직후 치료를 시작하면 정상적인 성장이 가능하며 지능발달도 정상이므로 조기 치료가 핵심임을 기억하자.

022 ③

해설 | **이유식**

- 이유식: 젖을 떼는 시기의 아기에게 먹이는 젖 이외의 음식
- 주의사항
  - 이유식을 너무 일찍 시작하면 음식에 대한 알레르기 및 과체중을 유발할 수 있음
    - ⓐ 알레르기를 유발할 수 있는 생우유, 계란 흰자, 등푸른 생선 등은 12개월 이후에 제공함
    - ⓑ 우유 알레르기는 두유로 대체함
  - 이유식을 시작하더라도 주식은 모유나 조제유여야 하며, 이유식을 먼저 제공함
  - 시작 전에 신체적 준비가 되었는지 사정해야 함
  - 한 번에 한 가지 음식만 제공하며, 한 가지 음식을 적어도 3~7일간 먹임
  - 곡분으로 시작하여 쌀 → 야채 → 과일 → 고기 순으로 제공함
  - 영아가 음식을 만질 수 있도록 허용하고 유쾌한 분위기를 형성함
  - 영아가 이유식을 먹지 않고 뱉어낼 경우 혀 뒤쪽으로 넣어줌 ◀ 밀어내기 반사

고형식이 시작 시기(4~6개월)

- 모유분비량 감소 + 성장속도 증가 ▶ 모유만으로는 충분한 영양공급이 되지 않음
- 철분 저장이 고갈되는 시기이므로 철분 부족을 보충하기 위함
- 소화능력 향상
  - 6개월 이후에 타액 및 장효소 생성됨
  - 위장관과 소화능력이 발달하여 알레르기 위험이 적어짐
- 6개월경 밀어내기 반사(혀에 자극이 가해지면 혀를 앞으로 밀어냄)가 사라지고 삼키는 기술이 조절됨 ▶ 흡인 위험 감소
- 6~8개월에 첫 치아가 출현하고 7~9개월에 저작 운동이 시작됨

---

023 ⑤

해설 │ 신경모세포종(Neuroblastoma): 신경아세포종

- 정의: 부신수질과 교감신경계를 정상적으로 성장시키는 원시 신경관 세포에서 유래하는 악성 종양. 종양의 대부분 부신, 척수 신경절 근처에서 발생. 복부에서 발생. 뼈로 전이
- 빈도: 5세 미만(전체 발생의 75%), 1세 미만 영아(신생아)에서 호발, 남아 > 여아, 백인 > 흑인
- 특징:
  - 부신과 복부 안쪽에서 발생이 흔함
  - 전이가 빠름
  - 장골에 전이(팔다리 통증으로 발견)
- 증상
  - 위치와 심각정도에 따라 다양한 증상보임
  - 복부팽만(복부의 무통성 덩어리 촉진)
  - 하지부종(복부나 골반강 내 종양이 혈관 압박) 등

024 ②

해설 │ 중이염

- 원인: 상기도 감염, 간접흡연, 잘못된 수유방법(수유 시 부적절한 자세 등)
- 병태생리: 유스타키오관의 기능장애 → 중이에 분비물 축적 → 유스타키오관의 폐쇄 → 중이에 음압 유발 → 배액장애 → 유스타키오관 내 섬모 손상

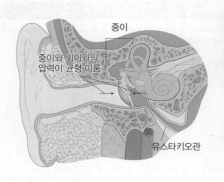

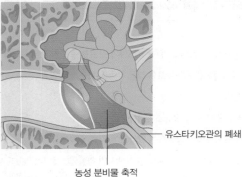

A. 정상　　　　　　　　　　　　　B. 중이에 농성 분비물이 축적됨

- 증상
  - 이통: 귀를 잡아당기거나 긁는 행위, 베개에 귀를 비벼대는 행동 보임
  - 발열, 비울혈, 난청, 구토, 설사, 불안, 식욕감소 등
- 치료 및 간호
  - 약물 투여: 해열제(acetaminophen, ibuprofen), 진통제(aspirin)
  - 예방
    ⓐ 앉힌 자세에서 상체를 높여 수유함: 앙와위 → 비인두에 우유가 고임 → 유스타키오관으로 들어감 ▶ 중이염에 쉽게 이환될 수 있음
    ⓑ 코를 세게 풀지 않기, 집안에서 금연 및 알레르기 요인 제거

— comment —

중이염 역시 상기도감염이 선행된 후에 호발한다. 또한 상기도감염은 CROUP과 급성 사구체신염의 유발요인으로도 자주 등장하니 한 번 더 상기시켜 보자.

025 ⑤

해설 | **급성 류마티스열**

- 정의: A군 연쇄상구균(group A beta-he-molytic streptococcus)에 의한 상기도 감염 후 발병
- 증상
  - 심장염: 심내외막, 심근 모두 침범되는 전층 심장염(pancarditis)이 나타남. 류마티스성 심근염은 승모판에서 흔히 발생
  - 다발성 관절염: 약 75%에서 발생(무릎, 발목, 팔꿈치, 손목, 고관절, 어깨와 같은 큰 관절침범), 조직의 부종, 염증, 액체 축적
  - 무도증: 불수의적 반복, 목적없고 불규칙한 움직임이 특징(다리, 팔, 얼굴)
  - 피하결절: 작고 단단하며 통증이 없는 0.5~2 cm의 작은 덩어리(주로 뼈의 돌출 부위, 관절의 건 부위)
  - 유연성 홍반: 가렵지 않은 홍반성 피부 반점(주로 몸통)
- 임상검사 소견
  - 급성기: ESR과 CRP 증가

026 ④

해설 | **천식**

- 병태생리: 기관지의 거대세포, 대식세포, 상피세포로부터의 염증매체 방출 → 다른 염증세포의 이동 및 활성화 → 기도의 상피조직 및 자율신경계의 변화 → 기도평활근 자극(연축) 증가 ▶ 천명음, 기도폐쇄로 인한 호흡곤란

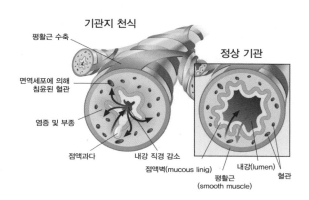

기관지 천식

평활근 수축

면역세포에 의해 침윤된 혈관

염증 및 부종

점액과다   내강 직경 감소

정상 기관

점액벽(mucous linig)   내강(lumen)   혈관

평활근
(smooth muscle)

- 간호: 알레르기원 피함 + 약물과 면역치료에 의한 과민반응 감소 + 발작 예방

　－ 천식의 주증상은 호흡곤란, 기침, 천명음. 따라서 천명음 감소는 일차적인 회복징후로 볼 수 있음

　－ 너무 격렬한 운동은 피하고 호흡조절에 대해 교육함

　－ 날씨 변화(차가운 공기, 밤) or 스트레스 등도 악화요인이므로 피함

　－ 발작 시 똑바로 앉혀서(좌위) 호흡을 용이하게 도와줌

- 가정에서 천식 유발 알레르겐에 노출되는 것을 피하는 방법

- 실내 습도를 50% 이하로 유지한다. 덥고 습한 날씨에는 에어컨을 사용하여 습도와 온도를 낮춘다.
- 침구를 55 ℃ 이상의 더운 물로 주 1회 세탁하거나 햇빛에 자주 말린다.
- 매트리스, 카페트, 소파를 주 1회 진공 청소하고, 가능하면 저알레르기성 물질로 바꾼다.
- 침대나 베개 커버는 부드러운 면제품을 사용하고, 매주 세탁한다.
- 먼지가 쌓일만한 책, 천, 장난감, 털 인형, 가구 등을 줄이거나 없앤다.
- 애완동물을 키우지 않는다.
- 방바닥, 벽, 가구를 청소할 때 진공청소기를 사용하기보다 물걸레질을 한다.
- 공기청정기를 사용하고, 필터를 자주 교환한다.
- 꽃가루가 날리는 시기에는 창문을 닫고, 실외 활동을 줄이며, 마스크를 착용한다.
- 귀가 후에는 반드시 옷을 갈아입고, 손·발을 씻은 후 안으로 들어온다.
- 집안에서는 반드시 가족 구성원 모두가 금연한다.
- 찬 공기나 매연에 노출되지 않도록 한다.
- 천식을 유발하는 음식 알레르겐의 섭취를 피한다.
- 가급적 모유 수유를 하고, 고형식은 6개월 이후에 실시한다.

공략편 1회(2교시)

기도폐쇄: 상부 vs 하부

	상부 기도폐쇄		하부 기도폐쇄
기준	2차 기관지 이상		3mm 미만의 기관지 이상
호흡음	흡기성 천명(Stridor)		호기성 천명(Wheezing)
특징적 증상	• 심한 호흡곤란 • 기침 시 개짖는 소리(barking sound) • 기침 시 객담은 별로 X		• 증상 뚜렷하지 않음 • 반복되는 마른기침
대표 질환	• 후두기관 연화증 • 후두-기관염 • 후두개염		• 폐렴 • 백일해 • 세기관지염 • 천식

027 ④

해설 | **퇴행**

• 유아의 퇴행은 일시적인 현상

• 좋은 부모와 유아 사이의 관계 형성 시 회복 시기를 단축

• 퇴행 행동 시 야단치고 비난하기보다 모른 체하고 받아줌(무시)

• 퇴행 행동을 보이는 유아와 부모 둘만의 시간을 계획 필요(심리적 안정도모)

028 ④

해설 | **성장통**

• 원인: 근육보다 골격의 성장이 빨라서 발생(뼈를 싸고 있는 골막이 늘어나 주위 신경을 자극)

• 통증양상: 주로 무릎, 장딴지, 대퇴에 발생(밤에 심함)

• 간호

  – 부드러운 마사지, 따뜻한 물에 담그기, 필요시 진통제 사용

  – 올바른 자세

  – 과도한 운동은 피하고 적절한 휴식을 취함(뼈와 근육에 무리 예방)

• 특징

  – 활동적인 아동에게 흔함. 대부분 일시적인 것으로 휴식을 취하거나 자고 일어나면 사라짐

029 ⑤

해설 | **수분 전해질 불균형**

③ 구토와 설사로 인한 체중감소, 탈수가 확인된다. 따라서 먼저 수액요법을 통해 수분 전해질 불균형을 교정해야 한다.

🔵 고장성 탈수(수분 소실 > 염분 소실) 시에는 갑작스런 수분보충은 금한다. ◀ 수분중독 위험

• 아동은 수분전해질 불균형이 성인에 비해 쉽게 발생한다.

  – 세포외액의 물 분포가 성인에 비해 많음

- 높은 기초대사량 + 빠른 호흡수 ▶ 수분상실 많음

- 신장기능의 미성숙: 사구체여과율이 성인보다 낮아 항상성 조절 미숙함

- 체중에 비해 체표면적이 커서 불감성 손실이 많음

- 위장관 공간이 넓음 ▶ 설사 시 다량의 수분이 손실됨

- 체중당 수분 요구량이 높음

    ⓐ 첫 10 kg는 100 cc/kg, 두 번째 10kg는 50 cc/kg

    ⓑ 그 이상은 각 kg당 20 cc 추가함

POWER 특강

탈수 정도별 임상증상과 징후			
증상/징후	경증 탈수	중등도 탈수	중증 탈수
체중감소	5% 이하	5~10%	10% 이상
피부: 색깔	창백	거무스름함	얼룩덜룩함
긴장도	정상, 약간 저하	중등도 저하	현저히 저하
소변배설량	감소	소변감소증	심한 소변감소증, 질소혈증
갈증 정도	경함	중등도	심함
눈물량	변함이 없음	감소	없음
점막	건조	매우 건조	바짝 마름
혈압	정상	정상, 약간 높거나 낮음	낮음
맥박	정상 혹은 빠른맥	빠른맥	심한 빠른맥, 약한맥박
대천문	정상 혹은 평평함	약간 함몰	현저한 함몰

- 경증~중등도 탈수: 경구용 재수화용액
- 중증 탈수: 정맥수액요법

  ※ 정맥수액요법

  - 구강으로 수분과 전해질 흡수가 불충분할 때

  - 구토가 통제되지 않을 때

  - 극도의 피로나 혼수상태 등으로 인해 구강섭취가 불가능할 때

  - 심각한 위장팽만 시 적용

030 ②

해설 | **골절**

- 골절의 유형

- 팽륜골절/융기골절: 골절 부위가 불룩하게 튀어나옴

- 생목골절/불완전굴곡: 압박 부위는 휘어지고 반대쪽은 불완전 골절

- 완전골절: 골편이 완전히 분리됨

- 끼임골절/감입골절: 골절편이 다른 골절편의 내부로 들어감

- 압박골절: 수직의 힘에 의해 골편이 눌림. 척추골절에 흔히 발생

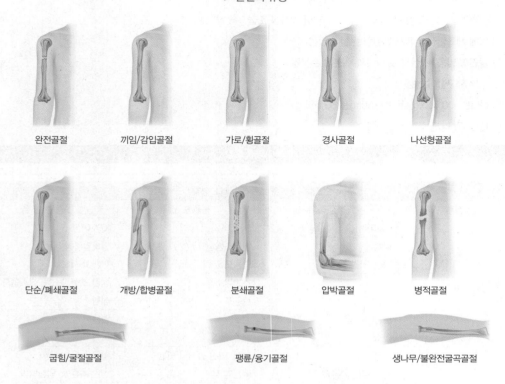

| 완전골절 | 끼임/감입골절 | 가로/횡골절 | 경사골절 | 나선형골절 |

| 단순/폐쇄골절 | 개방/합병골절 | 분쇄골절 | 압박골절 | 병적골절 |

| 굽힘/굴절골절 | 팽륜/융기골절 | 생나무/불완전굴곡골절 |

031 ②

해설 | 중독

- 중독 시 독극물의 유형파악에 앞서 아동을 먼저 사정함
    - 활력징후 측정
    - 필요시 심폐소생술을 실시
    - 경련 등 다른 증상을 처치
- 노출 중단
    - 중독 물질을 입에서 제거
    - 필요 시 눈, 피부를 미지근한 물로 15~20분 동안 잘 세척
    - 비누와 부드러운 천으로 세척. 오염된 옷을 벗김
    - 흡입 중독 시 환자에게 맑은 공기를 마시게 함
    - 섭취 중독 시 물을 한 모금 마시게 하여 희석시킴
- 중독물질 확인
    - 아동이나 목격자에게 질문
    - 중독의 증거물을 수집
    - 눈이나 피부 등의 증상과 중독의 징후, 증상 관찰

- 중독 센터나 응급 센터에 전화
- 독물제거/흡수방지
- 해독제 투여

POWER 특강

중독유형

- 아세트아미노펜(타이레놀) 중독: 아동에게 가장 흔한 약물중독. 과량 섭취 시 발생. 간기능 및 식이 장애 아동에게 발생

- 아스피린 중독: 새콤한 맛으로 과다 복용이 쉬움. 급성 및 만성 독작용 발생 가능

- 철분 중독: 비타민 제제에 철분 포함. 과량 섭취 시 철분 중독 발생 가능. 특히 철분정제의 모양이 초콜릿, 사탕과 비슷해 발생이 쉬움

- 부식제(강산이나 강알카리) 중독: 가정용 표백제는 아동이 자주 섭취하는 부식제임. 심각한 손상이 드물다. 치료 목적으로 구토는 절대 금지
  (점막을 부식시키는 성분이 토하는 과정에서 다시 손상을 입힘). 물을 많이 먹여서 부식제를 희석시킴

- 그 밖의 탄화수소류, 납, 수은 중독

---

032 ⑤

해설 | 홍역 예방접종

- 접종: 1차−12~15개월, 추가−4~6세
- 홍역유행 시: 유행 당시−MMR 조기접종(또는 홍역 단독 접종), 추가접종−12~25개월, 4~6세

033 ④

해설 | 전신성 강직−간대성 발작

- 대발작, 1~3분 동안 경련: 의식 소실. 모든 연령 발생. 뇌전증발작 중 가장 심한 발작
- 단계: 강직기 → 간대기 → 후기 또는 경련 후 상태
  - 강직기: 의식소실 후 강한 근육경축이 있는 강직(청색증, 무호흡, 타액)
  - 간대기: 사지근육의 율동적 수축과 이완(혀 깨물기, 소변과 변 실금, 입에 거품)
  - 후기 또는 경련 후 상태: 강직 − 간대기 후 깊은 수면
- 중재
  - 발작 억제 및 항경련제 약물 투여 방법 교육
  - Phenytoin 투여 시 부작용 확인: 잇몸비후, 다모증, 운동실조, 안구진탕증, 오심 등
- 발작과 관련된 신체 손상 위험성 감소 중재 방법
  - 발작 시 손상에 대비해 안전한 환경 제공(억제나 강박 금지)
  - 기도분비물 흡인과 산소투여 기구 준비(침상 옆), 침상 난간을 올림
  - 환아 입 속에 아무것도 없어야 하며 설압자, 손가락 삽입 금지
  - 조심스럽게 바닥에 눕혀 베개나 담요를 말아 머리 밑에 대고, 발작 후 측위(타액 배출)
  - 발작 후 응급조치 필요 상황: 호흡정지, 발작 5분 이상 지속 시 등

034 ③

해설 | **백혈병**

- 정의: 조혈조직에 미성숙된 백혈구가 악성으로 증식하여 생기는 질환
  - 급성 림프구성 백혈병(acute lymphocytic leukemia, ALL) ▶ 소아백혈병
- 증상: 비정상 백혈병 세포가 림프절, 비장, 간, 뇌, 척수 등에 침범(다른 백혈병과 유사함)
  - 피로감, 전신 쇠약, 체중감소, 식욕부진, 발열, 감염, 출혈, 쉽게 멍이 듦, 두통, 뼈의 통증
  - 림프절, 비장, 간 비대 등
- 치료

관해요법	• 3가지 이상의 항암제를 동시에 수일에 걸쳐 정맥주사함 ▶ 완전관해 유도 　- 완전관해: 혈액검사 소견이 정상이며, 골수검사상 백혈병 세포가 5% 미만으로 줄고, 백혈병의 모든 증상이 없어지는 　　경우 • 일반적으로 완전관해까지 4~6주 정도의 기간이 소요되며, 현재의 표준 치료법으로 소아의 경우 약 90%가 완전관해에 　도달함
공고요법	완전관해 후 완치율을 높이기 위한 재치료를 시행함: 유도 요법과 유사한 방법으로 시행하며, 치료 방법에 따라 다를 수 있지만 보통 2~3회 반복함

  - 약물 부작용

Methotrexate	Prednisone
• 백혈구 감소 • 출혈, 빈혈, 골수 억제, 감염증 • 설사, 구토 • 피부의 색소침착 • 쇼크	• 체액정체, 체중증가 • 만월형 얼굴(달덩이 얼굴) • 기분변화, 식욕증가, 소화불량 • 불면증

- 간호: 감염, 출혈, 빈혈에 중점을 둠
  - 생리식염수로 자주 구강세정 시행: 오심 · 구토, 구강점막 손상 시
    ⓐ 오심 · 구토가 있다고 해서 무조건 약물투여를 중단하지 않음
  - 감염 예방 및 치료: 광범위 항생제 투여, 방문객 제한 등
  - 출혈 예방 및 빈혈의 사정과 조절
    ⓐ 부드러운 칫솔로 양치함
    ⓑ 금지: 좌약삽입 및 침습적 행위, 격한 운동

오답 ① 호중구는 백혈구의 약 절반을 차지하며, 세균과 싸우는 역할을 담당한다. 호중구 수치가 감소하면서 가벼운 증상도 잘 호전
되지 않고 발열이 지속된다.

② 2가지 유형이 대부분이다. 급성 림프구성 백혈병 〉 급성 골수성 백혈병

⑤ 소아기의 가장 흔한 악성 종양으로, 15세 이하 악성 종양의 1/3을 차지한다.

035 ①

해설 | **급성 사구체신염**

- 원인: 대부분 상기도 감염 or 피부 감염(A군 용혈성 연쇄상구균 감염) 1~3주 후 발병
- 증상
  - 혈뇨(콜라색 소변), 핍뇨, 단백뇨, 요비중의 증가
  - BUN, creatinine의 혈중 농도 상승, 적혈구 침강속도 증가, ASO titer 상승, 보체 감소

ⓐ ASO (antistreptolysin–O): 용혈성 연쇄구균(hemolytic Streptococcus)이 생산하는 용혈소(hemolysin)에 대한 항체로, 용혈성 연쇄구균 감염의 지표가 됨

– 나트륨 및 수분 정체 ▶ 얼굴 부종: 아침과 안와 주위가 특히 심함

– 식욕부진, 복부 불편감, 구토, 배뇨곤란, 창백, 빈혈, 무기력 등

- 치료

– 항생제, 혈압강하제, digitalis, 항경련제(발작 시), 이뇨제(필요시) 투여

– 심한 부종 및 울혈 시 투석

- 간호

– 수분불균형 감시: V/S (특히 혈압), I/O (매시간 소변량 측정), 매일 체중측정

– 식이요법: 수분제한, 저염식이, 단백질 섭취 제한(신기능부전 시)

– 급성기 시 침상안정 및 휴식 → 점차적으로 적절한 운동 및 체위변경 시행

– 호흡기 감염 시 접촉 피함 ▶ 회복기 동안 감염 예방

POWER 특강

내과적 무균술 vs 외과적 무균술

종류	내과적	외과적
정의	병원균의 수를 줄이고 병원균이 한 곳에서 다른 곳으로 이동하는 것을 막는 것	물품이나 구역에 균이 완벽하게 없는 상태를 유지하는 것
방법	• 손씻기, 격리 • 물품 소독: 세척제 · 소독약 · 방부제 등을 사용해서 병원성 혹은 비병원성균의 수를 감소시키는 것	물리적 멸균법: 고압증기멸균법, 가스멸균법, 건열멸균법, 자비법, 소각법 등

[지역사회간호학]

036 ④

해설 | **지역사회의 유형(기능적 지역사회)**

- 단순한 지리적 경계보다는 목표성취라는 과업의 결과로 나타난 공동체
- 지역주민의 관심과 목표에 따라 유동적으로 기능

037 ①

해설 | **체계이론**

지역사회 체계는 항상 투입, 변환, 산출, 회환의 과정을 통해 목표를 달성한다. 즉, 구성물과 자원이 체계 속으로 들어가서(투입), 상호작용을 거침으로(변환), 지역사회 간호 목표를 만들어 냄(산출)이 회환의 과정을 통해 목표를 달성하는 것이다.

오답 ②, ③ 산출에 해당한다.

④, ⑤ 과정(변환)에 해당한다.

038 ①

해설 | 지역사회 간호의 역사

- 1956년: 보건소법 제정
- 1980년: 농어촌 보건의료를 위한 특별조치법 공포
- 1990년: 산업안전보건법 제정
- 1991년: 가정간호사제도
- 1995년: 국민건강증진법 제정

039 ②

해설 | 가정방문의 장점

- 건강관리실보다 긴장감이 적고 편안한 분위기에서 간호서비스 제공
- 대상자의 전체적인 상황 사정 가능
- 가족의 상황에 맞춘 적절한 교육과 상담제공
- 건강관리에 대한 동기부여
- 거동 불편자에게도 보건의료서비스의 혜택 제공 가능
- 대상자가 간호계획 및 과정에 함께 참여 가능
- 간호사와 대상 가족 간의 우호적인 관계 형성이 용이

[오답] ③ 교육 및 상담 중 전화 등으로 산만하거나 혼란스러울 수 있다.

040 ④

해설 | 지역사회 자료수집(참여관찰)

- 참여관찰은 지역사회 주민들에게 영향을 미치는 의식, 행사 등에 직접 참여하여 관찰하는 방법이다.
- 자료수집은 1차 조사와 2차 조사로써 출제하나 선지와 질문은 1차 조사이다.
- 간접조사는 2차 조사로써 21년 기출되었다.

041 ②

해설 | 먹는 물의 수질

- 대장균군: 검수 100 mL 중 불검출
- 일반세균: 검수 1 mL 중 100 CFU 이하
- 불소: 건강상 유해영향 무기물질로 1.5 mg/L 이하
- 암모니아성 질소: 먹는 물 수질기준은 0.5 mg/L
- 질산성 질소: 먹는 물 수질기준은 10 mg/L 이하
- 총트리할로메탄: 먹는 물 수질기준은 0.1 mg/L 이하
- 경도: 수돗물에서 300 mg/L 이하
- 과망간산칼륨 소비량: 먹는 물 수질기준은 10 mg/L 이하, 소비량이 많다는 것은 오염된 물임
- 냄새, 맛: 먹는 물 수질은 무미

- 색도: 먹는 물 수질기준은 5도 이하

- 세제(음이온 계면활성제): 먹는 물 수질기준은 0.5 mg/L 이하

- 수소이온 농도(pH): pH 5.8~pH 8.5

- 염소이온: 먹는 물 수질기준은 250 mg/L 이하

- 철: 먹는 물 수질기준은 0.3 mg/L 이하

- 탁도: 먹는 물 수질기준은 1도

- 납: 0.01 mg/L, 비소: 0.01 mg/L

042 ③

해설 | 포괄수가제도(case payment; DRG제도)

- 의사에게 환자 1인당 또는 환자 요양일수별 혹은 질병별 보수단가를 설정하여 보상하는 방법

- 장점: 경제적 진료 가능, 간편한 행정업무 ◀ 한 질병당 하나의 수가를 매김(한 의료행위당 수가를 매기지 않음)

- 단점: 서비스의 최소화 경향으로 의료의 질적 저하 초래, 진료의 형식화, 행정직의 지나친 진료에 대한 간섭

043 ④

해설 | 자유방임형

개개인의 능력과 자유를 최대한으로 존중하며 정부의 통제나 간섭은 극소화한 제도

- 민간주도의 시장경제원리에 따라 운영되며 국가 개입이 최소화된다.

- 개인의 선택이 최대한 보장된다.

- 정부간섭이 최소화되었으며 지역적 불균형이 심하다.

- 도시 중심이고, 의료의 포괄성이 낮다.

044 ②

해설 | 보건소 조직체계

보건소는 중앙정부조직인 보건복지부로부터 보건행정과 보건의료사업의 기능을 지도, 감독받고, 행정자치부로부터는 인력, 예산지원을 받는 하부행정단위로서 이원화된 지도, 감독체제로 이루어져 있다.

045 ①

해설 | 알마아타 선언

일차보건의료의 중요성과 핵심요소에 대한 내용이다. 이 선언의 영향을 받아 한국에도 일차의료 활성화를 위해 보건진료원제도가 생겨났다.

046 ③

해설 | 보건소 문제점

- 수직적 업무수행 체계: 상의하달식 업무 수행체계는 실제 수행 시 지역주민의 요구가 반영된 보건업무수행을 어렵게 함

- 행정단위별 보건소의 설치

- 보건소 조직의 이원화
- 국민건강요구 변화에 따른 대응력 미흡
- 환경위생문제에 따른 대응력 미흡
- 보건의료서비스 기능의 포괄성 미흡
- 주민의 보건소 이용 저조
- 전문인력 확보 미흡

047 ②
해설 | **우리나라 보건의료전달체계의 특징**
- 공공보건의료의 취약함과 민간위주의 의료 공급체계 – 의료기관 및 인력의 지역 간 불균형 분포(도시에 집중)
- 보건행정체계의 이원적 구조
- 보건의료체계 상호 간의 기능적 단결성
- 보건의료공급자의 다원성
- 보건 조직의 다원화

048 ②
해설 | **학교보건사업**
학교보건사업에서 학교 아동들에게 실시하는 결핵관리는 예방적 관점을 가지고 있기 때문에 검진과 BCG 접종이 가장 중요한 활동이다.

049 ④
해설 | **방문간호**
- 가정방문 시 응급상황을 대비하여 출입문을 열어놓거나, 제2의 출입문 또는 비상구가 있는지 확인한다.
- 대상자가 성적요구를 할 때에는 일단 밖으로 나가 있는다.
- 가정에 가축을 기르고 있는 경우 위험여부를 확인하고 들어간다.
- 혼자 사는 남성을 방문할 때는 가급적 보호자나 돌봄제공자가 있어주길 안내하고 만약 그렇지 않을 경우 가정간호사는 2명 이상이 방문하는 것이 좋다.
- 범죄가 빈번하게 일어나는 지역은 이장님 또는 부녀회장님과 동행하여 도움을 받는 것이 효과적이다.

050 ②
해설 | **보건의료 제공**
- 1차 예방: 개인 또는 집단의 건강 증진과 질병예방 활동
- 2차 예방: 질병의 조기 진단 및 조기 치료 `기출 21`
- 3차 예방: 빠른 회복으로 기능 장애를 줄이고 재활

051 ②

해설 | 노인의 생리적 변화

청각장애와 더불어 시력이 저하되고 색의 식별능력도 떨어진다. 일상생활에 지장을 초래하며 사고가 발생하기 쉽다. 생체 반응력은 감소되어 단차가 있는 방과 거실, 어두운 조명, 동일한 색의 출입구 및 어지러운 주변 환경은 사고발생을 초래하므로 중재가 필요하다.

오답 ④ 작동하지 않는 화재경보기도 중재가 필요한 내용이나 즉각적인 조치를 해야 할 것은 ⑤가 더 적합하다.

052 ④

해설 | 스모그

런던형 스모그는 복사성 기온 역전으로 공장에서 사용하는 석탄연료로 인해서 발생하는 SO_2가 원인으로 겨울, 새벽에 많이 발생한다. LA형 스모그는 침강성 기온역전으로 계절에 관계없이 낮 동안 자동차의 사용량 증가로 인해서 일 년 내내 발생한다.

053 ①

해설 | 가족사정

- 충분한 정보를 얻기 위해 가장 먼저 가족과의 신뢰관계, 상호관계를 형성
- 가족구성원 개개인보다는 가족 전체에 초점
- '정상가족' 이라는 일반적인 고정관념이 아닌 가족의 다양성과 변화성에 대한 인식을 가지고 접근
- 가족의 문제점뿐 아니라 가족의 강점도 사정
- 가족이 함께 사정에서부터 전 과정에 참여함으로써 간호사와 대상자가 함께 진단을 내리고 중재방법을 결정

054 ③

해설 | 학대가족

위 상황은 학대아동으로 의심되는 경우로, 우선 학대관련 기관에 신고하고 학대 아동을 가족으로부터 격리하는 것이 필요하다.

055 ①

해설 | 만성질환자가 있는 가족

만성질환자를 가진 가족들은 스트레스가 가중되고 많은 부담감을 느끼게 된다. 이 문제에 제시된 가족의 경우에 어머니가 생계유지 및 간호제공까지 함께 하여야 하는 역할 부담감이 매우 크기 때문에 가족 구성원들이 함께 역할 분담을 효율적으로 구성하여 스트레스와 부담감을 줄여야 한다.

056 ⑤

해설 | 다문화(문화적 역량)

다른 사람의 문화나 가치관의 다양성을 존중하고, 대상자의 문화적 맥락 안에서 대상자에게 효과적인 간호를 제공하는 것

057 ④

해설 | 식중독

- 세균성 식중독, 자연독 식중독, 화학적 식중독으로 분류할 수 있다.

- 세균성 식중독: 살모넬라, 병원성 대장균식중독, 포도상구균식중독, 보툴리즘, 웰치균
- 자연독 식중독: 복어중독, 조개중독, 독버섯, 맥각 중독
- 화학적 식중독: 첨가물이나 독물에 의한 식중독

058 ①

해설 | **학습목표 기술**

- 학습목표 기술에 포함되어야 할 4가지 구성요소
  - 행위: 교육 후 학습자에게 기대되는 최종행동
  - 변화를 요구하는 조건 제시
  - 내용: 변화하고자 하는 내용
  - 변화의 기준 제시

059 ②

해설 | **교육매체(실물)**

실물이나 실제상황을 활용

ⓔⓧ 가족계획에 관한 교육 시 실제 피임약이나 피임기구를 가지고 시범, 당뇨병 환자에게 자가주사방법 교육 시 실제 주사기와 당뇨약을 가지고 시범

060 ⑤

해설 | **학교건강검사**

학교에서 실시하는 건강검사는 교육인적자원부령인 학교건강검사 규칙에 의거해 매년 실시한다.

061 ①

해설 | **신고의무자 신고 보고**

감염병 예방법에 의해서 1군 감염병환자가 발생하였을 경우에 보건교사는 학교장에게 보고하고, 보고 받은 학교장은 즉시 관할 보건소장 및 교육청에 신고하여야 하며, 대상학생은 완치될 때까지 등교를 중지시킨다.

062 ④

해설 | **학교 건강문제(비출혈)**

- 관리 순서
  - ⓐ 학생을 안심시키고 비출혈의 정도와 빈도를 관찰
  - ⓑ 양쪽 콧등을 4~5분 정도 세게 지압
  - ⓒ 머리를 앞으로 숙여 코피가 목 뒤로 흘러 들어가는 것을 막음. 인두로 흘러내리는 혈액은 삼키지 않고 뱉도록 교육
  - ⓓ 깨끗한 솜을 두껍지 않게 말아서 코 안 깊숙이 넣은 후 엄지와 검지로 양쪽 콧방울을 5~10분 압박
  - ⓔ 콧등이나 이마에 얼음이나 찬물찜질 적용
  - ⓕ 30분 정도 경과해도 출혈이 계속되면 의료기관으로 보냄

063 ④

해설 | **교육방법 및 매체 선정 시 고려할 사항**

교육방법을 선정할 때 대상자의 수, 학습 목표의 난이도, 대상자의 교육수준, 교육 장소 및 시설, 교육 내용의 난이도 등을 고려하여야 한다.

064 ⑤

해설 | **산업간호사의 업무**

⑤번을 제외한 나머지 모두 사업주가 실시해야 함

065 ②

해설 | **보건교육 매체**

보건교육 시에는 교육이 실시되는 환경을 고려하여야 한다. 여기서 작업장은 소음수준이 높아서 사내방송으로 교육을 하기에 어려움이 있다. 또한 다수의 직원을 1 : 1로 개별 보건교육을 하게 되면 많은 시간과 비용이 소요되기 때문에 효율적이지 못하고 근무형태가 3교대이기 때문에 집단 강연은 적절하지 못하다. 건강관리실에 리플렛을 배치할 경우에는 건강관리실을 찾는 근로자만이 접하게 되므로 사보를 배포하는 방법이 가장 바람직하다.

066 ③

해설 | **특수 건강진단**

- 직업병 검출을 목적으로 하는 screening test로서 유해업종 또는 위험 업무에 종사하는 근로자에게 정기적으로 실시한다.
- 유해인자 노출에 의한 근로자의 직업성 질환을 찾아내어 적절한 사후관리 또는 치료를 신속히 받도록 한다.

067 ①

해설 | **직업병의 물리적 원인**

① 이상기압과 관련된 감압병이 답이 된다.

- 이상고온, 저온, 이상기압, 저산소증, 진동, 소음, 유해광선 등이 있다.

068 ①

해설 | **노인 장기요양보험제도**

6개월 이상의 기간동안 일상생활이 혼자서 어려울 때, 등급은 5등급 + 인지지원등급, 국민건강보험공단에서 주관, 보험급여내용은 재가급여, 시설급여, 특별현금급여이고 본인부담금이 발생, 시설급은 20%, 재가 15% 발생

069 ②

해설 | **비례사망지수**

비례사망지수 = 50세 이상의 사망자 수 / 연간 총 사망자 수 × 100

070 ⑤

자연능동면역	불현성 감염 후, 이환 후 획득 면역
인공능동면역	생균(BCG, MMR, 소아마비, 광견병), 사균(장티푸스, 콜레라, 간염), Toxoid (DPT)
자연수동면역	모유, 모체, 태반을 통한 면역
인공수동면역	항독소, 면역혈청, γ-globulin (일시적 면역)

오답 ① 자연수동면역, ② 인공수동면역, ③ 자연능동면역, ④ 인공능동면역

정신간호학

071 ④

해설 | **정신분석 모형(Freud)**

이상행동에 관한 견해	치료적 접근	치료자 – 환자 역할
어린 시절 해결되지 않은 갈등으로 인한 불안을 다루려는 자아의 비효과적인 방어	• 자유연상, 꿈 분석 기법 • 저항과 전이현상 해석	• 환자는 생각과 꿈을 언어화하고 치료자는 해석함 • 치료: 갈등과 의존 욕구를 해결함으로써 현실화

POWER 특강

정신분석적 정신치료(psychoanalytic paychotherapy)		
	정신분석	정신분석적 정신치료 (표현 · 분석 · 통찰 정신치료, 지지 정신치료)
목표	성격 변화	증상 완화
기간	주당 4~5회/평균 3~6년	주당 1~3회/수 개월에서 수년까지 다양
기법	자유연상, 꿈 분석, 전이 해석(환자의 욕구를 충족시키지 않고 오히려 조장)	면담 및 토론기법, 직면과 명료화 등을 사용(자유연상, 전이, 해석은 가볍게 함)
관계	분석적 관계(전이)	현재 대인관계 상의 양상
갈등	유아기적 갈등	현재의 갈등
치료자 양성	어려움	쉬움
치료 범위	제한적	대개의 정신질환
기타 치료법	제한적	동시에 사용가능

072 ⑤

해설 | **방어기제**

⑤ 반동형성은 받아들일 수 없는 감정 · 행동을 반대로 표현함으로써 의식화를 막고 과보상하는 것으로, 개인이 느끼는 감정이나 생각이 그것과 반대되는 내용들로 대체되는 현상, 공포의 대상을 오히려 가까이 하거나 보통 이상으로 몰두하는 행동 등이 해당된다.

ex 인간에 대한 증오가 있는 사람이 박애주의자가 되는 경우(미운 아이 떡 하나 더 주기)

오답 ① 투사: 자신이 받아들이기 어려운 충동이나 욕구를 외부로 돌려 불안을 완화하려는 심리기제로, 남의 탓을 하는 것이다. 조현병의 주요 방어기제로, 자아능력이 아주 약해졌을 때 투사 기제는 환각, 망상의 증상으로 작용한다.

② 저항: 억압된 자료들이 의식으로 나오는 것을 막는 기제로, 의식화되면 너무 고통스러우므로 대개 기억에 없다고 말한다. 의식에서 용납되기 어려운 무의식의 내용을 의식화할 때 심층에서 이러한 것의 의식화를 방해하는 것이다.

　　ⓔⓧ 정신분석 치료에서 자유연상 과정에서 억압된 내용을 상기시킬 때 연상의 단절, 당황, 침묵, 불안 등의 저항현상이 나타남

③ 전치: 타인에게 받은 화, 스트레스 등의 감정이 왜곡된 상태로 원래의 대상으로부터 분리되어 전혀 다른 대상으로 이동(displacement)하는 것을 말한다. ⓔⓧ '종로에서 뺨 맞고 한강에서 눈 흘긴다'

④ 이타주의: 반동형성의 성숙한 형태로 볼 수 있으며, 다른 사람을 건설적으로 도와주는 것이다.

　　ⓔⓧ 기업가가 말년에 사회로 재산 환원 및 기부

073 ⑤

해설 | **정신간호의 역사**

원시	• 정신장애는 도덕규범을 어긴 죄에 대한 저주와 처벌 • 치료는 굿, 주문, 귀신 쫓아내기 등
고대 그리스 · 로마 시대	• 과학적인 학설로 정신장애를 설명하는 수준까지 발달 • 플라톤: 신체와 정신은 분리해서 생각할 수 없음, 건강이란 정신과 육체의 조화에서 이루어짐
중세 · 르네상스	• 정신의학의 쇠퇴기 • 정신장애에 대한 원시 개념(초자연적 힘이나 악령이 원인) 다시 성행하고, 마녀사냥이 이루어짐
종교개혁 및 17 · 18세기	• 필립 피넬(Philippe Pinel): 도덕적 치료운동의 선구자로, 인도적 환자 해방운동을 시행
19 · 20세기	• 인구 급증하여 정신병원 환자 수가 증가하고 비전문인이 의사의 역할을 하게 되면서 억제, 감금 등이 성행하고 도덕적 치료가 쇠퇴함 • 페플라우(Peplau): 설리반의 대인관계 이론과 학습이론을 기초로 대인관계 간호이론 개발하여 정신간호 이론과 실무의 발전에 기초를 닦음
현대	• 인슐린혼수요법: 1930년 Sakel이 임상에 처음 도입 • 전기충격요법: 1935년 Meduna에 의해 처음 실시 • 정온제 발견(정신의학의 제3혁명) • 지역사회 정신건강 운동(정신의학의 제4혁명)

074 ⑤

해설 | **생애주기별 발달과업(Erickson의 정신사회적 발달이론)**

Erickson은 인격발달에 대하여 단계별 과제(발달과업) 수행유무를 통한 사회발달에 초점을 두었다.

영아기	신뢰감 대 불신감	일관적이고 예측 가능하며 신뢰할 수 있는 어머니의 양육태도가 믿음 형성
유아기	자율성 대 수치감	옷 입기, 걷기, 잡기, 먹기, 배변 등을 자신의 의지대로 행동하면서 독립성 및 자아통제 형성
학령전기	주도성 대 죄책감	주도적이고 목표를 정하여 추진하고 경쟁하는 시기
학령기	근면성 대 열등감	성취를 통해 자존감을 가지고 기술과 함께 무엇인가를 생산함
청소년기	정체감 대 역할혼돈	이전에 형성된 동일시를 완전한 하나의 주체로 통합하는 시기
성인기	친밀감 대 소외감	이성, 동료, 상하, 가족관계 등의 유대관계를 통해서 발달, 사회생활에 있어 융통성을 지님, 자기의 책임완수
중년기	생산성 대 자기침체	자녀양육이나 창조적 활동 혹은 생산적 활동을 통해 사회의 연속성을 유지, 가능하게 하는 시기
노년기	통합성 대 절망감	인생의 한계를 받아들이는 것이고 자기 자신의 역사의 한 부분임을 수용하고 이전 7단계를 모두 통합하는 시기

오답 ② 청소년기: 자신이 누구인지 결정하며 정체감을 형성한다.

　　③, ④ 성인기: 가족과 친구들과의 유대관계를 통해 친밀감이 발달하고 직업적 꿈을 실현시키는 등 사회적으로 자기의 책임을 완수한다.

075 ①

해설 | **성격의 구조(Freud)**

① 이드에 대한 설명이다.

한 개인이 환경과 상호작용하면서 나타내는 독특하고 일관성이 있고 안정된 인지, 정동, 행동양식이다.

이드(id)	자아(ego)	초자아(superego)
태어날 때부터 존재	• 생후 4~6개월 발달 시작 • 2~3세경 형성	• 생후 1세부터 발달 시작 • 5~6세에 주로 발달하여 9~11세에 완성
• 성격의 근원적 부분 • 기본적 욕구, 본능, 충동	• 현실을 고려하도록 함 • 본능과 충동의 조절, 현실검증, 판단력	• 외부로 얻어지는 양심, 가치, 도덕 • 이드와 본능, 충동 조절(특히 성적, 공격적인 것) 　－ 이드 심하게 억제 시: 죄의식, 불안, 신경증적 　　성격 　－ 이드 조절 못할 시: 반사회적 성격
쾌락원칙 지배받음	현실원칙 지배받음, 성격의 집행부	성격의 사법부
비언어적, 비논리적, 비체계적, 비현실적, 1차 사고과정	현실적, 합리적, 논리적, 언어적, 2차 사고과정	보편적, 도덕적 규범을 수용
주로 무의식계	의식, 전의식 ▶ 주로 의식계	의식, 전의식, 무의식 ▶ 주로 무의식계

076 ①

해설 | **방어기제**

취소(undoing)란 용납될 수 없는 자신의 생각이나 행동에 대한 책임을 면제받고자 어떤 행위(ritual)를 하는 것으로, 선물 주기, 진심인 듯 사과하기 등의 의례적인 행동을 통해서 성적, 공격적 의도를 제거하거나 자신의 행동에 대한 책임을 면제받고자 하는 방어기제이다.

ex 동생의 실수를 아버지께 고자질한 후 강박적으로 손을 씻는 경우, 남편이 부인을 때리고 꽃을 사다 주는 경우

077 ②

해설 | **방어기제**

② 승화란 사회적으로 용인되지 않는 충동이나 행위들이 수정되어 사회적으로 용인되는 건설적인 활동으로 표현되는 무의식적 과정이다.

　ex 공격적 욕구가 강한 사람이 격투기 선수가 되는 경우

오답 ① 전치: 전치는 타인에게 받은 화, 스트레스 등의 감정이 왜곡된 상태로 원래의 대상으로부터 분리되어 전혀 다른 대상으로 이동(displacement)하는 것

③ 억제: 불안하게 하는 상황이나 느낌을 의식적 행동으로 통제, 조절하는 것으로, 모든 방어기제 중 유일하게 의식적으로 사용되는 방어기제

④ 합리화: 행동 또는 감정을 비논리적으로 정당화하여 자존감 지속, 죄책감 감소 및 사회적 승인과 수용을 얻는 방어기제로, 중독관련장애의 주요 방어기제임

⑤ 반동형성: 받아들일 수 없는 감정이나 행동이 반대의 행동이나 감정 혹은 태도로 표현되는 것으로, 강박관련장애가 주요 방어기제

078 ②

해설 │ 치료적 반응 기술

침묵이란 대상자가 말을 시작하거나 다시 생각을 할 때까지 중지시키지 않고 기다려주는 것으로, 대상자가 자신의 생각을 정리하고 자신의 문제를 알게 해주는 기회를 갖게 한다.

> **오답** ③ 초점맞추기
> ④ 반영에 해당된다.

079 ④

해설 │ 치료적 의사소통

대상자의 감정을 인식하고 진지하게 수용해 주는 것이 중요하다. 대상자를 이해하려고 할 때 가장 중요한 것은 경청이다. 대상자의 감정과 생각, 자아에 대한 지각 등에 대하여 먼저 경청하고 상호작용을 하게 되는데 비판단적이고 개별화된 전략으로 상호작용해야 한다. 치료자는 온정, 존중감, 진실성 등을 겸비해야 한다. 옆에 있어주고 진정시키면서 대상자의 욕구를 확인한다.

080 ③

해설 │ 공격성을 보이는 환자의 간호중재

공격성을 보이는 환자에 대해서는 행동을 제한하고 일관성 있는 태도로 접근하되, 비위협적이고 무비판적이며, 수용적인 분위기에서 이루어져야 한다.

POWER 특강

공격성을 보이는 환자의 간호중재

- 공격의 위험성을 사정: 환경적 자극, 공격적 충동 · 적대감을 관찰
- 환자 자신과 다른 환자, 의료진의 안전을 위해 공격환자에게 제한점을 줌
- 샌드백 치기, 운동 등 비경쟁적 신체적 운동 및 언어를 통해 공격 에너지와 분노 감정을 발산
- 환자의 의견을 무시하지 말고 진지하고 일관성 있는 태도 유지
- 필요시 안정제 투약: *diazepam, lorazepam, haloperidol*
- 필요시 최소한의 신체적 억제, 또는 격리

081 ①

해설 │ 사례관리의 특성

- 서비스의 지속성: 장기간에 걸쳐 서비스 제공
- 서비스의 포괄성: 개인의 다양한 욕구충족
- 서비스의 연계성: 복잡하고 분리되어 있는 서비스 전달체계를 긴밀하게 연결
- 서비스의 개별성: 대상자 개개인의 고유한 문제 해결 위해 적절한 서비스 제공

– 서비스의 책임성: 대상자의 자기 결정권, 개인에 대한 존중, 상호간의 자기결정에 관한 책임

사례관리

사례관리란 정신질환자가 원하는 서비스를 통합하여 효율적으로 서비스를 제공받도록 보장하는 과정 또는 방법이다. 관리는 의료진 중심 체계의 목표가 아닌 환자의 목표에 따라 움직인다. 사례관리가 등장하게 된 가장 큰 배경은 장기입원 환자들을 정신병원에서 사회로 대규모 복귀시킴으로써 장기입원의 부정적인 영향을 제거하고자 하는 목적의 일환인 '탈원화'이다.

082 ⑤

해설 | **활동치료**

활동치료란 치료적 활동(오락, 음악, 작업, 무용 등)을 제공함으로써 대상자의 사회적 퇴행을 예방하고 자신의 환경을 받아들여 사회적으로 잘 적응할 수 있도록 격려 · 지지하는 방법으로, 보다 나은 인격의 통합을 가져오게 하고 자신의 에너지를 건설적인 방향으로 사용하도록 유도하여 치료적 도움을 얻도록 하는 방법이다. 활동요법을 통해 환자의 잠재된 능력을 개발하고 사회적 재활을 도모함으로써 대상자는 자신의 감정을 건설적인 방법으로 발산하게 된다. 또한 성취감을 느껴 자존감을 증진시킬 수 있는 기회가 된다.

083 ③

해설 | **지역사회 정신건강 간호**

1차 예방	2차 예방	3차 예방
건강증진, 질병예방	조기발견, 조기치료	재발방지, 재활
• 건강증진: 건강한 사람들의 안녕 유지 • 질병예방: 잠재적 위험에 대한 보호 • 질병에 걸리기 전에 원인요소를 변화시킴으로써 질병발생률을 낮추는 것	현존하는 정신건강 문제를 조기에 확인하고 정신질환 유병기간을 감소	• 정신질환으로 인한 부차적인 정신적 결함이나 사회적응장애를 줄임 • 재발방지, 재활과 지속적인 관리, 사회복귀

오답 ① 1차 예방에 가장 효과적인 방법은 교육이다.

② 3차 예방에는 정신질환자의 재활을 위한 활동이 포함된다.

④, ⑤ 2차 예방은 새로운 환자를 조기에 발견하여 입원시키는 것에 목적이 있다.

—— comment ——

지역사회 정신보건사업은 예방적 접근에 중점(1차, 2차, 3차 예방)을 두고 모든 정신질환자의 정신사회적 재활을 중요시한다. 대상자 발생 시 지역사회 내에서 치료하여 위기 처리, 해결, 예방하고, 퇴원 후에는 사회생활로 복귀하여 일상생활을 하면서 필요시 치료를 병행하게끔 하여 의학적 치료 모형(병원중심)에 대한 하나의 대안으로 설명이 가능하게 되었다.

084 ②

해설 | **지역사회 정신보건**

지역사회 정신보건사업은 예방적 접근에 중점(1차, 2차, 3차 예방)을 두고 모든 정신질환자의 정신사회적 재활을 중요시한다. 대상자 발생 시 지역사회 내에서 치료하여 위기 처리, 해결, 예방하고, 퇴원 후에는 사회생활로 복귀하여 일상생활을 하면서 필요시 치료를 병행하게끔 하여 의학적 치료 모형(병원중심)에 대한 하나의 대안으로 설명이 가능하게 되었다.

오답 ⑤ 사례관리에 대한 설명

085 ②

해설 | **조현병**

조현병이란 뇌의 기질적 장애로 인한 의식 혼탁의 징조 없이 사고(thought), 정동(affect), 지각(perception), 행동(behavior) 등 인격의 여러 측면에서 와해를 초래하는 뇌기능 장애를 말한다.

- 증상: 망상과 환각이 대표적이다.
  - 망상: 피해 망상, 과대 망상부터 신체적 망상에 이르기까지 다양하다.
  - 환각: 환청이 가장 흔하며 2명 이상의 사람이 환자에 대해 이야기하는 식의 내용이다.
  - 언어 및 행동가 와해되며, 움직임과 의사소통이 심하게 둔화된다.
  - 충동 조절에 문제가 있다. ▶ 공격적이며 자살 시도가 많기 때문에 주의해야 한다.

086 ⑤

해설 | **항정신병 약물**

무과립구증은 Clozapine (Clozaril) 약물 투여 시 발생할 수 있는, 드물지만 꽤나 치명적인 부작용이므로, 꾸준히 혈중 농도를 사정해야 한다. 위의 상황에서는 즉시 약물을 중단하고 의사에게 보고한 후 처방된 항생제 투여해야 한다.

POWER 특강

항정신병 약물 부작용

① **추체외로 증상(EPS): 파킨슨증상(진전, 경직, 운동완서), 급성 근긴장이상, 정좌불능증, 지연성 운동이상증**
  ▶ **치료를 위해 benztropine (cogentin) 사용**
② **과도한 진정작용**
③ **항콜린성 부작용: 입마름, 시력장애(잘 안보임, 갈색시야, 녹내장 악화), 배뇨장애, 변비**
④ **기립성 저혈압 ▶ 천천히 일어나도록 함**
⑤ **광선과민증, 피부발진**
⑥ **무과립구증 ▶ Clozapine (Clozaril)의 치명적 부작용**
⑦ **경련발작**
⑧ **신경이완제 악성증후군(NMS): 고열(40 °C 이상), 자율신경계 항진증상(발한, 혈압변동, 빈맥, 과호흡), 심한 EPS (극심한 근육강직, 의식변화), WBC 15,000 이상**

087 ⑤

해설 | **항정신병 약물**

⑤ 항정신성 약물을 계속 복용하여 중독되는 것을 우려하며 약물복용을 꺼려하는 환자에게 그렇지 않음에 대해 교육해야 한다.

오답 ② 꾸준한 약물 이행에도 재발이 가능하다. 불이행 시 60~70%, 꾸준한 투약 시 40%, 약물과 다른 치료 병행 시 15%의 재발률을 보인다.

③ 부작용이 나타나면 임의대로 복용을 중단하는 것이 아니라 의료진에게 보고하고 의사의 지시에 따라 행동해야 한다.

④ 상태가 좋아졌다 하더라도 임의적으로 약을 중단해서는 안 된다.

정신질환에 대해 잘못 인식되고 있는 사회적 통념 교정

① 정신질환은 누구라도 앓을 수 있는 비교적 흔한 병 (O)

② 정신질환은 유전적인 경향은 있으나 반드시 유전되는 것은 아님 (O)

③ 정신질환의 소인은 유전적 경향과 신경생물학적 원인에 의하며 마음의 충격이나 스트레스는 간접적으로 정신병을 유발하는 촉진요인으로 작용할 수 있음 (O)

④ 정신질환은 다른 병에 비해 치료기간이 평균적으로 길지만 충분히 치료될 수 있는 병 (O)

⑤ 대부분의 환자는 병을 앓는 동안에도 자신의 평소 성격을 그대로 지니고 있고, 정신질환 증상이 24시간 지속되는 것은 아니며, 모든 정신기능이 와해되는 것은 아님 (O)

⑥ 정신질환자들은 증상으로 인하여 불안하고 위축되어 있으며, 수동적이고 소심하기 때문에 위험하고 공격적인 행동을 보이는 경우는 매우 드묾 (O)

⑦ 항정신병 약물에 의한 부작용은 일시적이고 인체에 위험하거나 중독되는 것은 아님 (O)

⑧ 약물 복용을 통해 증상이 조절되면 사회적 기능을 수행할 수 있음 (O)

088 ②

해설 | 의심행동 간호중재

의심하는 것이 특성인 환자는 친절하고 조용한 분위기에서 대상자에게 공감을 통해서 접근하고, 어떠한 문제에 대해서 논의, 토론을 하지 않으며 솔직하고 정성으로 대답하여 대상자가 신뢰할 수 있도록 하는 것이 중요하다. 신체적 접촉이나 지나친 친절한 태도 등은 대상자의 의심을 더 강화시킬 위험이 있으므로 유의한다.

089 ③

해설 | 조증환자의 증상

충동적이고, 과도한 돈 낭비를 보이는 것으로 보아 대상자는 조증 증상을 보이고 있는데, 보호자는 전혀 질병의 증상을 알지 못하고 있으므로 양극성 장애의 증상 및 징후에 대한 재교육이 필요하다.

양극성장애의 조증 임상양상

생리적	인지적	정서적	행동적
• 탈수 • 수면부족 • 영양결핍 • 체중감소 • 탈진	• 야심적 • 현실감 부족 • 주의산만 • 고양감 • 사고의 비약 • 과대망상 • 착각 • 판단력 장애 • 연상의 장애 • 주의력 저하	• 다행감 • 의기양양 • 자존감의 고조 • 거리낌 없음 • 유머, 익살 • 비난을 참지 못함 • 심한 기분의 동요 • 의심 • 무절제	• 활동증가, 과다행동, 과대망상적 행동 • 공격적 • 과도한 돈의 낭비 • 성욕 및 성활동 증가 • 충동적, 도발적 • 흥분, 논쟁적, 다변증, 참견, 조종 • 민감성 • 개인위생에 대한 무관심, 기괴한 몸치장 • 무책임

090 ④

MAO 억제제 복용 시, 등푸른 생선, 치즈, 간, 알코올성 음료를 함께 먹으면 혈압상승이 있을 수 있다. 이들에 함유된 티라민 성분은 혈압을 상승시키는 작용을 하는데, 평상시에는 티라민을 함유하는 식품을 먹더라도 MAO 효소의 작용으로 분해되어 인체에 영향을 미치지 않는다. 그러나 MAO 억제제를 복용하면서 티라민이 다량 함유된 음식이나 알코올성 음료를 마시는 경우에는 치명적인 혈압 상승을 일으킬 수 있으므로 특히 고혈압 환자의 경우 특별한 주의가 필요하다.

POWER 특강

항우울제의 부작용

TCA (삼환계 항우울제)	SSRI (선택적 세로토닌 재흡수 억제제)	MAOI (모노아민 산화효소 억제제)
• 항콜린성: 입마름, 변비, 오심 · 구토, 배뇨 곤란 등 • 진정작용 ▶ 불면 시 유리 • 심혈관계 부작용: 기립성 저혈압, 심장전도 장애 ▶ 심장장애 환자에서는 위험 • 성 기능장애, 체중 증가, 진전 • 과량 복용으로 인해 치명적인 결과를 초래	• 항콜린성, 기립성 저혈압, 심혈관계 부작용, 체중 증가 등 부작용 거의 없음 ▶ 간질, 심장전도장애, 노인에서 안전 • 드물지만 TCA보다 빈도 높게 EPS 발생: paroxetine • 위장관계 부작용: 오심 · 구토, 설사, 식욕부진 • 중추신경계 부작용: 불안, 초조, 두통, 진전, 발한, 수면장애 등 ▶ 아침에 투여	• 기립성 저혈압, 불면, 과민, 초조 • Tyramine 섭취(치즈, 맥주) 시 고혈압 위기 • Meperidine과 병용 시 사망 위험

091 ②

우울증 환자는 먹는 것에 대한 흥미가 없거나 무감각해지고 무가치, 허무, 빈곤, 피해망상으로 식사 요구를 하지 않는다. 그리고 영양불균형으로 신체, 생리적인 문제를 우선적으로 해결해야 하므로 간호사는 대상자에게 직접 음식을 떠먹여 줘서 적절한 영양 상태를 유지하도록 한다. 위관영양은 최후의 방법으로 적용한다.

POWER 특강

우울장애의 임상증상

생리적	인지적	정서적	행동적
• 식욕 및 체중변화 • 위장장애: 소화불량, 오심 · 구토 • 피로, 허약, 기면, 두통, 현기증 • 수면장애: 수면 시작 어려움, 수면 유지 장애, 조기 기상 • 성욕감퇴, 발기부전 • 무월경 • 요통, 흉통	• 양가감정 • 혼돈 • 우유부단 • 집중력 장애 • 흥미와 동기상실 • 자기비난, 자기의심 • 자해사고, 자살사고 • 강박사고 • 염세적 사고 • 사고의 지연	• 분노 • 불안 • 무감동 • 비관, 절망, 낙담 • 무력감 • 죄의식 • 자존감 저하, 무가치감 • 고립, 외로움 • 즐거움 상실, 슬픔 • 압도감	• 정신운동 지연 • 역할기능 저하 • 개인위생 불량 • 위축, 초조, 안절부절 못함 • 사회적 고립 및 격리 • 지나친 의존 • 약물 및 알콜 의존 • 흥분, 과민성, 공격성 • 언어의 빈곤: 말수의 감소, 침묵, 단조로운 억양 • 자살 제스처 및 시도

092 ④

해설 | **양극성 및 관련 장애 간호중재**

조증 대상자는 에너지가 넘치기 때문에 이를 적절히 배출할 수 있어야 한다. 과도한 활동으로 피로해지더라도 휴식은 대상자를 안정시키기보다는 흥분시킨다. 따라서 대상자의 과다행동의 통로로 청소나 사소한 활동과 비경쟁적인 신체운동에 참여하도록 격려한다. 조증 대상자는 대단히 산만하여 환경의 사소한 자극에도 반응하므로 간호사는 환경 자극을 최소화하고 집단 치료와 같은 증상의 환자와의 어울림은 삼간다.

=== comment ===

조증환자의 활동이 건설적인 목적으로 이용되도록 도와야 한다. 다른 사람과 어울리도록 장려할 필요는 없으며, 가끔 혼자 있게 하거나 혼자 걷도록 한다. 조증 환자는 주의집중이 잘 안 되고 불안하므로 복잡한 일보다는 간단하고 빨리 할 수 있는 일이 필요하다. 심하게 흥분된 동안은 팀 활동 대신 개인적인 활동을 하게끔 해야 한다.

093 ⑤

해설 | **공황장애**

⑤ 대상자는 불안장애(공황장애)를 겪는 것으로 보인다. 공황발작 시 호흡곤란, 가슴 답답함, 심장 박동 증가, 발한, 기절, 죽을 것 같은 생각 등의 증상이 있다. 발작이 없을 때는 발작이 재발할 것에 대해 과도하게 걱정하고, 공황 발작과 관련되어 있다고 생각하는 장소(사람 많은 곳, 좁은 장소, 터널 등)나 교통수단(지하철, 비행기 등)을 회피하는 것이 주요 증상이다.

오답 ① 불안장애 증상이다.
  ② 증상의 원인을 알 수 있다.
  ③ 특정 대상이나 상황에 대한 불안을 느끼고 있다.
  ④ 비약물적 치료방법이긴 하지만, 무작정 유발요인에 노출시키는 것이 아니고 정신과 의사의 정확한 진단과 감독하에 시행한다.

=== comment ===

DSM-5 불안장애의 한 종류인 공포장애(특정공포증)는 어떤 특정한 대상이나 상황에 대한 두려움을 느끼는 상태로, 내적 불안요소가 외계의 어떤 대상으로 상징화(symbolization), 전치(displacement)되어 나타나게 된다. 특정공포증이란 광장공포증 외에 특정한 대상이나 상황에 대한 공포를 모두 합쳐서 일컫는 것으로, 특정 공포대상에 접근하면 급속도로 공포반응이 발생하게 된다. 고소공포, 물공포, 폐쇄공포, 동물공포, 협소공포, 광선공포, 상해공포, 불결공포, 성공포, 여성공포, 남성공포, 동성공포, 죽음공포 등이 이에 해당된다.

094 ⑤

해설 | **불안장애 증상**

심혈관계	심계항진, 심박수 증가, 혈압 상승, 실신, 혈압 감소, 맥박수 감소
호흡기계	숨 가쁨, 숨이 참, 짧은 숨, 얕은 숨, 가슴을 누르는 느낌, 목에 덩어리가 걸린 느낌, 질식할 것 같음
위장관계	식욕감퇴, 음식에 대한 혐오감, 복부 불편감, 복부 통증, 오심, 구토, 가슴 쓰림, 설사
비뇨기계	요다급성, 빈뇨

신경근육계	반사작용의 증가, 놀람 반응, 굳은 얼굴, 눈꺼풀이 떨림, 불면증, 진전, 경직, 왔다갔다함, 전신허약, 불안정한 걸음/움직임
피부계	안면 홍조, 안면 창백, 국소적 발한(손바닥), 전신 발한, 소양감, 갑작스런 추위 및 더위
눈	산동

POWER 특강

불안의 기타 반응

- **행동적 반응:** 안절부절 못함
- **인지적 반응:** 주의집중 곤란, 기억력 저하, 판단력 결핍, 사고의 단절
- **정서적 반응:** 신경이 날카로움, 변덕스러움, 두려움, 놀람, 긴장, 공포, 죄책감, 부끄러움

095 ⑤

해설 | **강박장애**

강박장애의 방어기전은 취소, 격리, 반동형성이다.

- 취소: 용납될 수 없는 자신의 생각이나 행동에 대한 책임을 면제받고자 어떤 행위(ritual)를 하는 것으로, 자신의 행동에 대한 책임을 면제받고자 하는 방어기전
- 격리: 과거나 현재의 경험에 있어 실제 사실은 의식에 남아 있으면서도 그 사실과 관련된 고통스러운 감정이나 충동은 그 사실과 분리시켜 무의식에 남게 하는 방어기전
- 반동형성: 받아들일 수 없는 감정이나 행동이 반대의 행동이나 감정 혹은 태도로 표현함으로써 의식화를 막고 과보상하는 방어기전
  - ⓔⓧ 인간에 대한 증오가 있는 사람이 박애주의자가 되는 경우

096 ④

해설 | **공황장애(Panic disorder)**

공황장애란 아무런 예고 없이 한 시간 이내의 비교적 짧은 시간 동안(보통 20~30분)의 강렬한 불안이나 공포를 보이는 것으로 심계항진, 온몸의 떨림, 호흡곤란, 흉통, 가슴 답답함, 어지러움, 오심, 발한, 질식감, 손·발의 이상감각, 머리가 멍함, 쓰러질 것 같은 느낌 등의 신체증상을 수반한다. 여성이 남성보다 2~3배 발생률이 높고, 50% 이상이 20~30대에서 발병한다. 대상자 A씨는 불안장애로 일상생활에 어려움을 경험하며, 자신의 감정을 적절하게 조절하지 못하고 있으므로 이에 적절한 간호진단은 비효율적 대응이다.

— **comment** —

정신장애와 관련하여 가장 자주 출제되는 간호진단은 '비효율적 대응(대처)'임을 떠올리자.

097 ⑤

해설 | **질병불안장애(건강염려증)**

건강염려증이란 신체적 징후 또는 감각을 비현실적으로 부정확하게 인식하여 자신이 심각한 병에 걸렸다는 집착과 공포를 가지게 된 상태로, 변화가 가능하다는 점에서 망상과 차이가 있다. 건강염려증 환자에 대해서 간호사는 환자를 수용하되, 신체적 호소들이 확인된 후에는 더 이상의 강화는 피해야 한다.

건강염려증의 특징

- 의학적 검사나 평가에도 불구하고 6개월가량 지속되며, 사회생활이나 직업기능에 장애를 미침
- 실제 신체 기능장애는 없으나 꾀병(malingering)은 아님
- 타인에 대한 공격성, 증오심, 죄책감, 자기비하가 신체적 호소(속죄의 수단)로 전이됨
- *Sick role*: 곤란한 상황을 피하고 사회적 책임 회피
- 방어기제: 억압, 퇴행, 상환(신체적 고통은 속죄의 수단)

— comment —

망상은 타인에 대한 공격심, 증오가 신체호소로 전이된 것으로, 낮은 자존심, 부적절감, 지각 및 인지적 장애에 대한 방어적 결과이며, 고정 불변의 믿음이다.

098 ③

해설 | 조현성 성격장애(schizoid PD)

③ 조현성 성격장애는 대인 관계 형성 및 반응 능력에 심각한 장애가 있고 근본적으로 감정을 분리하는 특성으로 인해 대인관계에 무관심하고 사회적으로 고립된다. 이들은 사회적으로 친밀한 대인관계를 맺지 않는다. 조현성 성격장애 대상자들은 혼자 하는 일을 기능적으로 할 수 있다. 그러나 타인의 칭찬이나 비평에 대해 무관심하다. 회피성 인격장애와 달리 조현성 인격장애는 능동적으로 고립을 선택한다는 특징이 있다.

오답 ① 조현형 성격장애
② 반사회성 성격장애
④ 히스테리성 성격장애
⑤ 편집성 성격장애

조현성(schizoid) vs 조현형(schizotypal)

조현성 성격장애(schizoid PD)	조현형 성격장애(schizotypal PD)
사회적 관계에 대한 관심 결여(능동적), 혼자 지내려는 경향, 내향성, 감정적인 냉담함 등이 특징인 인격장애	사회적으로 고립되어 있고 기이한 생각이나 행동(외모 포함)을 나타내어 사회적 부적응이 초래되는 성격
사고, 언어, 행동의 괴이한 면 없음	사고, 언어, 행동의 괴이한 면 있음(심령, 초과학, UFO, 제6감 등)

---

comment

조현성 성격장애는 조현병이나 망상장애의 전조 질환이 될 수 있다.

---

099 ④

해설 | **반사회성 성격장애**

반사회적 성격장애 환자에 대해 신뢰감 증진을 위해 가능한 자연스럽게 행동하며 감정을 표현하도록 한다.

POWER 특강

반사회성 성격장애의 특성

- 초자아(superego)의 문제
- 비이성적, 비도덕적, 범죄행위, 남을 해치는 행동, 타인을 무시
- 겉으로 보기에는 똑똑해 보이고 매력적이지만 신의가 없고 성실성 결여
- 책임감, 죄책감이 없음(반성하거나 후회하는 일이 없음)
- 반복적인 반사회적인 행동의 동기는 모호함
- 정학, 근신 등이 잦으나 자살은 없음

100 ①

해설 | **신경인지장애 증상**

인지장애	• 기억력 장애(최근 기억장애, 작화증), 지능 · 학습 장애, 지남력 장애 • 판단력 장애: 용인된 사회적 기준과 상반된 행동, 새로운 일을 수행하는 능력 손상 • 실인증
의식장애	의식의 혼탁
정서장애	• 무감동, 외부관심 감소, 은둔 • 기분항진, 과민성
언어장애	실어증
행동장애	실행증

노화로 인해서 초래될 수 있는데, 섬망, 치매, 기억력 및 기타 인지장애를 포함한다. 증상으로는 인지장애, 정서장애, 의식장애, 언어장애, 행동장애 등이 나타난다.

101 ⑤

해설 | **양가감정**

양가감정은 동일한 대상이나 상황에 상반된 감정이나 태도, 욕구, 생각 등을 동시에 가지는 것을 말한다. 사랑과 미움이 묘하게 얽혀 있는 경우가 이에 포함된다.

102 ④

해설 | **알코올 관련 장애 치료 및 간호중재**

치료 시 입원을 통해서 해독치료, 정신치료, AA 참여 등의 다각적인 접근을 한다. 중재, 해독, 재활의 3단계로 이루어진다.

- 중재: 직면을 통해 회피를 해결하고, 치료하지 않을 시 부정적인 결과에 대해 인지한다.
- 해독: 첫 단계는 신체검진을 포함한 내과적 상태의 파악으로, 내과적 질환이 없고 동반한 다른 약물 중독이 없는 경우라면 보통 심각한 금단 증상은 나타나지 않는다.
- 재활: 금주 동기를 증가시키고 금주를 유지하며, 새로운 생활에 적응할 수 있도록 돕고 재발을 방지한다.

> ── **comment** ──
>
> 알코올 중독(alcoholism)은 DSM-5에서 사용되지 않는 용어이며, 알코올 사용장애(alcohol use diorder)가 더 정확한 표현이다.

103 ②

해설 | **자살**

자살 위험 대상자에서 자살단서를 사정해야 하는데, 자살단서란 자살하려는 의도를 타인에게 알리는 행동양상으로, 언어적 · 비언어적 단서로 나타난다. 자살 위험성이 있는 대상자에게는 자살단서, 자살시도 경험, 불안의 원인, 과거 자살시도 선행사건, 자살 계획여부, 자살시도 방법 등을 사정하여야 한다. 이 중에서 자살의 가능성이 이미 우려되는 이러한 대상자에게 가장 우선시되는 중재는 자살단서 혹은 자살계획 여부를 사정하는 것이다.

POWER 특강

	자살단서	
	언어적	**비언어적**
직접적	• "더 이상은 못 살겠어, 자살할거야." • "이 약을 먹고 고통 없이 죽을 거야." • "이 세상은 내가 없으면 더 좋을 거야."	• 약을 먹고 자해를 하거나 목을 맬 줄 만드는 등 • 위험한 생활양식, 타인의 도움 거부 • 소유물을 다른 사람에게 양도
간접적	• "나를 위해 기도해줘." • "네가 돌아오면 난 여기 없을 거야." • "이제 곧 편안해질 거예요."	• 불안해하던 사람이 갑자기 평온해짐 • 묘지를 사는 것

104 ③

해설 | **섬망**

섬망은 광범위한 뇌조직의 가역적인 기능 저하로, 급성으로 인지장애와 의식장애가 동반된다. 특히 밤에 증상이 심하다. 환각과 환청을 수반하며 시간, 장소에 관한 지남력 상실을 특징으로 하는 정신적 혼란, 흥분 상태가 나타난다. 몇 시간~며칠, 하루 사이에도 증상에 기복이 있으며(fluctuation), 증상으로는 끊임없는 생각의 흐름, 지리멸렬, 조리 없는 말, 목적 없는 신체활동, 혼란, 지남력 상실 같은 사고과정의 장애를 동반한다.

	섬망	치매
	섬망과 치매	
	섬망	**치매**
발병	급성	만성
의식	의식의 혼탁	의식은 정상
각성	격정, 혼미	각성수준은 정상
경과	가역적	진행성, 황폐화
fluctuation	+++	+
수면장애	++	+
지리멸렬한 언어	++	+

105 ⑤

해설 | **경도 및 주요 신경인지장애(치매) 간호중재(의사소통)**

기억력 장애로 인해 자주 잊어버리는 일에 대해서는 자세히 차근차근 되풀이해서 일러주어야 하며 일관성 있는 태도로 환자를 대한다. 환자가 안심할 수 있는 태도로 공감적인 접근과 수용이 필요하다.

치매 대상자와의 의사소통

- 소음 없는 상태에서 분명하고 낮은 목소리로 대화, 일관성 있는 태도로 환자를 대함
- 짧고 간단한 문장 사용하여 천천히 명확하게 이야기 하고, 이해하지 못할 때는 같은 단어를 사용하여 반복
- 폐쇄적 질문
- 논쟁을 하거나 직면하지 않음
- 꾸며낸 이야기(작화증)에 대한 반응은 환자 표현의 느낌에 반응

001 ④

해설 | **초기 기독교 간호**

오답 ① 그리스도의 정신인 박애주의, 실천봉사, 계급타파의 기독교 신앙에 영향을 받아 간호역사가 전환점을 맞이하였다.

②, ③ 로마상류층 여성으로 이루어진 여집사들을 중심으로 간호사업과 사회사업을 발달시켰고 이는 방문간호사의 효시가 되었다.

⑤ 어떤 보상도 바라지 않고 타인에게 헌신하는 순수한 이타주의에서 우러난 봉사를 실천하였다.

002 ⑤

해설 | **나이팅게일의 업적**

- 나이팅게일은 통계학의 어머니로 불릴 만큼 크리미아 전쟁에서 사망률을 2.2% 낮추는 업적을 세웠으며, 사명의식을 갖는 것이 간호사라고 보고 면허제도를 반대하였다.
- 국제간호협회창설, 직업적 간호사는 펜위크 여사의 업적이다.

003 ⑤

해설 | **국제적십자사**

- 앙리 뒤낭이 나이팅게일의 도움으로 1863년 국제 적십자 운동 시작
- 전시나 사변 시 상병자, 어린이, 허약자, 임산부에 대한 보호와 관련활동 및 병원, 의료요원, 수송 포로 등에 대한 중립적인 대우와 의료, 간호 및 구호 활동을 목적으로 설립
- 평상시에는 재해방지, 안전, 구호, 예방을 하는 국제적 협력 조직체

004 ③

해설 | **일제강점기의 간호**

③ 진료보조와 환자 식이지도 등 직접 간호업무가 강조되었다.

오답 ① 일제강점기의 간호교육은 1년 6개월부터 3년까지 다양했다.

② 1930년대 이후 전시상황에 따라 강의를 대폭 줄이고 실습을 증가시켰다.

④ 간호에 대한 감독과 책임은 일본인 간호사에게 있었다.

⑤ 환자 간호보다 의사 보조역할에 치중하였다.

005 ④

해설 | **병원윤리위원회**

- 배경
  - ㉠ 1960년대 미국에서 만성신부전 환자의 장기혈액투석에 대한 문제를 해결하기 위해 만든 단체
  - ㉡ 우리나라는 1980년에 장기이식이 본격화되면서 시작함
  - ㉢ 다양한 임상윤리문제 발생에 따른 해결방안으로 체계화됨
- 주요 기능
  - ㉠ 병원직원과 학생의 교육
  - ㉡ 의뢰된 사례 분석과 해결방안 강구
  - ㉢ 병원정책의 윤리적 측면 검토
  - ㉣ 윤리적 사례 집담회
  - ㉤ 의료인, 병원직원, 환자, 환자의 가족들이 충고와 지지를 받을 수 있는 자원 제공

006 ④

해설 | **의무론**

④ 결과보다 취해진 행동의 형태나 본질을 중시하며, 행위의 일반원칙을 제시하여 그것을 절대기준으로 삼으므로 상황에 좌우되지 않는다. 그러나 도덕규칙 간의 상충이 있을 때 문제해결이 어렵고, 결과에 무관하게 옳은 행위를 해야 한다는 단점이 존재한다.

오답 ①, ②, ③, ⑤는 공리주의에 대한 설명이다.

007 ③

해설 | **돌봄의 과정**

전인격적인 만남의 단계(최초의 만남) → 동일성의 형성 단계 → 공감 → 동정 → 신뢰

008 ②

해설 | **윤리적 사고**

- 윤리적 사고 단계는 윤리적 판단과 행동 – 윤리원칙 – 윤리규칙 – 윤리이론
- 윤리적 사고의 마지막 수준인 윤리이론(체계)은 가장 이론적이며 보편적인 수준의 윤리적 판단, 사고로서 규칙과 원칙의 모체가 되며 개인이나 집단의 도덕규범이나 규범이론을 가리키기도 한다. 따라서 이러한 사고의 체계는 더욱 구체적이며 특정한 것에서 추상적이며 보편적인 것으로 움직이는 것이다.

009 ③

해설 | **국제간호사 윤리강령**

국제간호사 윤리강령 서문에 간호사는 건강증진, 질병예방, 건강회복 및 고통경감을 위한 4가지 기본책임을 가지고 있음이 명시되어 있다.

010 ①

해설 | **안락사**

소극적 안락사는 시술방법에 따른 안락사이다.

011 ⑤

해설 | **최근 간호윤리가 중요시되는 이유**

- 간호사의 역할과 위치의 변화
- 새로운 의료 지식과 기술의 발달로 새로운 가치관이 출현하고 윤리적 갈등 초래
- 현대 사회가 간호사에게 전문적이고 책임있는 행동을 요구함
- 환자와 가족에 관한 권리 주장에 대한 의료인들의 책임 확대
- 간호사에게 환자의 '옹호자' 역할이 요구됨

012 ②

해설 | **자율성 존중의 원칙**

대상자가 타인의 간섭이나 강요를 받지 않고 스스로 선택한 방법에 따라 행동과정을 결정하는 것으로 이것은 존중받아야 한다. 치료과정 중에는 약물 혹은 처치의 부작용이나 위험성이 있는 경우가 많은데, 이것에 있어서 대상자의 자율성을 존중하기 위하여 충분히 설명하고 이해하도록 한 뒤 선택하도록 하는 '사전 동의'를 활용하도록 한다.

013 ⑤

해설 | **자율성 존중의 원칙**

장기기증의 결정에는 당사자의 의사가 가장 중요하다. 그러나 뇌사자나 무의식 환자의 경우 자기결정의 권리를 보장하여 주기 어려우므로 환자를 가장 잘 대변할 수 있는 사람의 의견을 존중한다.

014 ④

해설 | **선행의 원칙**

타인을 돕기 위해 적극적이고 긍정적인 단계 요구로, 도덕적 의무의 요구를 넘어서는 것이다. 선의의 간섭주의에 의해 환자의 자율성존중의 원칙과 의료인의 선행의 원칙이 갈등을 일으킬 때, 환자의 자율성이나 자유가 희생될 수 있다. 응급상황에서 환자가 응급처치를 거부했음에도 불구하고, 의료진이 응급처치에 대해 설명한 후 시행하는 경우가 이에 해당된다.

015 ③

해설 | **주의 의무(결과 예견 의무)**

- 특정 영역의 통상인이라면 행위 시 결과발생을 예견할 수 있는 것을 말한다.
- 환자를 문진할 때는 과거력, 가족력, 환자의 교육 정도 등을 고려하여 질문한다.
- 과민반응의 소인을 알기 위한 것이므로 환자의 과거력을 제일 우선하여 사정하여야 한다.

016 ②

해설 | **간호과실**

간호사고 중에서 과오가 객관적으로 입증되었거나 인정된 것으로, 책임에 응하는 간호행위를 이행하지 않은 결과로 인하여 상대방이 상해를 받게 되는 경우이다. 간호 과실은 간호 사고에 기인되나 모든 간호사고가 과실은 아니다.

017 ③

해설 | **면허제도**

- 의료인으로서 최소한의 능력을 국가, 사회가 합법적으로 인정하는 것
- 전문적인 실무능력을 사정하고 측정할 수 있는 근거
- 대중을 무능력한 간호사들로부터 보호
- 전문 인력 파악을 위한 통계적 정보

018 ②

해설 | **베너의 전문직 사회화 모델**

- 간호직의 전문성 개발에 있어서 '경험'을 강조 ▶ 'novice to expert'
- 전문기술이 부족한 초심자로부터 고도의 기술을 사용하는 전문가로 발전함을 설명
  - 1단계(초보자): 제한적 업무, 융통성 부재
  - 2단계(신참자): 좁은 범위의 업무 수행
  - 3단계(적임자): 조직능력, 기획능력 발휘
  - 4단계(숙련자): 전체적인 상황 이해 및 장기적인 목표에 집중
  - 5단계(전문가): 매우 능숙하고 융통성 있는 업무수행, 직관적인 상황 파악 및 업무수행

019 ①

해설 | **관료제의 특징**

관료제는 조직 목표수행을 위해 권위의 구조를 강조하는 이론으로, 계층에 따른 분업화를 강조하고 각 계층에 대한 책임과 권한을 구체적으로 규정하며, 의사결정을 문서화, 공식화한다는 특성을 가진다.

020 ③

해설 | **인간관계 이론**

조직 구성원들의 심리적 측면에 초점을 두고 구성원들을 기계적이고 경제적 존재로 볼 것이 아니라 인간의 정서와 감정요인 조절에 중요도를 두는 관리 이론은 인간관계 이론이다. 이는 비공식 집단을 중심으로 사기가 형성되고, 사회심리적 욕구충족이 능률 향상에 기여한다고 본다.

021 ④

해설 | **전략적 기획의 특징**

- 조직이 지향하는 미래의 분명한 목표와 방향을 제시한다.
- 최고관리자에 의해 수행된다.

- 장기 계획적이다.
- 급변하는 환경에 대해 미래의 문제와 기회를 예측할 수 있는 방법이다.
- 조직의 내외적 환경에 대한 기회와 이익을 조직의 자원과 기능에 맞추는데 초점을 둔다.

> **오답** ③ 설정된 목표를 달성하기 위해 어떤 종류의 자원을 어디에 배정해야 할 것인지 그 수단과 방법에 관심을 두는 것은 중간관리자에 의한 전술적 기획에 해당된다.

022 ⑤

해설 | **목표관리(management by objective, MBO)**

- 조직의 상급관리자가 하급관리자와 함께 공동목표를 설정하고 책임을 위임하며 기대되는 결과를 예측한다.
- 구체적이고 측정 가능한 표준이 확립되어야 한다.

023 ④

해설 | **명목집단 기법**

- 언어적 의사소통(대화, 토론)없이 개인 의견을 제출하고 구성원 간에 토의를 거쳐 **투표로 의사결정**
- 장점: 타인의 영향을 받지 않고 자유롭게 사고하고 토론하여 의사 결정
- 단점: 한 번에 한 가지 의사결정 밖에 할 수 없음

> **오답** ② 델파이 기법: 한 문제에 대해 몇 명의 전문가들의 독립적인 의견을 우편으로 수집하고 의견을 반영하여 설문지를 수정한 후 다시 의견을 제시하는 절차 반복하는 방법으로, 최종적인 합의가 이루어질 때까지 논평은 계속된다.

024 ③

해설 | **포괄수가제(diagnosis related groups, DRG)**

환자의 질병에 따라 미리 책정된 일정액의 진료비를 지급하는 방식으로, 의료비를 절감시키고 재원일수를 단축시킨다는 장점이 있으나, 의료의 질이 저하되고 고유의 진료행위에 대한 자율성이 침해될 가능성이 있다.

025 ③

해설 | **통솔 범위 결정 시 영향을 주는 요인**

- 통솔자의 능력 ▶ 통솔자가 유능할수록 통솔범위↑
- 피통솔자의 자질 및 의식구조 ▶ 부하직원이 유능할수록 통솔범위↑
- 감독할 업무의 성질 ▶ 전문직일수록 통솔범위↓
- 객관적 표준의 이용 가능성 ▶ 평가기준 명확할수록 통솔범위↑
- 막료의 지원능력 ▶ 막료조직 있는 경우 통솔범위↑
- 행정 조직의 제도화 정도 및 규모 ▶ 행정 조직의 제도화 정도 클수록 통솔범위↑
- 작업 장소의 지리적 분산정도 ▶ 지역적으로 분산되어 있을수록 통솔범위↓

026 ②

해설 | **조직문화**

조직문화는 조직 구성원들이 공유하는 기본 가치 체계로서, 조직 고유의 가치와 신념, 규범, 관리 관행, 행동 양식, 지식과 기술, 이미지

등을 포함하는 거시적이고 복합적인 개념이다. 조직문화는 조직의 구성원들에게 정체성을 공유하고 조직에서 내리는 의사 결정의 근거가 된다.

027 ②

해설 | 문제인식 단계

사정자료를 분석할 때에는 범주화, 요약, 비교, 추론의 과정을 분석해야 한다.

028 ②

해설 | 목표관리이론(MBO)

조직의 목표를 구성원에게 체계적으로 부과하고 스스로 수행하게 하여 결과제시와 평가 및 feedback을 모두 구성원이 하도록 하여 조직의 효율성을 향상시키는 기법이다. 이것의 중요 핵심은 목표설정에 모든 구성원을 참여시키는 것이다.

029 ①

해설 | 사례관리

- 최적의 기간 내에 기대하는 결과에 도달할 수 있도록 환자에게 제공하는 간호의 질을 높이면서도 경제적 효율성을 높일 수 있는 방법
- Managed care를 적용하기 위한 하나의 방법
- Critical pathway를 이용하여 질병의 전 과정을 관리

―― **comment** ――

Critical pathway란, 특정 진단명의 진료순서와 치료지침 등을 미리 정해 둔 표준화된 주 진료과정으로, 의료팀이 어떤 의료행위를 어떤시기에 제공할 것인가를 도식화한 것이다. 즉 다학제 간 팀이 특정 환자집단을 위해 개발한 실무 지침서이다.

030 ⑤

해설 | 변혁적 리더십과 거래적 리더십

	변혁적 리더십	거래적 리더십
의미	조직의 발전을 위해 구성원의 질적인 변화를 추구	지도자와 구성원 간의 거래관계
권력의 원천	구성원	직위
의사 결정	분산적	집단적
통제기전	자율적	의지
시간 지향성	미래지향적	현실지향적
기간	장기적	단기적

031 ⑤

해설 | 자기주장행동

상대방의 권리나 감정을 존중하면서 자신의 권리, 욕구, 의견, 느낌을 상대방에게 나타내는 학습된 행동과정

032 ③

해설 | **결과적 요소 평가**

간호를 받은 결과로서 나타나는 환자의 변화 결과 평가

033 ③

해설 | **안전사고**

간호사는 안전사고가 발생하지 않도록 병동 내에서 발생 가능한 안전사고에 대해 인식하고 이에 대한 예방계획을 수립, 실시해야 한다.

034 ⑤

해설 | **최고 관리자의 역할**

- 간호부서의 대변자로서 병원 내 중요한 의사결정에 참여
- 간호부서의 책임자로서 중요 회의를 주재
- 간호부서의 대표자로서 최종적인 행정적 권한과 책임을 갖고 전 직원을 통솔함
- 간호부서의 연간계획 및 예산을 수립, 수행, 평가함
- 간호부서의 인사관리를 지휘함: 간호인력 모집, 선발, 배치, 승진, 이동 및 상벌
- 간호의 표준화 방안 및 절차에 대해 고안하고 제시함
- 간호의 질 향상에 기여: 질적 규제 및 합리적 근거를 바탕으로 총괄적 방안 제시
- 비상시 환자와 간호직원의 안전대책을 지휘

035 ④

해설 | **투약오류 예방지침**

응급상황 시에 의사로부터 구두처방을 받았을 때에는, 먼저 환자에게 투약하고 추후에 반드시 다시 서면으로 처방받도록 한다.

기본간호학

036 ③

해설 | **질병행위의 단계**

단계		내용
1단계	증상경험	• 질병의 초기단계. 보통 건강상태와는 다른 증상을 인지 • 자가 약물치료로 증상 완화 시도, 증상 지속 시 다음 단계로 발전
2단계	환자역할 취하기	• 충분히 심각한 증상들로 건강하지 않은 상태라는 것을 수용, 가족이나 친구에게 확인을 요구 • 정상적인 활동을 포기하고 자가 치료를 지속
3단계	건강관리 접촉	• 대상자가 건강관리 기관에 방문하여 상담을 진행 • 진단과 처방이 내려지면 질병으로 인정되고 환자가 되며, 다음 단계로 이동
4단계	의존적인 환자역할	• 대상자가 진단을 받아들이고 전문가의 치료계획을 수용 • 일상생활에 있어 주변의 도움을 요청, 심각한 상태일 시 입원
5단계	회복 및 재활	• 질병에서 회복 및 재활하는 단계로 환자의 역할을 종료하고 이전의 역할과 기능을 다시 수용 • 영구 장애 등 신체 기능의 변화가 생길 경우, 변화에 적응하기 위한 교육이 필요

037 ①

나이팅게일(Nightingale)	가능한 최적의 환경(위생)을 보전함으로써 환자의 자연치유 과정을 돕고, 생명과정 내 장애요소를 극복하여 개인의 가장 좋은 상태를 유지하도록 도움
헨더슨(Henderson)	개인의 건강과 회복에 필요로 하는 의지, 지식, 힘을 제공하여 스스로 할 수 있도록 도움
로저스(Rogers)	건강의 유지, 증진, 질병예방, 간호진단, 간호중재를 통해 최상의 건강을 가능하게 성취하도록 도움
페플라우(Peplau)	건강을 도모하는데 관련된 사람들과 의미 있는 치료적인 대인관계 과정을 통해 긴장을 완화 혹은 감소하도록 도움 ▶ 대인관계 모델
올란도(Orlando)	간호사와 환자와의 상호관계를 통해 환자의 신체적, 정신적 요구를 충족시키기 위한 모든 도움 ▶ 간호과정 이론
오렘(Orem)	자가간호요구를 충족시킬 수 없는 사람을 직접적으로 도와줌으로써 대상자가 자가간호 행위자가 되도록 도움 ▶ 자가간호 이론
로이(Roy)	대상자가 적응능력이 증진되도록 지지해주고 도움 ▶ 적응 이론
뉴만(Neuman)	간호란 한 개인이 스트레스에 반응하는데 영향을 미치는 모든 변수들과 연관이 있으며, 대내적, 대내간, 대외적 스트레스를 규명하고 스트레스원에 대응하도록 도움

038 ⑤

해설 | **가족력 조사 이유**

혈연 간의 유전 및 전염병 정보 확인 이외에도 환경이나 생활습관적인 요인에 의해 발생한 가족력 질환이 있는지 확인하기 위함이다.

039 ④

해설 | **목표 설정**

④ 간호목표는 대상자 중심으로 관찰 가능하고 측정 가능하도록 구체적으로 서술하며 기간의 제한을 설정한다.

- 목표 분류

단기 목표	• 수일에서 일주일 사이에 결과가 나타남 • 의도된 결과로서 특정 행위를 관찰 가능하고 측정 가능하게 구체적으로 서술하는 것 • 단기간 치료가 필요한 환자 또는 달성하기 힘든 장기 목표보다 성취감을 느낄 필요가 있는 환자에게 적용
장기 목표	• 몇 주 혹은 몇 달 후에 결과가 나타남 • 대상자의 결과를 반영하는 광범위하고 추상적인 상태 또는 조건을 기술하는 것 • 주로 예방, 재활, 퇴원, 건강 교육에 초점

- 목표 기술의 지침

  - 대상자 중심: 대상자의 능력, 주어진 시간, 한계 등에 맞게 현실적으로 설정

  - 관찰 및 측정 가능하며 목표 기간 등이 구체적이어야 함

  - 상호적: 간호사와 대상자 간의 동의가 이루어진 목표

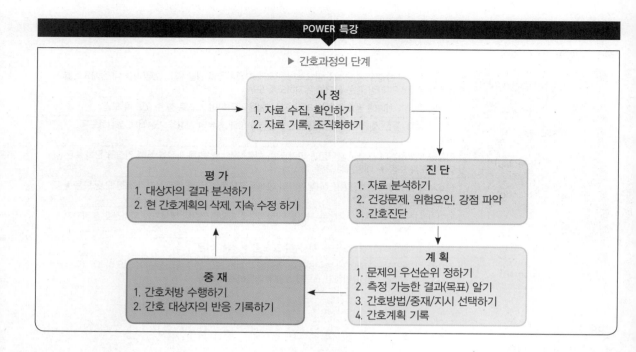

▶ 간호과정의 단계

사 정
1. 자료 수집, 확인하기
2. 자료 기록, 조직화하기

진 단
1. 자료 분석하기
2. 건강문제, 위험요인, 강점 파악
3. 간호진단

계 획
1. 문제의 우선순위 정하기
2. 측정 가능한 결과(목표) 알기
3. 간호방법/중재/지시 선택하기
4. 간호계획 기록

중 재
1. 간호처방 수행하기
2. 간호 대상자의 반응 기록하기

평 가
1. 대상자의 결과 분석하기
2. 현 간호계획의 삭제, 지속 수정 하기

040 ⑤

해설 | **SOAP 형식**

S(subjective data)	• 주관적 자료 • 대상자의 말을 그대로 기록 ex 불안감, 통증 등과 같은 증상
O(objective data)	• 객관적 자료 • 대상자의 행위를 간호사가 관찰 또는 측정한 내용 • 신체 검진, 의무기록 등의 주관적 자료의 검증 ex 소변량, 부종, 대상자의 음식섭취 거부 등
A(assessment)	• 주관적 자료와 객관적 자료에서 도출된 사정
P(planning)	• 사정에서 제시된 진단을 해결하기 위한 간호 계획, 목표

041 ④

해설 | **삼차신경(제5뇌신경)**

• 기능

  – 씹기 근육의 운동: 측두근, 저작근

  – 안면 감각: 안신경, 상악신경, 하악신경

• 사정 방법

  – 운동신경: 이를 꽉 다물게 하고 측두근과 저작근 촉진

  – 감각신경: 눈을 감게 하고 안전핀이나 적합한 날카로운 물건을 사용하여 이마, 뺨, 턱의 통각 검사를 실시

  – 각막반사: 위를 보도록 하고 옆쪽에서 각막에 면봉을 대어 눈이 깜빡이고 눈물이 흐르는지 검사

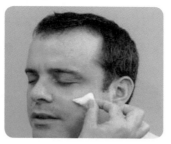

▶ 삼차신경 감각 검사

▶ 삼차신경 운동 검사

042 ④

해설 | **귀약 국소투여**

④ 차가운 용액으로 귀 세척을 시행할 경우, 내이 기관의 자극으로 인해 현기증(현훈), 구역과 같은 증상이 환자에게 나타날 수 있다.

- 목적
  - 내이의 염증 치료 및 감염 방지
  - 외이도의 귀지를 부드럽게 하여 제거를 쉽게 하기 위함
  - 외이도의 통증 감소
- 방법

  아픈 귀가 위로 오도록 측위를 취함 → 이관을 곧게 하기 위해 이개를 3세 이상은 후상방(╱), 3세 이하는 후하방(╲)으로 당김 → 체온과 비슷한 온도의 약물을 사용하여 현훈과 오심을 예방 → 약물 투여 후 귀 주위를 몇 번 눌러 줌 → 여분의 약물이 흡수되도록 솜으로 귀를 느슨하게 막음 → 반대편 귀에도 약물 투여 시, 적어도 15분 기다린 후 점적

▶ 귀약 점적 방법

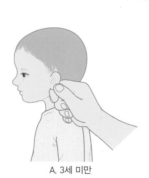

A. 3세 미만

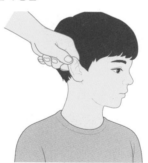

B. 3세 이상

043 ②

해설 | **혈압 측정**

- 커프
  - 너비: 팔이나 대퇴 둘레의 40% 정도
  - 길이: 상박이나 대퇴 둘레의 80~100% 정도
- 청진기: 종형으로 저음 청진
  - ❓ 호흡음은 판막형 청진기를 사용

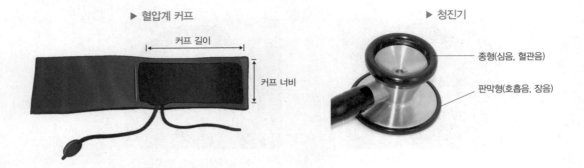

▶ 혈압계 커프

커프 길이

커프 너비

▶ 청진기

종형(심음, 혈관음)

판막형(호흡음, 장음)

- 혈압 측정 방법
  - 반복 측정하고자 할 때는 30초 여유를 두어야 함(정맥 울혈 완화)
  - 좌우 혈압 차가 5~10 mmHg 이하여야 함
  - 상완혈압 측정 시 대상자의 팔이 심장과 같은 높이에 있게 해야 함
- 혈압 측정 시 생기는 오류

혈압이 높게 측정되는 경우	혈압이 낮게 측정되는 경우
커프가 너무 좁거나, 짧은 경우	커프가 너무 넓은 경우
밸브를 너무 천천히 풀 때 (이완기압이 높게 측정)	밸브를 너무 빨리 풀 때 (수축기압은 낮게, 이완기압은 높게 측정)
커프를 감은 팔의 위치가 심장보다 낮을 경우	커프를 감은 팔을 심장보다 높을 경우
수은기둥이 눈높이보다 높게 있을 경우 ▶ 수은기둥을 올려다볼 때	수은기둥이 눈높이보다 아래에 있을 경우 ▶ 수은기둥을 내려다볼 때
공기를 너무 느리게 주입한 경우 (이완기압이 높게 측정됨)	충분한 공기를 주입하지 않은 경우 (수축기압이 낮게 측정됨)
운동 직후 또는 활동 직후의 혈압 측정	

044 ⑤

해설 | **심스체위(Sim's position)**

- 정의: 측두와 흉부로 상체를 지지하고 아래의 팔을 등 뒤로 보내 상체의 압박을 피하고 위의 팔은 어깨와 팔꿈치를 굽힌다. 고관절, 슬관절을 가볍게 굴곡시키고, 위쪽의 하지는 굴곡을 세게 해 체중의 무게 중심이 어깨와 장골 앞면에 오도록 한다. 복와위와 측와위의 중간 체위이다.
- 목적
  - 직장 항문 및 질 검사 시, 좌약 삽입 등 관장 시
  - 무의식환자의 혀에 의한 기도폐쇄 예방 및 구강분비물 배액촉진

▶ 심스체위(Sim's position)

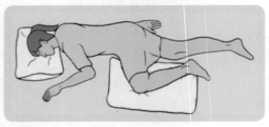

045 ①

해설 | **흡인(suction)**

- 정의: 흡인작용에 의해 상기도내의 분비물, 소화관내 및 체강내의 혈액, 삼출액, 가스 등을 체외로 배출시키는 방법
- 목적
    - 기도를 폐쇄하는 분비물 제거 및 감염 방지
    - 호흡기능을 증진하여 환기 도모
    - 진단 목적의 분비물 채취
- 원칙
    - 무균술 적용하여 미생물의 침입을 차단
    - 카테터 삽입 길이: 약 13 cm (코에서 귓불까지)이며 기도관 크기보다 1/2 이상 크면 안 됨
    - 적절한 압력을 적용하여 흡인: 아동 60~80 mmHg, 성인 80~140 mmHg
    - 흡인시간 제한: 흡인하는 동안 산소공급 저하시켜 저산소증 위험
        ⓐ 1회(삽입~제거까지): 10~15초 이내
        ⓑ 총 흡인시간이 5분을 초과하지 않도록 함(흡인 간격 2~3분)
        ⓒ 흡인 전후로 100% 산소공급
    - 카테터를 삽입하는 동안에는 흡인하지 않음 ▶ 기관지점막 손상 예방
    - 필요 이상의 잦은 흡인은 오히려 기침반사를 억제함

046 ①

해설 | **비위관 영양 시 튜브위치 확인**

- 삽입된 튜브를 통해 위액을 10~20 cc 흡인하여 pH 3~4 이하의 강산, 맑은 황갈색 또는 녹색을 띠는지 확인한다.
- 삽입된 튜브로 공기 5~10 cc 주입하면서 청진기로 상복부 청진 시 "쉬익", "꾸룩꾸룩"하는 소리가 들린다.

047 ⑤

해설 | **Kayexalate (양이온 교환수지)**

- 고칼륨혈증 시 사용
- 경구투여, 직장투여
- 장관 내 K^+을 수지 내 다른 양이온과 교환시켜 대변으로 배출
- 변비를 초래할 수 있으므로 sorbitol을 함께 투여

고칼륨혈증

- 정의: 혈장 내 K^+ 농도가 5.0 mEg/L 이상인 상태. 급성 신부전 환자에서 발생위험 높음
- 원인
  - K^+ 배출 저하: 신기능부전으로 인한 소변배설량 감소, 부신기능 부전
  - K^+ 섭취 과다: K^+ 용액의 과도한 정맥주입 또는 함유음식 과다섭취
  - 세포내액에서 세포외액으로 K^+ 유리: 조직손상, 화상, 감염
- 증상
  - 위장관계: 오심, 설사, 장경련, 장음항진, 산통
  - 심혈관계: 심부정맥, 심장마비 ▶ 사망
  - 신경계: 골격근 약화, 허약감, 감각이상, 이완성 마비, 불안, 예민
  - 신장: 무뇨
- 진단
  - ECG 확인 (가장 우선적)

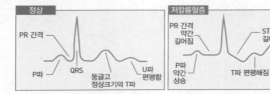
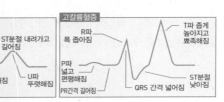

- 간호
  - 경미할 경우: 칼륨배출 이뇨제, 생리식염수 투여
  - 인슐린, 포도당, 중조 투여
  - Kayexalate: 양이온 교환수지
  - calcium gluconate: 심근에 미치는 칼륨과다 길항효과 감소시킴

048 ②

해설 | **마사지**

② 신체의 연부 조직은 촉각에 반응한다. 피부를 마사지하면 자극 관문이 이것에 더욱 반응하게 되어 연부 조직에서 느껴지던 통증을 감소시킬 수 있다.

- 효과
  - 근육 이완, 혈류 증진, 자극 관문 반응 ▶ 통증 감소, 진정 작용
  - 위축된 근긴장도 감소 ▶ 전신적 편안함과 피로회복
  - 국소적 혈액공급 증진, 림프, 정맥귀환 촉진 ▶ 신체 노폐물 배설 원활
  - 관절 주위 부종 감소, 심박동수 감소, 혈압 감소
- 금기: 악성 종양, 혈전성 정맥염, 전염성 질환, 화농성 피부염, 급성 염증 반응, 골수염, 출혈성 외상

049 ④

해설 | **장루 간호**

목적	• 장루 주위 피부 청결 유지 • 합병증을 예방 ▶ 피부 통합성 증진 • 대상자 스스로 자가간호할 수 있도록 함

간호	• 장루 관리, 장루주머니 교환
	  – 누공 주위 피부의 발적, 궤양, 자극 유무 관찰
	  – 주머니는 1/3이나 1/2 정도 찼을 때 비우도록 함
	  – 따뜻한 수돗물과 비누를 사용하여 장루 주머니 세척
	  – 누공 주위의 피부를 중성 비누를 이용해 닦고 건조
	  – 피부 보호판 부착 전 장루 주위의 털 면도 ▶ 모낭염 예방
	  – 피부 보호제를 바르고 새 주머니 부착
	  – 한 번 붙은 피부보호막은 3~5일이 지나면 녹아서 새어나와 피부에 자극을 주므로 교환

장루 대상자가 피해야 할 음식	• 냄새 유발 음식, 가스 유발 음식 • 굳은 변 유발 음식, 묽은 변 유발 음식 • 섬유질이 풍부하여 폐색을 유발할 수 있는 음식

050 ③

해설 | **당뇨환자의 발 관리**

• 하지 순환을 방해하는 행위를 피함 ⓔⓧ 꼭 끼지 않는 양말과 신발을 신고 다님

• 발톱이 날카롭거나 들쑥날쑥하면 인접 피부 손상을 초래 ▶ 일자로 깎으며 짧게 깎지 않음

• 발톱은 손톱깎이나 가위 대신 줄을 이용하여 다듬음

• 처방 없이 티눈이나 애벌뼈(가골)를 자르지 않음

• 매일 따뜻한 물로 깨끗이 씻고 발가락 사이까지 완전히 건조시킴, 매일 관찰함

• 발 손상 예방을 위해 맨발로 다니지 않고 넉넉하게 잘 맞는 신발과 깨끗한 양말을 신음

• 보습제를 바를 경우 발가락 사이는 바르지 않음

• 무좀은 소독하고 필요시 항진균제를 바르도록 함

• 하지 부종이 있는 경우 몇 분 동안 둔부정도 높이로 다리를 거상함

051 ③

해설 | **고열 환자 간호**

• 수분섭취 증가

• 발열과정 동안 탈수로 인하여 대상자의 입술, 혀, 구강점막이 갈라지기 쉬우므로 윤활제를 적용하는 등 구강간호 필요

• 수분과 함께 탄수화물, 단백질 섭취를 통해 균형 잡힌 식이 섭취

• 휴식: 에너지 요구량을 최소화하기 위하여 활동을 최소로 유지

• 신체의 노출: 오한이 없으면 서늘한 환경을 유지하고, 옷은 가볍고 헐렁한 것으로 착용

• 신체의 안위 증진: 땀으로 젖은 피부를 깨끗하고 건조하게 닦아주며 의복과 침구는 깨끗하고 건조하게 유지

• 약물: 처방에 따라 해열제 복용

• 냉요법 적용: 얼음주머니, 냉찜질, 냉습포, 미온수 스펀지 목욕, RICE

  ⓒⓕ 냉요법의 경우, 개방형 상처, 말초순환장애, 감각장애, 냉에 민감한 사람들에게는 사용하지 않는다.

052 ③

해설 | **신체역학(body mechanics)**

- 정의: 신체의 효과적인 기능과 적절한 균형과 자세를 통해 신체선열을 유지하기 위한 근골격계와 신경계의 조정된 노력
- 필요성
  - 과도한 에너지를 사용하지 않고 효과적인 신체적 활동 가능하게 함
  - 근골격계 긴장 감소, 적절한 근긴장도 유지
- 신체역학의 원리

신체역학의 원리	활용 방법
땅에 무게중심이 가까울수록 신체균형 높아짐	앉는 것은 서 있는 것보다 무게중심이 낮으므로 편함
힘의 지지면(기저면)이 넓을수록 신체균형 높아짐	다리를 벌리고 서 있는 것이 붙이는 것보다 편함
힘의 기저면과 중력선이 일치할수록 안정성을 유지함	대상물에 가능한 가깝게 서는 것이 편함
중력에 대항하여 물체를 들어 올리는 것보다 굴리거나 돌리는 것이 힘이 적게 듦	물체를 들어 올리는 것보다 당기거나 밀치거나 회전시킬 것
볼기근육, 다리근육 등 강한 근육군을 사용하여 물체를 들어 올리는 것이 근육의 피로와 손상을 막음	물체를 들어 올릴 때 둔부와 다리의 근육을 사용하기 위해 무릎을 구부리며 허리를 곧게 펴는 것이 편함

053 ③

해설 | **척수손상 후의 근육기능**

③ T_6, T_7 부위의 척수손상 시 어깨, 가슴, 상부, 팔, 손은 정상이나 하지가 마비되게 된다. 따라서 발을 이용하여 걷거나, 발가락을 움직이거나, 다리를 구부리며, 소변, 대변을 가리는 일 등을 할 수 없게 된다.

- 정의: 척수에 가해진 외상으로 인해 손상부위 이하의 신경학적 증상과 함께 신체 전반의 생리학적 이상이 초래됨
- 척수손상 후의 근육기능

손상부위	운동기능 상태	특징
C_{1-4}	사지마비 ▶ 경부 이하 운동기능 상실	호흡기능 장애 ▶ 기관절개 및 인공호흡 필요
C_5	사지마비, 어깨 이하 기능 상실	방광, 장 조절 불가능
C_6	사지마비, 어깨와 상완 이하 상실	방광, 장 조절 불가능
C_{6-8}	사지마비, 전완과 손 운동조절 상실	방광, 장 조절 불가능
T_{1-6}	하지마비, 가슴중앙 이하 기능 상실	• 어깨, 가슴, 상부, 팔, 손 정상 • 방광, 장 조절 불가능
T_{7-14}	하지마비 ▶ 허리 이하 운동기능 상실	• 어깨, 가슴, 상부, 팔, 손 정상 • 방광, 장 조절 불가, 호흡기능 완전
L_{1-3}	하지마비, 골반기능 상실	방광, 장 조절 불가능
L_{3-4}	하지마비, 다리 하부, 발목, 발 기능 상실	
S_{2-4}		요실금 조절 가능
S_{3-5}		변실금 조절 가능

054 ②

해설 | **Kubler–Ross의 임종의 단계(슬픔의 5단계)**

1단계 부정(denial)	현실을 받아들이지 않는 상태, 죽음을 부정함 ex 진단이 잘못되었거나 의사의 실수라고 생각하고 다른 병원, 다른 의사들을 찾아다님

▼

2단계 분노(anger)	자신의 병 증세가 점점 더 명확히 드러나고 이를 조금씩 받아들이지 않을 수 없게 될 때 분노의 감정을 가짐 ex '왜 하필 내가 이런 병에 걸렸는가?' 라는 생각에 집착. 주위 가족과 의료진에게 적개심을 가지고 폭언을 함

▼

3단계 협상(bargaining; 타협)	죽음을 모면할 길이 없음을 점차 인식하고 자신에게 아직 처리해야 할 일과 과업이 남았으므로 그러한 일이 끝날 때까지만 살 수 있게 해달라고 절대자나 의사 혹은 질병 그 자체와 협상을 함 ex "막내딸의 결혼식만 보고 죽겠다."

▼

4단계 우울(depression)	더 이상 병을 부인하지 못하며 극도의 상실감과 우울증이 나타남 ex 말수가 줄어들고 가장 가까운 사람이나 좋아하는 사람들과 같이 있기를 원함

▼

5단계 수용(acceptance)	마지막 시기에 이르러서 매우 지치고 허약하게 되어 자기 자신도 죽음을 수용하게 되는 단계 ex 자신의 운명에 더 이상 분노하거나 우울해하지 않음. 가족들과 추억을 나누며 신상을 정리함

055 ③

해설 | **침상의 종류 및 목적**

- 일반적 침상

폐쇄 침상 (빈 침상)	• 대상자가 퇴원한 후 새로 입원할 대상자를 위해 사용하기 편리하도록 준비된 상태의 침상 • 침상 끝까지 침상 보를 덮어 둔 상태
개방 침상	• 기동할 수 있는 대상자가 사용 중인 침상 • 침상에 들어가기 편리하도록 위 침구를 걷어 놓은 상태
든 침상	• 기동할 수 없는 대상자를 위한 침상 • 대상자가 누워있는 상태에서 침상을 편안하고 깨끗하게 유지하는 것
수술 후 침상 (회복기 침상)	• 수술 직후의 대상자를 위한 침상 • 오염되기 쉬운 부위에 홑이불을 덧깔아 부분적으로 교환할 수 있도록 준비한 침상

- 특수 침상

Cradle bed (이피가 침상)	• 크래들을 놓고 그 위에 침구를 덮는 침상 ▶ 덮는 침구의 무게가 전달되지 않도록 하기 위함 • 화상, 젖은 석고붕대, 상처 환자에게 적용
Stryker frame	• 2개의 틀을 이용하여 안전하게 앙와위와 복위로 변경 가능 • 척추손상 환자에게 적용
Gatch bed	침대의 머리와 무릎부분의 상하를 수동 또는 전동으로 조절할 수 있는 침상

056 ③

해설 | **억제대(restraints)**

- 개념: 낙상과 같은 대상자의 안전사고에 대비하기 위해 대상자의 움직임을 제한하는 도구
- 종류

장갑 억제대(손 억제대)	벙어리장갑 모양의 억제대로 대상자가 상처를 긁거나 손상을 주는 것을 예방 ⓔⓧ 아토피 피부염 아동이 몸을 긁을 때 이를 억제
벨트 억제대	운반차나 휠체어로 이송되는 대상자가 낙상하는 것을 예방
전신 억제대	대상자의 머리나 목의 검사 및 치료 시에 몸 전체를 홑이불로 감싸 몸통과 팔·다리(사지)의 움직임을 제한 ⓔⓧ 영아의 머리나 목 부위의 채혈이나 검사 시
자켓 억제대	대상자의 등 쪽에서 잠기는 억제대로 대상자가 자해하려 하거나 폭력적인 행동을 보이는 경우 사용 ⓔⓧ 의자 또는 휠체어에 앉아 있거나 침대에 누워 있는 동안 억제
팔·다리(사지) 억제대	손목이나 발목의 팔·다리(사지)를 개별적으로 억제 ⓔⓧ 의식상태가 혼미한 경우, 자신과 타인을 보호하기 위해 적용
팔꿈치 억제대	팔을 감을 수 있을 정도의 헝겊에 주머니를 만들어 설압자를 넣어 사용 ⓔⓧ 영아들의 팔꿈치 굴곡을 방지

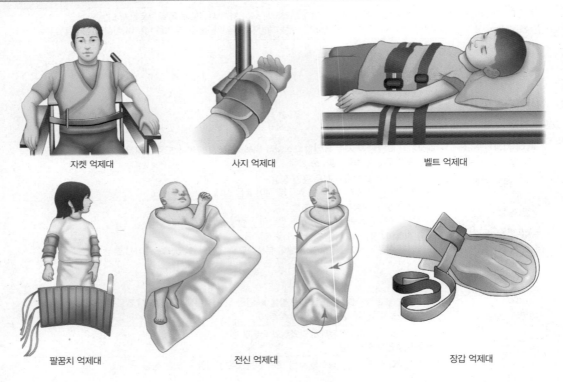

자켓 억제대   사지 억제대   벨트 억제대

팔꿈치 억제대   전신 억제대   장갑 억제대

057 ⑤

해설 | **성에 영향을 미치는 요인**

⑤ 성교 시 심박수가 증가하여 심장에 부담이 되며, 경우에 따라서는 발병 이전 상태로 회복되지 못할 수 있다.

오답 ② 질병이 호전된 후 발기 기능을 회복한 경우도 있으나, 대상자의 약 1/2에서 발기부전이 계속될 수 있음을 교육해야 한다.

058 ②

- 임종과 관련된 징후
- 근긴장도 상실
  - 안면근의 이완 ▶ 턱이 늘어짐, 대화 곤란, 연하 곤란
  - 괄약근 조절 감소 ▶ 대소변 실금
- 순환 속도 저하
  - 사지의 반점 형성과 청색증, 말초부종
  - 발 → 손 → 귀 → 코의 순서로 피부가 차가워짐
- 활력징후 변화
  - 혈압 하강, 맥박이 느려지고 약해짐
  - Cheyne stokes 호흡, Biot 호흡

  ⓒ Cheyne–Stokes 호흡

원인	중증의 뇌질환 · 혼수 · 요독증, 심부전 → 호흡중추의 기능 저하, 특히 혈액 속의 이산화탄소에 대한 감수성 저하 ▶ 이상호흡
양상	얕고 빠른 호흡 → 점차 깊고 완만한 호흡 → 다시 얕은 호흡 → 호흡정지(몇 초에서 수십 초 계속됨) → 다시 얕고 빠른 호흡으로 돌아감(반복됨)

- 감각 손상
  - 동공 확대, 시각 흐려짐, 미각과 후각 손상, 반사 소실
  - 청력은 유지(동공 확대와 청력은 가장 마지막에 상실되는 감각)

059 ⑤

- 특징
  - 갈색 해조류의 세포벽에 있는 다당류로, 수분흡수 뛰어남 ▶ 삼출물을 흡수하여 상처표면에 젤 형성
  - 지혈성분이 함유되어 있어 출혈성 상처의 지혈을 촉진
- 적응증: 상처의 사강을 줄이기 위한 팩킹용
- 장점
  - 삼출물의 흡수력이 뛰어남
  - 겔 형성으로 상처의 표면을 촉촉하게 유지
- 단점
  - 2차 드레싱이 필요
  - 겔이 농이나 부육으로 혼동 가능
  - 건조한 상처나 괴사조직이 덮인 상처에는 부적합

060 ⑤

해설 | **병원감염(nosocomial infection)**

⑤ 병원감염의 가장 많은 부분을 차지하는 것은 유치도뇨관 삽입으로 인한 하부요로기계 감염이다. 유치도뇨관으로 인한 감염을 예방하기 위하여 72시간마다 관을 교체하여 주며 최소의 기간 동안 적용하도록 한다.

- 정의: 입원 당시에 없었던 혹은 잠복해 있지 않은 감염이 입원 동안이나 퇴원 후 발생

  ⓔⓧ 비뇨기계 감염(병원감염의 대부분 차지, 약 40%), 폐렴, 수술 부위 감염, 혈관 내 카테터 관련 감염 등

- 분류

외인성 감염(교차감염)	내인성 감염	의원성 감염
• 자기 외의 사람이나 환경으로부터의 병원균에 의하여 발생하는 감염 • 원인: 처치과정에서 사용되는 기구 및 물품(도뇨관, 혈관 내 카테터, 내시경 등), 의료인의 피부나 손에 있던 정상 상주균, 일시적인 오염균 • 원인균: 대부분 세균(E-coli, 포도상구균, 연쇄상구균, 녹농균), 바이러스(인플루엔자균, 감염균)	• 감염에 대한 저항력의 저하로 발생 • 대상자 자신의 체내에 존재하는 정상 상주균의 변화 또는 과잉 성장으로 인해 발생	• 의학적 진단, 치료 절차에 의한 감염 • 요로감염이 가장 흔하며 폐렴, 수술 부위 감염, 혈관 내 카테터 감염 등이 있음

오답 ③ WBC 정상 수치: 4,000~10,000/mm^3

061 ⑤

해설 | **역격리(보호격리)**

- 정의: 면역력과 저항력이 낮은 감염이 안 된 대상자가 감염성 유기체에 접촉하지 않도록 보호하는 것
- 대상
  - 질병이나 상처 혹은 면역억제제의 사용으로 감염에 대해 정상적인 신체 방어력이 낮아진 대상자
  - 최소의 감염도 치명적이 될 수 있음 ⓔⓧ 신생아, 화상, 백혈병, 장기이식 환자 등
- 간호
  - 마스크, 신발덮개, 가운 등 모든 물품을 멸균 혹은 소독한 후 사용함
  - 내과적 무균법 실시
  - 외부 공기유입으로 감염이 될 수 있으므로 문은 닫아두어 공기순환이 없도록 함
  - 장갑은 직접적 접촉에만 착용
  - 욕실과 변기가 개인실에 있어야 함
  - 환자에게 사용될 모든 물품은 사용하기 전에 증기나 공기로 멸균한 상태여야 함

    🄯 격리: 입원환자, 병원직원, 방문자 간의 감염성 질환의 전파를 제한하기 위해 보호하는 것

062 ⑤

해설 | 안면신경(제7뇌신경)

기능	• 운동신경: 얼굴표정, 안면움직임, 등자근 • 감각신경: 혀 앞 2/3 미각 지배
검진 방법	• 대화하거나 쉬고 있을 때 얼굴을 자세히 관찰 • 대상자에게 눈썹을 올리거나 찡그리기, 눈을 꼭 감기, 이 보이며 웃기, 미소짓기, 뺨 부풀리기를 지시 • 혀의 전면 2/3에서 소금이나 설탕, 레몬주스 등으로 미각을 평가

오답 ① 설하신경(제12뇌신경), ② 설인신경(제9뇌신경), ③ 삼차신경(제5뇌신경), ④ 외전신경(제6뇌신경)

063 ①

해설 | 약물 용량 계산

qid: 하루 네 번

2.0 g = 2,000 mg

2,000 mg ÷ 4(하루 네 번) = 500 mg (1회 투약량)

따라서 1정이 250 mg일 때, 2정을 투약한다.

POWER 특강

약물 용량 계산

• 약물 계산 공식

$$투여량 = \frac{처방된\ 약물용량}{약의\ 용량} \times 용액의\ 양$$

• 수액 계산법

$$분당\ 방울\ 수 = \frac{1일\ 수액주입량(mL) \times ml당\ 방울\ 수}{24시간 \times 60분} \times 용액의\ 양$$

$$1방울\ 점적\ 시\ 걸리는\ 시간 = \frac{24시간 \times 60분 \times 60초}{1일\ 수액주입량(mL) \times ml당\ 방울\ 수}$$

064 ④

해설 | 질 좌약 투여 간호

• 목적

  – 질강 내 청결, 감염 치료

  – 소양증, 통증, 불편감 경감

• 방법

  – 방광이 팽만되면 치료 시 대상자의 불편감이 증대되므로 약물 투여 전 방광을 비우도록 함

  – 체위: 배횡와위나 무릎을 구부린 측위

  – 위에서 아래로 음순 소독 진행

  – 음순을 벌리고 장갑을 낀 상태로 좌약을 질 후벽을 따라 약 5~10 cm 정도 깊숙이 밀어 넣음

  – 삽입 후 적어도 10~30분 동안 누워 있도록 하고(앙와위), 원한다면 위생패드를 착용할 것

오답 ① 내과적 무균술을 시행하고 구멍이 나 있는 방포를 덮어 회음부의 멸균영역을 확보한다.

좌약(supprository)

- 대변배출 증진을 위한 것으로 체온에 의해 녹는 구형 또는 타원 형태의 알약으로 직장에 삽입

- 효과

 - 건조한 대변을 부드럽게 함

 - 평활근 수축 증가시켜 직장과 항문강의 벽 자극

 - CO_2를 유리시켜 직장을 더욱 팽만시켜 배변 유도함

065 ①

해설 | 정맥주사 시 부작용

국소감염	주사바늘 삽입 부위를 통한 미생물의 침입으로 유발
정맥염	• 주사바늘이 접촉한 정맥 내벽에 염증발생 → 혈관벽에 섬유소막이 형성되어 혈전이 형성 ▶ 혈전성 정맥염 • 원인: 바늘 또는 카테터로 인한 기계적 손상, 용액에 의한 화학적 손상, 패혈증 • 정맥혈관을 따라 발적, 통증, 발열 발생, 주입부위의 정맥에 가벼운 부종
순환 과잉(순환기 쇼크)	• 주사액이 순환계에 급속한 속도로 주입되었을 경우 • 치는 듯한 두통, 빠른 맥박, 오한, 호흡곤란, 불안, 현기증, 기절 등
조직침윤(infiltration)	• 수액이나 정맥주사용 약물이 혈관벽이나 주위 조직으로 새는 것 • 원인: 잘못 위치한 바늘, 정맥벽의 관통 • 종창, 창백함, 냉감, 주입부위의 통증 및 부종, 주입률의 현저한 감소
공기색전	• 공기가 라인을 통해 정맥으로 들어옴 • 호흡기계 곤란, 청색증, 혈압하강, 의식소실

주사의 종류

	흡수 및 특징	부위
피내주사	• 흡수가 느림 • 반응을 눈으로 볼 수 있는 것	전완의 내측면, 흉곽의 상부, 견갑골 부위
피하주사	흡수가 신속함	상완 외측 후면, 복부, 대퇴 전면, 견갑골, 하복부
근육주사	흡수가 신속함	둔부(배면, 복면), 외측광근(대퇴 외측), 대퇴직근, 삼각근
정맥주사	• 흡수가 신속함 • 투여량도 정확함	• 주로 팔꿈치 안쪽의 정맥을 사용함 • 아래팔이나 하지의 정맥도 쓰임

보건의약관계법규

066 ③

해설 | 가정간호(의료법 시행규칙 제24조)

가정간호 중 검체의 채취 및 운반, 투약, 주사 또는 치료적 의료행위인 간호를 하는 경우에는 의사나 한의사의 진단과 처방에 따라야 한다. 이 경우 의사 및 한의사 처방의 유효기간은 처방일부터 90일까지로 한다.

067 ⑤

해설 | 개설(의료법 제33조)

다음 각 호의 어느 하나에 해당하는 자가 아니면 의료기관을 개설할 수 없다. 이 경우 의사는 종합병원·병원·요양병원·정신병원 또는 의원을, 치과의사는 치과병원 또는 치과의원을, 한의사는 한방병원·요양병원 또는 한의원을, 조산사는 조산원만을 개설할 수 있다.

1. 의사, 치과의사, 한의사 또는 조산사

2. 국가나 지방자치단체

3. 의료업을 목적으로 설립된 법인(이하 "의료법인"이라 한다)

4. 「민법」이나 특별법에 따라 설립된 비영리법인

5. 「공공기관의 운영에 관한 법률」에 따른 준정부기관, 「지방의료원의 설립 및 운영에 관한 법률」에 따른 지방의료원, 「한국보훈복지의료공단법」에 따른 한국보훈복지의료공단

068 ③

해설 | 진료에 관한 기록의 보존(의료법 시행규칙 제15조)

- 2년: 처방전
- 3년: 진단서 등의 부본(진단서, 사망진단서 및 시체검안서 등을 따로 구분하여 보존할 것)
- 5년: 환자 명부, 검사내용 및 검사소견기록, 방사선 사진 및 그 소견서, 간호기록부, 조산기록부
- 10년: 진료기록부, 수술기록

069 ④

해설 | 의료인(의료법 제2조)

- 의사·치과의사·한의사·조산사·간호사

070 ⑤

해설 | 간호사의 법적 임무(의료법 제2조)

⑤는 조산사의 업무이다.

- 간호사는 다음 각 목의 업무를 임무로 한다.

1. 환자의 간호요구에 대한 관찰, 자료수집, 간호판단 및 요양을 위한 간호

2. 의사, 치과의사, 한의사의 지도하에 시행하는 진료의 보조

3. 간호 요구자에 대한 교육·상담 및 건강증진을 위한 활동의 기획과 수행, 그 밖의 대통령령으로 정하는 보건활동

4. 간호조무사가 수행하는 업무보조에 대한 지도

- 제2조(간호사의 보건활동) 「의료법」(이하 "법"이라 한다) 제2조제2항제5호다목에서 "대통령령으로 정하는 보건활동"이란 다음의 보건활동을 말한다.

1. 「농어촌 등 보건의료를 위한 특별조치법」 제19조에 따라 보건진료 전담공무원으로서 하는 보건활동

2. 「모자보건법」 제10조제1항에 따른 모자보건전문가가 행하는 모자보건 활동

3. 「결핵예방법」 제18조에 따른 보건활동

4. 그 밖의 법령에 따라 간호사의 보건활동으로 정한 업무

071 ⑤

해설 | 응시자격 제한(의료법 제10조)

- 부정한 방법으로 국가시험등에 응시한 자나 국가시험등에 관하여 부정행위를 한 자는 그 수험을 정지시키거나 합격을 무효로 한다.
- 수험이 정지되거나 합격이 무효가 된 사람에 대하여 처분의 사유와 위반 정도 등을 고려하여 그 다음에 치러지는 국가시험 등의 응시를 3회의 범위에서 제한할 수 있다.

(의료법 시행령 별표1)

위반행위		응시제한 횟수
1. 시험 중에 대화·손동작 또는 소리 등으로 서로 의사소통을 하는 행위 2. 시험 중에 허용되지 않는 자료를 가지고 있거나 해당 자료를 이용하는 행위 3. 응시원서를 허위로 작성하여 제출하는 행위		1회
4. 시험 중에 다른 사람의 답안지 또는 문제지를 엿보고 본인의 답안지를 작성하는 행위 5. 시험 중에 다른 사람을 위해 시험 답안 등을 알려주거나 엿보게 하는 행위 6. 다른 사람의 도움을 받아 답안지를 작성하거나 다른 사람의 답안지 작성에 도움을 주는 행위 7. 본인이 작성한 답안지를 다른 사람과 교환하는 행위 8. 시험 중에 허용되지 아니한 전자장비·통신기기 또는 전자계산기기 등을 사용하여 시험답안을 전송하거나 작성하는 행위 9. 시험 중에 시험문제 내용과 관련된 물건(시험 관련 교재 및 요약자료를 포함한다)을 다른 사람과 주고 받는 행위 10. 결격사유에 해당하는 사람이 시험에 응시하는 행위 11. 서류를 허위로 작성하여 제출하는 행위		2회
12. 본인이 직접 대리시험을 치르거나 다른 사람으로 하여금 시험을 치르게 하는 행위 13. 사전에 시험문제 또는 시험답안을 다른 사람에게 알려주는 행위 14. 사전에 시험문제 또는 시험답안을 알고 시험을 치르는 행위		3회

072 ②

해설 | 의사 등의 신고(감염병의 예방 및 관리에 관한 법률 제11조)

보고를 받은 의료기관의 장은 제1급감염병의 경우에는 즉시, 제2급감염병 및 제3급감염병의 경우에는 24시간 이내에, 제4급감염병의 경우에는 7일 이내에 보건복지부장관 또는 관할 보건소장에게 신고하여야 한다.

073 ①

해설 | 예방접종 등에 따른 피해의 보상 기준(감염병의 예방 및 관리에 관한 법률 시행령 제29조)

1. 진료비: 예방접종피해로 발생한 질병의 진료비 중 보험자가 부담하거나 지급한 금액을 제외한 잔액 또는 의료급여기금이 부담한 금액을 제외한 잔액

2. 간병비: 입원진료의 경우에 한정하여 1일당 5만원

3. 장애인이 된 사람에 대한 일시보상금

4. 사망한 사람에 대한 일시보상금

5. 장제비: 30만원

074 ⑤

해설 | 예방접종증명서(감염병의 예방 및 관리에 관한 법률 제27조)

질병관리청장, 특별자치도지사 또는 시장·군수·구청장은 필수예방접종 또는 임시예방접종을 받은 사람 본인 또는 법정대리인에게 보건복지부령으로 정하는 바에 따라 예방접종증명서를 발급하여야 한다.

075 ①

해설 | 마약류취급자의 허가 등(마약류 관리에 관한 법률 제6조)

1. 식품의약품안정청장의 허가: 마약류 수출입업자, 마약류 제조업자, 마약류 원료사용자, 마약류 취급학술연구자

2. 특별시장 · 광역시장 · 특별자치시장 · 도지사 또는 특별자치도지사의 허가: 마약류 도매업자

3. 특별자치시장 · 시장 · 군수 또는 구청장의 허가: 대마재배자

076 ①

해설 | 마약사용의 금지(마약류 관리에 관한 법률 제39조)

마약류 취급의료업자는 마약중독자에게 그 중독 증상을 완화시키거나 치료하기 위하여 다음 각 호의 어느 하나에 해당하는 행위를 하여서는 아니 된다. 다만, 치료보호기관에서 보건복지부장관 또는 시 · 도지사의 허가를 받은 경우에는 그러하지 아니하다.

   1. 마약을 투약하는 행위

   2. 마약을 투약하기 위하여 제공하는 행위

   3. 마약을 기재한 처방전을 발급하는 행위

077 ②

해설 | 처방전의 기재(마약류 관리에 관한 법률 제32조)

② 처방전 또는 진료기록부는 2년간 보존하여야 한다.

마약류취급의료업자가 마약 또는 향정신성의약품을 기재한 처방전을 발급할 때에는 그 처방전에 발급자의 업소 소재지, 상호 또는 명칭, 면허번호와 환자나 동물의 소유자 · 관리자의 성명 및 주민등록번호를 기입하여 서명 또는 날인하여야 한다.

078 ④

해설 | 검역감염병의 최대 잠복기간(검역법 시행규칙 제14조)

검역감염병의 최대 잠복기간은 다음 각 호의 구분에 따른다.

   1. 콜레라: 5일

   2. 페스트: 6일

   3. 황열: 6일

   4. 중증 급성호흡기 증후군(SARS): 10일

   5. 동물인플루엔자 인체감염증: 10일

   6. 중동 호흡기 증후군(MERS): 14일

   7. 에볼라바이러스병: 21일

079 ④

해설 | 요양기관(국민건강보험법 제42조)

요양급여(간호 및 이송을 제외한다)는 다음 각호의 요양기관에서 행한다.

   1. 의료기관

   2. 약국

3. 한국희귀 · 필수의약품센터

4. 보건소 · 보건의료원 및 보건지소

5. 보건진료소

080 ④

해설 | 보험료의 경감(국민건강보험법 제75조)

다음 각 호의 어느 하나에 해당하는 가입자 중 보건복지부령이 정하는 가입자에 대하여는 그 가입자 또는 그 가입자가 속한 세대의 보험료의 일부를 경감할 수 있다.

1. 섬 · 벽지 · 농어촌 등 대통령령으로 정하는 지역에 거주하는 사람

2. 65세 이상인 사람

3. 「장애인복지법」에 따라 등록한 장애인

4. 국가유공자

5. 휴직자

6. 그 밖에 생활이 어렵거나 천재지변 등의 사유로 보험료를 경감할 필요가 있다고 보건복지부장관이 정하여 고시하는 사람

081 ⑤

해설 | 부양가족의 보호(후천성 면역결핍증 예방법 제20조)

특별자치시장, 특별자치도지사, 시장, 군수 또는 구청장은 후천성 면역결핍증 감염인 중 부양가족의 생계유지가 곤란하다고 인정될 때에는 대통령령으로 정하는 바에 의하여 부양가족의 생활보호에 필요한 조치를 하여야 한다.

082 ①

해설 | 목적(지역보건법 제1조)

이 법은 보건소 등 지역보건의료기관의 설치 · 운영에 관한 사항과 보건의료 관련기관 · 단체와의 연계 · 협력을 통하여 지역보건의료기관의 기능을 효과적으로 수행하는 데 필요한 사항을 규정함으로써 지역보건의료정책을 효율적으로 추진하여 지역주민의 건강 증진에 이바지함을 목적으로 한다.

083 ③

해설 | 보건소의 기능 및 업무(지역보건법 제11조)

1. 건강 친화적인 지역사회 여건의 조성

2. 지역보건의료정책의 기획, 조사 · 연구 및 평가

3. 보건의료인 및 「보건의료기본법」 제3조제4호에 따른 보건의료기관 등에 대한 지도 · 관리 · 육성과 국민보건 향상을 위한 지도 · 관리

4. 보건의료 관련기관 · 단체, 학교, 직장 등과의 협력체계 구축

5. 지역주민의 건강증진 및 질병예방 · 관리를 위한 다음 각 목의 지역보건의료서비스의 제공

　가. 국민건강증진 · 구강건강 · 영양관리사업 및 보건교육

　나. 감염병의 예방 및 관리

　다. 모성과 영유아의 건강유지 · 증진

라. 여성 · 노인 · 장애인 등 보건의료 취약계층의 건강유지 · 증진

마. 정신건강증진 및 생명존중에 관한 사항

바. 지역주민에 대한 진료, 건강검진 및 만성질환 등의 질병관리에 관한 사항

사. 가정 및 사회복지시설 등을 방문하여 행하는 보건의료 및 건강관리사업

아. 난임의 예방 및 관리

084 ②

해설 | **비용의 보조(지역보건법 제24조)**

국가와 시 · 도는 지역보건의료기관의 설치와 운영에 필요한 비용 및 지역보건의료계획의 시행에 필요한 비용의 일부를 보조할 수 있다. 설치비와 부대비에 있어서는 그 3분의 2 이내로 하고, 운영비 및 지역보건의료계획의 시행에 필요한 비용에 있어서는 그 2분의 1 이내로 한다.

085 ④

해설 | **응급의료의 설명 · 동의의 예외(응급의료에 관한 법률 제9조)**

1. 응급환자가 의사결정능력이 없는 경우

2. 설명 및 동의 절차로 인하여 응급의료가 지체되면 환자의 생명이 위험하여지거나 심신상의 중대한 장애를 가져오는 경우

001 ③

해설 | 중년기(40~64세)

③ 갱년기 → 여성성의 상실로 인식 → 불안, 예민, 신경쇠약, 불면, 우울, 고독감 등 ▶ 심리적 지지가 필요하다.

오답 ① 40세 이후 시력과 청력의 저하가 시작된다. 시력이 먼저 감퇴한다. 각종 만성질환이 발생하며 여성은 갱년기 증상이 나타난다. 시각장애보다 청력장애가 조금 늦게 오는 경향이 있다.

②, ⑤ 생식기계 변화: 특히 여성은 폐경 및 갱년기의 영향을 신체적 · 정신적으로 받는다. 에스트로겐과 프로게스테론의 양 감소 ▶ 야간 발한, 골다공증, 위축성 질염, 안면홍조 등

002 ②

해설 | 노년기(65세 이후)

① 비만일 경우 체중조절이 필요하다. 몸에 무리가 가지 않도록 지나치게 강도 높은 운동은 피해야하고, 걷기는 체중부하 부담이 있으므로 수영이 권장된다.

· 점차적으로 운동을 증가시키며, 최대 운동시간은 30분/회 정도가 적절하다.

· 신체검사 및 전문가의 조언에 따라 적합한 운동을 선택한다.

003 ⑤

해설 | 대사성 산증

· 정의: pH 7.35 이하, HCO_3^- 22 mEq/L 이하, $PaCO_2$ 35~45 mmHg

· 원인

  − 산성 물질 생성 증가: 당뇨병성 케톤산증, 신부전 등

  − 염기 부족: 부신 기능부전, 중탄산염 소실(심한 설사, 장수술 등), 신세뇨관의 재흡수장애

· 증상

호흡기계	신경계	소화기계	기타
보상성 과호흡 (쿠스말 호흡, 과다환기)	의식수준 변화(기면, 혼돈, 혼수), 두통, 근연축	오심 · 구토, 설사	저칼륨혈증, 따뜻한 피부 및 홍조 (◀ 혈관확장)

· 치료

  − 전해질불균형 교정

  − Sodium bicarbonate ($NaHCO_3$) 정맥투여

  − 마약성 진통제 사용 금지: 호흡억제의 위험 있음

POWER 특강

▶ 쿠스말 호흡(Kussmaul's respiration)

양상	특성	원인
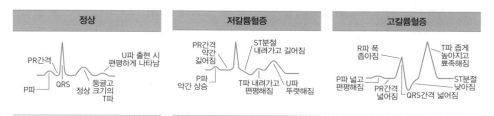	• 발작적인 호흡곤란 • 대사성 산증과 관련 시: 초기에는 빠르고 얕지만, 산증이 악화되면 호흡이 깊고 힘들어지면서 숨이 차는 양상이 됨	• 당뇨성 산독증(DKA) • 대사성 산증 • 신부전

━━ comment ━━

산-염기 불균형의 문제는 수치를 제시하고 감별하는 문제가 자주 출제된다.

	pH	PaCO₂	HCO₃⁻
호흡성 산증	감소	증가	정상
호흡성 알칼리증	증가	감소	정상
대사성 산증	감소	정상	감소
대사성 알칼리증	증가	정상	증가

004 ⑤

해설 │ 저칼륨혈증

• 혈장내 K^+ 농도가 3.5 mEq/L 이하

• 증상

　－ 위장관계: 오심 · 구토, 복부팽만, 변비, 장음 감소

　－ 심혈관계: 저혈압, 맥박 느리거나 빠름, 부정맥

　－ 신경계: 근허약, 피로, 전신 허약감, 권태감, 감각이상, 이완성 마비

　－ 호흡기계: 얕고 빠른 호흡

　－ 신장: 다뇨

• ECG 소견 기출 18

P파	약간 상승
PR간격	약간 길어짐
ST분절	내려가고 길어짐
T파	내려가고 편평해짐
U파	뚜렷해짐

cf ECG 비교

정상	저칼륨혈증	고칼륨혈증

정상: PR간격, P파, QRS, 정상 크기의 T파, 둥글고, U파 출현 시 편평하게 나타남

저칼륨혈증: PR간격 약간 길어짐, P파 약간 상승, ST분절 내려가고 길어짐, T파 내려가고 편평해짐, U파 뚜렷해짐

고칼륨혈증: R파 폭 좁아짐, T파 좁게 높아지고 뾰족해짐, P파 넓고 편평해짐, PR간격 넓어짐, QRS간격 넓어짐, ST분절 낮아짐

▶ 심부전 시 이뇨제 투여

- **투여 목적: 전부하 감소 ▶ 체액량 조절**
- **적응증:** Digitalis 요법이나 나트륨의 제한으로 심부전 교정할 수 없을 때 적용한다.
- **Loop 이뇨제:** 모든 심부전 환자에 효과적이다[furosemide (Lasix), bumetanide (Bumex)].
- **주의점:** 저칼륨혈증 및 저나트륨혈증, digitalis 병용 시 포타슘 불균형(감소) ▶ 심부정맥

005 ④

해설 | **세포외액량 결핍**

④ 세포외액량 과다 → 뇌부종 ▶ 의식수준의 변화

- 원인: 구토, 설사, 흡인 등으로 인해 배설 증가 → 세포외액량 결핍
- 증상: 갈증, 핍뇨, 피부점막 및 탄력성 감소, 안구 함몰(중증), 체온상승, 저혈압, 빈맥, 근허약, 불안정 등
- 치료: 세포외액량 결핍 시 수액요법을 실시하는데, 급속한 정맥주입은 폐수종 및 뇌부종의 위험이 있으니 주의해야 한다.

006 ③

해설 | **대사성 산증**

- 정의: pH 7.35 이하, HCO_3^- 22 mEq/L 이하, $PaCO_2$ 35~45 mmHg
- 증상: 보상성 과호흡(쿠스말 호흡, 과다환기), 의식수준 변화(기면, 혼돈, 혼수), 두통, 근연축, 오심·구토, 설사 등
- 치료
  - 전해질불균형 교정
  - Sodium bicarbonate ($NaHCO_3$) 정맥투여
  - 마약성 진통제 사용 금지: 호흡억제의 위험 있음

▶ ABGA (arterial blood gas analysis, 동맥혈가스검사)

- 정의: 신체의 산염기 균형과 산소공급 상태를 파악하기 위해 실시하며, 동맥혈의 산도(pH), 산소 분압(PO_2), 이산화탄소 분압(PCO_2), 중탄산염(HCO_3^-) 등을 함께 측정함
- 특징: 정맥 채혈보다 환자에게 많은 고통을 줄 수 있고 채혈이 어려우며, 일반적으로 손목에 있는 요골동맥에서 채취함
- 검사결과 정상범위

pH	PaO_2	$PaCO_2$	HCO_3^-
7.35~7.45	80~100 mmHg	35~45 mmHg	22~26 mEq/L

007 ⑤

해설 | 알레르기 비염

- 증상: 부종, 염증, 점액분비 증가, 비혈관의 확장, 재채기, 두통, 눈물이 나고 눈이나 목이 가려움
- 치료 및 간호: 알레르기원은 IgE와 반응하여 매개체를 방출하므로, 회피요법, 즉 알레르기원 없는 환경이 가장 우선이다. 예방 역시 먼지, 동물털, 초콜릿, 우유, 계란 등의 알레르기원과 분리되는 것이다.
- 약물: 항히스타민제(졸림, 어지럼증), 교감신경 자극제
- 면역요법: 탈감작요법

008 ⑤

해설 | 아나필락시스

- 원인: 과민반응, 약물(페니실린, 조영제, 아스피린, 백신) 등
- 병태생리: 알레르겐에 의해 면역반응이 일어나면 IgE (항체)가 생김 → 면역반응을 일으켰던 알레르겐이 다시 우리 몸속에 들어옴 → 염증세포 표면에 붙어 있던 IgE와 결합하면서 화학물질이 분비됨 ▶ 쇼크 증세와 같이 심한 전신반응 발생
- 중재: 항히스타민제, 에피네프린, 기관지확장제, 코르티스테로이드+산소요법 및 수액요법

━━━ **comment** ━━━

아나필락시스는 과민반응에 관련해서 단골로 출제된다. 또한 비용혈성 수혈 부작용에도 관련되니 한 번 더 기억해두자.

009 ④

해설 | 과민반응(알레르기 반응) `기출 16, 19`

④ 즉시형 과민반응은 원인물질은 IgE이고 30분 이내 급성으로 나타난다.

제1형	아나필락틱, 즉시형 과민반응	아나필락틱 쇼크, 아토피 피부염, 고초열, 알레르기성 천식 및 비염 등 ▶ 전신적 과민반응
제2형	세포용해성-세포독성 과민반응	수혈반응: ABO 부적합, 용혈성 빈혈
제3형	면역복합체성 과민반응	혈청병(이종혈정을 주사한 후), 전신성 홍반성 낭창(SLE), 급성 사구체신염
제4형	세포중개성 지연형 과민반응	투베르쿨린 반응, 접촉성 피부염, 이식거부반응(GVHD)

`오답` ③ 약물(페니실린, 조영제, 아스피린, 백신)에 의한 아나필락틱 쇼크이므로, 제1형(즉시형)이다.

▶ 제1형 과민반응 기전

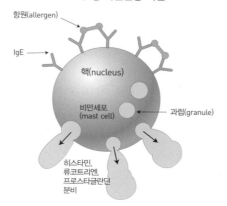

010 ⑤

해설 | **항암제 부작용** `기출 17, 21`

- 골수 기능 억제
  - 혈구생성 감소: 백혈구감소증, 혈소판감소증, 빈혈
  - 출혈 예방(아스피린 투여 금지 등), 감염 예방
- 위장관계
  - 오심, 구토, 설사, 구내염
  - 고단백 · 고열량 식이, 구토제 투여
- 피부: 탈모, 발진, 광선 민감증, 각화, 색소침착
- 생식기계: 불임, 월경주기 변동 및 무월경

011 ④

해설 | **체액성 면역과 세포성 면역** `기출 16`

④ 대식세포에 의하여 림프구의 활성이 일어나 세포성 면역과 체액성 면역이 나타난다.

오답 ①, ② 체액성 면역: B 림프구에 의해 활성화되어, 면역글로불린을 형성한다.

③ 세포성 면역: 감마 인터페론에 의하여 바이러스 성장을 예방한다.

⑤ 세포성 면역은 자연살해세포(NK cell)에 의하여 종양세포에 대항하는 면역 감시 역할을 한다.

━━━ **comment** ━━━

체액성 면역반응은 B세포에 의하여 형성된 항체(면역글로불린)에 의해 나타나지만, 세포성 면역은 T세포가 직접 항원을 무력화시킨다.

012 ③

해설 | **암의 발생 원인**

- 암유전자 활성화: 정상세포가 암 개시자에 노출 시 돌연변이로 원암 유전자 생성되지만 억제 유전자에 의해 억제됨 → 방사선 조사, 화학물질, 바이러스 등에 의해 활성화되어 악성으로 전환됨
- 만성감염: 바이러스, 박테리아, 기생충 등에 의한 만성 감염은 암 발생과 관련이 있기 때문에 암발생과 관련된 특정 감염을 예방하는 것이 중요
  - DNA 바이러스: HPV (자궁암), Herpes virus (비인두암), hepatitis B virus (간암)
- 화학적 발암물질: 타르, 카드뮴, 벤젠, 담배연기 등
- 물리적 발암물질: 방사선, 전기자장
- 유전적 성향: 유방암, 전립선암, 난소암, 대장암, 백혈병 등
- 영양과 식이: 식이는 주요 발암요인의 하나로 대장암, 전립선암, 담낭암, 난소암, 자궁암은 비만과 연관. 짠 음식은 식도암, 위암 발생. 탄 음식은 위암 발생
- 연령: 암은 모든 연령에 분포되어 있으나, 노화는 면역기능 감소로 암 발생률을 증가시킴. 때문에 암은 고령층에 많은 분포를 보이며 암사망자의 65%가 65세 이후의 노인임
- 태양광선: 유해 자외선은 강력한 DNA 손상 능력으로 기저세포암, 편평세포암, 흑색종 등의 피부암을 유발

013 ①

해설 | **응급간호 우선순위** 기출 21

의식 확인 → 기도확보(기도폐쇄 관리, 인공기도 삽입, 기관내삽관, 윤상갑상연골 절제술 등) → 출혈 조절(체액보충, 외출혈·내출혈 조절, 저혈량성 쇼크 조절 등) → 기타 처치(골절 등) → 후송

014 ⑤

해설 | **식도게실**

- 개요: 식도근육조직의 약한 부분이 주머니처럼 돌출된 것
- 증상
  - 상부 식도조임근 탄력성 소실되어 식도가 열리지 않아 삼킴곤란, 트림, 소화되지 않은 음식 역류
  - 급성 아니고 대개 수술을 필요로 하지 않음
- 진단: 바륨검사로 위치 확인(내시경, 비위관 삽입은 금기. 천공 위험 있음)

015 ④

해설 |

④ 부적절한 조직관류는 모든 종류의 쇼크에서 관찰할 수 있다.

🔍 쇼크의 유형

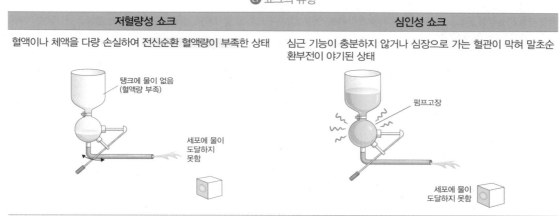

저혈량성 쇼크	심인성 쇼크
혈액이나 체액을 다량 손실하여 전신순환 혈액량이 부족한 상태	심근 기능이 충분하지 않거나 심장으로 가는 혈관이 막혀 말초순환부전이 야기된 상태

016 ⑤

해설 | **전신마취의 단계**

제1단계 (유도기)	마취제 투여~무의식	현기증, 통증감각 소실, 기억상실, 청력 유지
제2단계 (이완기)	무의식~이완, 규칙적 호흡, 각막반사 소실	무의식 상태이지만 불규칙한 호흡, 근긴장 증가, 빠른 눈 움직임 등 흥분 혹은 불수의적 활동이 과장되어 나타남
제3단계 (외과적 마취기)	이완~반사의 상실, 활력기능의 억제	턱 이완, 감각 소실, 규칙적 호흡, 안검반사 및 청각 소실
제4단계 (위험기)	주요 활력기능 억제~호흡부전, 심정지, 사망	호흡근 마비, 심박동(맥박) 소실, 동공 고정·확대

017 ②

해설 | **수술 후 간호**

대상자가 회복실에서 외과 병실로 돌아오면, 간호사는 가장 먼저 기도개방성 여부를 확인하고, 다음으로 활력징후를 포함하여 전반적인 상태를 사정해야 한다.

018 ②

해설 | **저체온요법** 기출 20

- 목적: 생체의 대사 및 산소소비량을 감소시켜, 장기의 저산소상태나 혈류차단에 견딜 수 있는 시간을 연장시킨다.
- 주의점: 체온을 너무 빠르고 급격하게 하강시킬 경우 추위와 심한 부정맥 상태가 유발된다. 특히 추위는 신진대사 항진 및 뇌압 상승의 문제가 있으므로, 추위를 예방하도록 해야 한다.

019 ④

해설 | **등척성 운동**

④ 대퇴사두근 등척성 운동 ▶ 보행을 위한 근육의 힘 유지

등척성 운동은 관절이 고정되어 있거나 통증이 심할 때 근위축을 방지하고 근강도를 증가시킨다.

---

comment

등척성 운동과 등장성 운동은 보기나 답으로 자주 등장하며, 헷갈리기 쉬우므로 잘 알아두자. 등장성은 근육길이는 변화고 근긴장은 그대로이며, 아령 들기, ROM 운동 등이 해당된다. 등장성은 근육길이는 그대로 근긴장은 커지며, 둔부 힘주기, 벽 밀기 등이 해당된다.

---

020 ④

해설 | **호흡곤란**

④ 반좌위를 취하고 팔을 지지해주면 호흡이 용이해진다.

- 곤봉형 손가락: 호흡기 질환(만성 기관지염, 기관지확장증, 폐기종 등), 감염성 심내막염 등으로 산소부족을 겪으면서 발생한다.

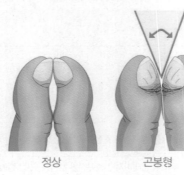

정상   곤봉형

021 ①

해설 | **통증 간호**

- 통증에 대한 사정: 부위, 정도, 악화 및 완화 요인, 지속시간 등
- 약물치료
    - 비마약성 진통제: NSAID (살리실산염, 아세트아미노펜)
    - 마약계(급성 호흡억제 ▶ 투약 전후 호흡수 측정): 모르핀, 데메롤(길항제: Naloxone <u>기출 16</u>)
- TENS (경피적 신경자극): 급성 통증과 만성 통증 관리, 수술 후 통증이나 요통과 같이 국소적 만성통증에 적용한다. 심박동기 부착, 임부, 경동맥 부위 통증, 피부발진 등은 금기이다.
- 마사지(근육이완, 혈류증진, 노폐물 배설), 열 · 냉적용
- 기분전환 및 이완요법: 불안은 동통을 악화시키기 때문에 경증에 도움이 된다.

022 ②

해설 | **만성 폐쇄성 폐질환(COPD)** <u>기출 18</u>

- 정의: 폐쇄성 폐질환은 기도가 폐쇄되거나 좁아져 공기의 흐름이 폐쇄된 상태
- 유형: 만성 기관지염(감염성 · 비감염성 자극물에의 지속적 노출), 폐기종으로 구분
- 진단: 폐기능 검사(PFT)로 COPD 검사함
    - 노력 호기량(FEV_1): 1초 동안 내쉴 수 있는 최대 공기량, 폐쇄성 폐질환을 판단하는 지표
    - 만성 폐쇄성 폐질환: 노력 호기량(FEV)↓, 1초간 노력 호기량(FEV1)↓, 폐활량(VC)↓

023 ②

해설 | **기관지조영술**

- 시술 후 국소마취제의 영향으로 구개반사가 돌아오려면 2시간 정도 걸린다. 먼저 구개반사가 돌아왔는지 확인되어야 하며, 구개반사가 돌아온 후 금기는 없다.
- 합병증: 후두경련, 후두부종으로, 매우 위급한 상태이다.

───── **comment** ─────

기관지내시경이 도입되면서 조영술은 거의 하지 않고 있다. 하지만 차이는 알아두자. 기관지내시경은 내시경을 기관내로 삽입하고, 기관지조영술은 카테터를 기관내로 삽입하여 조영제를 주입한다는 차이가 있다.

024 ③

해설 | **폐기종**

- 개요: COPD로, 폐포벽의 탄력성 상실, 작은 기도의 허탈에 의하여 폐포 내 공기가 포획되고 호흡곤란을 유발하는 질환
- 증상: 저산소증(호흡곤란, 청색증, 곤봉형 손가락), 과탄산혈증, 산독증($PaCO_2$ 상승), 술통형 흉곽
- 진단: 타진 시 천명음, 과공명음, 폐활량 감소, 노력호기량 증가, 잔기량 증가
- 간호: Pursed-lip breathing, 산소 투여 시 2 L/분 초과하지 않음(산소농도에 의해 호흡자극됨, 고탄산혈증 위험)

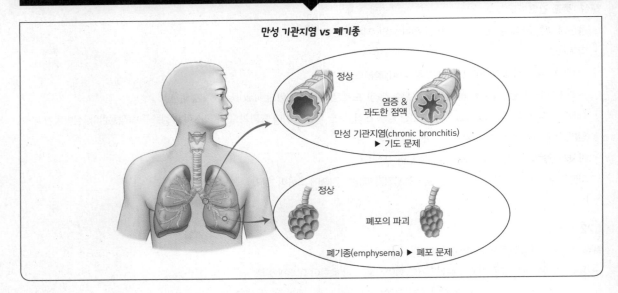

만성 기관지염 vs 폐기종

025 ⑤

해설 | 비인두 흡인

- 카테터의 길이: 귓불에서 코끝까지의 길이를 측정하여 결정한다.
- 카테터 끝에 수용성 윤활제를 발라두고 비작동 상태에서 완전히 삽입하며, 삽입 도중이나 제거 시 흡인하지 않음
  ▶ 점막손상 예방

흡인(suction)

구강 및 비강 흡인	기관 흡인
기침 유도 및 상부기도 청결을 위해 사용함	− 기관 · 기관지에서 분비물을 제거함 − 카테터 굵기는 기도관 크기의 절반 이하 ▶ 원활한 산소공급 유지

- **시행절차**: 생리식염수 점적(분비물 연화, 윤활성 증가, 기침자극 향상) → 흡인 전후로 100% 산소 공급 → 흡인력 작동 안 된 상태에서 완전히 삽입 → 10초 이내 흡인(저산소혈증 예방)

026 ⑤

해설 | 비출혈 중재

- 혈관 수축제를 적신 솜을 출혈부위에 넣고 비익을 압박한다.
- 후비공 심지 삽입: 출혈 부위를 확인할 수 없고 비출혈이 멈추지 않을 때 시행한다.
- 좌위 유지하고 몸을 숙이도록 한다. 젖힐 경우 반대로 인두부로 흘러 들어가 삼키게 되며 이는 흡인, 오심, 구토를 유발할 수 있다.
- 비중격을 5분 이상 압박하고, 코 위에 얼음찜질을 적용한다.

027 ④

해설 | **폐결핵균(Mycobacteria)**

- 원인: Mycobacterium tuberculosis (호기성, 항산성균)의 비말감염
- 균이 체내 들어오면 그대로 남아 있다가 인체 저항이 약해지면 증식하기 시작하며, 질환 회복 시 균은 정지 상태로 체내 남아있음
- 한낮의 직사광선, 살균제, 자외선에 의해 파괴됨

오답 ① 열, 직사광선, 살균제, 자외선에 의해 파괴된다.

② 격리: 음압이 유지되는 1인실에 격리한다. 약물치료 시작 후 2~4주 이상 지나면 활동을 제한하지 않고 격리할 필요도 없다.

③ 복합약물 사용: 약제 간 상승작용 효과, 내성발생 예방

⑤ 투베르쿨린 반응에 음성인 경우 BCG 예방접종을 시행한다.

028 ④

해설 | **폐렴 간호**

- 호흡증진: 반좌위, 심호흡(pursed-lip breathing), 산소요법, 필요시 기관지확장제
- 기도청결: 수분섭취, 기침 및 체위배액
- 영양: 고칼로리, 고단백 식이

오답 ⑤도 틀린 보기는 아니다. 계속 환자 옆에 있어 줌으로써 불안을 완화시켜 줄 필요는 있으나, 가장 우선되는 답을 골라야 하므로 틀린 것!

029 ⑤

해설 | **중심정맥압** 기출 20

- 정상범위: 5~10 cm H_2O 이하
- 상승: 순환혈액량의 과잉, 우심실 수축부전으로 울혈성 심부전, 폐수종, 혈관울혈, 정맥귀환량 감소
  ▶ 수액공급을 줄이고, 폐 관련 증상을 살펴봐야 함
- 저하: 순환혈액량 감소
- 중심정맥압 측정 시 카테터는 전박정맥을 통하여 우심방에 삽입함

030 ⑤

해설 | **급성 폐부종**

- 원인: 좌심부전 후 합병증으로, 잠을 자는 동안 체액의 재분배로 인해 신체 하부에 있는 체액이 흡수되어 순환 혈량이 증가됨으로써 폐울혈이 발생함
- 증상: 응급 호흡곤란(특히 야간성 발작성 호흡곤란), 증상 악화 시 혼미상태
- 간호중재: 좌위, 다리와 발을 침대 아래로 내린 자세, 불안과 공포에 대한 심리적 지지

031 ②

해설 | 조기심실수축(PVC)

- 치료
  - 항부정맥제(lidocaine): 심실세동 예방
  - β-blocker를 주거나 지속적 VT가 발생되면 삽입형 제세동기(ICD) 삽입
  - 흡연, 알콜, 카페인 금지
- 위험한 PVC
  - 3번 이상 PVC가 연이어 발생 ▶ 심실빈맥
  - 심실세동 예고 ▶ 심정지로 이어질 수 있음
- 제세동술: 생명에 위협을 받는 심실세동, 맥박이 없는 심실빈맥에서 잠깐 동안 흉벽에 전기를 방출시킴으로써 순간적으로 부정맥을 제거하여 정상리듬으로 전환하기 위한 즉각적이고도 응급적인 방법

▶ 조기심실수축의 ECG

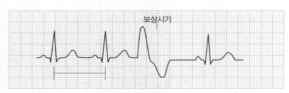

032 ⑤

해설 | 심방조동(atrial flutter, AFL)

- 규칙적이고 빠른 심박(심방수축: 250~350회/분)
- P파 소실: 모양이 거의 일정한 톱니모양 조동파가 대신 나타남
- QRS군 소실되기도 함: 심방의 빠른 자극으로 심실로의 자극 전달이 차단됨

▶ 심방조동의 ECG

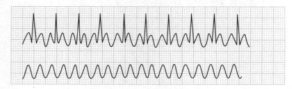

오답 ③ 보상성 휴지기는 조기심실수축 시 나타난다.

033 ⑤

해설 | 심근경색증(허혈성 심질환 중 terminal 단계) 기출 16, 17

- ⑤ 심근의 허혈은 35~45분 이상 지속되면 심근의 불가역적 세포손상과 괴사를 가져온다. 심장근육에 혈액이 30분 이상 공급되지 못함 → 해당 부위의 근육세포 죽음 → 죽은 부위는 기능을 전혀 할 수 없어 심장의 펌프 기능이 저하됨 ▶ 심부전으로 진행
- 병태생리: 죽상경화반이 파열되고 그 부위로 혈소판이 응집하여 혈전이 생성되면서 관상동맥이 폐색됨
- 진단
  - Myoglobin 상승: 심근경색 후 1~2시간부터, 즉 가장 먼저 상승해 조기진단에 도움이 됨

- CK–MB 상승: 심근경색 후 4~6시간부터 상승함

- LDH 상승: 초기에는 크게 유용하지 않음

- Troponin 상승: 심근에 대한 특이도가 CK–MB보다 높고, 심근경색 후 2~6시간부터 상승함 – GOT 및 GPT 상승, WBC 상승

▶ 심근허혈, 손상, 경색 시 형태변화 및 ECG

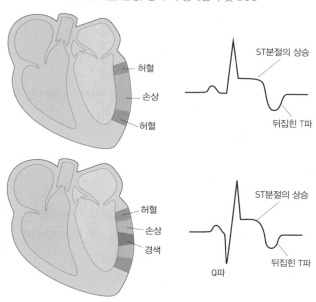

034 ③

해설 | **심부전의 치료** 기출 16

- 강심제(digitalis): 심근수축 능력 향상
  - 독성 위험 있으므로(특히 서맥), 투약 전 1분 동안 환자의 심첨맥박 관찰
  - 부작용: 부정맥, 중추신경계(두통, 시력장애, 혼수), 위장관계(식욕부진, 오심, 구토, 설사, 복통)
- 이뇨제: 혈량 감소
  - Frosemide (Lasix): 빠르고 강하게 순환혈량 감소시킴
  - 혈청 내 칼륨(저칼륨혈증), BUN 수치 변화 일으킴
  - 칼륨 함유 식품: 바나나, 오렌지, 건포도, 시금치

035 ⑤

해설 | **쿠싱증후군(당류코르티코이드 과잉)**

- 원인: 부신피질의 과잉증식으로 인한 당류코르티코이드(glucocorticoid)의 과잉분비
- 증상
  - 단백질 대사장애: 가느다란 팔 · 다리, 만월형 얼굴, 물소혹, 전신피로, 골다공증, 붉은 피부선, 골다공증, 상처치유 지연, 감염 취약
  - 수분, 나트륨 정체: 부종, 체중증가, 고혈압
  - 탄수화물 대사장애: 고혈당, 당뇨병
  - 정서적 변화: 불안, 우울, 집중력 · 기억력 저하, 수면장애

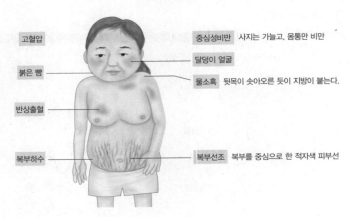

고혈압

붉은 뺨

반상출혈

복부하수

중심성비만　사지는 가늘고, 몸통만 비만

달덩이 얼굴

물소혹　뒷목이 솟아오른 듯이 지방이 붙는다.

복부선조　복부를 중심으로 한 적자색 피부선

---

036 ⑤

해설 │ **Adams–stokes attack**

- 3도 방실차단: 전기적 자극이 심실로 전혀 전달되지 않는 경우로, 심방과 심실이 각각 독립적으로 수축함
- Adams–stokes attack: 3˚ 방실차단이 있을 때 나타나는 한 현상으로, 심실수축 지연으로 인해 뇌혈류량이 감소하게 되어 심한 현기증과 실신, 경련을 일으키는 발작 상태이며, 무의식, 사망에 이를 수 있음
- ECG: 심방 및 심실 박동수가 각각 분리되어 다르며, P파와 QRS군이 따로 나타남

037 ①

해설 │ **재생불량성 빈혈(골수부전성 빈혈)** 기출 17

- 정의: 골수의 손상,감염, 종양 등 ▶ 골수에 적혈구 전구체가 부족하여 생기는 빈혈
- 증상: 빈혈, 전혈구감소증(과립구감소증, 혈소판감소증)
- 진단: 범혈구감소증(적혈구 · 백혈구 · 혈소판 감소), 정구성 · 정색소성 빈혈, 망상적혈구 수치 저하
- 치료 및 간호
  - 원인물질 확인 및 제거
  - 조혈모세포 이식, 면역억제제 투여, 혈소판 수혈
  - 보존적 치료(장기생존 가능): 무균법, 고비타민 · 고단백식이 등
  - ✅ 철결핍성 빈혈은 체내 저장한 철 결핍이 적혈구 생성을 저하시켜 발생한다. 용혈성 빈혈은 적혈구의 수명 감소(간헐적 or 지속적)에 의한 빈혈이다.

038 ⑤

해설 │ **산재성 혈관내 응고증(DIC)**

- 개요: 응고기전이 갑작스럽게 비정상적으로 자극되는 상태로, 내과적 응급상태임
- 진단
  - 혈소판감소증: 너무 많이 소비되어 부족함
  - aPTT 및 PT 연장: 응고시간 연장
  - 피브리노겐 및 FDP (섬유소분해산물) 저하

- 증상

    - 출혈(주 증상): 피하출혈, 점막출혈, 비출혈 등

    - 기좌호흡, 빈맥, 혈압 저하, 복부팽만, 혈뇨, 두통, 의식변화, 관절통 등

    - 혈전증상: 청색증, 허혈조직괴사, 호흡곤란, 급성 신부전 등

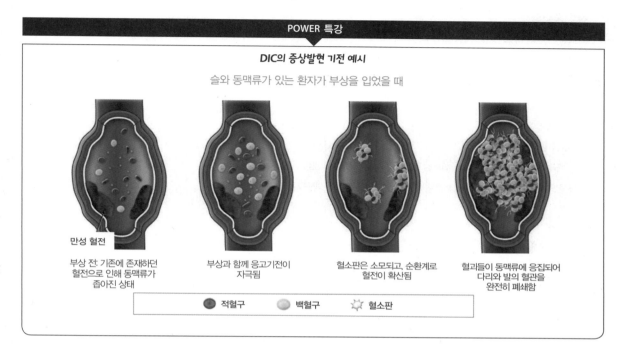

POWER 특강

DIC의 증상발현 기전 예시

슬와 동맥류가 있는 환자가 부상을 입었을 때

| 만성 혈전 | | | |
| 부상 전: 기존에 존재하던 혈전으로 인해 동맥류가 좁아진 상태 | 부상과 함께 응고기전이 자극됨 | 혈소판은 소모되고, 순환계로 혈전이 확산됨 | 혈괴들이 동맥류에 응집되어 다리와 발의 혈관을 완전히 폐쇄함 |

● 적혈구   ● 백혈구   ☆ 혈소판

039 ③

해설 | **방광염** 기출 17

- 원인: 요도를 통한 상행성 감염, 세균성 감염에 대한 2차 감염
- 증상

    - 주 증상: 빈뇨, 긴박뇨, 배뇨곤란

    - 작열감, 잔뇨감, 요실금, 하복부 통증, 세균뇨, 혈뇨, 뿌옇고 악취가 나는 소변 등
- 치료 및 간호
- 광범위 항생제, 항균제

    - 하루 3~4 L 이상의 수분섭취를 권장 ▶ 소변 희석, 요도 세척, 염증성 산물의 신속한 제거

    - 크랜베리 주스, 비타민 C 섭취 ▶ 소변의 산성화(원인균의 성장 저해, 결석 예방)

---

comment

- 방광염은 여성의 감수성이 높다. 이는 여성의 요도가 짧아 방광과 가깝고 또한 질과 항문에 가까워 이들 분비물에 쉽게 오염되기 때문이다.

- 배뇨 후 2~3시간 간격으로 배뇨하고, 밤에도 한두 번 배뇨하는 것을 권장한다. 방광팽만을 예방할 수 있어 방광의 과도신장과 소변역류를 방지할 수 있기 때문이다.

- 급성 신우신염은 특징적으로 옆구리 통증이 나타나며, 임상징후로 고혈압을 보인다. 기출 21

040 ③

해설 | **림프부종**

- 병태생리: 림프내압 상승으로 판막기능 부전 → 림프액의 역류, 림프관압 상승 → 말초 림프관 울혈 → 간질강내 단백질 축적, 수분 축적 → 만성림프 울혈 → 섬유화

- 치료 및 간호
  - 림프가 흐르는 방향(말단부→중심부)으로 가볍게 마사지하고 짜주어 림프배액 촉진
  - 이뇨제, 사지를 심장보다 높게 상승, 탄력붕대, 탄력스타킹, 저칼로리·저염식이, 수분섭취 제한, 운동

오답 ⑤ 탄력붕대나 탄력스타킹은 활동 시에 착용하는 것이다. 처방대로 올바르게 사용하지 않으면 오히려 증상을 악화시킬 수 있다.

041 ⑤

해설 | **급성 동맥폐색**

- 말초맥박 촉진: 맥박의 유무, 리듬과 강도, 양쪽 동시성(횟수, 리듬), 질 등을 평가한다.
- 대칭성 평가를 위해 좌우 양측에서 동시에 촉진한다. *cf* 경동맥 맥박 제외

▶ 혈전·색전증으로 인한 급성 국소빈혈

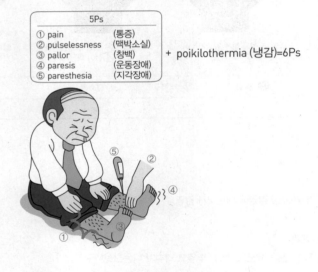

042 ⑤

해설 | **컬링궤양(Curling's ulcer)**

- 정의: 신체 표면에 중증의 열상이 있은 뒤 나타나는 십이지장궤양
- 증상: 위점막으로의 혈류감소 → 쇼크 ▶ 저혈압과 허혈

043 ②

해설 | **급속이동증후군(Dumping syndrome)**

- 원인: 부분 위절제술 중 Billroth Ⅱ(위–공장 문합) 적용 시 빈발함
- 병태생리: 고농도의 음식이 위에서 소화되거나 희석되지 않고 공장 내로 직접 빠르게 들어감 → 공장의 분비액보다 고장성인 유미즙은 혈류에서 공장 내부로 수분을 끌어들여 혈액량을 감소시킴 → 저혈압

• 증상

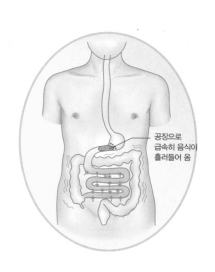
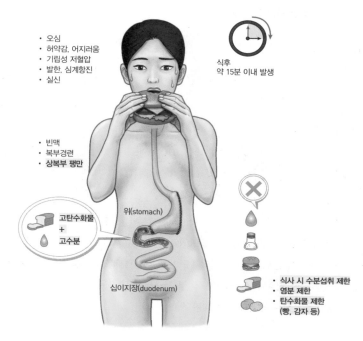

• 오심
• 허약감, 어지러움
• 기립성 저혈압
• 발한, 심계항진
• 실신

식후
약 15분 이내 발생

공장으로
급속히 음식이
흘러들어 옴

• 빈맥
• 복부경련
• **상복부 팽만**

위(stomach)

고탄수화물
+
고수분

십이지장(duodenum)

• **식사 시 수분섭취 제한**
• 염분 제한
• **탄수화물 제한
(빵, 감자 등)**

• 치료 및 간호

 − 식이: 수분 제한, 저탄수화물 · 고단백 · 고지방(위내 정체율 증가) 식이를 소량씩 자주 제공

 − 체위: 식사 시에는 (반)횡와위, 식후에는 20~30분 정도 앙와위 및 측위로 휴식

 − 식전 항콜린성 제제, 항경련성 약물 투여가 도움이 됨

오답 ④ 소량의 식사를 자주 하도록 한다.

   ⑤ 식전 1시간~식사 시~식후 2시간 동안 수분섭취를 제한해야 한다.

044 ⑤

해설 | **총비경구영양(TPN)**

• TPN은 정맥을 통해 인체에 필요한 영양소의 일부를 제공하는 방법

• TPN 용액 투여 시 고혈당에 대한 신체 반응으로 췌장에서 인슐린 분비가 증가함

 − 주입 바로 중단할 경우: 반동성 저혈당 유발

 − 주입 속도 빠를 경우: 고혈당증 유발

 − 반동성 저혈압 증상: 허약감, 현기증, 발한, 떨림, 한기, 혼동, 심박동 수 증가

오답 ② TPN 영양은 서서히 중단하여 신체가 포도당 농도 감소에 적응할 수 있도록 한다.

045 ⑤

해설 | **식도열공 탈장(식도열공 헤르니아)**

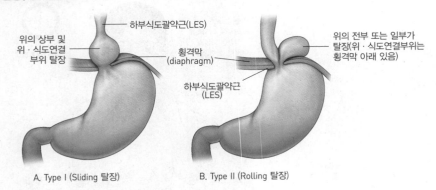

A. Type I (Sliding 탈장)　　　　B. Type II (Rolling 탈장)

- 유형
- 치료 및 간호: 위식도 역류질환(GERD)와 유사
  - 약물: 제산제, 위산분비 억제제, 위장운동 증진제, 부교감신경제(콜린성 제제)
  - 식이: 소량씩 자주(4~6회/일), 취침 2~3시간 전에 음식 섭취 제한, 고지방식이 · 알코올 · 카페인 · 탄산(가스 발생) 등의 식품 제한, 음료 섭취 시 빨대 사용 제한 등
  - 체위: 식후 1~2시간 동안 앉은 자세 유지, 취침 시 두부 상승(10~15 cm)
  - 복압을 상승시키는 행동 제한: 무거운 물건을 들거나 배변 시 힘을 많이 주지 말기, 꽉 조이는 복장은 피함, 체중 감소 등

046 ③

해설 | **유방암(근치유방절제술)** `기출 16, 19, 21`

- 범위: 유방조직, 림프절, 흉근 모두 제거
- 수술 후 간호
  - 압박 드레싱: 수술 부위 유합 촉진
  - 환측 부위 팔 보호: 혈압 측정 및 정맥 주사 금지, 제모 시 면도기 사용 금지
  - 부종 예방(림프선 종창): 환측을 상승시켜 정맥 및 림프순환 증진
  - 팔 운동 격려: 팔꿈치는 심장보다 높게 베개를 대주고 손은 팔꿈치보다 높게 둠 ▶ 환측 팔이 몸에 붙고 머리가 기울어지는 기형적 체위 예방
  - 자가간호 격려: 머리빗기, 세수하기 등

047 ④

해설 | **골절**

- 증상: 통증 및 압통, 부종 및 종창, 변형, 반상출혈, 기능상실, 근경련, 염발음, 감각변화, 쇼크 등이 나타난다. 염발음은 부러진 골절편이 부딪쳐 나는 소리이며, 불유합 가능성 증가를 의미한다.
- 골절의 치유 과정: 혈종 형성 → 육아조직 형성(세포증식) → 가골 형성 → 골화 과정 → 골 강화와 재형성
- 주의가 필요한 골절 부위

– 손목 골절(Colles' fracture): 굉장히 흔히 발생한다. 특히 50세 이후 여성(노인)에게 호발하며, 수근관 증후군(손목 통증, 정중신경의 지배부위인 엄지, 검지 및 중지 및 손바닥 부위의 저림 증상)이 합병증으로 발생할 수 있다.

– 고관절 골절: 역시 여성과 노인에게 호발하며, 대부분 수술적 치료가 필요하다. 노령의 경우 장기간의 침상안정과 합병증으로 인해 사망까지 초래될 수 있으니 있으니, 예방을 위해 골다공증 치료와 낙상에 주의하도록 한다.

048 ②

해설 | **문맥성 고혈압** 기출 17, 21

- 원인: 간경변 합병증으로 나타날 수 있다.
- 증상: 식도정맥류(가장 심각한 합병증), 복수, 심한 내치질, 간·비장비대, 메두사머리(caput Medusae; 배꼽 주변의 정맥이 두드러지게 확장되고 불거져 있는 상태), 비장의 기능 변화로 인한 백혈구감소증, 혈소판감소증, 빈혈 등
- 간호
  – 식도정맥류 예방: 거칠거나 자극적인 음식 제한, 천천히 음식 섭취, 변비 예방, 복압 상승 행동 및 알코올, 아스피린 금지 등
  – 식도정맥류 파열 시(내과적 응급상태): 혈관수축제인 vasopressin 투여(혈압 상승 유의), S–B tube or Minnesota tube 적용 등

POWER 특강

메두사머리

- 기전: 하대정맥의 협착·폐색, 또는 간경변 등으로 인한 문맥계의 순환장애 → 혈액이 보통의 경로를 통해서는 심장으로 돌아가지 못하게 됨 → 복벽의 작은 정맥을 통해 무리하게 우회하여 심장으로 돌아감 ▶ 메두사머리
- 신생아와 간경변 환자에게 주로 발생한다.
- 왼쪽 사진은 증상, 우측 사진은 그리스 신화의 마녀 메두사의 머리이다.

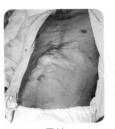
증상

메두사 머리

---

049 ⑤

해설 | **폐쇄성 황달**

- 담석, 종양 등으로 담관이 폐색되어 담즙이 정상적으로 십이지장으로 흐르지 못하고 간실질 내로 역류됨 → 담즙이 혈액 내로 재흡수되고 전신으로 운반되어 피부, 점막, 공막 등에 황달을 보임
- 증상
  – 소변: 짙은 오렌지 색, 거품 많아짐
  – 대변: 색깔이 옅어지거나 점토색(회백색), 지방변
  – 피부: 소양증

050 ②

② 모두 결핵의 소견이나 객담에서 결핵균이 검출되었을 경우에만 활동성 결핵으로 확진할 수 있다.

- Mantoux 투베르쿨린 검사(피부반응검사): 양성 반응 시 결핵에 노출된 적이 있어서 항체가 있거나, BCG 백신을 받은 적이 있어서 결핵 항체가 있음을 의미함 ▶ 10 mm 이상 시 양성
- 흉부X선 검사: 피부반응검사 양성 시 임상적으로 활동성 결핵인지, 오래되고 치료한 병소인지 확인하기 위해 시행
   ▶ 활동성일 경우 건락화
- 객담 배양검사: AFB 검출 시 결핵으로 확진

051 ②

해설 | **만성 신부전** 기출 18

- 증상
   - 대사장애: 사구체여과율 감소 ▶ 요산, BUN, creatinine 증가
   - 전해질 불균형: 고칼륨혈증(부정맥, 사지의 이완성 마비, 근허약), 고마그네슘혈증, 고인산혈증, 혈청 비타민 D 부족(골연화증)
   - 요독증: 고혈압, 식욕부진, 대사성 산증, 소양증, 불면, 두통, 우울, 근력 저하, 출혈 등
- 치료 및 간호
   - 식이: 단백질 제한(BUN 축적 방지), 고칼로리 식이 제공, Na^+ 및 K^+ 제한, 전해질 및 비타민 보충(철분, 칼슘, 비타민 D)
   - 수분조절(수분섭취량 = 배출량), 고혈압 관리, 감염 및 상처 예방, 소양증 관리 등

   오답 ③ 저단백, 저인산 식이에 필수 아미노산 섭취
      ④ 나트륨 제한: 1일 1~2 g
      ⑤ 배출량: 1일 배뇨량 + 불감성 수분 소실량(500 ml)

052 ③

해설 | **규폐증**

- 정의: 진폐증이란, 분진 흡입으로 폐 섬유화가 발생되는 만성 직업성 폐질환으로, 규소(돌, 모래의 주성분)의 장기간 흡입이 원인이 될 경우 규폐증이라 진단함
- 기전(학설): 분진이 폐포 대식세포를 자극함 → 폐포 대식세포에서는 여러 가지 면역학적 물질의 분비를 촉진 or 억제함
   ▶ 염증화 · 섬유화 촉진
- 주증상: 호흡곤란, 기침, 다량의 담액(쓸개즙) 발생 및 배출곤란, 흉통 등
- 치료 및 간호: 만성 폐쇄성 폐질환(COPD)과 유사
   - Pursed – lip – breathing: 호흡곤란 호소 시 우선적으로 적용하며 기도허탈을 예방함
   - 기도청결: 수분섭취 격려(2~3 L/일), 흉부 물리요법
   - 고열량 · 고단백 식이

053 ③

해설 | **확장성 심근병증(수축장애)**

- 좌심실 및 우심실은 확장되지만, 심실 수축 기능의 저하, 울혈성 심부전(호흡곤란)

- 좌우 심실수축 장애 → 혈액 정체 → 좌심실 재형성 ▶ 심장이 점차 비대해짐
- 중년층 남자에게 흔함
- 증상: 피로, 허약감, 빈맥, 호흡곤란, 기좌호흡, 심계항진, 부정맥
- 치료: 심부전 치료와 동일

cf 심근병증의 유형

확장성 심근병증   비후성 심근병증   제한성 심근병증

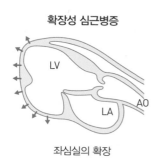
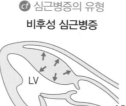
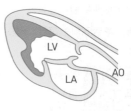

좌심실의 확장   비대칭성 중격비후(종종)   섬유화 또는 침윤된 심근

─ comment ─

대개 우심실 기능은 유지되는 경우가 많다. 만약 우심실 기능 저하에 따른 복수(복부에 물이 차는 것), 경정맥 확장, 간 비대, 부종이 동반되면 예후가 나쁘다.

054 ⑤

해설 │ **급성 사구체신염** 기출 20

- 원인
    - Group A β – 용혈성 연쇄상구균
    - 호흡기감염, 피부감염 발생 2~3주 후 항원–항체 복합체의 사구체 기저막 침착 및 염증화
    - 어린이와 청년에서 호발함
- 증상
    - 혈뇨, 단백뇨, 핍뇨, 무뇨(갑자기 요량 감소), 소변의 적혈구 원주체
    - 사구체여과율 감소: 수분정체, 전신부종(얼굴 및 눈 주변), 고혈압, 망막부종, 요흔성 부종
    - 발열, 오한, 쇠약감, 기면감, 복부 · 옆구리 통증 등
- 치료: 상기도 감염 시 즉각 치료하며, 이환 시 우선적으로 침상안정 취함

055 ②

해설 │ **직장경검사 시 간호중재**

- 검사 전 검사의 목적과 과정 및 불편감에 대해 설명한다.
- 검사 전 날 밤에 하제를 투여하고 검사 당일에 청결관장을 실시한다.
- 검사 시 무릎가슴자세(슬흉위)를 취해준다.

오답 ② 의식 하 진정제 투여: 검사 시의 고통을 최소화하고 환자를 진정시켜 검사 과정에 관한 기억을 약화시키기 위해 midazolam, propofol 등을 투여한다.

056 ④

해설 | **충수(돌기)염**

- 증상
    - 급성 시 판자같이 단단한 복부
    - 상복부와 배꼽주위에서 시작 → McBurney's point (RLQ 1/3)로 국소화
    - 통증 완화 위해 무릎을 구부린 자세로 누워 있음
    - 지속적 통증, 반동성 압통
    - 통증 후 시작되는 오심 · 구토, 식욕부진, 약간의 미열, 백혈구 상승(10,000/mm^3 이상), 설사
- 감별

젊은 여성	자궁외 임신, 배란통, 골반염
소아	급성 장간막 림프절염, 장 중첩증
기타	게실염, 궤양 천공, 급성 담낭염 등

- 치료: 증상이 나타나고 24~48시간 내에 충수제거 시급 ▶ 충수절제술
- 합병증: 충수천공 → 복막염, 농양(골반내, 횡격막하, 복강내)

─ comment ─

- 충수돌기염 환자에게서 심한 고열이 나타날 경우 천공, 복막염의 합병증을 의심하자.
- 급성 충수돌기염 시 McBurney 지점의 대칭 부분인 LLQ 복벽에 압력을 가하면 McBurney 지점(RLQ)에서 통증이 느껴진다. 이를 'Rovsing's 징후'라고 한다.

057 ⑤

해설 | **척수손상(L$_{3-4}$)** 기출 21

⑤ 하지마비, 다리 하부, 발목, 발 기능 상실에 해당한다. 즉, 상체는 정상적으로 기능하다.

cf L$_4$~S$_3$ 손상 시 보조기를 이용하여 보행이 가능하나, 방광 및 장 조절은 불가능하다.

cf 척수손상 위치별 근육기능 비교 기출 21

손상부위	운동기능 상태	특징
C$_{1-4}$	사지마비 ▶ 경부 이하 운동기능 상실	호흡기능 장애 ▶ 기관절개 및 인공호흡 필요
C$_5$	사지마비, 어깨 이하 기능 상실	방광, 장 조절 불가능
C$_6$	사지마비, 어깨와 상완 이하 상실	방광, 장 조절 불가능
C$_{6-8}$	사지마비, 전완과 손 운동조절 상실	방광, 장 조절 불가능
T$_{1-6}$	하지마비, 가슴중앙 이하 기능 상실	• 어깨, 가슴, 상부, 팔, 손 정상 • 방광, 장 조절 불가능
T$_{7-14}$	하지마비 ▶ 허리 이하 운동기능 상실	• 어깨, 가슴, 상부, 팔, 손 정상 • 방광, 장 조절 불가, 호흡기능 완전
L$_{1-3}$	하지마비, 골반기능 상실	방광, 장 조절 불가능
L$_{3-4}$	하지마비, 다리 하부, 발목, 발 기능 상실	

> **comment**
>
> • 배뇨중추는 $S_1 \sim S_2$에 있으며, 이것의 위치는 $L_1 \sim L_2$ 수준에 있다. 그러므로 요추신경이 손상된 환자에게는 방광과 장의 기능에 대한 문제를 예상해야 한다.
>
> • 경추($C_1 \sim C_4$)손상은 사지마비를 초래한다. 경부 이하 운동기능 상실로 사지마비가 초래되며, 횡격막 신경을 자극하므로 상위 경추 손상을 입은 환자는 호흡기계 부전의 위험성이 있다. 그러므로 우선적으로 호흡기능 장애를 확인해야 한다.

058 ④

해설 │ 고환암(자가검진)

• 증상: 보통 고환이 통증 없이 서서히 커져 단단한 무통성 결절로 만져짐. 약 10%에서는 고환내 출혈이나 경색으로 인한 급성 동통이 동반되기도 함

• 치료: 고환적출술, 후복막 림프절절제술, 방사선치료, 항암치료

• 예후: 방사선치료나 항암치료에 반응이 좋기 때문에 다른 비뇨기계 종양과 비교하였을 때 예후가 좋고, 완치율도 높음. 진행된 경우에도 좋은 성적을 기대할 수 있는 편임

• 고환 자가검진
  − 목욕 직후 몸이 따뜻할 때 시행함(즉, 음낭이완 시)
  − 탄력성 및 부고환 검진(부드럽게 촉진)
  − 정상: 달걀형, 대칭적 구조, 덩어리 없음 ▶ 알갱이 같은 덩어리: 감염 or 종양 의심

> **comment**
>
> 잠복(정류)고환의 경우 일찍 발견 · 교정하면 고환암 발생의 위험이 감소할 수 있다. 최근에는 1세 이전 조기 수술이 권장된다.

059 ③

해설 │ 화상(깊이)에 따른 분류

구분	1도	2도	3도(전층 화상)
증상	• 통증, 발적, 부종 • 열에 대한 민감성 증가 • 냉감에 의해 완화	• 신경말단의 손상 및 외부 노출 ▶ 통증 • 창백하거나 발적, 부종, 수포 형성, 감각과민 • 냉감에 민감	• 통증 없음, 체온 조절이 안 됨 • 쇼크 증상 • 혈뇨, 용혈
환부상태	• 피부색: 분홍~붉은색 • 누르면 창백 • 부종 약간 혹은 없음	• 피부색: 붉고 얼룩덜룩함 • 수포 형성(특징적), 부종 • 표면에 수분이 배어 나옴 • 감염, 외상, 혈액 공급 감소→ 3도 화상으로의 진전 위험	• 피부색: 흰색, 갈색, 검은색, 붉은색 • 건조, 부종, 조직괴사 • 지방층 노출

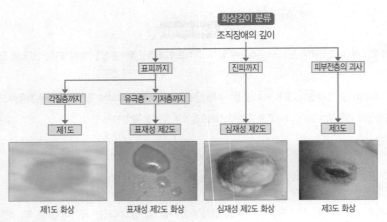

오답 ③ 3도 화상부터 감각기능이 소실되어 통증이 없다.

060 ③

해설 | **화상 9의 법칙**

③ 오른쪽 팔 9% + 몸통 앞면 18% = 총합 27%

- 12세 이상(성인): 머리 9% + 몸통 앞 · 뒷면 각각 18% (합 36%) + 오른쪽 · 왼쪽 팔 각각 9% (합 18%) + 오른쪽 · 왼쪽 다리 각각 18% (합 36%) + 회음부 1% = 총합 100%

▶ 9의 법칙(rule of nines)

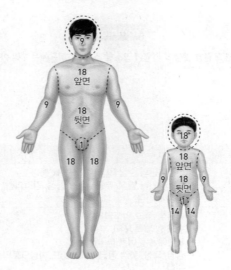

061 ③

해설 | **대상포진** 기출 16, 17

- 원인: Varicella zoster virus (잠복기 수두의 재활성화)
  - 50세 이후, 면역 기능의 약화(HIV, 장기이식, 항암치료 등)에 의해 발병 빈도가 증가함
- 증상: 작은 수포성 붉은 발진, 통증 소양증을 보이며, 염증은 일반적으로 일측성임
  - 수포성 발진: 하나 이상의 신경절 따라 일측성 · 비대칭적으로 발생함

– 염증: 일측성이며 흉수 · 경수 · 뇌 신경 따라 띠 모양 이룸
- 합병증: 전층 피부 괴사, 안면마비, 눈의 감염(홍채염 · 각막염), 뇌수막염
- 치료: 항바이러스제인 acyclovir (Zovirax) 적용

── comment ──

수두는 면역이 형성되지 않은 숙주의 일차적 감염이고, 대상포진은 면역된 숙주에게 일어나는 면역반응이다. 또한 노인이나 면역억제 환자의 경우 피부의 이상 증상이 모두 좋아져도 포진성 통증이 남는 경우가 흔히 있다.

---

062 ④

해설 | **급성 심근경색**

심근경색 발생 후 나타난 부정맥으로 즉시 제세동을 시행해야 한다.

오답 ⑤ 비정상적인 심장박동을 치료하는 항부정맥제이다.

063 ②

해설 | **경추손상**

- 경추의 C_4 이상 손상: 전신마비 + 호흡근 마비
- 호흡 유지
  – 상부 척수손상 환자의 경우 계속적으로 호흡관찰과 기도 유지
  – 호흡기 이상이 있는 경우를 대비하여 기관 삽관 준비
  – 기도개방 관리: 가습화 및 충분한 수분 제공, 필요시 흡인기로 객담 제거, 흉부물리요법

064 ⑤

해설 | **메니에르 증후군**

- 정의: 내림프액 압이 병적으로 증가하여 내림프수종을 일으키는 막미로의 대표적 질환이다.
- 증상: 편측으로 시작되나 10~80%가 양측으로 진행되고, 남성>여성이다.
  – 3대 증상: 감각신경성 난청, 현훈, 이명
  – 귀의 충만감 및 이물감
  – 발현 순서: 안구진탕증, 운동실조 → 오심 · 구토, 균형 장애, 자율신경계 증상

065 ⑤

해설 | **신경계 손상**

⑤ 무정위운동증(athetosis): 주로 사지의 말단에 일어나는 일종의 독특한 불수의운동. 뇌성마비 · 뇌졸중의 후유증으로써 마비된 쪽의 수족에서 볼 수 있는 증세이다.

오답 ① 대뇌: 운동성 실어증은 전두엽, 감각성 실어증은 측두엽

066 ④

해설 | **삼차신경통** 기출 20, 21

- 제5뇌신경인 삼차신경을 침범하는 신경통
- 통증: 음식 먹을 때, 입 크게 벌릴 때, 양치질 할 때 등에 심한 통증이 유발됨 → 얼굴 만지거나 말하기, 저작 기피, 피로, 허탈상태가 초래됨 ▶ 개인위생이 힘들게 됨
- 간호
  - 찬바람, 심한 더위, 뜨겁거나 차가운 음식은 통증을 유발하므로 피함
  - 구강위생: 가볍게 함수함
  - 고단백 · 고열량의 저작하기 쉬운 음식 섭취

  오답 ⑤ 안면신경 마비(Bell's palsy): 제7뇌신경(안면근육의 운동, 혀의 전면 2/3의 미각 담당) 침범 기출 16, 17, 18, 20

067 ③

해설 | **녹내장** 기출 16

- 정의: 방수 유출 통로의 폐쇄 → 비정상적인 안압 상승(23 mmHg 이상) *cf* 정상 안압: 10~22 mmHg
- 병태생리

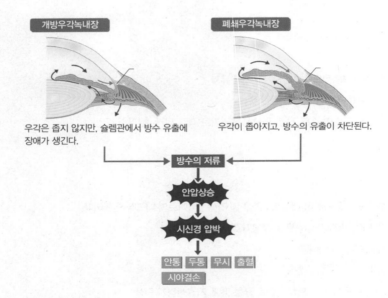

- 치료: 안압하강제(pilocarpine, carbachol)
  - 동공을 수축시킴 → 홍채 각막각을 늘림 ▶ 방수배출 증가
  - 사용 후 1~2시간 동안 시력이 흐려지고 동공이 수축하여 어두운 환경에 적응하기 어려움
- 금기: 모양근 마비제, 산동제

─ **comment** ─

녹내장 치료로 동공수축과 모양체근을 수축시키기 위해 *pilocarpine*, 방수생성을 감소시키기 위해 *timolol*, *diamox* 등을 투여한다.

068 ④

해설 | 백내장

- 정의: 수정체의 혼탁 → 망막에 선명한 상을 맺지 못함 ▶ 시력손상
- 원인: 노화(대부분의 경우)
- 치료: 수정체 제거수술(낭외적출술, 낭내적출술)이 유일한 치료법임

▶ 백내장 낭외적출술

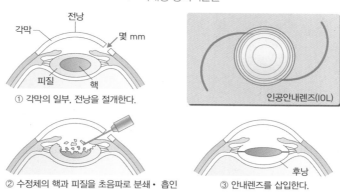

① 각막의 일부, 전낭을 절개한다.

인공안내렌즈(IOL)

② 수정체의 핵과 피질을 초음파로 분쇄·흡인

③ 안내렌즈를 삽입한다.

- 수술 후 간호: 안압상승 예방을 목표로 함

  - 안압상승 예방: 구부리거나 무거운 것을 들지 않고, 기침과 재채기를 피함

  - 전방으로의 출혈 및 감염 방지: 수술한 쪽으로 눕지 않고, 눈에 손대지 않도록 함

  - 안대 착용 및 통증 관리

069 ④

해설 | 뇌졸중 증상

- 반신(부전)마비, 감각장애 〈ex〉 뇌 우측 손상 시 좌측 편마비
- 동측성 반맹증 〈ex〉 좌측 편마비 시 좌측 반맹증
- 실어증 및 구음장애: 운동실어증, 감각실어증, 연하곤란 등
- 방광 손상: 빈뇨, 긴박뇨, 요실금 등
- 정신활동 손상: 퇴행성 변화

▶ 뇌 손상 부위별 증상

우측 뇌손상   좌측 뇌손상

우측 마비   좌측 마비

언어 장애   공간지각 장애

행동 느려짐   행동 빨라지고 충동적

기억장애(언어)   기억장애(행동)

뇌 우측 손상 시 좌측에 마비
뇌 좌측 손상 시 우측에 마비

〈cf〉 제7뇌신경 손상: 안면신경(감각 – 혀의 전면 2/3 미각, 운동 – 안면근육)

070 ②

해설 | **아토피 피부염(제1형 과민반응)**

- 치료
    - 목적: 소양증 조절, 증상완화, 2차 세균 감염 예방
    - 탈감작요법, 스테로이드제(가장 효과적인 국소요법)
- 간호: 적절한 실내온도 유지, 면제품 착용, 통목욕 대신 미지근한 물로 샤워 시행, 유분이 함유된 비누, 보습을 위한 습포 적용 등

여성건강간호학

071 ⑤

해설 | **가족중심 간호**

⑤ 가족중심 접근: 출산, 양육, 사회화 등 가족의 독특하고 중요한 기능을 담당하는 곳으로, 이는 단순히 어머니의 일만이 아니라 가족 전체의 과업으로 간주한다.

- 여성건강간호 접근: 여성중심 + 가족중심 + 인간중심 접근
    - 생애주기별 총체적 관리
    - 가임기 여성뿐만 아니라 신생아, 남편을 포함한 가족 전체의 건강관리에 관심을 가짐 ▶ 가족중심
    - 여성이 자신의 건강문제를 인식하고 지식을 가지면서 스스로 결정하고 조정하는 능력을 갖게 됨 ▶ 여성주의
    - 여성뿐만 아니라 인간의 신체적, 정신적, 사회적, 영적 측면을 모두 이해함 ▶ 인간중심

072 ②

해설 | **여성 생식기**

① 질전정내에는 6개의 구멍이 존재(질구, 요도구, 2개의 스킨샘, 2개의 바르톨린샘)

③ 스킨샘은 요도구의 상외측에 존재

④ 질은 강한 산성(pH 4~5)로 세균 침입 막음

⑤ 후질원개에서 암세포 검사물 채취함

073 ①

해설 | **초음파검사**

① 측위를 취하여 자궁으로 인해 대동맥이 압박되는 것을 막아준다.

- 유형
    - 복부 초음파(임신 초기): 방광팽만 상태(검사 1~2시간 전에 물을 1 L 정도 마심)에서 앙와위로 시행한다.
    - 질식 초음파: 방광을 비운 상태에서 쇄석위로 시행한다.
- 검사내용: 제태연령, 태아 성장(크기), 선천성 기형, 양수(지수 · 태변착색) 및 태반, 다태임신

오답 ③ 신경안정제에 속하는 향정신성의약품의 하나이다.

074 ③

해설 | **원발성 무월경**

  – 이차성징 발현 없이 13세까지 초경이 없는 경우

  – 이차성징 발현과 관계없이 15세까지 초경이 없는 경우

생리적 무월경

  – 기질적인 이상 없이 월경이 없는 경우

  – 자연폐경

075 ①

해설 |

① 당뇨의 과거력이 없고 혈당수치가 정상이면 경과를 관찰한다.

• 대부분 인슐린저항에 대처하고 정상혈당을 유지할 수 있을 만큼 인슐린을 충분히 생산한다.

시기	인슐린 요구량
임신 초~13주(임신 1기)	감소
임신 14~20주(임신 2기)	증가
임신 21~36주	현저히 증가 ◀ 태반호르몬의 증가
임신 3~40주(임신 3기)	감소

오답 ③, ④ 50 g은 선별검사이고, 혈당이 130~140 mg/dL이면 확진검사인 100 g 시행한다.

076 ②

해설 | **자궁경부질세포진 검사**

– 검사 전 질 세척, 질약 삽입, 성교 금함

– 월경기가 아닌 때 검사

– 임균의 배양이 필요한 경우 Pap smear 검사 전에 검사물 채취

– 편평원주상피세포 접합점과 후질원개에서 채취

– 편평상피세포의 표면을 360°로 회전하여 채취

– 점액을 문지르지 말고 슬라이드에 가볍게 펴서 고정제를 뿌린 후 건조

077 ③

해설 | **배포의 발달**

• 내배엽은 배아판 아래층으로 호흡기계, 위장계, 간, 췌장을 포함하여 요관, 방광, 질의 상피를 형성한다.

• 중배엽은 중간층으로 뼈, 치아, 근육, 결체조직 심혈관계, 비장, 신장을 형성한다.

• 외배엽은 배아판의 위층으로 피부, 선, 손톱, 머리털, 중추 및 말초 신경계, 눈의 렌즈, 치아의 에나멜, 양막을 형성한다.

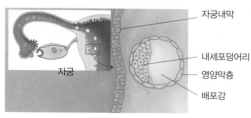

A. 배포의 자궁 도달

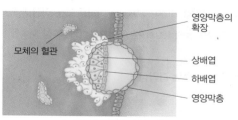

B. 배포의 착상(수정 후 7일)

①, ② 배포의 내세포 덩어리(inner cell mass) 분화 ▶ 양막강(amniotic cavity), 난황낭(yolk sac) 형성

④, ⑤ 외세포층: 내부 – 세포영양막, 외부 – 합포체영양막

◈ 난황난

- 배아에 영양분 공급: 자궁–태반간 순환이 이루어질 때까지(임신 2~3주)

- 초기 혈액세포 생성: 간에서 조혈작용이 이루어질 때까지(임신 6주)

078 ④

해설 | **태아전자감시기**

- 목적: 분만 동안 자궁수축에 상태에 따른 태아심박동수(FHR)의 변화 양상을 지속적으로 파악함

- 후기 하강

  - 정의: 자궁수축의 최정점 이후부터 FHR의 하강이 심하게 나타나서, 자궁수축이 끝난 후에도 FHR이 기본선(정상: 120~160회/분)으로 돌아오지 않음

  - 간호: 좌측위, 옥시토신 즉시 투여 중단, 8~10 L/분 산소공급, 정맥주입속도 증가, 양수내 태변착색 관찰

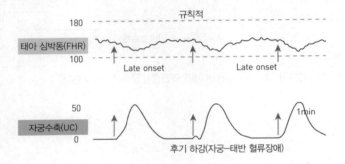

079 ⑤

해설 | **태아의 발달 과정**

⑤ 임신 12주(말): 내생식기, 외생식기가 구별되어 성감별이 가능해진다.

① 임신 20주: 태지 및 솜털이 생긴다.

② 임신 36주: 폐 성숙이 일어나며, 이때 L/S 비율이 2:1이 된다.

③ 임신 12주: Doppler 검사로 태아심음을 들을 수 있다.

④ 임신 12주: 신장에서 소변 생성하여 방광으로 배뇨한다. 16주에 양수내로 소변을 배설한다.

080 ③

해설 | **태아 심박동 양상**

- 태아 서맥: 태아 심박동(FHR)이 120회/분 이하로 10분 이상 지속될 때(정상: 120~160회/분)

- 태아 빈맥: 태아 심박동이 160회/분 이상으로 10분 이상 지속될 때(태아 저산소증의 초기 징후, 태아 감염, 산부의 갑상선중독증 등과 관련 있음)

- 조기 하강 vs 후기 하강 vs 다양성 하강

▶ 조기 하강

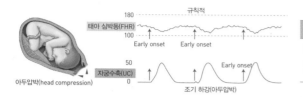

개념	원인	간호
FHR 하강이 자궁수축 시 자궁내압의 상승과 일치하여 나타남	아두압박: 미주신경이 자극받아 심박동이 감소	정상 ▶ 특별한 처치 필요 없음

▶ 후기 하강

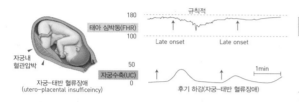

개념	원인	간호
자궁수축의 최정점 이후부터 FHR의 하강이 심하게 나타남	자궁-태반 순환장애 (태아 저산소증), 옥시토신(과도한 자궁수축), 태반박리	좌측위, 옥시토신 즉시 투여 중단, 8~10 L/분 산소공급, 양수내 태변착색 사정

▶ 다양성 하강

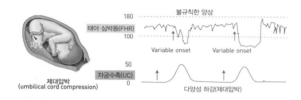

개념	원인	간호
자궁수축과 관계없이 태아 전자감시기에 U, V, W자 형태로 나타남 ▶ 중증 시 fetal distress, stress 암시함	제대압박	좌측위, 골반고위, 옥시토신 즉시 투여 중단, 8~10 L/분 산소공급, 중증 시 태아 혈액 검사, 응급분만 시행

081 ②

해설 | **가슴앓이(heartburn)**

- 자궁압력 증가와 프로게스테론의 상승 → 평활근 이완 ▶ 다양한 소화기계 증상
- 가슴앓이
  - 위·장의 운동성과 탄력성 및 식도의 탄력성 저하 → 분문괄약근 이완 → 위 내용물 식도하부로 역류 ▶ 가슴앓이
  - 우유를 마시면 증상이 일시적으로 완화됨

082 ⑤

해설 | **자궁경관무력증**

- 정의: 임신 중기 이후(18~32주) 진통이나 자궁수축 없이 무통성으로 경관이 개대 → 양막파열 ▶ 태아와 그 부속물이 배출
- 증상: 경관의 무통성 개대, 무통성 파막 or 경관개대로 인한 태아 배출
- 치료: 안정 및 경관봉합술

쉬로드카술(Shirodkar)	맥도날드술(McDonald)
반영구 봉합	임신 시마다 반복시술
임신 14주경	임신 4개월 이내
경관내 자궁구 주변 질점막을 들어올리고 끈으로 경관내 자궁구를 조인 후 질점막 봉합	경부의 모퉁이 네 곳을 통과하면서 자궁경부를 돌려 묶음

- 수술 후 간호
  - 양막파열, 자궁수축, 태아심음 집중관찰
  - 감염증상 파악: 통증, 발열, 질분비물의 변화 등
  - 24시간 침상안정, 자궁이완제 투여
  - 금지: 성관계, 장시간 서있기, 무거운 물건 들기 등

---

comment

경관무력증으로 태아가 배출되어 버리면, 그 태아는 생존력이 없다. 따라서 우선 안정을 취해 배출을 막아야 한다.

---

083 ①

해설 | **임신에 따른 생리적 변화**

② 임신 후반기에는 하지 정맥압 상승

③ 심장질환 임신 32주, 분만직후 매우 위험

④ 혈액량 증가, 생리적 빈혈 생김

⑤ 혈장 섬유소원 50% 이상 증가

084 ⑤

해설 | **절박유산**

출혈	자궁수축(통증) 및 경관	특징
혈성 질분비물, 점상출혈 ▶ 임신 전기의 무통성 질출혈 시 의심	• 무통증~경한 수축 • 경관 닫힘	• 적절한 치료 시 임신지속 가능 • 침상 안정 · 진정: 출혈지속 시 입원 • 성관계 2주 정도 금지

cf 유산유형별 비교

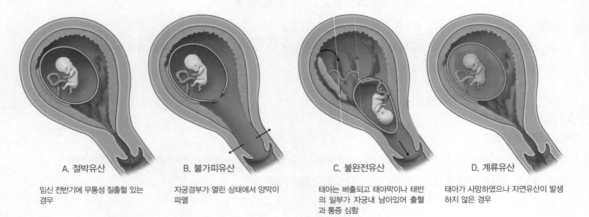

A. 절박유산

임신 전반기에 무통성 질출혈 있는 경우

B. 불가피유산

자궁경부가 열린 상태에서 양막이 파열

C. 불완전유산

태아는 배출되고 태아막이나 태반의 일부가 자궁내 남아있어 출혈과 통증 심함

D. 계류유산

태아가 사망하였으나 자연유산이 발생하지 않은 경우

085 ③

해설 | **임신 시 유방 변화**

① 임신 초기 말쯤부터 시작하여 임신 말기에는 유선이 더욱 발달한다.

② 몽고메리결절이 비대해진다(유두 보호 위한 윤활유 분비).

③ 유방의 민감성, 따끔거림이 증가한다.

④ 유방 크기가 12주에는 변화없고 임신 말기에는 평소에 비해 300 g 정도 크기 커진다.

⑤ 유두를 짜면 엷고 맑은 액체 분비(전초유, 임신 16주)

086 ⑤

해설 | **자궁외 임신**

- 호발부위: 난관(95%), 특히 난관팽대부에서 가장 흔함
- 원인: 난관의 협소화 or 폐쇄 ◀ 골반내염증(PID), 유착, 자궁내장치
- 증상
  - 날카로운 일측성 복부 통증: 난관파열에 의한 출혈, 견갑통(방사), 충수염과의 감별 필요성
  - 암갈색 질출혈
  - 심한 복강내 출혈(▶ 난관 파열): 저혈압, 빈맥, 창백한 얼굴, 어지럼증, Cullen's sign, 저혈량 쇼크 증상
- 치료 및 간호: 수술과 약물 모두 효과적. 환자의 임상상태에 따라 적용함
  - 개복술(난관파열 시 혈액과 응고물 제거): 실혈과 쇼크에 대비한 수혈 준비가 필요함
  - Methotrexate (MTX): 수정산물이 4 cm 미만, 임신 6주 이내로 파열되지 않은 경우에 근육주사 또는 임신조직에 직접 투여함
    - ▶ 분화세포 파괴

---
comment

- Methotrexate는 엽산길항제, 항종양제(백혈병, 임신성 융모암, 포상기태 등), 항건선제, 면역억제제로 활용도가 높은 약물이니 기억해두자.
- 모든 경우에 반드시 치료를 해야 하는 것은 아니다. 의심은 되지만 초음파 검사로는 확진을 못하고 베타 hCG 수치가 높지 않은 환자는 임상증상, hCG, 초음파를 주의 깊게 관찰한다.
---

087 ⑤

해설 | **태아심음(청진)**

- 목적: 태아자세, 위치, 다태임신에 대한 정보를 얻는다.
- 시기: 자궁수축과 수축 사이에 시행한다.
- 부위: 태아심음을 가장 잘 들을 수 있는 위치는 태아자세에 따라 변한다.
  - 태아 등 부분에서 잘 들린다(large part).
  - 임신 20~38주 이후: 임부의 제와 바로 밑
  - 임신 30주 이후: LOA · LOP는 LLQ/ROA · ROP는 RLQ/둔위는 제대, LUQ, RUQ이다.

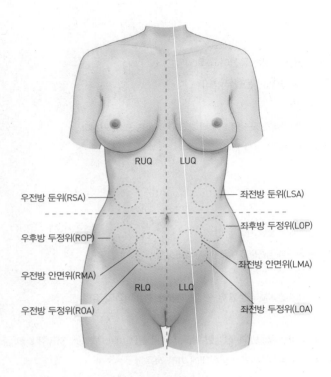

우전방 둔위(RSA) ──

우후방 두정위(ROP) ──

우전방 안면위(RMA) ──

우전방 두정위(ROA) ──

RUQ　LUQ

RLQ　LLQ

── 좌전방 둔위(LSA)

── 좌후방 두정위(LOP)

── 좌전방 안면위(LMA)

── 좌전방 두정위(LOA)

088 ④

해설 | **견축륜**

- 생리적 견축륜: 자궁이 상·하로 구분되는 경계선

  – 자궁수축 활성화 → 자궁상부는 짧고 두꺼워지며, 자궁하부와 경관은 늘어나고 얇아짐

- 병리적 견축륜: 난산 or 자궁기능부전 시

  – 자궁상부는 두꺼워지고 자궁하부가 극도로 얇아져 반지 모양이 됨

  – 복부 함몰이 관찰되고 이는 자궁파열의 임박을 암시함

  – 즉시 제왕절개 요함

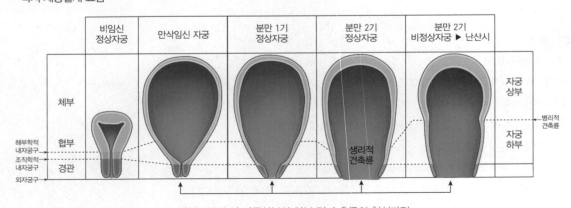

	비임신 정상자궁	만삭임신 자궁	분만 1기 정상자궁	분만 2기 정상자궁	분만 2기 비정상자궁 ▶ 난산시	
체부						자궁 상부
해부학적 내자궁구 ⟶ 조직학적 내자궁구 ⟶ 협부				생리적 견축륜		병리적 견축륜 ⟵
외자궁구 ⟶ 경관						자궁 하부

▶ 만삭·분만 시 자궁상부와 하부 및 수축륜의 형성과정

089 ⑤

해설 | 제왕절개(C/S)

- 적응증
  - 모체 측: 아두골반 불균형, 자궁기능부전, 전치태반, 심질환 등
  - 태아 측: 후방후두위(POP), 태아질식 등
- 수술 후 간호
  ① 조기이상 권장
  ② 수술 부위를 지지하면서 심호흡이나 기침을 하도록 하여 호흡기 합병증 예방
  ③ 조심스럽고 부드럽게 자궁을 마사지해 자궁수축을 촉진함
  ④ 출혈 사정방법은 자궁저부 위치 사정, 오로와 복부드레싱 주기적 교환 및 사정
  ⑤ 유치도뇨관은 24시간 내에 제거하고 그 후 4~8시간 이내 자연 배뇨를 확인한다.

090 ①

해설 | 자궁수축제(옥시토신)

① 태아감시기를 이용하여 태아상태를 사정하고 15분마다 태아심음과 산부의 혈압, 맥박을 측정한다.

투여 시기	투여 방법	부작용
임신 말기, 분만 직후	IM, Mix IV	항이뇨작용, 저혈압, 빈맥

오답 ② 수축간격 2분 이내, 수축지속기간 60~70초 이상, 자궁내압이 75 mmHg 이상 시 옥시토신을 즉시 투여 중단하고 의사에게 보고해야 한다.
  ③ 태아 심박동에 이상이 있으면 투여를 중지한다.
  ④ 항이뇨작용: 섭취량과 배설량을 정확히 기록하고 소변량 감소 시 의사에게 보고한다.

091 ⑤

해설 | 조산 시 태아 폐성숙

- 조산 위험 산부에게 스테로이드 제제(Betamethasone or Dexamethasone) 투여: 기도내막 세포에서 계면활성물질의 생성이 촉진되어, 신생아가 출산한 뒤에는 정상적인 호흡을 하는 데 도움이 된다.
  - 장점: 신생아의 호흡곤란증후군(RDS) 위험과 사망률 감소시킬 수 있다.
  - 주의점: 오심, 구토의 가능성이 있으므로 측위로 눕혀야 한다.

POWER 특강

임신 35주경 계면활성 물질인 Lecithin이 많이 분비되어 태아의 폐 성숙을 촉진시킨다. 일반적으로 L/S (Lecithin/Sphingomyelin) 비율이 2:1 이상일 경우 완전한 폐성숙(36주)을 의미하며 출생 후 생존이 가능하다.

---

092 ③

해설 | **회음절개술**

- 시기: 아두가 하강하여 외음 사이에서 아두가 3~4 cm 보일 때(발로 상태) 시행 권장함
- 장점: 불규칙한 열상을 예방하여 회복이 용이해지고, 방광류나 직장류도 예방할 수 있음
- 정중선 회음절개
  - 장점: 통증과 실혈량이 적고 봉합이 용이하며 치유가 잘됨. 또한 성교통의 속발도 드묾
  - 단점: 항문괄약근 및 직장 손상의 가능성이 증가됨(3~4° 열상)

093 ⑤

해설 | **분만1기 배뇨간호(요정체)**

- 원인: 방광전벽에 선진부의 압박 지속적 증가 → 방광긴장도 감소 및 방광이 차있는 느낌을 지각할 수 있는 능력 감소
  → 요의 느끼지 못함 ▶ 방광팽만, 요정체, 비뇨기계 감염 유발
- 방광팽만: 자궁수축 저해, 선진부 하강 방해. 분만지연 위험
- 간호
  - 방광팽만 사정(치골 결합 바로 위에서 융기된 동그란 덩어리) + 2~4시간마다 배뇨유도
  - 힘을 주다가 분만할 수 있으므로 활동기에는 침상변기 이용한다.

094 ②

해설 | **태아곤란증(fetal distress)**

- 원인: 양소과소증으로 인한 제대압박, 태아 저산소증에 의한 태변 방출, 착색 및 흡입
- 증상
  - 태아심박동 120회/분 이하, 160회/분 이상(다양성 하강)
  - 자궁수축이 끝난 후 태아서맥이 30초 이상 지속, 태아심음이 들리지 않거나 불규칙할 때
  - 두정위이면서 태변 배출 시 **cf** 둔위에서의 태변 배출은 정상
- 간호: 좌측위, 산소요법

오답 ④, ⑤ 옥시토신으로 분만을 촉진시키거나 자궁이완제로 분만을 지연시키게 되면 태아곤란증이 더욱 악화된다.

095 ④

해설 | **분만기전**

- 진입 → 하강 → 굴곡 → 내회전 → 신전 → 외회선 → 만출
  - 진입: 아두의 대횡경선이 골반입구로 들어감
  - 하강: 태아가 골반입구를 지나 골반출구를 향해 내려가는 모든 과정. 좌골극 기준으로 태아 선진부 수준을 표시함
  - 굴곡: 아두의 소사경선으로 골반을 통과하기 위해 굴곡
  - 내회전: 골반입구는 횡경선이 길고 골반출구는 전후경선이 길어 아두가 만출하기 위해 회전이 일어남. 좌골극 수준에서 내회전 시작
  - 신전: 아두가 회음부에 닿으면 후두가 치골결합 하단에 닿게 되어 후두, 이마, 얼굴 순으로 질 밖으로 배출됨
  - 외회전(복구): 태아의 후구가 다시 같은 방향으로 회전하여 완전한 측방 태향이 됨
  - 만출: 전방견갑이 먼저 나오고 후방견갑이 만출되면서 나머지 신체부위가 쉽게 만출됨

096 ③

해설 | **산후감염**

③ 초산부의 경우 분만1기(12~14시간) + 분만2기(1시간) + 분만3기(30분~1시간) = 약 14~16시간이므로 정상적인 시간이다.

- 산후감염의 원인

산전	분만 중	산후
• 산전관리 부족 • 파막 후 성교	• 조작적 중재: 태반용수박리, 내부 태아감시장치, 기계분만(겸자분만, 흡인분만) • 제왕절개 • 빈번한 내진, 도뇨 • 파수 후 분만지연, 난산 • 회음절개, 생식기계 외상 및 열상	• 산후출혈 • 태반 잔류

- 증상: 발열(분만 후 24시간 이내는 제외), 빈맥, 전신쇠약(피로, 식욕부진)
- 치료 및 간호
  - 항생제 및 진통제 투여: 모유수유에 지장 없다.
  - 회음부 청결: 2~3시간마다 회음패드 교환
  - 반좌위: 질분비물 배설 촉진, 상행성 감염 방지
- 예방: 정기적 산전관리(임신 중 빈혈 · 영양실조 교정)

오답 ② 조기양막파열(PROM): 파막 후 24시간 이상 분만이 지연된다면 자궁내감염의 가능성이 있다.

097 ⑤

해설 | **분만 후 신체적 회복**

오답 ① 분만 6주 후 자궁은 원래의 무게(50~60 g)로 회복된다.

② 모유수유 → 옥시토신의 분비 ▶ 자궁수축이 유발된다. 초산부+수유부의 자궁수축이 가장 잘되므로 자궁퇴축부전 예방을 위해 모유수유가 권장된다.

③ 오로의 양: 경산모 > 초산모, 비수유부 > 수유부, 조기이상 및 자궁마사지 시행 시에도 증가한다.

④ 자궁저부 높이: 분만 직후 치골결합과 제와부 중간에서 촉지되고, 12시간 후 제와부 수준에 머무른다. 분만 9~10일 후에는 복부에서 촉진할 수 없으며, 분만 6주 후에는 분만 전 크기(50~60 g)로 완전히 퇴축한다.

098 ④

해설 | **분만직후 신생아 간호**

④ 제대 연령에 비해 출생 시 체중이 4.5 kg 이상의 거대아가 질식분만을 한 경우 쇄골골절을 의심할 수 있다.

- 거대아: 체중이 4,500 g 이상인 태아
  - 원인: 모체가 당뇨, 비만, 다산부인 경우
  - 모체 합병증: 자궁기능부전, 난산, 자궁파열, 주산기 사망률 증가 등
  - 태아 합병증: 쇄골골절, 경부신경 마비 등
- 아프가(APGAR) 점수(10점 만점)

1분 이내	즉각적인 생존여부의 평가를 위한 가장 적절한 시간임	0~3점	자궁외 생활 적응에 심각한 어려움이 있음
5분 이내	1분보다 장기간의 생존과 신생아의 신경학적인 상태를 더 예측할 수 있음	4~6점	중등도의 어려움이 있음
		7~10점	정상

099 ①

해설 | **산욕기 영양(수유관련)**

- 열량: 하루에 2,600~2,800 kcal or 비임신 시보다 500 kcal 이상 증가시켜 섭취
- 단백질: 비임신 시보다 20~30 mg 증가시켜 섭취
- 수분섭취: 2,500~3,000 ml/일 이상
- 무기질: 칼슘 1,200 mg/일, 철분 18 mg/일(1,000 ml의 우유 섭취를 권장)

100 ④

해설 | **골반 유형**

	여성형(50% 이상)	남성형(20%)	유인원형(25%)	편평형(가장 드묾)
특징	둥그스름한 난원형 (횡경선 > 전후경선)	각이 진 하트 모양 (횡경선 < 전후경선)	전후경선이 긴 난형 (횡경선 << 전후경선)	전후경선이 짧고 횡경선이 매우 긺 (횡경선 >> 전후경선)
분만법	질식분만	제왕절개	겸자분만 (질식분만 어려움)	난산

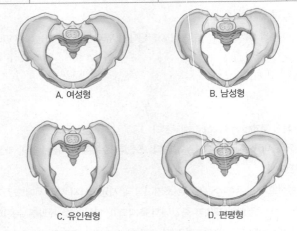

A. 여성형   B. 남성형

C. 유인원형   D. 편평형

101 ⑤

해설 | **모유수유 시 유두간호**

- 일반적: 유두를 공기에 노출 · 건조시키며, 통증 시 짧게 수유하고 남은 모유를 손으로 짜낸다.
- 유두열상 및 균열 ▶ 유방염 · 유방농양
    - 유두에 비누나 크림, 소독제 사용을 제한하고 물로만 씻는다. 햇볕에 많이 노출시킨다.
    - 아프지 않은 쪽부터 수유를 시작하고, 수유시간을 한쪽에 5분 이내로 제한한다.
    - 농성 분비물이 있거나 통증이 아주 심할 때만 수유를 48시간 동안 중단한다.
- 예방
    - 빠는 자세 향상: 수유 시 아기를 가까이 안고 유륜까지 깊게 물린다.
    - 짧은 시간 동안 교대로 젖을 물린다.

102 ③

해설 | **산후 출혈**

- 조기산후출혈: 분만 후 24시간 이내 발생, 자궁이완이 가장 흔한 원인, 열상(회음부, 질, 경관 등), 태반조직 잔여(자궁퇴축 방해)

  심한 출혈, 저혈량성 쇼크

  자궁이완 시 자궁저부 마사지, 자궁수축제 투여, 열상 시 열상부위 봉합, 저혈량성 쇼크 예방

- 후기산후출혈: 분만 24시간 이후부터 6주 사이 발생, 태반 잔류가 가장 흔한 원인

  자궁 크기 증가, 물렁하고 부드러움, 악취나는 오로(적색 → 갈색 → 백색 → 적색)

  순환혈량 증가 위해 정맥으로 수액 주입, 소파수술 후 자궁수축제

- 산도열상: 만출된 태반에 결손부위가 없고, 자궁퇴축은 잘 되지만 선홍색의 동맥혈성 출혈 지속

- 열상의 종류 [기출 11]

  1도 열상: 질점막과 피부(음순소대)의 열상(근육열상이 없는 상태)

  2도 열상: 1도 열상부위 + 회음, 회음체 근육의 열상

  3도 열상: 2도 열상부위 + 항문 괄약근의 열상

  4도 열상: 3도 열상부위 + 직장의 열상

103 ⑤

해설 | **모성의 사회심리적 적응단계**

⑤ 소극기에서 분만으로 인한 체력 소모, 어머니 역할에 대한 불안감과 부담 등에 의해 산후 우울감을 경험할 수 있는데, 이는 호르몬 변화로 오는 일시적인 변화라는 것을 설명한다. 불안한 마음을 표현하도록 격려하고 적절한 휴식과 영양을 섭취할 수 있도록 한다.

소극기 (분만 후 2~3일)	적극기 (분만 후 3~10일)	이행기 (분만 후 1주일~산욕기)
수동적, 의존적: 애정과 관심을 받고 싶어 하며 수다스러움	독립적, 자율적: 새로운 어머니 역할을 수행하려 함	아기를 독립된 개체로 인정하고, 새로운 어머니 역할을 수용 · 실행함

104 ③

해설 | **급속분만**

- 정의: 분만이 3시간 이내에 매우 빠르게 끝남

- 합병증

  − 모체 측: 산도열상, 산후출혈, 태반조기박리, 자궁파열, 양수색전 등

  − 태아 측: 태아저산소증, 뇌외상, 태아곤란증, 상완신경마비증

- 중재: 자궁수축제(옥시토신) 즉각 중단, 태아심박동 및 자궁수축 모니터링 실시

105 ④

해설 | **유도분만(옥시토신)**

- 적응증

  − 임신의 지속이 모체건강 위협 시: 임신성 고혈압, 당뇨병 산모, 자궁내 태아 사망

  − 모체의 상태가 태아건강 위협 시: Rh 동종면역 ▶ 태아적아구증 예방

- 42~43주 과숙분만: 지연임신 ▶ 태반노화, 양수과소증, 제대압박, 태변흡입 증후군 예방

- 조기 양막파수: 파막 후 24시간 이상 ▶ 자궁내 감염 예방

- 활동기 분만지연

· 금기

모체	태아
· 자궁의 과다신전: 다태임신, 양수과다증 · 산도기형, 협골반, 질산도 음부포진 감염 · 태반이상: 태반조기박리, 전치태반 · 임신성 고혈압 · 고령, 다산부(4회 이상)	· 태위 이상(둔위 및 횡위), 선진부 이상, 아두골반 불균형 · 제대탈출 · 태아 뇌수종, 저체중아, 미숙아, 조산아 · 태아질식(태아곤란증)

· 약물투여(옥시토신)

- 투여방법: 반드시 정맥투여함(근육투여 금지)

- 주의점: 75 mmHg 이상의 자궁내압, 수축 지속시간 60~75초 이상, 수축 간격 2분 이하 시 즉시 투여 중단, 의사에게 보고

- 과량투여 시 부작용

ⓐ 자궁과다수축(고긴장성 · 강직성 수축) → 태반기능부전 → 태아산소결핍, 뇌외상

▶ 태반조기박리, 자궁파열, 경관열상, 산후출혈, 양수색전증

ⓑ 수분중독: 항이뇨작용 ▶ 요배설량 감소, 두통, 시력장애, 행동변화, 쌕쌕거림 등

ⓒ 순환기계 증상: 빈맥, 부정맥, 홍조, 혈압상승, 일과성 혈압강하, 쇼크 등

ⓓ 오심 · 구토, 두통, 복통 등

2회 2교시 정답 및 해설

아동간호학

001 ①

해설 | **성장 & 발달**

• 정의

성장(양적 변화)	• 주로 생물학적인 변화: 신체의 크기나 세포 수의 증가 등 • 측정 가능하고 쉽게 관찰되거나 조사됨 ex 키, 몸무게
발달(질적 변화)	• 새로운 기능을 수용하고 습득하는 능력의 증가 ex 언어습득 • 인간의 전 생애에 걸쳐 일어나는 신체적 · 정서적 · 사회적 변화의 모든 양상과 과정을 포함 ▶ 성장보다 광범위한 개념

• 성장발달의 원리

복합성 및 상호관련성	일생 동안 지속되는 연속적 · 비가역적 과정으로 다양한 측면이 상호관련된 복합성을 가짐
방향성 (일정한 방향)	• 두미발달: 두부 → 미부 • 근원발달: 중심 → 바깥(몸통 → 다리) • 세분화: 전체적 → 구체적(단순 → 복잡)
순차성 · 연속성	• 일생 동안 지속되는 연속적인 과정: 질서정연한 순서가 있어서 예측 가능함 • 모든 발달은 이전 단계의 발달 성과들이 누적되면서 이루어짐
개인차	성장속도나 비율은 유전 or 환경적 요인에 따라 개인차가 있음
결정적 시기	• 특정 영역의 발달이 촉진되어 최적의 성장발달이 달성되는 최적의 시기(민감한 시기)가 존재함 ex 뇌는 생후 2년 동안 성인의 80%에 가깝게 성장함 • 적절한 환경자극이 주어지지 못하면 특정 영역의 발달에 결함이 생길 수 있음
발달의 속도	예측 가능하지만 모든 영역의 속도가 일정하지는 않음 A: 림프계 B: 신경계 C: 신체 전반(외적 크기, 호흡기계, 소화기계, 신장계, 순환계, 근골격계) D: 생식기계

002 ④

해설 | **학교공포증(학교거부증)**

• 정의: 학교에 대한 불안과 공포로 일정기간 학교에 가기를 거부하며 신체적 증상(복통, 두통, 설사, 발열, 구토 등)이 경우에 따라 발생. 치료 시기를 놓칠 경우 학교생활 적응 장애와 불안장애로 진행

• 원인: 새로운 환경과 교사 및 친구와의 관계 장애, 부모가 없어질 것에 대해 두려워하는 것(분리불안)으로 추측

• 특징적 증상

- 학교에 가기 싫어하면서도 이를 분명히 말하거나 표현하지 않음
- 학교에 가야 할 시간이 되면 복통, 두통, 설사, 발열, 구토 등의 신체적 증상을 호소함. 학교에 가지 않으면 증상이 즉시 사라지고, 학교에서 돌아온 후나 휴일에도 증상이 사라짐. 학교에 가지 않는다 해도 집 밖으로 나가지 않고 집에서만 지냄

- 예방
  - 원인을 세밀히 관찰하고 파악
  - 부모가 곁에 있을 거라는 확신을 주어 점차적으로 교정
  - 가족과 함께 미리 초등학교를 둘러보고 학교생활에 대해 설명
  - 취학능력 정도를 평가, 적절한 시기에 독립심을 키워주어 부모와의 분리불안을 극복

- 중재
  - 즉시 학교에 보내어 학교생활을 지속하도록 함(학교에 가지 않는 시간이 길어질수록 다시 학교에 가는 것이 더 어려워질 수 있기 때문)
  - 부모와 교사는 상호협조하고 지속적으로 관리
  - 반복되는 복통, 구토, 두통 등의 신체 증상과 관련하여 종합검진 시행(신체에 이상증상이 없음을 확신시켜 불안 감소)

003 ④

해설 | **신경성 식욕부진**

- 정의
  - 의도적으로 음식섭취를 거절. 명확한 신체적 원인 없이 심각한 몸무게 감소. 청소년기 여아에서 흔함

- 특성
  - 신체상 왜곡: 신체에 대해 전반적으로 왜곡해서 인식(저체중이나 여윈 상태에도 뚱뚱하다고 생각)
  - 살찌는 것에 대한 강박적 혐오

- 증상

• 심각한 몸무게 감소	• 건조한 피부와 부서지기 쉬운 손톱
• 탈수	• 솜털같은 체모의 출현
• 대사활동 변화와 징후	• 변비
• 이차성 무월경(월경이 시작되었으면)	• 피로감
• 일차성 무월경(월경이 시작되지 않았다면)	• 수면장애
• 서맥	• 골다공증
• 체온저하	• 신체상의 혼란
• 혈압저하	• 과도한 식이요법 진행 시 철분 결핍성 빈혈
• 한랭 과민성	

- 간호진단
  - 영양부족: 음식섭취 거절과 관련
  - 체액부족/체액부족 위험성: 감소된 수분섭취, 자가유도구토, 설사제, 이뇨제 남용과 관련
  - 신체상 장애/자긍심 저하: 지연된 자아발달, 역기능 가족체계 및 외모에 대한 불만과 관련
  - 불안: 무력감 및 일상생활 조절능력 상실과 관련된 불안 등

신경성 폭식증(bulimia nervosa)

- 대식증이라고 하며, 폭식 사건이 특징적으로 반복되는 섭식장애

- 폭식행위란 짧은 기간 동안에 많은 양의 고칼로리 음식을 몰래 광적으로 먹는 것을 의미

- 이는 자학적인 생각, 우울한 기분, 식사양상이 비정상적이라는 인식으로 이어짐

• 증상

- 폭식과 소모(음식물 토하기, 구토제, 하제 등)를 주기적으로 반복

- 체중은 대부분 정상이거나 약간 비만상태

• 간호

- 신경성 식욕부진 아동의 간호관리와 유사

- 스스로를 환자라고 생각하지 않거나 숨기려고 하기 때문에 주의의 도움을 거부하는 경향

- 조기발견과 조기치료가 매우 강조됨

- 간호사는 건강한 신체이미지를 형성하도록 비판하거나 나무라지 말고 분노, 이상한 기분, 자제력 상실과 관련된 느낌과 행동을 말하도록 격려

• 간호진단

- 음식섭취 거절과 관련된 영양부족

- 과도한 음식섭취 및 감소된 신체운동과 관련된 영양과다

- 지연된 자아발달, 역기능 가족체계 및 외모에 대한 불만과 관련된 신체상 장애/자긍심 저하

- 무력감 및 일상생활 조절능력 상실과 관련된 불안 등

---

004 ②

해설 | 유아 건강검진 접근법

• 아동의 협조 유도 전략

– 부모 및 아동의 신뢰관계 구축불안, 스트레스를 완화

– 과정 설명: 유아–간단하게, 부모–충분히 설명, 질문에 정직·성실하게 답변

– 낯선 환경과 사람, 기구에 익숙해질 수 있는 시간을 제공

– 어린 아동은 친숙한 사람을 곁에 있게 함(불안 감소)

– 유아나 학령전기 아동–모든 절차를 설명, 의료 기구 조작 허용

– 방해 및 자극 요인 최소화, 종이인형 기법 사용

– 영아나 어린 아동–부모나 보호자의 무릎에 앉아 검진

– 신체 사정 동안 아동 및 부모의 눈맞춤 필요(불안 경감)

– 학령기 후기 아동, 청소년–가족, 보호자가 없는 장소에서 신체사정

– 집단면담과 개별면담을 병행(개별면담–집단면담에서 누락된 중요정보 수집 가능)

– 갑작스러운 동작 피함

– 잘 협조한 경우 칭찬, 장난감이나 스티커를 상으로 줌

- 억제 필요시 부모에게 도움을 청함
- 기타 고려사항
  - 수면 중일 때: 간단한 검진(키, 두위 측정)과 조용한 환경을 요구(호흡기계 사정)하는 기관의 사정을 먼저 수행
  - 침습적이고 불편감을 주는 절차: 맨 마지막 실시(공포감, 통증, 울음, 맥박수 증가)
  - 검진대 위에 영아가 있는 경우: 돌발사고에 대비(검사자의 손은 항상 영아 가까이)
  - 사정 종료 전 아동, 가족, 보호자에게 의문점 질문
- 아동의 발달단계별 신체검진을 위한 접근법

연령(단계)		특성	특성
영아	• 앙아위, 복와위 • 부모의 무릎 위 • 검진대 위에 있는 경우에는 부모를 바라볼 수 있게 유지	• 조용하면 심장, 폐, 복부를 청진 • 심박동수와 호흡수 측정 • 두미 방향으로 진행 • 눈, 귀의 검진과 같은 침습적 검진은 맨 마지막에 검진 • 모로반사는 맨 마지막에 검진 • 울 때에 입을 검진	• 검사실 온도가 적당하면 옷을 완전히 벗기고 검진 • 밝은 색의 딸랑이를 보여 주거나 말을 하여 영아의 관심을 유도 • 설탕물이나 수유로 아기를 달램 • 갑작스러운 행동을 피함 • 귀, 입의 검진을 위한 억제법 적용 시 부모에게 도움을 요청
유아	• 부모의 무릎 위에 앉거나 섬 • 부모의 무릎 위에 눕힘	• 조용할 때 청진, 타진, 촉진 • 침습적 검진은 맨 마지막에 수행	• 손가락을 세도록 하거나 발가락을 꿈틀거리게 하는 놀이를 통해 신체부위를 검진 • 부모가 겉옷을 벗기게 함 • 신체부분을 검진해 가면서 속옷을 벗김 • 검진에 대해 간단하게 설명 • 필요시 억제를 위해 부모에게 도움 요청 • 협조적 행동에 대해 칭찬해 줌
학령전기	• 서거나 앉는 자세 • 앙아위, 복와위 취하는 것에 대부분 협조적 • 부모가 곁에 있는 것을 좋아함	• 협조적인 경우 두미 방향으로 진행 • 비협조적인 경우 유아와 동일한 방법으로 진행	• 부끄러워할 때는 팬티 착용을 허용 • 검진기구를 살펴보게 하고 사용방법을 간단하게 보여 줌 • 종이인형 기법 사용 • 가능하면 아동에게 선택권을 줌 • 협조를 잘할 것이라고 설명
학령기	• 앉거나 선 자세 • 검진과정에 대부분 협조적	• 두미 방향으로 검진 진행 • 고학년 아동은 생식기 검진을 맨 마지막에 실시 • 고학년 아동은 프라이버시를 중시함	• 스스로 옷을 벗게 함 • 팬티 착용을 허용하고 가운을 제공 • 기구의 목적과 검진과정의 중요성을 설명 • 인체의 기능에 대해 설명
청소년기	• 학령기 아동과 동일 • 부모가 곁에 있을지의 여부를 선택하게 함	• 고학년 학령기 아동과 동일	• 탈의실에서 가운을 갈아 입도록 함 • 검진하는 부분만 노출 • 검진 중 검진소견을 설명 • 성적 발달에 대해 사실적으로 언급 • 발달이 정상임을 강조 • 생식기 검전을 맨 마지막에 실시

005 ①

해설 | **콜버그(Kohlberg)의 도덕발달 이론**

- Piaget의 인지발달이론을 기초로 하여 도덕발달이론 정립. 6단계 구성. 단계는 순차적이며, 이전 단계가 포함되어 발달
- 도덕수준 유형
  - 전인습적 도덕수준: 처벌과 보상이라는 외부적 요인에 의해 행위를 결정
  - 인습적 도덕수준: 규범을 준수하고, 사회질서를 유지하고 지지. 결과와 상관없이 가족, 집단, 국가의 기대에 부응하는 것에 가치부여. 사회규범이 모두를 위해, 질서유지와 사람들을 보호하기 위해 존재한다고 지각. 착한 행동 지향. 사회적 규율과 관습에 맞는 행동을 도덕적 행동이라고 생각
  - 후인습적 도덕수준: 사회정의와 보편적 도덕성의 원리를 지향

006 ②

해설 | **DDST 검사(Denver 발달선별검사)**

② 한 번의 판정으로 확실한 진단을 내리기는 어렵다.

- 적용시기: 출생 시~6세 이전
- 검사영역(4가지): 개인 – 사회성, 미세운동 – 적응, 언어, 전체운동
- 검사 시 주의점
  - 지능검사가 아니며 아동이 모든 항목을 통과해야 하는 것은 아님을 부모에게 알려줌
  - 연령선의 정확한 표기: 미숙아의 경우, 현재 나이에서 조산한 주수만큼을 빼고 연령 계산함
- 평가기준

실패(fail)	아동이 지침대로 시행할 수 없었을 때 'F'로 표시
지연(delay)	• 연령선 미만에 있는 항목에 'F'가 있을 경우 지연발달을 의미 • 지연된 항목의 오른쪽에 짙게 칠하여 표시
주의(caution)	아동이 75~90% 사이에 연령선이 통과하는 항목을 실패하거나 거절했을 때 'C'로 표시
거절(refuse)	아동이 할 수 있는데도 검사자 앞에서 하기를 거절할 때 'R' 표시

- 결과해석: 실패 항목 중 지연(delay)과 주의(caution)의 횟수로 판단함

정상 발달	지연항목 없음 + 주의항목 1개까지
의심되는 발달	1개 이상의 지연과 또는 2개 이상의 주의항목
검사 불능	완전히 연령선 왼쪽의 항목에서 1개 이상의 거부나 75~90% 사이에 연령선이 지나는 항목에서 2개 이상의 거절

* 의심 또는 검사 불가를 보인 아동에 대한 권유
  - 일시적 요인을 배제하기 위해 1~2주 뒤 재검을 받도록 함
  - 재검사 역시 의심 또는 검사 불가인 경우 다음에 기초하여 임상적 판단을 내림
    ⓐ 주의와 지연 항목의 수
    ⓑ 과거의 발달 정도
    ⓒ 임상적 검진과 과거력
    ⓓ 의뢰 가능한 자원의 이용 가능성

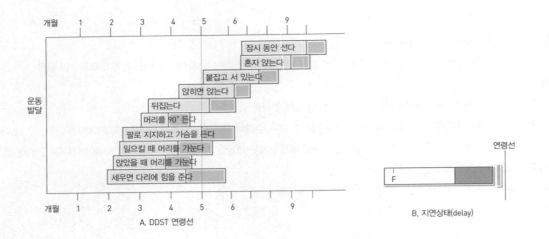

A. DDST 연령선   B. 지연상태(delay)

007 ①

해설 | **사춘기**

- 급성장기: 출생~2세까지, 그리고 사춘기 때 신체가 급성장하게 된다.

- 사춘기의 시작

여아	남아
• 8~13세 유방조직이 발달되면서 시작됨 • 남아보다 보통 2년 정도 먼저 성장함	이차 성징 전 고환의 부피가 커지며 시작됨

- 성별에 따른 이차 성징 비교: 예측 가능한 순서로 진행됨

성별	발달 순서	특징
여아	유방 → 음모 → 키 → 초경 → 몸무게	• 가슴 발달(가장 먼저) • 골반의 횡직경이 커짐, 음모 • 질 분비물의 변화, 초경 시작
남아	고환 → 음모 → 사정 → 키 → 몸무게	• 고환증대(가장 먼저) • 생식기 크기가 커짐, 몽정 시작, 음모 • 목소리 변화, 어깨 폭이 넓어짐

오답 ③, ④ 골격 성장, 근육 크기, 지방조직, 피부, 목소리(변성) 차이가 청소년기에 두드러진다.

008 ③

해설 | **영아의 안전간호**

흡인 및 질식	• 예방법
	  – 수유 시 젖병을 기대어두지 않고, upright sitting position (똑바른 자세, 45° 이상)으로 앉혀서 수유함
	  – 비닐봉지, 장난감에서 분리된 작은 부품 등을 확인하여 치워줌
	• 청색증, 기침 등의 호흡곤란 증상이 나타난 경우: 영아의 얼굴을 아래로 향함 + 머리를 몸보다 낮춤 + 견갑골 사이를
	  힘주어 3~4회 내리침

낙상	• 영아의 사망 주요원인
	• 예방법
	  – 높은 곳에 절대로 혼자 두지 않고, 침대 난간을 언제나 올려둠
	  – 영아용 의자 및 유모차, 차에서 안전벨트를 채워둠

화상	• 영아의 피부는 자극에 예민하며, 열 감지 능력이 저하되어 있음 • 예방법 　– 목욕물(40~43 ℃)과 우유의 온도를 확인함 　– 6개월 이후부터 점차적으로 햇볕에 노출시키고 자외선 차단제를 발라줌
자동차 사고	• 체중에 맞는 영유아용 카시트 사용함 　– 차의 뒷좌석에 설치하고, 9 kg 이하의 영아는 후방주시하게 함

오답 ① 푹신하고 부드러운 침요는 영아돌연사 증후군을 유발할 수 있다.
② 목에 끈을 묶어두었을 경우 질식의 가능성이 높다.
④ 전자레인지로 데우면 우유병과 내용물의 온도 차이로 화상을 입을 수 있다.
⑤ 목욕 시 샤워기를 직접 사용할 경우 화상의 위험이 있다.

POWER 특강

	영아돌연사 증후군(sudden infant death syndrome, SIDS)
정의	1년 미만의 건강한 영아의 갑작스러운 사망으로, 대개 수면 중 발생
위험요인	• 2~4개월의 영아, 남아 > 여아, 조산아(저체중아), 젖병수유 > 모유수유 • 영아의 중추신경계 장애 및 호흡부전 경험 • 산모의 흡연 및 약물경험 • 수면습관: 푹신한 침대 · 쿠션 · 인형(◀ 뒤집기가 용이하지 않음), 과열(열스트레스), 복위 및 측위, 양육자와 함께 잠
원인	정확한 원인은 알려지지 않음
예방	• 무호흡 모니터링 　– 무호흡: 최소 20초 이상 호흡정지. 서맥, 청색증, 창백증 등이 동반됨 　– 알람 울린 후 30초 내로 달려가서 아이에게 촉각 자극을 주거나 CPR 시행 　– 잘 들리지 않는 상황 시 적어도 한 사람은 아이 옆에 있도록 함 • 엎드려서 재우지 않음 • 수면 중 인공젖꼭지를 물려줌 • 아이를 부모와 한 침대에서 재우지 않음 • 젖병을 물려서 재우지 않음 • 자기전 인형을 침대에 넣어주지 않음
간호중재	• 무호흡 모니터링 • 가족에 대한 심리적 중재 필요

---

009 ③

해설 | 신생아 호흡곤란 증후군(respiratory distress syndrome, RDS)

③ 호흡곤란 증후군에서는 흉부 근육이 긴장 · 수축한다.

• 원인: 미숙아에게 가장 잘 발생함

　– 당뇨병이 있는 모체로부터 제왕절개 분만한 경우, 특별한 원인을 모르는 경우에도 발생함

• 증상

　– 호흡곤란

　　ⓐ 빈호흡(80~120회/min) → 호흡성 산증 ▶ 뇌손상 위험

　　ⓑ 현저한 늑골과 검상돌기 함몰 ◀ 폐포 확장이 잘 되지 않음

　　ⓒ 비익확장(코를 벌렁거림), 호기시 그르렁거리는 소리

　– 청색증 · 창백, 유리질막 형성(폐포에 피브린 침착됨)

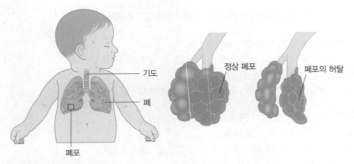

기도

폐

폐포

정상 폐포

폐포의 허탈

- 합병증(쇼크 시와 동일): 심장환류 및 동맥혈압 감소, 서맥

오답 ① 신생아의 정상 호흡수는 30~60회/min이다. 1분 동안 복부를 관찰하여 측정한다.

④ 20초 이상 자발적인 호흡이 없는 상태가 나타난다.

POWER 특강

신생아 활력징후 정상범위

호흡	30~60회/min: 복식호흡을 하므로 1분 동안 복부를 관찰하여 측정
심박동수	• 120~160회/min: 1분 동안 측정 • 잠자는 동안 100회로 떨어지며, 울 때 180회까지 올라감
체온	• 36.5~37 ℃: 액와 측정하도록 함 　– 직장 측정은 천공의 우려가 있으므로 하지 않음
혈압	• 출생 시: 평균 혈압은 80/46 mmHg • 출생 후 1~3일: 65/41 mmHg으로 저하될 수 있음

010 ③

해설 | **아토피 피부염**

- 정의: 소양증을 주된 증상으로 하는 만성적인 염증성 피부질환. 주로 영유아기에 시작됨
- 주요 증상: 심한 소양증(가려움증)과 피부건조, 피부병변
    – 피부건조는 소양증을 유발하고 악화시키는데, 특히 초저녁이나 한밤중에 심해짐 → 가려워서 긁게 되면 습진성 피부병변(병리적 변화) 생김 → 병변이 진행되면서 다시 더 심한 가려움이 유발됨 ▶ 악순환이 반복됨
- 호발부위

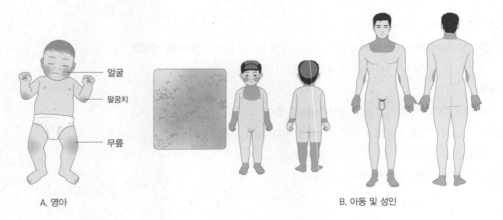

얼굴

팔꿈치

무릎

A. 영아

B. 아동 및 성인

- 간호: 소양증 경감이 가장 중요한 목표임

소양증 간호	• 피부의 유수분 유지 　– Wet dressing, 젖은 수건, 크림이나 연고 적용 　– pH 중성의 습윤성 비누 사용
	• 목욕 　– 청결 유지하되 너무 오래해서 탈수를 초래하지 않도록 함 　– 미지근한 물 사용: 뜨거운 물은 소양증을 악화시킴 　– 구진성 수포가 많을 때는 수용성 전분과 중조로 목욕함
	• 기타 　– 서늘한 환경 제공(18~20 ℃) 　– 부드러운 면 소재 + 통풍과 땀 흡수가 잘 되는 옷 착용 　– 양모의류나 장난감, 털이 있는 동물, 카페트 피함
식이요법	알레르기 유발 식이 제한: 고탄수화물 및 고지방식이, 자극적인 음식, 알콜 섭취(성인)는 증상을 악화시킴
상처 및 감염 예방	• 긁어서 상처가 나면 세균으로 이차 감염이 발생할 수 있음 　– 손톱을 짧게 잘라줌 　– 손과 팔 억제대 및 손싸개 적용함 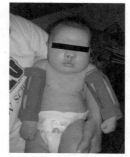 　　　　A. 미이라 억제(mummy restraint)　　　　B. 팔꿈치 억제대(elbow restraint)

011 ②

해설 | 페닐케톤뇨증(phenylketonuria, PKU)

- Phenylalanine (페닐알라닌): 단백질 속에 약 2~5% 함유되어 있는 필수 아미노산 중 하나
- 정의: phenylalanine을 tyrosine (타이로신)으로 전환시키는 효소인 phenylalanine hydroxylase (페닐알라닌 수산화효소)의 활성이 선천적으로 저하됨 → phenylalanine이 뇌에 축적됨 ▶ 영구적인 뇌손상 초래
- 증상
    - 출생 시에는 무증상이나 모유 or 조제유를 먹기 시작하면서 증상이 나타남
    - 성장발달 지연 및 뇌손상
        ⓐ 지능발달 지연, 정신지체
        ⓑ 불안정, 행동과다, 경련성 근육운동(강직)
    - 티록신 결핍 ▶ 피부 및 눈동자 색소가 결핍됨
    - 구토가 잦고 땀과 오줌에서 특징적인 곰팡이 냄새가 남
    - 중증 지체 시: 경련, 정신분열증 같은 기괴한 행동을 보이며, 뇌파검사상 비정상임
- 치료(식이요법)
    - 필수 아미노산이므로 완전히 제한할 수는 없고 안전한 범위 내에서 혈중농도를 유지해야 함

체중 1kg당 1일 페닐알라닌 섭취량	체중 1 kg당 1일 혈중 농도
20~30 mg	2~8 mg/dL

– 저페닐알라닌 식품 섭취: 특수 처리된 우유나 모유 등

012 ③

해설 | **모유수유 금해야 하는 경우**

- 어머니의 심각한 질병(심한 심장병, 진행된 암, 영양실조 등)
- 분만 합병증(심한 출혈, 패혈증, 자간 등)
- 감염(객담 양성인 활동성 결핵, C형 간염, AIDS 등)
- 신생아에게 갈락토오즈혈증(galactosemia)이 있을 때
- 수유 가능 – 유선염이 있는 어머니(불편을 참을 수 있는 경우), 갑상전기능저하가 있는 어머니

013 ①

해설 | **구순열 및 구개파열(▶ 구순구개열)**

- 양상: 입술이나 잇몸 또는 입천장이 갈라져 있는 선천적 기형

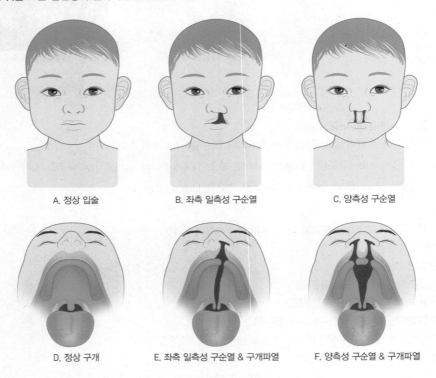

A. 정상 입술   B. 좌측 일측성 구순열   C. 양측성 구순열

D. 정상 구개   E. 좌측 일측성 구순열 & 구개파열   F. 양측성 구순열 & 구개파열

- 교정시기

구순열	구개파열
• 가능한 빨리 ◀ 모아관계 형성 장애 • 보통 생후 3개월	• 언어발달이 본격화되기 전에 시행 • 생후 6개월 이후: 보통 18~24개월

- 간호

수술 전	• 영양공급 　– 수유방법 　　ⓐ 구멍이 큰 길고 부드러운 젖꼭지를 사용함 　　ⓑ 숟가락 옆, 고무 끝이 달린 점적기, 유아용 컵 등 변형된 도구를 사용함 　　ⓒ 똑바른 자세로 앉혀서 수유함 　　ⓓ 자주 트림시킴: 질식·기침 감소, 과도한 공기 배출 　– 필요시 위관영양 시행
	억제대 적용: 미이라 억제, 팔꿈치 억제
수술 후	• 기도개방 유지 　– 토순: 똑바로 누운 체위(or 측와위)를 취하며, 복위는 절대 금함 　– 구개파열: 복위를 취해줌 ▶ 흡인 방지
	• 봉합선 관리 　– Logan bow: 수술 전에 사용법을 교육해서 수술 후 착용함 　– 팔꿈치 억제대: 2시간마다 풀어줌 　– 수유 시 　　ⓐ 숟가락이나 빨대 대신 컵으로 주며, 젖꼭지 구멍을 많게 하거나 크게 함 　　ⓑ 고무로 된 점적기 사용하여 수유 　　ⓒ 노리개 젖꼭지 금지: 봉합부위 압력을 증가시킴 ▶ Logan bow
	감염 예방: 1~2주 동안 치아를 닦지 않고 물로 헹구어 냄

---

comment

토순과 구개파열의 교정시기, 수술 후 체위가 다르므로 잘 기억해두자.

---

014 ②

해설 | **생리적 황달**

- 정의: 기저질환 없이 생후 2~4일경에 나타나 수일간 지속되는 가벼운 신생아 황달

　– 혈청 빌리루빈 수치 5 mg/dL 이상 + 1주일 정도 지나면 자연 소실됨

- 증상: 공막, 피부, 손톱에 황달이 나타남

- 병태생리

글루쿠론산전이효소 생산 부족	• 간의 미성숙으로 인해 발생함 • 비결합 빌리루빈(지용성)이 결합 빌리루빈(수용성)으로 전환되지 못함
적혈구 이상	높은 적혈구 수치(성인의 2배), 필연적으로 파괴되는 적혈구가 없음과 짧은 적혈구 수명(70~90일) ▶ 비결합 빌리루빈 증가
모유수유(빌리루빈 포합 방해)	• 모유성분으로 인해 생후 5~7일에 황달이 나타남 • 모유수유를 계속하면 서서히 감소하여 3~10주 동안 낮은 농도로 유지됨

- 광선치료

　– 경증과 중등도 고빌리루빈혈증 치료에 효과적

　– 생리적 황달과 모유황달을 예방하고 치료하는 데 효과적

　– 특히 극소 저체중출생아에게 예방적 광선요법을 시행하여 고빌리루빈혈증을 예방

　– 교환수혈의 필요성을 감소시키므로 용혈성 질환의 경우 교환수혈과 함께 광선요법적용하여 치료효과 높일 수 있음

– 만삭아: 혈청 빌리루빈 수치가 12 mg/dl 이상이면 광선요법 고려(다양한 임상적 특성을 고려하여 결정)

– 미숙아: 만삭아보다 비교적 낮은 빌리루빈 수치에서도 핵황달 발생 위험이 높기 때문에 광선요법을 시작하는 기준이 다름

POWER 특강

생리적 황달 vs 병리적 황달

	생리적 황달	병리적 황달
혈청 빌리루빈 수치	5 mg/dL 이상	12 mg/dL 이상
황달 발현 시기	생후 2~4일경	24시간 이내
예후	• 1주일 정도 지나면 자연 소실됨 • 피부, 공막, 손톱이 오렌지색으로 변함	• 2주 이상 지속 • 뇌저 신경절에 빌리루빈 축적 → 핵황달 발생 → 잘 안 먹고 축 늘어짐, 발열, 팔다리를 뻣뻣하게 뻗는 등 중추신경계 억압 증상이 나타남 ▶ 뇌성마비, 정신지체, 난청 등
치료	대부분 필요치 않음	교환수혈, 알부민 투여, 광선치료

015 ②

해설 | **당뇨병**

• 인슐린 부족으로 인한 탄수화물, 단백질, 지방의 대사작

구분	인슐린 부족 시
탄수화물	간에 저장된 당원이 포도당으로 전환 → 고혈당 발생 → 세포로 이동하는 포도당의 양 감소 → 혈중 포도당 수치 상승 → 삼투압 높아짐 → 혈중 포도당이 신장의 역치를 초과하여 소변에서 포도당이 나옴
단백질	포도당이 세포 안으로 들어가지 못해 아미노산으로부터 포도당을 생성하려는 당신생작용 → 단백질 합성 저하 → 이화작용 촉진 → 혈당치 상승
지방	지방 분해 → 혈중 지방산과 글리세롤 농도 증가. 지방산 → 인지질과 콜레스테롤로 분해. 글리세롤 → 아세톤으로 전환, 지방분해로 인한 중간대사산물인 케톤체를 증가시켜 케톤혈증을 유발. 아세톤의 일부 → 소변이나 폐를 통해 배출

016 ②

해설 | **괴사성 장염(NEC)**

• 정의: 대장 중 결장 부위에 많이 생기는 괴사로, 장세포가 죽어가는 염증이 나타남

– 주로 생후 1주 이내의 미숙아나 저체중아에게 많이 나타남

– 원인은 불분명하나 생명을 위협할 만큼 심각한 질환임

• 병태생리: 순환 결핍 → 장점막 손상 → 대장균 등이 혈액 안으로 침입함 ▶ 장세포 괴사

• 증상

특이적	비특이적
• 복부팽만, 위장정체 • 혈변 or 혈액이 섞인 위 내용물 • 복부의 국소적 홍반 or 경결	• 수유곤란, 무호흡 • 저혈압, 체온 불안정, 소변량 감소 • 담즙 섞인 구토, 황달, 기면

- 치료 및 간호

  - 비위관 흡인: 복부의 압력 감압

  - 진단 후 NPO

위관영양 적응증	• 효과적으로 빨 수 없거나 연하와 흡철의 협응이 잘 되지 않는 경우 • 과도한 피로, 청색증, 불안정이 있는 경우
주의점	• 수유 시 가능하면 영아를 안고 수유함 ⓒ 불가능 시 머리와 가슴을 약간 상승시킨 상태에서 앙와위 · 우측위 취함 • 실온으로 데워진 처방된 우유를 주입할 것 • 미이라 억제 적용: 튜브의 위치가 고정되도록 영아의 행동을 통제함
위관의 위치 확인	• 주사기를 위관에 꽂아 위 내용물을 흡인함: 흡인된다면 위관의 위치가 적절하다고 판단함 • 복부 청진: 소량의 공기를 위관 안으로 밀어 넣고 공기가 들어가는 소리를 듣고 공기는 주입한 만큼 제거함

017 ④

해설 | **운동발달**

- 전체운동발달

  - 머리 → 발끝

  - 머리 가누기 → 뒤집기 → 앉기 → 기기 → 서기 → 걷기

1개월	머리를 좌우로 움직임
2개월	45° 정도 고개를 들 수 있음
3개월	45~90° 정도 고개를 들 수 있음
4개월	머리(고개)를 가눌 수 있고 누운 채로 좌 · 우로 몸 돌릴 수 있음
5개월	몸을 뒤집을 수 있음(복부에서 등으로)
6개월	구를 수 있음(등에서 복부로), 엎드린 채 양팔로 몸무게 지탱 가능
7개월	도움 받아 앉음
8개월	도움 없이도 앉음
9개월	기어다님
10개월	가구 잡고 일어남
12개월(1세)	첫걸음(손잡고 or 가구 등을 붙잡고 걸어다님) ▶ 보행능력을 획득하는 시점

- 미세운동발달

  - 손과 눈의 움직임을 순서에 따라 차례로 통합할 수 있게 됨

1개월	주먹을 쥐고 있음
2~3개월	주먹을 펴게 되고 점차적으로 손을 벌려서 잠시 물체를 쥠, 잡기반사 소실
4~5개월	손바닥을 물건에 대고 잡아 손가락으로 감쌈
6~7개월	• 한 손이나 양손 전체로 물체 잡음 • 한 손에서 다른 손으로 물건을 옮겨 잡음
8개월	손 전체로 물건을 움켜쥐는 대신에 손가락으로 잡을 수 있음
10개월	엄지와 검지 사용하여 물건 잡음
12개월	• 수저와 컵을 사용하여 음식을 먹을 수 있음 • 한번에 여러 장씩 책장을 넘길 수 있음

  - 근위부 → 원위부, 큰 동작 → 섬세한 동작

018 ③

해설 │ **류마티스열**

- 원인: A군 β-용혈성 연쇄상구균 감염, 차고 습한 기후, 낮은 사회경제적 생활수준 등
- 주증상
  - 심염(특히 판막의 염증): 심전도의 변화(P-R 간격 연장), 심잡음, 빈맥 등
  - 이동성 다발성 관절염: 주로 무릎, 팔꿈치 등 큰 관절에서 1~2일 후 다른 관절로 이동됨
  - 변연성 홍반: 중심부가 희고 경계선이 명확한 물결형 홍반성 구진. 일과성이며 소양증 없음
  - 무도증: 갑작스런 사지의 불수의적이고 불규칙적인 움직임으로, 휴식·수면 시에는 완화됨
  - 피하결절: 관절의 굴곡근 표면과 뼈 돌출부위에 통증이 없는 결절로, 수일 내 소실됨
- 병태생리: 연쇄상구균 감염(인두염, 성홍열, 중이염 등) → 연쇄상구균에 대한 항체 형성 → 항체가 조직 항원에 교차반응을 유발함
  → 다른 조직(심장, 관절 등)에 손상 발생

▶ 변연성 홍반

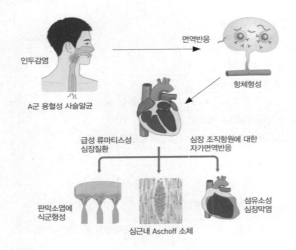

- 치료 및 간호
  - 페니실린의 예방적 투여
    ⓐ 급성기부터 시작, 규칙적 투여: 한 달에 한 번 페니실린 투여(IM 또는 PO), sulfadiazine 복용
    ⓑ 류마티스성 심질환 가능성이 있으므로 3년 이상 계속적인 치료가 필요
  - 크래들 침상 사용, 주기적 체위변경 실시

▶ 무릎 피부와 관절에 가해지는 이불의 무게로 인한 통증과 압력 감소

급성 인두염

- **원인**: A군 β형 용혈성 연쇄상구균(가장 흔함)
- **증상**
  - 초기: 발열, 전신권태, 식욕부진, 쇠약
  - 중등도 인후통, 연하곤란, 연하 시 통증으로 침을 흘림
  - 경부 림프절의 중등도 비대, 백혈구 수 증가
  - 연쇄상구균 감염 시: 증상이 조금 더 심함 ▶ 고열, 두통, 오심·구토, 설사
- **진단**: 인후 배양검사를 통해 바이러스성과 세균성 감별함

종류	바이러스 감염	연쇄상구균 감염
치료	• 특별한 처치가 필요하지 않음 • 해열제가 처방되기도 함 • 7일 내 대부분 회복	• 급성 증세 치료하고 격리 • 류마티스열(합병증) 예방: 10일간 페니실린 요법 시행 _cf_ 페니실린 과민반응 시 erythromycin, cephalosporin 사용
합병증	드물게 화농성 중이염 합병증	• 회복 후 추후 검사가 필요함 – 급성 사구체신염, 뇌염, 골수염 – 류마티스열, 성홍열 – 편도 주위 농양, 중이염, 폐렴
간호 (공통)	• 급성 시 침상안정 • 인후통 호소 시 – 경한 진통제 투여 or 목에 냉습포나 온습포 적용 – 따뜻한 생리식염수 함수 및 따뜻한 증기 흡입 – 차고 부드러운 유동식으로 연하 시 동통 줄여줌 • 체온 자주 측정하고, 발열 시 미온수 마사지 시행 • 주사부위의 압통 시 온습포 적용	

공략편 2회(2교시)

019 ①

해설 | **영아 안전**

- 화장실 문은 반드시 닫아놓아 영아가 들어가지 않게 한다.
- 노리개 젖꼭지에 끈을 매달지 않도록 한다.
- 침대는 매트리스와 난간 사이에 공간이 생기지 않도록 하며, 영아가 침대와 가구 사이에 끼이지 않도록 아기 침대 가까이에 큰 가구를 두지 않는다.
- 턱받이는 취침 전에 제거하고 노리개 젖꼭지도 끈으로 묶어 영아의 목에 걸어두지 않도록 한다.
- 줄이 달린 장난감을 침대나 놀이터에 끈으로 매어놓는 것도 위험요소가 될 수 있으므로 아동 주변의 모든 줄은 길이를 30 cm 이하로 한다.
- 낙상을 예방하기 위해 아동을 침대에 둘 경우 반드시 침대 난간을 완전히 올려야 한다.
- 밀폐공간의 질식을 예방하기 위해 냉장고나 오븐 등을 치워버리거나 문을 떼어 놓아야 한다.
- 기도내 이물질 흡인에 의한 질식은 1세 이하의 영아에게 치명적인 결과를 초래한다. 다음의 장난감과 음식을 유의해야 한다(표 내용 참조).

쉽게 흡인할 수 있는 장난감	흡인을 유발하는 음식
• 딸랑이에 달린 구슬 • 봉제인형에 달린 눈, 코같은 단추 • 조그만 동전, 구슬, 단추	• 젤리 조각, 사탕, 캐러멜, 땅콩, 포도알, 마른 콩류 등 • 오래되고 삭고 갈라져 조각이 떨어질 수 있는 노리개젖꼭지 • 아기용 파우더: 기도로 흡인되어 흡인성 폐렴 유발 • 보청기, 시계, 카메라 등에 사용되는 단추 크기의 건전지 • 동전, 종이, 클립, 방울, 못, 보석(특히 귀걸이), 모든 종류의 핀

- 영아는 최소한 만 1세가 되고 몸무게가 최소한 9 kg이 될 때까지 자동차 뒷자석에 뒷좌석과 마주보게 장착한 안전의자에
   태워야 한다.

※ 영아돌연사증후군 예방

- 복위로 재우지 않는다(엎드려 자는 경우 돌연사 빈도가 높음).

- 너무 부드럽고 푹신한 침구를 사용하지 않는다.

- 아기를 너무 덥게 감싸주지 않는다.

- 임신 중 또는 출산 후에 흡연을 하지 않는다.

- 아기와 같은 방에서 잔다.

020 ④

해설 | **탈수**

- 경증~중등도 탈수: 경구용 재수화용액

- 중증 탈수: 정맥수액요법

※ 정맥수액요법

- 구강으로 수분과 전해질 흡수가 불충분할 때

- 구토가 통제되지 않을 때

- 극도의 피로나 혼수상태 등으로 인해 구강섭취가 불가능할 때

- 심각한 위장팽만 시 적용

탈수(dehydration)의 종류		
경증 탈수	중등도 탈수	중증 탈수
체중의 5% 손실	체중의 5~10% 손실	체중의 10% 손실

	등장성 탈수	저장성 탈수	고장성 탈수
원인	수분손실≒염분 손실	수분 손실 < 염분 손실	수분 손실 > 염분 손실
병태 생리	삼투력 변화 없이 세포외액 소실 지속 → 혈장량 감소 → 저혈량성 쇼크	세포내액 농축 → 수분이 세포 내로 이동 → 세포외액의 손실 → 쇼크	세포외액 농축 → 수분이 세포 외로 이동 → 갈증 → ADH 분비

증상	피부창백, 건조, 탄력성 부족, 말초혈류
	감소
		구토, 설사, 출혈, 피부가 차고 끈적끈적
		함, 창백, 순환부전, 탄력성 및 긴장도 저
		하, 움푹 들어간 눈, 혼수
			• 피부가 붉어짐
			  - 혈량 유지 ▶ 순환장애 없음
			  - 세포외액이 비교적 잘 보존되어 피부
			    긴장도와 탄력성은 정상일 수 있음

021 ⑤

해설 | **장중첩증**

- 정의: 영아기 장폐색증의 주요 원인 중의 하나로서 흔히 상부 장이 하부 장 속으로 말려들어 가는 것을 말한다. 돌막창자(ileocecal)가 대장 안으로 말려들어가는 것이 가장 흔하다(95%).
- 증상
  - 건강한 영아가 갑자기 발작적인 급성 복통과 더불어 구토. 복통으로 인해 다리를 오므려서 무릎을 배에 붙이고 자지러지게 울며, 토하면서 안절부절하고 땀을 흘리면서 창백해진다. 발작적인 통증 사이사이에 아동은 언제 아팠는지 믿기 어려울 정도로 정상적으로 평온해 보인다. 1~2분간 이러한 발작을 한 후에 약 5~15분간의 무증상 시기가 나타나는 것이 반복된다.
  - 복부를 촉지하면 우상복부에서 경미한 압통이 있는 소시지 모양의 덩어리가 촉지되며, 우하복부는 비어 있음
  - 담즙이 포함된 구토, 흑색변, 혈액과 점액이 섞인 특징적인 젤리 모양의 변(jelly stool)
  - 복부팽만과 압통 등이 동반
- 간호중재: 금식, 바륨관장 혹은 장천공, 복막염 쇼크, 감압에 성공하지 못한 경우 수술

〈질병별 증상 특징 구분〉
- 비대유문협착증: 우상복부에 도토리(올리브) 모양 덩어리 촉진
- 선천성 거대결장: 좌측 복부 대변 덩어리 촉진
- 장중첩증: 우상복부에 소시지 모양 덩어리 촉진
- 괴사소장대장염: 장이 소시지 모양 팽창

---
comment

소화효소 중 리파아제(췌장), 아밀라아제(소장)는 생후 몇 주 후에 생성된다. 따라서 그 전까지는 다당류와 우유 같은 고농도의 지방산은 소화하기 어렵다. 그런데 모유는 고지방이어도 소화를 돕는 효소가 포함되어 있어서 문제가 없다.

---

022 ⑤

해설 | **Kohlberg의 도덕발달 이론**

- 전인습적 도덕기 중 2단계(상대적 쾌락주의: 4~7세)
  - 자신과 타인의 욕구를 만족시키는 도덕적 가치를 판단의 기준으로 삼음
  - 양심 발달, '눈에는 눈, 이에는 이', 보상이 주어지는 상황에서만 행동을 취함

023 ①

해설 | **호흡곤란증후군(RDS)환아 영양간호**

- 호흡곤란이 심한 급성기 영양공급: 젖병수유를 금하고 위관영양 혹은 총비경구영양(TPN)을 영양공급(흡인위험 예방)
  - 위관영양: 신생아가 원할 때마다 주입
  - 총비경구영양: 주입펌프(infusion pup)를 통해 점적율을 유지
  - 호흡곤란이 완화 시 젖병수유가 가능하면 3~4시간마다 수유함

- 위관삽입 길이
  - 비위관삽입: 코 끝~귀~검상돌기까지
  - 구위관삽입: 입~귀~검상돌기와 제와의 중간 부위

▶ 비위관 삽입길이 측정

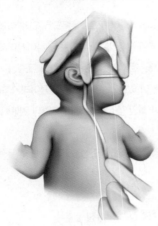

024 ⑤

해설 | **유치**

- 시기
  - 생후 6~8개월경: 중앙 아랫니에서 유치가 나기 시작함
  - 12개월: 평균 6~8개의 치아가 출현함
  - 2년 6개월경: 20개의 유치가 모두 출현함
- 개수: '나이(월령) - 6'으로 계산함
- 증상: 이가 나올 때의 경미한 통증 ▶ 보챔이 증가, 단단한 물건을 물어뜯음 등
- 간호
  - 젖니가 나면 바로 구강위생을 시작함
    ⓐ 하루에 2번 닦아줌
    ⓑ 잇몸이 약하므로 칫솔 대신 젖은 헝겊과 같이 부드러운 천과 물로 닦아 줌
    ⓒ 치약은 삼키지 않고 뱉어낼 수 있을 때까지 사용하지 않음
  - 통증 완화
    ⓐ 수건에 싼 얼음조각을 이용하여 진정시킴
    ⓑ 딱딱하고 차가운 음식(얼린 토스트 조각 등)을 제공하여 깨물게 하거나, 치아발육기를 적절한 월령에 맞춰 사용함

─ **comment** ─

보통 6세 이후에 영구치가 나오게 된다. 그러나 '어차피 영구치가 유치를 대신할 것이니 아직 적당히 관리해도 되지 않을까' 하는 생각은 금물이다. 유치는 영구치가 위치할 공간을 확보하고 나올 길을 안내하는 역할을 하며 탈락하므로 그 보존과 관리가 매우 중요하다.

025 ④

해설 | **Bryant 견인**

- 특징: 한쪽 방향으로만 당기는 피부견인
- 적응증
  - 2세 이하 혹은 12∼14 kg 이하 아동의 대퇴골절 시
  - 주로 선천성 고관절 탈구의 정복을 위해, 고관절을 안정시키기 위해 적응함
- 적응방법
  - 자세: 둔부는 90°로 구부리고 다리는 신전시킴 + 둔부를 침상에서 약간 떨어뜨림
  - 항상 양측에 같은 무게를 적용함: 한쪽 다리만 골절되었을 때에도 양쪽 다리에 적용함
  - 주기적인 방사선촬영을 통해 아동의 자세와 골격의 배열을 점검함

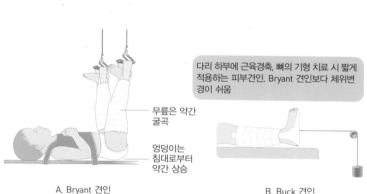

무릎은 약간 굴곡

엉덩이는 침대로부터 약간 상승

A. Bryant 견인

다리 하부에 근육경축, 뼈의 기형 치료 시 짧게 적용하는 피부견인. Bryant 견인보다 체위변경이 쉬움

B. Buck 견인

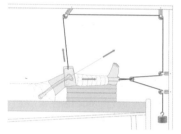

무릎 손상과 대퇴골절, 둔부골절에 적용하는 피부견인. 대퇴의 굴곡은 골절 부위와 지시된 각도를 유지해야 하며, 족하수(foot drop)의 위험이 있음

C. Russell 견인

026 ⑤

해설 | **유아기 자율성의 표현**

유형	개념	대처
거부증	• 의지가 분리된 존재로서의 정체감(자율성)을 표현하기 위해 계속적으로 부정적인 반응을 보임 ⒠ "안 해", "싫어!" 같은 부정적 표현, 소리 지르기, 발로 차기 등 • 유아기 아동의 전형적인 행동으로, 정상적인 반응	• 아동이 "싫어"라고 대답할 질문을 하지 않으며, 무조건인 명령이 아닌 아동이 선택할 수 있는 질문을 함 • 피곤하고 배고플 때에는 과제를 주지 않음
분노발작	• 독립적인 욕구가 좌절될 때 격렬하게 저항함으로써 자율성을 표출함 ⒠ 숨이 넘어갈 듯 울기, 바닥에 드러눕기 등	• 부모는 반응을 보이지 말고 일관적인 태도로 대하되, 자리를 떠나지 않고 아이를 진정시킴 • 그 후 아동을 위로하고 한계를 확실히 설정해줌
의식주의 (ritualism)	• 안정된 일상생활 반복이 통제감과 자율감을 느끼게 하므로 이에 집착함 ▶ 하지 않으면 스트레스와 불안 증가함 ⒠ 같은 컵 사용, 같은 의자에 앉기 등	• 아동의 의식주의 행동을 존중해줌 ▶ 안정감 증진

027 ④

해설 | 크룹 증후군

④ 기도폐쇄의 위험성이 매우 높은 질병이므로, 지속적인 호흡사정이 중요하다.

• 정의: 바이러스나 세균이 후두점막에 침투, 염증을 유발하며 발생하는 질환

  – 후두염, 후두기관염, 후두기관기관지염, 후두개염의 총칭

  – 3세 이하에서 호발하며, 상기도감염이 선행됨

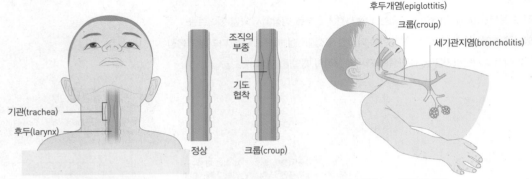

A. 크룹 아동의 기도

B. 크룹(croup)의 발생 부위

• 증상: 후두점막의 부종이 심해져 기도가 좁아지면서 특징적인 증상이 나타남

  – CROUP = Cough (기침) + Restlessness (불안정, 안절부절못함) + Out of breath (호흡곤란) + Unusual sounds (이상한 소리) + Pain and pyretic (통증 및 발열)

  – 쉰 목소리, 개가 짖는 듯하거나 쇳소리 같은 기침, 다양한 흡기 시 협착음(stridor)

  – 호흡곤란, 흉벽 함몰 등

  • 세균성 후두개염 치료: 항생제 치료

• 크룹 증후군 분류(감염성 vs 비감염성)

분류	감염성 크룹			비감염성 크룹
	Viral croup	Bacterial croup	Epiglottitis	Spasmodic croup
명칭	후두-기관지염	급성 기관염	급성 후두개염	급성 경련성 후두염
침범부위	주로 후두	주로 기관	후두개	후두
호발연령	3개월~8세	1개월~6세	1개월~8세	3개월~3세
원인	바이러스 (parainfluenza virus)	세균 (S.aureus)	세균 (H.influenzae)	알레르기 성분을 포함한 바이러스
발현양상	다양함(12~48시간)	점차 진행	급속히 진전 (4~12시간)	밤에 갑자기 진전 (낮에는 무증상)
발열	다양함(주로 미열)	대개 고열	고열	없음
쉰목소리/ 개짖는소리	(+)	(+)	(–)	(±)
폐쇄 경과	다양하게 진행	다양하게 진행되나 대개 심함	빨리 진행(응급!)	다양하게 진행
WBC 소견	경도 상승	다양하게 상승	현저히 상승	대개 정상
치료	• 크룹텐트(습도) • 에피네프린 • corticosteroid	• 습도 유지 • 항생제 • 기관내삽관	• 항생제 • 응급 시 기관내삽관	• 밤에 증상이 나타났다가 낮에 호전되므로 낮에 내원하여 정확한 진단을 받도록 함 • 항히스타민제, 스테로이드

028 ⑤

해설 | **결핵반응검사**

경결부위 5 mm 이상(≥5 mm)의 양성
– HIV 감염자
– 결핵환자와 최근 접촉
– 흉부 방사선검사에서 일차 결핵으로 인정된 섬유성 변화가 있는 사람
– 다른 이유로 면역억제가 있는 사람(1일 15 mg 이상의 predinisone (≥15 mg/day)을 1달 또는 그 이상 투여한 사람, 종양 괴사인자 길항제를 투여한 사람

경결부위 10 mm 이상(≥10 mm)의 양성
– 유병률이 높은 지역에서의 최근 이주자(5년 이하)
– 주사약 사용자
– 고위험 집단시설에서의 거주자와 고용인
– 항산균 검사실 근무자
– 임상적으로 고위험에 노출되어 있는 사람
– 4세 이하의 아동 고위험군 성인에게 노출된 영아, 아동, 청소년

경결부위 15 mm 이상(≥15 mm)의 양성
– 결핵으로 알려지지 않은 고위험요인이 있는 사람

029 ⑤

해설 | **신증후군**

⑤ 신증후군 시 특징적인 증상으로 저알부민증이 발생하는데, 손발톱에서 하얀 평행한 선이 나타난다.

- 정의: 신장 사구체의 이상으로 인해 다량의 단백질이 소변으로 빠져나가면서, 단백뇨, 혈액에 존재하는 단백질인 알부민의 농도 감소, 전신의 부종과 고지혈증 등이 특징적으로 나타나는 질환

- 증상
  - 주증상: 단백뇨, 저알부민혈증, 고지혈증, 부종(특히 눈 주위와 아침에 심하게 나타남)

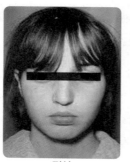 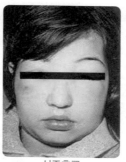

정상   신증후군

  - 급성 감염 동반 시 전신부종 발생: 폐부종은 호흡곤란, 장점막 부종은 설사를 유발함
  - 창백, 불안정, 식욕감소(에도 불구하고 체중은 증가함) 등
- 진단
  - 소변: 단백뇨(3+∼4+) 진한색의 거품 낀 소변, 사구체여과율 감소
  - 혈청 전해질
    ⓐ 총 혈청 단백 · 알부민 감소: 손톱, 발톱에서의 흰색의 평행한 선 나타남
    ⓑ 혈청 콜레스테롤 증가

030 ①

해설 | **혈우병**

- 정의: 혈액응고인자의 결핍으로 인해 발생하는 일련의 지혈장애
  - 대표적인 유전질환: 거의 모든 경우에 남성에게 발생하며, 원인이 되는 유전자 이상은 어머니로부터 물려받음. 여성의 경우 유전자 이상이 있어도 정상 X 염색체가 하나 더 있으므로 대부분 무증상임
- 진단
  - 정상: 혈소판, 출혈시간(bleeding time), 프로트롬빈 시간(PT), 피브리노겐 농도 정상
  - 비정상: 응고시간(clotting time) 연장, PTT (partial thromboplastin time) 지연
    ⓐ 특히 PTT는 가장 간단하면서도 민감한 검사항목임
- 증상
  - 과도한 출혈반점, 피하 및 근육 내 출혈 ◀ 응고시간 연장
  - 관절강 내의 출혈이 가장 흔히 발생함 ▶ 혈관절증(hemathrosis)
  - 혈종으로 인한 통증, 부종, 운동제한
  - 검은 혈변(내출혈)
- 치료 및 간호
  - 결핍인자 보충: factor Ⅷ or factor Ⅸ 농축제, 신선냉동혈장(FFP) 등
  - 코르티코스테로이드 투여: 관절부위의 염증 감소시킴
    Ⓒⓕ 비스테로이드계 항염제(aspirin, indomethacin)는 혈소판 기능을 억제하므로 투여 금지
  - 침습적 처치(근육주사, 정맥천자 등) 금지: 가급적 경구투여함
  - 출혈 시 RICE같은 지지요법 수행(Rest: 출혈부위 안정, Ice: 혈관수축을 위한 얼음, Compression: 10~15분간 출혈부위 압박, Elevation: 출혈 부위를 심장보다 높이 올림)

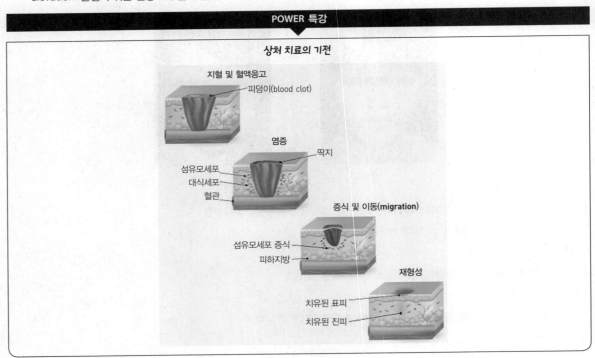

POWER 특강

상처 치료의 기전

지혈 및 혈액응고
피덩이(blood clot)

염증
딱지
섬유모세포
대식세포
혈관

증식 및 이동(migration)
섬유모세포 증식
피하지방

재형성
치유된 표피
치유된 진피

031 ⑤

해설 | **뇌성마비**

- 정의: 미성숙한 뇌에 비진행성 병변이나 손상이 발생하여 임상적으로 운동과 자세의 장애를 보이게 되는 상태 ▶ 중추신경계의 손상으로 수의근의 힘이나 조절이 결핍됨
    - 비진행성 장애, 영구적 신체 불구(아동기에 가장 흔함)
    - 지각문제, 언어결핍 + 지능문제가 동반될 수 있음
- 원인
    - 주원인: 저산소증
    - 허혈, 출혈, 두부손상의 합병증, 산전 및 출생 후 감염
    - 선천성 기형, 분만 중 외상질식, 모체의 임신 중 풍진감염 or 약물중독
- 진단: 바빈스키 징후(+), 정위 반사(+), 불수의적 움직임, 강직
- 뇌성마비 증상(지적 발달장애 ; 가장 흔하게 나타남)

신체적	행동적
• 3개월 이후에도 목을 가누지 못함 • 8개월까지 혼자서 앉지 못함 • 팔다리가 뻣뻣하고, 축 늘어진 자세 • 몸을 뒤로 젖히거나 밀어냄 • 신체의 여러 부분 활용하지 못함: 한 부분만을 사용하거나, 기어갈 때 팔만 사용함	• 3개월까지 미소를 짓지 못함 • 6개월 이후 음식을 혀로 밀어냄: 정상발달 시 6개월 때 밀어내기 반사 소실 ▶ 흡인 위험 감소 • 자주 보채고 울음 • 수유곤란: 수유 시 지속적 기침 or 역류

- 치료 및 간호: 완치가 아니라 합병증을 예방하면서 최적발달을 도모하는 것이 목표임

가족의 정서적 지지	부모의 죄책감을 덜어주고, 대처능력을 증진시킴
영양 유지	적은 양의 음식 자주 제공, 흡인 예방을 위한 음식제공기술 교육
일상생활 유지	• 연령과 능력의 범위 내에서 일상생활활동 수행 격려 • 운동기능 및 감각 향상을 위한 활동 및 특수훈련 프로그램 적극 참여
긍정적 자아상 도모	자조집단 참여

032 ⑤

해설 | **유행성 이하선염(볼거리)**

- 종창이 생기기 전후에 전염력이 가장 강함. 따라서 종창이 가라앉을 때까지 격리시킴
- 감염경로: 감염자의 타액 → 직접접촉, 비말감염
    - 침샘을 주로 침범하고, 이하선 · 설하선 · 악하선이 동반 침범됨
- 증상: 이하선의 팽창, 통증, 압통
    - 이하선(귀밑샘): 입안으로 침을 분비하는 침샘 중 가장 크고 좌우 귀 밑에 하나씩 위치함

- 간호

  – 격리: 종창 발생 1, 2일 전~발생 후 5일까지 전염예방을 위해 격리함

  – 통증 경감

    ⓐ 국소적 냉습포나 온습포 적용

    ⓑ 식이: 저작 경감을 위해 액체나 유동식을 권장하며, 신맛은 침샘을 자극하므로 제한함

    ⓒ 필요시 해열진통제 투여

<table>
<tr><td colspan="4" align="center">POWER 특강</td></tr>
<tr><td colspan="4" align="center">월령별 예방접종 시기</td></tr>
<tr><td rowspan="7">기본접종</td><td>생후 1주 이내</td><td colspan="2">B형 간염 # 1</td></tr>
<tr><td>생후 4주 이내</td><td colspan="2">BCG, B형 간염 #2</td></tr>
<tr><td>2개월</td><td colspan="2">DTaP # 1, polio # 1</td></tr>
<tr><td>4개월</td><td colspan="2">DTaP # 2, polio # 2</td></tr>
<tr><td>6개월</td><td colspan="2">DTaP # 3, polio # 3, B형 간염 # 3</td></tr>
<tr><td>12~15개월</td><td colspan="2">MMR</td></tr>
<tr><td>12~24개월</td><td colspan="2">일본뇌염(첫해 2회 접종, 일년 후 1회 추가)</td></tr>
<tr><td rowspan="3">추가접종</td><td>15~18개월</td><td colspan="2">DTaP</td></tr>
<tr><td>4~6세</td><td colspan="2">DTaP, polio, MMR</td></tr>
<tr><td>14~16세</td><td colspan="2">성인용 Td</td></tr>
</table>

033 ①

해설 | 천식

① 간호의 초점은 알레르기원을 피하고 약물과 면역치료에 의해 과민반응을 감소시키는 것, 그리고 발작을 예방하는 것이다.

- 병태생리: 기관지의 거대세포, 대식세포, 상피세포로부터의 염증매체 방출 → 다른 염증세포의 이동 및 활성화 → 기도의 상피조직 및 자율신경계의 변화 → 기도평활근 자극(연축) 증가 ▶ 천명음, 기도폐쇄로 인한 호흡곤란

- 간호: 예방에 초점을 두고 관리함

  – 너무 격렬한 운동은 피하고 호흡조절에 대해 교육함

  – 날씨 변화(차가운 공기, 밤) or 스트레스 등도 악화요인이므로 피함

  – 발작 시 똑바로 앉혀서(좌위) 호흡을 용이하게 도와줌

<table>
<tr><td align="center">POWER 특강</td></tr>
<tr><td align="center">기관지확장제</td></tr>
</table>

- 속효성 β_2 길항제를 먼저 투약하는데, 흡입제는 기관지에 직접 작용하기 때문에 효과가 빠르며, 적은 양으로도 강한 효과가 있고 부작용이 적어 널리 사용되고 있음

  – β_2 길항제(평활근 이완): 단기(*albuterol*) vs 장기(*salmeterol*)

  – 항콜린성제제, 항히스타민제, 항염증제

<table>
<tr><td>comment</td></tr>
</table>

천식도 과민반응(제1형, 아나필락시스)이다. 아토피 피부염, 고초열, 알레르기성 천식 및 비염, 아나필락시스 등이 해당되고, 기전은 다음과 같다. 알레르기원 노출 후 비만세포의 과립 감소 → 히스타민, 류코트리엔 등 매개물질 분비 → 모세혈관 투과성 증가 → 30분 이내 급성으로 두드러기, 혈관부종, 소양증, 콧물 등 증상 발현 ▶ 호흡곤란, 청색증, 부정맥, 쇼크

---

034 ④

해설 | 울혈성 심부전

④ 울혈성 심부전 환아가 웅크리고 있는 자세를 취하는 것은 심장으로 귀환하는 혈량을 줄이기 위한 것이다.

- 치료: Digoxin 및 이뇨제 투여
  - Digoxin (digitalis)
  - 기능: 심기능 향상 ▶ 수분과다 치료
  - Digitalis 중독 증상(부작용): 부정맥, 서맥, 오심 및 구토, 설사, 복통, 시야 흐림 등
    ⓐ 서맥: 약물투여 전 반드시 1분 동안 맥박 측정함 ▶ 맥박 100회/분 미만 시 투여 금지
  - 이뇨제

Thiazide계	Loop 이뇨제	K⁺ 보존 이뇨제
저칼륨혈증 위험 ▶ KCl와 병용 및 K⁺ 함유식품 섭취	furosemide (Lasix), bumetanide (Bumex) ▶ 모든 심부전에 효과적	Aldactone, Spironolactone ▶ 고칼륨혈증 위험

POWER 특강

심부전 비교

- 우심부전의 가장 중요한 원인은 좌심부전이고, 심부전이 만성화되면 좌심부전과 우심부전의 구분은 사라지게 된다.

좌심부전	우심부전
폐울혈 → 호흡기계 조절기전 장애	정맥혈 귀환 문제 → 부종, 울혈
• 호흡곤란 • 체액 축적, 청진 시 악설음, PCWP 상승 • 신기능 저하, 심박출량 저하 • 뇌의 저산소증: 불안정, 혼미 • 체인-스토크스 호흡(말기): 무호흡-과호흡	• 전신부종, 말초부종 • 정맥계 울혈 → 간 · 비장 비대 ▶ 복수, 황달, • 문맥압 증가 ▶ 식욕감퇴, 복부팽만 • 경정맥 확장 및 울혈 • 사지냉감: 저산소혈증 • CVP 상승: 15~30 mmHg

---

035 ③

해설 | 골수염

- 정의: 뼈 속 미세혈관과 신경, 골수에 세균(황색포도상구균 등)이 침입해 염증 발생함
  - 호발부위: 학령기 아동은 장골, 사지, 발 → 대퇴하부 등 성장이 빠른 장골에 잘 발생함
- 병태생리: 감염부위의 골아세포가 파괴됨 → 골파괴세포가 골을 흡수 → 감염부위에 염증세포가 축적됨 → 골막 밑에 농양 발생 → 뼈의 수질 감염 ▶ 부골(죽은뼈)

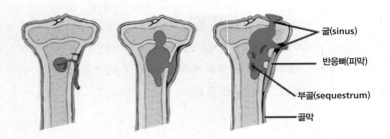

굴(sinus)

반응뼈(피막)

부골(sequestrum)

골막

- 증상: 피로, 발열, 식욕부진 등의 전신적 증상과 심한 통증이 발생함
- 진단: 백혈구 수치 상승(15,000~25,000 이상), X선상 골격변화 확인
- 치료 및 간호: 통증관리가 주된 중재임
  - 약물요법: 혈액배양 후 항생제 투여 + 필요시 해열진통제 투여
  - 체형 유지: 올바른 신체선열 유지
    ⓐ 환측 사지 상승 + 부목 등으로 환측 관절 조심스럽게 지지함
    ⓑ 단단한 침요 사용
    ⓒ 순환 및 통증 평가

지역사회간호학

036 ①

해설 | **정책 결정과정**

정책의제 형성과정 → 정책 결정과정 → 정책 집행과정 → 정책 평가과정

이해관계를 달리하는 개인 및 집단이 보다 자기에게 유리한 정책이 통과되도록 갖가지 전략과 수단을 동원하는 것은 정책 결정과정이다.

037 ②

해설 | **뉴만의 건강관리체계이론**

- 기본 구조: 대상자의 생존요인, 유전적 특성, 강점과 약점이 포함되며 생존에 필요한 에너지 자원

038 ①

해설 | **변화촉진자**

- 건강을 위해 적합한 의사결정을 내리도록 동기를 촉진하며 보건의료를 위한 변화를 효과적으로 가져오도록 돕는 역할
- 변화 상황에 작용하는 방해요인과 촉진요인을 확인 ▶ 변화를 위한 환경 조성
- 대상자의 의사결정과정에 영향력을 행사하여 개인, 가족, 지역사회의 건강문제 대처 능력을 증진시킴

039 ⑤

해설 | **자원의 활용**

- 인적자원: 가족, 전문가, 자원봉사자 등
- 물리적 자원: 시설, 도구, 자료 등
- 사회적 자원: 지역사회 내 종교단체, 자원봉사센터, 각종 자조모임 등
- 경제적 자원: 대상자, 사회복지공동모금 등

040 ⑤

해설 | **평가 범주**

평가 범주에는 사업 성취도, 투입된 노력, 사업의 진행 정도, 사업의 적합성, 사업의 효율성 평가가 있다. 성과에 대한 평가는 목표달성 정도를 일컫는다.

041 ③

해설 | **간호진단 우선순위결정 시 고려사항**

- 많은 사람에게 영향을 주는 문제
- 높은 영아 사망을 일으키는 문제
- 모성건강에 영향을 주는 문제
- 어린이나 젊은 사람에게 영향을 주는 문제
- 만성적 장애의 원인이 되는 문제
- 지역사회개발에 영향을 미치는 문제
- 전체 지역사회에 큰 관심을 일으키는 문제

042 ④

해설 | **보건의료 제공**

- 1차 예방: 개인 또는 집단의 건강 증진과 질병예방 활동
- 2차 예방: 질병의 조기 진단 및 조기 치료
- 3차 예방: 빠른 회복으로 기능 장애를 줄이고 재활

043 ③

해설 | **사회보장형 의료전달체계**

사회보장형 의료전달체계에서의 의료서비스는 국가에 의해 계획적으로 이루어지고, 국가보건조직에 의해 조직되며, 재원조달은 세금 이나 의료보험금에 의해 이루어진다. 이러한 제도를 국민보건서비스라고 한다. 사회보장형식으로 지속성과 포괄성이 보장되고 예방 서비스를 강조하여 고가의 의료서비스 남용을 막아 의료비를 안정적으로 유지할 수 있다.

044 ④

해설 | 국민건강보험

- 국민건강보험제도
  - 국민건강보험의 주요 기능
    - ⓐ 의료보장 기능: 누구에게나 균등하게 적정 수준의 급여를 제공
    - ⓑ 사회연대 기능: 소득과 능력에 따라 부담하나, 균등한 급여 제공
    - ⓒ 소득재분배 기능: 균등한 급여 제공으로 질병의 치료부담을 경감
  - 국민건강보험의 주요 특징
    - ⓐ 법률에 의한 강제 가입
    - ⓑ 일시적인 사고 대상
    - ⓒ 예측 불가능한 질병 대상에게 혜택
    - ⓓ 제3자 지불제의 채택
    - ⓔ 소득재분배 및 위험분산 기능의 수행
    - ⓕ 보험료율의 분담
    - ⓖ 보험급여의 제한 및 비급여

045 ⑤

해설 | 지역보건의료계획의 특징

지역보건의료계획(지역보건법 제7조)

수립자: 시 · 도지사 및 시장 · 군수 · 구청장

- 수립: 4년마다
- 지역주민의 요구도 중요하여 2주 이상 공고하고 의견 수렴
- 시행 계획의 수립: 시장 · 군수 · 구청장은 1월 31일까지 → 시 · 도지사에게 제출하고 → 2월말까지 보건복지부장관 제출
- 혹시라도, 계획 내용변경 가능. 변경 내용은 지체 없이 변경 사실 및 변경 내용을 제출
- 시행 결과(시행년도 다음 해): 시장 · 군수 · 구청장은 1월 31일까지 → 시 · 도지사에게 제출하고 → 2월 말까지 보건복지부장관 제출

046 ②

해설 | 지역보건법의 목적

- 1995년 보건소법을 지역보건법으로 개정
  - 지역주민의 다양한 욕구 · 지역적 특성을 반영, 관련 시책 간의 연계성 확보를 위한 종합적인 보건대책인 지역보건 대책 추진
  - 인구구조 및 질병구조의 변화에 따라 보건소를 지역주민의 건강관리 기관으로 기능 강화

047 ⑤

해설 | 보건진료소 도입 목적

보건의료 취약지역 주민에게 1차 보건의료 서비스를 효율적으로 제공함으로써 보건의료 서비스의 균형과 건강수준 향상을 도모하기 위함

048 ⑤

해설 | 보건교사

건강진단 결과, 보건실 이용실태, 결석률, 결석 원인 등의 내용을 사정해야 하는데, 이러한 정보를 판단할 수 있는 자료로는 건강기록부, 학생 출석부, 보건일지, 장기결석자의 상담 기록지 등이 있다.

049 ④

해설 | 가정간호사의 필요성

- 질병양상의 변화: 만성 퇴행성 질환 증가, 장기 입원환자 증가
- 인구 구조의 변화: 노인 인구의 증가
- 의료비 절감 및 의료 기관의 효율적 이용의 필요성
- 가족 구조의 변화로 인한 가족의 기능 약화
- 자기 관리에 대한 책임 증가, 국민 의료비 부담 증가
- 사회 환경 변화 및 과학 기술의 발전
- 보건 의료 전달체계의 역의뢰 미흡

050 ③

해설 | 이산화탄소

실내 환기불량 시 농도 상승하며 실내 공기오염의 지표로 사용된다. 허용기준은 0.1%이다.

051 ④

해설 | 범유행성

범유행성은 전세계적으로 발생하는 신종인플루엔자로 현재 유행중인 코로나바이러스 감염증-19이다.

052 ④

해설 | 가족간호의 특성

개인, 가족 구성원, 가족 전체 체계 모두 해당하며 서비스의 단위로서 가족 전체를 다루기 때문에 가족을 한 단위로 한 건강관리의 지도가 가장 초점이 된다.

053 ③

해설 | 가족의 형태와 기능

가족의 발달단계는 부모와 자녀로 구성된 핵가족을 중심으로 하며, 첫 자녀의 나이에 의해서 구분된다. 각 발달단계에 따라 가족이 완수해야 할 공통적인 특정 발달과업이 있다.

> **오답** ④ Duvall은 가족생활주기별 발달과업과 건강문제를 8단계로 나누어 제시하였다. 이는 두 사람의 결혼을 시작으로 하여 두 배우자가 사망하는 단계까지의 역동적인 과정을 의미한다.

054 ⑤

해설 | 가족사정 도구

- 사회적 지지도: 가족 내 가장 취약점을 가지고 있는 가구원을 중심으로 가족 내뿐만 아니라 외부환경과의 상호작용을 분석하기 위해서 사용
- 가족 구조도(가계도): 가족 전체의 구조와 구성을 한 눈에 볼 수 있는 도구
- 외부체계도: 가족을 둘러싸고 있는 이웃, 지역사회 등의 외부체계와 구성원 간의 관계유형, 관계정도 등을 그림으로 나타내는 도구
- 가족 연대기: 가족의 역사 중에서 중요하다고 판단되는 생활 사건들을 순서대로 나열하여 가족 구성원의 질병과 사건의 연관성을 분석하기 위해서 사용
- 가족 밀착도: 동거하고 있는 가족 구성원 간의 밀착관계와 상호관계를 이해하기 위해서 사용

055 ②

해설 | 고위험가족

- 구조적으로 취약: 편부모, 이혼, 단독, 새싹가족
- 기능적으로 취약: 저소득, 실업, 취업모, 만성질환 장애인 가족
- 가족 내 상호작용 취약: 학대부모, 비행청소년, 알코올 중독
- 발달단계 취약: 미혼부모 가족

056 ④

해설 | 보건교육방법

- 분단토의는 전체 참가자의 의견을 제한된 시간 내에 교환하려는 목적으로 교육에 참가한 집단을 소그룹으로 나누어 토의를 한 후, 다시 모여서 의견을 상호 교환하는 방법이다.
- 시범은 교사가 실제로 대상자들에게 전 과정을 천천히 실시하여 보임으로써 그들이 실제로 따라할 수 있도록 하는 방법이다.
- 역할극은 직접 실제 상황 중 한 인물로 등장하여 연극을 하면서 해결방안을 모색해보도록 하는 교육방법이다.
- 심포지엄은 동일한 주제에 대해 전문적 지식을 보유한 전문가를 초청해 주제에 대해서 의견을 말하도록 한 후, 발표된 내용을 중심으로 청중과 질의응답을 하는 공개토론 형태이다.
- 배심토의는 선정된 4~7명의 상반되는 의견을 보유한 전문가가 주제에 대해서 자신의 의견을 정해진 시간동안 발표하고, 사회자의 진행 하에 토론을 실시하는 형태이다.

057 ②

해설 | 보건교육

보건교육 수행 후 가장 마지막에 이루어지는 평가활동에 해당한다.

오답 ①, ③, ④: 보건교육을 계획하는 단계에 포함되는 활동
⑤ 보건교육 수행단계

058 ⑤

해설 | **Bloom의 학습목표**

학습목표의 영역으로 인지적 영역, 정의적 영역, 심리운동적 영역 3가지를 제시하였다. 인지적 영역은 인간의 지적 능력을 증진시키는 부분이며, 정의적 영역은 인간의 태도, 느낌, 감정 등을 변화시키는 부분이다. 심리운동적 영역은 인간의 기술적 능력을 변화시키는 부분에 해당한다.

059 ④

해설 | **대중매체**

④ 감염병이 발생하였을 경우에는 빠른 시일 내에 많은 다수에게 보건교육을 시행하여야 하기 때문에 여기서 가장 적절한 보건교육 매체는 대중매체이다.

• 대중매체: 동시에 다수의 사람에게 많은 정보를 빨리 전달한다.

060 ③

해설 | **지역사회 건강지표**

지역사회 건강수준을 반영하는 건강지표로는 모성사망률, 영아사망률, 평균수명, 비례사망지수 등이 있다.

061 ④

해설 | **평가 범주**

평가 범주에는 사업 성취도, 투입된 노력, 사업의 진행 정도, 사업의 적합성, 사업의 효율성 평가가 있다. 성과에 대한 평가는 목표달성 정도를 일컫는다. 인력의 참여와 소모품의 소비량은 투입된 노력에 해당한다.

062 ③

해설 | **결핵검사**

초등학생의 경우 폐결핵 진단 검사의 단계가 우선 투베르쿨린 검사를 하고 X-선을 촬영하고 객담검사를 하는 순으로 진행되는데, 가장 정확한 검사는 객담검사로써 양성으로 나올 경우 약물치료 이후 격리 해제 전 다시 객담검사를 실시해야 한다.

063 ③

해설 | **신고의무자 신고 보고**

감염병 예방법에 의해서 1군 감염병환자가 발생하였을 경우에 보건교사는 학교장에게 보고한다. 보고 받은 학교장은 즉시 관할 보건소장 및 교육청에 신고하여야 하며 대상 학생은 완치될 때까지 등교를 중지시킨다.

064 ④

해설 | **과정평가**

사업에 투입된 인적, 물적 자원이 계획대로 실행되고 있는지, 일정대로 진행되고 있는지를 평가하는 과정

오답 ① 구조평가
　　　　②, ③, ⑤ 결과평가

065 ④

해설 | 배치 전 건강진단

- 특수 건강진단 대상 업무 또는 법정 유해인자 노출 부서에 근로자를 신규로 배치하거나 배치전환 시 사업주의 비용부담으로 실시하는 건강진단
- 직업성 질환예방을 위해 유해인자에 노출될 근로자의 건강평가에 필요한 기초건강자료를 확보하고 배치하고자 하는 부서업무에 대한 적합평가를 목적으로 함

066 ①

해설 | 도수율

- 도수율: 연 작업 100만 시간당 재해발생 건수. 재해 발생의 위험에 노출되는 시간을 알 수 있다.
- 강도율: 위험에 노출된 시간에 따라 얼마나 강한 손상이 발생하는가 나타내는 지수이다.

067 ④

해설 | 작업환경 관리의 기본원리

④ 가장 먼저 실시하는 활동은 '대치'로 문항 중에서 대치에 해당하는 방법은 분진 발생이 적은 재료로 바꾸는 것이 해당한다.

- 오염물질로부터의 보호 순서: 대치 → 제거(환기) → 격리(보호구 착용)

068 ④

해설 | 인구구조의 유형

- 별형: 생산 연령의 인구비율이 높은 도시형 인구구조이다.
- 종형: 출생률과 사망률이 모두 낮아 0~14세 인구가 50세 이상 인구의 2배와 같다.
- 호로형: 생산 연령의 인구가 많이 유출되는 농촌형 인구구조를 보여준다.
- 항아리형: 사망률이 낮으나 출생률이 사망률보다 더 낮아 인구가 감퇴하는 형으로 0~14세 인구가 50세 이상 인구의 2배가 안 된다.
- 피라미드형: 출생률과 사망률이 모두 높아 0~14세 인구가 50세 이상 인구의 2배가 넘는 구조이다.

069 ③

해설 | 영아사망률

한 국가의 보건학적 상태와 사회, 경제, 문화의 지표로 널리 사용된다.

070 ⑤

해설 | 노년부양비

(65세 이상 인구수/15~64세 인구수)×100으로 구할 수 있다. 즉 경제활동 인구수에 대해 노인인구가 얼마나 되는지를 나타내는 지수로 여기서는 (110/1,000)×100이므로 11%가 된다.

071 ①

해설 | **정신건강과 정신질환의 연속성**

인간은 하나의 유기체로 근본적으로 정신건강과 정신질환을 구별하여 이야기할 수 없고 신체와 정신은 하나의 상호 연관성을 가지고 있으며, 정신현상도 항상 기저에는 신체적인 현상과 연관성을 가짐

comment

Platon (B.C 427~347)은 몸과 마음은 분리될 수 없고 정신과 육체의 조화를 이룰 때 건강하게 되며, 정신질환은 신체와 도덕의 장애에서 기인된다고 생각했다.

072 ③

해설 | **정신분석모형(Freud)**

정신분석(psychoanalysis)는 대상자의 문제가 현재보다는 과거의 정신적 상처가 억압되었을 때 무의식적인 갈등이 형성되는 것으로 보고, 이러한 무의식을 의식화하여 억압된 성욕이나 공격성의 본질과 자기 문제의 핵심을 통찰하고 전체 인격의 구조 속에 통합되도록 하는 것을 목적으로 한다. 정신분석은 자유연상과 꿈의 분석 방법을 이용하여 인격을 개조하고 재구성한다.

무의식 → 의식화 → 자신의 갈등 이해 → 병식(insight) 가짐 → 인격의 병적인 부분을 수정 → 인격의 개조 · 재구성 → 증상 호전, 인간관계 원만, 일을 능률적이고 의욕적으로 함, 사랑하고 인생을 즐길 수 있음

POWER 특강

정신분석 치료방법

- 자유연상: 무의식을 의식화하는 과정(마음에 떠오르는 것을 무엇이든지 말함)
- 자유로운 주의력(free-floating attention): 환자가 자유연상할 때 분석가는 자신의 주의를 한 곳에 집중시키지 않고 환자의 모든 연상에 주의를 기울여야 함
- 절제의 규칙(rule of abstinence): 환자의 본능적이고 유아적인 욕망을 만족시켜주지 않음

comment

정신분석 시 전이와 역전이 반응을 주의해야 한다.
- 전이: 환자가 유아시절에 부모에게서 경험했던 사랑과 미움의 감정이 치료자를 향해 재현
- 역전이: 치료자가 환자에 대해 가지는 무의식적인 감정 반응으로, 역전이를 극복할 때 환자에 대한 진정한 공감이 형성될 수 있음

073 ④

해설 | **대인관계 간호이론**

④ 페플라우(peplau)는 미국 인구가 급증하면서 정신병원 환자의 수가 증가하고 비전문인이 억제, 감금 등의 역할로 의사를 대신하며 도덕적 치료가 쇠퇴하던 19, 20C 당시 설리반의 대인관계 이론과 학습이론을 기초로 대인관계 간호이론을 개발하고 정신간호 이론과 실무의 발전에 기초를 닦아 정신간호사의 위치를 명백히 밝힌 인물이다.

오답 ① 에릭슨: 정신사회적 발달이론

② 오렘: 자가간호 이론

③ 뉴먼: 체계 이론

⑤ 프로이트: 정신성적 발달이론

074 ④

해설 | **정신성적 발달이론(Freud)**

구강기(0~1.5세)	빨고, 깨물고, 뱉고, 우는 행동으로 긴장을 완화
항문기(1.5~3세)	대변을 배설하거나 보유하는 데서 쾌감
남근기(3~6세)	• 리비도가 성기에 집중되며 성에 대한 인식 발달 • 오이디푸스 콤플렉스
잠복기(6~12세)	성에 대한 관심이 사라지고 지적·사회적 부분에서 성장하는 시기
성기기(13세 이후)	2차 성징, 성적 욕구의 증가, 이성에 대한 관심 증가

075 ④

해설 | **발달단계 이론**

5세 아동의 발달단계는 각각 프로이드–에릭슨–피아제의 발달단계에서 남근기–주도성–직관적(전조작기)에 해당한다.

	정신성적 발달이론 (Freud)	정신사회적 발달이론 (Erickson)	인지 발달이론 (Piaget)
영아기 (0~1세)	구강기 (0~1.5세) 빨고, 깨물고, 뱉고, 우는 행동으로 긴장을 완화	영아기(0~1세) 〈신뢰감 VS 불신감〉	감각운동기(0~2세) 감각을 통해 대상물과 관련된 개념 가짐, 대상영속성 및 공간이동 개념 형성
유아기 (1~3세)	항문기 (1.5~3세) 대변을 배설하거나 보유하는 데서 쾌감	유아기(1~3세) 〈자율성 VS 수치감〉	전조작기(2~7세) 직관적, 상징적 활동, 물활론적 사고, 꿈을 현실로 생각함, 자아중심적 사고
학령전기 (3~6세)	남근기 (3~6세) • 리비도가 성기에 집중되며 성에 대한 인식 발달 • 오이디푸스 콤플렉스	학령전기(3~6세) 〈주도성 VS 죄책감〉	
학령기 (6~12세)	잠복기 (6~12세) 성에 대한 관심이 사라지고 지적 사회적 부분에서 성장하는 시기	학령기(6~12세) 〈근면성 VS 열등감〉	구체적 조작기(7~12세) 보존개념 획득, 타인입장 고려(탈중심화), 가역적 사고, 서열화 능력, 대상 간 공통점·차이점 이해
청소년기 (12~18세)	성기기 (13세 이후) 2차 성징, 성적 욕구의 증가, 이성에 대한 관심 증가	청소년기(12~18세) 〈정체감 VS 역할혼돈〉	형식적 조작기(12세 이후) 추상적 개념 이해, 연역적·가설적·추상적 사고, 논리적 추리능력, 이상과 현실에 대한 개념 및 구별 가능

076 ②

해설 | **프로이트(Freud)의 성격 구조**

성격이란 한 개인이 환경과 상호작용하면서 나타내는 독특하고 일관성이 있는 안정된 인지, 정동, 행동양식을 말한다.

이드(id)	자아(ego)	초자아(superego)
태어날 때부터 존재	• 생후 4~6개월 발달 시작 • 2~3세경 형성	• 생후 1세부터 발달 시작 • 5~6세에 주로 발달하여 9~11세에 완성

• 성격의 근원적 부분 • 기본적 욕구, 본능, 충동	• 현실을 고려하도록 함 • 본능과 충동의 조절, 현실검증, 판단력	• 외부로 얻어지는 양심, 가치, 도덕 • 이드와 본능, 충동 조절(특히 성적, 공격적인 것) • 이드 심하게 억제 시: 죄의식, 불안, 신경증적 성격 • 이드 조절 못할 시: 반사회적 성격
쾌락원칙 지배받음	현실원칙 지배받음, 성격의 집행부	성격의 사법부
비언어적, 비논리적, 비체계적, 비현실적, 1차 사고과정	현실적, 합리적, 논리적, 언어적, 2차 사고 과정	보편적, 도덕적 규범을 수용
주로 무의식계	의식, 전의식 ▶ 주로 의식계	의식, 전의식, 무의식 ▶ 주로 무의식계

오답 ① 초자아: 부모나 또래의 동일시로 나타난다.

③ 초자아: 양심과 자아 이상의 두 부분으로 되어 있다.

④ 초자아: 5~6세에 최고로 발달하며 개인의 사회화에 중요하다.

⑤ 자아: 방어기제는 이드(id)의 사회적으로 용납될 수 없는 욕구, 충동과 이에 대한 초자아의 압력 때문에 발생하는 불안으로부터 자아를 무의식적으로 보호하기 위한 기전으로, 자아가 불안에 대처하기 위해 자동으로 동원하는 갖가지 심리적 전략이다.

077 ③

해설 | Erickson의 정신사회적 발달이론

에릭슨(Erickson)은 각 단계마다 해결해야 할 정신사회적 과제들이 주어진다는 '정신사회적 발달이론'을 주장하였다. 그 중 성인기는 인격의 완전한 성숙과 더불어 대인관계나 모든 사회생활에 있어 융통성을 지니며 정서적 안정을 가지는 시기이다. 성숙한 성인의 기준으로는 배우자와의 만족감을 느낌, 자기의 책임을 충실히 완수, 자기의 능력을 알고 목표를 향해 노력함, 대인관계 원만, 양육을 책임질 수 있는 뚜렷한 자아의식 등이 있다.

POWER 특강

Erickson의 정신사회적 발달이론

Erickson은 인격발달에 대하여 단계별 과제인 발달과업 수행 유무를 통한 사회발달에 초점을 두었다.

시기	발달 과업
영아기(0~1세)	신뢰감 VS 불편감
유아기(1~3세)	자율성 VS 수치감
학령전기(3~6세)	주도성 VS 죄책감
학령기(6~12세)	근면성 VS 열등감
청소년기(12~18세)	정체감 VS 역할혼돈
성인기(18~45세)	친밀감 VS 소외감
중년기(45~65세)	생산성 VS 자기침체
노년기(65세 이후)	통합성 VS 절망감

---

comment

강조된 글자들로 암기해보자!

'신자 주면 정밀 생통(정말 쌤통)'

078 ⑤

해설 | **치료적 인간관계의 단계**

상호작용 전 단계 → 초기단계(오리엔테이션 단계) → 활동단계 → 종결단계

상호작용 전 단계	초기단계 (오리엔테이션 단계)	활동단계	종결단계
관계 형성 전 간호사 자신을 탐구하는 단계	자기소개, 역할 설명을 통해 신뢰감을 형성하고 문제해결의 목표를 설정하는 단계	새로운 적응방법을 시도하여 실제적 행동변화를 일으키는 단계	목표달성 여부를 상호 평가하는 단계이자 이별에 대한 준비를 하는 단계

종결단계에서 이별에 대해서 대상자가 가질 수 있는 거절감, 상실감, 분노 등의 느낌을 표현하도록 격려하며 그러한 정서를 탐색하여야 한다. 차츰 대상자와의 만남 횟수를 줄이고 종결에 대한 반응을 인식하고 수용하며 공감적이고 개방적 태도로 적절히 반응한다.

079 ③

해설 | **우울장애 간호중재(의사소통)**

우울증 환자들은 위축과 무반응을 통해 관련성을 거부한다. 그러므로 간호사의 태도는 조용하고 따뜻하며 수용적이어야 한다. 또한 솔직함, 감정이입과 같은 감정을 보여주어야 한다.

POWER 특강

우울장애 환자와의 대화법

- 온화하고 안정된 환자를 이해하는 태도로, 말없이 환자 곁에 있어주며, 지나친 낙천성이나 명랑성은 피함
- 쉽게 반응이 없다 해도 환자 옆에서 일반적인 대화를 함
- 치료 참석을 억지로 강요하지 않음
- 지나치게 동정적인 태도나 위로와 관심의 말은 오히려 환자의 죄의식을 증가시킬 수 있음
- 감정표현의 촉진: 공감, 적극적 경청, 질문과 진술 유도, 피드백, 직면 등 치료적 의사소통 전략 사용
- 대상자를 수용함으로써 자기 가치감 증진시키고 강점과 성취에 초점, 실패는 최소화
- 간단한 작업을 통해 성취감과 능력을 강화 ▶ 성취할 수 있는 목표 제시하고 실천하도록 함
- 자기표현기술 교육
- 인지적 재구성: 왜곡된 사고형태 바꾸고 자신과 세계를 보다 현실적으로 보도록 도전시키는 것
- 부정적 사고를 현실적 사고로 바꾸도록 격려, 대상자의 장점 · 강점 · 업적 · 기회를 평가하여 긍정적 사고를 증진
- 대상자의 우울하지 않은 행동은 긍정적으로 강화, 역기능적 우울 행위는 무시

---

080 ①

해설 | **공격환자의 간호중재**

공격성을 보이는 환자에 대해서는 우선 의료진 자신을 보호해야 하며, 이에 대해서 과잉반응하여서는 안 된다. 억제가 필요할 경우에는 최소한의 억제를 적용하고, 폭력행위를 일으키는 원인을 인식하여야 한다. 이외에도 비위협적인 부드러운 환경을 제공하고 행동화가 일어나기 전 효율적으로 관리하며, 필요시에는 약물을 사용할 수 있다.

공격성을 보이는 환자의 간호중재

- **공격의 위험성을 사정:** 환경적 자극, 공격적 충동 · 적대감을 관찰

- 환자 자신과 다른 환자, 의료진의 안전을 위해 공격환자에게 제한점을 줌

- 샌드백 치기, 운동 등 비경쟁적 신체적 운동 및 언어를 통해 공격 에너지와 분노 감정을 발산

- 환자의 의견을 무시하지 말고 진지하고 일관성 있는 태도 유지

- **필요시 안정제 투약:** *diazepam, lorazepam, haloperidol*

- **필요시 최소한의 신체적 억제, 또는 격리**

---

081 ④

해설 | **지역사회 정신보건**

④ 지역사회 정신보건사업은 예방적 접근에 중점(1차, 2차, 3차 예방)을 두고 모든 정신질환자의 정신사회적 재활을 중요시한다.

대상자 발생 시 지역사회 내에서 치료하여 위기 처리, 해결, 예방하고, 퇴원 후에는 사회생활로 복귀하여 일상생활을 하면서 필요시 치료를 병행하게끔 하여 의학적 치료 모형(병원중심)에 대한 하나의 대안으로 설명이 가능하게 되었다.

1차 예방	2차 예방	3차 예방
건강증진, 질병예방	조기발견, 조기치료	재발방지, 재활
• 건강증진: 건강한 사람들의 안녕 유지 • 질병예방: 잠재적 위험에 대한 보호 • 질병에 걸리기 전에 원인요소를 변화시킴으로써 질병발생률을 낮추는 것	현존하는 정신건강 문제를 조기에 확인하고 정신질환 유병기간을 감소	• 정신질환으로 인한 부차적인 정신적 결함이나 사회적응장애를 줄임 • 재발방지, 재활과 지속적인 관리, 사회복귀

오답 ① 질병, 직업난 등도 지역사회 정신보건과 관계된다.

② 대상은 스트레스를 가진 개인을 포함한 지역사회이다.

③ 모든 정신질환자의 정신사회적 재활이 포함된다.

082 ⑤

해설 | **우리나라 정신간호의 역사**

우리나라 정신보건법 법인이 발의된 지 10년만인 1995년 12월에 전 6장 16조 부칙 6조로 이루어진 정신보건법이 제정되었다.

---

comment

정신간호학에서 알아야 할 우리나라 정신간호 역사

- **1970년:** 대한간호학회 설립

- **1995년:** 정신보건법 제정

- **2004년:** 정신간호사회(임상정신간호사회와 정신보건전문간호사회 통합), 전문간호사제도 실시

---

083 ④

해설 | **위기 중재의 원칙**

즉각적인 중재의 중요성을 인식하고, 문제에 초점을 맞추며 치료는 현실 위주로 시행되어야 한다. 대상자가 현실적인 목표를 세우고 현 상황에 초점을 둘 수 있도록 중재를 계획해야 한다. 필요시 환자와 함께 있어주고 간호사도 능동적 · 직접적으로 위기중재에 참여하지만 대상자가 해야 할 행동을 간호사가 정해주는 것은 아니다.

084 ②

해설 | **가족규칙**

- 가족 내에 존재하는 암묵적인 약속
- 규칙의 지배를 받으며 반복되는 상호작용을 통해 조직화함
- 대개의 규칙은 은연중에 정해진 불문율
- 역기능적 가정에서는 규칙이 한정되어 있고 경직되어 있음
- 기능적 가정은 규칙이 일정하고, 발달단계에 부합되며 유연하고 생산적으로 작용함
- 가족 내의 규칙을 인식하도록 도와 기능적으로 변화시킬 수 있도록 지지해 주어야 함

085 ③

해설 | **망상환자의 간호중재**

환자가 느끼는 감정을 부정하지 말고, 환자 자신의 생각과 불안, 두려움 등의 감정을 표현할 수 있도록 격려하며 그 의견에 비지시적이고 수용적인 태도를 취하도록 한다.

> ### POWER 특강
>
> **망상 대상자의 간호중재**
>
> - 망상은 대상자의 충족되지 않은 욕구를 반영하고 불안이 감소하는 것으로, 논리적 설득과 비평이 효과 없음
> - 망상이 의미하는 것, 망상의 목적, 망상에 의거한 행동에 대한 이해가 필수적인데, 망상으로 충족되었던 욕구를 다른 방법으로 채워주면 망상이 감소함
> - 상황에 대한 다른 해석을 고려해 보도록 대상자에게 요청하고, 강하게 지속되고 있는 믿음이 수정되도록 시도
> - 단순하고 명료한 언어 사용
> - 환자의 감정을 부정하지 않고 자신의 생각과 불안, 두려움에 대해서 표현하도록 격려
> - 망상의 정당성에 대하여 직접 도전하지 않음
> - 자기중심적 사고로 오해가 생길 수 있으므로, 지나친 친절이나 신체적 접촉은 유의
> - 다른 환자와 이야기할 때 작은 소리로 속삭이거나 귓속말을 하지 않음
> - 현실감 제공하고, 망상에서 벗어나 현실에 초점을 둘 수 있는 활동 계획

086 ③

해설 | **항정신병 약물 부작용의 치료 및 간호중재**

③ 항정신병약물 복용 전 혈압을 재는 이유는 기립성 저혈압을 사정하기 위해서이다.

- 항정신병 약물의 주된 약물 부작용은 다음과 같다.
  - 추체외로 증상(EPS): 파킨슨증상(진전, 경직, 운동완서), 급성 근긴장이상, 정좌불능증, 지연성 운동이상증
    ▶ 치료 위해 benztropine (cogentin) 사용
  - 과도한 진정작용
  - 항콜린성 부작용: 입마름, 시력장애(잘 안보임, 갈색시야, 녹내장 악화), 배뇨장애, 변비
  - 기립성 저혈압 ▶ 천천히 일어나도록 함
  - 광선과민증, 피부발진
  - 무과립구증 ▶ clozapine (Clozaril)의 치명적 부작용
  - 경련발작
  - 신경이완제 악성증후군(NMS): 고열(40 ℃ 이상), 자율신경계 항진증상(발한, 혈압변동, 빈맥, 과호흡), 심한 EPS (극심한 근육강직, 의식변화), WBC 15,000 이상

087 ②

해설 | 항정신병 약물

Phenothiazine은 조현병 치료제로서 대표적인 약물로 chlorpormazine이 있다. A씨의 경우 우선 증상이 정신과적 증상이 아닌지 확인하고, 환자에게 원인과 해결책을 알고 있다고 안심시킨 후 주치의에게 환자의 증상에 대해 보고한다.

POWER 특강

추체외로계 부작용(EPS)

급성 근육긴장이상(acute dystonia)은 항정신병 약물의 신경학적 부작용 중 하나인 추체외로계 부작용(EPS)에 속한다. 목과 어깨가 갑자기 뒤틀리는 사경, 안구운동 발작, 턱 근육의 경직, 호흡곤란, 연하곤란 등이 발생하며, 즉각적으로 항파킨슨 약물을 투여하여 치료한다. 항파킨슨 약물의 종류로는 benztropine (Cogentin), biperiden (Akineton), diphenhydramine (Benadryl) 등이 있다.

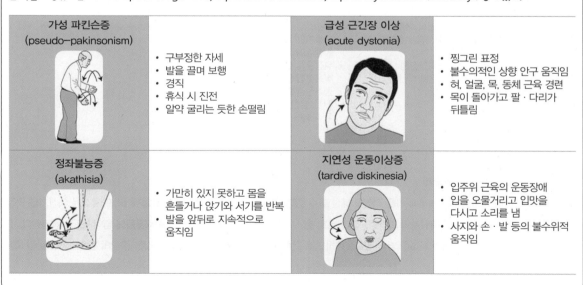

가성 파킨슨증 (pseudo-pakinsonism)	급성 근긴장 이상 (acute dystonia)
• 구부정한 자세 • 발을 끌며 보행 • 경직 • 휴식 시 진전 • 알약 굴리는 듯한 손떨림	• 찡그린 표정 • 불수의적인 상향 안구 움직임 • 혀, 얼굴, 목, 동체 근육 경련 • 목이 돌아가고 팔 · 다리가 뒤틀림
정좌불능증 (akathisia)	지연성 운동이상증 (tardive diskinesia)
• 가만히 있지 못하고 몸을 흔들거나 앉기와 서기를 반복 • 발을 앞뒤로 지속적으로 움직임	• 입주위 근육의 운동장애 • 입을 오물거리고 입맛을 다시고 소리를 냄 • 사지와 손 · 발 등의 불수의적 움직임

088 ③

해설 | 망상환자 간호중재

망상환자를 간호할 때, 초기에는 대상자의 예상되는 행동을 알고 대상자에게 현실감을 심어 주기 위해 망상의 내용과 깊이, 의미에 대해 사정을 한다. 대상자의 망상적 믿음에 대한 정보를 이끌어 낼 때 간호사는 망상에 대해 도전하거나 지지하지 않도록 주의한다.

오답 ① 환자의 감정을 부정하지 않고 자신의 생각과 불안, 두려움에 대해서 표현하도록 격려

② , ④ 망상의 정당성에 대하여 직접 도전하지 않음

⑤ 현실감을 제공하고, 망상에서 벗어나 현실에 초점을 둘 수 있는 활동 계획

089 ④

해설 | 우울장애

학습된 무력감은 대상자가 자신의 환경에서 강화요인을 통제할 수 없다고 믿는 성격인 동시에 행동양상이다. 이러한 부정적 기대는 절망감에 수동성을 가져오고 자신을 표현하지 못하게 만든다.

090 ③

해설 | 항우울제

항우울제는 뇌의 연접부에서 노르에피네프린, 세로토닌의 활성도를 증가시켜 우울증을 완화시킨다.

- 약의 성공률: 60~80%
- 치료에 대한 효과: 2~6주 후에 나타나므로, 이를 반드시 환자에게 교육해야 함

	TCA (삼환계 항우울제)	SSRI (선택적 세로토닌 재흡수 억제제)	MAOI (모노아민 산화효소 억제제)
종류	• Amitriptyline (Etravil) • Imipramine (Tofranil) • Clomipramine (Gromin, Anafranil)	• Fluoxetine (Prozac) • Paroxetine (Paxil) • Sertraline (Zoloft)	• Phenelzine (Nardil) • Tranylcypromine • Moclobemide
부작용	• 항콜린성: 입마름, 변비, 오심·구토, 배뇨곤란 등 • 진정작용 ▶ 불면 시 유리 • 심혈관계 부작용: 기립성 저혈압, 심장전도 장애 ▶ 심장장애 환자에서는 위험 • 성 기능장애, 체중 증가, 진전 • 과량 복용으로 인해 치명적인 결과를 초래	• 항콜린성, 기립성 저혈압, 심혈관계 부작용, 체중 증가 등 부작용 거의 없음 ▶ 간질, 심장전도장애 환자, 노인에서 안전 • 드물지만 TCA보다 빈도 높게 EPS 발생: paroxetine • 위장관계 부작용: 오심·구토, 설사, 식욕부진 등 • 중추신경계 부작용: 불안, 초조, 두통, 진전, 발한, 수면장애 등 ▶ 아침에 투여	• 기립성 저혈압, 불면, 과민, 초조 • Tyramine 섭취(치즈, 맥주) 시 고혈압 위기 • Meperidine과 병용 시 사망 위험

091 ③

해설 | 양극성 장애 환자의 간호중재

조증 대상자는 에너지가 넘치기 때문에 이를 적절히 배출할 수 있어야 한다. 과도한 활동으로 피로해지더라도 휴식은 대상자를 안정시키기보다는 흥분시킨다. 따라서 대상자의 과다행동의 통로로 청소나 사소한 활동과 비경쟁적인 신체운동에 참여하도록 격려한다. 조증 대상자는 대단히 산만하여 환경의 사소한 자극에도 반응하므로 간호사는 환경 자극을 최소화하고 같은 증상의 환자와의 어울림 (ⓔ 집단 치료)은 삼간다.

=comment=

조증환자의 활동이 건설적인 목적으로 이용되도록 도와야 한다. 다른 사람과 어울리도록 장려할 필요는 없으며, 가끔 혼자 있게 하거나 혼자 걷도록 한다. 조증 환자는 주의집중이 잘 안 되고 불안하므로 복잡한 일보다는 간단하고 빨리 할 수 있는 일이 필요하다. 심하게 흥분된 동안은 팀 활동 대신 개인적인 활동을 하게끔 해야 한다.

---

092 ③

해설 | **우울장애의 가족중재**

우울장애는 가족과 관련이 깊은데, 의사소통 장애 및 가족의 정서체계의 문제 등으로 인해서 우울장애가 더욱 악화되고 조장될 수 있다. 그러므로 우울장애 환자에 대한 중재는 가족 중심으로 시행하는 것이 바람직하며 가족 중심으로 해결방안을 세울 경우에는 독립성을 증진시키고 현실적으로 실현가능한 목표에 관심을 가져야 한다.

093 ①

해설 | **강박장애**

강박장애는 자신의 의지와는 무관하게 반복되는 강박적 사고로 불안을 막기 위해 불합리한 행동을 지속적으로 하는 것이다. 학력이나 지능이 높고 초자아가 강하고 완벽주의자에게서 강박장애가 나타날 확률이 높다.

POWER 특강

강박충동관련장애의 행동특성

- 대상자가 불합리하다는 것을 알고 있으며 이에 저항하려고 하나 억제할 수 없고 억제하려고 노력하면 불안 상승
- 주로 공격성이나 청결에 집착
- 자각적인 강박감과 그에 대한 저항 및 병식 있음
- 방어기제: 격리, 대치, 반동형성, 취소 ▶ 항문기 관련

094 ④

해설 | **불안의 수준**

④ 불안이 근육에 미치는 것은 '긴장'이며, 초조는 애가 타서 마음이 조마조마함을 의미한다.

- 정의: 불안이란 내·외적으로 인한 내적인 조절능력의 상실로 마음속으로부터 일어나는 모호하고 막연한 주관적 감정으로, 염려, 긴장, 걱정되는 상태로서 임박한 위기에 대한 두려움, 무엇인지 확실하지 않으나 어떤 커다란 위험이 닥쳐오리라는 생각에 압도당하는 상태이다.
- 불안의 단계: 연속적으로 표현하는 모형에서 불안은 경증, 중등도, 중증, 공황 단계의 총 4단계로 구분한다.

경증 불안	• 일상생활을 하면서 느끼는 긴장 상태로, 지각영역이 확대되고 행동이 민첩해지는 수준 • 신체적 징후 없음 • 예전보다 잘 보고 듣고 파악, 집중력 증가하여 학습을 동기화, 성장 및 창조성 유도하는 유용한 감정
중등도 불안	• 스트레스 상황을 극복할 수 있지만 지각영역이 다소 좁아져 당면문제만 관심 집중 • 지각영역 협소, 선택적인 부주의(전보다 덜 보고 듣고 파악) • 의식적 대처기전, 무의식적 방어기제 사용 • 약간의 발한, 근육긴장 있음

중증 불안	• 지각영역이 현저하게 축소 • 모든 행동은 불안을 경감시키는 데 집중하며 사소한 것에 주의를 기울여 다른 것은 생각하기 어려움 • 수많은 방어기전 이용 • 신체적 증상 급격히 증가: 몸을 떨며, 몸의 과도한 움직임, 동공확대, 심한 발한, 설사 및 변비, 불안이 심하여 근육계통까지 영향을 미쳐 동작이 안절부절 못함 • 심리적으로 극도로 고통스러움, 위협을 주는 대상에 집중할 수 없음
공황 장애	• 극심한 불안상태로, 도움을 주어도 아무것도 할 수 없을 것 같은 느낌을 받는 상태. 즉각적인 중재가 필요 • 논리적 사고와 의사결정 능력 불가 • 증가된 정신운동 활동, 성격 분열, 대인관계 능력 감소, 왜곡된 인지, 합리적 사고의 상실 • 순간적으로 정신증적 상태가 되어 자신이나 타인에게 신체적으로 해를 입힐 수 있음

095 ③

해설 | **외상 후 스트레스 장애(PTSD)**

③ 극심한 위협적 사건이나 스트레스로 심리적 충격 경험한 후, 특수한 정신적 증상이 유발되는 것으로, 외상사건에 대한 반복적인 회상, 악몽, 재경험, 과민상태, 회피행동을 보이며 지속적 과민상태, 과잉각성, 재경험, 회피, 우울, 불안, 집중곤란, 흥미상실, 대인관계 무관심 등을 경험한다. PTSD의 50% 이상이 주요 우울증으로 고통받으며, PTSD 30% 이상이 공포와 알코올 중독, 학대받는 아동의 성격장애 양상, 정신증, 기질적 정신장애를 나타낸다.

오답 ① 범불안장애

② 공황장애

④ 강박장애

⑤ 스트레스

096 ①

해설 | **불안**

불안해하는 대상자에게 간호사는 불안증상에 관련된 문제에 대해서 말하도록 지지하여야 한다. 이때는 짧고 간단하게 질문하며 장시간 불안과 관련된 문제를 얘기하는 것을 불안을 더욱 가중시킬 수 있음으로 피해야 한다.

097 ③

해설 | **전환장애(conversion disorder)**

신경학적 또는 내과적 질환에 기인하지 않는 하나 이상의 신경학적 증상(마비, 감각이상, 시력마비), 감각기관이나 수의적 운동의 극적인 기능상실이 나타나는 것으로, 억압된 욕구, 감정, 생각에서 생기는 불안이나 심리적 갈등이 원인이 되어 기관 및 신체적 증상으로 상징적 전환이 된다.

098 ①

해설 | **성격장애**

보살핌을 받으려는 과도한 욕구와 순종적이고 매달리는 이러한 행동양상으로 보아서 의존성 성격장애에 해당함을 알 수 있다. 의존성 성격장애는 C군 성격장애(anxious, fearful)에 해당된다.

의존성 성격장애(dependent PD)

- 자신의 욕구를 타인의 욕구에 종속시키고 자신의 삶의 중요한 부분에 대한 책임을 타인에게 지운다.
- 자신감이 결여되어 있으며 혼자가 되면 심하게 괴로워한다.
- 의존과 복종이 특징이다.
- 자기확신이 결여되어 타인의 보살핌을 항상 필요로 한다.
- 염세적, 수동적이며 공격성을 표현하는 것을 두려워한다(ex 매맞는 아내).

comment

회피성 성격장애(avoidant PD)는 사회적으로 억제, 위축되고, 부적절감을 느끼며, 부정적 평가에 과민한 양상을 특징으로 한다. 확고한 보장이 없는 한 대인관계를 회피한다. 대인관계에서의 거절과 배척에 대한 극도의 예민성을 보인다. 사회적 위축이 있으나, 내적으로는 친밀한 관계를 원하는 특징이 있다.

099 ⑤

해설 | 수동공격성 성격장애

겉으로 드러나지 않는 방해, 지연, 다루기 힘든 완고성, 비능률성이 특징적인 성격장애로, 결단성이 없고 권위대상에 대하여 양가감정을 가진다. 수동공격성 성격장애의 방어기제는 합리화, 부정이다.

100 ⑤

해설 | 성관련 장애

성별 불쾌감(gender dysphoria)이란 신체적으로는 자기의 성이 정상이지만 이런 자신의 해부학적인 성에 대해선 완전히 반감(aversion), 불편감 및 부적당성의 느낌이 지속적으로 생각되며 또는 자신의 생식기를 없애버리고 싶은 욕망과 정서적 · 신체적 · 성적으로 자신이 반대의 성으로 살고 싶은 끊임없는 욕망으로, 반대의 성이 되기를 갈망하는 것이 2년 이상 계속되는 것을 말한다. 성별 불쾌감으로 성전환 수술을 받은 사람을 트랜스젠더(trans-gender)라고 하며, 수술 후 지속적인 심리상담과 호르몬 치료를 요한다.

101 ③

해설 | 알코올 금단증상

알코올 금단증상은 며칠 이상 장기간의 지속적인 음주 중 술을 갑자기 중단하거나 감량하였을 때 나타나는 증상이다. 진전, 발한, 경련 발작, 진전섬망, 불면, 불안 등의 증상이 있다. 알코올 금단 증상은 대개 금주 후 이틀째 peak에 달하는데, 진전섬망이 없는 한 4~5일째 개선된다.

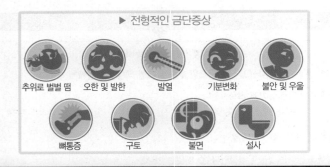

▶ 전형적인 금단증상

추위로 벌벌 떰　오한 및 발한　발열　기분변화　불안 및 우울

뼈통증　구토　불면　설사

POWER 특강

알코올 금단, 알코올 진전섬망

알코올 금단	알코올 진전섬망
반복적으로 장기간 고용량으로 복용한 후에 완전히 또는 어느 정도 중단했을 때 생기는 증상군(대개 5~15년의 과음 경력)	섬망이 동반된 금단증상
• 알코올 금단은 알코올 섭취를 중단한 이후 몇 시간 또는 며칠 이내에 다음 중 2개 이상의 증상이 나타날 때 해당한다(APA, 2000). (1) 자율신경계 항진(발한 또는 맥박 수가 100회 이상 증가) (2) 손 떨림 증가 (3) 불면증 (4) 메스꺼움(nausea) 및 구토 (5) 일시적인 환시, 환청, 환촉 또는 착각 (6) 정신운동성 초조증 (7) 불안 (8) 대발작	• 3대 증상 (1) 의식혼탁 및 혼동 (2) 환각 및 착각 (3) 진전 • 금단섬망에서의 환각의 특징 (1) 환각이 가장 흔하며, 환청, 환촉 순으로 호발 (2) 물체가 실제보다 작게 보임 (3) 밤에 환각이 나타나고 눈을 감으면 환각이 강화되며, 환각의 기복이 심함 (4) 체계화되지 않고 형태가 불분명

---

102 ⑤

해설 | **알코올 의존장애**

• 간호목표

  – 단기적: 급성기 금단 증상 조절

  – 장기적: 대상자의 가족, 사회, 직업적 환경 등에 대한 적응능력 향상 ▶ 삶의 질 향상

---

103 ③

해설 | **물질 및 중독관련 장애**

약물중독 재활 프로그램에서 가장 중요한 점은 대상자로 하여금 물질남용과 의존에 대한 책임을 받아들이고 회복을 위해 스스로의 행동변화가 중요하다는 것을 인정하도록 하는 것이다.

---

104 ①

해설 | **신경인지장애**

치매환자는 환경의 변화에 대한 적응 능력이 떨어지므로 일관성 있고 낯선 자극이 없는, 익숙한 환경을 제공하여야 한다. 일관된 사물의 배치 및 구조화된 일상생활, 안정감 및 보호를 제공하는 환경 조성이 중요하다.

치매대상자를 위한 환경치료

- 감각적 자극의 조절을 위한 주위환경 관리: 게시판, 시계(숫자 큰 것), 달력(큰 글씨, 계절 그림) 등
- 조명 조절: 환각·착각으로부터 보호하기 위해 밤에 소등하지 않음
- 면회객 제한하고, 동일한 치료자가 연속성 있는 케어 제공
- 감정조절의 결여로 인한 폭발적인 감정반응이 있을 경우를 대비해 위험한 가구나 기물 등을 없애줌

105 ①

해설 | **치매&섬망**

- 치매는 지능이 완전히 발달한 후 의식의 장애 없이 전반적인 인지기능 장애 및 정서장애, 성격장애 등을 보이는 증후군이다. 치매 초기증상으로 기억장애가 가장 현저하며, 인지장애는 있으나 의식소실이 없다는 점이 특징적이다.
- 섬망은 광범위한 뇌조직의 가역적인 기능 저하로, 급성으로 인지장애와 의식장애가 동반된다. 특히 밤에 증상이 심하다. 환각과 환청을 수반하며 시간, 장소에 관한 지남력 상실을 특징으로 하는 정신적 혼란, 흥분 상태가 나타난다. 몇 시간~며칠, 하루 사이에도 증상에 기복이 있으며(fluctuation), 증상으로는 끊임없는 생각의 흐름, 지리멸렬, 조리 없는 말, 목적 없는 신체활동, 혼란, 지남력 상실 같은 사고과정의 장애를 동반한다.

섬망과 치매

	섬망	치매
발병	급성	만성
의식	의식의 혼탁	의식은 정상
각성	격정, 혼미	각성수준은 정상
경과	가역적	진행성, 황폐화
fluctuation	+++	+
수면장애	++	+
지리멸렬한 언어	++	+

간호관리학

001 ③

해설 | **중국의 간호**

- 유교, 불교, 도교가 건강관리에 영향을 미침
- 예방과 혈액순환에 초점
- 명의 편작: 보고, 듣고, 묻고, 느끼는 진찰방법, 진맥에 정통
- 체질 구분: 태양, 소양, 태음, 소음
- 내과적 치료가 으뜸, 외과적 치료는 거세와 상처치료로 제한
- 유교의 남성위주사상 강조로 여자간호사의 활동이 어려웠다.

오답 ② 갈렌(Galen)은 로마의 인물이다.

④ 그리스의 히포크라테스에 대한 설명이다.

002 ②

해설 | **성 프란시스의 제3교단: 터티아리스단**

이탈리아에 현존하는 대표적 탁발 승단으로 환자운반, 자원봉사, 가정방문을 시행하였다.

003 ④

해설 | **나이팅게일의 간호이념**

오답 ① 간호사는 어디까지나 간호사이지 의사는 아니다.

② 간호사는 자신을 희생하는 것이 아니라, 자신의 긍지와 가치관에 따른 간호활동을 하는 것이다.

③ 간호사의 일체는 간호사에 의해 관리되어야 한다.

⑤ 간호 사업은 비종교적일 것이나 간호사는 신앙인일 것이다.

004 ③

해설 | **간호의 암흑기**

1517년 마틴루터에 의해 일어난 종교개혁으로 가톨릭 세력이 쇠퇴하였다. 교회가 경영하던 병원의료와 구호사업이 중단되었고 이로 인하여 간호의 암흑기가 초래되었다.

005 ③

해설 | **1962년 의료법 개정**

- 간호사 국가고시제 시행: 간호학교 졸업자는 간호사 국가고시 응시 자격을 받음
- 간호사 자격 검정고시제도 완전 폐지

- 조산사의 교육과정 분리
- 의료업자 연차신고제: 간호사는 매년 5월 중에 그 취업동태를 보건사회부에 보고

006 ①

해설 | **현대사회에서 간호윤리가 강조되는 이유**

- 간호사의 역할과 위치의 변화
- 새로운 의료 지식과 기술의 발달로 새로운 가치관이 출현하고 윤리적 갈등 초래
- 현대 사회가 간호사에게 전문적이고 책임있는 행동을 요구함
- 환자와 가족에 관한 권리 주장에 대한 의료인들의 책임 확대
- 간호사에게 환자의 '옹호자' 역할이 요구됨

007 ②

해설 | **한국 간호윤리강령 제정 목적**

- 인류의 건강과 사회복지를 지향
- 간호사업의 발전 도모
- 간호사의 권익과 전문인으로서의 도덕적 의무 실현
- 간호사의 자율적인 통제의 표준을 사회에 알리고 구성원들에게 지키도록 권유하기 위함

008 ⑤

해설 | **자율성 존중의 원칙(사전 동의 의무)**

임상연구에서 가장 중요한 윤리문제는 환자의 충분한 정보제공과 환자의 자율적인 참여에 의한 것으로 동의서에는 실험 중간에 언제든지 거부할 수 있으며 어떠한 불이익도 없다는 것을 명시한다.

009 ③

해설 | **무해성의 원리**

- 고의적으로 해를 입히거나 해를 입힐 위험을 초래하는 행위를 피하는 것
- 예측되는 유익한 영향은 예측되는 손상보다 크거나 혹은 같아야 함
- 행위 그 자체가 선해야만 하고, 적어도 문제가 없어야 함
- 나쁜 결과가 좋은 결과를 낳기 위한 수단이 되어서는 안 됨

010 ②

해설 | **공리주의**

- 결과주의적 윤리의 대표적인 이론으로 효용의 원리와 결과주의 원리가 기본이다.
- 최대 다수의 최대 행복 추구
- '무엇을 효용성으로 보느냐'에 따른 분류: 쾌락적 공리주의, 다원적 공리주의, 선호 공리주의
  - 쾌락적 공리주의: 쾌락은 최대, 고통은 최소
  - 다원적 공리주의: 우정, 지식, 행복, 쾌락 등 다양한 내재적 가치 수용

- 선호 공리주의: 다수의 사람들이 선호하는 것을 최대로 만족시키는 것 수용
- '효용의 원리를 어떻게 적용하느냐'에 따른 분류: 행위 공리주의, 규칙 공리주의
  - 행위 공리주의: 선택 가능한 행위 중 그 행위에 영향을 받을 모든 사람들에게 최대의 효용을 줄 수 있는 행위를 선택
  - 규칙 공리주의: 도덕규칙들 중 그 행위들에 영향을 받을 모든 사람들에게 최대의 효용을 안겨주는 규칙을 선택
  - ①, ③, ④, ⑤는 의무론의 설명이며, 21년도 의무론이 출제되었다.

011 ⑤

해설 | **간호**

책임감뿐만 아니라 도덕 및 윤리의식을 갖고 의무를 실천하여야 한다. 환자의 비밀을 누설하지 않는 것처럼 도덕관에 근거하여 반드시 하여서는 안 되는 일은 하지 않고, 응급환자의 처치처럼 반드시 해야 할 일은 하는 의무를 갖는다.

012 ④

해설 | **비밀유지의 의무**

- 의료인은 직무상 알게 된 환자에 관한 정보를 공개하지 않을 의무를 갖는다.
- 예외사항: 본인의 동의가 있는 경우, 법령에 의해 요구되는 경우(전염병의 신고, 아동학대의 신고), 정당한 업무행위, 중대한 공익상의 필요가 있어 법원에서 증언하는 경우

013 ②

해설 | **자율성 존중의 원칙, 선행의 원칙**

- 자율성 존중의 원칙: 자신의 생각을 가지고 선택을 하며 개인적 가치와 신념을 가지고 행동할 권리. 타인으로 하여금 자율적으로 선택할 수 있도록 촉진하는 행위
- 선행의 원칙: 타인을 돕기 위해 적극적이고 긍정적인 단계 요구로, 도덕적 의무의 요구를 넘어서는 것
  - 선의의 간섭주의: 환자의 자율성 존중의 원칙과 의료인의 선행의 원칙이 갈등을 일으킬 때 환자의 자율성이나 자유가 희생되는 것 기출 20

014 ②

해설 | **정의의 원칙**

- 공정함과 공평함에 관련되는 것 ▶ 공평한 간호 제공, 의료자원의 분배의 형평성
- 분배적 원칙으로 인간의 권리들이 그 발달 정도에 따라 각기 달리 분배될 수 없다는 것
- 유형: 균등한 분배, 필요에 다른 분배, 노력과 성과에 따른 분배, 공적에 따른 분배

015 ①

해설 | **비밀유지의 의무**

- 의료인은 직무상 알게 된 환자에 관한 정보를 공개하지 않을 의무를 갖는다.
- 예외사항: 본인의 동의가 있는 경우, 법령에 의해 요구되는 경우(전염병의 신고, 아동학대의 신고), 정당한 업무행위, 중대한 공익상의 필요가 있어 법원에서 증언하는 경우

016 ⑤

해설 | 사용자의 배상책임

피고용인의 고용범위에서 발생한 과실에 대하여 고용주가 직접적인 책임을 지는 법의 원칙

---

comment

주의의무 태만

타인에게 유해한 결과가 발생되지 않도록 정신을 집중할 의무를 다하지 않음으로써 남에게 손해를 입히는 것

★ 시험엔 이렇게 표현된다!

- 간호사가 환자의 침상 난간을 올리지 않고 떠나 → 낙상사고가 발생하였다.
- 간호사가 무균술을 제대로 지키지 않아 → 환자에게 감염이 발생했다.
- 간호사가 투약 시 침상번호만 확인하고 환자를 제대로 확인하지 않아 → 다른 환자에게 약을 투여하였다(투약사고).
  - ▶ 지켜야 할 원칙들을 지키지 않아 환자에게 손해가 발생한 경우

---

017 ⑤

해설 | 선의의 간섭주의

환자의 자율성 존중의 원칙과 의료인의 선행의 원칙이 갈등을 일으킬 때 환자의 자율성이나 자유가 희생되는 것

018 ⑤

해설 | 간호 전문성 신장을 위한 전략

내적요인	외적요인
• 긍정적인 자아상 확립 • 올바른 직업관 확립 • 전문적 능력의 향상 • 간호리더십과 관리기술 향상 • 환자, 가족 및 타 보건의료인과의 관계 개선 • 전문적 단체 활동의 적극적 참여 • 스트레스 관리	• 간호교육의 변화 • 간호사의 근무환경 개선 • 간호의 표준화와 국제화 • 간호의 성과 가시화 　– 간호의 임상연구활동을 촉진 　– 근거중심의 간호 제공 • 간호의 이미지 재창출 • 홍보의 활성화 및 체계적 관리 • 간호정책 형성과 의사 결정 참여

019 ①

해설 | 관리기술의 적용(Katz)

- 실무적 기술: 전문화된 분야에 실제업무를 수행하는데 필요한 고유한 지식, 도구, 절차, 기법을 사용할 수 있는 능력. 일선관리자에게 더 많이 필요

- 인간적 기술: 개인으로서든 집단으로서든 다른 사람들과 같이 일하고, 이해하며 동기를 부여할 수 있는 능력. 중간관리자에서 더 많이 필요

- 개념적 기술: 조직의 모든 이해관계와 활동을 조정 · 통합할 수 있는 정신적 능력. 최고관리자에게 가장 필요

020 ⑤

해설 | 일선 관리자

조직 구성원들을 관리하고 함께 협력한다. 조직 내 규정을 무조건적으로 강조하는 것보다 변화의 과정을 인식하여 융통성 있게 조정하는 것이 필요하다.

021 ③

해설 | 운영적 기획(단기계획)

- 조직의 일상적 운영에 관한 것으로 구체적인 업무에 초점을 두고 계획하는 것
- 일선 관리자가 세우는 것이며 측정 가능한 목표를 설정함

022 ⑤

해설 | 철학

목적을 달성하기 위해 조직구성원의 행동을 이끌어나가는 신념과 가치체계

023 ③

해설 | 통제의 과정

통제의 과정에서 가장 먼저 해야 하는 것은 표준 설정이다.

표준 설정 → 성과 측정 → 성과 비교 → 개선활동

- 표준의 설정: 조직의 목적이나 목표로부터 꼭 성취해야 할 내용이나 성취 가능한 목표를 표시하는 행위의 방법을 제시해 줌
- 성과의 측정: 정해진 표준이나 기준, 지표 등을 사용하여 적절한 시기에 적절한 방법으로 자료를 수집하고 결과를 분석하는 단계
- 성과비교: 객관적으로 수집된 자료를 분석하여 정한 표준과 비교하여 평가하는 단계
- 개선활동: 목표한 표준의 성취 시 적절한 보상과 동기부여를 줌, 교정활동

024 ⑤

해설 | 간호수가 산정의 필요성

- 질병양상과 의료 소비형태의 변화로 발생한 다양한 형태의 간호서비스 요구충족과 그에 따른 간호서비스 가치 환산 수준의 기준 마련
- 간호업무가 병원비용 지출 업무가 아니라 수익창출 중심 활동임을 인식
- 간호의 양적 · 질적 기여도가 높아져 보다 전문적인 지식과 기술을 확립 가능
- 간호서비스 가치의 경제적 · 사회적 인정 → 전문직 발전 기반 강화

025 ⑤

해설 | 준거적 권력

지도자가 가지고 있는 특별한 자질로부터 나오는 권력으로 구성원들이 지도자를 존경하고 그를 동일시하기 위해 노력할 경우 이 권력이 발생된다.

026 ②

해설 | 비공식 조직의 장점

- 조직구성원들의 과업 달성에 도움
- 조직구성원에게 소속감, 만족감 제공
- 의사소통 촉진
- 좌절감과 불평에 대한 안전판 역할
- 조직의 생리 현상을 파악할 수 있음

027 ②

해설 | 외부 모집의 장단점

- 장점
  - 모집범위가 넓어 유능한 인재 영입
  - 인력개발 비용 절감(경력자)
  - 새로운 정보와 지식의 도입이 용이 ▶ 조직에 활력을 줄 수 있음
- 단점
  - 부적격자 채용 가능성
  - 안정되기까지는 비용 및 시간 소모
  - 내부 인력의 사기 저하
  - 채용에 따른 비용 부담

028 ④

해설 | 문제직원관리(훈육) 원칙

- 훈육행위에 앞서 훈육의 규칙과 규정을 명확히 설정
- 설정된 규칙과 규정에 대해 간호사들과 의사소통하여 충분히 이해하도록 한 뒤 적용
- 감정이 정리된 후 훈육에 임하여 긍정적인 태도 유지
- 공개적 보다는 프라이버시를 지켜주면서 훈육
- 개인의 성향보다 문제행위에만 초점
- 규칙과 규정을 일관성 있게 적용, 상황이나 능력에 따라 유연성 있게 대처
- 건설적인 행동 유도
- 신속한 대처
- 문제행동에 대한 충분한 정보 수집
- 훈육한 후 행동변화 여부 확인

029 ①

해설 | 팀 간호(Team Nursing)

① 팀 구성원간의 협력과 의사소통의 증가로 근로 의욕을 높이고 팀 전체의 기능을 향상
- 책임간호사, 일반 간호사, 보조인력 등 3~4명이 한 팀으로 구성되어 그룹으로 환자중심의 간호를 제공하는 방법

②, ③ 일차간호

④ 기능적 간호방법

⑤ 팀 리더의 역할: 팀 구성원 지도, 능력에 따른 업무 분담, 직접 간호 제공, 협동적 환경 조성 노력

030 ②

해설 | 화재발생 시 대처 순서

화재발생 경보 울리기 → 119 신고 → 산소통 모두 잠금 → 환자 대피 → 환자기록부와 같은 중요 서류 운반 → 대피한 환자의 숫자와 상태 확인

031 ②

해설 | 전문직의 특성

② 비표준화된 업무로 상황에 따라 전문가의 판단에 따른 접근이 필요하다.

032 ①

해설 | 서비스의 특성(무형성)

물리적 재화와 달리 형태가 없다. 서비스는 실체를 보거나 만질 수 없기 때문에 서비스가 주관적이며 상품으로 진열할 수 없다.

033 ②

해설 | 동시평가

환자 입원 중에 제공되는 간호를 평가하여 분석하고 그 결과를 반영시켜 환자의 만족도를 높이며 간호의 질을 향상시킬 수 있는 방법이다. 입원환자 기록지 감사, 환자와의 직접 면담과 관찰, 직원 집담회를 통해 평가하며 간호의 질을 높일 수 있다.

034 ⑤

해설 | 입원 시 환자관리

- 대상자 병실 준비: 입원 수속을 마쳤다는 연락을 받은 후 병실의 청결상태, 물품 확인
- 대상자에게 간호사 본인, 같은 병실의 사람들 소개
- 기초 간호자료 수집
- 병실의 위치, 휴게실 등 병원 내 시설 설명
- 수술 예정일, 진단 검사 일시에 대해 설명
- 귀중품 및 개인 의복 보관에 대해 설명
- 환의로 갈아입힘

③ 퇴원 시 환자관리에 해당한다.

035 ⑤

해설 | 물리적 환경관리(조도)

⑤ 간접조명을 사용하도록 한다.

② 백열등은 효율이 낮은 조명이다.

③ 밤에는 침상조명등을 사용한다.

④ 강한 광선을 피하도록 낮에는 커튼, 스크린, 블라인드를 이용한 광선조절이 필요하다.

기본간호학

036 ②

해설 | **Maslow의 욕구단계 이론**

- 특징: 신체적, 정신적, 사회적, 정서적, 영적 욕구로 구분하며, 낮은 단계의 욕구가 우선 충족된 후 높은 단계의 욕구가 발생한다.
- 욕구의 단계

단계		내용
1	생리적 욕구	생존을 위한 의·식·주와 관련된 기본 욕구 ex 공기, 영양, 수분, 배설, 휴식 및 수면, 체온조절, 성 욕구 등
2	안전과 안정의 욕구	물리적, 사회적, 심리적 환경의 안전 욕구 ex 타인의 위협이나 재해로부터의 안전의 욕구
3	소속 및 애정의 욕구	사랑, 우정, 집단에의 소속 욕구 ex 같은 질환을 가진 환자들 간의 동질감
4	자아존중의 욕구	내적으로 자존과 자율을 성취하면서 타인으로부터 존경, 인정을 받고자 하는 욕구 ex 자신에 대한 부정적이거나 긍정적인 평가와 관련된 것

comment

4단계와 5단계를 잘 구분하도록 한다. 4단계는 자아존중(자신과 타인으로부터 존중 및 인정을 받고자 하는 욕구)에, 5단계는 자아실현(자신의 잠재력을 최대한 발휘해서 성장하고 싶은 욕구)에 초점을 두고 있다.

037 ③

해설 | **건강의 정의(WHO)**

- 정의: 단순히 질병이 없는 상태가 아니라 신체적, 정신적, 심리적, 사회적 안녕상태
- 정의에 포함되는 특성
  - 인간은 총체적 존재이다.
  - 건강은 단순히 질병이 없는 상태가 아니라 환경 속에서 역동적으로 변화하는 연속적인 과정이다.
  - 건강은 자신의 잠재력을 최대한 발휘하여 가능한 업무를 수행할 수 있는 안녕상태이다.

038 ⑤

해설 | **간호사정(자료수집)**

- 자료의 유형

객관적 자료 ▶ 징후(sign), 공개된 자료	주관적 자료 ▶ 증상(symptom), 숨은 자료
• 관찰 가능하고 측정 가능한 사실: 소변량, 부종, 음식섭취 거부 등 • 활력징후, 신체 지표, 주관적 자료의 검증: 신체검진, 행위의 관찰, 의무기록(질병력, 검사결과) 등	오직 대상자만 느끼고 기술할 수 있는 정보(불안, 통증 등) ▶ 신생아, 무의식환자, 인지장애자 등의 대상자는 주관적 자료를 제공할 수 없음

- 자료수집 방법: 면담, 관찰, 신체검진, 기록 활용

면담	자료를 수집하기 위한 질문과 정보교환을 위한 상호작용과 의사소통 과정
관찰	감각을 이용하여 대상자의 단서를 파악하는 행동
신체검진	시진, 촉진, 타진, 청진의 기술을 사용하여 신체 기능 조사
기록 활용	진단검사 결과, 임상검사 결과, 건강기록을 참고

- 면담 단계 및 유형

ⓐ 면담의 3단계

도입	전개(유지)	종결
면담자 소개, 면담의 목적과 내용 전달, 라포(rapport) 형성	• 대답하기 쉽고 난처하지 않게 스트레스를 주지 않는 개방형 질문 사용 • 대상자가 동의한 특정 과제나 목표를 달성하는 방향으로 면담 전개	목표가 성취되었는지 면담 내용 검토 ▶ 정확성과 의견 일치를 확인하기 위해 면담 요약

- 면담 질문 유형

	개방형 질문	폐쇄형 질문
특징	• 대상자가 자신의 생각이나 느낌을 스스로 표현하도록 유도함 ▶ '무엇이', '어떻게'로 시작함	• 제한적·특정적 질문에 단답을 요구함 ▶ '언제, 어디서, 누가, 무엇을'로 시작함
장점	• 대상자가 대답하기 쉽고 비위협적임 • 면담자가 묻지 않은 정보도 제공됨 • 관심과 믿음을 전달할 수 있음	• 질문과 대답이 효과적으로 통제됨 ▶ 대답하기 편하고 시간이 적게 듦 • 면담자가 능숙하지 않더라도 수행할 수 있음
단점	• 소요시간 대비 가치 있는 정보를 얻기 힘듦 • 대답 내용을 해석하고 기록하는 면담자의 기술이 필요함	• 한정적인 정보만 얻게 됨 • 면담자가 면담을 주도하게 됨 • 대화를 제한하며 면담자가 대상자에게 관심이 없다고 인식될 수 있음

039 ③

해설 | **간호진단**

- 특성
  - 수집된 자료의 분석과 수집된 자료가 정상 혹은 비정상인지에 대한 결정의 결과물임
  - 실제적이거나 잠재적인 건강문제의 반응에 대한 임상적인 판단
  - 한 환자가 여러 개의 진단을 가질 수 있음
- 구성요소

문제	원인	특성
변화를 위해 필요한 것, 대상자의 건강하지 않은 부분	문제를 유지하는 요소의 확인	문제의 징후, 주관적·객관적 자료의 포함

- 지술지침: '징후와 증상으로 나타나는 원인과 관련된 간호진단'으로 기술됨
  - 변화될 수 없는 특성, 의학적 진단은 간호진단 진술에 사용하지 않음
  - 증상, 징후에 국한하지 않으나, 확인되지 않은 간호추론은 사용하지 않음
  - 진단적 검사는 사용하지 않음 등

오답 ⑤ 환자는 골절에 대한 처치를 받고 있으므로 운동지속성 장애는 회복 경과에 따라 발생할 수도 있는 잠재적 문제이다.

해설 | **환자기록(의무기록)**

- 일반적 지침

  - 간호수행 후 즉시 기록함(미리 기록하지 않아야 함)

  - 기관의 양식과 절차 준수하며, 약어, 기호 등은 소속기관이 인정한 용어만 사용함

  - 상황이 발생한 시간, 장소, 방법을 정확하게 기록함

  - 기록하기 전 연, 월, 일, 시간을 명시하고 기록이 끝나면 서명(sign)을 알아볼 수 있게 해야 함

  - 모든 기록은 검정색 펜으로 정자로 분명하게 기록하며, 빈칸을 남기지 않음

  - 오류가 발생했을 경우 붉은 선을 긋고 오류(error)라고 기록하고 정확한 내용을 그 옆에 기록하고 정정한 사람의 서명을 함

  - 기록에는 대상자라는 말은 생략함

  - 개인적 해석이나 판단을 기록하지 않고 사실만 기록함

POWER 특강

의무기록의 유형

- **서술식 기록**: 의무기록의 가장 전통적인 방법

- **정보중심 기록**

  - **간호력**: 대상자의 건강수준과 생활양식의 변화, 사회문화적 역할, 질병에 대한 반응 확인

  - **상례 기록지**: 빈번하게 반복적으로 수행되는 사정자료의 기록양식 ▶ 활력징후, 섭취량/배설량(I/O), 투약, 혈당수치 등

  - **의사처방 기록지**: 치료 및 약에 대한 처방을 기록

- **문제중심 기록(POR)**: SOAP 방식

S (subject data)	O (object data)	A (assessment)	P (planning)
주관적 자료: 대상자의 말을 그대로 기록	객관적 자료: 간호사가 관찰한 내용을 기록	사정: 자료에서 도출된 사정으로 주관적 자료와 객관적 자료를 분석 ▶ 진단을 내리거나 대상자의 문제를 나타냄	계획: 사정에서 제시된 진단이나 문제를 해결하기 위한 간호중재에 대한 계획, 목표

- **초점 기록**: DAR 방식

D (Data)	A (Action)	R (Response)
사정과 진단: 객관적 또는 주관적 관찰로부터 얻어진 환자행동 및 상태와 관련된 자료의 기록	계획과 수행: 간호요구 또는 계획에 기초한 간호중재	평가: 진료와 간호에 의해 이끌어낸 반응

041 ⑤

해설 | **혈압 측정(커프 사용)**

• 커프: 팔이나 대퇴 위의 약 2/3를 덮는 정도의 크기 사용

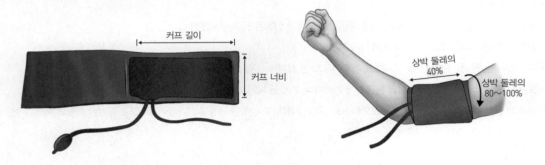

• 혈압 측정법

– 반복 측정하고자 할 때는 30초 여유를 두어야 함(정맥울혈 완화)

– 좌우 혈압 차가 5~10 mmHg 이하이어야 함

– 상완혈압 측정 시 대상자의 팔이 심장과 같은 높이에 있게 해야 함

• 비정상적 혈압이 측정되는 경우

높게 측정되는 경우	낮게 측정되는 경우

• 커프의 폭이 좁거나 느슨히 감는 경우
• 운동 및 활동 직후
• 밸브를 너무 천천히 풀 때, 공기를 너무 느리게 주입한 경우
  ▶ 이완기압이 높게 측정됨
• 수은기둥이 눈높이보다 높게 있을 경우
  ▶ 수은기둥을 올려다 볼 때
	• 커프의 폭이 넓거나 세게 감은 경우
	• 밸브를 너무 빨리 풀 때 ▶ 수축기압은 낮게, 이완기압은 높게 측정됨
	• 충분히 공기를 주입하지 않은 경우 ▶ 수축기압이 낮게 측정됨
	• 대상자가 누워 있다가 갑자기 상체를 세우는 경우 ▶ 수축기압이 낮게 측정됨
	• 수은기둥이 눈높이보다 높게 있을 경우
	  ▶ 수은기둥을 올려다볼 때

042 ④

해설 | **운동기능 검사(소뇌)**

④ Finger to nose test로 조정력을 확인한다. 소뇌에 병변이 생겼을 경우 교대로 빠른 운동을 되풀이하기 어렵다.

오답 ① 균형감각 검사에 대한 설명이다.

② 다른 쪽도 반복 시행한다.

③ 미세운동 검사는 손을 회내 · 회외시킨다.

⑤ Romberg 검사에 대한 설명이다.

043 ②

해설 | **통각검사[삼차신경(제5뇌신경)]**

종류	감각신경	운동신경
담당기능	안면감각, 각막반사	저작(측두근, 저작근)
검사방법	• 안면감각: 눈 감고 날카로운 물건 (안전핀)으로 이마, 뺨, 턱의 통각, 따뜻한 물로 온각 사정 • 각막반사: 솜, 면봉으로 각막의 모서리 건드릴 시 눈을 깜박이는지 확인	이를 꽉 다물게 하고 측두근과 저작근 촉진

오답　④ 온각과 통각은 같은 감각기관에서 느끼므로 만약 통각이 정상이라면 온각검사는 생략하여도 된다.

044 ②

해설 | **호흡생리**

• 호흡의 구분

내호흡(세포호흡)	외호흡
순환혈액과 조직세포 간의 가스교환	폐포와 폐모세혈관막 간의 가스교환: 세포호흡에 필요한 산소를 체내의 각 세포에 보내고, 세포에서 나오는 이산화탄소를 운반하기 위한 작용

오답　① 환기: 공기가 외부환경으로부터 폐로 드나드는 작용 ▶ 흡기와 호기로 구성

　　　④, ⑤ 확산: 산소 흡입, 이산화탄소 배출, 가스 압력차에 의한 확산 이동(폐포의 가스교환)

• 폐포의 가스교환

산소	이산화탄소
산소분압이 높은 폐포내(100 mmHg) → 산소분압이 낮은 폐혈관 (60 mmHg)으로 이동	이산화탄소 분압이 높은 정맥혈(45 mmHg) → 이산화탄소 분압이 낮은 폐포내(40 mmHg)로 이동

045 ②

해설 | **ABGA (arterial blood gas analysis, 동맥혈가스검사)**

• 정의: 신체의 산염기 균형과 산소공급상태를 파악하기 위해 실시하며, 동맥혈의 산도(pH), 산소 분압(PaO_2), 이산화탄소 분압 ($PaCO_2$), 중탄산염(HCO_3^-) 등을 함께 측정함

• 특징: 정맥 채혈보다 환자에게 많은 고통을 줄 수 있고 채혈이 어려우며, 일반적으로 손목에 있는 요골동맥에서 채취함

• 검사결과 정상범위

pH	PaO_2	$PaCO_2$	HCO_3^-
7.35~7.45	80~100 mmHg	35~45 mmHg	22~26 mEq/L

046 ⑤

해설 | **호흡음**

- 정상적인 호흡음: 폐포음, 기관음, 기관지음, 기관지폐포음
- 비정상적인 호흡음: 악설음, 나음, 천명음(쌕쌕거림), 흉막마찰음, 협착음

종류	양상	기전
악설음 (수포음, crackle)	• 주로 흡기(말기)에 뚜렷함 • '빠그락빠그락' 거리는 소리	습윤된 작은 기도, 폐포내 액체가 찼을 때 공기가 지나면서 남
나음 (rhonchi)	• 주로 호기에 뚜렷하며, 객담 배출(기침, 흡인) 후 사라짐 • 코고는 듯한 낮고 둔탁한 소리	과도한 점액, 이물질에 의해 막힌 큰 기도를 공기가 지날 때 남
천명음 (쌕쌕거림, wheezing)	• 주로 호기에 뚜렷하나 흡기, 호기 모두에서 나타남 • '쌕쌕'거리는 날카로운 높은 소리	좁아진 기도를 공기흐름이 빠르게 지나면서 vibration 일으킴
흉막마찰음 (pleural friction rub)	• '딱딱' 삐걱거리는 소리	흉막 염증으로 벽측흉막과 장측흉막이 마찰되어 남
협착음 (stridor)	• 단음성의 고음 • 흉벽 위에서 경부에서 크게 들림	후두나 기관 상기도가 붓거나 염증성 조직 or 이물질로 인한 폐쇄 시 남

POWER 특강

신체검진 시행순서

- **일반적인 시행순서**: 시진 → 촉진 → 타진 → 청진
- **복부검진 시 시행순서**: 시진 → 청진 → 타진 → 촉진
  - 촉진과 청진이 서로 순서를 교환한 모습이다.
  - 촉진으로 장의 연동운동이 변화되고 평활근이 수축할 수 있으므로 촉진을 마지막에 한다.

---

047 ⑤

해설 | **알도스테론–레닌–안지오텐신 체계**

- 개념: 혈압이나 체액량의 조절에 중심적인 역할을 하는 내분비계 제어기구 ▶ 항상성 유지
  - 항상성(homeostasis)
    ⓐ 정의: 외부환경과 체내의 변화에 대응, 생물체내의 환경을 일정하게 유지하려는 현상이다.
    ⓑ 신체의 모든 장기가 협조하여 항상성이 유지되는데, 전체적인 조절은 자율신경계와 내분비계가 담당하고 있다.
- 기전: 신장 방사구체 → 세뇨관내 Na^+ 농도, 교감신경계 카테콜아민 β_1 수용체 자극 등 감지 → 레닌 분비

	기능	기전(자극요인)
알도스테론	주로 생체의 전해질, 특히 나트륨이온의 세포내 유입, 칼륨이온의 배출에 관여한다. ▶ 혈액 내의 정상 pH 및 세포외액의 양, 혈압을 유지한다.	혈중 칼륨 농도 상승에 크게 자극받으며, 혈중 나트륨 농도 저하에도 자극을 받는다.
레닌	혈압 조절에 관여하는 안지오텐신을 활성화하는 단백질 분해효소의 일종이다.	신장의 방사구체 세포가 신장의 혈류량 변화를 감지 혈류량이 감소하면 레닌의 분비를 촉진하고 증가하면 억제한다.

▶ K⁺과 Na⁺의 알도스테론 분비 이중 조절기전

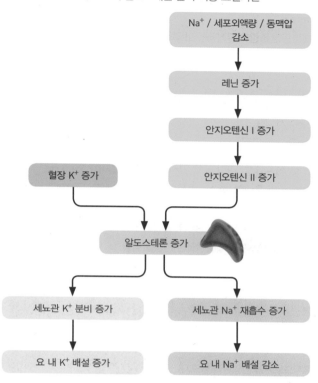

048 ④

해설 │ **요실금**

④ 배뇨반사 자극: 따뜻한 물에 손을 담그기, 물 흐르는 소리 듣기, 따뜻하게 데운 변기

· 종류: 복압성(스트레스성), 긴박성(절박성), 역리성(축뇨성), 반사성, 기능성

　– 복압성: 요도괄약근의 허약이 원인으로, 대개 여성(폐경 후, 다산부)에서 나타난다.

· 간호

골반저근육운동(케겔 운동)	방광훈련 프로그램
골반근 천천히 10까지 세면서 조임 → 천천히 10까지 세면서 이완 → 20~30초 이상 휴식 → 다시 처음부터 반복	스스로 배뇨시간을 조절하여 배뇨할 수 있도록 함 ▶ 규칙적인 시간, 정상적인 자세, 배뇨일지 작성

오답 ③ 낮 동안 수분을 충분히 섭취(2.5 L 이상)하도록 하지만, 카페인 함유 음료나 탄산음료의 섭취는 제한한다.

　　　⑤ 언제나 가능한 대상자의 프라이버시를 보호하는 간호중재를 제공해야 한다.

── **comment** ──

빈뇨의 경우, 가장 흔한 원인은 급성 방광염이다. 대장균과 같은 세균에 의한 경우가 대부분을 차지한다. 여성은 요도가 짧고 장내세균이 회음부와 질 입구에 쉽게 증식하여 성생활이나 임신 시 세균이 쉽게 상행성 감염을 일으킬 수 있다.

049 ⑤

해설 | 정체관장(retention enema)

- 개념: 장 내에 정해진 일정 시간 동안 소량의 관장액을 보유하게 함
- 목적: 수분 및 영양 공급, 배변, 투약, 체온하강, 구충 효과 등
  - 투약 목적

Neomycin	Polystyrene sodium sulfate (Kayexalate)
장수술 전 장내세균 감소, 간성혼수 시 사용	고칼륨혈증 시 사용: 양이온 교환수지를 투여하여 다른 양이온과 장관 내 칼륨을 교환한 후, 칼륨을 대변으로 배출함

- 시행절차(성인 기준)
  - 관장액 양/온도: 200~250 cc/40~43 ℃, 관의 굵기: 22~30 Fr, 삽입 길이: 7.5~10 cm
  - 좌측위 또는 심스체위를 취하게 한 후, 천천히 심호흡하여 이완되도록 하고, 윤활제를 바른 직장관을 직장 안으로 부드럽게 삽입하여 배꼽 방향으로 밀어 넣음
  - 관장용기를 항문에서 30~45 cm 높이 위로 들어 용액이 들어가게 함
  - 심한 경련, 출혈 혹은 갑작스런 심한 복통 등이 발생하면 관장을 멈춤

050 ⑤

해설 | 단순도뇨

- 단순도뇨(잔뇨량 측정 시)
  - 배뇨 후 즉시 시행한다.
  - 잔뇨량 50 ml 이상이면 유치도뇨관을 삽입한다(필요시).
- 유치도뇨: 요로에 삽입된 카테터를 그대로의 위치로 고정하고 탈락하지 않도록 한 상태
  - 보통 요도를 통해 방광에 유치하나, 요관 또는 피부를 통해 직접 신장에 유치하기도 한다.
  - 세균감염을 일으키기 쉬우므로 그에 대한 주의가 특히 필요하다.

051 ⑤

해설 | 주사

⑤ 주사 전 주사부위에 얼음을 대주거나 찬물주머니를 대주면 모세혈관 수축(부종방지 및 통증경감), 염증반응 감소 등의 효과를 볼 수 있다.

- 적응증
  - 약제의 효과를 정확하고 빠르게 얻기 위한 경우
  - 구강으로 약제를 투여할 수 없는 경우
  - 약제가 소화액에 의해 변하거나 흡수가 저하되는 경우, 약제가 소화기점막을 자극할 경우
- 종류

	흡수 및 특징	부위
피내주사	• 흡수가 느림 • 반응을 눈으로 볼 수 있는 것	전완의 내측면, 흉곽의 상부, 견갑골 부위
피하주사	흡수가 신속함	상완 외측 후면, 복부, 대퇴 전면, 견갑골, 하복부
근육주사	흡수가 신속함	둔부(배면, 복면), 외측광근(대퇴 외측), 대퇴직근, 삼각근
정맥주사	• 흡수가 신속함 • 투여량도 정확함	• 주로 팔꿈치 안쪽의 정맥을 사용함 • 아래팔이나 하지의 정맥도 쓰임

052 ⑤

해설 | **신체선열 유지**

- 좋은 신체선열 유지: 최적의 근골격계 균형과 움직임을 가능하게 하고 신체기능을 증진시킴
- 파울러 체위(Fowler's position, 반좌위): 침상머리 부분을 45~60° 정도 올려 앉히는 자세

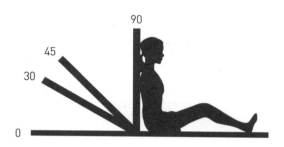

- 파울러 체위에서 발생가능한 문제점

문제	해결방법
경부 과도굴곡(너무 높은 베개 사용)	적절한 높이의 베개 사용
양팔의 늘어짐	팔 밑을 베개로 지지
고관절의 외회전	대전자 두루마리를 말아서 대어줌
무릎의 신전	작은 베개나 패드를 대퇴 밑에 받쳐 주어 무릎을 약간 굴곡
침대발치로 미끄러짐	무릎을 펴고 있으면 잘 미끄러지므로 약간 굴곡시키고 대퇴 밑에 낮은 베개를 대어줌
하지순환의 감소	무릎 뒤쪽의 압박으로 발의 혈액순환 감소
족하수(foot drop)	발아래 발판을 대어줌
천골과 발꿈치 부위의 욕창	발목 밑에 낮은 베개를 두고 체위변경을 자주 함

053 ③

해설 | **목발보행**

- 목발길이 측정: 선 자세에서 목발 끝이 발에서 앞쪽으로 15 cm, 옆쪽으로 15 cm되는 지점에 있어야 함
- 체중부하: 손목, 손바닥, 팔로 체중을 지탱함(액와에 체중부하 시 ▶ 목발마비)
- 계단 오르내리기

오를 때: 건강한 다리가 먼저	내려올 때: 약한 다리가 먼저
건강한 다리 올림 → 건강한 다리에 체중 싣기 → 목발과 약한 다리를 건강한 다리 옆에 올림	건강한 다리에 체중 싣기 → 목발과 약한 다리 내림 → 목발로 체중 이동 → 건강한 다리 내림

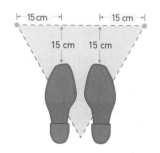

POWER 특강

목발보행

- **보행법**
  - **4점 보행**: 양쪽 하지에 체중부하 가능한 경우
  - **2점 보행**: 양쪽 하지에 체중부하 가능한 경우
  - **3점 보행**: 한쪽 다리가 불완전하여 반대편 하지(건측)에 전체 체중부하가 가능한 경우
  - **그네보행(swing-to gait)**: 양쪽 발이 체중부하 불가능한 경우
  - **건너뛰기 보행(swing-through gait)**

054 ④

해설 | **수면장애(불면증)**

- **간호**
  - 침실에서 수면 이외의 활동 제한함
  - 수면 2~3시간 전 적절한 강도의 운동 시행함 ▶ 근육이완
  - 취침 3~4시간 전부터 수분을 포함해 음식물 섭취를 제한함. 단, 야식이 필요한 경우 가벼운 탄수화물이나 따뜻한 우유(L-트립토 판)는 수면증진에 도움이 됨
- **약물요법**: 수면제, 진통제 등
  - 수면제: 처방을 받도록 하고, 정기적으로 투여하지 않도록 함

POWER 특강

수면제

- **기능**: 중추신경을 가역적으로 억압하여 수면을 유도하고 수면 상태를 유지시킴
- **종류**: 수면 도입에 쓰이는 것, 수면 도중의 각성을 감소시키는 것, 수면시간을 연장시키는 것 등으로 나뉨
- **약제**
  - **벤조이아제핀계**: 유해작용이 적고 항불안작용이 있어서 우선적으로 사용함
  - **바르비탈계**: 내성과 의존성이 쉽게 생기고, 장기 연용 후 중지하면 악몽 등 수면장애가 일어나기 때문에 현재는 사용빈도가 줄어듦

055 ①

해설 | **침상 유형**

- **일반적 침상**

폐쇄 침상 **(빈 침상)**	대상자가 퇴원한 후 새로 입원할 대상자를 위해 사용하기 편리하도록 준비된 상태의 침상
개방 침상	• 기동할 수 있는 대상자가 사용 중인 침상 • 침상에 들어가기 편리하도록 위 침구를 걷어 놓은 상태
든 침상	기동할 수 없는 대상자를 위한 침상
수술 후 침상	• 수술 직후의 대상자를 위한 침상 • 오염되기 쉬운 부위에 홑이불을 덧깔아 부분적으로 교환할 수 있도록 준비한 침상

• 특수 침상

Cradle bed (이피가 침상)	• 크래들을 놓고 그 위에 침구를 덮는 침상 ▶ 덮는 침구의 무게가 전달되지 않도록 하기 위함 • 화상, 젖은 석고붕대, 상처 환자에게 적용	
Stryker frame	• 2개의 틀을 이용하여 안전하게 앙와위와 복위로 변경 가능 • 척추손상 환자에게 적용	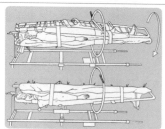

056 ③

해설 | **지남력 장애(알츠하이머병)**

③ 주변을 배회하며 안절부절하는 모습은 알츠하이머병으로 인한 전형적인 지남력 저하 및 정신행동증상으로 볼 수 있다. 인지 및 감각지각의 변화가 있기 때문에 사고의 위험성(낙상 등)이 증가된다. 그러나 위험을 미연에 방지하기 위해 무조건 의자에 앉혀 놓거나 침대에 억제대로 고정시켜 놓아서는 안 된다. 대신, 그림이나 풍선으로 병실을 알기 쉽게 표시해 주어 배회 도중에도 쉽게 병실로 돌아올 수 있게 해주는 것이 좋다.

POWER 특강

알츠하이머병

• **개념:** 치매를 일으키는 가장 흔한 퇴행성 뇌질환

• **증상:** 기억력 감퇴, 언어능력 저하, 지남력(시공간 파악능력) 저하, 판단력 및 일상생활 수행능력 저하, 정신행동증상(초조, 성격 변화, 우울, 망상, 공격성 증가 등)

• **치료 및 간호**

  – **약물요법:** 아세틸콜린 분해효소 억제제(진행을 늦춰줌), NMDA 수용체 길항제 등

  – **신체적 불편 및 불안정한 주위 환경 교정:** 특히 정신행동증상의 원인이 된다.

  – 규칙적인 생활을 하며, 가능한 대상자 혼자 할 수 있는 것은 돕지 않는다.

정상적인 뇌   알츠하이머병 뇌

대뇌피질   대뇌피질의 위축

해마   해마의 위축   확장된 뇌실

057 ⑤

해설 | **열요법**

⑤ 열요법 적용 시, 가장 먼저 대상자의 적용부위의 피부에 피부통합성 장애가 있는지 확인한다.

• 종류: 습열 + 건열

	습열(43~45도)	건열(52도까지)
적용법	온찜질, 온습포, 좌욕 등	더운 물주머니, 가열램프 등
장점	조직층 깊이 침투됨	• 열을 더 오래 보유함 • 피부침윤을 초래하지 않음 • 피부화상의 위험 적음
단점	• 피부침윤 초래함 • 피부화상의 위험 큼	• 피부 건조 증가시킴 • 발한을 통해 체액손실이 증가됨

• 효과: 모세혈관 확장, 백혈구의 증가 및 염증반응 증가, 호흡수 증가, 통증 감소 등

058 ④

해설 | **임종의 단계(Kubler-Ross의 슬픔의 5단계)**

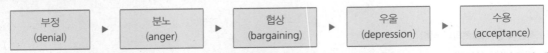

부정 (denial) ▶ 분노 (anger) ▶ 협상 (bargaining) ▶ 우울 (depression) ▶ 수용 (acceptance)

• 협상(타협): 죽음을 모면할 수 없음을 점차 인식한 후, 자신에게 아직 처리해야 할 일과 과업이 남았으므로 그러한 일이 끝날 때까지 만 살 수 있게 해달라고 또는 앞으로 인생을 이전과 다르게 선하게 살겠다며 협상을 한다.

comment

환자에 따라 어떤 단계를 겪고 어떤 단계는 겪지 않으며, 또 경험하는 단계 순서도 달라진다. 또한 어느 것도 겪지 않을 수도 있다.

059 ①

해설 | **붕대법**

붕대법		방법	적용 목적
환행대		동일한 부위를 여러 번 겹치게 감음	• 전에 감은 붕대를 완전히 겹치게 감을 때 • 붕대를 신체에 고정할 때 붕대법의 시작과 끝은 환행대로 감음 • 손·발가락 등 신체 작은 부위를 감을 때
나선대		붕대의 1/2 또는 2/3 정도를 겹쳐 나선 모양의 사선으로 올라가며 감음	• 굵기가 고른 신체부위 적용 • 손목 전완부위 등 원통모양의 신체를 감을 때
나선절전대		붕대를 30°각도로 위로 감아올린 후 반대로 접어 아래로 내리며 붕대가 1/2 정도 겹치게 반복하여 감음	• 굵기가 고르지 못한 신체부위 적용 • 전완, 대퇴, 종아리와 같은 원추모양의 신체를 감을 때 • 탄력이 없는 거즈 등을 이용할 때

8자대		관절을 기준으로 위와 아래를 번갈아 적용하며 겹쳐진 선이 서로 한 번에서 만나게 하여 8자 모양이 되게 함	• 관절이나 돌출부위 감을 때 ▶ 슬관절, 주관절, 발목 • 효과적으로 부동 유지하면서 편안감을 줌
회귀대		신체 말단부위를 두 번 감아 붕대를 고정한 후, 밴드 끝을 위쪽으로 수직이 되게 중앙에서 감은 후 밴드를 신체 말단부위 쪽으로 겹쳐지도록 감음	머리, 신체말단 부위(손·발끝) 등 균일하지 않은 신체를 감을 때

060 ④

해설 | 교차감염(병원감염)

- 병원감염: 교차감염(외인성 감염), 내인성 감염, 의원성 감염으로 구분된다.
- 교차감염: 다양한 환자가 있는 건강관리시설에서 한 환자의 병원균이 다른 환자에게 옮겨지는 것이다.
    - 원인: 처치과정에서 사용되는 기구 및 물품(도뇨관, 카테터, 내시경 등), 의료인의 정상 상주균, 일시적인 오염균
    - 원인균

세균(대부분을 차지함)	바이러스
대장균(E-coli), 포도상구균(특히 MRSA), 연쇄상구균, 녹농균 등	인플루엔자균, 감염균 등

- 병원감염균: 항생제의 남용, 오용 등으로 인해 병원체에 항생제에 대한 내성이 형성됨

--- **comment** ---

잠복 기간에 입원하여 입원 후에 감염 증상이 나타나도 병원 밖에서 감염된 경우는 병원감염이라고 하지 않는다.

POWER 특강

무균술

- 내과적 vs 외과적

종류	내과적	외과적
정의	병원균의 수를 줄이고 병원균이 한 곳에서 다른 곳으로 이동하는 것을 막는 것	물품이나 구역에 균이 완벽하게 없는 상태를 유지하는 것

방법	• 손씻기, 격리
	  - 장갑은 직접적 접촉에만 착용함
	  - 문은 닫아두어 공기순환 없도록 함
	  - 욕실과 변기가 개인실에 따로 있어야 함
	• 물품 소독: 세척제·소독약·방부제 등을 사용해서 병원성 혹은 비병원성균의 수를 감소시키는 것
	  - 마스크, 신발덮개, 가운 등 모든 물품을 멸균·소독한 후 사용함
		• 물리적 고압증기멸균법, 가스멸균법, 건열멸균법, 자비법, 소각법 등
		  - 고압증기멸균법: 스테인레스 기구, 린넨류에 적응함. 높은 압력 및 온도로 모든 미생물과 아포를 파괴하는 가장 확실한 방법임
		  - 산화에틸렌가스(EO gas): 마모되기 쉽거나 열에 약한 물품(세밀한 수술기구, 내시경, 각종 카테터 등 고무제품, 플라스틱 제품 등)에 적응하나, 독성이 있어 멸균 후 사용 전 환기가 필요함

061 ③

해설 | **감염경로**

③ 접촉전파 중 간접접촉(오염된 물건과 민감한 사람과의 접촉)에 해당한다. 탈출구 중 사람에게 흔한 것은 호흡, 위장, 비뇨생식 경로, 손상된 피부이다.

▶ 감염경로 도식

병원체 · 병원소	병원소로부터 탈출		새로운 숙주로 침입	
병원체 · 병원소 • 인간병원소 • 동물병원소 • 환경병원소	▶ • 호흡기계 • 소화기계 • 비뇨생식기계 • 기계적 탈출 • 개방병소	**전파** • 접촉전파 • 비말전파, 공기전파 • 매개물, 매개체	▶ • 호흡기계 • 소화기계 • 비뇨생식기계 • 기계적 탈출 • 개방병소	**숙주의 감수성과 면역**

• 구성: 병원체, 병원소(저장소), 탈출구

	병원체	병원소	탈출구
개념	병원성 미생물: 세균, 바이러스, 진균 등	병원체의 성장과 증식을 위한 서식지: 사람, 동물, 환경(토양, 음식, 대소변) 등	병원성 미생물이 병원소에서 빠져나가는 출구: 소화기계, 호흡기계, 비뇨기계, 혈액, 피부 등
관리	• 세척 · 청결(철저한 손위생) • 소독 · 멸균	• 대상자를 물과 비누로 청결하게 유지 • 젖고 오염된 드레싱 자주 교환 • 사용한 물품 분리수거(특히 주사기, 바늘) • 용액이 든 병은 장시간 열어두지 않음	• 철저한 손위생 • 마스크, 장갑 착용 • 외과적 상처나 멸균드레싱 부위에 직접 호흡이나 기침 방지 ▶ 기침 시 입 가리기

• 전파

경로	개념	질환
접촉	직접: 감염된 한 사람에서 다른 사람으로 실제적 신체전파	단순포진, 미만성 수두포진, 농가진, 옴, 호흡기 바이러스 등
	간접: 오염된 물건과 민감한 사람과의 접촉	
비말	비말핵(5 μ 이상)이 1 m 반경 내에 다른 사람에게 전파	디프테리아, 백일해, 유행성이하 선염, 풍진 등
공기	비말핵(5 μ 이하)이 수증기화 된 물방울이나 먼지입자에 붙어 1 m 이상 거리로 이동하는 경우	수두, 홍역, 결핵 등

062 ④

해설 | **수면주기**

④ 취침 3~4시간 전부터 수분을 포함해 음식물 섭취를 제한한다. 단, 야식이 필요한 경우 가벼운 탄수화물이나 따뜻한 우유(L-트립토판)은 수면증진에 도움이 된다.

• 수면–각성 주기: NREM 1, 2, 3, 4단계 → NREM 3단계 → NREM 2단계 → REM 수면

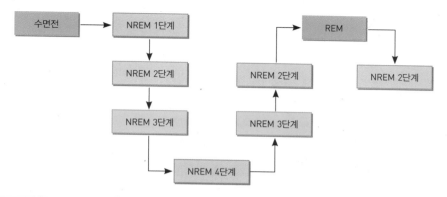

- NERM (non–rapid eye movement): 안구운동이 느린 수면

@ 단계

1단계	2단계	3단계	4단계
밤 동안 수면의 50%, 가벼운 수면		깊은 수면/혈압, 맥박, 호흡, 산소소모량 ↓	

ⓑ 특징: 몽유병 및 야뇨증이 나타나는 시기이며, 특히 4단계 수면은 골격성장, 단백질 합성, 조직재생을 위한 성장 호르몬이 분비됨

- REM (rapid eye movement): 안구운동이 빠른 수면

@ 특징: 대뇌기능(뇌파) 활발함, 생생한 꿈을 꿈('꿈 수면'), 전체 수면의 20~25% 차지함. 코골이가 사라짐 등

comment

발달단계에 따라 수면의 패턴도 변화한다. 신생아와 영아는 수면의 50%가 REM이고, 학령기 때는 20%가 REM이며, 노인 때는 REM 수면 및 NREM 3, 4단계 수면이 감소한다는 특징이 있다.

063 ②

해설 | **경구 투여의 장단점**

장점	단점
• 편리하고 경제적임 • 피부를 손상시키지 않음 • 약물이 대상자에게 부담이 적음 • 부작용의 발생 위험도 낮음	• 흡수가 늦고 흡수량 측정이 부정확함 • 소화액에 의해 약효가 변화될 수 있음 • 적응 불가(부적합): 심한 오심 · 구토, 연하곤란, 무의식, 금식(단, 위관영양 대상자는 가능함) • 부작용: 흡인, 위장장애, 치아 변색 등

- 일반적 간호사항

 - 대상자 침상에 약을 놓아두는 데 그치지 말고, 약을 다 먹는 것을 확인해야 함

 - 대상자가 금식인 경우 약물 투여를 금함

 - 특별한 경우가 아니면 약의 형태를 변경하지 않고, 특히 장용제피는 씹어먹거나 부수어 먹어서는 절대로 안 됨

 - 특별한 지시가 없으면 두 가지 이상의 약물을 섞어 주지 않음

064 ⑤

해설 | **안약 투여**

- 안약

    - 손을 깨끗이 씻고, 대상자는 눕거나 앉은 채 머리를 뒤로 젖힘

    - 소독된 생리식염수로 내안각 → 외안각 쪽으로 닦음 ▶ 비루관으로의 미생물 침투 예방

    - 안약 투여 시에 천정 쪽을 보도록 지시함 ▶ 순목반사(blinking reflex) 예방

    - 하안검을 피부 아래쪽으로 잡아당긴 후,

안약	안연고
처음 방울을 버리고, 처방된 방울만큼 아래쪽 결막낭에 떨어뜨림	조금 짜내 버리고, 아래쪽 결막낭의 하안검 내측 → 외측으로 1~2 cm 정도 길게 바름

    - 눈을 서서히 감은 후 눈동자를 굴림 ▶ 약물 고르게 퍼짐

065 ①

해설 | **피하주사(헤파린 투여)**

① 하복부의 지방층까지 도달하도록 깊숙이 주사하여 혈종 형성을 방지한다.

- 피하주사

    - 주사부위: 상완 외측 후면, 복부, 대퇴 전면, 견갑골, 하복부

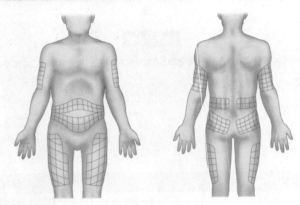

    - 주사법

        ⓐ 주사부위의 지방량과 주사 바늘 길이 고려하여 45° 또는 90° 주사

        ⓑ 다른 손으로 주사기 내관을 부드럽게 당겨보아 혈액이 흡인되는지 관찰함. 혈액이 흡인되지 않으면 내관을 밀어 약물을 주입함

        ⓒ 금기가 아니라면 주사부위 마사지하기 ▶ 흡수 증진 및 불편감 감소

- 헤파린: 항응고제

    - 기전: Prothrombin에서 thrombin으로의 전환 억제 → fibrinogen이 fibrin으로 전환되지 못함 ▶ 항응고작용

    - 투여량: 0.1 혹은 0.01 cc 정도

    - **주사부위의 국소출혈 예방법**

        ⓐ 이전 주사부위를 피해 돌아가면서 투여함(혈관분포가 좋은 팔다리는 피함)

        ⓑ 90°로 찌른 후 주사기 내관 당겨 흡인하지 않아야 함

        ⓒ 주사 후 마사지 금기

- 장기치료 시: 하복부의 지방층까지 도달하도록 깊숙이 주사함

    cf 근육주사는 국소혈종 형성과 조직의 자극성 때문에 피함

━ comment ━

투여방법별 흡수속도는 정맥주사> 근육주사> 피하주사> 피내주사> 경구투여 순이다.

066 ③

해설 | 의료기관에 두는 의료인의 정원(의료법 시행규칙 별표 5)

- 종합병원의 간호사 정원은 연평균 1일 입원환자를 2.5명으로 나눈 수(이 경우 소수점은 올림)로 계산한다. 외래환자 12인은 입원환자 1인으로 환산한다.
  - 외래환자 수 환산: 300 / 12 = 25
  - 간호사 정원: (250+25) / 2.5 = 110
  - 필요한 간호사 수: 110명

067 ④

해설 | 가정전문간호사 자격인정요건(전문간호사 자격인정 등에 관한 규칙 제3조, 제4조)

전문간호사 자격인정을 받을 수 있는 자는 다음 각 호의 어느 하나에 해당하는 자로서 보건복지부장관이 실시하는 전문간호사 자격시험에 합격하여야 한다.

1. 전문간호사 교육과정을 마친 자
   - 전문간호사 교육과정은 보건복지부장관이 지정하는 전문간호사 교육기관이 실시하고 그 교육기간은 2년 이상으로 한다.
   - 전문간호사 교육과정을 신청할 수 있는 자는 교육을 받기 전 10년 이내에 해당분야의 기관에서 3년 이상 간호사로서의 실무경력이 있는 자로 한다.
2. 보건복지부장관이 인정하는 외국의 해당 분야 전문간호사 자격이 있는 자

068 ⑤

해설 | 면허취소(의료법 제65조)

1. 결격사유의 어느 하나에 해당하게 된 경우
2. 자격 정지 처분 기간 중에 의료행위를 하거나 3회 이상 자격 정지 처분을 받은 경우
3. 면허 조건을 이행하지 아니한 경우
4. 면허증을 대여한 경우
5. 사람의 생명 또는 신체에 중대한 위해를 발생하게 한 경우
6. 사람의 생명 또는 신체에 중대한 위해를 발생하게 할 우려가 있는 수술, 수혈, 전신마취를 의료인 아닌 자에게 하게 하거나 의료인에게 면허 사항 외로 하게 한 경우

069 ⑤

해설 | **진단서 등의 교부(의료법 제17조)**

환자 또는 사망자를 직접 진찰하거나 검안한 의사·치과의사 또는 한의사가 부득이한 사유로 진단서·검안서 또는 증명서를 내줄 수 없으면 같은 의료기관에 종사하는 다른 의사·치과의사 또는 한의사가 진료기록부 등에 따라 내줄 수 있다.

070 ②

해설 | **간호기록부의 기재 사항(의료법 시행규칙 제14조)**

1. 간호를 받는 사람의 성명
2. 체온·맥박·호흡·혈압에 관한 사항
3. 투약에 관한 사항
4. 섭취 및 배설물에 관한 사항
5. 처치와 간호에 관한 사항
6. 간호 일시(日時)

071 ④

해설 | **개설 허가 취소 등(의료법 제64조)**

- 보건복지부장관 또는 시장·군수·구청장은 의료기관이 다음 각 호의 어느 하나에 해당하면 그 의료업을 1년의 범위에서 정지시키거나 개설 허가의 취소 또는 의료기관 폐쇄를 명할 수 있다.
- 개설허가를 취소당하거나 폐쇄 명령을 받은 자는 그 취소된 날이나 폐쇄 명령을 받은 날부터 6개월 이내에, 의료법 정지처분을 받은 자는 그 업무 정지 기간 중에 각각 의료기관을 개설·운영하지 못한다.

072 ③

해설 | **정의(감염병의 예방 및 관리에 관한 법률 제2조)**

"제2급감염병"이란 전파가능성을 고려하여 발생 또는 유행 시 24시간 이내에 신고하여야 하고, 격리가 필요한 다음 각 목의 감염병을 말한다. 다만, 갑작스러운 국내 유입 또는 유행이 예견되어 긴급한 예방·관리가 필요하여 질병관리청장이 보건복지부장관과 협의하여 지정하는 감염병을 포함한다.

제2급감염병	결핵(結核), 수두(水痘), 홍역(紅疫), 콜레라, 장티푸스, 파라티푸스, 세균성이질, 장출혈성대장균감염증, A형간염, 백일해(百日咳), 유행성이하선염(流行性耳下腺炎), 풍진(風疹), 폴리오, 수막구균 감염증, B형헤모필루스인플루엔자, 폐렴구균 감염증, 한센병, 성홍열, 반코마이신내성황색포도알균(VRSA) 감염증, 카바페넴내성장내세균속균종(CRE) 감염증, E형간염

073 ④

해설 | **역학조사의 시기(감염병의 예방 및 관리에 관한 법률 시행령 13조)**

④는 시·도지사 또는 시장·군수·구청장이 역학조사를 해야 하는 경우에 해당한다.

질병관리청장이 역학조사를 하여야 하는 경우

　가. 둘 이상의 시·도에서 역학조사가 동시에 필요한 경우

　나. 감염병 발생 및 유행 여부 또는 예방접종 후 이상반응에 관한 조사가 긴급히 필요한 경우

　다. 시·도지사의 역학조사가 불충분하였거나 불가능하다고 판단되는 경우

074 ②

해설 | **건강진단 및 예방접종 등의 조치(감염병의 예방 및 관리에 관한 법률 제46조)**

병관리청장, 시·도지사 또는 시장·군수·구청장은 보건복지부령으로 정하는 바에 따라 다음 각 호의 어느 하나에 해당하는 사람에게 건강진단을 받거나 감염병 예방에 필요한 예방접종을 받게 하는 등의 조치를 할 수 있다.

   1. 감염병환자 등의 가족 또는 그 동거인

   2. 감염병 발생지역에 거주하는 사람 또는 그 지역에 출입하는 사람으로서 감염병에 감염되었을 것으로 의심되는 사람

   3. 감염병환자 등과 접촉하여 감염병에 감염되었을 것으로 의심되는 사람

075 ①

해설 | **정의(마약류관리에 관한 법률 제2조)**

1. 마약류 수출입업자: 마약 또는 향정신성의약품의 수출입을 업으로 하는 자

2. 마약류 제조업자: 마약 또는 향정신성의약품의 제조를 업으로 하는 자

3. 마약류 원료 사용자: 한외마약 또는 의약품을 제조할 때 마약 또는 향정신성의약품을 원료로 사용하는 자

4. 대마 재배자: 섬유 또는 종자를 채취할 목적으로 대마초를 재배하는 자

5. 마약류 도매업자: 마약류소매업자, 마약류취급의료업자, 마약류관리자 또는 마약류취급학술연구자에게 마약 또는 향정신성의약품을 판매하는 것을 업으로 하는 자

6. 마약류 관리자: 「의료법」에 따른 의료기관에 종사하는 약사로서 그 의료기관에서 환자에게 투약하거나 투약하기 위하여 제공하는 마약 또는 향정신성의약품을 조제·수수하고 관리하는 책임을 진 자

7. 마약류 취급학술연구자: 학술연구를 위하여 마약 또는 향정신성의약품을 사용하거나, 대마초를 재배하거나 대마를 수입하여 사용하는 자

8. 마약류 소매업자: 「약사법」에 따라 등록한 약국개설자로서 마약류취급의료업자의 처방전에 따라 마약 또는 향정신성의약품을 조제하여 판매하는 것을 업으로 하는 자

9. 마약류 취급의료업자: 의료기관에서 의료에 종사하는 의사·치과의사·한의사 또는 「수의사법」에 따라 동물 진료에 종사하는 수의사로서 의료나 동물 진료를 목적으로 마약 또는 향정신성의약품을 투약하거나 투약하기 위하여 제공하거나 마약 또는 향정신성의약품을 기재한 처방전을 발급하는 자

076 ⑤

해설 | **사고 마약류 등의 처리(마약류관리에 관한 법률 제12조)**

소지하는 마약류에 대하여 재해로 인한 상실, 분실 또는 도난, 변질·부패 또는 파손이 발생한 때에는 총리령으로 정하는 바에 의하여 해당 허가관청에 지체 없이 그 사유를 보고하여야 한다.

077 ②

해설 | **마약 사용의 금지(마약류 관리에 관한 법률 제39조)**

마약류취급의료업자는 마약 중독자에게 그 중독 증상을 완화시키거나 치료하기 위하여 다음 각 호의 어느 하나에 해당하는 행위를 하여서는 아니 된다. 다만, 치료보호기관에서 보건복지부장관 또는 시·도지사의 허가를 받은 경우에는 그러하지 아니하다.

   1. 마약을 투약하는 행위

   2. 마약을 투약하기 위하여 제공하는 행위

   3. 마약을 기재한 처방전을 발급하는 행위

078 ①

해설 | 정의(검역법 제2조)

"검역감염병"이란 다음 각 목의 어느 하나에 해당하는 것을 말한다.

  가. 콜레라

  나. 페스트

  다. 황열

  라. 중증 급성호흡기 증후군(SARS)

  마. 동물인플루엔자 인체감염증

  바. 신종인플루엔자

  사. 중동 호흡기 증후군(MERS)

  아. 에볼라바이러스병

079 ③

해설 | 목적(국민건강보험법 제1조)

국민의 질병·부상에 대한 예방·진단·치료·재활과 출산·사망 및 건강증진에 대하여 보험급여를 실시함으로써 국민보건 향상과 사회보장 증진에 이바지함을 목적으로 한다.

080 ⑤

해설 | 요양급여(국민건강보험법 제41조)

1. 진찰·검사

2. 약제·치료재료의 지급

3. 처치·수술 및 그 밖의 치료

4. 예방·재활

5. 입원

6. 간호

7. 이송

081 ⑤

해설 | 의사 또는 의료기관 등의 신고(후천성면역결핍증 예방법 제5조)

1. 감염인을 진단하거나 감염인의 사체를 검안한 의사 또는 의료기관은 보건복지부령으로 정하는 바에 따라 24시간 이내에 진단·검안 사실을 관할 보건소장에게 신고하고, 감염인과 그 배우자(사실혼 관계에 있는 사람을 포함한다. 이하 같다) 및 성 접촉자에게 후천성 면역결핍증의 전파 방지에 필요한 사항을 알리고 이를 준수하도록 지도하여야 한다. 이 경우 가능하면 감염인의 의사(意思)를 참고하여야 한다.

2. 학술연구 또는 제9조에 따른 혈액 및 혈액제제(血液製劑)에 대한 검사에 의하여 감염인을 발견한 사람이나 해당 연구 또는 검사를 한 기관의 장은 보건복지부령으로 정하는 바에 따라 24시간 이내에 질병관리청장에게 신고하여야 한다.

3. 감염인이 사망한 경우 이를 처리한 의사 또는 의료기관은 보건복지부령으로 정하는 바에 따라 24시간 이내에 관할 보건소장에게 신고하여야 한다.

4. 제1항 및 제3항에 따라 신고를 받은 보건소장은 특별자치시장 · 특별자치도지사 · 시장 · 군수 또는 구청장(자치구의 구청장을 말한다. 이하 같다)에게 이를 보고하여야 하고, 보고를 받은 특별자치시장 · 특별자치도지사는 질병관리청장에게, 시장 · 군수 · 구청장은 특별시장 · 광역시장 또는 도지사를 거쳐 질병관리청장에게 이를 보고하여야 한다.

082 ⑤
해설 │ 지역보건의료계획의 수립시기 등(지역보건법 제7조)
시 · 도지사 또는 시장 · 군수 · 구청장은 지역보건의료계획을 4년마다 수립하여야 한다. 연차별 시행계획은 매년 수립하여야 한다.

083 ②
해설 │ 업무의 위탁 및 대행(지역보건법 시행령 제23조)
시 · 도지사 또는 시장 · 군수 · 구청장이 의료기관 기타 보건의료관련 기관 · 단체에게 위탁할 수 있는 업무는 다음 각 호와 같다.
1. 지역사회 건강실태조사에 관한 업무
2. 지역보건의료계획의 시행에 관한 업무
3. 감염병의 예방 및 관리에 관한 업무
4. 지역주민에 대한 진료, 건강검진 및 만성질환 등 질병관리에 관한 사항 중 전문지식 및 기술이 필요한 진료, 실험 또는 검사 업무
5. 가정 및 사회복지시설 등을 방문하여 행하는 보건의료사업에 관한 업무

오답 ① 수수료 등(지역보건법 제25조): 지역보건의료기관은 그 시설을 이용한 자, 실험 또는 검사를 의뢰한 자 또는 진료를 받은 자로부터 수수료 또는 진료비를 징수할 수 있다.
③ 보건소 · 보건지소의 시설 · 장비 및 표시(지역보건법 시행규칙 제7조): 지역보건의료기관의 표시는 지역보건의료기관 표지와 함께 해당 지역 명을 표시하여야 한다.
④ 건강검진 등의 신고(지역보건법 제23조): 의료인이 아닌 사람이 지역주민 다수를 대상으로 건강검진 또는 순회 진료 등 주민의 건강에 영향을 미치는 행위(이하 "건강검진등"이라 한다)를 하려는 경우에는 보건복지부령으로 정하는 바에 따라 건강검진등을 하려는 지역을 관할하는 보건소장에게 신고하여야 한다.
⑤ 시설의 이용(지역보건법 제18조): 지역보건의료기관은 보건의료에 관한 실험 또는 검사를 위하여 의사 · 치과의사 · 한의사 · 약사 등에게 그 시설을 이용하게 하거나, 타인의 의뢰를 받아 실험 또는 검사를 할 수 있다.

084 ④
해설 │ 시설의 이용(지역보건법 제18조)
보건의료에 관한 실험 또는 검사를 위하여 의사, 치과의사, 한의사, 약사 등에게 그 시설을 이용하게 할 수 있다.

085 ③
해설 │ 중앙응급의료센터의 지정기준 · 방법 및 절차(응급의료에 관한 법률 시행규칙 제12조)
1. 전국 응급의료종사자의 교육 및 훈련을 담당할 수 있는 시설 · 장비 및 인력을 갖출 것
2. 대형재해 등의 발생 시 응급의료지원을 할 수 있는 시설 · 장비 및 인력을 갖출 것
3. 응급의료기관 등에 대한 평가를 실시할 수 있는 전문 인력 또는 장비를 갖출 것
4. 응급의료기관 등과 응급의료종사자에 대한 지도를 할 수 있는 공공기관일 것

3회 1교시 정답 및 해설

001 ③

해설 | **열사병**

③ 우선 환자를 고온의 상황으로부터 빨리 이동시켜 시원한 환경을 만들어주고 체온을 낮추도록 한다.

- 개요: 열과 습기가 높은 상태에서 지나치게 운동하거나 활동하는 경우 나타나는 신체의 열조절 기전 장애로 급성 내과적 응급상황이 며, 열에 노출된 기간이 사망률과 깊게 관계있음
- 증상: 중추신경 기능부전(혼돈, 섬망, 혼수, 환각 등), 체온상승, 저혈압, 빈맥, 무한증, 빈호흡
- 간호중재
  - 냉수에 적신 차가운 시트나 타올을 목, 겨드랑이, 가슴, 서혜부에 대어줌
  - 열 내리는 담요 사용
  - 체온이 내려가지 않을 경우 차가운 생리식염수로 위와 장을 세척함
  - 산소 투여: 대사 항진되어 산소요구량 증가함
  - 생리식염수 정맥 주입: 체액 손실 보충, 혈액순환 유지

오답 ⑤ 얼음을 사용하면 오한이 일어나 체열이 발생하고 산소소모가 증가하므로 사용하지 않는 것이 좋다.

002 ④

해설 | **고칼륨혈증** 기출 16

- 정의: 혈장내 K^+ 농도가 5.0 mEq/L 이상인 상태
- 원인: K^+ 배출 저하, 섭취 과다, 세포내액에서 외액으로의 K^+ 유리
- 관련 질환: 화상, 대사성 산증, 급성 신부전
- 증상: 위장관계(오심, 설사, 장경련, 산통), 심혈관계(심부정맥, 심장마비), 신경계(골격근 약화, 감각이상, 안절부절 못함, 불안) 등
- 치료 및 간호: 칼륨섭취 제한+산증 교정
  - 인슐린, 포도당, 중조 투여
  - Kayexalate (양이온 교환수지) 경구 or 직장투여 ▶ 수지내 다른 양이온과 장관내 K^+을 교환시켜 대변으로 배출시킴

cf ECG 비교(저칼륨혈증 vs 고칼륨혈증) 기출 21

	저칼륨혈증	고칼륨혈증
P파	약간 상승함	넓고 편평해짐
PR간격	약간 길어짐	넓어짐
T파	내려가고 편평해짐	좁게 높아지고 뾰족해짐
U파	뚜렷해짐	–
QRS간격	–	넓어짐

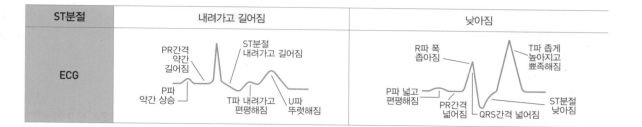

ST분절	내려가고 길어짐	낮아짐
ECG	PR간격 약간 길어짐 / ST분절 내려가고 길어짐 / P파 약간 상승 / T파 내려가고 편평해짐 / U파 뚜렷해짐	R파 폭 좁아짐 / T파 좁게 높아지고 뾰족해짐 / P파 넓고 편평해짐 / PR간격 넓어짐 / QRS간격 넓어짐 / ST분절 낮아짐

003 ⑤

해설 | 전신홍반루푸스(SLE) 기출 17

- 자가면역 질환: 체내조직을 이물질로 잘못 판단 → 면역작용으로 항체를 만듦 → 항원—항체 반응 ▶ 체내조직을 스스로 파괴함
- 증상: 근육 및 관절의 통증, 나비모양 안면발진(자외선 노출 시 악화), 전신부종 및 소변량 감소(신장장애) 등
- 진단: 범혈구 감소, ESR 증가, 면역글로불린 증가
- 간호: 고칼로리 식사 금지(자가면역반응 증가시킴), 통증 시 열·냉요법 적용, 외출 시 자외선 차단, 피부건조에 로션 적용, 망막증 합병증 예방 위해 6개월마다 안과검진 시행

cf 자가면역질환 발생과정 및 부위

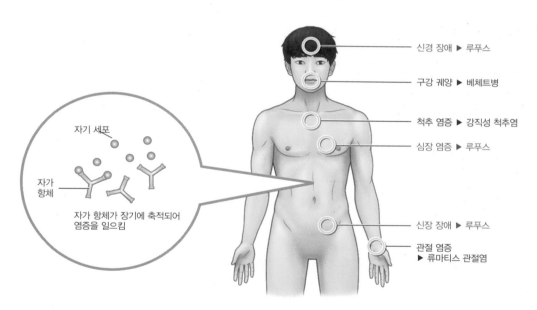

오답 ④ 세포용해성—세포독성 과민반응: 수혈반응(혈액형 불일치 시 세포가 용해됨)

POWER 특강

여성에서 주로 생기기 때문에 임신에 큰 영향을 미친다. 모체 측은 SLE 증상 악화, 임신중독증 발생률 증가 등을 겪으며, 태아에게는 태아손실률, 선천성 기형 발생률, 태아사망률이 상승하는 문제 등이 있다. 또한 혈전증, 혈관염, 고혈압의 발생가능성이 높아지므로 피임 시 경구피임약이나 자궁내장치를 피하는 것이 권장된다.

004 ⑤

해설 | **결핵 간호** `기출 20`

- 감염전파 예방(비말전파)

  – 음압이 유지되는 1인실에 격리하고 병실문은 항상 닫아 둠, 2~4주의 약물치료 후 격리하지 않아도 됨

  – 방안은 자주 환기시킴

  – 환자와 접촉 시 마스크(필터가 장착된 미립자 차단용 마스크)를 착용하고 병실에 나와서 벗음, 간호중재 시 가운과 장갑 착용(재채기나 가래 등을 통한 감염 예방), 기침 시 코와 입을 휴지로 가림, 휴지나 가래 등은 따로 비닐에 모아 소각함

  – 일광소독: 결핵균은 햇빛, 열에 파괴됨

- 투약교육

  – 항결핵제 장기 병용요법(6~18개월): 약제 간 상승작용 효과, 내성발생 예방

  – 1일 1회 한꺼번에 모두 복용하고, 공복 시 복용하는 것이 효과적임

  – 철저한 약물복용 시 타인에게 전염성 없음

- 식이: 고단백, 고칼로리, 비타민 보충

POWER 특강

항결핵제 부작용

- *Ethambutol*: 시력저하, 시신경염, 적록색 구분 못함

- *Rifampin*: 오렌지색 소변, 위장장애

- *Pyrazinamide*: 간독성, 관절통

- *Streptomycin*: 청력손실, 이명, 신독성

- *INH (Isoniazid)*: 간염, 말초신경염

*Ethambutol*은 eye문제, *Rifampin*은 oRange색 소변, *Streptomycin*은 Stereo (청력) 문제

---

005 ④

해설 | **제1형 과민반응(아나필락시스)**

- 전신적 과민반응: 아토피 피부염, 고초열, 알레르기성 천식 및 비염, 아나필락시스 등

- 기전: 원인 노출 후 비만세포의 과립 감소 → 히스타민, 류코트리엔 등 매개물질 분비 → 모세혈관 투과성 증가 → 30분 이내 급성으로 피부나 점막에 국소적 두드러기, 혈관부종, 소양증, 콧물 따위의 증상이 발현됨 → 호흡곤란, 청색증, 부정맥, 쇼크 등으로 진행됨

▶ 제1형 과민반응 기전

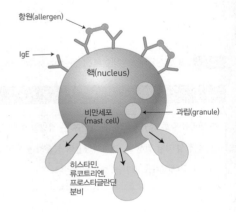

006 ③

해설 | **응급간호**

- 내장이 복부열개로 돌출된 경우, 외과적 응급상황으로 심한 통증과 구토가 발생한다.
- 간호중재
  - 즉시 외과의에게 보고함
  - 반좌위
  - 돌출된 장을 소독된 생리식염수에 적신 거즈로 덮어줌
  - 저혈량성 쇼크 징후 확인: 혈압 하강, 빈맥, 약한 맥박, 맥압 감소, 호흡수 증가, 얕은 호흡, 차갑고 축축하고 끈적이는 피부

007 ③

해설 | **퀴블러-로스(Elisabeth Kubler-Ross)의 죽음의 수용 5단계**

- 1단계 부정: 나에게 일어날 수 없는 일이라며 현실을 부정하며 여러 병원을 다닌다.
- 2단계 분노: 왜 하필 자신에게 이러한 일이 일어났는지에 대해 모든 대상에게 분노를 나타낸다.
- 3단계 협상: 죽음을 연기시키려는 노력으로 타협을 시도한다. 착실한 행동을 통해 보상을 받을 수 있다고 생각한다.
- 4단계 우울: 더 이상 병세를 부정하지 않으며 극도의 상실감과 우울증을 나타낸다.
- 5단계 수용: 자신의 운명에 더 이상 분노하거나 우울해 하지 않고 담담히 죽음을 받아들인다.
  - ⑦ 호스피스 간호: 대상자의 여생을 인위적으로 연장시키거나 단축시키지 않으며, 살 수 있는 만큼 잘 살다가 자연스럽게 편안히 생을 마감할 수 있도록 돕는다. ▶ 적극적으로 심폐소생술을 시행하거나 환자에게 살 수 있다고 안심시키지 않는다.

008 ②

해설 | **저혈량성 쇼크**

② 출혈로 인해 혈압이 낮아지고 있으므로 우선 수액을 주입하여 혈압을 증가시킨다.

- 증상: 수축기혈압 저하, 빈맥, 빈호흡, 맥압 감소, 차고 축축한 피부, 소변량 감소, 불안정하거나 불안한 정신상태 변화
- 중재: 출혈부위 직접 압박, 산소공급, 수액공급, 수혈, 다리거상 체위(트렌델렌버그 체위는 금기이며, 침상에서 발을 15° 상승시킨 앙와위 취함), 오한 방지 위해 담요 제공, 교감신경흥분제 투여

> **오답** ①, ④ 응급간호의 우선순위는 기도, 호흡, 순환 순이나 현재 대상자는 저혈량성 쇼크 위험을 보이고 있으므로, 출혈 간호가 우선시 되어야 하는 상황이다.
> ⑤ 트렌델렌버그 체위는 이전에 추천되었으나, 호흡기 확장을 억제하고 두개내압을 상승시키는 것으로 확인되어 현재는 권장하지 않는다.

009 ⑤

해설 | **혈전**

- 장기침상 → 정맥혈 정체 및 정맥귀환량 감소 → 심박출량 감소 ▶ 혈전(증) 발생
- 심부정맥혈전증 원인
  - 정맥울혈, 혈관벽 손상, 혈액응고 항진
  - 위험소인: 40세 이상, 과거력, 수술 및 장기 침상휴식), 임신, 비만, 심장질환, 에스트로겐 경구피임약 사용

- 동맥혈전증: 혈액이 제대로 공급되지 못하여 말초 혈류가 부족할 때 발생할 수 있는 허혈 증상이 주를 이룬다.
- 정맥혈전증: 혈액이 말초에까지는 도달하였으나 심장으로 되돌아오지 못하여 발생할 수 있는 울혈 혹은 충혈 증상이 주를 이룬다.

010 ①

해설 | **호스피스 간호**

- 환자 및 의료진 모두 죽음이 임박하다는 사실을 알고 서로 공개적으로 이야기하는 관계이고, 적극적으로 심폐소생술을 시행하거나 환자에게 살 수 있다고 안심시키지 않는다.
- 환자의 죽음 이후 가족의 사별로 인한 슬픔을 경감시키는 것까지 포함하는 총체적 간호이다.
- 죽음에 대한 심리적 적응 단계(퀴블러 로스의 죽음의 수용 5단계): 부정 –분노–협상–우울–수용 [기출 21]

011 ①

해설 | **요실금 간호**

① 골반근육의 탄력을 증가시켜 빈뇨와 절박뇨를 감소시킨다.

오답 ② 원인과 정도에 따라 치료법도 달라지며, 경증에는 약물요법과 행동치료를 시행한다.

④ 낮에는 2,000~2,500 ㎖ 섭취하여 배뇨반사를 자극하지만 밤에는 수분섭취를 제한한다. 침대에 패드 적용은 가능하나 기저귀는 금지한다.

노인에서는 여성호르몬이 부족하여 질, 방광, 요도의 노화 현상으로 요실금이 더 악화되기도 한다. 또한 흡연도 기침을 유발하여 요실금을 악화시킬 수 있음을 알아두자.

012 ③

해설 | **호흡성 산증** [기출 16, 18, 19, 20]

③ CO_2 분압이 증가한 상태이므로 심호흡, 특히 호기를 길게 하여 CO_2를 배출할 수 있도록 한다.

- 정의: pH≤7.35, $PaCO_2$≥45 mmHg, HCO_3^- 22~26 mEq/L(정상)
- 증상
  - 호흡기계: 호흡곤란, 저환기, 저산소증, 청색증
  - 신경계: 두통, 기면, 근허약
  - 심혈관계: 고칼륨혈증(▶ 부정맥)
- 치료 및 간호: 환기 증진, Sodium bicarbonate ($NaHCO_3$) 정맥투여, 전해질불균형 교정
- 금기: 마약성 진통제 사용(▶ 호흡억제)

013 ②

해설 | **호흡성 산증** 기출 16, 18, 19, 20

- 정의: pH≤7.35, $PaCO_2$≥45 mmHg, HCO_3^- 22~26 mEq/L(정상)

- 호흡성 알카리증 정의: pH 7.45 이상, $PaCO_2$ 35 mmHg 이하, HCO_3^- 22~26 mEq/L(정상)

▶ 호흡성 산증

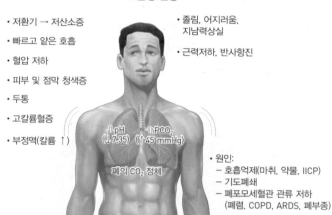

- 저환기 → 저산소증
- 빠르고 얕은 호흡
- 혈압 저하
- 피부 및 점막 청색증
- 두통
- 고칼륨혈증
- 부정맥(칼륨 ↑)

- 졸림, 어지러움, 지남력상실
- 근력저하, 반사항진

↓pH (↓7.35) ↑PCO_2 (↑45 mmHg)

폐의 CO_2 정체

- 원인:
  - 호흡억제제(마취, 약물, IICP)
  - 기도폐쇄
  - 폐포모세혈관 관류 저하 (폐렴, COPD, ARDS, 폐부종)

▶ 호흡성 알칼리증

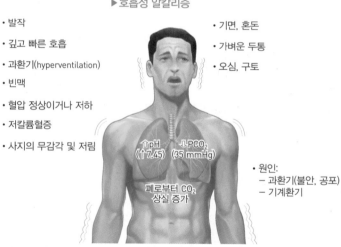

- 발작
- 깊고 빠른 호흡
- 과환기(hyperventilation)
- 빈맥
- 혈압 정상이거나 저하
- 저칼륨혈증
- 사지의 무감각 및 저림

- 기면, 혼돈
- 가벼운 두통
- 오심, 구토

↑pH (↑7.45) ↓PCO_2 (35 mmHg)

폐로부터 CO_2 상실 증가

- 원인:
  - 과환기(불안, 공포)
  - 기계환기

014 ⑤

해설 | **천식발작 치료** 기출 16, 20

- 급성 중증 천식 치료: 아미노필린(aminophylline) IV, 스테로이드 IV, β2 길항제 투여, 산소 · 수액 공급

- 기관지확장제: 속효성 β2 길항제를 먼저 투약한다.

  - β2 길항제(기관지평활근 이완): albuterol (단기), salmeterol (장기)

  - 항콜린성제제, 항히스타민제, 항염증제

오답 ①, ②, ③, ④ 모두 심혈관계 약물이다.

① Morphine: 허혈성 심장질환(협심증, 심근경색증)에 투여하는 마약성 진통제로, 중추신경계에 작용하여 말초저항을 감소

시켜 좌심실 후부하를 감소시킴으로써 심근의 산소소모량 감소시킴

② Lidocaine: 심실빈맥 시 투여하는 항부정맥제

③ Dopamine: 심근수축력 강화시키는 울혈성 심부전 치료제

④ Nitroglycerine: 혈관확장제로, 허혈성 심장질환에 투여

━━━━━━ **comment** ━━━━━━

*Propranolol (Inderal)*을 시험에서 자꾸 천식과 관련짓기 때문에 알아두자. *Inderal*은 협심증, 심근경색, 고혈압에 투여하는 교감신경 차단제로서, 오히려 기관지 수축을 유발하니 절대 사용할 수 없는 약물이다.

cf 천식 시 기도 형태

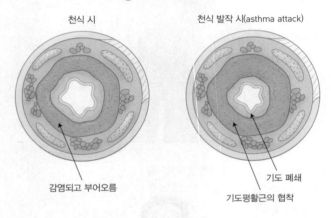

천식 시   천식 발작 시(asthma attack)

감염되고 부어오름   기도 폐쇄
                        기도평활근의 협착

015 ②

해설 | **흉관배액**

② 배액 향상과 분비물 축적 방지를 위해 잦은 체위변경을 격려하며, 배액관이 당겨지거나 눌릴 수 있으므로 이를 주의함

▶ 흉관배액 구성

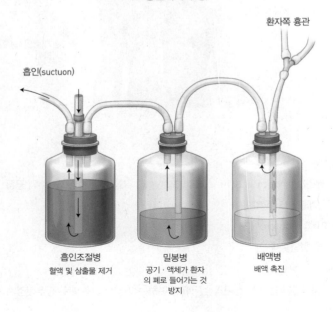

흡인(suctuon)   환자쪽 흉관

흡인조절병   밀봉병   배액병
혈액 및 삼출물 제거   공기·액체가 환자   배액 촉진
                     의 폐로 들어가는 것
                     방지

- 목적: 늑막강내의 음압을 정상으로 유지함으로써 종격동 변위와 폐허탈을 예방함
- 배액관 내 물의 파동: 호기와 흡기에 따라 달라지기 때문에 파동이 사라지는 것은 관 폐색 등을 의미함
- 배액병 관리
  - 항상 환자의 흉곽보다 낮은 위치를 유지함
  - 밀봉병 속 긴 대롱의 끝이 물 속에 5 cm 정도의 깊이로 잠겨 있는지 확인함
  - 배액의 양, 색, 특징 관찰: 배액량이 100 mL/hr 이상이면 과다출혈이므로 보고함
- 배액관 관리: 혈액 응고물이나 죽은 조직으로 막혔을 때 개방성 유지를 위해 손으로 관을 훑어줌

016 ③

해설 | **폐색전**

- 원인
  - 심부정맥혈전증(DVT): 환자의 90%에서 합병증으로 나타남
  - 과응고 상태(외상, 수술, 임신 등), 울혈성 심부전, 심근경색, 에스트로겐 요법 등
- 병태생리
  - 폐색전으로 혈류공급 차단 → 환기는 지속되나 관류가 줄어듦(환기/관류 비 불균형)
  - 폐색된 폐혈관 저항 증가, 저산소증에 대한 반응으로 혈관수축 동반 → 폐혈관 압력 증가 → 우심장 부하 증가
- 증상
  - 주 증상: 갑작스런 호흡곤란, 빈호흡, 흉통
  - 우심부전, 기침, 객혈, 청색증, 저혈압, 저산소혈증 등
- 치료
  - 항응고요법: heparin으로 폐혈관에 발생한 색전 악화를 막고, 새로운 혈전 형성 예방
  - 혈전용해요법: urokinase 등으로 이미 생성된 혈전 녹임
- 예방: 조기이상, 규칙적인 다리운동(외상 환자), 처방 시 압박스타킹 착용 및 헤파린 투여, 금연 등

017 ①

해설 | **기흉**

종격동 변위는 폐의 위치 변화이므로 X-ray를 통해 눈으로 확인하여 알 수 있다.
폐 스캔의 경우 폐관류 스캔과 폐 환기 스캔으로 나뉘며, 주 기능은 폐전색증 진단, 폐 수술 후나 방사선 치료 후 폐 기능 예측, 우좌단락량 평가이다.

018 ③

해설 | **혈흉**

- 정의: 주로 외상에 의한 흉부손상에 의하여 늑막강내에 혈액이 고인 상태
- 증상: 폐압박, 종격동 이동(변위) → 출혈로 인한 혈액량 감소(▶ 쇼크), 호흡곤란 등
- 치료 및 간호: 순환혈액량 보충, 흉관 즉시 삽입 → 흉막내 혈액 배액, 출혈 심할 시 개흉술로 출혈 부위 지혈
- ⓒ 기흉 vs 혈흉 타진
  - 기흉: 늑막강에 공기가 가득 차 있음 ▶ 과공명음
  - 혈흉: 늑막강에 혈액이 가득 차 있음 ▶ 탁음

019 ②

해설 │ 후두절제술 일반적 수술 후 간호

- 기도개방 유지(가장 우선적): 기관흡인 자주 시행 및 개구부에 물이 들어가지 않도록 주의, 습기 제공, 기침·심호흡 및 조기이상 격려
- V/S (저혈압, 빈맥) 및 출혈 사정
- 전후두절제술: 소화기로부터 기관의 영구적 분리 ▶ 잘 흡인되지 않음

오답 ① 부분 후두절제술일 경우 후두개의 제거로 인한 연하장애로 기도흡인 위험이 있으나, 전후두절제술을 한 경우 기도와 식도 사이에 연결이 없기 때문에 쉽게 흡인되지 않으므로 흡인간호가 특별히 요구되지 않는다.

③, ⑤ 개구부는 보호덮개로 덮어주며, 세척 시 개구부로 물이 들어가지 않게끔 중성비누와 물로 깨끗이 한 후 주위에 윤활제를 발라준다.

020 ⑤

해설 │ 폐색전 치료 및 간호

- 치료
  - 항응고요법(헤파린, 와파린): 응고기전 억제(▶ 색전이 커지는 것 방지, 새로운 색전 발생 예방), 이때 아스피린은 출혈 경향을 높이 므로 처방받지 않은 아스피린은 투여 금지한다.
  - 혈전용해제: tissue plasminogen activator (t−PA), streptokinase (SK), urokinase (UK)
- 간호: PT, PTT 결과 확인, 산소요법, 기침·심호흡 격려, 반좌위 등
- 예방: 조기이상, 규칙적인 다리운동(와상 환자), 처방 시 압박스타킹 착용 및 헤파린 투여, 금연

POWER 특강

- 헤파린 요법을 시행하고 있는 경우 aPTT를 모니터링: 정상의 1.5~2.5배를 유지해야 함
- 와파린 복용(경구) 시 aPT를 모니터링: 정상의 1.5~2.5배를 유지해야 함
- 헤파린 → 와파린 순으로 적용하며, 와파린을 헤파린 중지 3~5일 전부터 시작하여 3~6개월간 지속함
- 헤파린은 ㅎTT파린: aPTT 모니터링

---

021 ③

해설 │ 우심부전 증상

좌심부전 기출 16, 20	우심부전
폐울혈 → 호흡기계 조절기전 장애	정맥혈 귀환 문제 → 부종, 울혈
<ul><li>호흡곤란</li><li>체액 축적, 청진 시 악설음, PCWP 상승</li><li>신기능 저하, 심박출량 저하</li><li>뇌의 저산소증: 불안정, 혼미</li><li>체인–스토크스 호흡(말기): 무호흡–과호흡</li></ul>	<ul><li>전신부종, 말초부종</li><li>정맥계 울혈 → 간·비장 비대 ▶ 복수, 황달,</li><li>문맥압 증가 ▶ 식욕감퇴, 복부팽만</li><li>경정맥 확장 및 울혈</li><li>사지냉감: 저산소혈증</li><li>CVP 상승: 15~30 mmHg</li></ul>

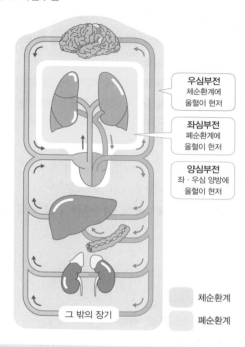

- 심부전 증상은 주로 울혈에 의함
- 좌심부전 시 폐모세혈관쐐기압(PCWP)의 상승, 우심부전 시 중심정맥압(CVP)의 상승

우심부전
체순환계에 울혈이 현저

좌심부전
폐순환계에 울혈이 현저

양심부전
좌·우심 양방에 울혈이 현저

그 밖의 장기

체순환계

폐순환계

---

comment

우심부전의 가장 중요한 원인이 좌심부전이므로 임상적으로 이 둘의 차이는 뚜렷하지는 않다. 심부전이 만성화되면 좌심부전과 우심부전 구분이 사라진다.

---

022 ②

해설 | **전부하 vs 후부하**

- 전부하(용적부하): 이완기 말 심실에 채워지는 혈류량

  - 전부하 증가: 과혈량, 판막역류, 선천성 심장기형

  - 전부하 경감법

    ⓐ 이뇨제 투여

Thiazide계	Loop 이뇨제	K⁺ 보존 이뇨제
저칼륨혈증 위험 ▶ KCl와 병용 및 K⁺ 함유식품 섭취	furosemide (Lasix), bumetanide (Bumex) ▶ 모든 심부전에 효과적	Aldactone, Spironolactone ▶ 고칼륨혈증 위험

ⓑ 수분·나트륨 섭취 제한, 직립자세, 스트레스 경감 및 안정

ⓒ 정맥확장제 투여

- 후부하(압력부하): 좌심실의 혈액분출 시 수축기 동안 심실에 가해지는 압력

  - 후부하 반영: 좌심실에서는 대동맥압(AP), 우심실에서는 폐동맥압(PAP)

  - 후부하 증가: 대동맥판막 및 폐동맥판막 협착증, 혈액의 점성, 고혈압 등

  - 후부하 경감법: 동맥확장제로 안지오텐신 전환효소(ACE) 억제제 투여

023 ⑤

해설 | 폐수종(울혈성 심부전의 합병증)

폐수종: 폐 간질과 폐포강에 비정상적으로 수액이 축적된 상태로 심인성과 비심인성 폐수종이 있다.

- 진단: 심인성과 비심인성의 감별
  - Swan–Ganz catheter: 폐모세혈관쐐기압(PCWP) 측정 시 18 mmHg 이상 ▶ 심인성 암시– 도플러 심초음파
- 증상: 잠자는 동안 체액의 재분배가 일어나 신체 하부에 있는 부종액이 흡수되어 순환혈량이 증가되고, 심한 폐울혈을 일으켜 야간성 발작성 호흡곤란, 발작성 기침, 질식감 발생
- 치료 및 간호
  - 반좌위~좌위(가장 먼저)
  - 고농도 산소공급(PaO_2 > 60 mmHg) 및 양압환기
  - 약물: 모르핀 IV, 디지털리스 ▶ 심근의 수축력 및 심박출량 증진, 이뇨제, aminophylline IV (기관지 확장제), ACE 억제제
  - 윤번지혈대(순환지혈대)
  - 정맥절개술

024 ⑤

해설 | 심근경색(허혈성 심질환 중 terminal 단계)

- 호흡곤란을 동반하는 흉통
  - 쥐어짜는 듯한 분쇄형 통증이 30분 이상 지속됨, 흔히 이른 아침시간에 발생하며, 활동 중이나 휴식 시, 수면 중에도 나타남
  - 가슴 한가운데에서 왼쪽 어깨, 양팔, 등, 목 아래, 턱 부위로 방사됨
  - 휴식, nitroglycerin으로 완화되지 않음 ▶ Morphine sulfate 정맥 주입함
  - 악화인자: 성행위, 고콜레스테롤 식이, 비만, 흡연, 음주, 추위에의 노출 등
- 진단: 대부분은 ECG와 혈액검사를 통해서 심근효소 수치를 확인함
  - 혈액검사 기출 16, 17

Myoglobin 상승	심근경색 후 1~2시간부터, 즉 가장 먼저 상승해 조기진단에 도움이 됨
CK–MB 상승	심근경색 후 4~6시간부터 상승함
LDH 상승	CK–MB에 비해 늦게 상승하므로 초기에는 크게 유용하지 않음
Troponin 상승	심근에 대한 특이도가 CK–MB보다 높고, 심근경색 후 2~6시간부터 상승함
GOT 및 GPT 상승, WBC 상승	–

  - ECG 기출 17, 20

ST분절 상승	급성 심근허혈 → 심근경색
ST분절 하강	혈류의 흐름 회복 or 심실 후벽의 허혈
이상 Q파 출현	심근의 괴사 암시, R파 높이의 25% 이상
T파 역전	심근의 허혈

- 급성기 치료
  - ECG 확인

- 산소공급: Nasal-prong or facial mask로 2~4 L/min 제공

- 재관류요법: 혈전용해요법, PTCA (경피적 관상동맥 확장술), CABG (관상동맥 우회술)

---

comment

Morphine 투여 시 호흡 수 저하, 서맥, 혈압 저하 등이 나타날 수 있으므로, 활력징후를 잘 관찰한다.

---

025 ③

해설 | **심근경색 자가관리**

• 생활요법의: 3-3-3 원칙

- 식이요법: 소식, 채식, 저염식의 3요소

- 운동요법: 운동 전 3분 준비운동, 한 번에 30분 이상, 1주일에 3일 이상

- 생활요법: 금연, 이상적 체중 유지, 심리적 스트레스 해소의 3요소

• 식이요법: 저염식(10g/일 이하)과 저콜레스테롤식이 권장된다.

- 저콜레스테롤식: 등푸른 생선(불포화지방산 함량 높음), 채소, 과일 ▶ 콜레스테롤을 낮춤

026 ④

해설 | **경피적 관상동맥 확장술(PTCA)**

• 정의: 협착·폐쇄된 관상동맥 내로 카테터 삽입 후 폐색부위를 재확장하는 비수술적 요법

• 합병증: 관상동맥 폐색, 재협착 ▶ 계속적인 질환관리 필수적

▶ 관상동맥 시술방법

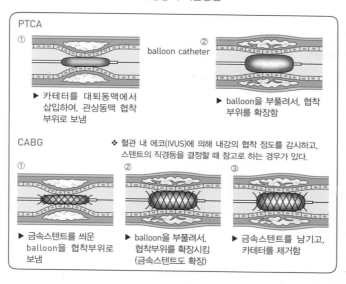

027 ②

해설 | 심근경색 치료(혈전용해요법)

- 혈전용해제: tissue plasminogen activator (t-PA), streptokinase (SK), urokinase (UK) 등이 있다. t-PA는 조직플라스미노겐활성제로 혈중 플라스미노겐(plasminogen)을 활성화하여 플라스민(plasmin; 혈전을 녹이는 단백질)으로 변환하는 물질이다. 혈전용해제로서 혈전성 질환을 치료하는 데 사용된다.

- 금기
  - 이전의 두개내 출혈, 두개혈관 병변, 악성 두개내 종양
  - 3개월 이내의 심각한 두경부 혹은 안면부 손상
  - 대동맥 박리증 의심, 급성 출혈
  - 임신부 혹은 수유부

028 ⑤

해설 | 조기심실수축(PVC)

- 정의: SA node에서 자극이 생기기 전 심실의 자극 발생 ▶ 심실빈맥 or 심실세동
- ECG 특징: 심박률은 기본 리듬에 따라 다르고, 불규칙적이다.

P파	P-QRS비율	PR간격	QRS폭
PVC에 없음	P파가 PVC에 없음	측정 불가(없음)	넓음(0.12초 및 3mm 이상), 기괴한 모양

- 치료
  - 항부정맥제(lidocaine): 심실세동 예방
  - β-blocker를 주거나 지속적 VT가 발생되면 삽입형 제세동기(ICD) 삽입
  - 흡연, 알코올, 카페인 금지
- 위험한 PVC
  - 3번 이상 PVC가 연이어 발생 ▶ 심실빈맥
  - 심실세동 예고 ▶ 심정지로 이어질 수 있음

POWER 특강

심실 부정맥 시 *Lidocaine*을 투여하며, 이를 투여했음에도 효과가 없을 경우 간호사는 다음 중재로 제세동을 예상해야 한다.

029 ①

해설 | **대동맥판 역류(대동맥판 폐쇄부전)**

- 원인: 류마티스 질환, 강직성 척추염
- 병태생리: 수축기에 좌심실에서 대동맥으로 혈액이 나감 → 대동맥 판막의 병변으로 판막이 완전히 닫히지 않음 → 이완기에 다시 좌심실로 역류됨 → 좌심실 부담 증가 ▶ 좌심실 비대, 좌심실기능 저하
- 증상(무증상으로 10~15년간 지내는 경우가 많음)
  - 맥압(pulse pressure) 증가: 누울 때 이상한 심박동, 수축기마다 몸이 흔들거림
  - 이완기 잡음, 심계항진, 야간에 발생하는 흉통(협심증), 활동 시 호흡곤란(DOE), 기좌호흡, 야간성 발작성 호흡곤란, 부종
- 치료: 근본적인 치료는 인공판막 대치술이며, 심부전 증상 치료함(강심제, 염분제한, 이뇨제, 혈관확장제)

▶ 대동맥판 역류(AR)의 병태생리

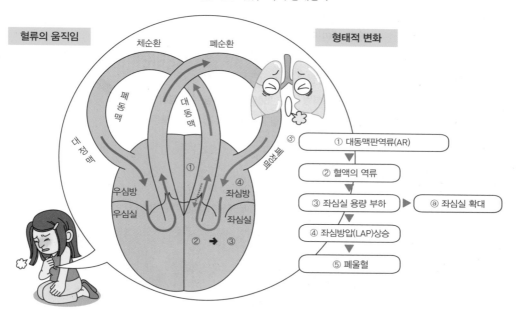

POWER 특강

대동맥판 역류(AR)는 승모판협착증(MS)과 관련이 있다. 역류된 혈액은 승모판막 전방에 부착된 유두근과 건삭을 심하게 친다. 이것에 의해 승모판막은 힘껏 열려고 해도 역류에 밀려나서 열 수 없게 된다. 따라서 MS에서 특징적으로 나타나는 잡음이 AR에서도 나타나게 된다.

---

030 ⑤

해설 | **고혈압**

- 정의: 수축기 혈압 140 mmHg 이상, 이완기 혈압 90 mmHg 이상
- 조절 가능한 위험요인
  - 죽상경화증

- 비만, 신체활동 부족
- 고염식이, 흡연 및 음주
- 정신적 스트레스
- 비약물요법: 조절 가능한 위험요인을 교정한다.
  - 이상적인 체중 유지 및 운동
  - 식이요법: 저염, 저지방, 저칼로리 식이 및 섬유질, 수분섭취 증가
- 약물요법 적응: 생활양식 교정 3~6개월 경과 후에도 혈압의 변화가 없을 때, 이뇨제, β-blocker, α-blocker, ACE 억제제, 혈관확장제 등을 투여한다.

031 ⑤

해설 | **심부정맥 혈전증(DVT)** 기출 17, 18

- 원인: 장시간 부동, 울혈성 심부전, 정맥혈관 내피세포의 손상, 혈액응고 항진 ▶ 혈전 형성
  - Virchow's triad: 정맥내 혈액저류, 혈관내피세포의 손상, 혈액응고 항진에 의한 혈전 형성
- 증상: 침범된 하지에 부종, 종창, 열감, 통증, 압통, 발적, Homan's sign 양성
- 예방: 하지운동, 낮은 용량의 헤파린 주사, 탄력스타킹 or 탄력붕대, 조기이상, 수분섭취
- 진단: Homan's sign (+), 즉 누워서 다리를 들고 발을 배굴할 때 장딴지에 발생하는 통증 있음
- 치료 및 간호
  - 정맥결찰, 항응고요법(헤파린, 와파린), 혈전용해요법
  - 침상안정, 온습포 적용, 마사지 금지(혈전 → 색전으로의 위험 있음)

▶ Homan's sign: 장딴지에 통증이 있을 경우 양성

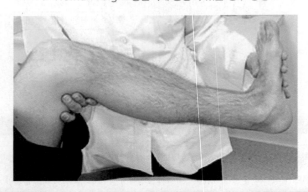

POWER 특강

DVT 환자에게서 흔하게 발생하는 합병증은 폐색전증이다.

032 ②

해설 | **백내장 수술**

- 정의: 수정체의 혼탁 → 망막에 선명한 상을 맺지 못함 ▶ 시력손상
- 증상: 흐릿한 시야

- 원인: 노화(대부분의 경우)

- 치료: 백내장 적출술(낭외적출술, 낭내적출술)로 수정체를 제거하고 인공수정체를 삽입함

- 수술 후 간호: 안압상승 예방을 목표로 함

  - 안압상승 예방: 구부리거나 무거운 것을 들지 않고, 기침과 재채기를 피함

  - 전방으로의 출혈 및 감염 방지: 수술한 쪽으로 눕지 않고, 눈에 손대지 않도록 함

  - 안대 착용 및 통증 관리

———— comment ————

백내장은 서서히 진행되므로, 일상생활에 불편을 겪을 정도로 증상이 진행되었을 때 수술을 받는 것이 좋다. 그렇다고 해서 너무 많이 진행되면 수정체가 딱딱해져 수술도 복잡해지고 회복도 늦어진다.

POWER 특강

백내장 수술 전 동공을 확대하기 위해 산동제(tropicamide, cyclopentolate)가 투여된다. 그러나 수술 후에는 안구 내 수정체가 빠지지 않도록 하기 위해 pilocarpine 등의 축동제를 투여하여 산동을 예방한다.

033 ②

해설 | **저프로트롬빈혈증**

- 정의: 혈액내 프로트롬빈(응고 제Ⅱ인자) 결핍 ▶ 비출혈, 피부점막출혈, 월경과다 등 초래

- 원인

  - 선천성(희소): 상염색체 열성유전

  - 후천성: 항응고제(와파린) or 항생물질 복용, Vit. K 결핍, 간질환, 담관폐쇄, 담석증 등

———— comment ————

혈액계에서 자주 출제되는 문제라고 하기 어렵다. 따라서 맞추지 못했더라도 너무 걱정할 것은 없으나, 장래 한 사람의 의료진이라면 심화 공부의 차원에서 한번 기억해두면 좋겠다.

034 ①

해설 | **흉부물리요법(CPT)**

- 종류: 체위배액, 타진법 · 타격법, 진동법 등

	체위배액(중력이 가해지는 자세 이용)
적응증	농흉, 폐농양, 기관지확장증 등의 분비물 생성 폐질환
시행법	• 횟수: 2~4회/일, 한 자세 최소 5~10분 이상 유지함 • 시기: 식전 1시간, 식후 1~3시간, 취침 전 ▶ 오심 · 구토 흡인 예방 • 시행 전 처방된 기관지확장제, 물, 생리식염수 등을 분무하거나 흡인함 • 시행 중 기침을 하게 하여 기관지 분비물을 끌어올림 • 시행 중 불편감 호소 시 중단함 • 시행 전후 청진하여 그 효과를 확인함
타격법	손을 컵 모양으로 오므려서 폐의 위쪽 → 아래쪽으로 주기적으로 흉벽을 두드림
진동법	호기 동안 흉벽에 분당 200회 정도의 진동을 한 분절에 3~5회 적용함

- 시행 순서: 체위배액(분비물 모음) → 타진(분비물 떨어뜨림) → 진동(분비물 묽게 하고 기침 유도함) → 흡인 or 기침
- 금기증
  - 체위배액: 청색증과 피로 증가 시
  - 타격 금지: 유방, 흉골, 척추, 신장 등 ▶ 조직손상 위험
  - 타격 및 진동 금지: 폐농양, 폐종양, 기흉, 폐출혈, 폐결핵 등
  - 골절 의심 시

035 ①

해설 | **간경변**

- 정의: 만성적인 염증 → 정상 조직이 재생결절(작은 덩어리가 만들어지는 현상) 등의 섬유화 조직으로 변화 ▶ 간 기능 저하
- 원인: 영양결핍, 과도한 음주, 바이러스성 감염, 약물(acetaminophen, methotrexate, methyldopa, isoniazide) 등
- 증상: 수년간 증상 없이 진전된다는 점이 특징적이다.

초기단계	• 식욕부진, 소화불량, 오심 · 구토, 배설 습관의 변화 • 간비대, 맥관 변화: 촉진 시 단단한 덩어리가 느껴지는 상태 • 전신증상: 허약, 피로, 식욕부진, 체중감소
진전단계	• 문맥성 고혈압: 식도정맥류, 메두사머리, 복수, 치질, 간비대 • 간성뇌병변(간성혼수): 의식이 나빠지거나 행동변화가 발생 • 황달, 비장비대, 상복부 잡음 • 간헐적 발목부종

① 간성혼수 치료: 가장 중요한 원인은 대장내 대변에서 발생하는 암모니아인데, 주로 단백질을 소화시킨 후에 발생한다. 따라서 간성혼수 의심 시 설사약이나 관장을 통해 암모니아가 축적되지 않도록 하는 것이 중요하다.

	POWER 특강

문맥성 고혈압 기출 17	
증상	식도정맥류, 복수, 심한 내치질, 간비대, 메두사머리(caput Medusae; 배꼽 주변의 정맥이 두드러지게 확장되고 불거져 있는 상태)
간호	식도정맥류 발생 전: 거칠거나 자극적인 음식 제한, 천천히 음식 섭취, 변비 예방, 복압 상승 행동 및 알코올, 아스피린 금지 등
	식도정맥류 파열 후: 혈관수축제인 vasopressin 투여(혈압 상승 유의), S-B tube or Minnesota tube 적용 등

036 ①

해설 | **급속이동증후군(Dumping syndrome)**

- 원인: 부분 위절제술 중 Billroth II (위-공장 문합) 적용 시 빈발함

▶ Billroth II(위-공장 문합)

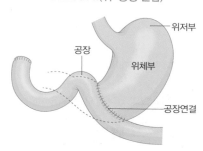

- 병태생리: 고농도의 음식이 위에서 소화되거나 희석되지 않고 공장 내로 직접 빠르게 들어감 → 공장의 분비액보다 고장성인 유미즙은 혈류에서 공장 내부로 수분을 끌어들여 혈액량을 감소시킴 → 저혈압
- 증상: 기립성 저혈압, 빈맥, 심계항진, 발한, 허약감, 어지러움, 실신, 오심, 상복부 팽만, 복부경련
- 치료 및 간호

식이	• 6~8회/일: 식이를 소량씩 자주 섭취 • 권장식단: 저탄수화물 · 고단백 · 고지방(▶ 위내 정체율 증가) • 수분제한: 특히 식전 1시간~식사 시~식후 2시간
체위 체위	식사 중: (반)횡와위
	식후: 앙와위 or 좌측위
약물	진정제, 항경련제 투여 ▶ 위배출 지연

037 ③

해설 | **소화성 궤양: 십이지장 궤양, 위 궤양**

	십이지장 궤양	위궤양
원인	• 과도한 산 분비 • 음식물이 위에서 빨리 비워짐	점막 방어능력 결함
HCl 분비	증가	정상 or 감소

증상	• 통증 양상
	  – 위치: 복부 중앙과 우상복부(RUQ)에 발생하고, 늑골 가장자리를 따라 등쪽으로 방사됨
	  – 갉아내는 듯, 타는 듯한 느낌
	• 공복 시 통증: 식후 2~3시간 후, 한밤 중 통증이 발생하고, 음식에 의해 완화됨
		• 통증 양상
		  – 위치: 좌상복부(LUQ)와 등 위쪽
		  – 타는 듯한 느낌
		• 식사 시 통증: 식후 30분~1시간에 발생하고, 구토 후에 완화됨

제산제	제산제, 음식섭취로 완화	제산제 효과없음

오답 ①, ②, ④, ⑤는 위궤양의 특징이다.

038 ④

해설 | **급성 신우신염**

- 급성 신우신염 vs 방광염

	신우신염	방광염 기출 19
원인	• 하부 요로계에서 상행성 감염 • 신장의 염증, 방광요관역류, 방광염 • 비뇨기계 관련 수술, 기계적 조작 • 임신, 당뇨병, 고혈압 *cf* 만성: 급성 요로감염의 반복	• 요도를 통한 상행성 감염 • 세균성 감염에 대한 2차 감염

증상	• 옆구리 통증(flank pain)
	• 늑골척추각 압통
	• 고열, 오한, 오심 · 구토
	• 악취 나는 탁한 소변
	• 방광 자극: 배뇨통, 빈뇨, 야간뇨 등
	• 신부전 위험
	  cf 만성: 세균뇨 후기에는 고혈압, 크레아티닌 청소율 감소,
	  BUN 증가
		• 흔한 증상: 빈뇨, 긴박뇨, 배뇨곤란
		• 작열감, 잔뇨감, 야간뇨, 하복부 통증
		• 요실금, 요정체
		• 세균뇨, 혈뇨, 뿌옇고 악취 나는 소변

- 예방: 생활습관 교정 ▶ 수분섭취 증가, 규칙적 배뇨(요의 없더라도), 성교 후 바로 소변보기, 대변 후 닦는 방향(앞→뒤) 교정 등

---comment---

단순 신우신염은 항생제 치료 후 수일 내에 호전되고 특별한 후유증을 동반하지 않는다. 단, 요로 폐쇄가 있거나 신장 농양(고름)이 동반된 복합 신우신염의 경우 초기에 입원치료 및 주사 항생제가 필요할 수 있다.

039 ④

해설 | **백혈병**

- 정의: 조혈기관(혈액과 골수, 비장, 림프절 등)에 미분화된 백혈병 세포들이 비정상적으로 증식하는 혈액의 악성질환이다.

- 증상

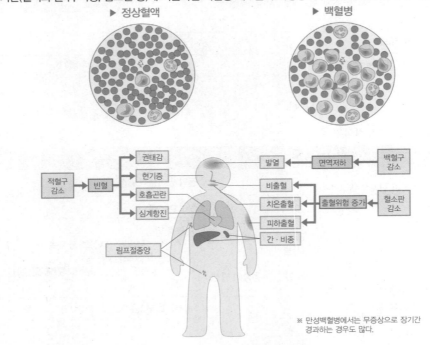

※ 만성백혈병에서는 무증상으로 장기간
  경과하는 경우도 많다.

- 치료
  - 화학요법, 골수이식
  - 항백혈병 약물요법: 설사, 피부반점, 탈모, 골수억제, 정서변화, 만월형 얼굴 등의 부작용
- 간호

감염예방
• 멸균된 음식을 섭취하며 생과일과 야채는 섭취하지 않는다. • 병실에 나무나 생화를 두지 않는다. • 직원 및 방문객 출입을 철저히 제한한다.

출혈예방 기출 20
• 소변과 대변에 혈액이 섞여 나오지 않는지 확인한다. ▶ 내장점막 출혈 • 주사(IM, SC), 카테터, 좌약 적용을 금지한다. • 구강위생 시 치실 및 거친 칫솔을 사용 금지한다. ▶ 면봉 or 솜 사용 • 아스피린계열 약물을 금지한다. ▶ Acetaminophen (Tylenol) 사용

안정 및 진정, 통증조절, 고단백 · 고열량식이 제공 등

오답 ①, ② 출혈 예방을 위해 유치도뇨관 및 관장은 시행하지 않는다.

040 ②

해설 | **용혈성 빈혈**

- 정의: 적혈구 수명감소에 의한 빈혈 ▶ 적혈구 수명의 간헐적 또는 지속적 감소가 특징
- 증상
  - 비장 및 간비대 ◀ 결함 적혈구 식균을 위해 대식세포의 부담 증가
  - 황달, 담석증(색깔 있는 담석) ◀ 빌리루빈의 과도 축적
- 합병증: 신부전
- 치료 및 간호
  - 용혈원인 제거
  - 빈혈증상 완화: 산소 투여, 필요시 수혈 실시
  - 신장기능 유지: 수분전해질 균형 유지, I/O 확인, sodium bicarbonate 투여
  - 비장절제술: 용혈반응이 스테로이드 치료에 반응하지 않을 경우

🔗 철결핍성 빈혈과 용혈성 빈혈의 증상

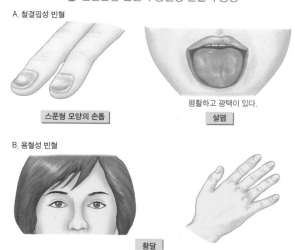

A. 철결핍성 빈혈

스푼형 모양의 손톱

평활하고 광택이 있다.

설염

B. 용혈성 빈혈

황달

오답 ①, ④는 거대적아구성 빈혈, ⑤는 철결핍성 빈혈에 해당하는 내용이다.

041 ③

③ sulfasalazine은 엽산 결핍이 부작용이 있어서 투약 시 엽산 보충이 필요하다.

- 증상: 질병의 악화와 완화가 반복된다. 궤양으로 인한 직장출혈(혈성 설사, 탈수, 대사성 산증), 염증에 의한 반동압통(LLQ), 발열, 빈맥 등이 나타난다.

- 치료

  - 약물: 항염증제(sulfasalazine, mesalamine), 스테로이드(prednisone), 면역억제제, 항콜린성 제제, 항생제, 지사제

  - 수술: 회장주머니–항문 문합술, 회장루 형성술, 회장–직장 문합술 등

- 간호

  - 설사 조절: 수분전해질 균형을 유지하고, 필요시 지사제를 투여

  - 통증: 마약성 진통제는 금하고 항콜린성 제제 및 항경련제를 투여하여 급성기 복부 경련 및 설사 완화

  - 식이: 저잔여, 저지방 식이를 소량씩 자주 제공하고 수분섭취를 격려

042 ②

② 대상자는 급성 게실염 증상을 보이고 있다.

- 정의

게실	근육막을 통해 장 점막층이 탈장되거나 주머니처럼 돌출되어 나온 상태
게실염	게실에 음식, 대변과 같은 오염물질이 들어가 감염이나 염증을 유발한 상태 ▶ S상 결장에 90% 이상 발생(대변을 직장으로 내보내기 위해 높은 압력 필요)

- 원인

  - 복강내압 증가 ◀ 저섬유식이로 인한 변비, 배변 시 긴장, 비만

  - 장근육의 위축 및 허약 ◀ 노화로 인한 근육량과 콜라겐 소실

  - 팝콘, 씨가 있는 오이 등 소화 어려운 섬유질 음식

- 증상

  - 배변습관 변화 ▶ 설사 및 변비 반복

  - 왼쪽 하복부에 둔한 통증, 게실염 시 쥐어짜는 듯한 통증

  - 미열, 식욕부진, 허약감, 피로, 잠혈, 철결핍성 빈혈

- 합병증: 복막염, 천공, 누공, 장폐색, 농양, 출혈

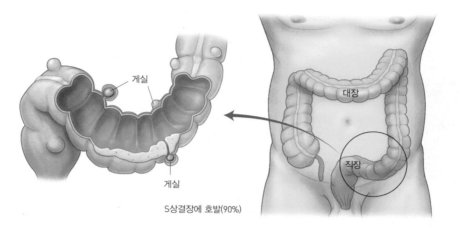

게실

게실

대장

직장

S상결장에 호발(90%)

- 간호중재
  - 급성 게실염: 통증이나 염증이 감소하고 열이 내려갈 때까지 금식, 비위관 삽입, 수액 정맥주입, 바륨검사나 대장경은 천공 위험으로 금기
  - 식이: 급성기 이후 고잔유식이, 고섬유식이(콩 종류, 씨 있는 과일 및 채소는 금지)
  - 복강내압 증가 활동 금지: 몸 굽히기, 무거운 물건 들기, 몸 웅크리기, 기침, 구토 등
  - 매일 8잔 이상 수분 섭취

043 ③

해설 | **A형 간염**

- 감염경로(분변─구강): 위생상태가 불량한 지역에서 감염된 대변, 대변에서 오염된 물이나 음식물의 섭취를 통해 급성 간염이 발생한다.
- 간호
  - 개인위생을 철저히 하고 손 씻기의 중요성을 강화한다.
  - 일회용 식기를 사용하고, 먹다 남은 음식은 버린다.
  - 장갑, 마스크, 가운 등 착용: 대소변, 오염된 바늘, 대상자의 체액·혈액의 접촉 우려 시
  - 린넨은 분리하여 소독한다.
  - Gamma-globulin 주사: 노출 전후

044 ⑤

해설 | **췌장염**

⑤ 만성 췌장염 환자에게는 필수적인 식이보충제로 지방과 단백질 소화 흡수를 돕기 위해 췌장효소를 투여한다. 전분 분해효소인 아밀라아제, 지방 분해효소인 리파아제, 단백질 분해효소인 프로테아제가 포함되어 있다. 효소치료의 효과를 확인하기 위해서는 하루 동안 변보는 횟수와 양상을 기록한다. 효과적이면 변의 횟수가 줄고, 변 속에 함유된 지방이 적어진다.

- 특징: 급성 췌장염인 경우 췌장의 구조나 기능이 완전히 회복될 것을 기대할 수 있으나, 만성 췌장염은 췌장의 구조와 기능이 영구적으로 손상됨
- 원인: 과도한 알코올 섭취, 외상, 담석에 의한 췌장관 폐쇄
- 병태생리: 췌장의 소화효소가 췌장주위 내 유리 → 췌장 주변조직 파괴 → 부종, 충혈 ▶ 감염, 출혈, 농의 형성, 췌장의 괴사

- 증상

복통	• 지속적인 중앙 상복부(배꼽 주위) 압통이 허리, 등으로 방사됨 ▶ 똑바로 누우면 더 심해지고 상체를 구부리거나 무릎을 굽히면 호전됨 • 갑작스런 찌르는 듯한 극심한 통증
소화기계 증상	오심, 구토, 식욕부진, 체중감소, 지방변, 흡수장애
호흡부전	청색증 or 호흡곤란 동반 가능 ◀ 늑막삼출
출혈성 췌장염	• Turner's sign: 옆구리 피하 출혈 ▶ 푸르게 변함 • Cullen's sign: 배꼽주위 피하 점성출혈 ▶ 푸르게 변함
저혈량증	미열, 빈맥, 저혈압, 쇼크
황달	담석관련 췌장염: 췌장 두부 부종이 총담관을 압박하면서 발생함

- 진단
  - 혈청 아밀라아제 상승: 24시간 이내 최고치 도달 → 48~72시간 이내 정상치로 감소
  - 혈청 리파아제 상승
  - 혈액검사: WBC 증가, 고혈당, 고지혈증, 저칼슘혈증, 고빌리루빈혈증
  - 복부초음파나 복부CT검사
- 치료
  - 통증의 조절(진통제): morphine은 oddi 괄약근 수축으로 인한 췌장파열 위험으로 금지함
  - 췌장의 소화효소 분비 억제: 안정 및 금식, 제산제·항콜린성 제제 투여, 비위관 흡인 등
  - 감염과 쇼크의 예방
  - 만성 췌장염일 경우 특별한 식이요법과 소화제 복용, 그리고 금주가 중요함

045 ②

해설 | 황달

심한 황달 문제는 일반적으로 간담도계의 질환을 의미하는 임상증상으로, 간기능 정상지표를 확인해야 한다.

- 알부민: 3.3~5.6g m/100mL
- 빌리루빈: 0~0.5 mg/100mL
- AST: 5~40 U/mL
- ALT: 5~40 U/mL
- A/G ratio: 1.5~2.5/L

046 ⑤

해설 | 경피적 간담관조영술(PTC)

- 시행목적: 담도계 폐색, 간질환으로 인한 현저한 황달, 담도계와 관련된 암 진단
- 검사방법: 가는 천자 침을 이용, 경피적으로 간을 천자하여 담관에 삽입하고 조영제를 직접 담도를 통해 주입하여 담낭, 담도의 영상을 얻는다.
- 검사 전 간호
  - 시행 전 12시간 금식

- 응고지연이나 요오드 알레르기 유무 사정

- 충분히 안정시킨 후 X선 테이블에 눕게 함

- 검사 후 간호

- 주사부위 출혈 사정

- 처방된 항생제 사용

─ comment ─

구강으로 조영제를 투여하는 담도조영술과 달리, PTC는 우측 옆구리를 통해 담도로 직접 조영제를 주입하므로 요오드 알레르기를 반드시 확인해야 한다.

---

047 ⑤

해설 │ 식도풍선술(S−B tube) 시행한 환자 간호

- 심호흡 및 기침 금지: 식도풍선이 기도로 빠져 질식 위험이 있다.

- 얼음주머니 금지: 장시간의 혈관 수축으로 식도괴사가 초래될 수 있다.

- 기도폐쇄 증상 발생(삽입 환자의 맥박, 호흡수 상승): 즉시 튜브를 잘라 풍선의 공기를 뺀 다음 의사에게 보고해야 한다. 이를 위해 침상에 가위를 준비해둬야 한다.

오답 ④ 흡인의 위험이 있으므로 가글은 금지한다.

▶ S−B tube 구조: 3개의 내관, 2개의 풍선

048 ①

해설 │ 방사선요법 간호

- 치료 후에 일반적으로 1~2일 안정을 취함(절대안정을 요하지는 않음)

- 필요시 진토제, 진통제를 투여함

- 피부간호

- 치료기간 중에는 목욕을 하지 않는 것이 정밀한 치료에 도움이 됨

ⓐ 치료 부위는 물로만 닦으며, 비누와 뜨거운 물은 사용 금지함

ⓑ 치료 부위를 공기에 노출시키고 건조하게 유지함

ⓒ 물기를 말릴 때는 피부를 가볍게 두드리며, 문지르지 않음

- 비처방 연고나 파우더, 로션 등 사용을 금지함

– 직접적인 태양 광선, 실내수영장, 더운 물주머니, 전기 패드, 찬 것 or 바람에의 노출 등은 피함

– 피부에 표시된 내용 지워지지 않도록 주의함

– 피부에 자극을 주거나 마찰을 일으키는 의복을 피함

– 전기면도기 이용: 면도 후 스킨 · 로션은 바르지 않음

049 ⑤

해설 | 요로전환술

- 정의: 소변의 정상적인 흐름을 인위적으로 변경하며, 소변배출구와 피부개구부가 필요함

- 유형: 위치는 가능하면 폐색부위 바로 상부에서 시행하는 것이 이상적임. 상부 요로의 경우, 신루조성술(nephrostomy)이, 방광 아래의 경우에는 방광루조성술(cystostomy)이 흔히 시행됨

- 수술관련 간호

수술 전	수술 후
• 장 준비(수일 전부터): 저잔유식이, neomycin 투여(장내세균 멸균), 하제와 관장 • 인공루 설치부위 선택: 제와부, 늑골경계, 치골, 장골능은 피하고, 주로 좌우 하복부에 설치함(◀ 의복으로 인한 압력 피하기 위해)	• 신장기능 사정: I/O, BUN, Cr, 전해질균형 • 수술 부위 관찰 　– 절개부위 안전 + 드레싱 젖으면 즉시 교환 　– 청색증: 혈액공급 부전, 괴저 위험 ▶ 응급처치 　– 삽입된 도뇨관의 개방성과 배설량 감시 　　: 처음 24시간 동안은 매 시간 소변량 측정하고, 이후에는 8시간마다 측정함 • 위장관계 합병증 예방: 장음 없으면 구강섭취 금지하고, 장폐색 예방 위해 비위장관을 설치함 • 감염 주의: 복막염 위험

- 인공루 관리: 환자가 인공루를 자신의 몸의 일부로 인식 · 수용하게 하는 것이 가장 중요함

▶ 장루 관리 간호

파우치의 종류

상황에 맞추어 적절히 사용하도록

원피스형　　투피스형

소변 상태를 체크

· 소변 색깔은?
· 혼탁하지 않은가?

파우치 교환시기

소변이 1/3정도 차면
파우치를 비움

파우치의 교환시기는 며칠~1주 정도
이지만, 면판의 용해 정도 등에 따라서
개인차가 있으므로, 개개인에 대한
고려가 필요하며, 소변이 찼을 때
파우치 아래 쪽의 후크를 열고
소변을 비움(하루 여러 차례)

오답 ①, ② 개구부 주위 피부는 매일 씻고 드레싱하지 않음

③ 배뇨주머니는 매 4~5일, 또는 소변이 샐 때마다 교환

④ 피부주위에 마사지나 온찜질 적용 시 피부가 더 악화될 수 있음

050 ②

② 혼탁한 투석액은 복강 내 감염이 있다는 것을 나타낸다. 그 외 증상으로는 고열, 복통, 장음증가 등이 있다. 복막염은 복막투석의 가장 심각한 합병증이다.

- 투석의 원리

확산	노폐물이 맑은 투석액으로 확산됨 ▶ 노폐물 제거
삼투	투석액이 들어가면 삼투압이 발생함 → 혈액 속의 수분을 끌어 당겨 투석액으로 이동함 ▶ 수분 제거

- 복막투석: 고장액을 복막강으로 순환시켜 노폐물과 수분을 제거함

장점	• 환자가 손으로 쉽게 조작 가능함 • 저혈압과 수분전해질 불균형이 드묾 • 고단백식이를 권장하나, 식이 제한이 비교적 적음 • 혈액역동학적으로 불안할 때 적용 가능함
단점	• 치료시간 긴 편: 10∼14시간 *cf* CAPD의 경우 1회 교환시간이 30분 정도로 시간적 제약을 덜 받음 • 복막염의 위험성, 호흡 방해, 단백 소실

합병증	• 복막염
	  – 초기 증상: 혼탁하거나 불투명한 삼출액
	  – 유출액 배양검사, 민감도 검사
	• 탈장, 천공(카테터 관련), 복통, 저혈압, 저알부민혈증, 호흡곤란

간호	• 투석 전 · 중 · 후 체중 및 활력징후를 관찰함 • 투석 중 항응고제의 영향과 혈액응고 상태 주의 깊게 관찰함 • 감염 예방: 공기환기, 철저한 손씻기, 마스크 · 멸균장갑 착용, 카테터 소독, 통목욕 금지 등 • 횡격막에 압력 가해짐 → 호흡곤란: 기침, 심호흡, 반좌위를 격려함

cf 혈액투석 vs 복막투석

	혈액투석	복막투석
투석장소	의료시설	자택, 직장
통원	일반적으로 주 3회	일반적으로 한달에 1∼2회
투석효율	소분자 제거효율이 뛰어남	중분자 제거효율이 뛰어남
잔존 신장기능의 유지	나쁨	좋음
식사 제한	엄격함	혈액투석에 비해 단백질, K^+ 제한은 완화됨
혈액량 · 용질 농도	간헐적으로 크게 변동	거의 불변
금기증	심혈관 및 순환기계 기능이 나쁜 환자	광범위한 복부수술력이 있는 환자
대표적 합병증	불균형증후군	복막염

051 ⑤

- 가장 많이 적용하는 신장 생검 방식이다.

- 금기증

  – 비협조적 or 무의식 상태: 생검이 흡기 시에 이루어지므로 협조가 필수적임

  – 한쪽 신장만 있는 경우

  – 패혈증, 심한 고혈압, 응고장애

- 검사 시 간호

검사 전	• 6~8시간 금식 • 단단한 베개나 모래주머니를 배부분 밑에 대주어 복위를 취하기 • 피부를 철저히 소독하고 소독포 씌운 후 국소마취 시행함
검사 후	• 24시간 침상안정: 첫 4시간 동안 편평한 앙와위 상태로, 기침은 금기임 • 합병증: 출혈, 옆구리와 복부 통증, 기흉, 감염, 외상 ▶ 출혈징후 사정 • 멸균 압박드레싱: 모래주머니 사용 • 수분섭취 2,500~3,000 ml 권장, 소변색·배설량 관찰 • 2주 동안 복압상승 행동 금지: 힘든 운동, 무거운 물건 들기 등

052 ③

해설 │ **망막박리**

- 증상: 무통, 섬광, 부유물 보임, 시야결손(커튼을 드리운 것 같음)

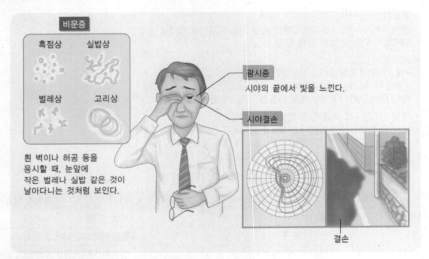

- 치료: 공막돌륭술, 투열요법, 냉동요법, 광응고술, circling 방법

- 간호

수술 전	• 손상 진행 방지 위해 양쪽 눈에 안대를 대어줌 • 눈의 긴장 최소화: 배변완화제, 정온제·진정제 투여 등 • 처방된 약물 점안: 산동제, 모양체근 마비제
수술 후	• 패드, 플라스틱 안대로 압박 드레싱 • 얼굴을 아래로 하는 체위 금지, 수술하지 않은 쪽으로 돌려 누움 • 약물 투여: 진통제, 모양체근 마비제, 항염제, 진토제, 진정제 • 습포 적용: 냉습포는 염증 완화에, 온습포는 이완·진정에 효과가 있음

퇴원 후	• 2~3주간 근거리 시력 요하는 작업을 제한함
	• 합병증 ▶ 의사에게 보고해야 함
	    – 맥락막 출혈: 눈 심부의 급성 통증, 활력징후의 변화
	    – 급성통증, 분비물 증가, 황록색 분비물 등
	• 눈에 이물질 들어가면 자연스럽게 눈물 흐르도록 하여 세척함(비비지 않음)

053 ②

해설 | 신장외상

- 증상: 겉 피부에는 상처가 없어도 신장에 충격이 미쳐서 파열될 때도 있으며, 이때 측복부의 격통과 함께 혈뇨가 나타나므로 곧 알수 있다.
- 치료
  - 경증: 안정을 취하며 습포를 적용한다.
  - 중등증 이상: 파열된 부분을 봉합하거나, 신장을 적출해야 할 경우도 있다.

— **comment** —

Valsalva 수기는 성문을 닫고 강제호기를 하는 것이다. 흉강내압이 증가하여 심장으로 돌아가는 정맥유입이 방해된다.

054 ④

해설 | 양성전립선비대증(BPH)

- 정의: 전립선 조직에 양성 신생물 증가 → 요로폐색 ▶ 신장손상 및 신부전
- 원인: 50대에서 호발
- 증상
  - 전립선의 비대와 결절조직 증가
  - 요로폐색: 빈뇨, 긴박뇨, 배뇨시작 지연, 배뇨 후 방울방울 떨어짐, 야뇨증, 잔뇨감 등
- 검사
  - 직장수지검사(일차적), 혈액검사, 소변검사, 신기능검사, 전립선특이항원검사(PSA)
  - 요류 및 잔뇨량 측정법, 방광경 검사, 경직장 초음파검사 등
- 경요도전립선절제술(가장 흔히 시행): 절개하지 않고 요도 통해 절제경 삽입 후 고주파전류로 전립선 조직을 제거하고, 유치도뇨관 삽입하여 24시간 동안 지속적으로 세척한다. 기출 18, 19

055 ③

해설 | 제3뇌신경(동안신경)

- 기능: 안구운동(동공수축, 안검거상)
- 검사방법
  - 대광반사에 양측 눈이 반응하는지 관찰
  - 외안근 협응능력: 6개의 방향을 응시해 보도록 하여 확인
  - 안검하수증, 안구진탕 유무: 눈 깜박거려 안검의 개폐 사정

cf 뇌신경 종류 및 기능

뇌신경		기능
제1뇌신경	후각신경	감각 냄새
제2뇌신경	시신경	감각 시각

제3뇌신경	동안신경	운동 안구운동		동공수축, 안검거상
제4뇌신경	활차신경			안구내측 하부
제6뇌신경	외전신경			안구외측 편위
제5뇌신경	삼차신경	감각 안면감각, 각막반사 운동 저작기능(측두근, 저작근)		
제7뇌신경	안면신경	감각 혀의 전면 2/3의 미각, 타액 분비 운동 안면근육 운동		
제8뇌신경	청신경	감각 청각, 평형감각(신체평형)		
제9뇌신경	설인신경	감각 인두와 혀의 후면 1/3의 미각 운동 구개반사 조절, 연하작용, 혀의 움직임		
제10뇌신경	미주신경	감각 미각 운동 구개, 인두, 후두, 많은 자율신경계 기능조절 ▶ 부교감 신경		
제11뇌신경	부신경	운동 흉쇄유돌근과 승모근 운동 조절		
제12뇌신경	설하신경	운동 혀의 운동		

056 ⑤

해설 | **요추간판탈출증**

수술 후에는 배변 시를 제외하고 앉는 것을 금지하고, 윌리엄 체위를 취하게 한다. 주 2~3회, 20~30분 정도 걷기를 시작하고 서서히 활동량을 늘린다.

057 ②

해설 | **Digitalis (Digoxin)**

· 작용: 심근수축 강화(강심제)

· Digitalis 중독 증상

심혈관계	부정맥, 서맥, 빈맥, 심첨요골맥박 결손
위장관계	식욕부진, 오심 · 구토, 설사, 복통
시각	시야 흐림, 시야가 노랗게 보임, 어두운 물체 주변에 후광이 보임
중추신경계	피로, 졸림

· 간호

－ 투여 전 1분 동안 심첨맥박 측정: 빠르거나 or 60회/min 이하이면 의사에게 보고함

－ 혈중 K^+ 수치 측정

ⓐ 저칼륨혈증: digitalis의 중독 증상 악화시킴 ▶ Digitalis 투여 시 K⁺ 보충 필요함

ⓑ 울혈성 심부전: 치료를 위한 대부분의 이뇨제는 염분, 수분, 칼륨 상실 유발함

　▶ 칼륨보유 이뇨제 사용, 이뇨제와 칼륨제제는 다른 시각에 투약해야 함

ⓒ 고칼륨혈증: digitalis의 작용을 억제하여 치료적 용량에 도달 못하게 함

058 ③

해설 | 응급간호(쇼크)

• 증상

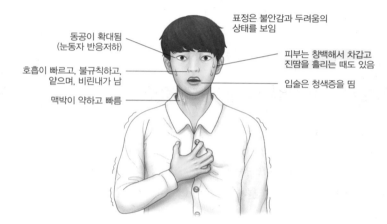

- 표정은 불안감과 두려움의 상태를 보임
- 동공이 확대됨 (눈동자 반응저하)
- 피부는 창백해서 차갑고 진땀을 흘리는 때도 있음
- 호흡이 빠르고, 불규칙하고, 얕으며, 비린내가 남
- 입술은 청색증을 띔
- 맥박이 약하고 빠름

• 쇼크 시 의식변화: 불안, 공포, 혼돈, 어지러움, 실신, 현기증 → 혼수(뇌의 혈류량 부족) → 뇌세포의 산소결핍 ▶ 뇌조직 괴사

• 사정 및 간호

－ ABC: Airway (기도), Breathing (호흡), Circulation (순환), 사정 → 기도유지, 산소공급, IV line 유지, 지속적 활력징후 모니터 순으로 중재

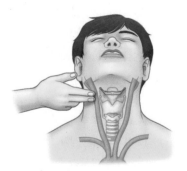

A. airway (기도 확보: head tilt–chin lift)　　　B. Breathing (호흡 확인)　　　C. circulation (순환 확인: 경동맥 감지)

- 기왕력, 의식수준, 지남력(사람, 장소, 시간)

- 활력징후: 호흡(빈호흡), 맥박(빈맥), 혈압(저혈압), 체온

- 피부: 발한, 청색증 or 창백 여부, 피부점막

- 경정맥: 팽대 여부

059 ①

해설 | **두개수술 후 간호**

① 두개수술 후 수술 부위로 눕게 되면 수술 부위의 압력이 증가하여 출혈이 나타날 수 있으므로 수술 부위 반대편으로 눕는다.

- 간호

환자관찰	• 신경학적 상태: 지남력, 명료성, 동공 수준을 파악함 • 운동능력: 간호사의 손을 꼭 잡아보게 함
두개내압 조절	• 침상머리 30° 상승 → 정맥순환 증진 → 울혈예방 → 두개내압 하강 • 기침과 구토를 예방하고, 필요시에만 흡인함 • 뇌의 대사성 요구 경감: 두뇌활동 최소화, 체온 유지, 경련 예방
호흡유지	기도유지, 측위
전해질균형 유지	가능한 빨리 경구 식이를 제공함
안전보호	
안위증진	• 비마약성 진통제 사용: 마약은 증상 가리므로 사용을 제한함 • 두통 시 얼음주머니를 사용함

POWER 특강

두개내압 상승(IICP) 기출 17, 18, 21

- **정의: 두개내압이 20 mmHg 이상** 참고 **정상 범위는 5~15 mmHg**
- **원인: 두부손상, 뇌졸중, 뇌종양, 뇌수종, 뇌부종 및 이로 인한 뇌탈출, 대사장애, 중추신경계 감염 등**
- **증상: 의식수준 변화(◀ 뇌간 연수의 압력 증가), 활력징후 변화(Cushing traid; 맥압 증가, 서맥, 불규칙한 호흡), 동공반사 변화(동공 무반응 → 유두부종 → 양측 동공 확대), 두통, 투사성 구토**

060 ①

해설 | **척수손상 ▶ 자율신경 증후군**

- 척수쇼크
  - 정의: 손상 부위 이하에서 척수기능인 운동 · 지각 및 반사기능이 일시적으로 완전히 소실된 상태로, 일반적으로 7~10일간 지속됨
  - 증상: 체온조절능력 상실, 저혈압, 서맥, 이완성 마비, 마비성 장폐색
- 자율신경 반사부전 기출 19, 21
  - 원인: 방광과 장 팽만과 같은 유해한 자극으로 증상이 발현함
  - 정의: 척수쇼크 종료 후, T_6 이상의 손상으로 대뇌에서 교감신경계 통제 불능 상태가 됨
  - 증상: 급속히 나타나는 심한 고혈압, 서맥, 피부홍조감, 율동적 박동성, 심한 두통, 코막힘, 비충혈, 과도한 발한, 오심, 흐린 시야, 복시, 척수손상 하부의 냉감, 창백함, 소름끼침

- 간호(응급)

  – 혈압저하 유도: high Fowler's position, 주기적 혈압측정, 처방된 항고혈압제 투여

  – 너무 찬 기온이거나 외부에 노출되지 않도록 함

  – 도뇨관이 막혔거나 꼬였는지 확인, 방광팽만 시 도뇨관 삽입함

  – 분변매복을 즉시 제거함

POWER 특강

cf 척수손상 위치별 근육기능 비교

손상부위	운동기능 상태	특징
C_{1-4}	사지마비 ▶ 경부 이하 운동기능 상실	호흡기능 장애 ▶ 기관절개 및 인공호흡 필요
C_5	사지마비, 어깨 이하 기능 상실	방광, 장 조절 불가능
C_6	사지마비, 어깨와 상완 이하 상실	방광, 장 조절 불가능
C_{6-8}	사지마비, 전완과 손 운동조절 상실	**방광, 장 조절 불가능**
T_{1-6}	하지마비, **가슴중앙 이하 기능 상실**	• 어깨, 가슴, 상부, 팔, 손 정상 • 방광, 장 조절 불가능
T_{7-14}	하지마비 ▶ 허리 이하 운동기능 상실	• 어깨, 가슴, 상부, 팔, 손 정상 • 방광, 장 조절 불가, 호흡기능 완전
L_{1-3}	하지마비, 골반기능 상실	**방광, 장 조절 불가능**
L_{3-4}	하지마비, 다리 하부, 발목, 발 기능 상실	

061 ②

해설 | **갑상샘 기능저하증**

- 원인(원발성)

  – 크레틴병(선천적 갑상샘호르몬 부족), 요오드 결핍(출산 전·후), 갑상샘자극호르몬(TSH) 증가

  – 항갑상샘 약물, 갑상샘 기능항진증에 대한 수술 및 방사선 치료 후

- 증상

전신	기초대사율 감소, 저체온, 감염에의 취약성 증가
피부	점액수종: 진피 내에 점액이 쌓여 피부가 붓고 단단해짐(특히 눈썹 주위와 손)
심혈관계	• 혈압 상승, 맥박 감소, 관상동맥질환 증가(지질대사 감소 중성지방 및 콜레스테롤 증가), 심낭 삼출액 • 저나트륨혈증
소화기계	식욕감퇴, 변비, 저알부민혈증
비뇨생식기계	성욕감퇴, 발기부전, 불임, 월경과다
신경·근골격계	• 무감동, 기면, 졸림, 감각이상 • 근육 통증 및 강직,
조혈기계	빈혈, 혈액응고 이상

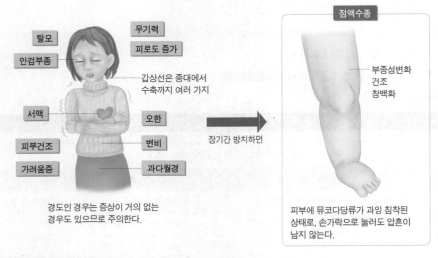

	무기력
탈모	피로도 증가
안검부종	

점액수종

갑상선은 종대에서
수축까지 여러 가지

부종성변화
건조
창백화

서맥

오한

피부건조

변비

가려움증

과다월경

장기간 방치하면

경도인 경우는 증상이 거의 없는
경우도 있으므로 주의한다.

피부에 뮤코다당류가 과잉 침착된
상태로, 손가락으로 눌러도 압흔이
남지 않는다.

- 약물치료: 갑상샘호르몬 levothyroxine (Synthyroid)
  - 소량으로 시작하여 점차 양을 늘려 유지, 효과까지 6주 소요됨
  - 호르몬 최대 흡수를 위해 이른 아침 공복(적어도 아침 식사 30분 전)에 복용함

POWER 특강

점액수종 혼수

- **정의:** 갑상샘 기능저하증의 가장 심각한 형태로, 내과적 응급상태로 즉시 치료 요함
- **치료 및 간호**
  - 기도 유지, 의식 확인, 활력징후 수시 관찰
  - Levothyroxine sodium: 포도당, corticosteroid와 함께 정맥투여
  - 조직관류 유지 위해 혈관수축제 사용
  - 저체온: 담요로 덮어서 보온, 단 과도 보온은 혈관허탈 유발하므로 주의함
  - 저혈당: 50% 포도당 투여

062 ④

해설 | **재활간호**

- 정의: 심신 장애인이 자신의 신체적, 심리적, 정신적, 사회적, 경제적 측면에서 가능한 최상의 상태에 도달할 수 있도록 간호사가 도와주는 역동적이고 능동적인 효율적 활동과정
- 목표: 장애의 완전한 치료가 아니라 대상자가 자신의 기능을 최대한 활성화하는 것임
  - 스스로 목표 및 목적을 세우도록 함
  - 만족할 만한 삶의 질을 유지하고 달성함
  - 변화된 삶의 형태에 환자와 가족이 적응하도록 함
    - ⓐ 재활 시작 단계부터 가족을 과정에 포함시킴
    - ⓑ 신체상의 변화와 서서히 회복됨을 인식하도록 함
    - ⓒ 사회기술 훈련을 제공함
  - 대상자는 구체적인 욕구를 표출함: 성과 관련된 불안감 상담 등

063 ⑤

해설 | **쿠싱증후군(당류코르티코이드 과잉)**

- 원인: 부신피질의 과잉증식으로 인한 당류코르티코이드(glucocorticoid)의 과잉분비
- 증상

  – 단백질 대사장애: 가느다란 팔 · 다리, 만월형 얼굴, 물소혹, 골다공증, 붉은 피부선, 골다공증, 상처치유 지연, 감염 취약

  – 수분, 나트륨 정체: 부종, 체중증가, 고혈압

  – 탄수화물 대사장애: 고혈당, 당뇨병

  – 정서적 변화: 불안, 우울, 집중력 · 기억력 저하, 수면장애, 전신피로

▶ 쿠싱증후군의 전형적 증상

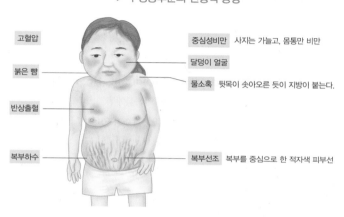

고혈압

붉은 뺨

반상출혈

복부하수

중심성비만 사지는 가늘고, 몸통만 비만

달덩이 얼굴

물소혹 뒷목이 솟아오른 듯이 지방이 붙는다.

복부선조 복부를 중심으로 한 적자색 피부선

- 간호 중재

  – 낙상 · 골절 예방

  – 고혈압 징후 확인: 두통, 시력장애, 기립성 저혈압

  – 감염원에의 노출 방지(사람 많은 곳 피함), 철저한 손씻기 등

  – 잦은 체위 변경

  – 출혈 예방 ex 천자 후 충분한 지혈, 부드러운 칫솔과 전기면도기 이용

  – 체중증가 예방: 저칼로리, 저탄수화물, 저염식이

  – 근육소실 및 골다공증 최소화: 고단백, 고칼슘, 비타민 D 풍부한 식이

064 ④

해설 | **갑상선 절제술 대상자 간호중재**

수술 전	수술 후
• 항갑상샘 약물 투여: 갑상샘의 과잉활동 억제 위해 수술 전 2달 가량 투여함 • Lugol 용액 투여: 수술 시 출혈 방지하기 위해 수술 7~10일 전부터 투여함	• 합병증 관찰 　– 회귀후두신경 손상: 쉰 목소리가 4일 이상 지속됨 　– 출혈 및 조직종창: 머리 옆에 작은 베개나 모래주머니로 지지해줌 　– 저칼슘혈증: 초기에는 손발과 입 주변의 저림 및 경련이, 진행 시 Chvostek's sign (안면근육 경련), Trousseau's sign (상완 압박 시 팔 경련)이 나타남 • 환자교육: 완전 절제 시에는 평생 갑상샘 호르몬 대치요법이 필요함

065 ⑤

해설 | **부신절제술 수술 후 간호**

- 출혈성 쇼크 사정: 활력징후, 배뇨량, 신부전 증상
- 부신 위기(응급)
  - 증상: 안절부절 못함, 탈수, 빈맥 → 허약감, 저혈압, 발열, 구토 → 쇼크
  - 치료: 코르티코스테로이드 용량 증가, 수액 공급, 전해질 투여
- 침상안정: 수술 후 2~3일간
- 체위성 저혈압 예방: 탄력붕대 or 탄력스타킹 적용
- 코티솔 투여
  - 일측 절제 시: 남은 부신이 충분한 호르몬을 분비할 때까지 투여
  - 양측 절제 시: 평생 호르몬 대체요법 필요

066 ④

해설 | **고혈당성 고삼투성 증후군(hyperglycemic hyperosmolar syndrome, HHS)** 기출 20

- 정의: 효율적인 이용 가능한 인슐린 부족 → 고혈당 · 고삼투 상태 ▶ 의식장애
- 원인: 대개 중년, 고령의 제2형 당뇨병 환자에게 심한 고혈당, 고삼투압, 탈수가 있을 때
- 증상
  - 중증의 고혈당, 다뇨, 다음
  - 빈맥, 저혈압, 의식변화(혼돈, 혼수), 발작, 반신마비
  - 심한 탈수: 구강건조, 저혈압, 피부 탄력성 저하
- 치료 및 간호
  - 원인 교정(감염 등)
  - 수액 요법(저장성 또는 등장성 생리식염수), 전해질 균형 유지(혈청 나트륨과 칼륨 수치 부족 시 보충)
  - 인슐린 요법(농도의 속효성 인슐린(RI) 정맥 투여)

--- comment ---

당뇨병성 케톤산증(diabetic ketoacidosis, DKA) 역시 인슐린 부족으로 발생하기는 마찬가지이다. 하지만 DKA에는 산증에 의한 Kussmaul 호흡(과다환기, 아세톤 냄새), 위장장애, 오심 · 구토가 나타나고, HHS에는 이러한 증상이 나타나지 않는다는 차이점이 있다.

067 ②

해설 | **전도성 난청**

- 정의: 소리의 기계적 전달장애로 내이까지 음파가 전달되지 못해 발생함 ▶ 보청기 사용
- 음차 검사

음차 검사	전도성 난청	감각신경성 난청
Weber test	손상 측에서 더 잘 들림	정상 측에서 더 잘 들림
Rinne test	골전도 〉공기전도	공기전도 〉골전도

068 ③

해설 | **Caloric test (온도안진검사)**

- 방법: 외이도에서 체온보다 따뜻한 물 또는 찬물을 주입함 → 내림프의 유동이 생겨 온도안진이 촉발됨

  ▶ 정도에 따라 전정(vestibulum)의 기능을 판단함

- 결과: 정상 시 자극 준 반대쪽 안구에서 안구진탕 나타남, 무반응일 경우 비정상(전정기능 상실)

오답 ①, ②, ④는 청력검사이고, ⑤는 불을 끈 상태에서 빛을 병변에 쏘아 투과가 되는지 확인하는 검사이다.

069 ②

해설 | **당뇨병성 족부병변(당뇨발)**

- 증상: 감각신경 손상, 운동신경 손상(발 모양 변형; 갈퀴발), 자율신경 손상(세균감염에의 취약성 증가, 혈액순환 장애), 말초혈관질환
  (혈액순환 장애)

- 주의 사항

  - 맨발로 걷기, 오랜 시간 같은 자세로 앉거나 다리를 꼬고 앉는 것 피함

  - 피부 경결을 깎아내는 것 피함

  - 꽉 끼는 양말 착용, 무거운 이불 덮기 피함

  - 가열된 깔개나 열 적용 피함

- 간호

  - 순한 비누와 미온수로 씻고 발가락 사이를 잘 건조함

  - 발톱은 직선으로 자르고 군살, 티눈은 가능한 병원에서 제거함

  - 앞부분 막힌 신발을 착용하고, 새 신발은 천천히 길들여 물집 생기지 않도록 함

POWER 특강

당뇨병의 만성 합병증

눈의 망막에 이상이 생기는 망막병증(망막박리, 시력상실), 신장에 이상이 생기는 신장병증, 신경에 이상이 생기는 신경병증(하지 말단 지각 · 운동 신경병증이 가장 흔함) 대표적이다. 이외에도 당뇨병이 있는 사람은 혈관이 좁아지거나 막혀서 심장질환(협심증, 심근경색증 등)이나 뇌혈관 질환(뇌졸중), 말초혈관질환의 위험성이 높다.

---

070 ①

해설 | **편평상피세포암**

고유 편평상피 영역인 피부나 식도 외에 편평상피로 발생되는 기관지나 자궁경부에도 많이 발생한다. 일반적으로 외인성 인자에 의해 발생되는 것이 많고, 흡연으로 폐나 후두에 또는 자외선에 의해 피부에 발생한다.

편평상피(squamous epithelium): 편평한 형태를 나타내는 상피세포로 된 상피		
	형태	**해당부위**
단층편평상피	1층 배열: 편평한 세포가 1층으로 배열됨	• 체강상피: 복막강, 흉막강 등 • 혈관내피 등
중층편평상피	2층 이상 배열: 최표층의 세포는 편평하고, 심부를 향하면서 다각형이 되며, 기저부의 세포는 입방상 내지 원주상임	• 신체의 외표면: 피부의 표피 • 외표면과 접하는 부위의 점막: 구강, 식도, 항문, 질 등

여성건강간호학

071 ④

해설 | **여성건강간호 접근법**

• 여성중심 + 가족중심 + 인간중심 접근

– 생애주기별 총체적 관리

– 가임기 여성뿐만 아니라 신생아, 남편을 포함한 가족 전체의 건강관리에 관심을 가짐

– 여성이 자신의 건강문제를 인식하고 지식을 가지면서 스스로 결정하고 조정하는 능력을 갖게 됨 ▶ 여성주의

– 여성뿐만 아니라 인간의 신체적, 정신적, 사회적, 영적 측면을 모두 이해함 ▶ 인간중심

072 ③

해설 | **자궁인대**

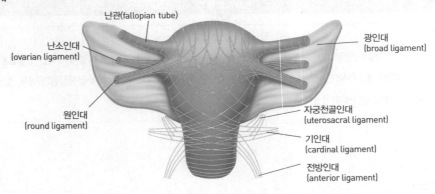

종류	위치 및 형태	기능
기인대	자궁내구 높이에서 양측 질 원개를 지나 골반 양측에 붙어 있음	자궁탈수 방지
광인대	자궁체의 전후 양면과 경부 전체를 모두 덮고 있으며, 얇고 딱딱함	자궁, 난관, 난소를 정상 위치에 있게 함
원인대	자궁 저부에서 대음순까지를 연결함	전경 유지
자궁천골인대	자궁경관 바로 위의 후표면에 붙어 있음	자궁탈수를 방지하고 자궁을 견인시켜 정상 위치에 있게 함

073 ⑤

해설 | **배란기**

- 정의: 월경 14일 전(월경주기 14일)에 LH (황체형성호르몬)에 의해 성숙난포가 파열되어 속에 들어 있던 난자가 배출되는 시기
- 징후
  - 기초체온 변화: 난포기(저온) → 배란기(저온 → 고온) → 황체기(고온)
  - 자궁경관 점액 점성도 변화: 정자 통과가 용이하도록 바뀜
    ⓐ 맑고 양이 많음
    ⓑ 점성도가 저하되고 견사성(탄력 있게 늘어나는 성질)이 7~10 cm로 증가함
    ⓒ 양치엽상(ferning)을 보임
  - 복통(배란통)

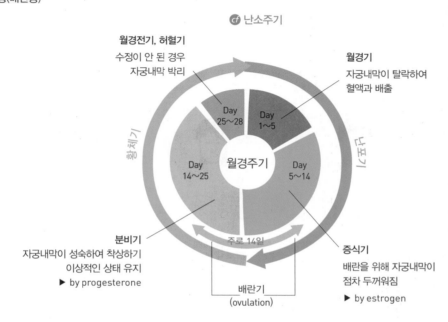

cf 난소주기

월경전기, 허혈기
수정이 안 된 경우
자궁내막 박리

월경기
자궁내막이 탈락하여
혈액과 배출

Day 25~28

Day 1~5

Day 14~25

월경주기

Day 5~14

황체기

난포기

분비기
자궁내막이 성숙하여 착상하기
이상적인 상태 유지
▶ by progesterone

주로 14일

배란기
(ovulation)

증식기
배란을 위해 자궁내막이
점차 두꺼워짐
▶ by estrogen

074 ⑤

해설 | **자궁경부암**

- 역학: 국내에서는 가장 흔하여 전체 여성암의 약 9%를 차지한다. 암 발생율은 과거에 비하여 다소 감소하고 있지만 전체 자궁경부암 환자 중 병기 1기인 초기 자궁경부암 환자는 점차 많아지고 있다.
- 병원체: 사람유두종바이러스(HPV), 특히 16번과 18번이 대표적이다. 자궁경부암에서 발견되는 사람유두종바이러스의 약 70%를 차지할 정도이다.
- 진단: 질세포진 검사(Pap smear)은 자궁경부암 조기발견을 위한 가장 효과적인 방법으로, 검사 전 24시간 동안 질세척 및 성교를 금지한다.
- 예방: HPV 백신은 9세 이상 여아에서부터 접종이 가능하며, 25~26세까지 접종 허가를 받은 상태이다. 우리나라의 경우 평균 성경험 시작 연령, 백신 면역원성, 예방접종 비용–효과, 접종 용이성 등을 고려해 만 12세에 접종할 것을 권장하고 있다. 종류에 따라 차이가 있으나 9~13(14)세 연령에서 첫 접종 시 6개월 간격으로 2회 접종을 시행한다.

백신 접종 허가 연령 이후의 여성에서 암 예방 효과는 입증되지 않았다. 하지만 조기에 성생활을 시작하거나 다수의 성적 파트너가 있는 것이 주요 원인으로 작용하므로, 26세 이상이더라도 성생활을 시작하지 않았거나 HPV에 노출기회가 적은 여성의 경우 이론적으로 암 예방 효과를 기대할 수 있다.

075 ⑤

해설 | 유방자가검진

- 검진시기
  - 사춘기 이후: 매달 월경 후 1주일 이내에 시행함
  - 폐경 이후: 날짜를 정해두고 매달 같은 날에 시행하고, 매년 1회 이상 정기검진을 받음
- 검진방법

▶ 유방 자가검진 3단계
평상 시 유방특성을 파악한 후 / 매달 정기적으로 / 유방 전체를 꼼꼼하게 검진합니다.

1단계 거울을 보면서 육안으로 관찰 평상 시 유방의 모양이나 윤곽의 변화를 비교	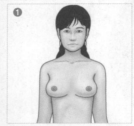 양팔을 편하게 내려놓은 후 양쪽 유방을 관찰한다.	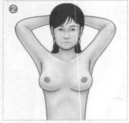 양손을 뒤로 깍지 끼고 팔에 힘을 주면서 앞으로 내민다.	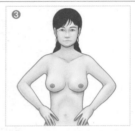 양손을 허리에 짚고 어깨와 팔꿈치를 앞으로 내밀면서 가슴에 힘을 주고 앞으로 숙인다.
2단계 서거나 앉아서 촉진 로션 등을 이용 부드럽게 검진	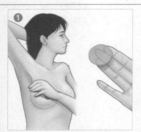 검진하는 유방 쪽 팔을 머리 위로 들어 올리고 반대편 2, 3, 4번째 손가락 첫마디 바닥면을 이용해 검진한다.	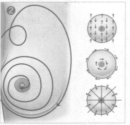 유방주위 바깥쪽 상단부위에서 원을 그려가면서 안쪽으로 반드시 쇄골의 위, 아래 부위와 겨드랑이 밑에서부터 검진한다. 동전크기만큼씩 약간 힘주어 시계 방향으로 3개의 원을 그려가면서 검진한다. 유방 바깥쪽으로 원을 그리고 좀 더 작은 원을 그리는 식으로 한 곳에서 3개의 원을 그린다.	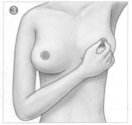 유두 주변까지 작은 원을 그리며 만져 본 후에는 유두의 위·아래와 양옆에서 안쪽으로 짜보아서 비정상적인 분비물이 있는지 확인한다.
3단계 누워서 촉진 2단계를 보완 자세를 바꿈으로써 문제조직 발견	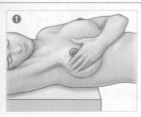	편한 상태로 누워 검사하는 쪽 어깨 밑에 타월을 접어서 받친 후 검사하는 쪽 팔을 위쪽으로 올리고 반대편 손으로 2단계의 방법과 같이 검진한다.	

발췌: 한국유방건강재단

076 ①

해설 | **정액검사(WHO 2010년 기준)**

- 정액량: 1.5 ml 이상
- 정자 수: 15,000,000개/ml 이상
- 정상 형태 정자의 비율: 4%
- 운동성 정자의 비율: 40% 이상

077 ④

해설 | **태아 폐성숙**

- 양수천자(침습적)
  - 검사시기: 일반적으로 임신 15~18주경
  - 검사내용: 폐성숙도, 크레아티닌, 빌리루빈, AFP (α-fetoprotein)
  - 합병증: 출혈, 감염, 유산, 조산, 양수누출, 태아사망, 양수색전증 등
- 위험요인: 임신성 당뇨 → 태아 고인슐린혈증 ▶ 태아 폐성숙 장애(호흡곤란)
- 정상 폐성숙 시: 임신 35주경 계면활성 물질인 Lecithin이 많은 양 분비되어 태아의 폐 성숙을 촉진시킨다. 일반적으로 L/S (Lecithin/Sphingomyelin) 비율이 2:1 이상일 경우 폐성숙을 의미하며 출생 후 생존이 가능하다.
- 비정상 폐성숙 시: 조산 위험 산부에게 스테로이드 제제(Betamethasone or Dexamethasone) 투여: 기도내막 세포에서 계면활성 물질의 생성이 촉진되어, 신생아가 출산한 뒤에는 정상적인 호흡을 하는 데 도움이 된다.

078 ⑤

해설 | **임신에 따른 소화기계 변화**

- 프로게스테론 증가: 자궁압력 증가와 프로게스테론의 상승 → 평활근 이완 ▶ 가슴앓이(위 · 장의 운동성과 탄력성 및 식도의 탄력성 저하 → 분문괄약근 이완 → 위내용물 식도하부로 역류), 변비, 치질
- hCG (융모성선자극호르몬) 증가 ▶ 입덧
  - 임신 4~6주에 발생하여 12주경에 사라짐
  - 오심 · 구토 완화 위해 아침에 일어나기 전에 마른 식빵이나 크래커 섭취

POWER 특강

임신오조증

- **증상: 탈수, 기아, 저혈압, 빈맥 등**
  - **금식: 탄수화물 부족 → 지방 연소 ▶ 혈액 및 소변내 아세톤 증가, 산증**
- **원인: hCG 증가(▶ 에스트로겐 상승), 심리적 요인, 내분비불균형, Vit. B 결핍 등**
- **간호: 체중감소 예방, 수액 주입 및 전해질불균형(탈수) 교정**
- **주의점: 일부 구토를 없애는 약은 기형을 유발할 수도 있으므로 되도록 약물치료는 삼감**

079 ②

해설 | 태반호르몬

- 모체의 혈액, 소변 통해 배출(수정 후 8~10일) ▶ hCG 유무로 임신 여부를 확인함
  - 최종월경주기(LMP) 3주(착상 직후): 모체 혈청에서 검출됨
  - LMP 5주: 소변에서 검출 ▶ 진단적으로 가치 높음
- 임신 2~3개월에 배설 최고조에 이름 ▶ 입덧 유발
- 임신 초 황체기능 자극 ▶ 에스트로겐, 프로게스테론 분비(임신 유지)

오답 ① 혈청 알파태아단백(α-fetoprotein, AFP)은 신경관 결손(무뇌아, 이분척추) 등 기형아 위험 확인과 태아의 안녕상태 평가에 활용됨

⑤ 태반락토젠(HPL)은 성장호르몬으로서 모체의 신진대사를 촉진(혈당↑, 단백질 합성↑)시키고, 태아성장에 필요한 영양을 공급함. 균형이 깨질 경우 임신성 당뇨 유발의 위험이 있음

080 ⑤

해설 | 당부하 검사(OGTT)

- 50 g 경구 당부하 검사: 임신성 당뇨를 진단하기 위한 선별검사
  - 아무 때나 글루코스 섭취 후 1시간 지나 혈당을 측정한다.
  - 혈중 포도당 농도 ≥ 130~140 mg/dL는 이상 소견이므로 확진검사를 시행한다.
- 100 g 경구 당부하 검사로: 임신성 당뇨를 진단하기 위한 확진검사
  - 8시간 금식 후, 공복 시 혈당을 측정하고 100 g(or 75 g)의 글루코스를 섭취한 후 1, 2, 3시간 혈당을 측정한다.
  - 아래 기준을 2가지 이상 만족하면 임신성 당뇨병으로 진단한다.

공복 혈중 포도당	≥ 95 mg/dL
1시간 혈중 포도당	≥ 180 mg/dL
2시간 혈중 포도당	≥ 155 mg/dL
3시간 혈중 포도당	≥ 140 mg/dL

081 ⑤

해설 | Rho (D) 면역글로불린

(1) 출산, 유산, 임신 중절, 복부손상, 자궁외임신, 양수천자 등으로 Rh모체가 Rh (+) 태아의 혈액에 대해 감작되어 Rh (+) 항체를 형성하는 것을 억제시킨다.

(2) 효과: 태아와 모체 간 혈액 이동된 외부 단백질에 대한 항체가 산모에게서 형성되어 태아의 적혈구를 용혈시키는 작용을 막아준다.

(3) 투여
  - Rh+ 항체가 생성되기 전 주사
  - 임신 28주 이전 주사

082 ②

해설 | **임신이 당뇨병에 미치는 영향**

- 부한 포도당 제공하며 임부에게 인슐린 요구량 증가시킴

- 임신이 인슐린 요구량에 미치는 영향

임신 초~13주(임신 1기)	인슐린 요구량 ↓	
임신 14~20주(임신 2기)	인슐린 요구량 ↑	태반호르몬의 항인슐린 성질 때문에 인슐린 요구량 증가 시작
임신 21~36주	인슐린 요구량 ↑↑	태반호르몬의 증가로 요구량이 현저히 증가(2~4배까지)
임신 37~40주(임신 3기)	인슐린 요구량 ↓	
산욕기	인슐린 요구량 ↓↓	태반호르몬 감소로 요구량이 현저히 감소

083 ⑤

해설 | **자간전증**

- 주요증상: 고혈압, 체중 증가, 단백뇨

- 중증 자간전증: 6시간 간격으로 최소 두 번 이상 측정한 혈압이 160/110 mmHg 이상, 최소 4시간 간격으로 두 번 이상한 소변검사에서 3^+ 이상인 경우

간호중재

- 안정을 취한다.

- 고단백식이 제공, 적당량의 염분 제공

- $MgSO_4$의 독성반응이므로 주의하여 사정한다.

- 중화제로 사용할 수 있는 것은 Calcium gluconate를 준비한다.

- Methergine은 자궁수축제로 혈압 상승을 유발하므로 투여 금지하고, Oxytocin으로 대처한다.

084 ②

해설 | **프로스타글란딘(PG)**

- 분만관련 이론: 자궁의 탈락막, 제대, 양막에서 생성 → 분만단계에서 자궁수축 유발(자궁수축 전조물)

  ▶ 혈액, 양수내 프로스타글란딘 수치: 분만시작 전 < 분만 중 · 후

- 프로스타글란딘 E_2

  – 적응증: 유도분만보다는 임신중기의 중절이나 자궁내 태아 사망 시 주로 사용

  – 방법: 유도분만 전 프로스타글란딘 E_2 좌약 또는 겔을 질내 삽입

  – 옥시토신 사용은 프로스타글란딘 투여 후 6시간 내지 12시간 후에 시작하는 것이 좋음

085 ①

해설 | **산욕기 생식기계 변화(오로)**

- 산욕기: 통상적으로 분만 후 6주까지

- 오로(자궁내막 및 태반 치유과정의 지표)

  – 적색 오로 → 장액성 오로 → 백색 오로

  – 혈액의 포함 정도에 따라 색이 결정되며, 알칼리성으로 독특한 냄새가 난다.

	적색 오로	장액성 오로	백색 오로
시기	분만 직후~3일	분만 후 4~10일	분만 후 10일~3주
구성	• 혈액성분 • 탈락막, 영양막, 박테리아 등	• 시일 지난 혈액 • 혈청, 백혈구 등	• 다수의 백혈구 • 점액, 혈청, 탈락막, 상피세포, 박테리아
특징	• 특징적인 육류냄새 • 서 있거나 수유, 활동 시 일시적으로 증가함	냄새 없고 양이 감소함	냄새 없고 아주 소량임
비정상	• 큰 응혈이 많음 • 악취 • 패드가 푹 젖음	• 악취 • 패드가 푹 젖음	• 악취 • 지속적 장액성 오로 • 2~3주 이상 갈색 분비물 지속

- 오로로 유추 가능한 합병증

    ⓐ 10분 이내 패드가 흠뻑 젖음 ▶ 출혈과다

    ⓑ 적색오로 지속 ▶ 태반조직이나 양막의 자궁강내 잔류 가능성: 자궁내막염, 골반주위염, 골반봉와직염, 복막염 등

    ⓒ 장액성 · 백색 오로 6주 이상 지속 ▶ 자궁내막염

    ⓓ 3~4주 후 출혈 ▶ 감염 or 태반부착부위 복구부전

    ⓔ 거품이 나고 악취가 있는 오로 ▶ 감염

─ comment ─

탈락막의 경우, 새로운 자궁내막 재생의 근원인 기저층만 남기고 기능층(중간층, 조밀층)은 오로로 배출된다.

---

086 ②

해설 | 산욕기 생식기계 회복

• 자궁저부 높이(HOF)와 자궁무게: 분만 24시간 이후부터 하루에 1 cm 하강하며, 매일 아침 배뇨 후 같은 시간에 자궁 위치를 측정한다.

	자궁저부 높이(HOF)	자궁 무게
분만 직후	**제와 바로 밑**(배꼽 아래 2 cm)	1,000 g(임신 전 10배)
분만 12시간 후(↑)	**제와 바로 위**(배꼽 위 1 cm 수준) ▶ 골반상 근육이 회복되고, 방광과 직장이 충만되어 자궁이 상승하므로	
분만 6일째(점점 하강↓)	치골결합과 제와부 중간	500 g
분만 9~10일 후	**복부에서 촉진할 수 없음 ▶ 자궁이 골반강 속으로 들어감**	
분만 6주 후	퇴축 종결	50~60 g(분만 전 크기)

087 ④

해설 | 심장질환 임부의 출산 시 주의점

• 치료 및 간호 시 초점: 심장의 부담을 최소화해야 함

• 힘을 주어 복압이 상승함 → 내장혈관 울혈이 증가함 → 심장으로의 혈류량이 증가함 ▶ 심장이 받는 부담이 늘어나면서 위험상황 초래될 수 있음

산욕기 심혈관계 변화

심박출량: 임신 중 축적된 수분들이 정맥순환으로 귀환하고, 자궁혈류가 전신순환으로 전환되면서 분만의 형태와 상관없이 산욕기 초기에 최고량이 된다. ▶ 분만 48시간 이내에 심박출량이 최대 증가하여 심장질환 산모에게 위험한 시기이다.

088 ⑤

해설 | 힘주기(분만 2기)

- 불수의적 자궁수축(힘이 주어짐)+산모의 수의적 힘주기
- 방법 및 주의사항
  - 선진부가 회음을 누르기 전에는 억지로 힘을 줘서는 안 된다.
  - 자궁수축 시 3~5회 정도 힘주기를 하거나 힘주기를 하고 싶을 때만 힘을 준다.
  - 분만 중 저절로 힘이 주어질 때는 성문을 연 채로 가볍게 숨을 내쉬면서 천천히 아래쪽으로 힘을 준다.
  - Valsalva maneuver 금지: 분만 시에는 보통 짧은 흉식호흡을 하며, 한 번에 6~7초 이상 힘주기를 지속하지 않도록 한다.
    - ▶ 태아 산소공급 곤란
  - 아두가 발로되면 빠르고 짧게 흉식호흡하고, 만출되려는 순간에는 길게 호흡하면서 힘을 준다. ▶ 회음부 열상 예방

오답 ① 분만진통 완화를 위해 투여하는 비경구적 마약성 진통제이다.
③ 보통 자궁경관무력증 산모에게 분만 시 투여하는 자궁수축제이다.
④ 힘이 주어지지 않을 때 힘을 주면 태아에 산소공급이 곤란해지는 경우가 생길 수 있다.

마약성 진통제[Meperidine (Demerol)]

- 목적: 진통감소+경관이완(▶ 분만진행에 도움이 됨)
- 합병증: 임부의 흡인성 폐렴, 태아의 호흡정지(호흡중추 억제) 위험
- 주의점: 초산부의 경우 경부개대 3~4 cm일 때 투여하도록 하며, 투여 후 1~4시간 내(약물효과 피크)에 분만을 피한다.

089 ⑤

해설 | 태아곤란증(태아가사)

- 정의: 생리적 · 병리적인 태아의 산소부족 → 자궁내에서 태아가 가사상태에 빠짐
- 원인
  - 양소과소증으로 인한 제대압박
  - 태변흡입 증후군: 태아 저산소증 → 태변 방출 ▶ 폐합병증 유발할 수 있어 치명적임, 단 둔위에서 태변 배출되는 것은 정상임
- 증상: 태아 심박동수 및 그 양상의 이상(165/분 이상 or 120/분 이하, W형 서맥 등), 산혈증, 태아 저산소증 수반
- 간호: 좌측위, 산소요법

해설 | 태위

② LOA(좌전방두정위) = 선진부는 후두(O)+선진부가 모체골반의 왼쪽(L)+모체골반의 앞(A)이다. 분만 중 가장 흔한 태향이고, 정상 분만에 가장 용이하다.

- 레오폴드 복부촉진법

1단계	자궁저부 촉진 ▶ 위치, 모양, 크기, 강도, 운동성 파악
2단계	태아의 등과 등 반대편 파악 ▶ 심음청진 부위 확인
3단계	선진부 촉진 ▶ 태위와 태향 결정, 선진부의 함입상태 파악
4단계	골반강을 향해 깊이 하복부를 눌러 아두굴곡, 하강의 정도 파악

- 태위: 태아의 장축(척추)과 모체의 장축(척추)과의 관계
- 태향: 태아 선진부와 모체 골반과의 관계
  - 선진부: 후두골(occiput, O), 턱(mentum, M), 천골(sacrum, S), 견갑골 돌출부(acromion process, A)
  - 모체골반: 오른쪽(Rt) or 왼쪽(Lt), 전방(A) or 후방(P)

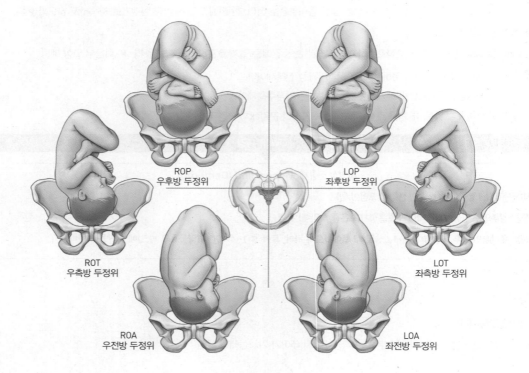

ROP
우후방 두정위

LOP
좌후방 두정위

ROT
우측방 두정위

LOT
좌측방 두정위

ROA
우전방 두정위

LOA
좌전방 두정위

091 ②

해설 | **리토드린(Yutopar)**

- 종류: β₂⁻ 교감신경 자극제로, 자궁수축 억제제이다.
- 적응: 절박유산, 월경전 증후군 등
- 심각한 부작용 ▶ 투여용량 감소 or 정맥주입 중단이 필요하다.
  - 모체: 빈맥, 흉통, 심근허혈, 폐부종, 고혈당, 저혈압, 두통, 변비, 구토 등
  - 태아: 빈맥, 체중감소 등
  - 신생아: 저혈당, 저칼륨혈증, 고빌리루빈혈증 등

---
comment

최근 경구투여는 하지 않는다. 심혈관계 부작용 위험으로 식약청에서 판매중지 및 회수 조치되었다.

---

092 ①

해설 | **태아발달**

② 성 감별은 12주부터 가능
③, ④ 계면활성제는 34주부터 형성되기 시작하며 36주에 L/S 비율이 2:1 이상
⑤ 16주에 솜털 생성 시작, 20주부터 솜털이 온몸을 덮고 태지 형성 시작

- 기타:
  - 태아발달 순서: 신경관 → 심장 → 귀 → 팔 다리, 눈 → 입 → 외 생식기
    4주: 심장발달
    10~12주: 도플러로 태아 심박동 청취가능
    12주: 성 감별 가능
    16주: 소변이 양수로 배출
    16주~18주: 첫 태동으로 모아애착 형성
    32주: 피하지방 빠르게 추적 시작
    36주: 체중 증가 현저
    40주: 태지로 덮여 있고, 솜털은 거의 사라짐, 머리털은 풍성해짐

093 ④

해설 | **저긴장성 자궁기능부전**

정의	불규칙하고 약한 자궁수축(수축의 강도와 빈도가 부족)
원인	분만 1기 활성기
합병증	• 산부의 탈진 및 탈수 • 경관개대, 선진부 하강이 잘 되지 않음 ▶ 분만지연 • 파막 후 분만지연 시 ▶ 자궁내 감염
간호	• 인공파막 ▶ 자궁수축 자극 • 옥시토신 정맥투여 ▶ 자궁수축 활발하게 유도함 • 제왕절개: 협골반, 이상태향, 태아질식 시

094 ⑤

해설 | **위축성(노인성) 질염**

- 갱년기의 특징적 증상
  - 자율신경계 이상: 안면홍조
  - 에스트로겐 결핍: 골다공증 및 위축성(노인성) 질염, 자궁근종 감소
    ⓐ 위축성(노인성) 질염: 질이 건조해지면서 질 점막 얇아지고 질 추벽이 사라질 뿐 아니라, 세균 감염에도 취약해진다. 일반적으로 국소적인 여성호르몬 연고나 질정을 매일 1~2주 정도 적용하면 증세가 좋아진다.

---
comment

비만여성에서는 에스트로겐 분비가 높고, 다음이 무한반복되면서 비만에서 벗어나기 어려워진다. 에스트로겐이 지방연소를 방해함 → 비만이 됨 → 지방조직에서 에스트로겐 합성량이 증가됨 → 에스트로겐이 증가함 → 에스트로겐이 지방연소를 방해함

---

095 ④

해설 | **임부의 예방접종**

- 접종금지: 생균 백신 ▶ MMR [홍역(measle), 볼거리(mumps), 풍진(rubella)], Polio, 황열
- 접종가능
  - 사균 백신: 파상풍, 디프테리아, 콜레라, 결핵, B형간염
  - 면역글로불린 형태 or 톡소이드(toxoid) 형태의 백신, 인플루엔자 예방백신

---
comment

접종 가능한 종류라 해도 가능한 예방접종을 하지 않는 것이 권장된다.

---

096 ⑤

해설 | **제대탈출**

- 정의: 아두만출 전 제대가 선진부 앞으로 밀려나온 것으로, 선진부 하강에 따라 탈출된 제대가 압박을 받게 된다.
  - ▶ 태아태반 관류 방해 or 차단
- 증상(산부는 특별한 증상 느끼지 못함)
  - 질 개대 시 질구로 탯줄이 보이며 질, 경부에서 제대 촉지
  - 태아 심박동 변화: 계속적인 서맥 or 다양성 하강 ▶ 태아질식
- 치료: 가능한 즉시 태아를 분만(제왕절개)하는 것이 좋고, 분만을 준비하는 동안에 제대의 압박을 완화하는 처치(방광 내 생리식염수 주입, 자궁근이완제 투여 등)를 시행함
- 간호
  - 제대탈출 의심 시 가장 먼저 태아심음 사정함
  - 제대에 가해지는 압력 완화: 골반고위(트렌델렌버그 체위, 슬흉위), 좌측위

－ 제대가 외부로 노출된 경우: 제대를 질강으로 밀어넣지 않고, 노출된 제대는 소독된 생리식염수를 적신 거즈로 잘 덮어서 제대
　　건조를 방지함
　－ 유치도뇨관 삽입 등

097 ⑤

해설 | 분만간호

하강감이 나타날 시, 자궁이 수축하면서 힘이 주어질 때에 맞춰 힘을 주면서 길게 호흡하여 분만과정을 촉진하는 것이 중요하다. pelvic
rocking은 산모가 요통 시 실시하는 운동이다.

098 ③

해설 | 태반조기박리

- 주원인: 고혈압(자간전증, 자간증이 발생 원인의 50% 이상)
- 증상: 복부 통증, 자궁긴장도 증가, 요량 감소(무뇨) 등이 특징적이다.

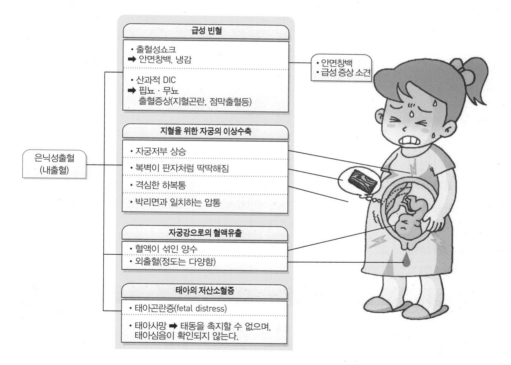

- 치료 원칙: 진단과 동시에 모체와 태아의 상태에 따라 즉각 치료를 시작해야 한다. 시간이 지연될수록 출혈로 인해 여러 위험한 합병
　증(저혈량성 쇼크, 신부전증 등)이 발생할 수 있다.
　－ 질 분만 유도: 출혈이 심하지 않고 태아가 생존해 있으며 태아곤란증이 없으면 시도한다.
　－ 수액 및 수혈 준비: 저혈량성 쇼크, 응고장애에 대비한다.

태반조기박리와 전치태반의 증상 비교

	태반조기박리		전치태반	
증상	대량의 내출혈 (은폐성출혈)	**모체표정**		
		고통스러워함	불안	
		자궁		
		판자처럼 딱딱해짐	수축이 없으면 부드러움	
		자궁수축		
		지속적	없거나 약간	
		통증		
		심한 하복통	없음	
		외출혈		
		소량	다량	
		출혈시기		
		진통과 진통사이 (자궁수축은 출혈을 억제하므로)	진통이 있을 때 (자궁수축할 때 혈액이 배출되므로)	

099 ④

해설 | 산후 호르몬 변화(배란과 월경)

• 배란과 월경 재개: 수유 여부에 따라 달라진다.
  – 배란: 분만 3주 후부터 배란이 가능하며, 초기 몇 번의 월경은 무배란성인 경우가 많고, 첫 월경이 늦어질수록 그 첫 월경이 배란성 월경일 확률이 높아진다.
  – 월경 시기: 비수유부는 6~8주(평균 2개월 이후)에, 수유부는 개인차가 크며 2~18개월(평균 6개월 이후)에 월경이 재개된다.
• 피임
  – 분만 후 첫 성교 시부터(배란 및 월경의 재개는 개인차가 크므로)
  – 금기: 경구피임약(▶ 혈전 유발의 위험성)

모유수유의 장점

• **산후출혈 예방, 자연피임(배란억제):** 사출반사에 의해 옥시토신 분비되어 자궁수축이 촉진됨
• **모아애착 형성 및 모성역할 획득 ▶ 산후우울증 감소**
• **여성호르몬 분비 억제:** 난소암, 자궁암, 유방암, 골다공증 등 호르몬관련 질환 감소
• **열량 소모율 높음 ▶ 원래의 체형(체중) 복귀 촉진**

100 ④

해설 | **흡입분만**

- 적응증

  - 태아측: 제대탈출, 분만 2기 자궁내 태아질식

  - 모체측: 분만 2기 지연, 산부가 힘을 주어서는 안 되는 상태(심장병, 고혈압, 폐결핵 등)

- 간호중재

  - 자궁수축 시 효과적 힘주기 격려 긴장완화 위해 호흡법 지도

  - 태아심음 측정, 산류 생길 수 있으나 수일 후 자연소실 설명

101 ④

해설 | **산후감염**

- 원인

산전	분만 중	산후
• 산전관리 부족 • 파막 후 성교	• 조작적 중재: 태반용수박리, 내부 태아감시장치, 기계분만(겸자분만, 흡인분만) • 제왕절개 • 빈번한 내진, 도뇨 • 파수 후 분만지연, 난산 • 회음절개, 생식기계 외상 및 열상	• 산후출혈 • 태반 잔류

- 증상: 발열(분만 후 24시간 이내는 제외), 빈맥, 전신쇠약(피로, 식욕부진)

- 치료 및 간호

  - 항생제 및 진통제 투여: 모유수유에 지장 없다.

  - 회음부 청결: 2~3시간마다 회음패드 교환

  - 반좌위: 질분비물 및 오로 배설 촉진, 상행성 감염 방지

- 예방: 정기적 산전관리(임신 중 빈혈·영양실조 교정)

102 ②

해설 | **성폭력**

- 원칙: 피해자의 권리 및 프라이버시 유지+응급간호(외상치료, 감염예방, 임신예방)

  - 신체적·정신적 손상의 증상 및 징후의 객관적 기록 + 법적 증거자료 수집: 각 기록에 사인은 받지 않는다.

  - 지역사회간호 중재기관 의뢰

  - 신체검진 및 임상검사 실시: 임신을 예방하기 위하여 사건 발생 후 24~72시간 내 응급복합피임약을 복용한다.

  - 피해자의 정서적 상태 사정: 무비판적인 태도로 지지해주며, 개인의 성문제가 아닌 사회적 범죄임을 인식하게 하고 스스로 결정할 수 있도록 한다.

오답 ①, ③ 자궁내막 소파술이나 질 세척은 증거 보존에 지장을 준다.

④ 증거자료를 모을 때에는 피해자의 동의가 절대적으로 필요하다.

103 ①

해설 | **Pap smear (세포진 검사)는 자궁경부에서 세포를 채취하여 검사한다.**

- 정의: 자궁경부의 세포검사로 자궁경부암 진단율이 매우 높다.
- 시행방법: 월경기 아닐 때, 질 후원개로부터 질점액과 경관의 편평원주접합부(자궁경부암이 자주 발생하는 부분)에서 표본을 추출(표면을 360° 회전)한다. 그 이후 질경 검사로 자궁경부 확대 시 자궁경부를 초산이라는 약품으로 염색시켜 경부의 세포변화를 본다.
- 금기: 검사 전 질 세척, 질정제 사용, 성교

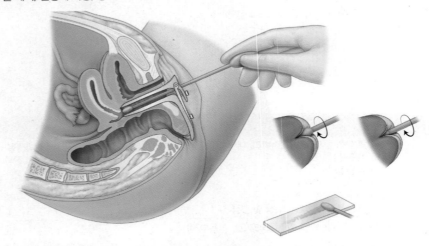

오답 ⑤ Chlorhexidine (클로르헥시딘)은 소독약이다. 1%는 피부 · 점막 소독에, 0.5%는 가열멸균이 어려운 기구의 소독에 사용한다.

104 ③

해설 | **월경전 증후군(PMS)**

- 정의: 월경과 관련된 정서장애이며, 일상생활에 지장을 줄 정도의 신체적, 정서적 또는 행동적으로 복합된 증후군이다.
- 시기: 월경 전 2~10일(배란 후 황체기)에 나타났다가 월경 직전이나 직후에 소실된다.
- 증상
  - 신체적: 유방팽만감 및 통증, 두통, 심한 혈압 변화, 골반통, 체중증가, 배변장애 등
  - 정서적: 심한 감정기복, 우울, 집중력 장애, 불안, 기면 등

105 ③

해설 | **임부의 심맥관계 변화**

- 혈액량 · 심박출량 증가
  - 혈액량 증가, 조직의 산소요구 증가로 심박출량 증가(임신 10~12주): 임신 32주에 50% (1,500 ml) 증가하여, 혈액량 · 심박출량 최고조에 도달한다.
  - 임신성 생리적 빈혈: 임신 말기 기준 Hb 10 g 이하, Hct 33% 이하
    ⓐ 원인: 적혈구량 증가에 비해 혈장량의 과도한 증가 ▶ Hb(→ 11 g/dL), Hct 저하
    ⓑ 임신 2기부터 30 mg/일 이상 철분을 섭취하도록 한다.

ⓒ 임신 후반기에 앙와위를 취하면 자궁에 의해 정맥계가 압박되어 심박출량 감소 및 저혈압이 초래된다. 측위를 취하면 심박출량이 증가한다.

- 맥박증가, 혈압감소
  - 맥박: 10~15회/분 정도 증가한다.
  - 혈압: 임신 4~5개월에 5~10 mmHg 하강하고 이후 초기 회복된다.
- 자궁증대에 의한 정맥압박
  - 장골정맥, 하대정맥 압박 → 하지의 혈류 감소, 정맥압 상승 → 하지 혈액 정체
    ▶ 하지부종, 하지와 외음부의 정맥류, 치질
  - 체위성 저혈압: 측위로 자세를 변경함

---

comment

심장질환이 있는 임부가 임신 32주, 분만 직후 24시간 동안 매우 위험하다는 내용은 반복적으로 변형되어 출제되고 있다. 임신에 따른 심맥관계 변화를 기억해 두자.

001 ⑤

해설 | 경구투약

- 약을 복용해야 되는 사항을 제외하고는 선택권을 주며 복용 시 흡인 방지를 위해 똑바로 앉힌다. 액체 형태의 약을 준다.

- 연령별 투약지침

구분		지침
영아	3~4개월	• 물약을 우유병 젖꼭지나 경구 투여용 주사기로 투여한다. • 영아에게는 단맛이 있는 음식과 함께 숟가락으로 먹일 수 있다. 음식물(분유)에 약을 섞으면 안 되는데, 아동이 다 먹지 않는 경우 원하는 약용량을 다 채울 수 없기 때문이다.
	5~111개월	• 물약은 입의 가장자리로 조금씩 넣어준다. 주사기를 혀에 가로질러 놓으면 약물을 뱉어내는 것을 막을 수 있다.
유아, 학령전기 아동		• 투약의 이유를 쉽게 설명한다. 영아에게 이용하는 방법 중 우유병 젖꼭지를 제외한 방법으로 투약할 수 있다. • 가능하면 약 먹는 방법을 선택하게 한다(예: "주사기로 먹을래, 약 컵으로 먹을래?"). • 아동이 분노를 표현하게 해주고 충분히 달래고, 투약 후 칭찬해 준다.
학령기 아동		• 투약의 목적을 구체적으로 설명한다. • 물약, 씹어 먹는 약, 알약 중 아동이 선택하게 한다. • 이 시기의 아동은 수집을 좋아하므로 약 컵이나 약 상표를 가질 수 있게 해 준다. • 가능하면 부모의 도움을 받지 않고 혼자 약을 복용할 수 있게 한다.
청소년		• 투약의 이유를 더 구체적으로 설명한다.

002 ④

해설 | 아동의 낙상예방

- 침대에서 뛰지 않도록 한다.

- 높은 곳에 혼자 두지 않는다.

- 복도에 있는 장애물을 치운다.

- 침대에 어떤 물건도 달아두지 않는다.

- 의자 및 유모차, 차에서 안전벨트를 채워준다.

오답 ① 억제대는 언제나 최후의 방법으로 신중하게 고려되어야 한다.

⑤ 침대 난간을 가장 높은 지점까지 올린다.

POWER 특강

영아의 안전사고 예방

흡인 및 질식	• 예방법 　– 수유 시 젖병을 기대어두지 않고, upright sitting position (똑바른 자세, 45° 이상)으로 앉혀서 수유함 　– 비닐봉지, 장난감에서 분리된 작은 부품 등을 확인하여 치워줌 • 호흡곤란 증상(청색증, 기침 등) 발생 시: 영아의 얼굴을 아래로 향함 + 머리를 몸보다 낮춤 + 견갑골 사이를 힘주어 3~4회 내리침

낙상	• 영아의 사망 주요원인 • 예방법 　– 높은 곳에 절대로 혼자 두지 않고, 침대 난간을 언제나 올려둠 　– 영아용 의자 및 유모차, 차에서 안전벨트를 채워둠
화상	• 영아의 피부는 자극에 예민하며, 열 감지 능력이 저하되어 있음 • 예방법 　– 목욕물(40~43 ℃)과 우유의 온도를 확인함 　– 6개월 이후부터 점차적으로 햇볕에 노출시키고 자외선 차단제를 발라줌
자동차 사고	체중에 맞는 영유아용 카시트 사용함: 차의 뒷좌석에 설치하고, 9 kg 이하의 영아는 후방주시하게 함

003 ⑤

해설 | **흔들린아이증후군(shaken baby syndrome, SBS)**

• 이름 그대로 아기를 달랜다며 난폭하게 흔들어 발생함 ▶ 아동학대(신체적 학대)

• 증상: 뇌손상, 구토, 호흡곤란, 두개내출혈, 망막 출혈, 늑골골절 등

　– 뇌손상: 목 근육이 약하고 머리가 큰 신체구조를 갖고 있음 ▶ 두개골 내에서 연약한 뇌가 앞뒤로 튕겨져 충격을 받음

　　▶ 실명, 사지마비, 정신박약, 성장장애, 간질 등의 영구적인 장애 + 사망

　– 대부분의 경우 외상에 관한 시각적인 징표는 보이지 않음

아동학대

• **유형**

신체적 학대	• 학대부모의 특성 　– 오히려 아동의 손상에 대해 화를 내거나 비판을 하는 등 아동을 걱정하는 모습을 찾기 어려움 　– 가정폭력을 겪으며 자랐거나 분노조절에 어려움이 있음 　– 알코올 또는 약물중독 등의 문제를 갖고 있음
정서적 학대	• 정의: 부모나 양육자의 행동이나 소홀함으로 인해 아동에게 심각한 행동적 · 인지적 · 감정적 혹은 정신장애를 유발하는 것 　– 거절, 무시, 언어적 비난, 고립, 지나친 압박 등
성적 학대	• 성적 학대가 의심되는 상황 　– 배뇨 통증, 생식기 소양감 및 부종, 걷거나 앉는 데 어려움 있음 　– 무반응, 퇴행적 행동, 건망증 　– 나이에 맞지 않은 성적 행위, 또래 관계 결여, 우울, 적대감, 위축
아동방임	• 아동방임이 의심되는 상황 　– 음식을 제공하지 않거나 위험한 상황에 노출시킴 　– 지저분하고 위생상태가 불량해 보임 　– 계절에 맞지 않는 옷을 입고 있음

• **중재: 아동학대의 증거 및 징후 확인 + 기관 의뢰 + 예방교육**

　– 아동학대의 증거 및 징후 확인

　　ⓐ 관련된 신체적 징후나 응급실 등의 의료기관을 반복적으로 방문함

　　ⓑ 손상이나 학대에 대한 아동이 부적절한 반응(무반응, 모순된 이야기 등)을 보임

　– 먼저 아동을 가해자로부터 즉시 분리하여 보호하고 자신의 감정을 표출하도록 도움

　– 기관 의뢰(보건복지부 설립 중앙아동보호전문기관 등) + 예방교육

004 ④

해설 | **구체적 조작기(Piaget 인지발달이론)**

· 나이: 7~11세

· 특징

  – 논리적 사고 가능: 초기 귀납적 사고 → 후기 연역적 사고 ▶ 정확하고 구체적으로 설명함

	귀납(induction)	연역(deduction)
정의	개별적인 사실들로부터 일반적인 원리를 이끌어내는 추론방식	먼저 제시되는 대전제와 다음에 제시되는 소전제에서 새로운 결론을 이끌어 내는 추리 방법. 전제가 참이라면 결론은 참이 되어야 함
예시	소크라테스는 죽고, 공자도 죽으며, 홍길동도 죽는다. 귀납적 추리를 적용하면 인간이 죽는다는 사실을 알 수 있다.	말은 포유류이고 모든 포유류는 동물이라면, 연역적 추리를 통해 말은 동물임을 알 수 있다.

  – 보존성, 가역성, 규칙과 가치 이해, 탈중심화

	보존성	가역성
정의	순서, 형태, 모양이 바뀌어도 물질의 속성이 유지됨을 알게 됨	사건의 과정을 역으로 되짚을 수 있음
예시	같은 양의 물을 서로 다른 컵에 담아도 물의 양이 같음을 앎	물 ⇌ 얼음

POWER 특강

Piaget 인지발달이론

· **4단계: 감각운동기 → 전조작기 → 구체적 조작기 → 형식적 조작기**

1단계	감각운동기	언어가 없으며 모든 사물을 자기중심적으로 파악함
2단계	전조작기	사물의 이름을 인지하고 언어가 발달함
3단계	구체적 조작기	개념을 형성하며 논리적 추리력을 갖게 되고, 타인의 관점에서 생각할 수 있게 됨
4단계	형식적 조작기	추상적인 사물에 대해 논리적으로 사고할 수 있게 됨

· **새로운 정보 or 사건의 수용 및 문제 해결 방법**

동화(assimilation)	조절(accommodation)
· 기존 체계(계획)에 통합됨 – 계획(scheme): 반사작용 및 반사운동이 지배하는 감각운동적 성격 + 추상적 추론과 상징의 사용을 발전시키는 인지적 성격	주위환경과의 상호작용 및 경험으로부터의 학습 → 기존 체계에서 변화가 일어남

---

005 ⑤

해설 | **성심리 및 인지발달 이론**

⑤ 남근기는 Piaget 인지발달 이론에서 학령전기, 즉 전조작기에 해당한다. 남근기 및 전조작기의 특징은 다음과 같다.

· Freud 성심리발달 이론: 구강기 → 항문기 → 남근기 → 잠복기 → 생식기

  – 남근기: 학령전기(3~6세)에 해당

    ⓐ 남녀 모두 성기에 쾌감이 집중되며 성에 대한 인식 발달함 ⓔⓧ 자위행위 등

    ⓑ 동성부모에 대한 동일시를 통해 역할을 습득함

    ⓒ 동성부모에 대한 경쟁심 발달 ⓔⓧ 오이디푸스 콤플렉스, 엘렉트라 콤플렉스

- Piaget 인지발달 이론
    - 전조작기: 학령전기(2~7세)에 해당
        ⓐ 마술적 사고, 물활론, 상징적 사고(모방놀이), 중심화 경향을 보인다.
    - 물활론(상징화): 생명이 없는 대상이 살아 있다고 믿음
    - 중심화: 한 측면에만 초점을 두기 때문에 전체의 관점에서 모든 부분을 생각하지 못함
    - 퇴행: 스트레스로 유아기에 나타났던 퇴행반응이 일시적으로 발생 ▶ 특별히 치료를 필요로 하지 않음
    - 질병과 죽음에 대한 관점

질병	죽음
• 죄를 지어서 벌을 받는 것이라고 생각함 - 마술적 사고: 마술을 쓰면 질병이 사라질 수 있다고 생각함 - 통증에 대한 불안이 큼: 주사공포증 등	일시적이며 가역적인 것으로 생각함 ▶ 수면 or 단순한 이별이라고 받아들임

006 ⑤

해설 | **신생아 목욕**

- 첫 목욕은 활력증상 특히 체온이 36.5 ℃ 정도로 안정된 후에 신생아실에서 실시함
- 태지: 강제 제거 삼가. 태지는 항박테리아와 상처 회복을 촉진하며 피부 장벽 기능과 피부 유착, 열의 이동, 피부 전기활동을 조절하는 것을 도움. 24시간 내에 흡수되거나 저절로 없어짐
- 목욕순서: 두미방향(목-가슴-배-팔-손-생식기-다리 순서)으로 씻음
- 눈꺼풀: 안쪽에서 바깥쪽으로 닦음
- 목욕시간: 5~10분 이내. 종료 후 빨리 닦고 보온된 포로 감쌈(증발에 의한 열손실 방지)
- 목욕물 온도: 수온계를 이용하여 팔내측을 담구어 보아 따뜻한 정도로 함
    - 여름: 38 ℃, 겨울: 40 ℃가 적당
- 신생아의 피부와 산성막을 보호하기 위해 적어도 생후 2주간은 물로 씻김
- 피부의 산도(pH 5.5) 유지
    - 신생아의 피부는 약산성으로 살균효과가 있으므로 목욕 시 따뜻한 물만 사용
    - 너무 잦은 목욕은 피부의 산도변화 초래(주에 2~3회 시행하고 점차 늘려가도록 함)
- 일반 비누, 베이비오일, 파우더, 로션 등: 피부산도 변화, 피부의 살균효과를 저하시키므로 사용하지 않음
- 파우더: 흡인의 위험으로 얼굴 가까이서 사용금지
- 구토와 흡인성 폐렴을 예방하기 위하여 수유 직후에는 목욕을 피함

007 ②

해설 | **DDST 검사(Denver 발달선별검사)**

- 적용시기: 출생 시 ~ 6세 이전
- 검사목적: 잠재적 발달지연을 평가하기 위해 광범위하게 이용됨
- 검사영역(4가지): 개인 – 사회성, 미세운동 – 적응, 언어, 전체운동
- 검사 시 주의점
    - 지능검사가 아니며 아동이 모든 항목을 통과해야 하는 것은 아님을 부모에게 알려줌
    - 연령선의 정확한 표기: 미숙아의 경우, 현재 나이에서 조산한 주수만큼을 빼고 연령 계산함

- 평가기준

실패(fail)	아동이 지침대로 시행할 수 없었을 때 'F'로 표시
지연(delay)	• 연령선 미만에 있는 항목에 'F'가 있을 경우 지연발달을 의미 • 지연된 항목의 오른쪽에 짙게 칠하여 표시
주의(caution)	아동이 75~90% 사이에 연령선이 통과하는 항목을 실패하거나 거절했을 때 'C'로 표시
거절(refuse)	아동이 할 수 있는데도 검사자 앞에서 하기를 거절할 때 'R' 표시

- 결과해석: 실패 항목 중 지연(delay)과 주의(caution)의 횟수로 판단함

정상 발달	지연항목 없음 + 주의항목 1개까지
의심되는 발달	1개 이상의 지연과 또는 2개 이상의 주의항목(1~2주 이내에 재검사)
검사 불능	완전히 연령선 왼쪽의 항목에서 1개 이상의 거부나 75~90% 사이에 연령선이 지나는 항목에서 2개 이상의 거절. 이 경우 1~2주내에 재검사 실시

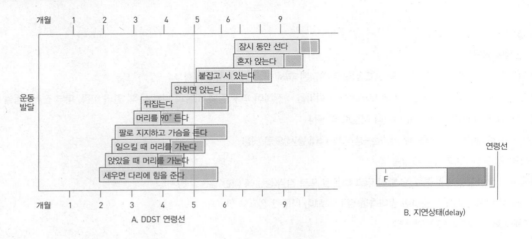

A. DDST 연령선

B. 지연상태(delay)

008 ③

해설 | **성장&발달**

- 정의

성장(양적 변화)	• 주로 생물학적인 변화: 신체의 크기나 세포 수의 증가 등 • 측정 가능하고 쉽게 관찰되거나 조사됨 ex 키, 몸무게
발달(질적 변화)	• 새로운 기능을 수용하고 습득하는 능력의 증가 ex 언어습득 • 인간의 전 생애에 걸쳐 일어나는 신체적 · 정서적 · 사회적 변화의 모든 양상과 과정을 포함 　　▶ 성장보다 광범위한 개념

- 성장발달의 원리

복합성 및 상호관련성	일생 동안 지속되는 연속적 · 비가역적 과정으로 다양한 측면이 상호관련된 복합성을 가짐
방향성 (일정한 방향)	• 두미발달: 두부 → 미부 • 근원발달: 중심 → 바깥(몸통 → 다리) • 세분화: 전체적 → 구체적(단순 → 복잡)
순차성 · 연속성	• 일생 동안 지속되는 연속적인 과정: 질서정연한 순서가 있어서 예측 가능함 • 모든 발달은 이전 단계의 발달 성과들이 누적되면서 이루어짐
개인차	성장속도나 비율은 유전 or 환경적 요인에 따라 개인차가 있음

결정적 시기	• 특정 영역의 발달이 촉진되어 최적의 성장발달이 달성되는 최적의 시기(민감한 시기)가 존재함 ⓔⓧ 뇌는 생후 2년 동안 성인의 80%에 가깝게 성장함 • 적절한 환경자극이 주어지지 못하면 특정 영역의 발달에 결함이 생길 수 있음
발달의 속도	예측 가능하지만 모든 영역의 속도가 일정하지는 않음 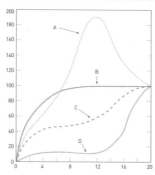 A: 림프계 B: 신경계 C: 신체 전반(외적 크기, 호흡기계, 소화기계, 신장계, 순환계, 근골격계) D: 생식기계

009 ⑤

해설 | 신생아 감각계

- 신생아는 신경계의 구조가 잘 갖추어져 있고, 특히 시각신경, 후각신경, 청각신경 등이 존재하므로 그에 상응하는 감각기능이 잘 발달되어 있음

- 시각
  - 모양체 근육(ciliary muscle)이 미숙하여 일정기간 물체에 집중하거나 협응하는 능력이 제한
  - 45~90° 내에서 움직이는 물체를 따라 보거나 고정. 동공은 빛에 반응, 눈 깜빡임 반사(blink reflex)와 각막반사(corneal reflex)가 있음
  - 각막을 건드리면 눈이 감기는 각막반사(corneal reflex)가 있음
  - 눈물샘은 2~4주까지 충분한 기능을 시작하지 않음
  - 시야의 중심선에서 20 cm 이내의 빛이나 움직이는 물체에 순간적으로 집중 가능

- 청각
  - 성인과 비슷한, 예민한 청각을 지님
  - 갑작스럽고 큰 소리에 놀람반사(startle reflex)를 나타냄
  - 고주파음에 민감

- 후각
  - 알코올이나 식초냄새에 강하게 반응하면서 얼굴을 돌림
  - 모유 수유아는 모유 냄새를 맡고 어머니와 다른 여성의 모유를 구별 가능

- 미각
  - 맛을 구별하여 다양한 용액에 다르게 반응함
  - 단맛, 신맛, 쓴맛을 내는 용액을 구분. 단맛 선호
  - 쓴맛과 신맛에 찡그리고 불쾌함을 표현함

- 촉각
  - 출생 시 촉각(tactile sensation)을 인지할 수 있음. 입과 손바닥, 발바닥이 가장 예민함
  - 등을 부드럽게 두드리거나 배를 문지르면 안정되고, 콕 찌르는 고통스런 자극에 불쾌감을 나타냄
  - 가장 예민한 감각

010 ④

해설 | **신생아 피부사정**

• 신생아 피부 유형

유형	정상	비정상
말단 청색증	손,발 주위에 발생하며 말초순환정체에 의함. 추운 곳에 있을 때 발생. * 구강주위 청색증	
중추성 청색증		입술과 허를 포함한 피부의 전체적인 청색증. 낮는 산소포화도가 원인. 산소공급 필요
점상출혈	몸의 상부나 얼굴의 작은 점과 출혈. 24시간 이내에 사라짐	전신 점상출혈: 지혈장애
모세관 확장성 반점	납작하고 붉은 색 반점. 대부분의 신생아에서 관찰. 성장하면서 자연 소실됨	
할로퀸 피부색 변화	몇 분 동안 신생아 몸의 반쪽이 붉고 한쪽은 창백해지는 현상	
좁쌀종(=미립종)	피지선 증가로 빰, 코, 턱, 이마에 미세한 하얗고 핀 크기의 구진. 1~2주내에 사라짐	
땀띠	땀샘 폐쇄로 인해 얼굴에 나타나는 수포	
신생아 여드름	피지선으로 모성 안드로겐 호르몬 자극에 의함. 1~2개월내 소실	
태지	피지선과 상피세포의 분비물. 윤활제와 체온유지, 감염으로부터의 보호막 역할. 생후 1~2일 경 소실	
얼룩덜룩한 피부	말초혈관의 수축으로 울긋불긋한 피부색을 보임. 추위, 스트레스 등의 결과로 나타남. 몇 시간~몇 주 동안 지속(예: 대리석양 피부)	
엉치 반점	몽고반점으로 불리며 청회색의 반점이 둔부에 발생. 학령전기 소실	
딸기 혈관종		혈관색 모반. 짙은 적색. 90%가 10세경 소실 90% 소실
중독성 홍반	다수의 작을 붉은 발진으로 발진 가운데 노란 구진을 가지고 있음. 저절로 사라짐	
카페오레 반점	복부, 등, 다리 등에 연한 갈색 점. 2~3개 정상	6개 이상 신경섬유종 의심(신경손상)
불꽃 모반 (포도주색 반점=자주빛 모반)		자주빛 모반 또는 포도주색 모반으로 불림. 시간이 지나도 소실되지 않으며 신경계 문제가 동반

011 ①

해설 | **광선요법**

| 적용법 및 원리 | 신생아로부터 45~60 cm 거리에 광선을 적용함
▶ 빛이 피부에 흡수되면서 빌리루빈을 수용성으로 바꾸어 피부의 간접 빌리루빈을 체외로 배설시킴 |  |

간호	• 광선이 피부 전체에 접촉하도록 체위변경을 자주 함 • 빌리루빈 배설로 설사가 나타나므로 기저귀 발진 주의 • 고체온 및 탈수를 주의 깊게 관찰하고 수분을 보충해줌 • 불투명 안대 착용(안구손상 예방)하고 고환을 가려줌 • 수유 시 치료를 중단하고 안대를 벗겨서 시각적 · 감각적 자극을 제공함 • 금기: 오일 or 로션은 피부를 자극할 수 있음

– 교환수혈: 용혈성 질환에 의한 고빌리루빈혈증인 경우

– 알부민 투여: 알부민이 혈청에서 빌리루빈과의 결합성을 높여줌

---

comment

모유수유 시 모유 속에 빌리루빈 포합을 방해하는 성분이 있어 생후 5~7일경 생리적 황달이 나타날 수 있다. 그렇지만 모유수유를 중단하지 않고 계속하며, 그 동안 서서히 감소하여 3~10주 동안 낮은 농도로 유지된다.

---

012 ①

해설 | **미숙아**

• 재태연령에 따른 분류(출생체중에 관계없이)

미숙아	만삭아	과숙아
임신 37주 이전에 출생 또는 최종 월경일로부터 259일 미만에 출생	임신 38주에서 42주 사이에 출생	42주 이후에 출생

• 미숙아의 신체적 특징

– 반사(reflex)미약: 파악반사, 빠는 반사, 연하반사, 기침반사가 없거나 미약함

    ⓐ 빠는 반사와 연하반사: 재태기간 32~34주에 발달하기 시작, 36~37주에 효과적으로 통합

– 눈은 돌출되어 있고 눈 사이가 가까우며 귀의 연골발달이 미약하여 얇고 부드러움

– 솜털이 과다하고 태지는 거의 없음. 피부와 점막이 연약, 체온조절 능력 저하

    ⓐ 솜털: 20주에 생겨나서 28주에 소실되기 시작

    ⓑ 태지: 25주에 생겨나서 36주에 소실되기 시작

– 손 · 발바닥의 주름이 적거나 없고 부드러움

– 근골격계: 관절이 이완되고 늘어져 있음(신전) ▶ 스카프 징후(+)

– 호흡기계: 호흡이 불규칙적으로 무호흡 증상이 있을 수 있음 ▶ 산소공급

    ⓐ 고농도 산소 투여 시 미숙아 망막증 위험 ▶ 망막박리, 실명으로 이어질 수 있음

    ⓑ 산소 및 인공호흡기 합병증: 활성산소에 의한 손상 및 압력 손상 ▶ 기관지폐이형성증

    ⓒ 호흡곤란증후군 시에는 폐표면활성제를 투여함

– 위장관계: 빠는 능력이 부족하고 잘 삼키지 못함 ▶ 위관영양 적용(괴사성 장염 위험)

– 생식기계

    ⓐ 여아: 소음순과 음핵이 돌출되어 있음

    ⓑ 남아: 음낭의 주름이 거의 없고 고환은 내려오지 않음

013 ②

해설 | **선천성대사이상(페닐케톤뇨증)**

- 생후 3~7일경에 실시하며, 기본 6종으로 구성
  - 페닐케톤뇨증(PKU):
    - ⓐ 아미노산 대사장애
    - ⓑ 페닐알라진을 대사하는데 필요한 효소의 결핍이나 부재로 발생
    - ⓒ~ⓕ 기존과 동일
    - ⓖ 검사: 거스리 검사(혈청검사–모유나 조제유 시작한 후인 72시간 이후에 바람직), 소변검사
    - ⓗ 치료: 저페닐알라닌 식이요법(상염색체 열성 유전으로 임신 전 최소 3개월 전부터 페닐알리난 농도 유지 권고)
  - 갈락토오즈혈증(galactosemia) 추가
    - ⓐ 갈락토오즈 분해효소의 결핍 또는 결여로 발생
    - ⓑ 설사, 영양실조, 간비대, 황달, 성장발달지연, 수유곤란, 패혈증, 정신지체 등 야기
    - ⓒ 치료: 칼락토오즈 제거 식이요법(galactose-free diet)
  - 선천성 부신 과형성증(선천선 부신성기 증후군)

014 ③

해설 | **Digitalis (digoxin)**

- 작용: 심근수축 강화(강심제)
- Digitalis 중독 증상

심혈관계	부정맥, 서맥, 빈맥, 심첨요골맥박 결손
위장관계	식욕부진, 오심·구토, 설사, 복통
시각	시야 흐림, 시야가 노랗게 보임, 어두운 물체 주변에 후광이 보임
중추신경계	피로, 졸림

- 간호
  - 투여 전 1분 동안 심첨맥박 측정: 맥박 100회/분 미만 시 투여 금지
  - 혈중 K^+ 수치 측정
    - ⓐ 저칼륨혈증: digitalis의 중독 증상 악화시킴 ▶ Digitalis 투여 시 K^+ 보충 필요함
    - ⓑ 울혈성 심부전: 치료를 위한 대부분의 이뇨제는 염분, 수분, 칼륨 상실 유발함
    - ▶ 칼륨보유 이뇨제 사용, 이뇨제와 칼륨제제는 다른 시각에 투약해야 함
    - ⓒ 고칼륨혈증: digitalis의 작용을 억제하여 치료적 용량에 도달 못하게 함

015 ③

해설 | **장중첩증**

- 정의: 영아기 장폐색증의 주요 원인 중의 하나로서 흔히 상부 장이 하부 장 속으로 말려들어 가는 것을 말한다. 돌막창자(ileocecal)가 대장 안으로 말려들어가는 것이 가장 흔하다(95%).
- 증상
  - 건강한 영아가 갑자기 발작적인 급성 복통과 더불어 구토, 복통으로 인해 다리를 오므려서 무릎을 배에 붙이고 자지러지게 울며, 토하면서 안절부절 못하고 땀을 흘리면서 창백해진다. 발작적인 통증 사이사이에 아동은 언제 아팠는지 믿기 어려울 정도로 정상적으로 평온해 보인다. 1~2분간 이러한 발작을 한 후에 약 5~15분간의 무증상 시기가 나타나는 것이 반복된다.
  - 복부를 촉지하면 우상복부에서 경미한 압통이 있는 소시지 모양의 덩어리가 촉지되며, 우하복부는 비어 있음
  - 담즙이 포함된 구토, 흑색변, 혈액과 점액이 섞인 특징적인 젤리 모양의 변(jelly stool)
  - 복부팽만과 압통 등이 동반
- 간호중재: 금식, 바륨관장 혹은 장천공, 복막염 쇼크, 감압에 성공하지 못한 경우 수술

〈질병별 증상 특징 구분〉
- 비대유문협착증: 우상복부에 도토리(올리브) 모양 덩어리 촉진
- 선천성 거대결장: 좌측 복부 대변 덩어리 촉진
- 장중첩증: 우상복부에 소시지 모양 덩어리 촉진
- 괴사소장대장염: 장이 소시지 모양 팽창

016 ⑤

해설 | **활동성 결핵 간호**

⑤ 기침 시 코와 입을 휴지로 가림, 휴지나 가래 등은 따로 비닐에 모아 소각한다.
- 활동성 결핵이지만 약물복용하여 증상이 없을 경우
  - 격렬한 운동 제한 + 적절한 휴식
  - 침상안정까지는 필요 없음: 학교에 출석 가능함
  - 식이: 고단백, 고칼로리, 비타민 보충
  - 약물요법
    ⓐ 복합약물 사용: 약제 간 상승작용 효과, 내성발생 예방
    ⓑ 6~18개월 이상 장기복용 중요성을 교육함
  - 호흡기 감염 예방
- 활동성 결핵의 경우 ▶ 비말전파 예방
  - 격리: 객담 검사에서 병원균이 나오지 않을 때까지 음압이 유지되는 1인실에 격리
    ⓐ 2~4주의 약물치료 후 격리하지 않아도 됨
    ⓑ 방안은 자주 환기시킴
  - 마스크 착용, 손 씻기를 철저히 함

활동성 결핵 진단

- 진단법: 투베르쿨린 반응검사(감염 여부만 확인 ▶ 확진 불가) + 흉부X선 · 배양검사(확진)

  - 투베르쿨린 반응검사(Tuberculin test): PPD 주사 47~72시간 후 경결의 직경을 확인한다.

음성	의심(의양성)	양성: 결핵균에 노출된 적 있음
0~4 mm	5~9 mm	10 mm 이상

  ✔ BCG 접종에 따른 위양성(실제 음성인데 결과로는 양성이 나오는 것) 문제로 인해 확진은 불가능하다.

- 흉부X선

  - 폐침윤, 결절, 공동 확인

  - 활동성인 경우 건락화(조직파괴 → 지방침착, 세포파괴 → 핵융해)된다.

- (객담)배양검사

  - 아침 객담을 수집하여 검사를 3회 실시한다. 결핵균을 확인하면 결핵을 확진하는데, 전염력이 높은 상태이다.

017 ②

해설 | 신생아의 열손실

- 원인

  - 체중에 비해 체표면적이 넓고 단위 체중 당 대사율이 성인의 2배

  - 피하지방층이 얇고 부족해 열을 보유하지 못함

  - 혈관이 성인에 비해 피부표면에 분포되어 있기 때문에 열손실이 쉽게 발생

  - 양수에 피부가 젖음

  - 비전율성 기전에 의한 열 생산 부족

    ⓐ 열생산 기전이 성인과 다름: 떨림, 전율(shivering)을 통한 열 생산을 못함

    ⓑ 비전율성 열생산 기전: 갈색지방을 분해하여 생산함 ▶ 갈색지방 부족

    ✔ 갈색지방: 미토콘드리아가 풍부한 조직으로, 열을 생성하는 기능을 함

- 체온 유지: 출생 후 8시간 이내 정상 체온 회복을 위해 세심한 중재가 필요함

  - 가열된 수건으로 피부와 머리카락을 빠르게 건조시킴

  - 가열등이나 광선요법과 같은 복사열기구를 사용

  - 옷이나 담요로 감싸 단열을 제공함

  - 청진 시 청진기를 미리 손에 쥐고 따뜻하게 데움

- 체온 측정

  - 직장 체온이 가장 정확하나 천공 위험이 있으므로 액와로 측정함

요붕증

- 정의: 항이뇨호르몬 작용 저하로 인해 비정상적으로 많은 양의 소변이 생성되는 질환
  - 항이뇨호르몬[AHD, 바소프레신(vasopressin)]: 신장에서의 물 재흡수 및 혈관수축을 담당. 이상 시 요붕증(DI) or 항이뇨호르몬 부적절 증후군(SIADH)이 초래됨
- 증상: 다뇨(요비중 감소), 다갈 및 다음, 혈장 삼투성 증가(▶ 혈액량 감소, 과민반응, 고열, 혼수), 식욕부진 및 체중증가 부진(▶ 성장 장애)
- 병태생리

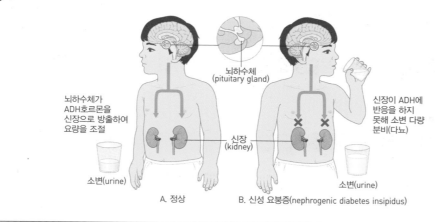

A. 정상   B. 신성 요붕증(nephrogenic diabetes insipidus)

018 ③

해설 | **운동발달**

- 전체운동발달
  - 머리 → 발끝
  - 머리 가누기 → 뒤집기 → 앉기 → 기기 → 서기 → 걷기

1개월	머리를 좌우로 움직임
2개월	45° 정도 고개를 들 수 있음
3개월	45~90° 정도 고개를 들 수 있음
4개월	머리(고개)를 가눌 수 있고 누운 채로 좌·우로 몸 돌릴 수 있음
5개월	몸을 뒤집을 수 있음(복부에서 등으로)
6개월	구를 수 있음(등에서 복부로), 엎드린 채 양팔로 몸무게 지탱 가능
7개월	도움받아 앉음
8개월	도움 없이도 앉음
9개월	기어다님
10개월	가구 잡고 일어남
12개월(1세)	첫 걸음(손잡고 or 가구 등을 붙잡고 걸어다님) ▶ 보행능력을 획득하는 시점

- 미세운동발달

  - 손과 눈의 움직임을 순서에 따라 차례로 통합할 수 있게 됨

1개월	주먹을 쥐고 있음
2~3개월	주먹을 펴게 되고 점차적으로 손을 벌려서 잠시 물체를 쥠, 잡기반사 소실
4~5개월	손바닥을 물건에 대고 잡아 손가락으로 감쌈
6~7개월	• 한 손이나 양손 전체로 물체 잡음 • 한 손에서 다른 손으로 물건을 옮겨 잡음
8개월	손 전체로 물건을 움켜쥐는 대신에 손가락으로 잡을 수 있음
10개월	엄지와 검지 사용하여 물건 잡음
12개월	• 수저와 컵을 사용하여 음식을 먹을 수 있음 • 한 번에 여러 장씩 책장을 넘길 수 있음

  - 근위부 → 원위부, 큰 동작 → 섬세한 동작

POWER 특강

뇌성마비 증상

- **지적 발달장애(가장 흔하게 나타남)**

신체적	행동적
• 3개월 이후에도 목을 가누지 못함 • 8개월까지 혼자서 앉지 못함 • 팔다리가 뻣뻣하고, 축 늘어진 자세 • 몸을 뒤로 젖히거나 밀어냄 • 신체의 여러 부분 활용하지 못함: 한 부분만을 사용하거나, 기어갈 때 팔만 사용함	• 3개월까지 미소를 짓지 못함 • 6개월 이후 음식을 혀로 밀어냄: 정상발달 시 6개월 때 밀어내기 반사 소실 ▶ 흡인 위험 감소 • 자주 보채고 울음 • 수유곤란: 수유 시 지속적 기침 or 역류

019 ①

해설 | **예방접종**

① MMR 백신: 홍역(measle), 볼거리(mumps), 풍진(rubella). 12~15개월(1차 접종), 4~6세(2차 접종)

- 홍역

  - 전염성이 강하여 감수성 있는 접촉자의 90% 이상이 발병한다.

  - 증상: 발열, 콧물, 결막염, 홍반성 반점(Koplick 반점), 구진이 복합적으로 나타나며 점막진이 특징적이다.

  - 면역: 한번 걸린 후 회복되면 평생 면역을 얻게 되어 다시는 걸리지 않는다.

- 볼거리: 타액선이 비대해지고 동통이 특징적이며, 대부분 이하선(귀밑샘)을 침범한다.

- 풍진: 귀 뒤 및 목 뒤의 림프절 비대와 통증으로 시작되고 이어 얼굴과 몸에 발진(연분홍색의 홍반성 구진)이 나타난다.

카타르기(전구기)	• Koplick 반점
	  - 발진 2일 전 관찰
	  - 구강 협부 점막의 특징적인 모래알 같은 발진(불규칙한 홍색 반점)

발진기	• Koplik 반점 발생 1~2일 후 • 안면에서 홍반성 구진으로 시작하여 아래로 확산됨: 머리 → 몸통 → 하지

회복기	• 발진은 나타났던 순서대로 소실되며 색소가 침착됨 • 허물 벗겨지면 발진이 7~10일 이내에 소실 • 합병증이 잘 발생함: 폐렴(가장 흔함), 중이염, 신경계합병증(뇌염, 길랑-바레)

020 ③

해설 | **대상영속성**

- 대상영속성의 정의: 주위 물체가 시야에서 사라져도 계속 존재한다는 것을 인식하는 사고
- Piaget은 영아의 주요 과업이 대상영속성 개념의 획득이라고 함(감각운동기)
- 6~8개월에 대상영속성의 개념이 서서히 나타나는데, 사물을 자신의 확장된 부분이 아니라 분리된 실체로 본다. 친숙한 사물과 상호작용하면서 사물이 시야에서 사라지면 찾는다.
- 감각운동기가 끝나는 24개월이 되면 대상 영속성 개념을 명확하게 갖게 된다.
- 대상영속성 관련 놀이: 물건을 숨겼다가 찾아주는 놀이, 손바닥 뒤에 얼굴을 가리는 까꿍놀이

021 ③

해설 | **아토피 피부염**

- 정의: 소양증을 주된 증상으로 하는 만성적인 염증성 피부질환. 주로 영유아기에 시작됨
- 주요 증상: 심한 소양증(가려움증)과 피부건조, 피부병변
  - 피부건조는 소양증을 유발하고 악화시키는데, 특히 초저녁이나 한밤중에 심해짐 → 가려워서 긁게 되면 습진성 피부병변(병리적 변화) 생김 → 병변이 진행되면서 다시 더 심한 가려움이 유발됨 ▶ 악순환이 반복됨
- 연령에 따른 양상 및 호발부위 비교

유아	• 진물이나 딱지가 지는 급성 습진 • 주로 얼굴, 머리에 잘 생기고 몸통이 거칠고 건조하며, 팔다리의 바깥쪽에 생기는 경우가 많음
2세 이상~ 10세 이하	• 건조한 습진 형태로 나타나는 경우가 많음 • 얼굴보다는 오히려 팔다리의 접히는 부분, 목의 접히는 부위에 생김

- 간호: 소양증 경감이 가장 중요한 목표임

소양증 간호	• 피부의 유수분 유지 　- Wet dressing, 젖은 수건, 크림이나 연고 적용 　- pH 중성의 습윤성 비누 사용
	• 목욕 　- 청결 유지하되 너무 오래해서 탈수를 초래하지 않도록 함 　- 미지근한 물 사용: 뜨거운 물은 소양증을 악화시킴 　- 구진성 수포가 많을 때는 수용성 전분과 중조로 목욕함
	• 기타 　- 서늘한 환경 제공(18~20 ℃) 　- 부드러운 면 소재 + 통풍과 땀 흡수가 잘 되는 옷 착용 　- 양모의류나 장난감, 털이 있는 동물, 카페트 피함
식이요법	알레르기 유발 식이 제한: 고탄수화물 및 고지방식이, 자극적인 음식, 알콜 섭취(성인)는 증상을 악화시킴

상처 및 감염 예방	• 긁어서 상처가 나면 세균으로 이차 감염이 발생할 수 있음 　– 손톱을 짧게 잘라줌 　– 손과 팔 억제대 및 손싸개 적용함 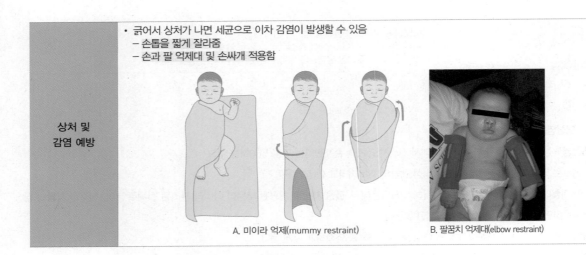 A. 미이라 억제(mummy restraint)　　B. 팔꿈치 억제대(elbow restraint)

022 ②

해설 | **영아 산통**

- 정의: 영아(4개월 이전)가 다리를 오그려 배에 붙이고 자지러지게 우는 발작적 복통·경련 발작적인 울음과 보챔이 하루 3시간, 최소 한 주 동안 3회 이상 발생하는 상태
- 특징
  – 산통 징후 있어도 영아의 섭식과 성장에 지장 없음
  – 생후 3개월 미만에 많으며 생후 3~4개월 이후 사라짐
  – 일시적 증상 ▶ 복막염, 장중첩증, 탈장(감돈), 우유알레르기와 감별진단이 필요함. 즉, 계속 토하거나 대변에 피가 섞여 나오면 즉시 병원에 가도록 함
- 간호
  – 따뜻한 바닥(물주머니나 수건을 대줌)에 복위로 눕힘
  – 복부 마사지 + 잦은 체위변경
  – 환경변화를 위해 차에 태우거나 외출을 권장함
  – 부드럽고 신축성 있는 담요로 영아를 단단히 싸기
  – 영아의 몸을 아래로 향하도록 하고 부모의 팔에 영아를 안고 복부를 부드럽게 압박하면서 걷도록 교육
  – 수유 및 식이
    ⓐ 산통을 유발할 수 있는 음식 섭취를 일주일간 멈춤 ⓔⓧ 우유과민증
    ⓑ 따뜻한 차를 소량씩 자주, 연하게 타서 먹이기
    ⓒ 수유 전후에 트림시키기
    ⓓ 젖병 사용 시 꼭지의 구멍 크기를 확인, 수유 중 공기가 너무 많이 들어가지 않도록 함

장중첩증

- **개념**: 상부 위장이 하부 장의 한 부분으로 겹쳐 들어간 것(장폐색 유발 → 감돈 발생)

  - 3~6개월의 남아에서 흔히 발생하며, 예후는 좋은 편임

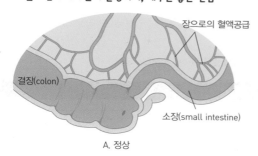
A. 정상

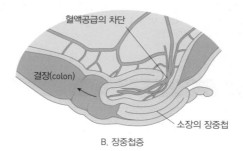
B. 장중첩증

- **증상**

  - 주기적이며 극심한 급성 발작성 복통: 다리를 차거나 복부를 향해 위로 끌어당기는 움직임

  - 우상복부에 소시지 모양 덩어리 촉진

  - 초반의 담즙 섞인 구토(하부 위장관 폐쇄)

  - 젤리 같은 혈액과 점액이 섞인 변

  - 쇼크 증상: 괴사 시 발열, 복부팽만, 맥박 상승

- **치료**

  - 감압 위해 금식, 비위관 삽입

  - 바륨관장과 함께 수용성 정복 실시: 교정 불가 시 즉시 수술

  - 장폐색이 2일 이상 지속될 시, 장의 천공, 복막염, 쇼크

  - 감압에 실패한 경우 수술

---

023 ④

해설 | **설사**

원인	• 영아: 24개월 미만
	• 병원체
	  – 바이러스: Rota virus (가장 흔함)
	  – 박테리아: 대장균
	• 영양장애, 장흡수 저하, 음식 알레르기, 고당·고지방·고섬유식이, 과식
	• 감염, 항생제 장기 사용으로 정상 세균총이 파괴된 경우
	• 간, 췌장, 갑상선 장애 등, 정서적 요인, 위생불량

증상	• 탈수, 전해질 불균형 ▶ 소변량 감소(24시간 동안 젖은 기저귀가 6개 이하, 4시간 이상 소변을 보지 않음), 입술 건조, 체중 감소 • 식욕부진, 복부 불편감, 영양장애, V/S, I/O 및 체중 매일 측정 • 피부 사정: 건조한 점막, 피부탄력성 저하, 대천문 함몰, 창백, 건조한 피부 • 물 같은 대변, 녹색 대변, 농과 혈액이 섞인 대변
치료	• 재수화: 심한 탈수와 구토의 경우 비경구적 수액요법 • 박테리아성 설사 시 항생제 치료, 금식(장휴식)

간호 중재	• 원인균 판명될 때까지 격리 • 탈수 교정: 처방된 수액 주입 • 케톤산 증가에 의한 산혈증으로 대사성 산독증 발생 ▶ 과다 호흡 관찰 • 식이요법 　– 생제 장기간 복용에 의해 정상 상주균이 없어진 경우 요거트 섭취 권장 　– 차가운 액체는 장운동을 증가시키므로 실온 정도로 제공 　– 모유수유를 중단할 필요는 없음, 조제유는 낮은 농도로 시작해서 서서히 정상 농도로 조정 　– 설사 심하면 금식하고 증상 호전 시 맑은 액체로 식이 시작 　– 제한: 야채나 과일 섭취는 설사를 유발하므로 피하고, 고당·고지방 음식은 섭취 중단하도록 함 • 감염예방 　– 손씻기 　– 원인균 판명될 때까지 격리, 감염 경로의 차단을 위해 배설물 관리를 철저히 시행

POWER 특강

탈수

• **종류**

경증 탈수	중등도 탈수	중증 탈수
체중의 5% 손실	체중의 5~10% 손실	체중의 10% 손실

• **증상**

　– 의식수준 변화: 안절부절 못함 → 기면, 자극에 대한 반응 감소, 쇼크

　– 낮은 혈압, 체중 감소, 쇠약감, 피부긴장도 저하, 칙칙한 피부색

　– 움푹 들어간 눈, 대천문 함몰, 요비중 증가(1.030 이상), 소변량 감소

　– 맥박 상승, 혈압 저하, 쇼크, 구강점막 및 입술 건조, 눈물 및 타액 감소

　– 테타니 및 경련: 부갑상선 저하증, 인의 과다섭취, 저마그네슘혈증, 저칼슘혈증의 후기 증상

　◎ 테타니: 혈액 속의 칼슘 저하 → 말초신경과 신경-근 접합부의 흥분성이 높아짐 ▶ 가벼운 자극으로 근육

　　(주로 손발·안면)이 수축·경련을 일으키는 상태

---

024 ②

해설 | **식도폐쇄와 기관식도류**

• 증상

　– 3C: 기침(coughing), 질식(chocking), 청색증(cyanosis)

　– 거품이 섞인 과도한 타액분비 및 침 흘림

　– 무호흡증, 수유 후 호흡곤란(기침 or 청색증 등) 증가

　– 카테터를 삽입하기 어렵고, 저항감이 강하게 느껴짐

　– 흡인성 폐렴으로 수포음(rale) 청진 가능

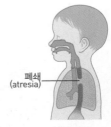

폐쇄
(atresia)

식도폐쇄

• 수술 전후 간호

수술 전	• 사정: V/S, 피부색, 호흡곤란, 복부팽창, 분비물 양상 • 반좌위: 우는 동안 복압상승으로 인해 위 분비물이 역류하는 것을 방지 • 기도폐쇄 예방: 인두 내 분비물 흡인, 엎드려 놓거나 고개를 돌려놓도록 함, 기관식도루가 의심되면 즉시 경구섭취 　를 금지하고 정맥수액요법을 시행 • 복위 후 식도맹관을 자주 흡인

수술 후	• 기도 유지: 호흡상태 관찰, 비위관을 통해 자주 구강·비강 분비물 흡인 • 적절한 영양 공급: 수술 후 10~14일까지 위관영양 공급, 위루관 설치술 환아의 경우 빠는 욕구의 충족을 위해 노리개젖꼭지를 빨게 함 • 수술 후에는 정맥이나 위루관으로 영양공급을 함

025 ④

해설 | **분노발작(유아기)**

④ 아동이 자신의 자율성(독립성)을 주장하기 위해 나타내는 행동양상이다. 마루에 드러눕고 발로 차기도 하며 숨이 넘어갈 듯이 울기도 하는데 이때에는 진정될 때까지 아무런 반응을 보이지 말고 무관심으로 대하는 것이 좋다.

• 유아기 자율성의 표현

유형	개념	대처
거부증	• 의지가 분리된 존재로서의 정체감(자율성)을 표현하기 위해 계속적으로 부정적인 반응을 보임 (ex) "안 해", "싫어!" 같은 부정적 표현, 소리 지르기, 발로 차기 등 • 유아기 아동의 전형적인 행동으로, 정상적인 반응	• 아동이 "싫어"라고 대답할 질문을 하지 않으며, 무조건적인 명령이 아닌 아동이 선택할 수 있는 질문을 함 • 피곤하고 배고플 때에는 과제를 주지 않음
분노발작	• 독립적인 욕구가 좌절될 때 격렬하게 저항함으로써 자율성을 표출함 (ex) 숨이 넘어갈 듯 울기, 바닥에 드러눕기 등	• 부모는 반응을 보이지 말고 일관적인 태도로 대하되, 자리를 떠나지 않고 아이를 진정시킴 • 그 후 아동을 위로하고 한계를 확실히 설정해줌
의식주의 (ritualism)	• 안정된 일상생활 반복이 통제감과 자율감을 느끼게 하므로 이에 집착함 ▶ 하지 않으면 스트레스와 불안 증가함 (ex) 같은 컵 사용, 같은 의자에 앉기 등	• 아동의 의식주의 행동을 존중해줌 ▶ 안정감 증진

026 ④

해설 | **거부증**

• 자신의 자율성을 주장하기 위해 계속적으로 부정적인 반응을 보이는 유아기의 전형적인 행동(정상)

　(ex) 제안에 동의하면서도 표면적으로는 "싫어!", "안 해요" 등의 부정적인 표현을 사용하고, 소리를 지르고 발로 차고 때리거나 호흡을 참기도 함

027 ②

해설 | **폐렴 간호**

• 충분한 휴식(▶ 에너지 보존)

• 수분섭취 및 탈수예방

• 분비물 배액

　– 반좌위, 체위변경 자주함 (cf) 일측성 폐렴일 경우 침범된 쪽으로 눕힘

　– 적절한 습도를 제공하여 분비물을 액화시킴

　– 흉부물리요법(CPT): 체위배액 + 타진 + 진동

　　ⓐ 체위배액(분비물 모음) → 타진(분비물 떨어뜨림) → 진동(분비물 액화 및

　　　기침 유도) → 흡인 or 기침 ▶ 분비물 제거

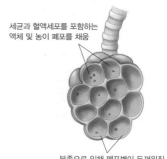

세균과 혈액세포를 포함하는
액체 및 농이 폐포를 채움

부종으로 인해 폐포벽이 두꺼워짐

	적응증: 농흉, 폐농양, 기관지확장증 등의 분비물 생성 폐질환	
체위배액 (중력이 가해지는 자세)	• 시행법 – 횟수: 2~4회/일, 한 자세 최소 5~10분 이상 유지함 – 시기: 식전 1시간, 식후 1~3시간, 취침 전 ▶ 오심·구토 흡인 예방 – 시행 전 처방된 기관지확장제, 물, 생리식염수 등을 분무하거나 흡인함 – 시행 중 기침을 하게 하여 기관지 분비물을 끌어올림 – 시행 중 불편감 호소 시 중단함 – 시행 전후 청진하여 그 효과를 확인함	
타격법	손을 컵 모양으로 오므려서 폐의 위쪽 → 아래쪽으로 주기적으로 흉벽을 두드림	
진동법	호기 동안 흉벽에 분당 200회 정도의 진동을 한 분절에 3~5회 적용	

– 발열 조절: 서늘한 환경 유지, 필요시 해열제 투여

– 산소공급, 항생제 투여

POWER 특강

상하부 기도폐쇄의 비교

	상부 기도폐쇄	하부 기도폐쇄
기준	2차 기관지 이상	3 mm 미만의 기관지 이상
호흡음	흡기성 천명(stridor)	호기성 천명(wheezing)
특징적 증상	• 심한 호흡곤란 • 기침 시 개짖는 소리(barking sound) • 기침 시 객담은 별로 X	• 증상 뚜렷하지 않음 • 반복되는 마른기침
대표 질환	• 후두기관 연화증 • 후두–기관염 • 후두개염	• 폐렴 • 백일해 • 세기관지염 • 천식

028 ⑤

해설 | 크룹 증후군(급성 경련성 후두염)

• 개념: 주로 밤에 갑자기 발생하는 후두폐쇄에 의한 경련성 발작으로 수일간 지속됨

• 증상: 흡기 시 특징적인 협착음, 개 짖는 듯한 소리의 기침 or 쇳소리 기침, 쉰 목소리, 흉골부위의 퇴축, 불안감, 호흡곤란

• 치료 및 간호: 기도유지와 적절한 호흡환기가 가장 중요

  – 저온 치료: 혈관수축의 효과 있음 ex 차가운 증기(습기) 제공

  – 크룹텐트: 고농도의 습도와 적절한 산소 제공 ▶ 분비물 액화, 후두부종 및 자극 감소

• 가급적 간호를 한 번에 제공

  – 습한 옷과 이불은 자주 교환해 줌

  – 격리 금지: 불안을 가중시켜 호흡양상을 악화시킬 수 있음

  – 약물요법

    ⓐ 에피네프린 분무요법: 점막의 혈관수축과 후두개의 부종경감에 효과적

    ⓑ 코르티코스테로이드: 항염효과 및 후두개 부종경감

  – 수분섭취 유지, 충분한 휴식, 정서정 안정

크룹 증후군

- 정의: 바이러스나 세균이 후두점막에 침투, 염증을 유발하며 발생하는 질환
  - 후두염, 후두기관염, 후두기관기관지염, 후두개염의 총칭
  - 3세 이하에서 호발함
  - 상기도감염이 선행됨
- 증상: Cough (기침) + Restlessness (불안정, 안절부절못함) + Out of breath (호흡곤란) + Unusual sounds (이상한 소리) + Pain and pyretic (통증 및 발열) = CROUP

029 ⑤

해설 | **뇌성마비(cerebral palsy)**

- 정의: 미성숙한 뇌에 비진행성 병변이나 손상이 발생하여 임상적으로 운동과 자세의 장애를 보이게 되는 상태 ▶ 중추신경계의 손상으로 수의근의 힘이나 조절이 결핍됨
  - 비진행성 장애, 영구적 신체 불구(아동기에 가장 흔함)
  - 지각문제, 언어결핍 + 지능문제가 동반될 수 있음
- 원인
  - 주원인: 저산소증
  - 허혈, 출혈, 두부손상의 합병증, 산전 및 출생 후 감염
  - 선천성 기형, 분만 중 외상질식, 모체의 임신 중 풍진 감염 or 약물중독
- 진단: 바빈스키 반사(+), 정위 반사(+), 불수의적 움직임, 강직

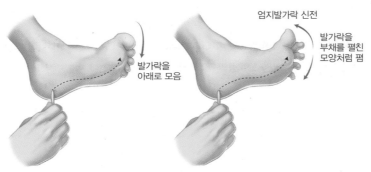

A. 정상 족저반응   B. 신전 족저반응(바빈스키 반사 양성)

- 치료 및 간호: 완치가 아니라 합병증을 예방하면서 최적발달을 도모하는 것이 목표임

가족의 정서적 지지	부모의 죄책감을 덜어주고, 대처능력을 증진시킴
영양 유지	적은 양의 음식 자주 제공, 흡인 예방을 위한 음식제공기술 교육
일상생활 유지	• 연령과 능력의 범위 내에서 일상생활 활동 수행 격려 • 운동기능 및 감각 향상을 위한 활동 및 특수훈련 프로그램 적극 참여
긍정적 자아상 도모	자조집단 참여

030 ⑤

해설 | 신증후군 간호

전신부종과 단백뇨가 있을 때는 염분제한식이와 수분섭취 제한을 통해 부종을 완화시키고, 신장의 부담을 줄여야 한다.

031 ③

해설 | 수두(chickenpox, varicella)

원인	• 병원체: 수두대상포진 바이러스(Varicella zoster virus) • 감염원: 감염자의 호흡기 분비물, 피부병변이나 점막 배설물, 오염된 물건 등 • 감염경로: 직접 접촉, 공기전파, 비말감염
감염 기간	• 잠복기간: 2~3주(13~17일) • 전염기간: 발진 1일 전(전구기) ~ 첫 수포 발생 후 6일(가피 형성)까지
증상	• 발진 24~36시간 전 미열, 전신권태, 식욕부진, 두통 • 발진 양상 - 홍반 → 구진 → 수포 → 농포 → 가피 형성(단계별 발진이 동시에 존재) - 가슴, 배, 몸통 → 얼굴, 어깨 → 사지(몸통 가까이에 발진이 집중됨) • 심한 소양증 • 중증 시 연구개 점막에 병변 발생
예방 접종	• varicella 생백신 사용 ▶ 능동면역 • 수두위험성 높은 환아는 varicella-zoster immune globulin (VZIG) 사용
치료	• 약물치료: 항바이러스제, 항히스타민제, 해열제, 피부 보호제 ⓒ 라이증후군의 위험성으로 인해 아스피린은 투여 금기 • 수동면역: 수두에 노출되었고 합병증이 크게 우려되는 고위험 아동일 경우 3일 이내에 면역 글로불린을 이용하여 수동면역을 실시
간호 중재	• 격리(수포가 사라질 때까지) • 긁어서 상처가 나지 않도록 장갑을 끼우고 손톱을 잘라줌 • 2차 감염예방: 항생제 투여, 오염된 물품 소독, 침구와 의복 청결 유지 • 소양증 간호: 피부병변 전분 목욕, 칼라민 로션 도포, 비누 사용하지 않은 차가운 스폰지 목욕, 소양증에서 관심을 돌리기 위해 재미있는 게임을 시킴
합병증	피부를 긁으면 세균 침입 등으로 인해 2차 감염 발생함: 괴저, 봉와직염 발생, 패혈증, 폐렴, 괴사성 근막염

--- **comment** ---

소아기에 수두 바이러스에 한 번 감염되면 수두를 앓고 난 후에도 바이러스가 몸속에서 완전히 사라지지 않는다. 체내에 남아 있는 수두 바이러스는 신경을 따라 이동하여 신경절에 잠복해 있다 노화 등의 면역력 약화 시 재활성화되는데, 이를 대상포진이라고 한다.

032 ③

해설 | 세기관지염(bronchiolitis)

• 정의: 바이러스가 기관지 말단 부위를 침입하여 작은 기도에 염증성 폐쇄를 일으키는 감염으로 주로 1세 미만의 영아에서 발생

• 병태생리: RS 바이러스가 기도의 상피세포에 침범하면 기관지와 세기관지내벽이 염증세포로 침윤되고, 세기관지 주위에 간질성 폐렴이 나타남

• 증상: 부종과 분비물로 인한 기도폐색으로 나타나는 쌕쌕거리는 천명음이 흔함. 무호흡, 무기폐, 2차 바이러스 감염과 호흡부전이 합병. 천식과 감별 필요

 ※ 천식: 18개월 이상에서 발병, 알레르기 가족력, 재발, 바이러스 선행 감염없이 갑자기 발병. 호산구 증가

• 치료

- 주로 가정에서 돌봄. 폐질환와 심장질환 동반 시 입원. 대증적 보존요법 시행

  − 빠른 호흡 시 구강섭취 금함

  − 세균감염 시 항생제 투여

- 주요간호중재

  − 분비물 증가와 관련된 기도개방 유지 불능: 비인두 흡인, 분무요법, 체위배액

  − 거담제 흡입 후 체위배액(환측 반대쪽으로 측위를 취해 환측 거담 촉진)

033 ④

해설 | **간질(epilepsy)**

- 정의: 간질발작을 유발할 수 있는 원인인자(전해질 불균형, 산−염기 이상, 요독증 등)가 없음에도 불구하고 간질발작이 반복적으로 발생하여 만성화된 질환군

- 진단: 뇌파검사 & 뇌MRI

  − 뇌파검사: 간질 환자의 경우 생리학적으로 대뇌피질세포의 전기적 과활성 상태임

치료	• phenytoin (Dilantin), phenobarbital, carbamazepine 투여 　− 부작용 관찰: 잇몸비후, 다모증, 운동실조, 안구진탕증, 오심 등 　　**☞** 잇몸비후 감소시키기 위하여 구강관리의 필요성 교육함 　− 항경련제는 정확한 시간과 식간에 투여해야 하며, 2~3년간 발작이 없을 때까지 계속 투여하고 어떠한 경우에도 갑자기 끊으면 안 됨 　− 투여 시 혈액검사, 요분석, 간기능 검사 자주 실시하여 혈청 내 농도 확인 필요
간호중재	• 간질발작 시 주변을 치우고 안전한 환경을 확보하여 신체 손상 최소화 　− 분비물이 기도로 흡인되지 않도록 머리를 옆으로 돌림 　− 억제는 하지 않고, 주변에서 지켜보도록 함 • 발작 후 응급조치를 요하는 경우 확인 　− 첫 번째 발작 시 　− 호흡 정지 　− 발작의 5분 이상 지속, 간질 발작적 지속 상태 　− 발작 후: 깨어나지 않거나 통증에 무반응, 비대칭적인 동공, 30분간 구토

=== comment ===

'간질'이라는 명칭에 대한 사회적 편견과 낙인이 심하기 때문에 '뇌전증'이라는 용어로 변경되었다. 명칭만 바뀌었을 뿐 진단 및 치료에는 변화가 없다.

034 ④

해설 | **학교공포증(School phobia)**

- 증상

  − 행동적: 학교와 관련된 극심한 불안과 두려움을 느끼고 등교를 거부하며, 학습이 부진함

  − 신체적: 식욕부진, 구역, 구토, 두통 등 ▶ 학교에 가지 않고 집에 있으면 증상이 사라짐

- 원인: 분리불안, 교사 or 또래 친구들과의 원만하지 못한 관계 등

  − 분리불안

    ⓐ 애착 대상으로부터 분리불안의 정도가 일상생활을 위협할 정도로 심하고 지속적인 경우

413

ⓑ 발병 계기: 부모의 질병, 동생 출산, 이사, 전학 등
- 간호
  - 등교 거부에 처벌을 가하는 대신 심리 이해를 위해 면담, 놀이 치료, 가족 치료를 시행함
  - 등교를 목표로 긍정적 강화요법, 긴장이완요법, 체계적 탈감각법 등 인지행동 치료를 시행함
  - 필요시 정신과적 약물치료 or 입원: 선택적 세로토닌 재흡수 억제제(SSRI), 벤조디아제핀(benzodiazepine) 등

035 ②

해설 | **성장통**
- 정의: 성장기 아동에서 기질적 이상 없이 나타나는 하지 통증
  - 호발부위: 하퇴부, 대퇴부의 심부근육층 또는 무릎관절, 대퇴관절부의 심부
  - 기여요인
    ⓐ 3~12세 사이의 남아
    ⓑ 과도한 신체활동, 저녁
- 치료 및 간호
  - 특별한 치료를 요하지 않는 통증으로 대개 저절로 호전됨
  - 통증이 심할 경우, 따뜻한 물로 목욕을 하거나 찜질, 마사지를 받아서 완화시킴
- 감별: 파행(절뚝거림), 관절구축, 부종, 홍반, 국소압통 등이 있다면 성장통이 아닐 가능성이 매우 크기 때문에 꼭 전문의의 진료를 받아야 함

지역사회간호학

---

036 ⑤

해설 | **동일한 요구를 지닌 공동체**
- 특별한 문제가 있는 장소, 어떤 건강문제와 그 건강문제에 영향을 미치는 요인을 포함하고 있는 영역

037 ④

해설 | **오렘의 자가간호 이론**
- 오렘에 따르면 인간은 간호의 대상으로 자가간호라는 행동 형태를 통해 계속적인 자기유지와 자기조절을 수행하는 자가간호요구를 가진 자가간호행위자로 볼 수 있다.
  - 간호목표: 자가간호활동을 수행하는 능력(자가간호역량)과 자가간호요구의 차이를 줄이는 것

038 ①

해설 | **면담 전 활동**
- 면담대상에 대한 기록과 보고서를 검토한다.

- 예측되는 요구나 문제에 대처한다.
- 사전 연락을 통해 면담 목적을 설명하고 면담 일시를 결정한다.

039 ⑤

해설 | **의뢰 시 주의점**

- 의뢰하기 전에 대상자와 의논해 본인이 납득하도록 한다.
- 의뢰 여부는 대상자 스스로 결정하여야 한다.
- 다양한 기관을 조사하여 대상자에게 의뢰기관 정보를 제공한다.
- 의뢰하기 전에 의뢰할 기관에 대해 미리 설명한다.
- 의뢰 직전 대상자의 상태를 한 번 더 확인한다.
- 대상자가 의뢰기관을 방문할 때 의뢰서를 가지고 가게 한다.
- 의뢰 전에 의뢰할 기관이나 기관의 담당자를 먼저 접촉하여 관련 상황을 파악한다.

040 ⑤

해설 | **간호진단 우선순위결정 시 고려사항**

⑤ 가장 긴급한 문제인 신종 인플루엔자 집단 감염이 우선순위가 제일 높다.

- 많은 사람에게 영향을 주는 문제
- 높은 영아사망을 일으키는 문제
- 모성건강에 영향을 주는 문제
- 어린이나 젊은 사람에게 영향을 주는 문제
- 만성적 장애의 원인이 되는 문제
- 지역사회개발에 영향을 미치는 문제
- 전체 지역사회에 큰 관심을 일으키는 문제

041 ①

해설 | **평가의 유형** `기출 매년 출제`

- 구조평가: 사업에 투입되는 자원의 적절성을 평가
- 과정평가: 사업의 과정을 평가하는 것으로, 목표대비 사업의 진행정도, 사업의 적절성과 효율성, 사업전략 및 활동의 적합성과 서비스의 질 등을 평가
- 결과평가: 사업의 종료 시 사업효과를 측정하기 위한 평가. 사업의 목표 달성 정도 등을 평가
- 영향평가: 대상행위와 성향요인·촉진요인·강화요인 그리고 행위에 영향을 미치는 환경요인이 목표행동에 미치는 즉각적인 효과에 대해 평가

042 ⑤

해설 | **보건진료 전담공무원의 업무**

법 제19조에 따른 보건진료 전담공무원의 의료행위의 범위는 다음 각 호와 같다.

1. 상병상태를 판별하기 위한 진찰 · 검사
2. 환자의 이송
3. 외상 등 흔히 볼 수 있는 환자의 치료 및 응급조치가 필요한 환자에 대한 응급처치
4. 상병의 악화 방지를 위한 처치
5. 만성병 환자의 요양지도 및 관리
6. 정상분만 시의 분만개조
7. 예방접종
8. 제1호부터 제7호까지의 의료행위에 따르는 의약품의 투여

043 ②

해설 | **의료보장의 범위**

사회보장체계 중 의료보장에 해당하는 것으로는 건강보험, 의료급여, 산재보험(산업재해보상보험)이 있다.

044 ③

해설 | **행위별 수가제(fee for service)**

- 개념: 의사의 진료행위마다 일정한 값을 정하여 진료비를 결정하는 방식
  - 장점: 의료인의 자율성 보장, 첨단 기술 및 고급 의료기술 개발에 기여, 양질의 서비스 제공
  - 단점: 서비스 제공자의 수입극대화를 위한 과잉진료 위험성, 의료비 상승, 예방보다는 치료 중심의 의료행위, 의료자원의 지역 간 편재 경향, 의료비 지불심사상의 행정 절차가 복잡하고 비용이 많이 듦

045 ⑤

해설 | **업무의 위탁**

지역보건법에 의하여 시 · 도지사 또는 시장 · 군수 · 구청장이 의료기관 기타 보건의료관련기관 · 단체에게 위탁할 수 있는 업무는 다음 각호와 같다.

1. 감염병의 진료
2. 감염병의 예방업무 중 방역소독 업무
3. 가정 · 사회복지시설 등을 방문하여 행하는 보건의료사업
4. 특수한 전문지식 및 기술을 요하는 진료, 실험 또는 검사업무
5. 기타 지역주민의 보건의료 향상 · 증진을 위하여 특히 필요하다고 인정되는 업무

046 ④

해설 | **국민건강보험제도**

오답 ① 법률에 의한 강제 가입, 강제 납부

② 적용대상: 가입자(직장가입자, 지역가입자)와 피부양자, 의료급여 대상자를 제외한 국내 거주하는 모든 국민

③ 부담능력에 따른 보험료의 차등부담

⑤ 보험료 부담수준에 관계없이 보험급여의 균등한 수혜

047 ⑤

해설 | **영유아 예방접종**

오답 ① 접종 당일은 목욕을 시키지 않는다.

② 건강상태가 좋은 오전 중에 접종한다.

③ 피부습진 등 피부병이 있는 경우 접종을 하지 않는다.

④ 심하게 보채고 울거나 구토, 고열증상이 나타날 때는 즉시 의사의 진찰을 받는다.

048 ①

해설 | **재활간호사업의 목적**

· 장애로 인해 변화된 삶에 적응하면서 최적의 안녕상태를 촉진

· 재활의 궁극적인 목표는 장애인의 사회 재통합(가정과 지역사회로의 복귀)

049 ⑤

해설 | **금연프로그램의 단계**

계획 전 단계	· 금연(혹은 절주)할 생각이 전혀 없는 상태 – "금연/절주할 생각이 전혀 없다."
계획단계	· 흡연/음주의 해로움을 인정하고 부정적으로 생각하지만 당장 금연/절주를 하고자 하는 것은 아닌 상태 – "앞으로 언젠가 끊기는 해야겠다."
준비단계	· 구체적 계획 실행 날짜를 검토하고, 금연/절주 예정일을 한 달 이내로 생각하고 있는 단계 – "앞으로 한 달 이내에 금연/절주를 고려하고 있다."
행동단계	· 금연/절주로 돌입하는 과정으로 금연/절주를 시작한지 1개월 이내 – "이제 금연/절주하고 있다."
유지단계	· 적어도 1개월 이상 금연/절주를 유지하는 상태 – "이미 금연/절주에 성공, 유지하는 일만 남았다."

050 ①

해설 | **건강증진학교**

1. 건강한 학교 정책: 교육적 요구 촉진 학교활동 문서, 실행

2. 학교의 물리적 환경: 교내외 건물, 운동장, 시설, 감염병 방지 시설, 급수시설, 공기정화 등

3. 학교의 사회적 환경: 교직원 간, 학생 간, 교직원과 학생 간 관계, 부모, 지역사회와의 관계

4. 지역사회 연계: 학교와 가족과의 연계, 학교와 지역사회 주요 단체와 개인과의 연계

5. 개인 건강기술과 활동 능력:

- 공식, 비공식적 교과과정 관련
- 발달, 연령별 지식과 이해, 기술과 경험 획득하여 스스로 건강증진 활동 수행 능력을 가짐

6. 학교 건강서비스: 아동, 청소년기 건강관리와 건강증진에 대한 책임을 갖는 학교 기반, 학교와 연계된 서비스

051 ②

해설 | 평가의 유형

- 구조평가: 사업에 투입되는 자원의 적절성을 평가
- 과정평가: 사업의 과정을 평가하는 것으로, 목표대비 사업의 진행정도, 사업의 적절성과 효율성, 사업전략 및 활동의 적합성과 서비스의 질 등을 평가
- 결과평가: 사업의 종료 시 사업효과를 측정하기 위한 평가. 사업의 목표 달성 정도 등을 평가
- 영향평가: 대상행위와 성향요인 · 촉진요인 · 강화요인 그리고 행위에 영향을 미치는 환경요인이 목표행동에 미치는 즉각적인 효과에 대해 평가

052 ②

해설 | 건강증진사업의 기획

1. 지역사회의 현황 분석: 지역사회의 건강수준, 지역사회의 관심과 장점, 지역사회의 보건체계, 건강문제와 해결능력에 영향을 미치는 환경의 변화 등을 분석
2. 우선순위 결정: 문제의 중요성, 변화 가능성, 문제의 크기, 심각도, 주민의 관심도 등을 고려하여 우선순위 결정함
3. 목표 설정: 구체적으로 명확한 기한을 가지고 측정 및 성취 가능한 수준에서 목표 설정
4. 건강증진전략의 개발과 실행계획
5. 사업의 평가: 구조평가, 과정평가, 결과평가

053 ②

해설 | 목표 설정 기준(SMART Formula)

1. **S**pecific (구체성): 목표는 구체적으로 기술되어야 함
2. **M**easurable (측정가능성): 목표는 측정 가능해야 함
3. **A**chievable (실현가능성): 목표는 실현가능한 수준이어야 함
4. **R**elevant (관련성): 목적 및 문제해결과 직접 관련성이 있어야 함
5. **T**ime limited (기한): 목표달성을 위한 기한이 명시되어야 함

오답 ⑤ 가족 간호의 목표는 가족이 해결해야 할 문제와 관련이 있어야 하며, 가족 중심으로 누가, 무엇을, 어디서, 언제까지, 어느 범위로 달성할 지를 서술해야 한다.

054 ②

해설 | 가족사정 도구

- 가족 구조도(가계도): 가족 전체의 구조와 구성을 한 눈에 볼 수 있는 도구

- 가족 밀착도: 동거하고 있는 가족 구성원 간에 밀착관계와 상호관계를 이해하기 위해서 사용
- 가족 연대기: 가족의 역사 중에서 중요하다고 판단되는 생활 사건들을 순서대로 나열하여 가족 구성원의 질병과 사건의 연관성을 분석하기 위해서 사용
- 외부체계도: 가족을 둘러싸고 있는 이웃, 지역사회 등의 외부체계와 구성원 간의 관계유형, 관계정도 등을 그림으로 나타내는 도구
- 가족생활사건: 최근 가족이 경험하는 일상사건의 수를 표준화한 도구

055 ①

해설 | **시범**

- 실제 적용해보거나 나타내 보이는 활동으로 기술교육에 적합한 방법
- 교육자가 직접 전 과정을 실시해보이고, 학습자의 실습장면을 관찰하면서 즉시 피드백을 주어 시정할 수 있게 도와줌
- 장점: 학습자의 흥미와 동기유발에 용이, 배운 내용을 쉽게 적용 가능
- 단점: 소수에게만 적용 가능, 교육자가 숙달되기 위해 많은 준비기간 필요

056 ③

해설 | **집단교육(캠페인)**

비교적 짧은 기간 내에 특정문제에 관한 상식과 기술을 증진시키거나 태도나 가치관을 증진시키기 위해 집중적 반복과정을 통해 많은 사람들이 교육내용을 알도록 하는데 활용되는 방법

057 ②

해설 | **학습에 영향을 미치는 요인(개인적 요소)**

학습이 효과적으로 이루어지기 위해서는 학습동기, 학습자의 신체적·정신적 준비정도와 개인의 차이를 반영한 학습 내용, 교육장소의 크기, 온도, 환기 등의 학습 환경 여건 등을 고려하여야 한다. 그중 학습자 변인으로는 학습자의 신체적·정신적 준비정도, 학습자의 동기, 학습자의 지식, 경험 등이 있다.

058 ⑤

해설 | **가족 구조–기능이론**

- 가족은 사회체계와 상호작용하는 체계로 사회구조가 개인의 행위를 결정하며 가족경계의 명료성이 가족기능을 평가하는데 유용한 변수가 됨 ▶ 가족의 구조가 변화할 때 가족구성원들의 위치, 역할, 기능이 변함

059 ④

해설 | **현대사회 가족의 특징**

핵가족, 단독가족의 증가, 여성의 사회진출로 출산율 감소, 노인인구의 증가, 비혈연 가족의 증가, 가족의 기능 일부가 사회로 이전됨, 평등한 가족 관계, 가족유대와 결속력의 약화 등

060 ①

해설 | 보건교사의 직무(학교보건법 시행령, 제23조)

가. 학교보건계획의 수립

나. 학교 환경위생의 유지 · 관리 및 개선에 관한 사항

다. 학생과 교직원에 대한 건강진단의 준비와 실시에 관한 협조

라. 각종 질병의 예방처치 및 보건지도

마. 학생과 교직원의 건강관찰과 학교의사의 건강상담, 건강평가 등의 실시에 관한 협조

바. 신체가 허약한 학생에 대한 보건지도

사. 보건지도를 위한 학생가정 방문

아. 교사의 보건교육 협조와 필요시의 보건교육

자. 보건실의 시설 · 설비 및 약품 등의 관리

차. 보건교육자료의 수집 · 관리

카. 학생 건강기록부의 관리

타. 다음의 의료행위(간호사 면허를 가진 사람만 해당한다)

  1) 외상 등 흔히 볼 수 있는 환자의 치료

  2) 응급을 요하는 자에 대한 응급처치

  3) 부상과 질병의 악화를 방지하기 위한 처치

  4) 건강진단결과 발견된 질병자의 요양지도 및 관리

  5) 1)부터 4)까지의 의료행위에 따르는 의약품 투여

파. 그 밖에 학교의 보건관리

061 ④

해설 | 감염병 대응단계

1단계: 학교 내 감염병 유증상자의 발견 및 확인 단계 – 감염병 유증상자가 있음

2단계: 학교 내 감염병 유행의심여부를 확인하는 단계 – 의료기관으로부터 확인받은 감염병(의심) 환자가 있음

3단계: 학교 내 유행확산차단 – 감염병(의심) 환자가 2명 이상 있음

복구: 학교 내 유행종결 및 복구

062 ④

해설 | WHO 건강증진 학교

세계보건기구(WHO)가 제시한 건강증진학교를 위한 지침에는 학교보건 정책, 학교의 물리적 환경, 학교의 사회적 환경, 지역사회 유대관계, 건강기술, 학교보건서비스 등 6개 영역과 각 영역에 포함될 수 있는 3가지 구성요소가 있다. 그 중 지역사회의 참여와 관련된 것은 지역사회 유대관계이다.

063 ②

해설 | **작업환경관리**

- 대치: 위생대책의 근본방법으로 공정과정, 시설, 물질 등을 변경하는 것. 비용이 적게 드나 기술적 어려움이 따름
- 격리: 작업자와 유해인자 사이에 장벽(물체 · 거리 · 시간 등)을 설계하는 방법
- 환기: 오염된 공기를 작업장 안으로부터 제거하고 신선한 공기로 치환
- 보호구 사용: 작업자를 현장의 유해환경에서 격리시키기 위해 가장 흔히 사용하는 방법
- 차열: 뜨거운 물체를 다루는 공정과정에서 기구를 대치하여 열을 막음

064 ④

해설 | **납 중금속 중독**

- 증상과 징후
  - 혈관수축이나 빈혈로 인한 피부 창백
  - 구강 치은부에 암청회색의 황화연(Pbs)이 침착한 청회색선
  - 호염기성 과립적혈구 수의 증가
  - 소변 중의 코프로폴피린의 검출
  - 혈색소량 저하, 적혈구 내 프로토폴피린의 증가, 혈청 내 철 증가
- 예방과 관리
  - 호흡기를 통한 흡입과 소화기를 통한 섭취를 방지하는 것
  - 개인보호구를 착용
  - 정기 건강진단을 실시하여 조기발견 및 치료를 시행하고, 필요 시 작업배치 전환

① 비타민C를 공급함 → 크롬

② 비중격점막에 바셀린 바름 → 크롬

③ 고무장갑, 고무앞치마 착용 → 크롬

④ 바닥이 축축하도록 물을 뿌림 → 납

⑤ 급성중독 시 우유와 계란흰자를 먹임 → 수은

065 ①

해설 | **사업장 관리제도**

보건관리대행제도	'산업안전보건법'에 따라 상시근로자 300인 미만인 사업장과 벽지에 소재한 사업장을 대상으로, 보건관리에 대한 의무사항을 효율적으로 수행할 수 있도록 산업보건전문기관이 사업장 보건관리업무를 위탁받아 대행함
집단보건관리제도	사업주는 보건에 관한 지도, 조언을 하도록 사업장에 보건관리자를 두어야 하며, 사업의 종류와 규모에 따라 자체 보건관리자를 선임하거나 보건관리 대행기관에 위탁해야 함
전임보건관리자제도	대규모 사업장(상시 근로자 300인 이상)에서 전임 보건관리자를 배치하여 보건관리함
공동채용보건관리제도	1명의 보건관리자가 여러 개의 사업장을 공동으로 관리하는 제도로, 1명의 보건관리자가 3개소 이하의 사업장을 관리하며 근로자 수의 합계는 300인 이내로 함
소규모사업장보건관리제도	50인 미만 사업장의 보건관리 사업을 위해 1명의 보건관리자가 일차적으로 사업장을 전체적으로 관리하고, 작업환경과 질환이 의심되는 근로자를 작업 환경 측정 전문기관이나 2차 의료기관으로 의뢰함

066 ②

해설 | **근로복지공단**

산업재해 보상보험의 업무를 총체적으로 담당하고 있는 기관으로 1977년 산업재해보상보험 시설의 설치, 운영 그리고 산업보건에 관한 사업 및 근로자 후생복지에 관한 사업의 수행을 통한 근로자의 복지 증진을 목적으로 설립되었다.

067 ②

해설 | **보건관리자의 직무**

- 건강에 이상이 있는 근로자의 발견 및 이에 대한 조치
- 근로환경 보건에 관한 조사
- 보건상 유해한 근로조건 또는 시설 등의 개선
- 보건용 보호구, 구급용구 등의 검사와 정비
- 보건에 관한 교육과 그 건강상에 관한 사항
- 근로자의 부상/질병/사망/결근/이동에 관한 보건통계

068 ②

해설 | **열성 장애: 열사병**

열사병

- 고온 · 다습한 작업환경에서 격심한 육체적 노동을 하거나 옥외에서 태양의 복사열을 머리에 직접 받는 경우에 발생
- 중추성 체온조절 기능장애로서, 땀의 증발에 의한 체온방출에 장애가 와서 체내에 열이 축적되고 뇌막 혈관의 충혈과 뇌의 온도가 상승하여 생김
- 증상: 땀을 흘리지 못하여 체온이 41~43 ℃까지 급격히 상승하여 혼수상태에 이르게 되며 피부는 건조해짐
- 치료를 안 하면 100% 사망
- 치료를 해도 체온이 43 ℃ 이상일 때에는 약 80%, 43 ℃ 이하인 때는 40%의 치명률
- 체온을 빨리 떨어뜨리는 것이 무엇보다 중요
- 얼음물에 담가서 체온을 39 ℃까지 내려주어야 함
- 찬물로 닦으면서 선풍기를 사용하여 증발 냉각을 시도하여야 함
- 울혈 방지와 체열 이동을 돕기 위해 사지를 격렬하게 마찰시키고 호흡곤란 시 산소를 공급하고 체열 생산을 억제하기 위해 항 신진대사제를 투여함

069 ③

해설 | **발생률**

③ 3주째 발생률 = 3/(120−13−7)×100=3(%)

- 일정 기간에 새로 발생한 환자수를 단위 인구로 표시한 것
- 발생률 = 관찰 기간 내에 위험에 노출된 인구 중 새로 발생한 환자 수/관찰 기간 내에 발병 위험에 노출된 인구수×1,000

070 ①

해설 | **노인장기요양보험**

고령이나 노인성 질병 등의 사유로 일상생활을 혼자서 수행하기 어려운 노인 등에게 신체활동 또는 가사활동지원 등 장기요양급여를 제공하는 사회보험제도이다. 우리나라의 노인장기요양보험 제도는 건강보험제도와는 별개의 제도로 도입·운영되고 있는 한편으로, 제도 운영의 효율성을 도모하기 위하여 보험자 및 관리운영기관을 국민건강보험공단으로 일원화하여 운영하고 있다.

---

071 ③

해설 | **인지장애**

대상자는 인지장애의 양상을 보이고 있으며, 이에 대해 걱정하고 있다. 인지장애 대상자의 간호 목표는 최대 기능을 유지하는 것으로, 자신의 주어진 기능 수준에서 최대한 독립적으로 기능하는 것을 목표로 둔다. 대상자의 지남력을 향상시키기 위해서 최대한의 기본기능과 인지능력을 유지, 향상시키는 방법의 중재를 해야 한다. 이를 위한 방법으로 자극이 적고 익숙한 환경(익숙한 물건, 동일한 치료자)의 조성, 계획되고 일관성 있는 생활 패턴을 유지하는 것, 기본적인 일상생활 활동 중 가능한 활동을 하도록 격려하는 것 등이 있다.

POWER 특강

인지장애 대상자 간호중재

- 소음 없는 상태에서 분명하고 낮은 목소리로 대화, 일관성 있는 태도로 환자를 대함
- 짧고 간단한 문장을 사용하여 천천히 명확하게 이야기 하고, 폐쇄적 질문 사용, 이해하지 못할 때는 같은 단어를 사용하여 반복
- 꾸며낸 이야기(작화증)에 대한 반응은 환자 표현의 느낌에 반응
- 자극이 적은 환경, 익숙한 환경 제공
- 면회객 제한, 동일한 치료자
- 정확하고 간단하면서 일관성 있고 구조화된 일과로 기억력, 지남력 증진
- 회상요법: 과거 경험, 오래된 기억을 활용하여 즐거움과 슬픔이나 분노를 표현

해설 | **항정신병 약물 부작용의 치료 및 간호중재**

도파민(dopamine)은 신경전달물질의 하나로 노르에피네프린과 에피네프린 합성체의 전구물질로, 동식물에 존재하는 아미노산의 하나이며 뇌신경 세포의 흥분전달 역할을 한다. 도파민 증가 시 조현병과 조증, 감소 시 우울이 나타난다. 즉 항정신병 약물의 작용기전은 뇌의 감정작용 부분인 변연계에서 도파민수용체를 차단하여 도파민을 감소시켜 항정신병 효과를 나타내는 것이다. 항정신병 약물의 주된 약물 부작용은 다음과 같다.

- 추체외로 증상(EPS): 파킨슨증상(진전, 경직, 운동완서), 급성 근긴장이상, 정좌불능증, 지연성 운동이상증
  - ▶ 치료위해 benztropine (cogentin) 사용
- 과도한 진정작용
- 항콜린성 부작용: 입마름, 시력장애(잘 안보임, 갈색시야, 녹내장 악화), 배뇨장애, 변비
- 기립성 저혈압 ▶ 천천히 일어나도록 함
- 광선과민증, 피부발진
- 무과립구증 ▶ Clozapine (Clozaril)의 치명적 부작용
- 경련발작
- 신경이완제 악성증후군(NMS): 고열(40 ℃ 이상), 자율신경계 항진증상(발한, 혈압변동, 빈맥, 과호흡), 심한 EPS (극심한 근육강직, 의식변화),

POWER 특강

추체외로계 부작용(EPS)

가성 파킨슨증 (pseudo-pakinsonism)	• 구부정한 자세 • 발을 끌며 보행 • 경직 • 휴식 시 진전 • 알약 굴리는 듯한 손떨림	급성 근긴장 이상 (acute dystonia)	• 찡그린 표정 • 불수의적인 상향 안구 움직임 • 혀, 얼굴, 목, 동체 근육 경련 • 목이 돌아가고 팔·다리가 뒤틀림
정좌불능증 (akathisia)	• 가만히 있지 못하고 몸을 흔들거나 앉기와 서기를 반복 • 발을 앞뒤로 지속적으로 움직임	지연성 운동이상증 (tardive diskinesia)	• 입 주위 근육의 운동장애 • 입을 오물거리고 입맛을 다시고 소리를 냄 • 사지와 손·발 등의 불수위적 움직임

073 ③

해설 | **말러(Mahler)의 분리 개별화 발달이론**

말러는 인격발달을 3세 이전까지의 엄마와의 의존 · 독립하는 과정에 초점을 두었으며, 엄마와 아이의 상호작용을 주의 깊게 관찰하여 분리된 정체감을 형성하려는 아이의 원시적인 노력과 다시 어머니에게 융합하려는 갈등을 통해 '분리-개별화'의 발달단계 구성하였다.

정상자폐기(~1개월)	자기 아닌 것을 구별 못하고 모든 세상을 자신으로 여기는 시기로, 생존을 위한 기본 욕구충족과 안위에 초점을 맞추며, 이 시기에 고착되면 자폐스펙트럼 장애로 발전
공생기(1~5개월)	모자가 공생하는 시기로, '정신이 결합'된 형태로 존재하며, 엄마는 자신의 매일이 필요를 충족시키는 사람으로 인식하는데, 이시기에 엄마에 해당하는 존재가 없거나 거절감을 경험하면 공생정신증(symbiotic psychosis)로 발전
분리-개별화기 (5~36개월)	엄마로부터 신체적 · 정신적으로 분리되어 개별화가 이루어지는 시기로, 자아가 발달하고 자아영역이 독립되면서 정신적으로 한 개인으로 태어나는 시기 • 분화분기(5~10개월): 엄마와 유대에서 벗어나려는 행동 시작 • 실제분기(10~16개월): 엄마에게 실제 분리되는 경험 실습, 만능감, 분리불안이 커짐 • 화해접근분기(16~24개월): 자기 몸과 어머니 몸이 분리됨을 더 확실히 인식, 엄마에 대한 마음이 사랑해주는 엄마와 미워하는 엄마로 나뉘고 그 사이에서 불안을 느낌, 엄마의 행동이 지나치게 극단적이거나 병적인 경우에는 양가감정이 생기고, 이러한 병적인 모자관계가 경계성 성격장애의 원인이 됨 • 통합기(24~36개월): 궁극적 개체와 자아분리감 형성

074 ④

해설 | **방어기제**

합리화는 행동 또는 감정을 비논리적으로 정당화하여 자존감 지속, 죄책감 감소 및 사회적 승인과 수용을 얻는 방어기제

오답 ① 함입: 자기 외부에 있는 어떤 것들을 마치 실제 자신의 내부로 향하게 하는 것으로(자기 탓), 우울장애 환자의 주요 방어기제

② 투사: 감정적으로 받아들여질 수 없는 개인의 특징을 거부하고 이것의 원인을 다른 사람, 대상 혹은 상황 탓으로 돌리는 것으로, 조현병의 주요 방어기제

③ 부정: 현실에서 야기되는 고통 또는 불안으로부터 탈출하기 위해 무의식적으로 부정하는 과정

⑤ 반동형성: 받아들일 수 없는 감정이나 행동이 반대의 행동이나 감정 혹은 태도로 표현되는 것으로, 강박관련장애가 주요 방어기제

075 ⑤

해설 | **화병(hwa-byung)**

DSM-5에 따르면, 화병은 한국 문화권 증후군에 속하는 분노 증후군의 하나로, 분노의 억제가 그 원인이며 중년 이후의 여성에서 흔하다. 증상으로는 몸의 열기, 목과 가슴의 덩어리, 가슴(명치) 답답함 및 가슴속의 치밀어 오름, 소화불량, 식욕부진, 호흡곤란, 빈맥, 전신 동통 등의 신체적 증상과 우울, 비관, 불안, 불면, 피로, 공황 등의 정신증상 및 하소연이 많으며, 만성적으로 진행되는 경우가 흔하다. 우울과 불안의 혼합으로 한국인의 교류 특성, 불평등한 성 역할 등의 문화적 요인과 관련된다.

076 ①

해설 | **위기의 단계**

위기란 스트레스 사건이나 개인의 안녕 위협에 대한 지각으로 인해 유발되는 내적불균형으로, 평소 문제 해결방법으로 해결할 수 없는 상황으로, 보통 4~6주 안에 해결된다. 위기는 삶의 전환점에서 위험과 기회의 두 가지 의미를 가지고, 위기 중재는 정신장애의 1차 예방에서 가장 중요한 부분이며, 위기중재의 목적은 위기 전 단계로 회복하는 것이다. 위기의 단계는 다음과 같다.

제 1단계	제 2단계	제 3단계	제 4단계
특별하고 확인할 만한 스트레스를 촉진사건으로 불안하고 당황	사건이 위협적으로 지각되고 불안 증가, 위험하고 혼란스런 감정	증가된 불안과 혼란이 인지적·신체적·행동적·사회적으로 표출	위기의 실재적인 단계로, 극도의 불안, 주의력 결핍, 충동적·비생산적 행동, 대인관계의 어려움

POWER 특강

위기의 형태		
성숙위기(발달위기)	상황위기	우발위기(재난위기)
정상적인 발달과정에서 불안과 스트레스를 유발하는 사건으로 인해 생기는 부적응 상태로, 발달단계의 전환기에서 주로 발생	예상하지 못한 사건에 의해 신체적·정서적·사회적 통합의 위협으로 인해 발생되는 부적응 상태	우발적이고 흔하지 않은 다양한 상실이나 광범위한 환경적 변화를 포함하는 예상치 못한 위기로 발생되는 부적응 상태
대소변 가리기, 글자 익히기, 입학 및 졸업, 입대, 취업, 결혼, 출산, 부모되기, 양육하기, 노화과정 겪기, 자녀 결혼, 죽음 준비하기	실직, 사랑하는 사람의 상실, 원치 않은 임신, 이혼, 신체적·정신적 질병 발생, 학업실패, 부도 등	• 자연재해: 홍수, 지진, 화재 • 국가재난: 전쟁, 폭동 등 • 폭력범죄: 강간, 살인, 배우자 학대, 아동 학대 등

077 ④

해설 | 가정폭력

가정폭력은 반복적·장기적이며, 갈수록 폭력 유형이 다양화되고 심화되어 세대 간에 전수된다는 특징이 있다.

가정폭력의 피해자	가정폭력의 가해자
• 자신을 비난함, 만성적인 자존감 저하가 장기간의 우울증에 영향, 가해자를 떠나는 것보다 머물러 있는 것이 낫다고 생각 • 외상 후 스트레스장애 경험, 기억손상, 집중력 저하, 문제해결력 손상 • 만성적 스트레스로 자살 등 왜곡된 방법으로 문제 해결하거나 가해자에 의해 타살되기도 함	• 낮은 자존감 • 정서적으로 미성숙하며 자기도취적, 타인에게 자신의 결점을 투사하여 자신의 폭력을 정당화 • 쉽게 좌절하며 공격적인 충동의 자제력 부족 • 타인에 대한 불신

오답 ② 가해자는 주로 힘이 세거나 권력을 가지거나 위치에 있어 우위에 있는 자이다.

③ 피해자는 자신이 처한 상황이 개선될 수 없음을 운명적으로 받아들인다.

078 ③

해설 | 자폐 스펙트럼 아동

③ 초기 아동기부터 상호 교환적인 사회적 의사소통과 사회적 상호작용에 지속적인 손상을 보이는 한편, 행동 패턴, 관심사 및 활동의 범위가 한정되어 있고 반복적인 것이 특징적이다.

오답 ①, ② 타인에 대한 관심과 반응의 결핍으로 심지어 부모와 떨어질 때도 분리불안이 나타나지 않는다.

④, ⑤ 자폐스펙트럼 아동의 70~80%가 정신지체를 동반하며 유전적 소인, 출생 시 저산소증, 뇌막염 등이 원인이다.

자폐스펙트럼장애의 임상 양상	
사회적 상호작용 장애	• 엄마와 눈을 맞추지 않는다거나 소리를 들을 수는 있으면서 고개를 돌려 쳐다보지 않음 • 안아주어도 좋아하지 않고 몸을 뻗치면서 밀어내거나 엄마를 보고도 안아달라는 자세를 취하지 않음 • 사회적 미소 없음, 분리불안 없음, 낯가림 없음(낯선 사람들에게도 아무 거리낌 없이 안김)
언어발달 장애	• 언어발달이 거의 일어나지 않거나 지연 있음 • 괴성이나 반향언어(echolalia; 타인의 말을 의미도 모르면서 그대로 메아리처럼 되받아서 따라 하는 말) 있음 • 혼자서 중얼거리기도 하고 노래도 하지만 옆에서 말을 걸면 적절한 대답을 하지 못함 • 표현성 언어뿐만 아니라 수용성 언어 발달에도 심각한 장애 • 지능장애가 있으나 어느 한 가지 기능은 탁월하기도 함
행동발달 장애	• 놀이가 다양하지 못하고 제한적, 특정 장난감이나 장난감의 기능을 이해하지 못하고 부분적 집착 • 상동적 행동의 증가, 괴상한 행동을 반복 • 주의가 산만하고 부산해서 가만히 있지를 못함 • 주위 환경에 대한 변화 저항

079 ③

해설 | **활동치료**

활동치료란 치료적 활동(오락, 음악, 작업, 무용 등)을 제공함으로써 대상자의 사회적 퇴행을 예방하고 자신의 환경을 받아들여 사회적으로 잘 적응할 수 있도록 격려·지지하는 방법으로, 보다 나은 인격의 통합을 가져오게 하고 자신의 에너지를 건설적인 방향으로 사용하도록 유도하여 치료적 도움을 얻도록 하는 방법이다.

080 ③

해설 | **정신사회재활**

③ 정신사회 재활이란 정신질환으로 인해 생긴 장애를 극복하고 최적 수준의 생활양식을 이행하도록 돕는 3차 예방적 측면으로, 대상자의 강점·약점을 평가하고 지역사회에서 최적의 기능을 하며 살아갈 수 있도록 돕는 서비스이다.

오답 ① 정신사회재활은 가능한 한 최상의 수준으로 회복되도록 돕는 과정이며, 개인의 잔존 능력에 맞추어 능력을 최대한을 개발할 수 있도록 하는 것에 더욱 초점을 맞춘다. 이것이 최상의 삶의 질의 영위를 의미하는 것은 아니다.

②, ④, ⑤ 전통적인 의학모형에 해당된다.

정신사회재활, 전통적인 의학모형		
	정신사회재활	전통적인 의학모형
초점	• 현재와 미래 • 증상이 아닌 안녕과 건강	• 과거, 현재, 미래 • 질병과 증상
환경	자연적인 환경에서 돌봄 제공	정신의료기관
주요기법	기술교육, 기술프로그램 수립, 자원조정, 자원수정	정신치료, 약물치료
투약	일부 증상을 견디는 정도까지 투약	증상이 조절될 때까지 투약
의사결정	대상자와 함께하는 파트너십	의사가 결정한 치료처방
강조	개인의 강점, 자조, 상호의존	의존과 이행
역사적 근거	인간자원개발, 직업재활, 내담자중심 치료, 특수교육 및 학습적 접근	정신역동이론, 신체의학

081 ④

해설 | **치료적 의사소통**

치료적 의사소통 기술 중 하나인 '반영'은 대상자의 생각이나 감정을 다른 말로 표현하여 모호하게 표현된 감정을 분명히 하고 대상자가 자신이 말한 것을 생각해 볼 수 있는 기회를 준다. 반영을 이용하여 기분이 별로 나아지지 않아 걱정하는 대상자의 마음을 말로 표현하면서 대상자가 자신의 감정을 수용하고 인정하는 데 도움을 줄 수 있다.

--- comment ---

치료적 의사소통 기법 중 '반영'은 가장 자주 출제되는 개념 중 하나이다. 대상자가 어떤 상황에 대하여 걱정하고 이에 대한 감정, 생각, 경험을 나타내는 사례가 주어졌을 경우 '반영(다른 말로 표현)'을 가장 먼저 떠올리자.

082 ⑤

해설 | **치료적 의사소통: 반영**

간호사는 대상자의 느낌, 생각, 경험 등을 반영하는 치료적 의사소통 기술을 사용하여 간호사가 대상자의 이야기를 주의 깊게 듣고, 이해하고 있음을 표현해야 한다. 이때 간호사의 편견이 개입되지 않아야 하며, 대상자에게서 얻어지는 힌트들을 주의 깊게 관찰하여 있는 그대로 반영해야 한다. 섣부른 안심이나 간호사의 주관적인 판단은 대상자와의 치료적 관계를 어지럽힐 수 있으므로 삼간다.

083 ②

해설 | **망상장애(delusional disorder)**

② A씨는 인지 및 사회 기능이 손상되지 않은 채 자신의 아내가 외도를 하고 있지 않음에도 끊임없이 아내의 외도에 집착하며 강한 믿음을 지니는 망상장애이다.

- 망상환자의 주된 증상은 망상이다. 망상은 대개 단순하나 괴이하지 않으며, 인격기능은 유지된 채 망상내용에 적절한 감정을 동반한다. 망상은 정교하게 체계화된 지속적인 망상으로서 이성적이고 논리적인 설명으로도 쉽게 설득되지 않는다.
- 망상장애의 종류로는 피해형(가장 흔함), 질투형, 과대형, 색정형, 신체형 망상 등이 있다.

POWER 특강	
망상장애와 감별이 필요한 정신장애	
조현병과 감별	• 망상장애는 뚜렷한 환청, 조종당하고 있다고 믿는 기이한 망상이 없음 • 남들이 자신을 조종하고 있다는 망상이 있더라도 보이지 않는 이상한 힘에 의한다는 생각은 없음 • 조현병과 달리 사회적·직업적 기능의 장애가 적음
기분장애와 감별	망상장애에서는 심한 우울이나 조증 증상이 없고 정동증상이 나타나도 정신병적 증상이 발생한 후 나타남
편집성 성격장애와 감별	편집성 성격장애는 의심이 많고 경각심이 높으나 망상적이지는 않음

084 ③

클로르프로마진(Chlorpromazine)은 전형적 항정신병 약물로서 추체외로계 증상(파킨슨증상, 급성 근긴장이상, 정좌불능증, 지연성
운동이상증)과 대사증후군, 광선과민증 등의 부작용이 발생할 수 있다. 따라서 클로르프로마진 투여 중 광선과민증으로 인한 알러지성
피부염을 예방하기 위해서는 환자는 자외선 차단제, 소매가 긴 옷, 모자 등을 활용하여 햇빛에 노출되는 기회를 줄여야 한다.

	전형적(typical)	비전형적(atypical)
특징	• 도파민 수용체 길항제 ▶ 도파민 수용체 차단 • 양성증상에 효과적 • 부작용 많음(EPS 등)	• 도파민 수용체에 작용, 세로토닌–도파민 길항제 • 양성, 음성 증상에 효과적 • 부작용 적음
약물	Chlorpromazine (Thorazine), haloperidol(Haldol)	Cloazapine (Clozaril), risperidone (Rispedal), olanzapine (Zyprexa), quetiapine (Seroquel), ziprasidone (Zeldox), aripiprazole (Abilify), Amisulpride (Solian)

085 ②

해설 | **치료적 관계를 방해하는 요소**

• 저항: 대상자가 변화를 두려워하여 불안을 야기하는 사항을 인식하지 않은 채 머물러 있으려고 하는 것. 경청을 통해 대상자가 자신
  의 저항을 인식하도록 도움

• 전이와 역전이

  − 전이: 대상자가 아동기에 중요한 인물에게 나타났던 행동양상이나 정서적 반응을 무의식적으로 치료자에게 옮겨오는 것

  − 역전이: 치료자의 과거 갈등 경험이 무의식적으로 대상에게 옮겨져 치료자가 대상자에 대해 부적절하고 왜곡된 반응을 보이는
    현상

• 경계선 침해: 치료적 관계의 경계를 넘어 개인적이고, 사회적인 관계를 맺으려고 할 때 일어남

— comment —

자기인식

타인을 이해하기 위해 가장 먼저 자기 자신을 잘 이해하고 적절하게 치료에 이용할 수 있어야 한다. 그러므로 자기인식은 간호사가 대상자와
치료적 인간관계를 형성할 때 가장 먼저 갖추어야 할 자질이다. 조하리의 창(Johari's window)은 자기노출 정도와 타인의 피드백을 수용
하는 정도에 따라 마음의 창을 구성하는 네 영역의 넓이가 달라지는, 자기인식의 방법 중 하나이다.

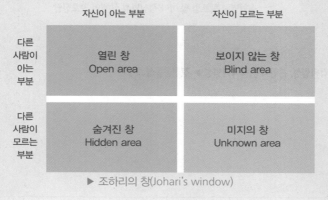

▶ 조하리의 창(Johari's window)

086 ④

해설 | **이상행동**

④ 사고과정의 장애란 사고의 흐름(flow), 생성(production)의 장애로, 특히 언어와 밀접하게 관련되어 있어 MSE에서는 언어와 사고과정을 함께 기술하는 경우가 많다. 사고의 비약 · 지연 · 단절 · 박탈, 우회증, 지리멸렬한 사고 등이 사고과정 장애에 해당된다.

오답 ① 사고내용 장애에 해당: 구체적으로 생각하고 판단하는 내용의 장애

② 감각지각 장애에 해당: 말초감각기관을 통해 들어온 것을 인식하고 해석하는 과정의 장애

③ 기분 및 정동장애에 해당: 현실상황이나 대인관계 분위기와 전혀 맞지 않는 감정표현을 하고 자신의 내적인 지각이나 연상에 따라 정서반응을 보임

⑤ 사고형태 장애에 해당: 생각하는 경향이나 논리성의 장애

— **comment** —

우회증과 신어조작증은 조현병 스펙트럼 장애 양성증상(type 1)에서 흔히 나타나는 증상이다. 우회증(circumstantiality)은 의도했던 사고 목표에 도달하기는 하나, 사고가 진행되는 과정에서 주류와 비주류를 구분하지 못해 여러 가지 불필요한 지엽적인 생각으로 탈선하여 빙빙 돌다가 결론에 이르는 현상이다. 신어조작증(neologism)은 환자 자신이 새로운 말을 만들어 내는 것으로, 두 가지 이상의 말이 하나로 압축된 경우가 많으며 환자에게만 의미가 있다. 우회증은 시험에 자주 출제되는 개념이니 기억해두자.

087 ⑤

해설 | **조현병 스펙트럼 및 기타 정신병적 장애**

조현병 환자는 위생관리나 자기를 가꾸는 일에 관심이 없다. 또한 배고픔이나 갈증에 대한 감각을 인지하지 못해 음식 섭취나 수분공급이 부족할 수 있다. 또한 수면장애도 흔하게 나타난다. 따라서 조현병 환자의 자가간호 결핍에 대한 간호중재는 다음과 같다.

• 개인위생과 옷차림 스스로 관리할 수 있도록 격려하고 필요시 도움
• 수면: 일정한 취침과 기상시간 유지, 낮잠시간을 줄임
• 대상자가 병원 음식을 의심스러워하면 집에서 가져온 음식 먹도록 함
• 운동을 통해 더 나은 자기상을 갖도록 함

POWER 특강

조현병 스펙트럼 및 기타 정신병적 장애의 간호진단

• 사고과정장애
• 감각지각장애
• 폭력위험성: 타인지향 폭력위험성, 본인지향 폭력위험성 ▶ 정신운동성 초조
• 사회적 고립
• 비효율적 대응
• 자가간호 결핍
• 수면양상의 장애
• 언어적 의사소통의 장애

088 ②

해설 │ 조현병 간호

대상자의 환청 내용이 자살위험을 암시하는 내용이므로 무엇보다 먼저 자살의 가능성을 고려하여 대응해야 한다. 또한 일반적으로 환각 환자에게 현실감과 지남력을 제공하기 위하여 간호사는 환각 경험을 공유하지 않았고 소리가 들리지 않았음을 이야기한다. 또한 환자의 환각이나 착각의 내용에 대해서 비판하거나 논쟁하는 자세를 삼가고 환자의 감정을 수용하며, 자·타해 증거가 되는 환청의 내용을 파악한다.

오답 ① 현실감을 제공해야 하지만 환청 여부의 및 정당성에 직접적으로 도전하지 않으며, 환청의 이면에 내재되어 있는 의미, 목적, 이에 의거한 행동에 대한 이해가 필요하다.

⑤ 환각 경험을 공유하지 않았음을 말하고 간단히 지적할 수는 있으나 환각에 대하여 도전하거나 비난하지 않는다.

POWER 특강

조현병 환자의 감각지각 장애 간호중재

- 망상은 대상자의 충족되지 않은 욕구를 반영하고 불안 감소하는 것으로, 논리적 설득과 비평이 효과 없음
- 망상이 의미하는 것, 망상의 목적, 망상에 의거한 행동에 대한 이해가 필수적인데, 망상으로 충족되었던 욕구를 다른 방법으로 채워주면 망상이 감소함
- 상황에 대한 다른 해석을 고려해 보도록 대상자에게 요청하고, 강하게 지속되고 있는 믿음이 수정되도록 시도
- 단순하고 명료한 언어 사용
- 환자의 감정을 부정하지 않고 자신의 생각과 불안, 두려움에 대해서 표현하도록 격려
- 망상의 정당성에 대하여 직접 도전하지 않음
- 자기중심적 사고로 오해가 생길 수 있으므로, 지나친 친절이나 신체적 접촉은 유의
- 다른 환자와 이야기할 때 작은 소리로 속삭이거나 귓속말을 하지 않음
- 현실감 제공하고, 망상에서 벗어나 현실에 초점을 둘 수 있는 활동 계획

089 ⑤

해설 │ 라포 형성

환자는 질환뿐만 아니라 최근 입원이라는 스트레스 사건으로 인해 매우 위축되어 있을 수 있다. 따라서 환자에게 아무리 좋은 활동요법이라 하더라도 참여를 강요해서는 안 된다. 가장 먼저 간호사는 환자와의 신뢰관계를 형성하여 환자가 편안함을 느낄 수 있도록 한 후, 점차적으로 사회적 상황 안에서 다른 사람들을 포함시켜야 한다.

090 ④

해설 │ 우울장애

부인은 남편의 외도라는 부정적인 상황을 모두 자신의 탓으로 돌리며, 자신 또는 자신의 능력에 대한 부정적인 평가와 느낌을 갖는 자존감 저하를 보이고 있다. 우울장애의 간호진단은 다음과 같다.

- 본인지향 폭력위험성
- 기능장애적 비통
- 자존감 저하
- 사회적 고립
- 무기력
- 사고과정장애
- 영양장애
- 수면양상의 변화

우울장애의 임상증상

생리적	인지적	정서적	행동적
• 식욕 및 체중변화 • 위장장애: 소화불량, 오심 · 구토 • 피로, 허약, 기면, 두통, 현기증 • 수면장애: 수면 시작 어려움, 수면유지 장애, 조기 기상 • 성욕감퇴, 발기부전, • 무월경 • 요통, 흉통	• 양가감정 • 혼돈 • 우유부단 • 집중력 장애 • 흥미와 동기상실 • 자기비난, 자기의심 • 자해사고, 자살사고 • 강박사고 • 염세적 사고 • 사고의 지연	• 분노 • 불안 • 무감동 • 비관, 절망, 낙담 • 무력감 • 죄의식 • 자존감 저하, 무가치감 • 고립, 외로움 • 즐거움 상실, 슬픔 • 압도감	• 정신운동 지연 • 역할기능 저하 • 개인위생 불량 • 위축, 초조, 안절부절 못함 • 사회적 고립 및 격리 • 지나친 의존 • 약물 및 알콜 의존 • 흥분, 과민성, 공격성 • 언어의 빈곤: 말수의 감소, 침묵, 단조로운 억양 • 자살 제스처 및 시도

— comment —

함입(introjection)이란 우울증 환자의 주요 방어기제로, 타인에게 향했던 모든 감정을 자신에게 향하는 기제이다. 즉 자기 탓을 하는 것이다. 우울증 환자들은 일이 잘못된 것을 모두 본인의 탓으로 여기는 경우가 많다.

091 ②

해설 | **우울장애 간호중재**

우울장애의 간호 목표는 ① 환경 내에서 경험하는 감정을 그대로 인식하고 솔직히 표현하고, ② 환자의 자존감을 강화시켜 환자의 정체감, 통제감과 선택의 인식, 행동에 의한 책임감 증가시키는 것이다. 이로써 환자는 건강한 대인관계 경험하고, 스스로의 부적응적 정서를 이해하고 스트레스원에 대한 적응적 대처반응 습득할 수 있게 된다. 간호사는 조용하고 따뜻하며 수용적인 태도로 지지적인 역할을 통해 신뢰관계를 형성해야 한다. 또한 우울장애 환자는 의욕이 낮아 자가간호가 낮아질 수 있으므로 식사, 청결 및 활동에 대한 신체간호가 필요하다.

우울장애 환자의 자가간호

개인위생	• 활동 저하, 관심 상실, 자긍심 저하로 몸치장과 위생 소홀 • 스스로 목욕할 수 없으면 목욕 시켜주고 머리손질, 구강 청결, 손톱, 면도 등에 신경 쓰게 함 • 옷의 선택을 돕고 예쁘게 옷 입도록 격려, 옷은 화려하고 자극적인 색깔 권장, 빨래와 다림질을 하도록 함
활동 및 수면	• 휴식기간과 또 다른 수면에 대해 계획하여 규칙적인 수면습관 유도 • 낮에는 가능한 침상에 있지 않도록 하고 적절한 활동 권장하며, 가벼운 운동으로 피로감을 갖게 함 • 신체적 불편 제거, 소음이나 자극물 제거하여 편안한 환경 제공 • 등마사지, 샤워, 따뜻한 우유 제공
변비	수분섭취 및 고섬유식이 권장, 가벼운 운동이나 산책 시행, 하제 사용하기도 함

092 ②

해설 | **양극성관련장애 조증**

조증환자는 과도한 에너지를 보이며 쉽게 흥분하고 이것저것 하는 일이 많아서 매우 바쁘기 때문에 자가간호에 대해서 무관심해지기 쉽다. 따라서 고영양의 식사를 자주할 수 있도록 하거나 사탕이나 과자 등 들고 다니며 먹을 수 있는 음식을 줌으로써 추가적으로 필요한 열량을 보충하고, 매주 1회 체중을 측정한다.

POWER 특강		
조증 환자의 자가간호 활동		
수면	• 대부분의 조증환자는 충분한 수면을 취하지 못하므로 취침 전에 적당한 운동을 통해 긴장 완화 • 외부자극 차단하고 조용한 분위기, 어두운 조명 조성	
휴식	• 자극을 제한하고 방문객을 제한하며 방문 후 환자의 상태 관찰 • 조증 환자끼리는 분리	
개인위생	• 성관계가 문란할 수 있으므로 성병 감염에 대한 치료와 상처의 조기발견, 조기대책이 필요 • 목욕, 속옷 갈아입기 등 개인위생 관리 도움	

093 ⑤

해설 | **조증환자 간호**

⑤ 조증환자와 의사소통 시 간호사는 환자의 질문에 간결하며 사실적인 대답을 한다. 분노를 말로 표현하게 하면서 비판적 언어 및 바람직하지 못한 행동에는 사무적인 태도를 취해야 한다.

오답 ①, ② 과도한 자극은 집중의 분산과 과도한 감정표현을 유도하므로 간호사는 자극이 낮은 환경에서 일관성 있는 태도로 구조적인 제한을 설정하고, 간단한 방향을 제시하거나 집중을 유지하는 간호수행이 필요하다.

④ 조증 환자는 너무 바빠 식사를 거르거나 자신을 돌볼 수 없으므로 자가간호를 격려하고, 필요한 경우 먹을 것을 들고 다닐 수 있도록 한다.

POWER 특강
양극성 장애 I형
• 70% 이상이 우울증으로 시작한다.
• 연령이 높을수록 조증 증상이 더 흔하다.
• 주요우울장애보다 예후가 안 좋다.
• Lithium 예방 투여로 50~60% 조절 가능하다.
• 순수한 조증형이 우울형이나 혼합형보다 예후가 좋다.
• 조증형으로 시작한 경우 예후가 나쁘다.
• 남자, 병전 직업기능이 나쁜 경우, 알콜 의존, 우울증상에서 예후가 안 좋다.
• 발병 시기가 늦을수록 예후는 좋다.
• 치료 시 삽화기간이 짧아진다.
• 2년 내 40~50%가 재발하며, 재발이 되풀이될수록 기간이 짧아지는 경향이 있다.

094 ③

해설 | 성격장애(personality disorder)

인간 내면에 깊이 박힌 사고 · 감정 · 행동의 고정적인 양상으로, 의미 있는 관계를 유지하고 충족을 느끼며 삶을 즐기는 능력을 방해하는 일련의 패턴이나 특징으로, 개인의 문화 안에서 기대되는 행동에서 현저하게 일탈된 행동을 나타내며, 부적응적인 행동과 대인관계 장애를 나타낸다. 성격장애자는 스트레스에 대해 융통성이 적으며 부적응적 반응을 보이고, 일이나 사랑에서 장애를 나타내며, 대인 관계에서 갈등을 유발하거나 타인을 불쾌하게 하는 경향을 보인다.

A군 성격장애 (편집성, 분열성, 분열형)	B군 성격장애 (반사회적, 경계성, 연극성, 자기애성)	C군 성격장애 (회피성, 의존성, 강박성)
기이하고 괴벽스러우며 상식적인 범위에서 벗어난 행동 보임	감정적이고 연극적이며 변덕스러움	근심이 많고 불안하거나 두려워함

오답 ① PTSD (외상 후 스트레스장애): 극심한 위협적 사건이나 스트레스로 심리적 충격 경험한 후, 특수한 정신적 증상이 유발된 상태로, 외상사건에 대한 반복적인 회상, 악몽, 재경험, 과민상태, 회피행동을 보임

② 조현병: 뇌의 기질적 장애로 인한 의식 혼탁의 징조 없이 사고(thought), 정동(affect), 지각(perception), 행동(behavior) 등 인격의 여러 측면에서 와해를 초래하는 뇌기능 장애

④ 강박장애: 자신의 의지와는 상관없이 반복적인 사고(obsession)와 행동(compulsion)을 되풀이하는 장애로, 강박적 행동을 통해 불안을 완화시킴

⑤ 불안장애: 두려움이나 걱정의 정도가 지나쳐서 일상생활에 지장을 초래할 정도로 오래 지속되는 상태

095 ①

해설 | 공황장애(panic disorder)

아무런 예고 없이 한 시간 이내에 비교적 짧은 시간 동안(보통 20~30분)의 강렬한 불안이나 공포를 느끼는 것으로, 이때 심계항진이나 빈맥 등의 신체증상이 동반된다(숨이 막히거나 심장이 죽을 것만 같은 극단적인 공포 증세).

오답 ② 공황장애는 불안관련장애에 해당되나 대상자는 갑자기 예고 없이 불안발작을 호소하고 있으며 특히 공공장소에서 극심한 공포감을 호소하고 있으므로, 광장공포가 있는 공황장애에 해당된다고 볼 수 있다.

096 ③

해설 | 항불안제

환자는 불안 증세를 보이므로 벤조디아제핀 계열의 단시간 작용하는 신경안정제로, 일반적인 불안증, 공황장애에 효과가 있는 Alprazolam (알프라졸람)을 투여한다.

POWER 특강

항불안제	
Benzodiazepine계	기타 항불안제
• Alprazolam (Xenax), lorazepam (Ativan), oxazepam, diazepam (Valium) • 적응증: 불안장애, 알코올 금단의 해소, 수면유도, 항경련제, 항정신병 약물 부작용 해소 • 장점: 안전, 치료역 넓고 상호작용 적음, 배설 느림 • 단점: 알코올과 상승작용 및 교차내성, 진정작용, 기억력 장애, 의존(고용량, 장기간, 반감기 짧은 약일수록)	• Buspirone (Buspar): 도파민, 세로토닌 차단하며, 범불안장애에 사용 • Barbiturate sulfate: 중추신경계 억제제 • SSRI: 강박장애, 공황장애, 사회공포증

097 ①

해설 | **강박장애**

자신의 의지와는 무관하게 특정한 생각(강박사고)이나 행동(강박행동)을 반복하는 병적인 상태를 말한다. 환자는 이런 증상이 불합리한 줄 알고 이를 억제하기 위해 증상에 저항을 보이는 등 병식(insight)이 있으나, 극복하기 힘들다(자아 비동조적; ego-dystonic). 자신의 증상을 숨기려는 경향이 있으며, 조현병스펙트럼장애의 초기증상으로 나타날 수도 있다. 강박행동을 무조건 제거하려고 하면 불안이 더욱 증가할 수 있으므로 제지보다는 수용하는 태도가 바람직하다.

오답 ④, ⑤ 강박장애에 대한 병식이 있으며, 이러한 증상이 불합리한 줄 알고 저항하려 노력하지만 극복하기 힘들다.

POWER 특강

강박장애 임상양상

- 오염에 대한 강박사고: 손을 씻거나 오염 대상을 강박적으로 피한다.
- 의심하는 강박사고: 항상 확인하는 강박행동이 뒤따른다.
- 강박행동 없이 강박사고만 있는 경우: 대개 성적이거나 공격적 행위에 대한 반복적 사고이다.
- 강박적 느림(slowness): 양측을 대칭으로 맞추거나 정확하게 하려한다.
- 질서정연하고 완벽무결한 사람이 많다.

---

098 ⑤

해설 | **히스테리성 성격장애(hysterionic PD)**

B군 성격장애는 극적이고 감정적이며 변덕스러운 성격이 주 특성으로(dramatic, emotional), 히스테리성, 자기애성, 반사회성, 경계성 성격장애가 이에 포함된다. 히스테리성 성격장애는 실제적으로 의존적이며 무능하지만 자신이 관심의 중심되고자 하며 주목받고자 하는 행동을 하는 것이 특징이며, 임상 양상은 다음과 같다.

- 흥분을 잘하고 감정적이며 변덕스럽다.
- 극적이며 외향적, 자기주장, 자기과시적, 허영심이 강하나 낮은 자기의식을 가지고 있다.

- 실제 관심을 끌기 위해 과장적 표현을 하지만 의존적이나, 지속적인 인간관계를 갖지 못하며, 타인을 조종하려 한다.
- 감정이 피상적이다.
- 성적 매력이 있으나 사실은 불감증인 경우가 많다.
- 방어기제: 해리(dissociation), 부정(denial)

---

comment

히스테리성 성격장애 대상자는 본인의 내적 감정 상태를 분명히 알게하는 것이 중요하다. 치료과정 중 환자의 거짓감정(ex 극적인 가성 병식)에 반응하지 말아야 하는 것이 유의할 점이다.

---

099 ①

해설 | 환각 대상자 간호중재

대상자가 환청을 경험하고 있을 때 간호사는 환청에 대한 현실감(환청이 들리지 않음)을 말하고, 대상자의 환청에 대한 근원적인 감정에 초점을 맞춰 이를 수용해야 한다. 현실감을 부여하기 위해서 객관적으로 간호사는 경험하지 못함을 말하고 어떠한 환각 내용인지 사정하여야 한다.

오답 ② 환각 대상자에게 내용에 대하여 자세히 논의하고 이에 직접적으로 반응하는 태도는 오히려 대상자로 하여금 환각에 더욱 몰두하게 하고 환각을 강화시킬 수 있다.

100 ①

해설 | 성관련 장애 간호중재

간호사는 대상자와의 면담 전에 자신의 느낌, 태도, 가치관에 대해서 명확히 하여야 한다. 성상담 시 따뜻하고 개방적이되 정직하고 객관적인 태도를 유지하면서 성 문제와 관련된 경우 관심은 보이되 사무적인 태도로 접근하는 것이 좋고 대상자의 감정에 대해서 비판적, 지시적으로 다가가서는 안 된다.

---

comment

대상자의 정보 수집 시 사생활이 보장되는 장소와 시간을 정해 사정하며, 대상자가 나타내는 정보에 대하여 과소 혹은 과잉반응을 보이지 않고 사무적인 태도를 유지하도록 노력해야 한다.

---

101 ①

해설 | 전환장애

① 전환장애란 신경학적 또는 내과적 질환에 기인하지 않는 하나 이상의 신경학적 증상(마비, 감각이상, 시력마비), 감각기관이나 수의적 운동의 극적인 기능상실이 나타나는 것으로, 이는 억압된 욕구, 감정, 생각에서 생기는 불안이나 심리적 갈등이 원인이 되어 기관 및 신체적 증상으로 상징적 전환이 되는 것이다. 무의식적으로 일어나므로 환자는 심리적 원인임을 모르고 있으며, 증상을 스스로 조절할 수 없다는 것이 특징적이다.

오답 ② 해리장애: 의식, 기억, 정체성 혹은 환경의 지각에서 평소 통합된 기능이 와해되어 단절된 상태로, 기능의 일부가 상실되거나 변화된 상태이다.

③ 신체화장애: 감각기관, 수의기관을 제외한 모든 장기에서 다양한 신체증상(전환장애 외의 증상)이 나타나는 것으로, 집안에 큰일이 다가오면 편두통이 심해지는 증상 등이 이에 해당된다.

④ 건강염려증: 신체적 증상이나 감각을 비현실적으로 부정확하게 인식하여 자신이 심한 병에 걸렸다는 집착과 공포를 가지게 된 상태

⑤ 신체변형장애: 정상적인 외형의 모습을 가진 사람이 자신의 용모에 대해 상징적으로 변형이나 결손 등의 문제가 있다고 생각하거나 사소한 외모문제를 과장되게 변형된 것으로 생각하는 등의 상태

102 ④

해설 | 신경인지장애

대상자는 자신의 자녀를 알아보지 못하고 모르는 사람을 지인이라 하며, 본인이 현재 어디에 있는지 알지 못하는 등 지남력이 상실되었으며 기본적인 자가간호가 불가능한 전반적인 기능의 상실을 보이는 만성 혼돈상태라 할 수 있다.

--- comment ---

섬망은 혼돈(confusion)과 비슷하지만 심한 과다행동과 생생한 환각, 초조함과 떨림 등이 자주 나타나는 것으로, 질환으로 인해 뇌기능에 손상을 받아 일시적으로 정신기능 장애가 나타나는 일과성 기질적 정신장애에 해당한다.

103 ④

해설 | 흡입제

흡입제는 값이 싸고 구하기 쉬워 청소년 사이에서 가장 문제가 되는 약물로서, 본드, 부탄가스, 톨루엔, 아세톤, 시너, 가솔린 등으로 흡입제에 해당되며, 중추신경계 억제제로서 심리적 의존 증상을 갖는다. 중독 시 즉각적이고 빠른(흡입 후 5분) 쾌감효과(다행감, 붕 뜨는 느낌)가 나타나며, 언어장애, 착각, 환청, 환시, 안구진탕, 혼미 등의 증상을 보인다. 흡입으로 인해 입과 코 주위 피부통합성 장애가 나타난다. 연수중추 마비, 급성 신부전, 질식 등의 원인으로 사망에 이를 수 있다.

104 ①

해설 | 섬망

① 환자는 수술 회복과정에서 지남력 상실과 불안한 모습을 보이는 등 섬망 증세를 보이고 있다.

섬망은 질환으로 인해 뇌기능에 손상을 받아 일시적으로 정신기능 장애가 나타나는 일과성 기질적 정신장애로, 일시적이고 가역적이기 때문에 수일~수 주 내 회복된다. 각성이 감퇴되어 의식장애가 나타나고, 기억장애, 특히 시간에 대한 지남력 상실이 섬망의 행동특성이다. 섬망환자에게는 자극이 적고 안정적인 환경을 제공해야 하므로, 방문객과 치료자의 수를 제한하고, 쾌적한 환경을 유지해야 한다. 특히 밤에 완전 소등을 하지 말아야 하는 것이 중요하다. 환자는 잠을 자지 못하고 정맥라인을 빼려고 시도하며 신체손상의 우려가 있으므로 무엇보다도 신체손상예방을 우선적으로 제공해야 한다.

105 ③

해설 | **외상 후 스트레스 장애(PTSD)**

외상 후 스트레스 장애는 극심한 위협적인 사건을 직접 경험하거나 목격한 후 그 사건에 공포감을 느끼고 거기서 벗어나기 위해 에너지를 소비하게 되는 질환이다. 대상자는 수면장애를 겪고 있고 사고 당시의 기억으로 인해 일상생활에 어려움을 경험하며, 사건에 대한 자신의 감정을 적절하게 표현하지 못하고 있으므로 이에 적절한 간호진단은 비효율적 대응이다.

POWER 특강

외상과 스트레스관련장애의 간호진단

- 불안
- 두려움
- 비효율적 대응
- 신체상해증후군
- 강간상해증후군
- 무력감
- 자존감 저하
- 자가간호 결핍
- 사회적 상호작용장애
- 사회적 고립
- 폭력 위험성: 타인지향 폭력위험성, 본인지향 폭력위험성

— comment —

정신장애와 관련하여 가장 자주 출제되는 간호진단은 '비효율적 대응'임을 떠올리자.

3회 3교시 정답 및 해설

간호관리학

001 ⑤

해설 | **초기 기독교 간호**

오답 ① 그리스도의 정신인 박애주의, 실천봉사, 평등주의(계급타파)의 기독교 신앙에 영향을 받아 간호역사가 전환점을 맞이하였다.

②, ③, ④ 로마상류층 여성으로 이루어진 여집사들을 중심으로 간호사업과 사회사업을 발달시켰고 이는 방문간호사의 효시가 되었다.

002 ④

해설 | **다이아코니아(Diakonia)**

- 제노도키아(Xenodochia): 다이아코니아보다 더 큰 시설로 입원시설을 갖춘 자선 병원, 오늘날 종합병원, 수녀원 겸 병원으로 사용
- 성바실(st. Basil) 제노도키움: 나환자 격리수용, 직원기숙사 시설
- 다이아코니아(Diakonia): 손님 접대와 병자를 간호하기 위한 장소. 여집사단이 자신들의 일을 하기 위해 설립. 오늘날 보건소나 병원의 외래 진찰소의 전신

— comment —

초기 기독교시대 의료기관의 규모 크기는 '제>다이'이다. 제다이!

003 ②

해설 | **탁발승단**

자신의 소유와 지위를 버리고 금욕하고 재산을 가난한 사람들에게 주며, 맨발에 헌 누더기를 걸치고 다니면서 기독교의 가르침을 따라 전도와 간호 활동

오답 ⑤ 근대 자선간호단은 병원개선과 자선간호를 통해 사회개혁을 실시했다.

004 ②

해설 | **영국의 간호**

- 1834년 구빈법(poor law) 개정: 1601년 엘리자베스 1세에 제정, 가난한 사람을 국민 모두가 도와주는 법, 영국 사회보장 제도의 발판
- 나이팅게일 간호학교를 통해 훈련받은 간호사들이 자격과 권한을 가지고 일함. 직업적 전문 간호로서의 전환점
- 병원간호: 입원환자의 임상간호, 실습교육 중시
- 펜위크(제2 간호혁명): 영국간호협회 조직, 국제간호협회 창시, 면허제도

005 ③

해설 | 나이팅게일식 간호학교

1873년 세 개의 간호학교가 나이팅게일의 간호교육 원칙을 중시하며 세워짐

벨뷰 간호학교 (1873년 5월)	• 벨뷰시스템: 간호사와 의사는 서로 다른 서비스를 제공하며, 병원과 학교는 독립적으로 운영 • '간호매뉴얼' 출간
코네티컷 간호학교 (1873년 10월)	• 록펠러 재단의 후원으로 창립 50주년에 예일 간호대학이 됨(1924년) • 구드리치: 최초의 간호사 학장, 최초의 독립예산 단과대학
보스턴 간호학교 (1873년 11월)	• 독일의 카이저스베르트와 같은 형식으로 학교 조직 • 교육기간 1년, 실습과 강의 병행 • 경제적인 문제로 1896년 메사추세츠 병원에서 관리

006 ③

해설 | 간호사 양성소

- 보구여관: 1903년 에드문드에 의해 최초로 간호사 교육을 위한 정규과정이 정동 보구여관에 설치
- 세브란스 간호학교: 1906년 쉴즈에 의해 두 번째 간호부양성소가 세브란스 병원 내 창설
- 대한의원: 1907년 대한의원에서 조산사 및 간호사 양성. 정부에서 공식적으로 실시한 간호교육의 효시

007 ①

해설 | 간호사업의 성장기: 1945~1961년 시대

간호행정 조직의 변화로 간호사업국이 설치되었고, 간호교육,— 행정 등 간호사업의 중요성을 인식시키는 기초가 되었다.

② ICN 총회 최초로 파견 → 1929

③ 업무 분야별 간호사 인정 → 1973년

④ 태화여자관에서 보건간호 실습 → 1920년대

⑤ 간호사 자격 검정고시제도 완전 폐지 → 1962년

008 ⑤

해설 | 일제강점기의 간호

- 일제강점기의 간호교육은 1년 6개월부터 3년까지 다양했다.
- 1930년대 이후 전시상황에 따라 강의를 대폭 줄이고 실습을 증가시켰다.
- 간호에 대한 감독과 책임은 일본간호사에게 있었다.
- 선교계 병원의 설립을 억압하였다.
- 면허를 받을 수 있는 자: 18세 이상의 여성 ▶ 간호를 여성의 직업으로 명시하였다.

009 ①

해설 | 윤리강령의 의미와 한계

- 윤리강령이 도덕문제의 해결을 위해 답을 주는 것은 아니며, 최소한의 지침을 주는 것
- 규약은 상반되는 지침을 피할 수 없으며, 그에 따라 광범위한 수용을 하게 됨

- 규약이 간결성과 단순의 유용성을 잃게 되면 매우 많은 양의 부피를 가지게 됨
- 모든 가능한 상황에 분명한 지침을 주는 목표를 가진다면, 규약이 아무리 구체적이라 할지라도 그러한 규약은 항상 불완전한 것임
- 시대적 상황에 따라 변화하는 한계가 있음

010 ⑤

해설 | **병원윤리위원회**

의료인, 병원직원, 환자 가족들이 충고와 지지를 받을 수 있는 자원을 제공한다.

011 ②

해설 | **관리자**

대상자의 요구에 충족되는 최선의 서비스를 기획, 조직, 통합하고 사업 활동을 감독, 통제하며, 인력을 배치한다.

012 ③

해설 | **국제간호사 윤리강령**

간호사는 건강증진, 질병예방, 건강회복 및 고통경감을 위한 4가지 기본책임을 가지고 있다.

013 ②

해설 | **생명윤리의 규칙**

- 정직의 규칙: 진실을 말해야 하는 의무
- 신의의 규칙: 비밀보장, 간호 중에 알게 된 정보나 비밀을 보장해야 할 의무
- 성실의 규칙: 약속은 지켜야 한다는 규칙. 자율성의 원리와 독자성의 개념에서 나온 것으로 규칙 중 가장 강한 특성을 지님. 환자와 간호사는 계약관계이므로 특히 중요한 규칙

014 ⑤

해설 | **선의의 간섭주의**

환자의 자율성 존중의 원칙과 의료인의 선행의 원칙이 갈등을 일으킬 때 환자의 자율성이나 자유가 희생되는 것으로, 응급상황에서 환자가 응급처치를 거부했음에도 불구하고 의료진이 환자에게 이에 대한 설명을 제공한 후 응급처치를 시행하는 것이 해당된다.

015 ⑤

해설 | **간호사의 독자적 판단**

투약의 필요성 및 약물과 용량 선택, 투여 방법과 주사시간에 관한 법적 의무는 의사에게 있다. 간호사 단독 행위가 가능한 것은 주사기 관리 및 주사기술에 관한 사항이다.

016 ①

해설 | 확인의 의무

간호의 내용 및 그 행위가 정확하게 이루어지는가를 확인해야 하는 의무. 간호보조원에게 위임한 간호행위라 하더라도 책임까지 전적으로 위임한 것은 아니므로 그 책임은 간호사에게도 있다.

017 ⑤

해설 | 전문직의 특성

전문직 간호의 특성은 과학적이며 동시에 예술적이며, 능숙하고 업무 결과에 책임을 지는 자세, 독립적인 행동의 권한과 자율성, 건강전문인과 협동, 직업에 헌신 및 도덕적 및 법적 책임의 이행 등이다. 간호사는 아픈 환자를 돕고 지역사회 봉사를 위해 직업을 선택했다 했으므로 이는 간호전문직의 요소 중 이타성에 해당된다고 할 수 있다.

018 ⑤

해설 | 전문직의 특성

- 고유의 지식에 기초하고 지식과 기술은 장기간의 교육을 통해 얻어진다.
- 근본적으로 지성적이고 책임감 있게 수행되는 업무이다.
- 직업적 활동의 내용은 실제적이다.
- 전문적 구성원은 이타적, 사회봉사적이다.
- 독자적인 윤리체계를 가진다.

019 ⑤

해설 | 투입요소

- 소비자 투입요소: 환자 중증도, 환자간호요구도
- 생산자 투입요소: 인력(간호직원의 교육수준, 훈련정도, 기술 수준, 경험, 태도 등), 물자(간호단위 내 장비, 소모품, 약품 등), 시설(건물, 내부설계, 디자인, 이용의 편리성 등), 자금, 정보 등
- 산출요소: 간호서비스의 양과 질, 환자 만족, 간호직원 만족, 이직률, 결근율, 조직 유효성

오답 ①, ②, ③, ④는 산출요소에 해당한다.

020 ⑤

해설 | 물품관리

물품관리란 간호단위에서 사용되는 소모품과 비품 등의 모든 물품을 적정하게 확보, 유지, 사용 및 처분하는 것으로 자본의 낭비와 인력낭비를 감소시켜 효율적인 간호단위 운영에 필수적이다. 보기 중 물품관리에 해당하는 것은 재고관리를 통해 주사기 소비를 감소한다는 ⑤가 적절하다.

021 ⑤

해설 | **의사결정**

개인적 의사결정은 신속성, 창의성, 비용이 중요한 경우, 집단적 의사소통은 결정의 질, 수용성, 정확성 중요한 경우에 적절한 의사결정 방법이다.

022 ③

해설 | **기획요소**

- 전략적 기획: 최고관리자가 수행하며, 간호부의 목표와 방향을 결정하고, 자원분배, 책임지정, 간호수행을 위한 틀을 결정하며, 주로 5년 이상의 장기기획으로 일반적이고 포괄적인 장래 추계나 예후 기획과 같이 오랜 시간이 소요되는 과제를 취급한다.
- 전술적 기획: 중간관리층에서 수행되며, 1년에서 5년 이하의 중기기획으로 전략적 기획을 통해 이미 설정된 목표를 달성하기 위해 어떤 종류의 자원을 어디에 배정해야 할 것인지 그 수단과 방법에 더욱 관심을 가진다.
- 운영 기획: 일선관리자에 의해 수립되며, 단기 목표를 달성하기 위해 세부적인 계획을 실행하는 것으로, 1일에서 1년 동안의 단기기획으로 주로 1일 또는 주간의 업무를 대상으로 하고, 목표를 어떻게 달성한 것인가를 계량적으로 기술한다.

023 ②

해설 | **상황이론**

- 상황에 따라 리더십 유형에 대한 효과성이 달라진다는 관점
- 상황변수가 리더십 유효성을 결정짓는다는 전제 아래 주요 상황요소가 리더십 유효성에 미치는 영향 연구

024 ④

해설 | **포괄수가제(diagnosis related groups, DRG)**

환자의 질병에 따라 미리 책정된 일정액의 진료비를 지급한다.

장점	단점
• 의료비 절감 및 의료비 증가 억제 • 재원일수 단축, 자원 이용의 감축 • 조기 퇴원, 입원 이용량 감소, 외래진료량 상승 • 질병군별 간호 표준화	• 의료의 질 저하 가능성 • 고유의 진료행위에 대한 자율성 침해

025 ②

해설 | **조직문화**

조직문화는 조직 구성원들이 공유하는 기본 가치 체계로서, 조직 고유의 가치와 신념, 규범, 관리 관행, 행동 양식, 지식과 기술, 이미지 등을 포함하는 거시적이고 복합적인 개념이다. 조직문화는 조직의 구성원들에게 정체성을 공유하고 조직에서 내리는 의사 결정의 근거가 된다.

026 ①

해설 | **직무순환**

직무의 단조로움을 줄이고 새로운 지식과 기술을 배울 수 있는 기회를 부여하기 위하여 비슷한 직무끼리 순환

POWER 특강

직무설계

직무설계란 직원의 동기부여를 위한 전략으로, 직무내용과 관계를 구체화하는 것이다.

- **직무단순화**: 직무를 쉽게 함(단순화, 표준화, 전문화 ▶ 능률↑)
- **직무순환**: 비슷한 직무끼리 순환
- **직무확대**: 직무를 수평적으로 확대(과업 추가)
- **직무충실화**: 직무를 수직적으로 확대(직무의 깊이 증대)

027 ⑤

해설 | **분업 · 전문화의 원리**

업무를 그 종류와 성질에 따라 나누어 조직구성원들에게 한 가지 주된 업무를 분담함으로써 조직 관리상의 능률을 향상시키려는 원리

028 ④

해설 | **일차간호(Primary nursing)**

④ 일차간호: 일차간호사는 1~5명 정도의 환자를 입원부터 퇴원까지 24시간 간호를 계획하며 수행하는 책임을 갖는다. 일차간호사는 자신의 근무시간에 환자를 간호하는 것은 물론이고, 비번일 경우에도 담당환자를 돌보아 줄 일반간호사를 지정하고 일차간호사가 계획한 간호에 준하여 일반간호사는 간호를 제공한다.

오답 ① 팀간호: 팀간호 방법은 팀 리더인 간호사, 팀원 간호사, 보조인력으로 구성되며, 팀 리더 간호사는 팀에 주어진 모든 환자의 상태와 요구를 알아야 하며, 개별적 간호를 계획할 책임이 있다. 팀 간호 방법은 팀원 개개인이 가지고 있는 전문성이나 특별한 기술을 제공하도록 유도하며, 팀 리더는 팀 구성원의 지식과 능력에 따라 간호업무를 할당하기 때문에 팀 구성원은 개인의 가치를 인식하고 자율성이 부여되어지면 높은 업무만족을 얻을 수 있다.

② 사례방법: 간호사를 포함한 다학제 건강관리팀이 일정한 기간 동안 수행하여야 할 업무와 이를 통해 기대되는 환자의 결과를 미리 예상하여 건강서비스를 제공하는 방법이다.

③ 모듈방법: 2~3명의 전문요원과 비전문요원이 함께 팀을 이루어 간호를 제공하며, 담당한 환자들의 추후 간호 및 재입원 시에도 모든 간호를 담당하여 전인간호를 제공하는 간호업무 분담 방법이다. 전문직 간호사와 비전문직 보조인력이 함께 팀을 이루어 간호를 제공한다는 점이 팀 간호방법과 유사하며, 환자가 입원해서 퇴원할 때까지의 간호를 제공할 책임이 있다는 것은 일차 간호방법과 유사하다.

⑤ 기능분담 간호: 투약담당, 처치 담당 등 기능별로 업무를 분담하여 책임을 지는 간호 접근법이다.

029 ⑤

해설 | **지휘의 활동**

① 지시

- 구두지시

  - 구두명령, 상담, 제안, 회의 등 직접적인 대면을 통해 이루어지는 지시

  - 즉각적인 전달이 가능하고 즉각적인 피드백을 받을 수 있음

  - 내용이 왜곡될 가능성이 있음

- 서면지시

  - 서면화된 정책, 업무규정, 간호절차 편람, 서면화된 간호 표준서, 회람, 간호계획, 간호 지시, 직무기술서 등

  - 전달 내용이 중요하거나 기록으로 남겨 두어야 할 때, 수신자가 멀리 있을 때

  - 지시에 대한 동기부여가 약해 업무 처리가 늦어질 수 있음

② 명령: 상관이 부하 직원에게 특정한 방식으로 업무 지시를 하도록 하는 것으로 구두 또는 서면으로 요구할 수 있음

③ 감독: 업무를 조사 · 확인하고 업무 수행의 적합성을 평가하거나 그 결과를 인정해 주거나 교정해주는 활동을 말함

④ 조정과 동기부여: 업무 집단의 구성원들이 함께 조화를 이루며 일을 하도록 하는 활동을 말함

030 ⑤

해설 | **보상체계**

- 연공급

  생활유지 목적으로 정기 승급제도를 택하며, 학력, 성별, 연령, 근속연수 등의 요소 중심으로 구성된 급여체계를 말함

- 직무급

  동일 직무에 동일급여라는 사고방식에 입각하여 직무의 상대적 가치를 분석 평가하여 임금을 결정함

- 직능급

  연공 서열급과 직무급을 절충한 방식

- 직능급

  - 기본임금에 부수적인 역할, 보충하는 형식으로 근로조건, 생활 조건의 차이에 따라 지급함

- 상여금

  - 인센티브 또는 보너스라고 하며, 명절이나 조직의 결산기 등에 조직의 업적이나 구성원의 근무성적, 생활사정 등에 따라 상여, 보너스, 하계수당, 생활 보조금 등의 명칭으로 지급되는 임금의 총칭을 말함

031 ②

해설 | 2요인 이론

위생 요인(직무환경)	동기 요인(직무내용)
• 불만족 요인 • 직무 불만을 예방하는 기본 기능 • 조직의 정책, 관리, 감독, 보수, 대인관계, 작업조건, 안전, 지위 • 충족된다고 만족스러운 것은 아님	• 만족 요인 • 보다 나은 만족과 우수한 직무수행을 하도록 동기부여 하는 데 효과적 • 부족하거나 없어도 불만을 갖는 것은 아님 • 성취감, 직무자체, 도전, 전문적 성장, 인정과 칭찬, 책임감, 승진 • 존경욕구와 자아실현 욕구와 유사
불만족 ↔ 불만이 없음	만족 없음 ↔ 만족

032 ①

해설 | 직무분석

① 직무분석이란, 조직의 어떤 직위에서 필요로 하는 지식, 기술, 성향 및 개인적 특성을 확인하는 것이다.

오답 ② 직무평가: 조직 내외의 다른 직무들과 비교하여 특정한 직무가 갖는 상대적 가치를 측정하는 과정

③ 직무설계: 어떤 업무에 대해 이 일을 누가 할 것인가를 고려하여 직무내용(다양성, 자율성, 복잡성, 난이도), 직무기능, 직무 간의 관계 등을 구체화하는 것

④ 직무순환: 직원들을 다른 직무들 사이에 순환시키는 것

⑤ 직무확대: 수행과업의 형태를 넓게 가지는 것으로 과업의 수와 종류를 증가시키는 것

033 ③

해설 | 관리도

특정 업무과정에 필요한 모든 단계를 도표로 표시한 것

• 유사성 다이아 그램(Affinity Diagram)

  – 아이디어를 유사그룹으로 묶기 위한 접근법으로 브레인스토밍 등 접근법을 통해 아이디어를 생각하고 평가

• 원인–결과도(Cause–Effect Diagram)

  – 일의 결과나 특성과 그것에 영향을 미치는 원인이나 요인을 계통적으로 정리한 것

  – 결과는 등뼈의 오른쪽에 기술하고, 일차적 원인범주는 등뼈에서 가지치기로 범주화하여 기술함

• 런차트(Run Chart)

  – 시간에 다른 경향성을 모니터링 하는 간단한 시각적 기구임

• 관리도(Control Chart)

  – 변이와 원인을 조사함으로써 업무수행 과정에서 발생되는 문제를 지속적으로 관찰하고 조절하여 향상시킬 목적으로 사용됨

034 ①

해설 | 의료기관 인증평가: 기본가치체계

환자안전보장활동

① 의료진 간 정확한 의사소통

② 손 위생 수행

③ 정확한 환자 확인

④ 수술 시술의 정확한 확인

⑤ 낙상예방활동

035 ⑤

해설 | **의사소통네트워크**

- 사슬형(연결형: 명령체계)
  - 공식적이고, 수직적인 명령계통으로 위−아래로만 이루어지는 형태
- Y형
  - 특정 리더는 없지만, 비교적 집단을 대표하는 인물 또는 의사소통 조정자가 있음
- 수레바퀴형
  - 의사소통 속도가 빠르고 단순 문제 해결 시 효율적이고 효과적임
- 원형(위원회, 테스크포스팀)
  - 위원회, 대책위원회 같은 공식적 리더가 있으나 권력의 집중과 지위의 고하가 없음
- 완전연결형
  - 구성원 전체가 서로의 의견이나 정보를 자유의지에 따라 교환함

기본간호학

036 ②

해설 | **간호중재의 종류**

- 독자적 간호중재: 법적으로 간호사의 지식과 기술에 근거하여 수행할 수 있는 간호활동
  - ex 일반적 신체적 간호, 정서적 지지, 대상자 교육 및 상담, 환경관리 등
- 의존적 간호중재: 의사의 지시에 따라 수행하는 간호활동
  - ex 투약, 검사 관련 간호, 치료 등
- 상호 의존적 간호중재(협력적 중재): 간호사와 타보건의료인과 협력하여 수행하는 간호활동
  - ex prn 투약 등
- 직접 간호중재: 대상자와의 상호작용을 통해 수행되는 사회 심리적 간호활동
- 간접 간호중재: 대상자의 환경, 기록, 다학제적 협력 등을 관리하는 간호활동(대상자에게 직접 수행되지 않음)

037 ④

해설 | **쿠스말호흡(Kussmaul호흡)**

④ 쿠스말호흡은 대사성 산증에서 나타나는 깊고 빠른 호흡으로, 과일향기가 난다.

호흡 양상

변화의 종류	양상	설명
정상(eupnea)		호흡수와 깊이, 횟수, 리듬이 규칙적이고 잡음이 없음
빈호흡 (tachypnea)		• 규칙적이나 비정상적으로 빠른 호흡 • 20회/min 이상
서호흡 (bradypnea)		• 규칙적이나 비정상적으로 느린 호흡 • 12회/min 미만
호흡과다, 호흡항진 (hyperpnea)		호흡의 깊이가 증가되어 기량이 증가하며, 보통 운동 시에 나타남
과다환기 (hyperventilation)		• 호흡수와 깊이의 증가로 폐 내 공기량이 많아 이산화탄소의 부족을 초래 • 격렬한 운동, 불안, 고열, 아스피린 과용 시 나타남
과소환기 (hypoventilation)		호흡수와 깊이의 감소로 이산화탄소의 과잉을 초래
Cheyne—Stokes 호흡		• 무호흡주기에 이어 과다호흡주기로 변화되며 교대로 나타남 ▶ 임종 직전에 나타나는 호흡의 양상으로, 얕고 빠른 형태의 과호흡 후에 몇 초에서 수십 초 호흡이 멈추는 무호흡 양상이 반복 • 심부전, 약물과용, 뇌압 상승 시 나타남
Biot's 호흡 (운동실조성 호흡)		• 2~3회 비정상적인 얕은 호흡 후 무호흡이 나타나며 무호흡 시 불규칙적이고 경련성의 호흡을 함 • 뇌막염이나 심한 뇌손상 시 나타남
Kussmaul 호흡		• 분당 20회 이상의 깊이와 수가 증가한, 규칙적으로 깊고 긴 호흡 • 당뇨성 케토산증, 대사성 산독증, 신부전 시 나타남
무호흡(apnea)		호흡이 몇 초간 멈춘 상태이며, 지속되면 호흡정지가 됨

038 ⑤

해설 | **질병행위의 단계**

단계		내용
1단계	증상경험	• 질병의 초기단계. 보통 건강 상태와는 다른 증상을 인지 • 자가 약물치료로 증상 완화 시도, 증상 지속 시 다음 단계로 발전
2단계	환자역할 취하기	• 충분히 심각한 증상들로 건강하지 않은 상태라는 것을 수용, 가족이나 친구에게 확인을 요구 • 정상적인 활동을 포기하고 환자 역할을 취함
3단계	건강관리 접촉	• 대상자가 건강관리 기관에 방문하여 상담을 진행 • 진단과 처방이 내려지면 질병으로 인정되고 환자가 되며, 다음 단계로 이동
4단계	의존적인 환자역할	• 대상자가 진단을 받아들이고 전문가의 치료계획을 수용 • 일상생활에 있어 주변의 도움을 요청, 심각한 상태일 시 입원
5단계	회복 및 재활	• 질병에서 회복 및 재활하는 단계로 환자의 역할을 종료하고 이전의 역할과 기능을 다시 수용 • 영구 장애 등 신체 기능의 변화가 생길 경우, 변화에 적응하기 위한 교육이 필요

039 ①

해설 | **신체검사**

① 각막에 면봉을 바깥쪽으로 대어 대상자가 눈을 깜빡이는지 확인하는 것. 정상 성인은 (+)로 나타나야 한다.

오답 ② 동공에 빛을 비추었을 때 동공이 수축하는 반사. 정상 성인은 (+)로 나타나야 한다.

③ 슬개골 하연에 반사망치 등으로 자극을 가할 경우 본인의 의지와 무관하게 다리가 튀어 올라가는 증상으로 뇌를 거치지 않고 말초신경과 척수 등이 작용하여 발생하는 단일 시냅스 반사. 성인의 정상 반응은 (+)이다.

④ 발바닥을 손가락으로 자극하였을 때 발가락이 펴지는 것. 정상적으로 생후 1년 이내에 소실된다.

⑤ 팔꿈치를 구부리고 망치로 상박 외측 하부에서 앵취돌기의 바로 위를 칠 때 일어나는 전박의 신전운동. 성인의 정상반응은 (++)이다.

040 ③

해설 | **맥박 측정부위**

심첨맥박이란 심음을 직접 청진하는 것으로, 심장질환자나 부정맥이 발생한 환자, 요골맥박 등 다른 동맥에서의 맥박이 불규칙적인 환자에게 측정을 시행한다. 심첨맥박과 말단 동맥의 맥박을 함께 측정함으로써 결손맥의 유무를 확인할 수 있다.

▶ 심첨맥박 측정부위

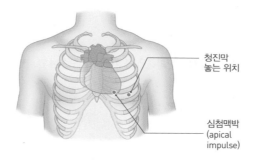

청진막
놓는 위치

심첨맥박
(apical
impulse)

POWER 특강

맥박결손

- 심첨맥박수와 요골맥박수가 차이나는 것으로, 심장수축력이 좋지 않아 말초동맥까지 맥박을 충분히 공급하지 못함을 의미한다.

- 두 명의 간호사가 각각 심첨맥박과 요골맥박을 동시에 측정한다.

▶ 맥박결손 측정 방법

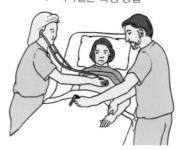

041 ②

해설 | 주관적 자료(subjective data)

SOAP형식의 기록에서 S (subjective data)를 뜻하는 주관적 자료는 오직 대상자에 의한 보고, 대상자의 말을 그대로 작성한 것을 의미한다. 통증은 대상자만이 느낄 수 있는 것이기 때문에 주관적 자료에 속한다.

🅒 신생아, 무의식환자 등의 대상자는 주관적 자료를 제공할 수 없다.

POWER 특강

SOAP 형식	
S(subject data)	• 주관적 자료 • 대상자의 말을 그대로 기록 ⓔⓧ 불안감, 통증 등과 같은 증상
O(object data)	• 객관적 자료 • 대상자의 행위를 간호사가 관찰 또는 측정한 내용 • 신체 검진, 의무기록 등의 주관적 자료의 검증 ⓔⓧ 소변량, 부종, 대상자의 음식섭취 거부 등
A(assessment)	• 주관적 자료와 객관적 자료에서 도출된 사정
P(planning)	• 사정에서 제시된 진단을 해결하기 위한 간호 계획

042 ③

해설 | 간호계획

• 간호계획은 '사정' 단계에서 얻었던 다양한 임상적 판단과 지식을 기반으로 도출된 간호진단을 바탕으로, 특정한 간호 결과에 도달하기 위한 간호지시를 작성하는 것을 말한다.

• 간호과정의 5단계: 사정 → 진단 → 계획 → 수행 → 평가

043 ④

해설 | 간호과정

• 정의: 대상자를 사정, 진단하고 간호를 계획, 제공, 평가하기 위한 객관적이고 과학적인 접근 방법으로, 조직적이며 체계적임

• 목적: 대상자의 건강요구를 충족시킬 수 있도록 기본 틀을 제공하며, 효과적이고 개별화된 간호를 계획, 수행, 평가하기 위한 방향을 제시함

• 특성
  – 체계적, 조직적, 역동적, 순환적, 목표 지향적, 활동 지향적, 연속적
  – 대상자 중심, 문제 중심, 행위 중심, 우선순위 중심

044 ①

해설 | **단순도뇨 vs 유치도뇨**

	단순도뇨(간헐적도뇨)	유치도뇨(정체도뇨)
정의	일회용의 곧은 도뇨관을 삽입함 ▶ 방광이 비워지면 즉시 도뇨관을 제거	장기간 도뇨관을 유치함 ▶ 주기적인 도뇨관 교체가 필요함
적응증 (목적)	• 무균적 소변 검사물 채취 • 배뇨 후 방광의 잔뇨량 측정 • 진단검사 실시 전 방광 비움 • 방광팽만의 즉각적 완화 • 척수손상 및 근육·신경계 퇴행으로 불완전한 방광기능을 가진 대상자의 장기적인 관리	• 소변배출 폐쇄 증상 완화(전립선비대, 요도협착 등) • 중증 대상자의 시간당 배뇨량 측정 • 실금하는 혼수 환자, 지남력이 손상된 대상자의 피부 손상 예방 • 장시간 전신마취하에 수술을 하는 경우, 오염 및 감염 예방 • 수술 후 혈액응고 물질로부터 요도폐쇄 예방 • 하복부 수술 시 방광의 팽창 예방

▶ A. 단순도뇨관(Nelaton Catheter)　　▶ B. 유치도뇨관(Foley catheter)

045 ③

해설 | **변비(constipation)**

• 정의: 배변 횟수가 적거나 건조하고 단단한 변이 배출되어 배변이 힘든 경우, 혹은 일정기간 변의 배출이 없는 경우

• 원인: 운동부족, 스트레스 등 심리적 요인, 불충분한 수분 섭취, 불규칙한 배변 습관 등

• 간호중재

　– 과일, 채소 등과 같이 고섬유식이 및 2,000~3,000 ml/day 정도의 수분섭취 권장

　– 일정한 시간에 배변하여 정상배변 습관을 형성할 수 있도록 하며 규칙적인 운동을 권장

　▶ 차도가 보이지 않을 경우, 하제와 완화제를 투여

오답 ② 설사 환자의 경우, 보리차, 물, 맑은 국 등으로 수분과 전해질 보충이 필요하다.

　　⑤ 위식도 역류 환자의 경우, 식후에 몸을 앞으로 구부리지 않아야 하며, 식후 1~2시간 동안 앉은 자세를 유지해야 한다.

046 ②

해설 | **저섬유식이**

저섬유식이는 장 연동운동 감소, 변비 유발, 대장암 발생률 증가, 장 점막 자극 감소, 분변 부피 감소 등의 기능이 있다. 주로 대장암 환자의 수술 후 초기에 실시한다.

047 ②

	비강 캐뉼라	단순안면 마스크	부분 재호흡 마스크	비재호흡 마스크	벤츄리 마스크
구분	저유량 체계: 환자의 호흡양상에 따라 산소량이 달라짐				고유량 체계: 정확한 농도로 산소 투여 가능
제공 속도	1~4 L/분	5~8 L/분	6~10 L/분	5~15 L/분	3~15 L/분
산소 농도	약 22~44%	약 40~60%	약 60~90%	약 80~100%	약 24~50%
특징	• 말하거나 먹을 때 방해가 안 됨 • 6 L/분 이상으로 공급할 경우 비강과 인두점막 자극, 건조 유발	• 응급상태 또는 단기간 사용 • 5~6 L/분 이상으로 공급하지 않을 경우, 이산화탄소를 재흡인하게 되어 효과 없음	• 저장백(reservoir bag)이 있으나 valve는 없음 • 호기된 이산화탄소의 일부가 산소와 혼합됨	• 저장백과 one-way valve 있음 • 이산화탄소 재흡인 하지 않음 • 저장백이 완전히 수축되지 않도록 주의	• 일정량의 실내공기와 산소가 섞여서 공급 • COPD 환자에게 이용

A. 비강 캐뉼라 (nasal cannula)	B. 단순안면 마스크 (simple face mask)	C. 부분 재호흡 마스크 (partial non-rebreather mask)	D. 비재호흡 마스크 (non-rebreathing mask)	E. 벤츄리 마스크 (venturi mask)

048 ⑤

• 정의: 폐 분비물을 기계적인 힘 또는 중력을 이용하여 기도 내로 이동시키기 위한 요법

• 종류

체위배액 (postural drainage)	• 중력을 이용하는 체위를 취하여, 폐 분절에 있는 분비물을 밖으로 배출하는 것
	• 방법: 적절한 체위 → 타진 → 진동 → 기침 혹은 흡인에 의한 분비물 제거, 호기 시 시행
	• 하루에 2~3회, 10~20분 정도 실시: 아침 식전, 점심 식전, 오후 늦게, 잠자기 전
	• 요법 시행 전, 기관지확장제나 분무치료 하여 분비물 묽게 하면 배액 용이함
	• 주의사항
	  – 체위배액 도중 빈맥, 심계항진, 호흡곤란, 흉통, 어지러움, 허약감, 객혈, 저혈압, 기관지경련 등 발생 시 즉시 중단
	  – 식후에 하면 피로와 구토 유발

타진(percussion)	• 기계적으로 두드려 기관지벽으로부터 끈끈한 분비물을 이동시키기 위함 • 방법: 손을 컵모양으로 하여 흉벽을 두드림 ▶ 손 안의 공기는 흉벽을 통해 진동을 분비물까지 전달 • 주의사항: 유방, 흉골, 척추, 신장은 조직손상 위험으로 인해 두드리지 않음
진동(vibration)	• 대상자의 흉벽에 손을 펴서 강한 떨림을 만드는 것 • 방법: 대상자가 깊게 흡기 후 천천히 호기하는 동안, 200회/분의 속도로 진동(흡기하는 동안은 진동을 멈춤) • 주의사항: 유방, 흉골, 척추, 신장은 조직손상 위험으로 인해 진동시키지 않음

▶ 체위배액을 위한 적절한 자세

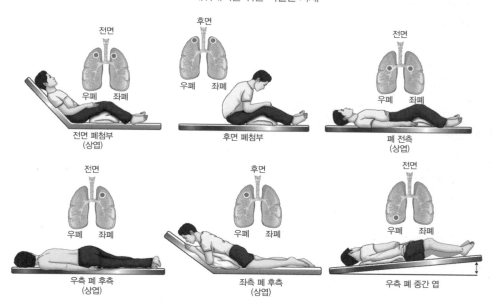

전면 폐첨부
(상엽)

후면 폐첨부

폐 전측
(상엽)

우측 폐 후측
(상엽)

좌측 폐 후측
(상엽)

우측 폐 중간 엽

오답 ① 호기에 진동법을 적용하고, 흡입에는 중지한다.

② 피부에 직접적인 압박을 가하지는 않는다.

③ 타진법은 손을 컵모양으로 하여 적용한다. 진동법 시 손바닥을 펴고 적용한다.

④ 식사 직후에 흉부물리요법 적용 시 불편감을 호소하거나 소화에 방해가 될 수 있다.

049 ⑤

해설 | 비위관 영양 시 튜브위치 확인

- 삽입된 튜브를 통해 위액을 10~20cc 흡인하여 pH 3~4 이하의 강산, 맑은 황갈색 또는 녹색을 띠는지 확인한다.
- 삽입된 튜브로 공기 5~10cc 주입하면서 청진기로 상복부 청진 시 "쉬익", "꾸룩꾸룩"하는 소리가 들린다.

▶ 비위관 영양

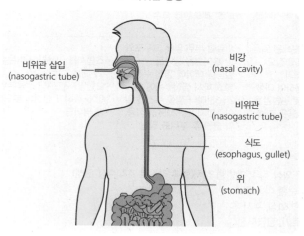

비위관 삽입
(nasogastric tube)

비강
(nasal cavity)

비위관
(nasogastric tube)

식도
(esophagus, gullet)

위
(stomach)

① 호흡기 내 위치했을 때의 징후다.

② 삽입하는 위관의 길이는 성인의 평균 크기 범위 55~66 cm이다.

③ 기도에 위치했을 때의 징후다.

④ 식도에 위치했을 때의 징후다.

050 ②

해설 | **특별 구강간호**

② 무의식 환자에게 구강간호 시 구강액이 흡인될 가능성이 있으므로, 고개를 왼쪽이나 오른쪽으로 돌려서 시행한다.

· 매우 허약하거나 의식이 없어 스스로 구강간호를 할 수 없는 경우에 구강건조와 구내감염 위험을 감소시키기 위해 특별 구강간호를 시행한다.

· 방법

　― 섭자를 거즈로 감싼 후 함수용액에 적셔 치아와 구강을 닦는다.

　― 2~8시간마다 실시한다.

　― 과산화수소와 물로 1:1 희석하여 사용한다.

　― 치아의 애나멜질 손상 예방을 위해 철저히 헹군다.

　― 바셀린 젤리: 입술 건조 방지

051 ①

해설 | **냉요법**

· 고체온(열소실을 촉진하거나 열생산을 억제하는 능력이 불충분하여 체온이 상승한 상태) 간호 요법 중 하나

· 종류

구분	건냉	습냉		RICE
간호법	얼음주머니	냉찜질, 냉습포	미온수 스펀지 목욕	RICE
목적	· 상해나 수술 후의 출혈 감소 · 수액 축적으로 인한 관절통 감소 · 혈관 확장에 의해 야기되는 통증 경감	· 출혈 예방 또는 감소 · 염증 감소 · 부종 예방 또는 감소	· 체표면에서 증발기전을 이용한 열 손실	· 타박상 시 부종과 통증을 예방
방법	· 모가 나지 않게 분쇄된 얼음을 용기의 1/2~1/3 정도 채우고 공기를 제거 · 20~30분간 적용하며 대상자의 피부 반응 및 편안감을 관찰(장시간 냉적용은 피해야 함)	· 치료할 부위 밑에 고무포와 반 홑이불을 깔아둠 · 얼음물 대야에 찜질 수건을 넣고 짜서 찜질부위에 댐 · 2~3분마다 찜질 수건을 갈아주면서 15~20분간 적용 · 다 끝난 후 부위를 말림	· 스펀지를 이용하여 미온수(27~34 ℃)로 목욕 · 오한방지를 위해 적용부위만 노출하고 천천히 부드럽게 닦아줌	· 타박상 시 초기 48~72시간 동안 얼음을 적용하도록 하면서 RICE 권장 　― R (rest): 휴식 　― I (ice): 얼음적용 　― C (compression): 압박 　― E (elevation): 부위 상승

· 냉요법 금기증

　― 좌상, 염좌, 골절, 근경련 등 외상 직후, 개방형 상처(혈류 감소로 조직손상 초래)

　― 말초순환장애: 조직의 혈액순환 더욱 감소

　― 표재성 열상 및 자상, 경미한 화상, 주사 후

　― 관절염, 관절외상, 냉 알레르기, 감각부전

해설 | **얼굴평가척도(faces rating scale)**

• 유아가 자신의 통증을 가장 잘 표현하는 얼굴을 고르게 하고 그에 해당하는 숫자를 기록하게 한다.

통증 척도

구두 평가 척도 (verbal rating scale, VRS)	대상자가 말로 통증을 직접 표현하는 방법으로 가장 흔하지만, 실제 사용 시 과다하게 표현되는 경향이 있음
시각 통증 척도 (visual analog scale, VAS)	통증이 없는 점(시작점)과 가장 심한 통증을 뜻하는 점(끝점) 사이에 특별한 표시가 없는 일정한 선을 두고, 그 위에 대상자가 자신의 통증 정도를 표시함
숫자 평가 척도 (numerical rating scale, NRS)	직선상에 구체적으로 1~10 혹은 1~100까지의 숫자를 표시하여 통증의 강도에 따라 숫자 개념으로 표시하도록 함
얼굴 평가 척도 (faces rating scale)	환자에게 도구에 있는 얼굴 표정은 통증을 느끼는 정도를 표현하는 것이라고 말한 후, 자신이 느끼는 통증과 맞는 얼굴표정을 선택하도록 함 주로 3세 이상 소아, 의사소통장애가 있는 성인 그리고 노인환자에게 적용

▶ 통증사정척도(pain scale tools)

공략편 3회(3교시)

455

053 ③

해설 | **장기간 침상환자**

- 장기간 부동으로 인한 관절의 경축 및 근육 약화
- 신체의 움직임에 의한 장 연동 운동 자극이 저하 ▶ 변비 발생
- 순환기계 약화로 체위성 저혈압 발생 ▶ 보행 시 뇌 혈류량이 급격히 감소하여 어지러움증이 나타나거나 실신할 수 있음
- 순환장애로 욕창 등 피부통합성 장애 발생 위험도 증가
- 체중 부하 운동을 하지 않음에 따라 칼슘이 뼈에서 유리되어 고칼슘혈증이 나타남
- 장기간 유치도뇨관을 삽입하여 방광근육의 긴장도가 감소되어 요 정체 발생

054 ③

해설 | **파울러씨 체위(Fowler's position; 반좌위)**

- 정의: 침상머리 부분을 45~60° 정도 올려 앉히는 자세
    - Semi-Fowler's position: 약 30° 정도 올려 앉힌 자세
    - High-Fowler's position: 90° 정도 올려 완전히 앉힘, 기좌호흡에 유용

- 주의사항
    - 흉곽을 최대한 확장시켜 심장과 폐 질환자에게 유용
    - 머리를 30~45° 상승시킨 체위는 두개내압 상승 예방에 적용함
    - 머리와 어깨 및 요추 부위에 각각 베개를 하나씩 지지
    - 양옆에 베개를 놓아 팔을 지지하여 좋은 신체선열을 유지하도록 함
    - 작은 베개를 대퇴 밑에 적용하여 무릎 굴곡
    - 침요 밖으로 발끝을 내놓거나 무릎이 약간 굴곡될 수 있도록 지지하여 footdrop을 방지

오답 ⑤ 발바닥의 신전을 위해 발판을 대어준다.

055 ③

해설 | **자가 통증 조절법(patient controlled analgesia, PCA)**

- 수술 후 통증, 외상, 분만통, 암성 통증처럼 대상자들이 스스로 약물 투여를 원하는 경우의 통증관리를 위한 안전한 방법으로, 대상자가 필요할 때 정맥이나 경막외강으로 설치된 자가 통증 조절기를 통해 스스로 약물을 투여할 수 있는 장치를 사용함
- 특징

- 휴대용 주입형이나 손목시계형 장치

- 대상자가 필요시 누르면 한 단위 용량의 약물이 주입

- 일정한 횟수 이상으로는 투여되지 않도록 부하용량이 정해져 있음 ▶ 과다용량 투여 제한됨

- 최대의 효과를 위해 대상자 교육이 필요

• 장점

- 약물용량을 환자 스스로 조절하므로, 환자의 독립성 및 통제감 유지

- 짧은 시간 간격으로 소량 투여하면 혈청 내 약물 수준이 거의 일정하므로 좀 더 지속적인 진통 유지 가능

- 흡수가 빠르기 때문에 수술 후 통증과 같은 급성 통증에 유용

• 부작용: 구역, 구토, 소양감, 요 저류, 호흡 억제 등

▶ 자가 통증 조절 장치

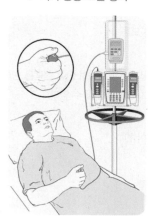

056 ②

해설 | **낙상(fall)**

• 위험요인

- 노인, 아동

- 시력 및 균형감각 손상, 보행 또는 자세 변화, 혼돈, 지남력이 손상된 자

- 이뇨제, 신경안정제, 항우울제, 수면제, 진정제, 최면제, 진통제 등 약물 복용자

- 체위성 저혈압, 혼돈, 기동성 장애(사지 마비 등 보행장애, 균형장애, 어지럼증) 등

- 과거 낙상 경험자(6개월~1년), 입원한 지 1주일 이내의 낯선 환경

• 낙상 예방 간호중재

- Stretcher car나 침대에 있을 때는 침상난간(side rail)을 항상 올려놓도록 함

- 미끄럼 방지 슬리퍼, 매트 등을 이용하여 바닥이 미끄럽지 않도록 함

- 변기 옆이나 목욕탕에 안전바(손잡이) 설치, 밝은 조명 사용하고, 야간등을 설치

- 환자가 오랫동안 누워 있다가 일어설 때 어지러울 수 있으므로 서서히 일어서도록 격려(체위성 저혈압)

• 낙상 발생 시 대처

- 대상자의 체중을 지지해 주면서 앉거나 눕도록 함

- 의식, 활력징후, 머리, 목, 척추 등의 손상 여부 사정

— comment —

낙상은 임상에서 투약과 더불어 가장 신경 써야 할 기본 중 기본!!

057 ②

해설 | **성 문제 간호중재**

- 간호사 – 대상자 간의 신뢰 확립: 대상자에 대한 존중 및 공감의 분위기를 확립
- 대상자 교육
    - 성에 대한 오해 교정과 자기인식 증진
    - 자가검진 교육: 유방 자가검사, 고환 자가검사
    - 피임방법: 자신에게 맞는 피임법을 선택하도록 도움
    - 대상자의 성 요구 옹호

오답 ① 직접적이고 노골적인 단어 사용보다는 환자를 배려하여 단어 선택을 한다.
　　③ 간호사는 본인의 성에 대한 가치를 대상자에게 주입할 수 없다.
　　④ 성욕 감소가 목적이 되어서는 안 된다.
　　⑤ 성 생활 또한 질병의 완치만큼 존중받아야 한다.

058 ③

해설 | **욕창의 발생요인**

③ 요실금 및 무의식 등 두 가지의 위험요소를 동시에 갖춘 환자이므로 욕창 발생 확률이 가장 높다고 볼 수 있다.

- 외부 요인
    - 압력: 압력의 크기보다 압력이 주어진 기간이 욕창 발생에 더 중요한 영향을 미침
    - 응전력(shearing force; 전단력): 압력과 마찰력이 합쳐진 물리적인 힘
    - 마찰: 피부의 찰과상을 유발하여 혈관을 손상시킬 수 있음
- 내재적 요인
    - 노인 환자 및 심한 기동성장애 환자: 3시간 이상 신체 제한 및 부동 상태일 때 위험 증가
    - 습기: 습한 피부조직은 탄력성이 감소하고 압력과 마찰에 의해 쉽게 상해를 받게 됨 ex 변실금, 요실금 등 실금 상태
    - 영양부족 및 빈혈: 영양 및 산소 공급이 불충분한 세포는 손상이 쉽고 치유가 지연됨
    - 혈압 및 혈관 질환: 쇼크, 저혈압, 당뇨병 등은 모세혈관에 손상을 줌
    - 피부감각 부재 등 감각지각장애: 압력에 대한 불편감 부재
    - 발열: 조직의 대사요구량이 증가

POWER 특강

욕창의 단계

▶ 욕창 단계에 따른 드레싱

단계	증상	드레싱
1	**표피** 발적은 있으나 피부 손상은 없음	• 드레싱 적용 안 함 ▶ 2~3시간마다 체위변경 • 투명 드레싱이나 하이드로 콜로이드
2	**표피 + 진피 일부** 표재성 궤양, 장액성 수포	• 투명 드레싱 • 하이드로 콜로이드
3	**진피 + 피하조직** 광범위한 손상, 깊게 패인 상처	• 삼출물이 적은 경우: 하이드로 콜로이드 + 하이드로 겔 • 삼출물이 많은 경우: 칼슘 알지네이트 팩킹
4	**피하조직 + 근막, 근육, 뼈** 삼출물, 괴사조직 및 사강이 있음	하이드로 콜로이드 + 하이드로 겔 + 칼슘 알지네이트 팩킹

---

059 ③

해설 | **퀴블러 로스의 슬픔의 5단계**

단계	행위적 반응	간호중재
1단계 부정(denial)	갑작스런 충격에 대한 하나의 완충장치로, 죽음을 부정함 ⓔⓧ 진단이 잘못되었거나 의사의 실수라고 생각하고 다른 병원, 다른 의사들을 찾아다님	• 대상자의 부정을 말로써 지지 • 자신이 대상자의 부정을 공감하지 않는지를 확인하기 위해 자신의 행위를 점검
2단계 분노(anger)	자신의 병증세를 더 이상 부정할 수 없을 때 분노 ▶ 건강한 사람들을 부러워하며 분노와 원망을 느낌 ⓔⓧ '왜 하필 내가 이런 병에 걸렸는가?'라는 생각에 집착하고, 주위 가족과 의료진에게 적개심을 갖고 폭언을 함	• 상실감과 무력감에 대한 정상적인 반응임을 대상자가 이해하도록 도와줌 • 대상자가 운명이나 신에게 화를 내는 것으로 인내와 관용으로 이해함 • 분노반응 속에 깔려있는 요구를 이해해 주고 보살펴줌
3단계 협상(bargaining)	죽음을 모면할 길이 없음을 인식하고, 자신에게 처리해야 할 일이 끝날 때까지만 살 수 있게 해달라고 절대자나 의사 혹은 질병 그 자체와 협상을 함 ⓔⓧ '막내딸의 결혼식만 보고 죽겠다.'	• 현실을 직시할 수 있도록 도와주어야 함 • 적절하다면 영적인 지지 제공
4단계 우울(depression)	더 이상 병을 부인하지 못하며 극도의 상실감과 우울증이 나타남 ⓔⓧ 말수가 줄어들고 가장 가까운 사람이나 좋아하는 사람들과 같이 있기를 원함	• 대상자의 슬픔을 표현하도록 허용하고 진심으로 간호해주는 사람이 있다는 것을 인식시켜줌 • 가족이나 주변 인물들이 보다 따뜻한 자세로 대상자를 보살피도록 함
5단계 수용 (acceptance)	매우 지치고 허약하게 되어 죽음을 수용하게 되는 단계 ⓔⓧ 자신의 운명에 더 이상 분노하거나 우울해하지 않고 가족들과 추억을 나누며 신상을 정리함	• 자신이 가치 있는 존재였음을 대상자가 깨닫도록 도와줘야 함

---

060 ①

해설 | **내과적 무균술 vs 외과적 무균술**

오답 ②, ③, ④, ⑤는 외과적 무균술에 해당한다.

061 ②

해설 | **멸균 용액 따르기**

- 단계: 멸균 용액 사용 전 용기의 입구에 있던 오염물을 제거하기 위해서 용액의 소량을 먼저 따라 버림 → 라벨이 붙어 있는 쪽을 손으로 감싸고, 무균 영역 밖 10~15 cm 높이에서 용액이 튀지 않도록 따름
- 주의사항
  - 용액을 따르는 동안 뚜껑을 들고 있을 때에는 뚜껑의 안쪽 면이 아래로 향하도록 하고, 내려놓을 때에는 뚜껑의 안쪽 면이 위를 향하도록 함
  - 용액을 용기에 따랐다가 남은 용액을 병에 다시 붓지 않음
  - 용액을 재사용할 경우는 병 표면에 개봉일자를 기재하고, 다시 뚜껑을 닫을 경우 뚜껑의 바깥 면만을 만져 닫도록 함

062 ④

해설 | **경구투여의 간호중재**

④ 설하 투여 약은 투여 도중에 물을 마시지 않고 약이 혀 밑에서 다 녹고 난 후 마신다.

일반적 고려사항

- 침상가에 놓았을 때 대상자가 약을 다 먹는 것을 확인
- 대상자가 금식인 경우 약물 투여를 금함
- 특별한 지시가 없으면 두 가지 이상의 약물을 섞어 주거나 약의 형태를 변경하지 않음
- 침전물이 있거나 색깔이 변색된 약은 사용하지 않음

특별 투여 방법

- 설하 투여 시 약물을 혀 밑에 넣고, 삼키지 말고 녹여서 약물이 점막으로 흡수되도록 함 ▶ 혀 밑 혈관분포가 많아 빨리 흡수되고 전신적인 효과 발생
- 위관을 통한 투여 시 액체약 또는 물에 탄 가루약을 줄 수 있으나, 부피가 커지는 완화제 투약은 피함
- 치아를 착색시키거나 에나멜 층을 손상시키는 약물은 희석하거나 빨대 사용
- 부수어 음식물과 함께 복용
- 점적기로 투약 시 구개반사가 일어나지 않게 잇몸과 뺨 사이에 약물을 넣어줌
- 투여 전 얼음을 물고 있게 하면 미뢰의 기능이 감소되어 약 맛이 덜 역함

흡인 예방

- 가능하면 앉거나 상체를 세운 자세에서 투약, 한 번에 한 알씩 투약
- 편마비가 있을 경우, 건강한 쪽으로 약을 넣어 삼키도록 교육

063 ④

해설 | **Z-track 기법**

- 목적
  - 피하조직을 자극하거나 통증을 유발하는 약물을 주사 시 근육 깊이 주사하는 방법
  - 피하조직에 약물이 묻거나, 약물이 주사바늘 구멍으로 새어 나오지 않도록 함
  - 대상자의 통증과 불편감을 감소
- 방법
  - 주사기에 0.2 cc 공기로 air lock을 만들어 준비
  - 큰 근육 부위 선택(둔부의 배면과 복면, 외측광근 부위)
  - 바늘 삽입 전 피부를 2.5~3 cm 잡아당기며 당겨진 상태에서 바늘 주입

- 한손으로 내관을 당겨 혈액이 나오는지 확인

- 약물 주입 후 약 10초 동안 피부를 계속 당기고 있음

- 주사바늘을 뺄 때, 약물이 새어 나오지 않도록 주사바늘을 재빨리 빼면서 당긴 피부를 놓음

- 약물이 새어 나올 수 있으므로 주사 후 문지르지 않음

· 부작용

- 주사로 인한 동통, 불편감

- 피하, 근육조직 경결 형성, 신경 손상(신경을 건드리거나, 약물이 신경 가까이 주입됨)

- 약물의 지나치게 빠른 흡수, 근육의 조직 감염

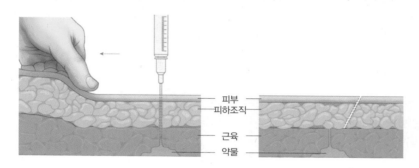

064 ③

해설 | **피내주사(intradermal injection)**

③ 주사부위로는 전완 내측, 흉곽 상부, 견갑골 부위가 있다.

오답 ① 항생제 알레르기 검사는 약물 투여 후 마사지를 하지 않는다.

② 약물 알레르기 반응검사는 15~30분 후 주사부위의 발적, 팽진의 지름을 관찰한다.

cf 주사 후 48~72시간 후에 관찰하는 것은 피내주사 중 투베르쿨린 반응검사에 해당한다.

④ 주사바늘의 경사면을 위로하여 주사바늘을 피부와 거의 평행하게 약 10~15° 정도로 주사바늘을 삽입한다.

⑤ 내관을 제거하지 않고 투약 후 주사기를 그대로 뽑는다.

▶ 피내주사

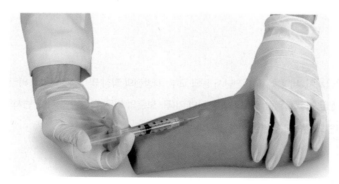

065 ①

해설 | **수혈 부작용**

① 수혈 부작용 발생 시 즉시 수혈을 중단하고 활력징후를 지속적으로 측정하며 의사에게 보고한다. 또한 새 주입관을 연결하여 생리식염수를 계속 주입한다. 그리고 용혈반응의 확인을 위해 환자의 소변검체와 수혈제제를 검사실로 보낸다.

POWER 특강

수혈 부작용과 간호중재

반응	원인	증상	간호중재
용혈반응	ABO 부적합	오한, 열, 빈맥, 저혈압, 두통, 핍뇨, 황달, 호흡곤란, 청색증, 흉통 등 아나필락시스 반응	• 급속히 나타나므로 수혈 후 첫 15분 동안 환자를 자세히 관찰하고 반응이 나타나면 즉시 수혈을 중단할 것 • 생리식염수로 정맥주입을 유지 • 쇼크 치료 − 혈압, 호흡 유지 − 섭취량과 배설량을 측정하여 신기능을 파악 • 의사와 혈액은행에 알리고, 검사표본과 소변 채취
발열반응	혈액성분에 대한 알레르기반응	오한, 열, 두통	• 즉시 수혈 중지 • 생리식염수로 정맥 확보 • 의사에게 알림 • 처방된 해열제 투여, 30분마다 활력징후 측정
알레르기반응	혈액 내 단백질, 수혈자의 항원에 대한 항체반응	두드러기, 천식, 관절통, 전신 가려움, 기관지 경련	• 소양증이 있다면 천천히 수혈 • 심한 반응 시 수혈을 중지하고 의사에게 알림 • 항히스타민제, 스테로이드, 혈관수축제 투여 • 아나필락시스 반응 관찰

보건의약관계법규

066 ⑤

해설 | **진단서 등(의료법 제17조)**

진료 중이던 환자가 최종 진료 시부터 48시간 이내에 사망한 경우에는 다시 진료하지 아니하더라도 진단서나 증명서를 내줄 수 있다.

067 ①

해설 | **의료인의 의무**

진료거부금지, 응급환자의 응급처치, 세탁물 처리, 진단서 등의 교부, 처방전의 작성 및 교부의 의무, 비밀누설의 금지, 태아의 성감별 행위 등의 금지, 태아의 성별누설금지, 기록열람, 진료기록부 등의 기록 · 보존의 의무, 요양방법 지도, 변사체 신고, 보수교육의 의무

오답 ②, ③, ④, ⑤는 의료인의 권리와 관련된 법률 조항이다.

068 ②

해설 | **가정간호(의료법 시행규칙 제24조)**

가정간호를 실시하는 의료기관의 장은 가정전문간호사를 2명 이상 두어야 한다.

069 ①

해설 | 면허취소(의료법 제65조)

1. 결격사유(의료법 제8조)에 해당하게 된 경우
   - 정신질환자
   - 마약·대마 또는 향정신성의약품 중독자
   - 금치산자·한정치산자
   - 의료관계법령을 위반하여 금고 이상의 형의 선고를 받고 그 형의 집행이 종료되지 아니하거나 집행받지 아니하기로 확정되지 아니한 자

2. 자격 정지 처분 기간 중에 의료행위를 하거나 3회 이상 자격정지 처분을 받은 경우
3. 면허 조건을 이행하지 아니한 경우
4. 면허증을 대여한 경우
5. 사람의 생명 또는 신체에 중대한 위해를 발생하게 한 경우
6. 사람의 생명 또는 신체에 중대한 위해를 발생하게 할 우려가 있는 수술, 수혈, 전신마취를 의료인 아닌 자에게 하게 하거나 의료인에게 면허 사항 외로 하게 한 경우

070 ⑤

해설 | 진료에 관한 기록의 보존(의료법 시행규칙 제15조)

- 2년: 처방전
- 3년: 진단서 등의 부본(진단서, 사망진단서 및 시체검안서 등을 따로 구분하여 보존할 것)
- 5년: 환자 명부, 검사내용 및 검사소견기록, 방사선 사진 및 그 소견서, 간호기록부, 조산기록부
- 10년: 진료기록부, 수술기록

071 ①

해설 | 요양병원의 운영(의료법 시행규칙 제36조)

1. 입원대상자: 노인성 질환자, 만성질환자, 외과적 수술 후 또는 상해 후 회복기간에 있는 자
2. 입원 제외대상자: 정신질환자(노인성 치매환자 제외), 감염병 환자

072 ③

해설 | 정의(감염병의 예방 및 관리에 관한 법률 제2조)

"제2급감염병"이란 전파가능성을 고려하여 발생 또는 유행 시 24시간 이내에 신고하여야 하고, 격리가 필요한 다음 각 목의 감염병을 말한다. 다만, 갑작스러운 국내 유입 또는 유행이 예견되어 긴급한 예방·관리가 필요하여 질병관리청장이 보건복지부장관과 협의하여 지정하는 감염병을 포함한다.

제2급감염병	결핵(結核), 수두(水痘), 홍역(紅疫), 콜레라, 장티푸스, 파라티푸스, 세균성이질, 장출혈성대장균감염증, A형간염, 백일해(百日咳), 유행성이하선염(流行性耳下腺炎), 풍진(風疹), 폴리오, 수막구균 감염증, B형헤모필루스인플루엔자, 폐렴구균 감염증, 한센병, 성홍열, 반코마이신내성황색포도알균(VRSA) 감염증, 카바페넴내성장내세균속균종(CRE) 감염증, E형간염

073 ④

"제4급감염병"이란 제1급감염병부터 제3급감염병까지의 감염병 외에 유행 여부를 조사하기 위하여 표본감시 활동이 필요한 다음 각 목의 감염병을 말한다.

제4급감염병	인플루엔자, 매독(梅毒), 회충증, 편충증, 요충증, 간흡충증, 폐흡충증, 장흡충증, 수족구병, 임질, 클라미디아감염증, 연성하감, 성기단순포진, 첨규콘딜롬, 반코마이신내성장알균(VRE) 감염증, 메티실린내성황색포도알균(MRSA) 감염증, 다제내성녹농균(MRPA) 감염증, 다제내성아시네토박터바우마니균(MRAB) 감염증, 장관감염증, 급성호흡기감염증, 해외유입기생충감염증, 엔테로바이러스감염증, 사람유두종바이러스 감염증

074 ①

「의료법」 제27조제1항 각 호의 어느 하나에 해당하는 사람이 지역주민 다수를 대상으로 건강검진 또는 순회 진료 등 주민의 건강에 영향을 미치는 행위(이하 "건강검진 등"이라 한다)를 하려는 경우에는 보건복지부령으로 정하는 바에 따라 건강검진 등을 하려는 지역을 관할하는 보건소장에게 신고하여야 한다.

① 의료인이 아니면 누구든지 의료행위를 할 수 없으며 의료인도 면허된 것 이외의 의료행위를 할 수 없다. 다만, 다음 각 호의 어느 하나에 해당하는 자는 보건복지부령으로 정하는 범위에서 의료행위를 할 수 있다.

무면허 의료행위 등 금지(의료법 제27조)

1. 외국의 의료인 면허를 가진 자로서 일정 기간 국내에 체류하는 자
2. 의과대학, 치과대학, 한의과대학, 의학전문대학원, 치의학전문대학원, 한의학전문대학원, 종합병원 또는 외국 의료원조기관의 의료봉사 또는 연구 및 시범사업을 위하여 의료행위를 하는 자

075 ⑤

⑤는 평생국민건강관리체계에 속한다. 평생국민건강관리체계는 여성과 어린이의 건강 증진, 노인의 건강 증진, 장애인의 건강 증진, 학교 보건의료, 산업 보건의료, 환경 보건의료, 기후변화에 따른 국민건강영향평가, 식품위생·영양을 포함한다.

보건복지부장관은 국민건강을 크게 위협하는 질병 중에서 국가가 특별히 관리하여야 할 필요가 있다고 인정되는 질병을 선정하고, 이를 관리하기 위하여 필요한 시책을 수립·시행하여야 한다.

제40조(감염병의 예방 및 관리)

제41조(만성질환의 예방 및 관리)

제42조(정신 보건의료)

제43조(구강 보건의료)

076 ①

①은 부가급여 항목이다. 부가급여(국민건강보험법 제50조) 공단은 이 법에서 정한 요양급여 외에 대통령령으로 정하는 바에 따라 임신·출산 진료비, 장제비, 상병수당, 그 밖의 급여를 실시할 수 있다.

질병 · 부상 · 출산 등에 대하여 진찰 · 검사, 약제 · 치료재료의 지급, 처치 · 수술 및 그 밖의 치료, 예방 · 재활, 입원, 간호, 이송에 요양급여 실시한다.

077 ②

해설 | 검역조치(검역법 제15조)

질병관리청장은 검역감염병 유입과 전파를 차단하기 위하여 검역감염병에 감염되었거나 감염된 것으로 의심되는 사람, 검역감염병 병원체에 오염되었거나 오염된 것으로 의심되거나 감염병 매개체가 서식하는 것으로 의심되는 운송수단이나 화물에 대하여 다음 각 호의 전부 또는 일부의 조치를 할 수 있다.

1. 검역감염병 환자 등을 감시하거나 격리시키는 것
2. 검역감염병 접촉자 또는 보건복지부령으로 정하는 검역감염병 위험요인에 노출된 사람(이하 "검역감염병 위험요인에 노출된 사람"이라 한다)을 감시하거나 격리시키는 것
3. 검역감염병 병원체에 오염되었거나 오염된 것으로 의심되는 화물을 소독 또는 폐기하거나 옮기지 못하게 하는 것
4. 검역감염병 병원체에 오염되었거나 오염된 것으로 의심되는 곳을 소독하거나 사용을 금지 또는 제한하는 것
4의2. 검역감염병 병원체 오염 여부를 확인할 필요가 있다고 인정되는 운송수단 및 화물을 검사하는 것
5. 감염병 매개체가 서식하거나 서식하는 것으로 의심되는 운송수단과 화물을 소독하고 감염병 매개체를 없애도록 운송수단의 장이나 화물의 소유자 또는 관리자에게 명하는 것
6. 검역감염병의 감염 여부를 확인할 필요가 있다고 인정되는 사람을 진찰하거나 검사하는 것
7. 검역감염병의 예방이 필요한 사람에게 예방접종을 하는 것

078 ④

해설 | 혈액 등의 안전성 확보(혈액관리법 제8조)

혈액원 등 혈액관리업무를 하는 자는 검사 결과 부적격혈액을 발견하였을 때에는 보건복지부령으로 정하는 바에 따라 이를 폐기처분하고 그 결과를 보건복지부장관에게 보고하여야 한다.

079 ⑤

해설 | 지역보건의료계획의 수립(지역보건법 제7조)

지역보건의료계획의 내용에 관하여 필요하다고 인정하는 경우 보건복지부장관은 특별자치시장 · 특별자치도지사 또는 시 · 도지사에게, 시 · 도지사는 시장 · 군수 · 구청장에게 각각 보건복지부령으로 정하는 바에 따라 그 조정을 권고할 수 있다.

080 ③

해설 | 국민건강보험공단의 업무(국민건강보험법 제14조)

1. 가입자 및 피부양자의 자격 관리
2. 보험료와 그 밖에 이 법에 따른 징수금의 부과 · 징수
3. 보험급여의 관리
4. 가입자 및 피부양자의 질병의 조기발견 · 예방 및 건강관리를 위하여 요양급여 실시 현황과 건강검진 결과 등을 활용하여 실시하는 예방사업으로서 대통령령으로 정하는 사업

5. 보험급여 비용의 지급

6. 자산의 관리 · 운영 및 증식사업

7. 의료시설의 운영

8. 건강보험에 관한 교육훈련 및 홍보

9. 건강보험에 관한 조사연구 및 국제협력

10. 이 법에서 공단의 업무로 정하고 있는 사항

11. 「국민연금법」, 「고용보험 및 산업재해보상보험의 보험료징수 등에 관한 법률」, 「임금채권보장법」 및 「석면피해구제법」(이하 "징수위탁근거법"이라 한다)에 따라 위탁받은 업무

12. 그 밖에 이 법 또는 다른 법령에 따라 위탁받은 업무

13. 그 밖에 건강보험과 관련하여 보건복지부장관이 필요하다고 인정한 업무

오답 ①, ②, ④, ⑤는 건강보험심사평가원의 업무이다.

081 ④

해설 | 마약류 중독자의 치료보호(마약류관리에 관한 법률 제40조)

보건복지부장관 또는 시 · 도지사는 마약류 사용자에 대하여 치료보호기관에서 마약류 중독 여부의 판별검사를 받게 하거나 마약류 중독자로 판명된 사람에 대하여 치료보호를 받게 할 수 있다. 이 경우 판별검사 기간은 1개월 이내로 하고, 치료보호 기간은 12개월 이내로 한다.

082 ⑤

해설 | 마약류의 저장(마약류 관리에 관한 법률 시행규칙 제26조)

1. 마약류의 저장장소(대마의 저장장소를 제외한다)는 마약류취급자 또는 마약류를 취급하는 자의 업소 또는 사무소 안에 있어야 하고, 마약류저장시설은 일반인이 쉽게 발견할 수 없는 장소에 설치하되 이동할 수 없도록 설치할 것

2. 마약의 저장시설은 이중으로 잠금장치가 된 철제금고일 것

3. 향정신성의약품은 잠금장치가 설치된 장소에 보관할 것. 다만, 마약류소매업자 · 마약류취급의료업자 또는 마약류관리자가 원활한 조제를 목적으로 업무시간 중 조제대에 비치하는 향정신성의약품을 제외한다.

4. 대마의 저장장소에는 대마를 반출 · 반입하는 경우를 제외하고는 잠금장치와 다른 사람의 출입제한 조치를 취할 것

083 ②

해설 | 응급의료의 설명 · 동의(응급의료에 관한 법률 제9조)

1. 응급의료종사자는 다음 각 호의 어느 하나에 해당하는 경우를 제외하고는 응급환자에게 응급의료에 관하여 설명하고 그 동의를 받아야 한다.

　가. 응급환자가 의사결정능력이 없는 경우

　나. 설명 및 동의 절차로 인하여 응급의료가 지체되면 환자의 생명이 위험하여지거나 심신상의 중대한 장애를 가져오는 경우

2. 응급의료종사자는 응급환자가 의사결정능력이 없는 경우 법정대리인이 동행하였을 때에는 그 법정대리인에게 응급의료에 관하여 설명하고 그 동의를 받아야 하며, 법정대리인이 동행하지 아니한 경우에는 동행한 사람에게 설명한 후 응급처치를 하고 의사의 의학적 판단에 따라 응급진료를 할 수 있다.

084 ④

해설 | **금연을 위한 조치(국민건강증진법 제9조)**

④ 「공연법」에 따른 공연장으로서 객석 수 300석 이상의 공연장

085 ②

해설 | **검진(후천성면역결핍증 예방법 제8조)**

1. 감염인의 배우자 및 성 접촉자

2. 그 밖에 후천성면역결핍증의 예방을 위하여 검진이 필요하다고 질병관리청장이 인정하는 사람

3. 해외에서 입국하는 외국인 중 대통령령으로 정하는 장기체류자는 입국 전 1개월 이내에 발급받은 후천성면역결핍증 음성확인서를 질병관리청장에게 보여주어야 한다. 이를 보여주지 못하는 경우에는 입국 후 72시간 이내에 검진을 받아야 한다.

4. 후천성면역결핍증에 관한 검진을 하는 자는 검진 전에 검진 대상자에게 이름·주민등록번호·주소 등을 밝히지 아니하거나 가명을 사용하여 검진(이하 "익명검진"이라 한다)할 수 있다는 사실을 알려 주어야 하고, 익명검진을 신청하는 경우에도 검진을 하여야 한다.

NOTE

NOTE

PART 3

실전편

정답 및 해설

1교시									
001 ④	002 ④	003 ①	004 ③	005 ③	006 ③	007 ④	008 ②	009 ④	010 ④
011 ②	012 ⑤	013 ③	014 ⑤	015 ④	016 ④	017 ①	018 ①	019 ③	020 ③
021 ⑤	022 ③	023 ③	024 ②	025 ④	026 ③	027 ⑤	028 ①	029 ①	030 ③
031 ⑤	032 ⑤	033 ③	034 ⑤	035 ④	036 ⑤	037 ⑤	038 ⑤	039 ②	040 ②
041 ③	042 ⑤	043 ④	044 ⑤	045 ②	046 ①	047 ⑤	048 ②	049 ①	050 ④
051 ⑤	052 ⑤	053 ④	054 ④	055 ⑤	056 ①	057 ①	058 ③	059 ⑤	060 ③
061 ③	062 ③	063 ②	064 ③	065 ⑤	066 ④	067 ③	068 ②	069 ⑤	070 ③
071 ⑤	072 ⑤	073 ⑤	074 ②	075 ④	076 ⑤	077 ②	078 ⑤	079 ④	080 ⑤
081 ③	082 ④	083 ⑤	084 ①	085 ②	086 ④	087 ④	088 ②	089 ④	090 ①
091 ②	092 ①	093 ①	094 ②	095 ⑤	096 ②	097 ⑤	098 ③	099 ③	100 ③
101 ③	102 ③	103 ①	104 ②	105 ④					

성인간호학

001 ④

해설 | 과민반응의 유형

제1형	아나필락틱, 즉시형 과민반응	아나필락틱 쇼크, 아토피 피부염, 고초열, 알레르기성 천식 및 비염 등 ▶ 전신적 과민반응
제2형	세포용해성-세포독성 과민반응	수혈반응(혈액형 불일치 시 세포가 용해됨)
제3형	면역복합체성 과민반응	혈청병(이종혈청을 주사한 후)
제4형	세포중개성, 지연형 과민반응	투베르쿨린 반응, 접촉성 피부염, 이식거부반응(GVHD)

- 제4형: 세포중개성, 지연형 과민반응
  - 특징: 항체가 관여하지 않고 알레르기원 노출 24~72시간 후 발생함
  - 원인물질: 감작된 T세포
- 반응
  - 결핵항원이나 PPD 주사 후(tuberculin skin test)
  - 접촉성 피부염 ▶ patch test (첩포검사)로 진단함
  - 이식거부반응(GVHD)

002 ④

해설 | **유방암(근치유방절제술)**

- 범위: 유방조직, 림프절, 흉근 모두 제거
- 수술 후 간호
  - 압박 드레싱: 수술 부위 유합 촉진
  - 환측 부위 팔 보호: 혈압 측정 및 정맥 주사 금지, 제모 시 면도기 사용 금지
  - 부종 예방(림프선 종창): 환측 상승시켜 정맥 및 림프순환 증진
  - 팔운동 격려: 팔꿈치는 심장보다 높게 베개를 대주고 손은 팔꿈치보다 높게 둠
    ▶ 환측 팔이 몸에 붙고 머리가 기울어지는 기형적 체위 예방
  - 자가간호 격려: 머리빗기, 세수하기 등

003 ①

해설 | **모르핀(마약성 진통제)**

- 부작용 및 간호: 호흡수 감소, 서맥, 혈압 저하, 변비, 소양증, 진정, 환각 등
  - 과다 용량 → 급성 호흡억제(호흡수 12회/분 이하)
    ▶ 투여 전·후 호흡수 관찰함
  - 날록손(Naloxone) 투여: 식염수에 희석하여 호흡이
    8회/분 이상으로 증가할 때까지 천천히 투여함

--- comment ---

투여 용량을 증가시키면 효과도 증가하는 완전 효능제이다. 계속 사용하면 만성중독을 일으켜 점차 증량하지 않으면 효력이 없어지고, 사용을 중단하면 금단현상을 일으킨다.

004 ③

해설 | **만성 췌장염 ▶ 췌장암**

③ 췌장효소는 필수적인 식이보충제로, 식사 직전이나 식사 중에 물과 함께 복용하도록 한다.

- 정의: 췌장이 만성 염증과 섬유화에 의해 비가역적이고, 형태학적·기능적으로 변화됨
- 주원인: 지속적인 알코올 과다섭취, 흡연
- 증상

복통	• 등으로 방사되는 심와부(오목가슴)의 통증이 전형적임 • 지속적 or 간헐적일 수 있으며, 통증이 없기도 함 • 제산제 등으로 완화되지 않고 심한 경우 마약성 진통제를 필요로 함 • 심한 음주나 과식으로 통증이 악화됨
혈액계 증상	고혈당, 고지혈증 등
소화기계 증상	오심 및 구토, 복부팽만, 지방변, 체중감소, 흡수장애 등
내분비계 증상	당뇨, 황달 등

- 치료: 통증, 소화불량, 지방변, 당뇨를 중심으로 함

  - 통증

    ⓐ 음주와 고단백·지방식이(과식)를 피하도록 함

    ⓑ 심한 경우 마약성 진통제를 사용하므로 중독의 문제가 발생할 수 있음

    ⓒ 췌관폐쇄 및 확장: 췌관의 압력을 낮춰주는 시술을 적용함

  - 소화불량, 지방변: 주로 췌장효소요법을 적용함

  - 당뇨: 소화관 합병증과 치료의 합병증(저혈당) 등에 의해 당뇨로 인한 사망이 발생 가능함 ▶ 너무 엄격히 혈당을 조절하지 않음

cf 급·만성 췌장염의 증상 비교

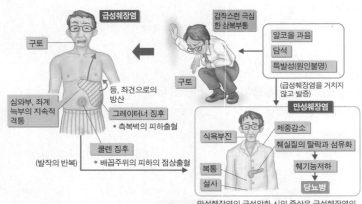

005 ③

해설 | 탈감작요법(desensitization therapy)

- 정의: 알러지성 질환에 대하여, 감작시킨 물질(알러지원)을 극히 소량 주사한 후 점차 증량하여 과민성을 감소시켜서 치료

- 적용원리: 생체에 소량의 이종단백을 일정 기간을 두고 투여하면 아나필락시스가 일어나지 않고, 탈감작되어서 3회 이후 대량 투여하면 아나필락시스가 발생하지 않음

- 적용방법

  - 1 cc 주사기 이용 ▶ 항원 용량 정확히 측정

  - 아나필락시스에 대비하여 응급처치를 준비

  - 매 주사 시마다 부위 변경

  - 주사 후 20분간 환자를 관찰: 소양감, 인후부종, 쇼크의 징후 등

006 ③

해설 | B형 간염

- 증상

  - 초기 증상이 뚜렷하지 않고, 감기나 다른 위장관 장애 증상과 유사함

  - 황달: 혈청 내 빌리루빈이 2.5 mg/dL 이상

  - 출혈(Vit. K 합성 불능), 빈혈, 감염에의 취약성 증가

  - 지속적 간 손상 ▶ 문맥성 고혈압(식도정맥류, 복수, 호흡곤란 등)

- 항원-항체 검사

HBsAg (+)	B형 간염의 과거력 or 회복 중, 계속적인 만성 간염 or 보균 상태
HBeAg (+)	높은 감염력
HBeAb (+)	낮은 감염력, 전염력 없음
HBsAg (−), HBsAb (+)	예방주사에 의해 면역력이 형성됨
HBsAg (−), HBsAb (−)	예방접종 필요

- 전염 예방: 감염경로 차단(모유, 타액, 정액, 혈액 등의 직간접 접촉)
  - 철저한 손씻기
  - HBsAg (+)인 경우 혈액, 체액, 분비물 등의 접촉을 자제함(성생활 포함)
  - 주사바늘, 침, 문신, 귀뚫기 등을 주의함 ▶ 바늘과 주사기는 소독하지 않고 1회용으로 씀
  - 개인용품 공동사용을 금지함(면도기, 식사도구, 칫솔, 수건, 담배 등)
  - 접촉 시 가능한 빨리 B형 간염 면역글로불린 주사 → 연속적으로 B형 간염 백신 주사
  - 환자의 방을 자주 환기시키고, 필요시 장갑, 마스크, 가운 등을 착용함
  - 안정: 추가적인 간 손상 예방

007 ④

해설 | **화상 응급간호**

- 응급기: 화상 직후 48~72시간 이내로 저혈량증과 부종 관리에 초점을 둠
- 체액상실 단계 → 이뇨 단계
  - 체액상실 단계(초기 12시간): 피부손상 범위가 클수록 체액부족으로 인한 위험 증가
  - 이뇨 단계: 체액상실 단계에서 안정화 → 다시 체액을 보상하는 단계로 진입함
- 간호
  - 찬물에 빨리 적셔 화상부위를 식혀주고, 상처는 생리식염수에 적신 거즈로 덮고 건조한 담요로 덮어준다. 이때 얼음은 혈관수축, 체액 이동, 피부손상 등의 이유로 절대 사용 금지임
  - ABC (Airway, Breathing, Circulation): 환자의 기도 확보, 흡입에 의한 손상 확인 및 산소 공급, 순환상태 확인
  - 기관내삽관, 유치도뇨관: 두경부에 큰 화상을 입으면 1~2시간 이내에 기관내삽관 필요함
  - 수액공급(▶ 저혈량성 쇼크 예방): 한 시간 이내에 시작하고, 최초 24시간 동안은 lactate ringer solution (등장액)을 주입함

POWER 특강

화상의 깊이에 따른 분류

구분	1도	2도	3도(전층 화상)
증상	• 통증, 발적, 부종 • 열에 대한 민감성 증가 • 냉감에 의해 완화	• 신경말단의 손상 및 외부 노출 ▶ 통증 • 창백하거나 발적, 부종, 수포 형성, 감각과민 • 냉감에 민감	• 통증 없음, 체온 조절이 안 됨 • 쇼크 증상 • 혈뇨, 용혈
환부상태	• 피부색: 분홍~붉은색 • 누르면 창백 • 부종 약간 혹은 없음	• 피부색: 붉고 얼룩덜룩함 • 수포 형성(특징적), 부종 • 표면에 수분이 배어 나옴 • 감염, 외상, 혈액 공급 감소 → 3도 화상으로의 진전 위험	• 피부색: 흰색, 갈색, 검은색, 붉은색 • 건조, 부종, 조직괴사 • 지방층 노출

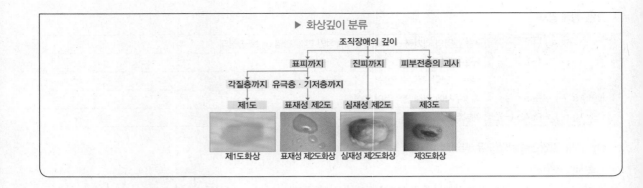

▶ 화상깊이 분류

조직장애의 깊이

표피까지 / 진피까지 / 피부전층의 괴사

각질층까지 / 유극층 · 기저층까지

제1도 / 표재성 제2도 / 심재성 제2도 / 제3도

제1도화상 / 표재성 제2도화상 / 심재성 제2도화상 / 제3도화상

008 ②

해설 | 당뇨병 만성 합병증(미세혈관)

- 미세혈관 변화: 미세혈관의 기저막이 두꺼워지며 혈관 폐쇄 초래됨 ▶ **당뇨병성 신경병증, 당뇨병성 망막증, 당뇨병성 신증**

    - 당뇨병성 신경병증: 하지 말단 지각운동 신경병증이 가장 흔함

    - 당뇨병성 망막증: 망막내 소혈관들의 변화 ▶ **망막박리, 시력상실**

    - 당뇨병성 신증

        ⓐ 만성 고혈당 → 사구체 기저막이 두꺼워지고 투과성이 증가함 ▶ **단백뇨**

        ⓑ 백내장, 녹내장, 각막염 등: 안저검사를 통해 망막증 여부를 확인해야 함

▶ 당뇨병성 망막증 발생기전

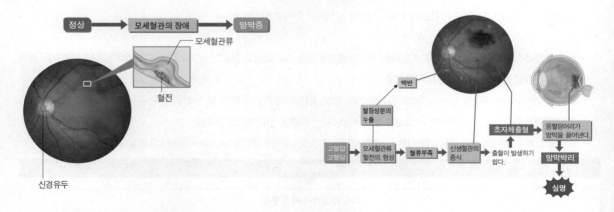

009 ④

해설 | 당뇨병 합병증(저혈당)

- 정의: 혈당 70 mg/dL 이하

- 원인: 인슐린 or 경구 혈당강하제 과량투여, 부적절한 투여(투여 시간, 인슐린 종류 등)

- 증상

    - 자율신경계: 진전, 빈맥, 발한, 공복감, 불안 등

    - 신경학적: 신경학적 이상, 언어표현 장애, 경련, 혼수, 두통, 복시, 건망증 등

- 치료 및 간호

의식 있을 때	의식 없을 때
속효형 탄수화물 제공(초콜릿, 꿀, 주스 등)	• 50% 포도당 20~50 ml을 서서히 정맥주입 • 수액요법 어려울 시 글루카곤 근육주사

- 예방
  - 규칙적인 식사와 규칙적인 혈당측정
  - 인슐린 작용 최고일 때, 공복 시에는 운동 피함
  - 신체활동량 증가 시 간식과 음식을 추가 섭취함
  - 환자와 가족에게 저혈당 증상을 교육함

010 ④

해설 | **이식거부반응**

- 일반적 증상: 열, 이식편의 압통, 피로, 빈호흡, 불규칙한 심박동
- 장기별 임상증상

신장	간	췌장
크레아티닌↑, 요소↑	간효소↑, 빌리루빈↑	아밀라아제↑

- 시기별 이식거부반응 비교

유형	시기	원인	주증상	치료
초급성	이식 직후 ~ 48시간 이내	보체	발열, 급격한 무뇨, 보체·혈소판의 격감	즉시 이식장기 제거
급성	며칠 or 몇 달 후	T세포	발열, 권태감, 요량 감소(무뇨), BUN/Cr 상승, Cr청소 율 저하, 이식장기의 증대·경화·혈류량 감소 등	즉시 면역억제제(부신피질스테로이드) 투여
만성	수개월 or 수년 후 재발		신장: BUN/Cr 상승, 전해질 불균형, 체중증가, 고혈압, 부종	치료하기 힘듦 ▶ 약물요법(진행 지연) or 재이식

— comment —

장기 제공자의 골수를 같이 이식하면 거부반응을 막을 수 있다. 골수는 면역세포를 생산하는 곳이며, 이식 시 거부반응을 일으키지 않는 유일한 조직이다. 단, 이 경우 이식된 골수에서 만들어진 면역세포가 이식받은 사람의 조직과 기관을 외부 물질로 판단하고 공격할 수 있는 위험이 있다.

---

011 ②

해설 | **치질**

- 정의: 직장팽대부의 정맥이 혈액정체로 인하여 항문주위 조직이 변성되어 항문관주위 조직의 탄력도가 감소되고 확장되어 꼬불꼬불해진 상태, 20~50세에 많이 발생함
- 원인
  - 복부내압 및 항문관의 정맥압 상승: 설사, 변비, 비만, 임신, 장시간 서 있거나 앉아 있음

– 문맥성 고혈압, 울혈성 심부전

- 수술: 경화요법(바늘을 삽입하여 경화용액을 주입 → 염증반응 유도 → 섬유·경화 현상), 고무밴드결찰법, 한랭요법, 치질절제술 등

- 수술 후 간호

    – 수술 후 대변이 형성되자마자 배변하도록 권함

    – 대변완화제 투여함: 변비로 인한 정맥압 상승 예방

    – 수술 후 1~2일부터 더운물 좌욕(3~4회/일)

        ▶ 괄약근 경련 및 수술 부위 협착 예방

    – 국소마취제 도포함

- 예방: 충분한 수분섭취, 고섬유식이 및 고잔유식이, 적당한 운동 등

012 ⑤

해설 | **석고붕대 간호중재**

- 석고붕대 건조: 베개 위에 올려놓고 건조함(24~72시간 소요)

- 신경혈관계 손상 예방

    – CMS 사정

    – 손상부위 상승, 냉적용 ▶ 부종 감소

    – 꽉 조이는 석고붕대는 자르거나 반원통으로 자름

    – 5P 시 석고붕대 제거: 통증(pain), 창백 or 청색증(pallor), 맥박소실(pulselessness), 감각이상(paraethesia), 마비(paralysis)

- 피부 간호

    – 소양감

        ⓐ 옷걸이, 연필, 자 등으로 석고붕대 밑을 긁지 않도록 함

        ⓑ 소양감 반대 부위에 얼음 대주거나 진통제 투여함

        ⓒ 땀띠 파우더, 녹말가루 사용 금지

    – 2~3시간마다 체위변경

- 감염 예방

- 운동장애 간호: ROM 운동, 손상근육에 등척성 운동 적용

    ▶ 근력 유지

013 ③

해설 | **식도암**

- 원인: 뜨거운 음료, 영양소 결핍, 하부식도 연하곤란증, 바레트식도, 흡연·음주, 방사선 등

- 증상

초기	중기		후기
무증상	식도폐쇄 증상: 연하곤란(90% 이상), 가슴 답답함, 침과 목구멍의 점액분비 증가		통증, 혈액 섞인 위 내용물 역류 및 악취, 체중 감소

- 수술 후 간호

    - 기도유지: 전식도 절제술의 경우 횡격막 가까이 절개하므로 기침과 심호흡이 어려움

    - 영양관리: 위관영양 or 총비경구영양 → 연동운동이 돌아오면 물부터 구강섭취 시작 → (반)연식

    - 위루관이나 공장루 주위에 위액 누출이 있는지, 미란, 발적이 있는지 자주 관찰함

    - 식후 1시간 동안 (반)좌위(Fowler's position)를 취함

    - 신체상 변화(위루관)를 긍정적으로 수용하도록 지지함

---

comment

식도암의 증상이 나타났을 때는 이미 다른 곳으로 전이가 된 경우가 많다. 또한 가장 대표적인 연하곤란증은 만성적으로 계속 진행되며 호전되지 않는다.

0014 ⑤

해설 | **장루 간호(결장루)**

- 장루: 장 내용물이 장에서 복부의 피부에 있는 누공을 통해 밖으로 나갈 수 있도록 함

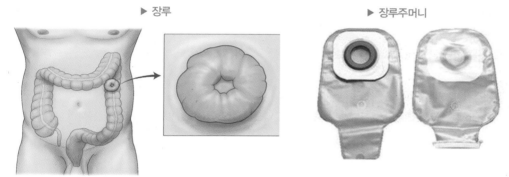

▶ 장루   ▶ 장루주머니

- 식이

    - 권장: 충분한 수분섭취(2~3 L/일), 고단백 · 고탄수화물 · 고칼로리 · 저잔유식이(가능한 정상식이)

    - 제한

        ⓐ 알코올, 카페인 함유 음식, 장운동을 증진시키는 음식(고지방 · 고섬유식이)

        ⓑ 공기를 삼키는 행위: 흡연, 빨대 사용, 껌 씹기 등

        ⓒ 피해야 할 음식 예시

악취 유발	계란, 마늘, 양파, 생선, 아스파라거스, 양배추, 브로콜리, 알코올
설사 유발	커피, 알코올, 양배추, 시금치, 완두콩, 매운 음식, 생과일
가스 생성	콩, 양배추류, 탄산음료, 양파, 맥주, 치즈, 무, 오이, 옥수수, 식물의 싹

015 ④

해설 | **고관절전치환술(THA)**

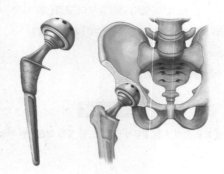

- 탈구 예방
  - 증상: 탈구 부분의 골반이 체중부하를 견딜 수 없게 되어 위로 들려 올라감
    - ▶ 기립 시 오히려 환측이 짧아지고 골반이 비뚤어짐
  - 예방법: 대퇴관절 신체선열(외전 및 외회전) 유지
    - ⓐ 내전 · 내회전 금지: 수술 후 2~3개월 동안 중앙선을 넘지 않음. 즉 다리를 꼬고 앉거나 or 1시간 이상 앉아 있지 않음
      - ▶ 다리 사이 베개 적용
    - ⓑ 굴곡(90° 이상) 금지: 고관절 굴곡(굽힘) 금지 ▶ 높은 변기와 의자, 팔걸이 있는 의자 사용
- 활동 및 운동
  - 수술 후 첫날부터 조기이상하여 운동함
  - 침상운동부터 시작: ROM 운동, 등척성 운동, 평행봉 운동 등 ▶ 정맥순환 촉진, 혈전형성 방지, 근육긴장도 유지

016 ④

해설 | **급속이동증후군(Dumping syndrome)**

- 원인: 부분 위절제술 중 Billroth Ⅱ (위–공장 문합) 적용 시 빈발함

▶ Billroth Ⅱ (위–공장 문합)

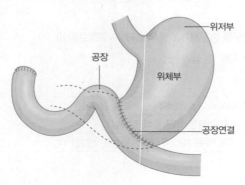

- 병태생리: 고농도의 음식이 위에서 소화되거나 희석되지 않고 공장 내로 직접 빠르게 들어감 → 공장의 분비액보다 고장성인 유미즙은 혈류에서 공장 내부로 수분을 끌어들여 혈액량을 감소시킴 → 저혈압

• 증상

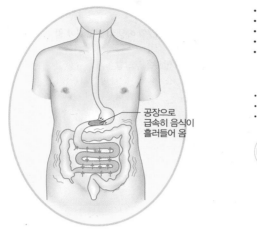
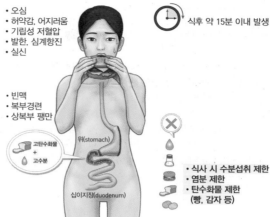

• 오심
• 허약감, 어지러움
• 기립성 저혈압
• 발한, 심계항진
• 실신

식후 약 15분 이내 발생

• 빈맥
• 복부경련
• 상복부 팽만

공장으로 급속히 음식이 흘러들어 옴

고탄수화물 + 고수분

위(stomach)

십이지장(duodenum)

• 식사 시 수분섭취 제한
• 염분 제한
• 탄수화물 제한
 (빵, 감자 등)

• 치료 및 간호

 – 식이: 수분 제한, 저탄수화물 · 고단백 · 고지방(위내 정체율 증가) 식이를 소량씩 자주 제공

 – 체위: 식사 시에는 (반)횡와위, 식후에는 20~30분 정도 앙와위 및 측위로 휴식

 – 식전 항콜린성 제제, 항경련성 약물 투여가 도움이 됨

017 ①

해설 | **담석증**

• 증상

 – 답즙산통

  ⓐ 심와부나 우측 상복부에서 발생하여, 등과 우측 견갑골로 방사되는 지속적인 심한 통증

  ⓑ 담낭에서 담관으로 담석이 이동할 때 경련이 발생하면서 산통이 유발됨

 – 황달(총담관 폐색 시): 담즙이 혈액으로 다시 흡수되어 빌리루빈 수준 상승함

 – 소양증, 오심 및 구토, 점토색 대변 등

• 치료

 – 비수술적: 내시경, 담석용해제, 체외충격파쇄석술(ESWL; 수분섭취 격려)

 – 수술: 담낭절제술

• 수술 후 간호

 – 기침과 심호흡 격려 ▶ 무기폐 예방

 – 통증: Nitroglycerin, Demerol 사용

  (Morphine 금기: 오디괄약근의 경련 증가시킴)

 – Low Fowler's position, 잦은 체위변경(1~2시간마다)

 – 비위관 삽입 ▶ 구토 및 팽만 경감

 – T-tube 배액 관리

 – 운동 증진: 수술 당일 저녁이나 익일 조기이상 격려

T-tube

- 배액량: 일반적으로 첫 24시간 동안 300~500 cc/일, 3~4일 후 200 cc/일임 ▶ 1,000 cc/일 이상 시 보고해야 함
- 관리법
  - 배액관을 담낭보다 아래 위치시켜 개방성 유지하며, 배액관이 잡아 당겨지거나 꼬이지 않도록 주의함
  - 식사 전·후 1~2시간 동안 배액관 잠금
  - 환자가 침상안정 할 필요는 없음
- 제거
  - 수술 후 7~8일경 담관조영술 후 폐쇄 없을 시(총담관 개방성 확인될 때)
  - T-tube 잠근 뒤 5~7일 동안 특이증상이 나타나지 않을 경우
- *cf* 수술 후 7~10일경 대변이 회색 → 갈색으로 돌아오는 것이 정상

---

018 ①

해설 | 요붕증(뇌하수체 후엽 장애)

- 정의: 항이뇨호르몬(ADH) 작용 저하 → 비정상적으로 많은 양의 소변이 생성됨 ▶ 신장의 수분재흡수 장애
- 병태생리: 항이뇨호르몬 결핍 → 다량의 희석된 소변 배설 → 다뇨로 수분손실 → 수분전해질 불균형
- 증상
  - 다뇨(저비중, 저삼투성): 5 L/일 이상(요비중 1.005 이하, 요삼투압 100 mOsm/L 이하) → 혈장 삼투성 증가(295 mOsm/L 이상)
  - 다갈(다음): 신장의 수분 재흡수 장애, 과다 수분손실이 원인임
  - 수분보충 부적절 시: 고삼투압(과민반응, 혼수, 고열 등), 혈액량 감소(저혈압, 빈맥, 점막 건조 등)

--- *comment* ---

항이뇨호르몬부적절증후군(SIADH)와 요붕증(DI)를 구별할 줄 알아야 한다. 항이뇨호르몬(ADH)은 원위세뇨관과 집합관에서 수분을 재흡수하는 기능(항이뇨, 혈압상승)을 가지는데, SIADH는 이 ADH가 분비과다되는 것이고, DI는 반대로 ADH가 부족(붕증)한 것이다.

---

019 ③

해설 | B형 간염 피부 간호

- 황달의 증상: 소양증, 노란색 공막·피부(빌리루빈 침착), 회백색 대변, 홍차색 소변 등
- 소양증 간호: 피부 손상 및 감염 예방
  - 혈청 인 수준 감소: 인은 돼지고기, 소고기, 유제품(요거트, 치즈 등)에 많이 함유되어 있으므로 이런 음식 섭취를 감소시키도록 한다.
  - 미지근한 물로 목욕하며, 자극적인 비누 사용하지 말고 목욕 후 로션(칼라민)을 바른다.
  - 시원한 환경을 유지하고 체온상승과 발한을 유발하는 운동은 피한다.
  - 면제품으로 된 옷을 착용한다.
  - 항히스타민제, 전분목욕 등

020 ③

해설 | **위암**

- 증상: 증상이 늦게 나타나 진단 역시 늦어짐
    - 초기: 애매하고 불확실한 증상이 서서히 진행됨: 체중감소, 소화불량, 식욕감퇴, 불편감 등
    - 진행: 덩어리가 만져짐, 복수, 심한 체중감소 등
    - 말기: 전이로 인한 뼈 통증(말기 증상) 등
- 진단검사
    - 위내시경 + 생검, 세포학적 검사: 가장 민감도가 높음
    - 위조영검사(UGI series)
    - CT: 질병의 단계 결정, 전이 여부 확인
- 치료: 외과적 절제술, 항암화학요법, 위루 설치(음식투여, 영양공급)
- 영양관리
    - 담백한 음식 소량씩 자주 섭취
    - 비경구영양(소화불량, 영양불량, 복부팽만 호소 시) → 필요시 총비경구영양(폐색 시)
    - 전체 위절제술 후 Vit. B_{12} 평생 섭취
    - 섬유소 제한: 많을 경우 위에 부담을 줄 수 있음
    - 예방: 40세 이후에 2년마다 정기적인 위내시경검사 권장

---

comment

위암의 대부분은 위선암이다. 위선암은 위장 점막 조직에서 발생한 세포가 선암성 변화를 보이면서 종괴(종양 덩어리)를 만들거나 악성 궤양을 만드는 암으로, 주로 위벽을 관통하고 근처 림프절로 옮겨가면서 성장한다.

POWER 특강

종양표지자 검사

대개 면역검사(항원-항체 반응을 이용)를 활용하는 방식이며, 암의 선별 검사, 진단, 예후 판정, 치료효과 판정에 유용하게 사용될 수 있다. 하지만 특정 종양에 특이적이며 조기진단 및 선별검사에 충분한 민감도를 가진 종양표지자는 한정적이다.

- AFP (alpha-fetoprotein): 간암
- CEA (carcinoembryonic antigen): 유방암, 결장직장암, 폐암, 위암
- CA 19-9: 췌장암, 담도암, 대장직장암, 위암
- CA - 125: 난소암, 자궁암, 자궁경부암
- PSA (prostate specific antigen): 전립선암

---

021 ⑤

해설 | **급성 사구체신염**

- 원인
    - Group A β-용혈성 연쇄상구균

- 호흡기감염, 피부감염 발생 2~3주 후 항원–항체 복합체의 사구체 기저막 침착 및 염증화
- 어린이와 청년에서 호발함
- 증상
  - 혈뇨, 단백뇨, 핍뇨, 무뇨, 소변의 적혈구 원주체
  - 사구체여과율 감소: 수분정체, 전신부종(얼굴 및 눈 주변), 고혈압, 망막부종, 요흔성 부종
  - 발열, 오한, 쇠약감, 기면감, 복부 · 옆구리 통증 등

022 ③
해설 | 저칼륨혈증
- 혈장내 K^+ 농도가 3.5 mEq/L 이하
- 원인

K^+ 배출 증가	칼륨소모성 이뇨제[furosemide (Lasix)], 설사, 구토, 비위관 흡입, 스테로이드 장기 or 과다투여 등
K^+ 섭취 부족	금식
K^+ 유입 (세포외액 → 세포내액)	알칼리혈증, 인슐린 과다분비, 총비경구영양 등

- 증상
  - 위장관계: 오심 · 구토, 복부팽만, 변비, 장음 감소
  - 심혈관계: 부정맥(응급치료 필요), 저혈압, 맥박 느리거나 빠름
  - 신경계: 근허약, 피로, 전신 허약감, 권태감, 감각이상, 이완성 마비
  - 호흡기계: 얕고 빠른 호흡
  - 신장: 다뇨
- ECG

P파	약간 상승
PR간격	약간 길어짐
ST분절	내려가고 길어짐
T파	내려가고 편평해짐
U파	뚜렷해짐

ⓒ ECG 비교

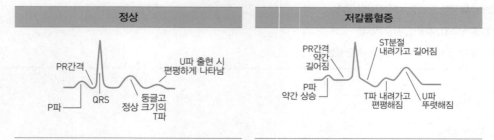

023 ③

해설 | **혈액투석(HD)**

- 투석의 원리

확산	노폐물이 맑은 투석액으로 확산됨 ▶ 노폐물 제거
삼투	투석액이 들어가면 삼투압이 발생함 → 혈액 속의 수분을 끌어 당겨 투석액으로 이동함 ▶ 수분 제거

- 혈액투석: 체외 투석기를 통하여 혈액 내 노폐물과 수분 제거

장점	짧은 치료시간(3~5시간), 노폐물 및 수분의 효과적 제거 가능
단점	조작이 복잡하고 훈련받은 전문 간호사가 시행해야 함
합병증	• 출혈(◀ 헤파린 투여), 감염, 공기색전 • 저혈압, 두통, 경련, 오심·구토, 권태감, 현기증 • 전해질 불균형 등
간호	• 투석 전·중·후 체중 및 활력징후를 관찰함: 저혈압, 체온 과도상승(패혈증) 등 • 동정맥루 간호: 혈액채취, 정맥주사, 혈압측정 등 금지 • 식이요법: 수분과 나트륨 섭취 및 칼륨과 인 섭취 제한

POWER 특강

T-tube		
	혈액투석	**복막투석**
투석장소	의료시설	자택, 직장
통원	일반적으로 주 3회	일반적으로 한 달에 1~2회
투석효율	소분자 제거효율이 뛰어남	중분자 제거효율이 뛰어남
잔존 신장기능의 유지	나쁨	좋음
식사 제한	엄격함	혈액투석에 비해 단백질, K^+ 제한은 완화됨
혈액량·용질 농도	간헐적으로 크게 변동	거의 불변
금기증	심혈관 및 순환기계 기능이 나쁜 환자	광범위한 복부수술력이 있는 환자
대표적 합병증	불균형증후군	복막염

024 ②

해설 | **다발성 골수종(MM)**

- 정의: B림프구의 최종 성숙단계인 형질세포(항체 생산 등 면역체계의 중요기능 담당)가 비정상적으로 분화 및 증식되어 발생하는 혈액암
- 증상
  - 뼈 통증: 움직일 때 심해지고 휴식 시 완화
  - 척수신경 압박: 마비증상 발생
  - 골수억제 증상: 골수성분이 혈장세포로 대치되어 범혈구 감소되고, 빈혈, 감염증상, 출혈증상 발생
  - 전신증상: 피로, 고혈압, 식욕부진, 구토, 오심, 체중감소, 혼돈, 체액불균형
  - 신부전 증상: 신세뇨관 손상으로 신기능장애 발생하여, 혈액점성 증가하고 고요산혈증 발생, 신부전 초래
- 환자교육: 뼈에 생긴 병리적 변화로 인해 뼈가 약해짐 → 골절의 위험성이 높음
  - ▶ 무거운 물건을 들거나 뼈에 힘이 많이 가해지는 운동은 삼감

025 ④

해설 | 세포내액량 결핍(탈수)

- 원인: 구토, 설사, 흡인 등으로 인해 배설 증가 및 용질 과다(고장액) 등
- 증상: 갈증, 요비중 상승, 고나트륨혈증, 핍뇨, 피부점막 및 탄력성 감소, 안구 함몰(중증), 체온상승, 저혈압, 빈맥, 근허약, 불안정 등
  ▶ 중증 시 발열과 경련이 일어나며, 혼수상태가 될 수도 있음
- 치료 및 간호
  - 수액요법(등장성 용액 0.9% 생리식염수, 5% 포도당, 하트만용액)을 실시하는데, 급속한 정맥주입 or 과다 정맥주입은 폐수종 및 뇌부종의 위험이 있으니 주의해야 함

━ comment ━

하트만용액은 순환혈액량 및 조직간액 감소 시의 세포외액 보급 및 보정과 대사성 산증의 보정에 사용된다.

026 ③

해설 | 관절경검사

- 정의: 피부를 절개하여 내시경을 관절에 삽입하여 직접 관찰
- 적용: 관절의 급 · 만성 질환, 관절연골이나 인대의 손상을 확인하며, 주로 슬관절에 시행함
- 간호

검사 전	검사 후	합병증 사정
전날 밤 12시부터 금식	• 검사 후 24시간 동안 환부 고정 • 2~3일간은 환자의 과도한 움직임이나 보행을 억제	활액낭 파열, 감염, 종창, 관절손상, 혈전성 정맥염, 출혈, 움직임 감소 등

오답 ④ 금기: 무릎 굴곡 정도가 40° 이하, 무릎에 감염이 생긴 대상자

027 ⑤

해설 | 요추수술 후 간호

- 침상안정: 수술 후 12~24시간 동안 침상 머리를 높이지 않고 앙와위를 유지함
- 장 · 방광 팽만, 운동감각 기능을 규칙적으로 사정함
- 2시간마다 체위변경(통나무 굴리기), 신체선열 유지(딱딱한 침대에서 등과 목 똑바로 함)
- 운동: 침상안정을 4일을 넘기지 않도록 함

028 ①

해설 | 골관절염(만성 퇴행성 · 비염증성 골질환)

- 증상(비대칭적)
  - 국소적 통증(◀ 침범 관절과 주위 조직만 손상): 휴식 시 완화되고 춥거나 습하면 악화됨
  - 해버든 결절(Heberden's node): 원위손가락 골성비대
  - 부샤르 결절(Bouchard's node): 근위손가락 골성비대

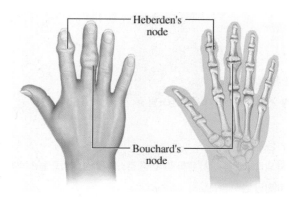

Heberden's node

Bouchard's node

- 간호

  - 급성 염증기 동안 휴식

  - 열냉요법 적용: 냉요법은 급성 염증에, 열요법은 강직에 효과적임

  - 유산소운동, 관절 주변근육의 저항운동 ▶ 통증 감소, 기능 호전. 관절의 손상을 예방하기 위해 무릎을 구부리고 앉는 것은 금함

POWER 특강

류마티스 관절염

류마티스 관절염과 골관절염을 구별할 줄 알아야 한다. 다음의 7가지 중 4가지 이상 해당되면 류마티스 관절염으로 진단한다.

(1) 적어도 1시간 이상 지속되는 조조강직

(2) 3군데 이상의 관절에서 나타나는 부종

(3) 손목, 근위지절 관절 및 중수수지관절의 부종

(4) 관절의 대칭적인 부종

(5) Rheumatoid nodules (류마티스 결절): 골격의 돌출부분 피하조직에 생겨 관절낭, 건초(힘줄집)에 유착하는 종양

(6) Rheumatic Factor (RF) 검사에서 양성

(7) 손의 X선 검사상 전형적인 RA의 변화

▶ 백조목 변형

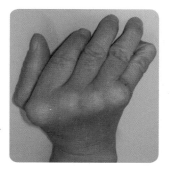

029 ①

해설 | **골다공증**

- 원인
  - 주원인: 에스트로겐 결핍, 노화, 부동, 영양결핍
  - 유발질환: 부갑상샘 기능항진증, 스테로이드 장기 사용, 당뇨병 등
- 증상: 무증상으로 오래 진행됨
  - 초기: 허약, 경직, 식욕부진, 불안정한 걸음걸이
  - 흉추 · 요추 하부의 통증(활동 시 악화되고 휴식 시 완화됨), 신장 감소, 다발성 압박골절(손목뼈, 척추, 고관절) 등
- 진단: 골밀도 검사 시 T값이 −2.5 미만일 경우
- 간호

약물요법	에스트로겐, 칼시토닌, biphosphonates [alendronate (Fosamax), etidronate (Didronel)]
식이요법	• 칼슘, Vit. D, 마그네슘, 단백질 섭취 권장 – 칼슘 권장 섭취량: 1,500 mg/일 이상(골다공증 시) – 칼슘 고함유 음식: 멸치, 뱅어포, 고기, 정어리, 우유, 달걀, 버터 등
운동요법	• 체중부하 운동(걷기 등): 30분씩 주 3회 이상 • 금지: 승마, 볼링, 오래 매달리기, 물구나무 서기 등 ▶ 척추압박 악화

—— comment ——

T값은 같은 인종, 같은 성별의 젊은 사람의 평균 골밀도에서 위, 아래 표준편차를 나타내는 것이다.

030 ③

해설 | **심근경색(허혈성 심질환 중 terminal 단계)**

- 합병증
  - 부정맥(주요 사망원인): 3개 이상 연이어 나타나게 되는 PVC (조기심실수축)은 심실세동의 전조 징후이므로 신속하게 대처해야 함
  - 심장성 쇼크: 강심제(digitalis계), 이뇨제, 혈관확장제 투여함
  - 울혈성 심부전, 폐부종: 저염식이 제공+수분섭취 제한
  - 폐색전
    ⓐ 원인: 장기간의 침상안정 ▶ 큰 경색(특히 전벽), 울혈성 심부전, 좌심실내 혈전과 관련됨
    ⓑ 증상: 예리한 흉통, 호흡곤란, 빈맥, 기침, 청색증 등

031 ⑤

해설 | **심근경색**

⑤ 위험한 PVC
  - 3번 이상 PVC가 연이어 발생 ▶ 심실빈맥
  - 심실세동 예고 ▶ 심정지로 이어질 수 있음

▶ 심실 조기수축(premature ventricular contraction, PVC)

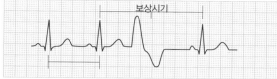

보상시기

▶ 심실세동(ventricular fibrillation, VF)

- 병태생리: 죽상경화반 → 파열 → 파열부위 혈소판 응집 → 혈전 생성 ▶ 관상동맥의 폐색
- 증상(흉통 with 호흡곤란)

  ⓐ 쥐어짜는 듯한 분쇄형 통증이 30분 이상 지속됨

  ⓑ 방사통: 가슴 중앙 → 왼쪽 어깨, 양팔, 턱, 목 아래

  ⓒ 휴식, nitroglycerin으로 완화되지 않음

  ⓓ 악화인자: 성행위, 고콜레스테롤 식이, 비만, 흡연 음주, 추위에의 노출 등

- 진단

  – Myoglobin 상승: 심근경색 후 1~2시간부터, 즉 가장 먼저 상승해 조기진단에 도움이 됨

  – CK-MB 상승: 심근경색 후 4~6시간부터 상승함

  – LDH 상승: 초기에는 크게 유용하지 않음

  – Troponin 상승: 심근에 대한 특이도가 CK-MB보다 높고, 심근경색 후 2~6시간부터 상승함

  – GOT 및 GPT 상승, WBC 상승

032 ⑤

해설 | **고혈압**

⑤ 이뇨제, 강압제로서 혈압저하 효과가 있기 때문에 기립성 저혈압, 현기증에 주의해야 한다.

- 정의: 수축기 혈압 140 mmHg 이상, 이완기 혈압 90 mmHg 이상
- 조절 가능한 위험요인

  – 죽상경화증

  – 고염식이, 흡연 및 음주

  – 비만, 신체활동 부족, 정신적 스트레스

- 비약물요법: 조절 가능한 위험요인을 교정한다.

  – 이상적인 체중 유지 및 운동

  – 식이요법: 저염, 저지방, 저칼로리 식이 및 섬유질, 수분섭취 증가

- 약물요법 적응: 생활양식 교정 3~6개월 경과 후에도 혈압변화 없을 때

  – 이뇨제, β-blocker, α-blocker, ACE 억제제, 혈관확장제 등을 투여한다.

  – 약물 부작용 교육

    ⓐ 의사의 처방 없이 복용 중단하지 않아야 함 ▶ 갑자기 약물 복용 중단 시 반동성 고혈압이 발생될 수 있음

    ⓑ Thiazide 및 loop 이뇨제의 경우 저칼륨혈증 유발 가능함

033 ③

해설 | **심부정맥 혈전증(DVT)**

- 원인: 장시간 부동, 울혈성 심부전, 정맥혈관 내피세포의 손상, 혈액응고 항진 ▶ 혈전 형성
  - Virchow's triad: 정맥 내 혈액저류, 혈관내피세포의 손상, 혈액응고 항진에 의한 혈전 형성
- 예방: 하지운동, 낮은 용량의 헤파린 주사, 탄력스타킹 or 탄력붕대, 조기이상, 수분섭취
- 진단: Homan's sign(+), 즉 누워서 다리 들고 발을 배굴할 때 장딴지에 발생하는 통증 있음
- 치료
  - 항응고요법(헤파린, 와파린): 혈전을 없애거나 다시 생기는 것을 예방하기 위해 사용. 단, 출혈 경향을 높이기 때문에 뇌출혈, 복강 내 출혈, 쉽게 멍이 드는 증상 등이 발생함
  - 정맥결찰, 혈전용해요법
- 간호
  - 침상안정, 온습포 적용, 마사지 금지(혈전 → 색전으로의 위험 있음)
  - 출혈 예방: 전기면도기를 사용함, 억제대는 삼감, 강하게 코를 풀지 않음 등

034 ⑤

해설 | **호지킨림프종**

- 호지킨림프종 vs 비호지킨림프종
- 혈장과 혈구세포가 모두 정상수치보다 떨어져 있음이 확인되므로, 감염에의 취약성이 올라가 있음을 알 수 있다.

	호지킨림프종	비호지킨림프종
정의	• Reed–Sternberg cell: 비정상 거대다핵세포로 쌍안경을 낀 듯한 모양이 특징적이며, 세포림프절에 과다증식함	• 림프조직의 악성종양 중 하나 • Reed–Sternberg cell 없음
증상	• B symptom: 체중감소, 열, 야간발한 중 하나라도 있으면 양성 • 잠행성 진행: 한쪽 경부림프절 증대(액와, 서혜부, 반대쪽 림프절까지 침범) ▶ 림프절이 커져 주위 장기를 압박함 • 국소성인 경우가 많음 • 감염 위험 상승	• 무통성 림프절 비대 • 1~2주 내 급속한 비대 • 종격동, 복강내 침범 • 피로, 권태, 체중감소 • 예후 나쁨: 분류에 따라 1~7년 후 사망

▶ Reed-Sternberg cell　　▶ 비호지킨림프종: 림프절 비대

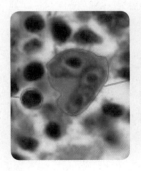

035 ④

해설 | **두개수술 후 간호**

환자관찰	• 신경학적 상태: 지남력, 명료성, 동공 수준을 파악함 • 운동능력: 간호사의 손을 꼭 잡아보게 함
두개내압 조절	• 침상머리 30° 상승: 정맥순환 증진 → 울혈예방 → 두개내압 하강 • 기침과 구토를 예방하고, 필요시에만 흡인함 • 뇌의 대사성 요구 경감: 두뇌활동 최소화, 체온 유지, 경련 예방
호흡유지	기도유지, 측위
전해질균형 유지	• 가능한 빨리 경구 식이를 제공함
안위증진	• 비마약성 진통제 사용: 마약은 증상을 가리므로 사용을 제한함 • 두통 시 얼음주머니를 사용함 • 조기이상 격려

오답 ③ 두개수술 후 수술 부위로 눕게 되면 수술 부위의 압력이 증가하여 출혈이 나타날 수 있으므로 수술 부위 반대편으로 눕는다.

POWER 특강

두개내압 상승(IICP)

• 정의: 두개내압이 20 mmHg 이상
  ☞ 정상 범위는 5~15 mmHg
• 원인: 두부손상, 뇌졸중, 뇌종양, 뇌수종, 뇌부종 및 이로 인한 뇌탈출, 대사장애, 중추신경계 감염 등
• 증상: 의식수준 변화(◀ 뇌간 연수의 압력 증가), 활력징후 변화(cushing traid: 맥압 증가, 서맥, 불규칙한 호흡), 동공반사 변화(동공 무
  반응 → 유두부종 → 양측 동공 확대), 두통, 투사성 구토

---

036 ⑤

해설 | **사구체신염**

• 원인
  – Group A β–용혈성 연쇄상구균
  – 호흡기감염, 피부감염 발생 2~3주 후 항원–항체 복합체의 사구체 기저막 침착 및 염증화
  – 어린이와 청년에서 호발함
• 증상
  – 혈뇨, 단백뇨, 핍뇨, 무뇨, 소변의 적혈구 원주체
  – 사구체여과율 감소: 수분정체, 전신부종(얼굴 및 눈 주변), 고혈압, 망막부종, 요흔성 부종
  – 발열, 오한, 쇠약감, 기면감, 복부 · 옆구리 통증 등
• 약물요법: 이뇨제, 항고혈압제제, 항생제, 면역억제제
• 식이요법: 저단백 · 저염 · 고탄수화물식이, 적절한 열량 제공, 수분제한 등
• 예방: 호흡기 및 피부질환을 조기에 치료해야 함

037 ⑤

해설 | **대상포진**

• 병원체: 몸속에 잠복해 있던 Vericella zoster virus (수두 바이러스)가 재활성되면서 발생함

• 위험요인: 면역기능 저하(HIV 감염, 장기이식, 항암치료 등), 60세 이상

• 증상

   – 수포성 발진: 하나 이상의 신경절 따라 일측성 · 비대칭적으로 발생함

   – 통증: 타는 듯, 찌르는 듯, 예리한 심한 양상 ▶ 없을 수도 있음

   – 염증: 일측성이며 흉수 · 경수 · 뇌 신경 따라 띠 모양 이룸

• 치료

   – 항바이러스제제: Acyclovir (Zovirax)

   – 수렴성 습포: Burrow 용액 등을 이용하여 하루 3~4회 실시

• 합병증: 전층 피부괴사, 안면마비, 눈의 감염(홍채염, 각막염 ▶ 실명) 뇌수막염 등

• 환자의 10%가 포진 후 신경통 발병: 통증의 치료는 진통제, 경피신경자극으로 조절함

038 ⑤

해설 | **만성 간질환**

• 간기능: 탄수화물대사, 아미노산 및 단백질 대사, 지방 대사, 담즙산 및 빌리루빈 대사, 비타민 및 무기질 대사, 호르몬 대사,
해독 작용 및 살균 작용 등의 주요 기능을 담당함

   ▶ 간 손상으로 인해 대사작용에 드는 에너지가 많이 소모되어 환자가 피로감을 호소함

039 ②

해설 | **호흡성 산증**

• 정의: $pH \leq 7.35$, $PaCO_2 \geq 45$ mmHg, HCO_3^-: 22~26 mEq/L

• 증상

   – 호흡기계: 호흡곤란, 저환기, 저산소증, 청색증

   – 신경계: 두통, 기면, 근허약

   – 심혈관계: 고칼륨혈증(▶ 부정맥)

• 치료 및 간호: 환기 증진, Sodium bicarbonate ($NaHCO_3$) 정맥투여, 전해질불균형 교정

• 금기: 마약성 진통제 사용(▶ 호흡억제)

— comment —

산증 vs 알칼리증에 대한 문제는 단골로 출제된다. 다음의 표를 기억해두자.

호흡성 산증	호흡성 산인 CO_2가 증가되어 일어나는 산증
대사성 산증	HCO_3^-가 감소되어 일어나는 산증
호흡성 알칼리증	호흡성 산인 CO_2가 감소되어 일어나는 알칼리증
대사성 알칼리증	HCO_3^-가 증가되어 일어나는 알칼리증

040 ②

해설 | 전부하 감소

- 이뇨제 투여 → 전부하 감소 ▶ 체액량 조절
    - Digitalis 요법이나 나트륨의 제한으로 심부전 교정할 수 없을 때 적용한다.
    - Loop 이뇨제: 모든 심부전 환자에 효과적이다[furosemide (Lasix), bumetanide (Bumex)].
    - 주의점: 저칼륨혈증 및 저나트륨혈증, digitalis 병용 시 포타슘 불균형(감소) ▶ 심부정맥
- 수분제한 및 저염식이 제공
- 직립자세(▶ 호흡곤란 감소), 안정(▶ 스트레스 감소)

POWER 특강

심박출량 조절

- **심박출량(CO)=1회 박동량(SV)×심박동수(HR), 1분 동안 좌심실에서 대동맥계로 보내지는 혈액량**
- **영향요인: 전부하, 심근수축력, 후부하**
    - **전부하: 심장으로의 귀환혈량 많음 → 전부하 증가 → 심근긴장도 증가 → 수축력 증가 ▶ 1회 박출량 증가**
    - **심근수축력: 심근섬유의 길이나 전부하와 관계없는 심장수축의 힘**
    - **후부하: 좌심실의 혈액분출 시 수축기 동안 심실에 가해지는 tension 또는 stress를 의미하므로, 후부하 증가 → 심실긴장도 증가 → 1회 박출량 감소의 흐름을 보임**

---

041 ③

해설 | 부비동염

- 부비동: 코 주위의 얼굴 뼈 속에 있는 빈 공간
- 급성 vs 만성 감별

급성 부비동염	만성 부비동염
질병의 기간이 4주 미만	3개월 이상 지속

- 치료

내과적	외과적
• 울혈제거제·항생제 투여 • 비강내 식염수 세척	기능적 내시경 부비동 수술(FESS): 전신마취 후 측위로 눕힌 채 시행

- 수술 후 간호
    - 의식이 돌아오면 반좌위로 변경 ▶ 배액 촉진, 부종 감소
    - 분비물을 삼키지 말고 뱉어내게 하며, 코를 풀지 않고 가볍게 닦게 함
    - Valsalva 수기를 피하도록 교육
    - 24~48시간 비강 거즈 적용 + 코 위, 반상출혈 부위에 얼음찜질 시행 ▶ 통증 완화, 혈관수축
    - 수분 섭취를 격려하고, 차가운 습기 제공
- 합병증: 38 ℃ 이상의 고열, 진통제로 완화되지 않는 두통, 복시, 비출혈 등

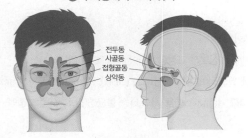

cf 부비동의 구조와 위치

전두동
사골동
접형골동
상악동

이환 빈도: 상악동 〉 전사골동 〉 전두동

---

042 ⑤

해설 | **(밀봉)흉관배액**

▶ 흉관배액 구성

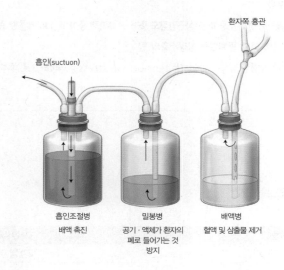

환자쪽 흉관

흡인(suctuon)

흡인조절병	밀봉병	배액병
배액 촉진	공기·액체가 환자의 폐로 들어가는 것 방지	혈액 및 삼출물 제거

- 배액병 관리
  - 항상 환자의 흉곽보다 낮은 위치를 유지함
  - 밀봉병 속 긴 대롱의 끝이 물속에 5 cm 정도의 깊이로 잠겨 있는지 확인함
  - 배액의 양, 색, 특징 관찰: 배액량이 100 ml/hr 이상이면 과다출혈이므로 보고함
- 배액관 관리: 혈액 응고물이나 죽은 조직으로 막혔을 때 개방성 유지를 위해 손으로 관을 훑어줌
- 제거 시 간호중재
  - 제거 가능 여부 파악: 흉부X선상 폐가 완전히 재팽창되었을 때(폐확장 유지)
  - 제거 30분 전에 진통제 투약함
  - Valsalva 수기로 숨을 참아 최대 호기 말기에 시행함
  - 흉관 빼면서 바셀린 거즈로 압박한 후 제거부위를 봉합하고 밀봉드레싱을 함
  - 제거 후 호흡곤란, 삼출물 등 확인

043 ④

해설 | 폐렴

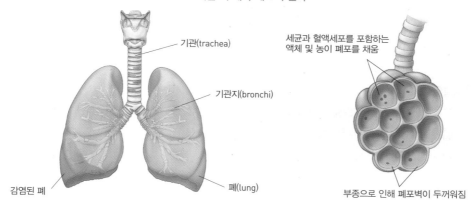

▶ 폐렴 시 폐와 폐포의 변화

기관(trachea)

기관지(bronchi)

감염된 폐

폐(lung)

세균과 혈액세포를 포함하는
액체 및 농이 폐포를 채움

부종으로 인해 폐포벽이 두꺼워짐

- 원인

지역사회성 폐렴	병원성 폐렴
- Streptococcus pneumoniae: 가장 흔함 - Mycoplasma pneumoniae: 노인	- 그람음성 간균: 80% - 인공호흡기, 기관내삽관, 기관절개술 등

- 증상

폐 관련: 비효율적 호흡 양상	전신
기침, 화농성 객담, 호흡곤란(호흡보조건 사용, 천명음), 저상소혈증, 빈맥 등	오심 및 구토, 두통, 근육 · 관절통, 발열 등

- 진단

    – 흉부X선검사 ▶ 진단(폐의 변화 확인)

    – 객담검사, 혈액배양검사, 소변항원검사 ▶ 원인균 파악

044 ⑤

해설 | 길랑–바레(Guillain–Barre) 증후군(GB)

- 증상

    – 근약화: 상행성 · 대칭성 · 이완성 마비(근위축 없음)이고, 발 → 다리와 허벅지로 진행됨

    – 신경계: 호흡부전, 복시, 안면마비 등

    – 자율신경 기능부전: 빈맥, 서맥, 발한, 장 및 방광의 기능저하 등

- 치료

    – 혈장분리반출술: 원인으로 추정되는 요소를 제거한 후 체내로 다시 돌려줌

    – 면역글로불린을 정맥주사함

- 간호

    – 호흡유지: 침상을 45° 이상 상승시키고, 필요시 기관내삽관 및 기계적 환기 적용함

    – 사지 ROM 운동 실시, 영양 유지(비경구영양, 필요시 TPN)

    – 폐색전 심부정맥혈전증 예방: 항응고제, 항색전스타킹(압박스타킹)

045 ②

해설 | **중증 근무력증(MG)**

- 정의: 일시적인 근력약화와 피로를 특징으로 하는 대표적인 신경근육접합질환 · 항체매개 자가면역질환
- 병태생리: 아세틸콜린(acetylcholine) 수용체에 대한 자가항체 형성 → 신경근 접합부위의 아세틸콜린 수용체 감소
  - ▶ 화학적 전달 차단, 만성 자가면역질환

- 증상

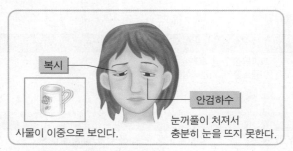

사물이 이중으로 보인다.
복시
안검하수
눈꺼풀이 처져서 충분히 눈을 뜨지 못한다.

안근형 안구증상만 나타난다.
전신형 근력저하가 전신에 미친다.

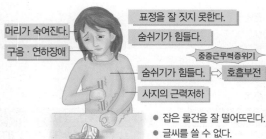

표정을 잘 짓지 못한다.
머리가 숙여진다.
숨쉬기가 힘들다.
구음 · 연하장애
중증근무력증위기
숨쉬기가 힘들다. ⇨ 호흡부전
사지의 근력저하

● 잡은 물건을 잘 떨어뜨린다.
● 글씨를 쓸 수 없다.
● 잘 걷지 못한다.
● 계단을 오르지 못한다.

충분히 휴식하면 회복되므로 아침에는 증상이 가볍다. 그 후, 시간이 지남에 따라서 증상이 악화되는 일내변동이 있다.

- 진단
  - Tensilon 검사(+): Tensilon을 정맥투여 시 30초 이내에 근허약이 눈에 띄게 회복됨
  - 혈액검사(titer 상승), CT (흉선종, 흉선의 과증식)
- 치료

콜린분해효소 억제제	면역억제제
• Edrophonium hydrochloride (Tensilon) • 아세틸콜린의 분해를 방해하여 신경근육 전달을 증진시킴	• Azathioprine (Imuran) • 혈청내 아세틸콜린 수용체를 파괴하는 항체를 감소시킴

046 ①

해설 | **파킨슨병**

- 정의: 도파민 신경세포(운동기능)의 소실로 인해 발생하는 신경계의 만성 · 진행성 · 퇴행성 질환
- 4대 증상(TRAP)

진전 (Tremor)	• 양상: 환약조제양 진전, 수전증, 손가락에서 시작하여 팔, 전신으로 진행 • 활동 시작 및 수면 시 소실, 목적적 · 수의적 운동 시 감소 • 피곤 or 정서적 긴장, 휴식 시 악화
강직 (Rigidity)	안면경직(가면 같은 얼굴), 연하곤란 등
운동불능 (Akinesia)	느린 운동, 운동개시 곤란
체위의 불안정 (Postural instability)	• 앞으로 굽은 자세 • 가속보행(보행 시작 어려우나 일단 시작되면 가속화되어 정지하기 어려움)

- 약물치료

– Levodopa (L–dopa): 파킨슨병의 주 치료제인 도파민작용제

복용법	• 오심 있을 경우 음식과 같이 복용함 • 공복 시와 금식 중에도 복용함(금식 중에는 물을 조금만 사용하여 투여)
부작용	• 체위성 저혈압 주의 ▶ 체위변경 서서히 함 • 약물치료를 하고 있는 동안 당뇨, 녹내장, 간독성, 빈혈 등 추후 관리
금기	• 안정제, Vit. B_6 섭취 금함 ◀ 약물효과 감소 • 알코올 섭취 금하거나 최소화 ◀ 길항작용 • 약물투여 시간 가까이에 단백섭취 금함 ◀ 약물흡수 억제 • 사우나 및 열탕 금지

— **comment** —

파킨슨병은 치매 다음으로 흔한 대표적인 퇴행성 뇌 질환이나, 발병 원인을 정확히 알지 못한 상태이다. 가족력 및 뚜렷한 유전자 이상 없이 대부분 발생한다.

047 ⑤

해설 | **하지직거상 검사(Lasegue 검사, SLR 검사)**

- 무릎 편 상태에서 하지를 들어 올려 통증 발생 여부 확인
- 양성: 요추 추간판 환자의 경우 60° 이상 올리지 못하는 경우가 많은 반면, 정상의 경우 70° 이상 올릴 수 있음

오답 각 검사의 양성 시 반응은 다음과 같다.

① 혈전성 정맥염 확인: 누워서 다리를 들고 발을 배굴했을 때 장딴지 근육에 통증 발생

② 뇌막자극 확인: 무릎을 고관절에서 90°로 굽힌 후 다리를 펴려고 할 때 펴는 것이 불가능

③ 평형감각 확인: 눈을 가리고 두 발 모아 똑바로 선 상태로 직립반사 검사 시 평형을 잃음

④ 뇌막자극 확인: 환자의 목을 굽혔을 때 고관절과 무릎이 굽혀짐

048 ②

해설 | 울혈성 심부전 치료 및 간호

- 치료: 심박출량 강화 ▶ 전부하, 심근수축력, 후부하의 문제 교정

전부하 감소	심근수축력 강화	후부하 감소
이뇨제(Lasix): 체액량 감소	강심제(Digoxin): 심근수축력 강화 및 맥박소 감소	ACE 억제제(Captopril 등): 혈압 감소

- 간호
  - 심박출량 증진
    - ⓐ 안정: 조직의 산소요구량 감소 ▶ 심부담 감소
    - ⓑ 체위(호흡곤란 완화 자세): 가장 우선적으로 반좌위~좌위 ▶ 정맥환류 감소
  - 영양증진
    - ⓐ 저칼로리, 저염, 저섬유, 비타민 함유 식이(과일 등) 제공
    - ⓑ 소량씩 자주 제공 ▶ 위장계에 필요한 혈액량과 심부담 감소
  - 산소공급, Valsalva 수기 금지, 감염 예방 등

049 ①

해설 | 제5뇌신경(삼차신경)

① 상악가지 이상 ▶ 구강, 혀, 치아감각의 저하, 하악가지 이상 ▶ 저작기능의 저하가 발생한다. 따라서 안가지의 기능에 해당하는 얼굴 감각을 추가로 사정해 보아야 한다.

- 삼차신경(5번째 뇌신경)

담당기능	감각: 안면감각, 각막반사	운동: 저작(측두근, 저작근)
검사방법	• 안면감각: 눈 감고 안전핀으로 이마, 뺨, 턱의 통각, 따뜻한 물로 온각 사정 • 각막반사: 솜, 면봉으로 각막의 모서리 건드리면 눈 깜박	이를 꽉 다물게 하고 측두근과 저작근 촉진

POWER 특강

삼차신경통

- 통증: 음식 먹을 때, 입 크게 벌릴 때, 양치질할 때 등에 심한 통증이 유발됨 → 얼굴 만지거나 말하기, 저작 기피, 피로, 허탈상태가 초래됨 ▶ 개인위생 힘들게 됨
- 간호
  - 찬바람, 심한 더위, 뜨겁거나 차가운 음식은 통증을 유발하므로 피함
  - 구강위생: 가볍게 함수함
  - 고단백 · 고열량의 저작하기 쉬운 음식 섭취

050 ④

④ 문제의 환자의 증상은 원발성 폐쇄각 녹내장에 해당한다. 하지만 과도한 눈물 분비는 원발성 개방각 녹내장의 증상이다.

- 정의: 방수 유출 통로의 폐쇄 → 비정상적인 안압 상승(23 mmHg 이상)
- 병태생리

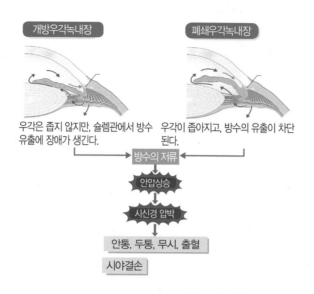

- 증상

원발성 개방각 녹내장 ▶ 만성 광각형	원발성 폐쇄각 녹내장 ▶ 급성 협각형
• 초기: 암순응이 어려움, 초승달 모양의 암점 • 과도한 눈물 분비 • 주변시야 완전 소실(터널시야) • 후기: 시야상실, 시력저하, 조명 주위에 환(halo)	• 시야가 급격히 좁아짐 • 오심 · 구토 동반한 눈 주위의 갑작스런 심한 통증 • 갑작스런 안압 상승(50 mmHg 이상) • 앞이 흐림, 각막이 흐리고 안개 낀 것 같은 모양, 충혈 • 조명 주위의 무지개의 달무리(colored halo)

- 치료: 안압하강제(pilocarpine, carbachol)
  - 동공을 수축시킴 → 홍채 각막각을 늘림 ▶ 방수배출 증가
  - 사용 후 1~2시간 동안 시력이 흐려지고 동공이 수축하여 어두운 환경에 적응하기 어려움
- 금기: 모양근 마비제, 산동제

051 ⑤

- 병태생리
  - 급성 죽상경화반(plague)의 파열
  - 죽상경화반 → 파열 → 파열부위 혈소판 응집 → 혈전 생성 ▶ 관상동맥의 폐색
- 진단
  - Myoglobin 상승: 심근경색 후 1~2시간부터, 즉 가장 먼저 상승해 조기진단에 도움이 됨

- CK-MB 상승: 심근경색 후 4~6시간부터 상승함

- LDH 상승: 초기에는 크게 유용하지 않음

- Troponin 상승: 심근에 대한 특이도가 CK-MB보다 높고, 심근경색 후 2~6시간부터 상승함

- GOT 및 GPT 상승, WBC 상승

• 급성기 치료

- EGG 확인: 가장 우선적

ST분절 상승 or 하강	이상 Q파 출현	T파 역전
ST분절 상승: 급성 심근허혈 → 심근경색으로의 진행	• 심근의 괴사 암시 • R파 높이의 25% 이상으로 커짐	심근의 허혈로 인한 것
ST분절 하강: 혈류의 흐름 회복 또는 심실 후벽의 허혈	• 심근의 괴사 암시 • R파 높이의 25% 이상으로 커짐	심근의 허혈로 인한 것

- 산소공급: nasal-prong 또는 facial mask를 통해 2~4 L/분으로 공급

- Nitroglycerin, Morphine 등 약물투여, 재관류요법(혈전용해요법) 등

052 ⑤

해설 | **철결핍성 빈혈**

⑤ 중년기 이후의 대상자이므로 위장관 출혈을 의심해야 하고, 위내시경을 시행한다.

• 정의: 저장철의 결핍 → 적혈구 생성의 저하(hypoproliferative anemia)

• 원인: 영양부족(다이어트, 위절제술), 혈액손실(위장관내 만성 출혈, 월경과다), 철분요구량 증가(성장기, 임신)

• 증상

경증	• 창백, 피로, 권태, 두통, 심계항진 • 설염, 입술의 염증
중증	• 숟가락형 손발톱(koilonychia), 이식증 • Plummer-Vinson 증후군: 연하곤란, 구내염, 위축성 설염  A 스푼형 손톱　　B 연하곤란　　C 구내염　　D 위축성설염

• 진단: 소구성, 저색소성 빈혈 ▶ 적혈구 크기가 작고, 혈색소 수치가 정상보다 낮음

• 치료: 철분 보충

철분 경구투여	철분 비경구투여	철분 고함유 식이
• 산성 환경에서 흡수율 ↑ 　- 식전 1시간에 복용(공복 시) + Vit. C or 오렌지 　　주스와 함께 　- 위장장애 시 식후 복용 • 고섬유식이, 빨대 사용 ▶ 변비 예방 • 환자교육: 변의 색깔이 짙어짐(정상)	• 근육주사 　- Z-track 기법: 0.5 cc 공기와 함께 둔부에 주사함 　- 주사 후 걷도록 하여 약물 흡수 촉진함 　- 금기: 마사지	붉은 육류, 간, 콩, 건포도, 계란 노른자, 당근 등

053 ④

- 증상: 반신마비, 감각장애, 실어증 및 구음장애, 연하곤란, 동측성 반맹증, 방광 및 정신활동 손상
- 연하곤란 간호
  - 체위: 좌위를 취하고, 머리와 목을 턱과 함께 약간 앞으로 당겨 내려 음식을 충분히 씹기 전에 넘어가지 않도록 함
    ▶ 역류 · 흡인 예방
  - 유동식보다는 연식이나 반연식으로 준비
  - 구강 안쪽 깊숙이 음식을 넣어주고 마비되지 않은 쪽으로 씹게 함
  - 식전 · 식후 구강간호 실시, I/O 및 체중 정확히 측정
  - 응급상황에 대비하여 흡인기 준비
- 동측성 반맹증 간호
  - 시야가 온전한 쪽에 사용하는 물품을 배치
  - 옷을 입을 때는 침범된 사지부터 입도록 함

---
comment

한의학에서 말하는 '(중)풍'에는 서양의학에서 '뇌졸중'으로 분류하지 않는 질환도 포함하고 있다. 따라서 '뇌졸중'과 '중풍'은 서로 구분하여 사용하는 것이 바람직하다.

054 ④

해설 | **활동성 결핵 진단**

- 진단법: 투베르쿨린 반응검사(감염 여부만 확인 ▶ 확진 불가) + 흉부X선 · 배양검사(확진)
- 투베르쿨린 반응검사(Tuberculin test): PPD 주사 47~72시간 후 경결의 직경을 확인한다.

음성	의심(의양성)	양성: 결핵균에 노출된 적 있음
0~4 mm	5~9 mm	10 mm 이상

- 흉부X선
  - 폐침윤, 결절, 공동 확인
  - 활동성인 경우 건락화(조직파괴 → 지방침착, 세포파괴 → 핵융해)된다.
- (객담)배양검사
  - 아침 객담을 수집하여 검사를 3회 실시한다. 결핵균을 확인하면 결핵을 확진하는데, 전염력이 높은 상태이다.

---
comment

투베르쿨린 반응검사로 확진이 불가능한 이유를 좀 더 자세히 설명하자면, 우리나라에서는 BCG 접종에 따른 위양성(실제 음성인데 결과로는 양성이 나오는 것) 문제가 있기 때문이다.

055 ⑤

해설 | **천식발작 치료**

- 급성 중증 천식 치료
    - 약물요법: 아미노필린(aminophylline) IV, 스테로이드 및 β₂ 길항제 투여
    - 산소(비강캐뉼러 6 L/분이 선호됨) 및 수액 공급, 좌위 등
- 기관지확장제: 속효성 β₂ 길항제를 먼저 투약한다. 흡입제는 기관지에 직접 작용하기 때문에 효과가 빠르며, 적은 양으로도 강한 효과가 있고 부작용이 적어 널리 사용되고 있다.
    - β₂ 길항제(기관지평활근 이완): 단기(albuterol) vs 장기(salmeterol)
    - 항콜린성제제, 항히스타민제, 항염증제

오답 ② Anticholinergics (Atrovent)는 항콜린성제제로 천식에 사용하는 약물이 맞다. 하지만 작용시간이 느리기 때문에, 급성 시 β₂ 길항제 우선적으로 사용한다.

056 ①

해설 | **버거씨병(폐쇄성 혈전혈관염)**

- 정의: 내부 장기의 침범은 없는 심각한 혈관의 폐쇄 현상 → 사지 말단의 절단까지 초래
- 위험요인: 젊은 남성 흡연자에서 호발함
- 증상
    - 사지 말단: 종아리, 발, 발가락의 통증으로 시작 → 극심한 통증, 괴사, 조직의 손실, 절단
    - 피부: 표재성 혈전정맥염(정맥류와 감별 필요) → 궤양, 괴저
    - 말초신경(감각 이상): 정맥과 동맥을 감싸고 있는 조직이 두꺼워짐(신경 자체의 침범이 아님) → 종아리, 발, 발가락의 통증

▶ 버거씨병의 임상증례

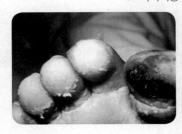 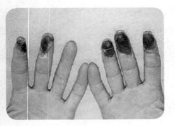

- 치료: 증상이 흡연으로 악화된다는 특징이 있고, 치료의 핵심도 금연임

POWER 특강

동맥폐색 vs 버거씨병 vs 레이노병			
	동맥폐색	**버거씨병**	**레이노병**
원인	큰혈관에 색전	상·하지 중소동맥의 염증 → 혈관폐색	혈관운동 신경 이상으로 인한 혈관연축 → 허혈
위험요인	죽상경화증	흡연	찬공기, 감정적 요인
침범부위	주로 하지(대퇴, 슬와)	하지 말단(종아리, 발, 발가락)	상지(손가락 끝)
중재	금연	• 금연 • 발 보호(양말 착용, 노출 제한)	• 노출 제한(추위, 상해) • 스트레스 예방

057 ①

해설 | **장폐색**

- 원인

  - 기계적 폐색: 유착, 탈장(헤르니아), 장축염전, 장중첩증 등

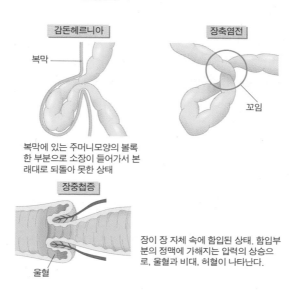

감돈헤르니아

복막

복막에 있는 주머니모양의 볼록한 부분으로 소장이 들어가서 본래대로 되돌아 못한 상태

장축염전

꼬임

장중첩증

울혈

장이 장 자체 속에 함입된 상태. 함입부분의 정맥에 가해지는 압력의 상승으로, 울혈과 비대, 허혈이 나타난다.

  - 혈관성 폐색: 색전 등의 이유로 장으로 가는 동맥의 혈액공급이 차단됨

  - 마비성(신경성) 폐색: 복부수술 후 신경장애로 장의 연동운동이 저하됨

- 증상: 복부팽만, 극심한 복통, 오심 · 구토, 수분전해질 불균형(빈맥, 저혈압, 대사성 산증)

- 치료 및 간호

  - 금식(가장 우선적)

  - 장관(감압) 및 위관 삽입(위액흡인)

  - 수분전해질 균형 유지

  - 마약성 진통제 투여: 통증 증상 은폐, 연동운동 감소의 문제가 있으므로 신중히 결정함

  - 내과적 처치에도 나아지지 않을 시, 장 부분 절제 실시함(결장루 필요성)

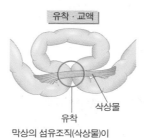

유착 · 교액

삭상물

유착

막상의 섬유조직(삭상물)이 형성되며 교액된다.

058 ③

해설 | **심실세동(VF)**

- 응급상황: 심장이 멈춰있는 것과 같은 상태로 긴급처치 필요함. 만약 3~5분 내 적극적인 치료를 하지 않으면 심정지로 사망할 수 있음
- 주원인: 위험한 PVC
    - 3번 이상 PVC가 연이어 발생 ▶ 심실빈맥
    - 심실세동 예고 ▶ 심정지로 이어질 수 있음
- ECG 특징: 심박률을 알 수 없고, 불규칙한 혼돈스러운 리듬

P파	P-QRS비율	PR간격	QRS폭
없음	없음	없음 (측정 불가)	없음(P파, QRS파, T파가 없는 불규칙한 파형의 연속 상태)

- 치료
    - 즉시 CPR + 제세동 실시
    - Epinephrine or vasopressin 투여: 제세동의 효과를 증가
    - Magnesium sulfate, $NaHCO_3$ 정맥 주사, 삽입형 제세동기(ICD) 부착

059 ⑤

해설 | **탈장(헤르니아)**

- 유형

감돈	장축염전	장중첩증
탈장 내공을 통해 나온 장이 제자리로 돌아가지 못하고 내공에 끼어있는 상태	장이 꼬여있는 상태	장의 한 부분이 다른 한쪽으로 포개어 들어간 상태

- 치료
    - 내과적: 도수 정복(손으로 조작하여 탈장낭 내의 장기를 복강 내로 환원하는 것)
    - 외과적: 대부분의 경우 수술이 필요하며, 척수마취가 선호된다. 가능한 복압상승 요인(만성 기침, 변비 등)을 교정한 뒤 시행하도록 함
- 수술 후 간호
    - 호흡기계 합병증 예방: 심호흡과 기침 격려
    - 두통, 마비, 뇌막염, 저혈압 예방
        ⓐ 뇌척수액 빠져나오지 않도록 함: 베개 없이 편평하게 6~12시간 동안 앙와위로 안정
        ⓑ 저혈압 시 Epinephrine 투여
    - 베개나 손바닥으로 절개부위 지지: 조직 이동, 통증 감소
    - 적당한 수분공급

━━ comment ━━

감돈의 경우, 상태가 장기간 지속 → 장에 부종이 생겨서 더욱 단단히 조이게 됨 ▶ 혈액순환이 되지 않아 썩게 됨의 루트를 타므로 교정해야 한다.

060 ③

해설 | **호흡성 산증**

- 정의: pH ≤ 7.35, $PaCO_2$ ≥ 45 mmHg, HCO_3^-: 22~26 mEq/L (정상)
- 원인: 만성폐쇄성폐질환, 천식, 기도폐쇄나 약물에 의한 호흡억제 등
- 증상
  - 호흡기계: 호흡곤란, 저환기, 저산소증, 청색증
  - 신경계: 두통, 기면, 근허약
  - 심혈관계: 고칼륨혈증(▶ 부정맥)
- 치료 및 간호: 환기 증진, Sodium bicarbonate ($NaHCO_3$) 정맥투여, 전해질불균형 교정
- 금기: 마약성 진통제 사용(▶ 호흡억제)

POWER 특강

ABGA (arterial blood gas analysis, 동맥혈가스검사)

- 정의: 신체의 산염기 균형과 산소공급상태를 파악하기 위해 실시하며, 동맥혈의 산도(pH), 산소 분압(PO_2), 이산화탄소 분압(PCO_2), 중탄산염(HCO_3^-) 등을 함께 측정함
- 특징: 정맥 채혈보다 환자에게 많은 고통을 줄 수 있고 채혈이 어려우며, 일반적으로 손목에 있는 요골동맥에서 채취함
- 검사결과 정상범위

pH	PaO$_2$	PaCO$_2$	HCO$_3^-$
7.35~7.45	80~100 mmHg	35~45 mmHg	22~26 mEq/L

---

061 ③

해설 | **심근경색**

- 증상(호흡곤란을 동반하는 흉통)
  - 쥐어짜는 듯한 분쇄형 통증이 30분 이상 지속됨
  - 가슴 한가운데에서 왼쪽 어깨, 양팔, 등, 목 아래, 턱 부위로 방사됨
  - 휴식, nitroglycerin으로 완화되지 않음
  - 악화인자: 성행위, 고콜레스테롤 식이, 비만, 흡연 음주, 추위에의 노출 등
- ECG: 급성기 치료 시 가장 우선적으로 시행될 필요 있음

ST분절 상승	급성 심근허혈 → 심근경색
ST분절 하강	혈류의 흐름 회복 or 심실 후벽의 허혈
이상 Q파 출현	심근의 괴사 암시, R파 높이의 25% 이상
T파 역전	심근의 허혈

062 ③

해설 | 수혈 부작용

- 부작용
  - 주 부작용: 용혈성 수혈 부작용(적혈구 파괴)
    - ⓐ 혈액의 ABO or Rh 불일치 시 나타남
    - ⓑ 맥박 및 체온 상승, 통증, 호흡곤란, 혈압 저하 등
  - 비용혈성 수혈 부작용(흉통, 복통, 저혈압, 아나필락틱 쇼크 등), 수혈 전파성 감염, 이식편대숙주병
- 간호
  - 5분마다 활력징후를 측정한다.
  - 혈액 주입을 중단하고, 0.9% 생리식염수를 주입한다.
  - 의사에게 알린다.

--- comment ---

주요 수혈 부작용은 대부분 15분 이내 나타나므로 10~15분간 환자를 집중 관찰한다.

063 ②

해설 | 에디슨병(Addison's disease)

- 정의: 부신기능이 저하된 상태에서 감염, 수술 등 심한 신체적 스트레스가 발생하면서 부신피질호르몬이 부족해짐
- 증상

코티졸 (당류 코르티코이드) 결핍	알도스테론 (염류 코르티코이드) 결핍	안드로겐 (성호르몬) 결핍
• 색소 과잉침착, 피로, 쇠약, 심한 오심·구토, 저혈량성 쇼크, 감염 및 질병 이환의 위험성 증가 등 • 색소 과잉침착, 피로, 쇠약, 심한 오심·구토, 저혈량성 쇼크, 감염 및 질병 이환의 위험성 증가 등	• 탈수 및 저혈량, 저나트륨혈증(만성 두통), 고칼륨혈증, 체위성 저혈압, 피로, 산증 등 • 탈수 및 저혈량, 저나트륨혈증(만성 두통), 고칼륨혈증, 체위성 저혈압, 피로, 산증 등	여성 액와·회음·하지 전체의 탈모, 불규칙한 월경주기 등 남성: 발기능력 상실, 성욕감퇴 등

- 진단: 혈중 코르티코이드 농도가 감소 혹은 정상이면서 혈중 부신피질 자극 호르몬 농도가 매우 증가되어 있음. ACTH를 투여하여 약 1시간 후에 채혈하여 코르티솔 농도가 18 ug/dL임
- 치료 및 간호
  - 호르몬 부족 교정
    - ⓐ 호르몬대체요법: 부신피질호르몬(glucocorticoids, mineralocorticoids)의 대량 정맥주사(hydrocortisone, prednisone, methylprednisone, dexamethasone 등)
    - ⓑ 호르몬 보충: 당질 코르티코이드(hydrocortisone), 염류 코르티코이드(fludrocortisone) 투여
  - 식이: 고단백·고탄수화물식 제공 ▶ 금식 시 부신위기로 진행될 수 있음
  - 수분전해질 불균형 교정: 5% 포도당을 포함한 생리식염수 점적 투여
  - 혈압상승제 및 강심제 투여: norepinephrine, dopamine 등

064 ③

해설 | 부갑상선 기능항진증

- 병태생리: PTH (부갑상샘호르몬) 과다분비 → 표적기관 과다자극 → 혈청 칼슘 증가 ▶ 고칼슘혈증
  - 고칼슘혈증: 세포막의 투과성 차단 → 신경과 근육의 활동 억제, 심근의 활동 저하(고혈압, 부정맥, QT간격 단축), 장운동 둔화 등
- 진단: 혈청 내 칼슘 수치 상승, 인 감소, 소변 내 칼슘·인 증가
- 치료: 약물요법[이뇨제, bisphosphonate (Fosamax), 칼시토닌 등] + 부갑상샘 절제술
- 간호
  - 식이요법: 칼슘섭취 제한, 수분섭취 증가, 산성식이(토마토, 옥수수, 육류, 생선, 달걀 등) 권장 ▶ 칼슘결석 형성
  - 부갑상샘 절제술 후
    ⓐ 저칼륨혈증(테타니) 및 고칼슘혈증, 호흡부전, 출혈, 쉰 목소리(후두신경 손상) 등 관찰
    ⓑ 호흡증진: 기도유지, 침상머리 30° 상승, 심호흡 및 기침 격려

065 ⑤

해설 | 급성 호흡곤란 증후군(ARDS)

- 정의: 급성 + 흉부 X선상 양폐야 침윤이 확인되며 + 양폐야 침윤의 이유는 심장기능의 병적 저하가 아님(좌심방의 압력 증가 없음) + 고농도 산소 제공 시에도 동맥혈의 산소함량이 상승되지 않음
- 주원인: 패혈증 및 심한 외상 ▶ 혈액에서 방출된 화학물질이 폐에서 염증을 유발함
- 병태생리
  - 폐부종: 모세혈관 손상 → 폐모세혈관 투과성 증가 → 과량의 수분이 폐간질·폐포로 이동
  - 무기폐(폐허탈): 폐포조직(Type II)의 파괴로 계면활성제 부족
- 증상: 손상 후 48시간 이내에 급속히 진전 ▶ 사망 위험
  - 급성 호흡부전: 호흡곤란, 빈호흡, 보조근육을 이용한 호흡, 중심성 청색증
  - 마른 기침과 발열
  - 의식변화: 혼돈~혼수
- 진단

흉부X선검사	동맥혈가스검사 (ABGA)	폐기능검사
양쪽 폐의 대칭적인 간질세포와 폐포의 광범위한 침윤	초기 PaO_2 매우 낮음 + $PaCO_2$ 정상 혹은 낮음 + pH 증가 ▶ 급성 호흡성 알칼리증	• PaO_2/FiO_2 < 200 mmHg (정상: 400~500 mmHg) • 폐모세혈관압(PCWP) < 18 mmHg

- 치료 및 간호
  - 약물요법: 항응고제, 이뇨제, 혈관이완제 등
    (금기: 진정제 ▶ 호흡부전 악화)
  - 인공호흡기[PEEP (호기말양압; 호기 말에 폐내의 잔류가스의 양을 증가시키게 압을 유지함)], , 수액요법, 영양 유지(TPN) 등

066 ④

해설 | 버거씨병(폐색성 혈전혈관염)

- 정의: 내부 장기의 침범은 없는 심각한 혈관의 폐쇄 현상 → 사지 말단의 절단까지 초래

- 위험요인: 젊은 남성 흡연자에서 주로 하지에 호발함
- 증상
  - 사지 말단: 종아리, 발, 발가락의 통증(간헐성 파행증)으로 시작 → 극심한 통증, 괴사, 조직의 손실, 절단
  - 피부: 표재성 혈전정맥염(정맥류와 감별 필요) → 궤양, 괴저
  - 말초신경(감각 이상): 정맥과 동맥을 감싸고 있는 조직이 두꺼워짐(신경 자체의 침범이 아님) → 종아리, 발, 발가락의 통증
- 치료: 증상이 흡연으로 악화된다는 특징이 있고, 치료의 핵심도 금연임

067 ③

해설 | **기계환기(인공호흡기)**

- 적응증: 부적절한 환기, 저산소혈증, 고탄산혈증
- 유형

보조조절환기 (ACV)	· 자발호흡에 흡기가 시작되거나, 없으면 기계호흡 · 환자 상태에 따라 호흡횟수가 변화되고, 흡기 노력이 없이도 최소한의 호흡 보장
간헐적 강제환기 (IMV)	· 기계적 보조호흡에 더불어 자발호흡 가능 · 기계호흡은 미리 설정한 1회 호흡량과 횟수로 제공(환자의 노력과 관계없이)
지속적 기도양압 (CPAP)	· 전 호흡주기 동안 양압 적용 ▶ 흡기 동안 폐포를 개방하고 호기 동안 폐포 허탈을 예방 · 호흡의 시작과 끝은 모두 환자의 자발호흡
호기말양압 (PEEP)	· 자발호흡 대상자에게 호기 동안 양압 적용 ▶ 폐포의 허탈 예방 · 기능적 잔기량 증가하여 단락(shunt)이 생기지 않고 산소포화도 증가 · 단점: 흉곽내압 상승으로 심박출량 감소 → 말초울혈 ▶ 위점막 부종(내장혈관의 혈액정체)

- 적용 시 부작용
  - 인공호흡기 탈착/부적응과 관련된 가스교환장애: 과환기(→ CO_2 농도 저하 ▶ 호흡성 알칼리증) 등
  - 기도내관의 분비물 증가/기도 경련과 관련된 기도개방 유지불능
  - 기관내삽관/기관절개/감염에 대한 정상 방어기전 저하와 관련된 감염 위험성 증가
  - 인공호흡기 의존과 관련된 운동장애
  - 기관내관 삽관/인공호흡기 장착과 관련된 언어소통장애
  - 의사소통 장애/죽음에 대한 공포/익숙하지 않은 환경과 관련된 불안

068 ②

해설 | **심인성 쇼크**

② 저혈압, 빈맥, 중심정맥압(CVP) 정상(5~10 mmHg), 폐모세혈관쐐기압(PCWP) 상승(정상범위는 4~15 mmHg이고, 25 mmHg 이상은 폐부종 의심됨)인 상태이다.
- 정의: 심장 펌프기능의 급속한 저하가 원인이 된 말초순환부전
- 증상(심박출량 저하)
  - 주요 증상: 빈맥, 저혈압, 맥압 저하(수축기압은 80 mmHg까지 저하됨)
  - 안절부절, 의식수준 저하, 호흡수 저하(30~40회), 핍뇨, 청색증, 차고 축축한 피부 등

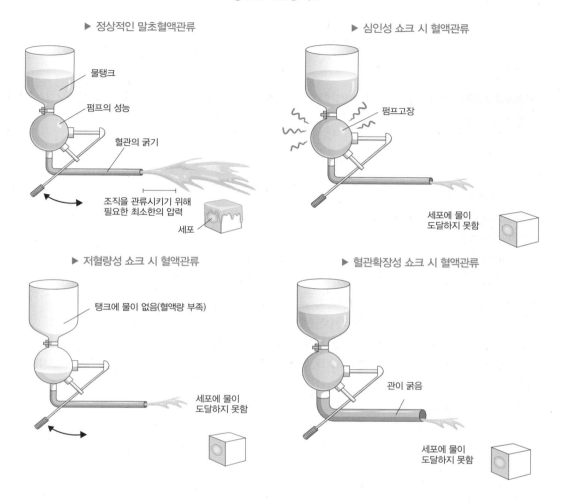

▶ 정상적인 말초혈액관류

- 물탱크
- 펌프의 성능
- 혈관의 굵기
- 조직을 관류시키기 위해 필요한 최소한의 압력
- 세포

▶ 심인성 쇼크 시 혈액관류

- 펌프고장
- 세포에 물이 도달하지 못함

▶ 저혈량성 쇼크 시 혈액관류

- 탱크에 물이 없음(혈액량 부족)
- 세포에 물이 도달하지 못함

▶ 혈관확장성 쇼크 시 혈액관류

- 관이 굵음
- 세포에 물이 도달하지 못함

069 ⑤

해설 | **폐색전**

- 원인
  - **심부정맥혈전증(DVT)**: 환자의 90%에서 합병증으로 나타남
  - 과응고 상태(외상, 수술, 임신 등), 울혈성 심부전, 심근경색, 에스트로겐 요법 등
- 증상
  - 주 증상: 갑작스런 호흡곤란, 빈호흡, 흉통
  - 우심부전, 기침, 객혈, 청색증, 저혈압, 저산소혈증, 불안 등
  - 심부정맥혈전증이 흔히 동반됨: 다리의 통증, 열, 부종 등
- 치료 및 간호
  - 항응고요법(heparin), 혈전용해요법(urokinase, streptokinase)

- 예방
  - 조기이상, 규칙적인 다리운동(와상 환자), 처방 시 압박스타킹 착용 및 헤파린 투여
  - 금기: 흡연, 다리를 조이는 복장, 오래 서 있거나 앉아 있는 것

--- comment ---

증상이 크게 호전된 환자라도 퇴원 후 재발이 흔히 발생한다. 예방을 위해 장기간의 항응고요법 적용이 필요하므로 임신이나 암과 같은 경우가 아니라면 비타민 K 길항제로 전환한다.

070 ③

해설 | 심인성 급성 폐수종

- 병태생리: 좌심실의 과부하 → 좌심방 압력 증가 → 폐정맥·모세관 압력 증가 → 폐모세관압>혈관내 삼투압 → 수분, 염분을 폐포 내로 밀어냄 ▶ 수분이 찬 폐포는 가스교환 안 됨(폐포부종)
- 비심인성과의 감별: Swan–Ganz catheter로 폐모세혈관쐐기압(PCWP) 측정 시 18 mmHg 이상이면 심인성을 의심함
- 증상: 호흡곤란, 저산소혈증, 청색증, 목정맥 울혈, 호기 시 천명음, 기관지 경련, 거품 낀 객담, 구강점막 건조 등
- 치료 및 간호
  - 산소공급 및 환기: $PaO_2 > 60$ mmHg 유지, PEEP 적용
  - 약물요법: Morphine 및 Aminophylline (기관지 확장제) IV 투여, ACE 억제제 및 이뇨제 투여, digitalis 및 dopamine 요법
  - 윤번지혈대(순환지혈대): 한 번에 세 부분의 사지에 묶고, 한 방향으로 15분 간격, 교대로 풀어줌. 정맥혈을 차단시키는 것이므로 동맥혈이 차단되지 않도록 묶어야 함
    cf 최근에는 많이 적용하지 않음
  - 체위: (반)좌위(가장 우선적으로)

여성건강간호학

071 ④

해설 | 여성건강간호 접근(가족중심)

- 여성건강간호 접근: 여성중심 + 가족중심 + 인간중심 접근
  - 생애주기별 총체적 관리
  - 가임기 여성뿐만 아니라 신생아, 남편을 포함한 가족 전체의 건강관리에 관심을 가짐
  - 여성이 자신의 건강문제를 인식하고 지식을 가지면서 스스로 결정하고 조정하는 능력을 갖게 됨 ▶ 여성주의
  - 출산, 양육, 사회화 등 가족의 독특하고 중요한 기능을 담당하는 곳으로, 이는 단순히 어머니의 일만이 아니라 가족 전체의 과업으로 간주 ▶ 가족중심
  - 여성뿐만 아니라 인간의 신체적, 정신적, 사회적, 영적 측면을 모두 이해함 ▶ 인간중심

072 ⑤

⑤ 성 경험이 없기 때문에 직접적으로 질에 자극을 가하는 중재보다는 호르몬치료를 통한 중재가 우선된다. 필요시 항문으로 검진할 수 있음을 이야기해 준다.

- 검진 순서: 복부진찰 → 외생식기 검사 → 질경검사 → 검사물 채취 → 쌍합진(양손진찰법)

cf 쌍합진 시행방식

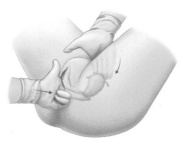

- 검진 전 유의사항
  - 24시간 내 성관계 · 질세척 · 질정 금지, 월경 시기 피하기 ▶ 세포검사, 배양검사
  - 검진 전 방광 움: 방광손상 예방, 검진의 정확성 상승
  - 대상자의 자세: 쇄석위
  - 촉진 전 검진자 손과 질경 따뜻하게 함, 심호흡 유도하여 이완 도모, 무균법 적용 등

오답 ① 소파술은 다량의 기능부전성 자궁출혈을 포함하여 자궁내막 상태 확인 및 진단, 자궁내막염, 불완전 유산 등에 진단적 · 치료적으로 사용되긴 하지만, 최근 출혈에는 약물요법이 우선적으로 적용된다.

─── *comment* ───

월경과다의 병태생리는 다음과 같다.

다낭성 난소증후군, 비만 등 → 에스트로겐의 과다영향

→ 자궁내막 이상증식 ▶ 출혈량 과다

따라서, 자궁근종, 자궁내막질환(자궁내막증, 자궁내막증식증, 자궁내막암) 등도 유발될 수 있으므로 가벼이 생각하지 말도록 하자.

073 ⑤

해설 | **월경전 증후군(PMS)**

- 정의: 월경과 관련된 정서장애이며, 일상생활에 지장을 줄 정도의 신체적, 정서적 또는 행동적으로 복합된 증후군이다.
- 시기: 월경 전 2~10일(배란 후 황체기)에 나타났다가 월경 직전이나 직후에 소실된다.
- 증상
  - 신체적: 유방팽만감 및 통증, 두통, 심한 혈압 변화, 골반통, 체중증가, 배변장애 등
  - 정서적: 심한 감정기복, 우울, 집중력 장애, 불안, 기면 등
- 식이요법
  - 규칙적 식사, 저염식이(부종과 체중증가 예방)
  - Vit B_6 섭취, 녹황색 야채, 과일

- 정제된 설탕이 많이 든 음식 제한

- 알코올, 붉은색 육류, 카페인 섭취 제한

074 ②

해설 | 자궁경부암

- 호발유형: 편평상피암(90~95%)

- 호발부위: 편평원주상피접합부(편평상피에서 원주상피로 변화하는 곳)

- 병원체: 사람유두종바이러스(HPV), 특히 16번과 18번이 대표적이다. 자궁경부암에서 발견되는 사람유두종바이러스의 약 70%를 차지할 정도이다.

- 진단: 질세포진 검사(Pap smear)은 자궁경부암 조기발견을 위한 가장 효과적인 방법으로, 검사 전 24시간 동안 질세척 및 성교를 금지한다.

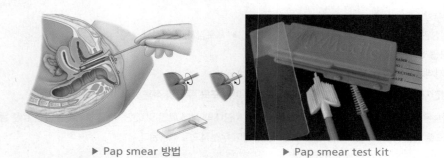

▶ Pap smear 방법   ▶ Pap smear test kit

075 ④

해설 | 난소절제술

④ 편측 절제술 시행 시, 남아 있는 한쪽 난소가 기능을 하여 난소호르몬을 분비하고 매달 배란과 월경이 있으며 자연임신도 가능하다.

POWER 특강

난소암

치료의 원칙은 진단 시 난소암의 경우 진행된 경우가 대부분이기 때문에 항암치료의 효과를 높이기 위해 가능한 모든 암 덩어리를 제거하는 것이다. 암이 초기에 발견되어 난소에만 국한되어 있고 환자가 미혼이거나 아기를 더 낳아야 하는 특별한 상황이라면 한쪽 난소만 제거하고 경과관찰을 하는 보존적 치료를 시도해본다. 그러나 안타깝게도 난소암이 이렇게 초기에 발견되는 경우는 그리 많지 않다. 따라서 증상이 없더라도 1년에 한 번 정도는 반드시 정기적인 부인암 검진을 받도록 한다.

076 ②

해설 | 불임(자궁경관점액검사)

- 6가지 기초검사: 정액검사, 배란검사, 자궁경관점액검사, 난관통기검사, 자궁내막생검, 복강경검사. 검사가 가장 간편한 정액검사(남

성)부터 먼저 시행한다.

- 자궁경관점액검사
  - 시행시기: 배란기
  - 검사항목: 점액량(mL), 점성도, 견사성(cm), 양치엽상, 세포 수
  - 정상적인 경관점액의 특징
    ⓐ 물 같이 맑고 투명함
    ⓑ 견사성(탄력 있게 늘어나는 성질) 증가: 손으로 늘여보았을 때 8~10 cm 가량
    ⓒ 현미경으로 양치엽상 선명
    ⓓ 세포 성분이 섞여 있지 않음: 정자 점액투과성 최적

POWER 특강

산과력 계산

네자리 표기(TPAL)

: 만삭분만 수(T)-조기분만 수(P)-유산 수(A)-현재 생존아 수(L)

Term birth (T)	37주 이후 만삭분만의 수
Preterm birth (P)	20주 이후에서 37주 사이의 조산의 수
Abortion (A)	자연유산 또는 치료적 유산에 상관없이 유산의 수
Living baby (L)	현재 살아 있는 아이의 수

적용하면, 1–2–2–1라고 표시한 것은 만삭분만 1회, 조산 2회, 유산 2회, 생존 아이 수 1명으로 해석 가능한 것이다.

---

077 ②

해설 | 폐경생리

- 폐경기: 난소기능의 상실로 영구적으로 월경이 중단되는 시점. 12개월 연속 월경이 정지될 때이고, 갱년기 과정에 포함된다.

- 폐경기 증상
  - 안면홍조(hot flush, 열감): 가장 특징적인 증상
  - 골다공증: 골밀도가 골절이 발생할 수준까지 저하되며, 저체중 여성에서 더 호발함
  - 심혈관질환: 관상동맥질환(심근경색, 협심증), 동맥경화성 질환
  - 위축성 질염(노인성 질염), 골반저부 근육 약화(절박성 요실금)
  - 피부의 윤기 및 탄력 감소, 액와부 및 음부의 모발 감소
- 호르몬대체요법: 구강, 패치, 크림 등으로 결핍된 에스트로겐을 보충함
  - 장점: 신체적 · 정신적 폐경 증상 완화 및 질병 예방
  - 부작용: 질 출혈, 유방 민감성 증가. 우울, 불안, 두통, 구토, 체중 증가, 수분 축적 등

078 ⑤

해설 | 자궁탈수증(자궁탈출증)

- 병태생리: 자궁을 지지해주는 인대의 접착부인 질 윗부분의 지지가 좋지 않아 발생함
- 원인: 노년기(골반기저층의 약화), 과거 분만으로 인한 손상, 노산, 다산 등
- 증상: 질-하복부 경미한 압박감, 기립 및 보행 시 질 부위 하수감, 하복부 중압감, 요통 등
- 진단(내진): 촉진 시 복압을 가하면 자궁경부가 질구 쪽으로 돌출됨

  🔎 요도의 과운동성, 배뇨 후 잔뇨량 등 역시 자주 동반되는 문제이므로 함께 확인함
- 치료

보존요법	외과적 요법
증상이 경미하거나 젊은 여성인 경우	자궁 탈출 정도가 심하고 노년기 대상자일 경우
• 페서리(pessary) 삽입: 질 안에 넣는 지지물로, 둥근 용수철에 얇은 고무막을 반구상으로 씌운 모자 모양임 • 골반저 근육운동	질식 자궁절제술(질 부위를 넓힌 후 질을 통해 자궁을 들어냄), 전질벽 or 후질벽 협축술

▶ 페서리

079 ④

해설 | 트리코모나스 질염

- 원인균: 트리코모나스 원충(Trichomonas vaginalis)

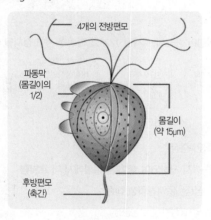

- 증상
  - 주 증상: 녹황색의 다량의 악취 나는 질 분비물
  - 심한 동통, 작열감, 소양증
  - 질 후원개에 딸기 모양의 출혈 반점

- 치료 및 간호: 재발률이 높으므로 꾸준한 치료가 필요함
  - Metronidazole (fragyl) 투여

    임신 3개월까지는 투여 금지하고, 수유부는 투약 후 24시간 동안 수유 금지함
  - 정상적인 질내 산도 유지 ▶ 원인균이 알칼리성 환경(pH 5.5~6.5)에서 잘 성장함
  - 성병이므로 성파트너와 함께 치료를 받도록 함

---

comment

트리코모나스 원충은 꼬리처럼 생긴 편모를 갖고 있어 운동성이 좋다. 요도를 타고 방광을 침입하기도 하고 자궁내막을 타고 올라가 골반염을 일으키기도 한다. 뿐만 아니라 자궁내막증식증의 발생률도 유의하게 높이기 때문에 증상 발견 시 빠르게 치료하도록 하자.

---

080 ⑤

해설 | **월경통**

- 초경: 여성의 성 성숙도를 나타내는 지표이며, 정상적 발달위기이다. 초경 후 여성이 초경 전 여성보다 더 분명한 성적 분화와 성적 정체감을 가진다.
- 기저질환에 관련하지 않은 월경통(원발성 월경통): 프로스타글란딘의 과도한 합성으로 인한 자궁수축이 원인이다. 프로스타글란딘은 민무늬근육의 수축을 촉진하는 특성이 있다.

081 ③

해설 | **입덧[hCG (융모성선자극호르몬)]**

- hCG 기능: 임신 초 황체 기능 자극하여 에스트로겐, 프로게스테론을 분비함(임신 유지)
- hCG 검출(임신 여부 확인): 수정 후 8~10일에 모체의 혈액 · 소변으로 배출되기 시작함. LMP 5주에 소변에서 검출되는데, 진단적 가치가 높음
- 입덧 ◀ hCG 증가
  - 보통 임신 9주 내에 시작되고 임신 11~13주에 가장 심하며 대부분 14~16주면 사라짐
  - 오심 · 구토 완화 위해 아침에 일어나기 전에 마른 식빵이나 크래커 섭취

POWER 특강

임신오조증

- 증상: 탈수, 기아, 저혈압, 빈맥 등
  - 금식: 탄수화물 부족 → 지방 연소 ▶ 혈액 및 소변내 아세톤 증가, 산증
- 원인: hCG 증가(▶ 에스트로겐 상승), 심리적 요인, 내분비불균형, Vit. B 결핍 등
- 간호: 체중감소 예방, 수액 주입 및 전해질불균형(탈수) 교정
- 주의점: 일부 구토를 없애는 약은 기형을 유발할 수도 있으므로 되도록 약물치료는 삼감

082 ④

해설 | **태향**

④ 선진부는 두정위고, 태아는 후두골이 모체골반 우측에 위치하며, 모체골반의 후방에 있으므로 우후방두정위(ROP)에 해당한다.

• 태향: 태아 선진부와 모체 골반과의 관계. 분만 중 가장 흔한 태향은 좌전방두정위(LOA)이다.

선진부	모체골반
두정위: 후두골(occiput, O)	오른쪽(Rt) or 왼쪽(Lt)
안면위: 턱(mentum, M)	
둔위: 천골(sacrum, S)	전방(A) or 후방(P)
견갑위: 견갑골 돌출부(acromion process, A)	

▶ 선진부

A. 두정위(vertex)　　B. 안면위(face)　　C. 전액위(brow)　　D. 둔위(breech)　　E. 견갑위(shoulder)

▶ 태향

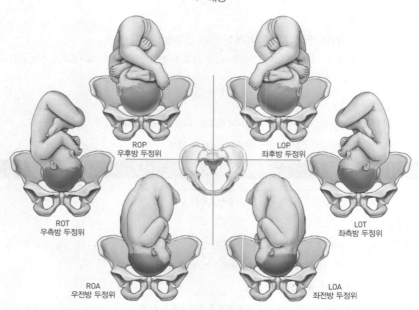

ROP 우후방 두정위　　LOP 좌후방 두정위

ROT 우측방 두정위　　LOT 좌측방 두정위

ROA 우전방 두정위　　LOA 좌전방 두정위

---

comment

태향은 반드시 외우고 있도록 하자. 기억이 어렵다면 이미지 통째로 머릿속에 저장하도록 한다.

083 ⑤

해설 | **인공파막술(AROM)**

- 선행조건: 자궁경관 상태 양호함 + 선진부 진입됨 + 분만진통 있음

- 적응증 및 금기증

적응증	금기증
• 태아의 위험이 의심될 경우 • 임신성 고혈압 있을 경우 • 직접 태아를 모니터해야 할 경우 • 옥시토신을 투여할 수 없는 경우	• 선진부 하강 −2 or 함입되지 않았을 때 • 선진부를 모르거나 횡위나 둔위 시 • 분만예정일 불확실 or 조산아 • 전치태반, 질 내 음부포진

084 ①

해설 | **자간전증**

① 하이드랄라진(Hydralazine)은 항고혈압약이다. 자간전증이 있는 임부에게 혈관을 확장하여 혈압을 강하하려는 목적으로 투약한다. 부작용으로 두통, 심계항진, 식욕부진, 구토 등의 문제가 있다.

- 정의: 임신 20주 이후에 단백뇨, 부종을 동반한 고혈압

- 3대 증상: 고혈압, 단백뇨, 부종

- 중증 자간전증

  − 혈압: 160/110 mmHg 이상 or 평소 혈압 +60/30 mmHg 이상 상승

  − 단백뇨[24시간 소변 내 5 g/L 검출(+3 이상)], 핍뇨

  − 부종(전신, 폐), 체중 증가, HELLP 증후군(입원 요함)

- 자간전증 → 자간증 암시 증상(경련발작 예측): 심하고 지속적인 두통, 흐린 시야, 심한 심와부 통증(흉통), 단백뇨 증가, 요배설량 감소

- 치료: 분만이 가장 원칙적 치료임. 일반적으로 34주 이후에 발견되는 전자간증의 경우 분만을 하는 것이 원칙이며 분만을 하지 않는 경우 질환은 점점 나빠짐. 그 외 경련발작 예방 및 혈압조절을 위한 약물요법을 적용함

POWER 특강

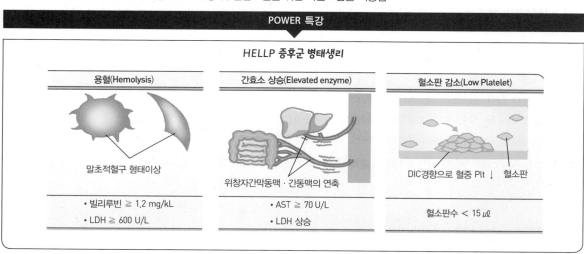

HELLP 증후군 병태생리

용혈(Hemolysis)	간효소 상승(Elevated enzyme)	혈소판 감소(Low Platelet)
말초적혈구 형태이상	위창자간막동맥·간동맥의 연축	DIC경향으로 혈중 Plt ↓ 혈소판
• 빌리루빈 ≧ 1.2 mg/kL • LDH ≧ 600 U/L	• AST ≧ 70 U/L • LDH 상승	혈소판수 < 15 ㎕

085 ②

해설 | **경증 자간전증**

- 증상

고혈압	단백뇨		부종

• 140/90 mmHg 이상
• 평소 혈압
  +30/15 mmHg 이상
	• 초기에 거의 나타나지 않거나 소량[24시간 소변
	  내 0.3~1 g/L 검출(+1 이상)]
			• 체중 증가, 전신부종 약간(+1), 손가락 및 안검
			  부종, 함몰부종(압력을 가하면 조직이 오랫동안
			  함몰됨)

- 간호(식이요법): 단백질섭취 증가, 염분섭취 감소(6 g/일 이하, 단 무염식이는 피함)

POWER 특강

양수천자(검사)

- 시행목적: 태아의 염색체 이상 유무를 알기 위해 시행한다.
- 시행방법: 임부가 배를 노출한 상태로 똑바로 눕고, 피부를 소독한 후 가늘고 긴 바늘을 산모 배에 직접 찔러 양수를 뽑아낸다.
  대개 한 번만 시술하고 통증이 크지 않으므로 마취는 필요 없다.

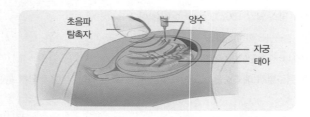

086 ④

해설 | **임신의 징후 및 증상**

- 추정적 징후

  무월경(4주), 입덧(6~12주), 유방팽만 및 민감성 증가(6~8주), 빈뇨(방광압박), 첫 태동(16~18주)

- 가정적 징후

  - Chadwick's sign (6~8주): 혈액공급 증가로 인한 울혈로 경관과 질점막이 자줏빛을 띰

  - Hegar's sign (6~12주): 자궁혈류가 20배 증가하면서, 양손검진법 시행 시 자궁협부가 유연해짐을 확인할 수 있음

  - McDonald's sign: 자궁 체부가 경부 반대쪽으로 기울어지기 쉬움

  오답 ② Cullen's sign: 자궁외임신 시 복강내 출혈(난관파열)로 인해 제와 부근이 푸르스름해짐

087 ④

해설 | **가진통(Braxton Hicks contraction)**

- 가진통: 간헐적 · 불규칙적으로 발생하며 보통 무통성이다. 임신 후기로 갈수록 발생빈도가 높아져 불편감을 주고 진진통으로 잘못
  파악될 수 있다. 특별한 간호중재 없이도 잦아들지만 산책과 같이 불편감을 완화하는 방법을 적용할 수 있다.
- 가진통 vs 진진통: 가진통은 자궁경부의 개대가 일어나지 않는다.

특성	진진통(true labor)	가진통(false labor)
규칙성	규칙적	불규칙적
간격	간격이 점점 짧아짐	간격 변화 없음(지속적으로 긴 상태)
강도	강도가 점점 강해짐 ▶ 걸으면 더욱 심해짐	강도 변화 없음 ▶ 걸으면 완화됨
부위	등과 복부 통증	하복부에 국한
진정제	효과 없음	효과 O
경관 개대	자궁경관 개대 O	자궁경관 개대 X
경관 소실	소실(거상) O	소실(거상) X
태아 하강	태아하강 진행됨	태아하강 X
이슬	이슬 보임	이슬 안 보임

— comment —

현실적으로 임상에서 진진통과 가진통을 구별하는 것은 굉장히 어렵다. 심지어 결과적으로 분만을 했으면 진진통이고 분만을 하지 않으면 가진통이라고 우스갯소리를 하기도 한다. 그렇지만 시험에 대비하는 학생의 입장으로는 감별에 대해 잘 공부해 두자.

088 ②

해설 | 산전관리

• 산전관리의 목적

임부	태아 및 영아
임부의 고위험 상태선별(모성 사망, 태아 상실 등), 임신 중 감염의 예방, 부모가 되기 위한 마음가짐 및 기술 교육 등	태아의 성장발달 모니터링, 출산 후 급·만성 질환 예방 및 입원치료의 필요성 감소 등

• 운동요법

　－ 종류

보행	골반 흔들기	케겔운동	나비운동	어깨 돌리기
가장 권장됨	요통 경감(임신 2기)	요실금 예방, 회음근 강화	가슴 앓이, 호흡곤란 완화	수근관 증후군 완화

　－ 주의점

　　ⓐ 심박동 140회/min 초과하지 않음

　　ⓑ 격렬한 운동은 15분을 초과하지 않음

　　ⓒ Valsalva 수기가 적용되는 운동은 하지 않음

　　ⓓ 체온이 38° 이상이 되지 않도록 함(너무 덥거나 찬 날씨에는 운동 피함)

오답 ① 성생활을 절대 금지하지는 않지만 마지막 1개월~산후 2개월은 피하는 것이 좋음

　　③ 매일 평균 6~8잔(1.5 L~2 L)의 충분한 수분을 섭취

　　④ 굽이 없는 신발이 아닌 발을 잘 지지해주는 낮은 굽의 신발을 착용하도록 함

089 ④

해설 | 옥시토신

- 임신말기와 분만직후에 사용
- 정맥 용액에 희석 투여(강한 자궁수축 유발)
- 부작용: 항이뇨작용, 저혈압, 빈맥 등
- 과량투여: 고긴장성, 강직성 수축으로 자궁파열, 태반조기박리, 경관 열상, 산후출혈 등
- 옥시토신 투여 시 간호중재: 항이뇨작용 나타나므로 I/O 사정하여 소변량 감소 시 보고
- 옥시토신 주입 중단 경우: 후기감퇴, 심한 가변성 감퇴, 태아질식 징후, 태변 배출, 자궁수축 간격 2분 이내, 기간 9초 이상, 자궁 내 압력 75 mmHg 이상 , 전두부 통증, 고혈압 등

090 ①

해설 | 태아 심박동수 평가

- 조기 하강

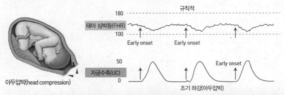

개념	원인		간호
FHR 하강이 자궁수축 시 자궁내압의 상승과 일치하여 나타남	아두압박: 미주신경이 자극받아 심박동이 감소		정상 ▶ 특별한 처치 필요 없음

- 후기 하강

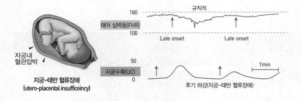

개념	원인	간호
자궁수축의 최정점 이후부터 FHR의 하강이 심하게 나타남	자궁-태반 순환장애(태아 저산소증), 옥시토신 (과도한 자궁수축), 태반박리	좌측위 옥시토신 즉시 투여 중단. 8~10 L/분 산소공급, 양수 내 태변착색 사정

- 다양성 하강

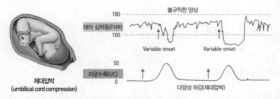

개념	원인		간호
자궁수축과 관계없이 태아 전자감시기에 U, V, W자 형태로 나타남 ▶ 중증 시 fetal distress, stress 암시함	제대압박		좌측위, 골반고위, 옥시토신 즉시 투여 중단, 8~10 L/분 산소공급, 중증 시 태아 혈액검사, 응급분만 시행

091 ②

해설 | 분만 1기 활동기

① 두정위의 선진부: 후두골

② 자궁경관이 짧아지고, 경부가 확장되고 있으며 자궁수축 양상을 보았을 때 분만 1기 활동기에 해당함. 선진부 하강정도는 좌골극을 중심으로 아래쪽이면 +, 위쪽이면 −로 표시함

092 ①

해설 | 호흡성 알칼리증

① 호흡성 알칼리증: 모체의 과환기(hyperventilation) → 경미한 호흡성 알칼리증(프로게스테론에 의해 기도저항 감소)

- 증상: 어지러움, 오심, 구토, 손발 저림 등의 감각이상
- 대처: 봉지나 손을 모아 호기공기를 다시 마심으로 이산화탄소 농도를 높임

093 ①

해설 | 모유수유 시 유방간호

- 일반적: 유두를 공기에 노출·건조시키며, 통증 시 짧게 수유하고 남은 모유를 손으로 짜낸다.
- 유두열상 및 균열 ▶ 유방염·유방농양
  - 유두에 비누나 크림, 소독제 사용을 제한하고 물로만 씻는다. 햇볕에 많이 노출시킨다.
  - 아프지 않은 쪽부터 수유를 시작하고, 수유시간을 한쪽에 5분 이내로 제한한다.
  - 농성 분비물이 있거나 통증이 아주 심할 때만 수유를 48시간 동안 중단한다.
- 예방
  - 빠는 자세 향상: 수유 시 아기를 가까이 안고 유륜까지 깊게 물린다.
  - 짧은 시간 동안 교대로 젖을 물린다.

오답 ⑤ 유즙짜기는 유방울혈의 증상을 완화한다.

094 ②

해설 | 산후 생식기 간호(분만 4기)

② 방광팽만 시 다양한 문제가 발생할 수 있다. 따라서 분만 후 4시간 이내에 자연배뇨를 하도록 격려하고 배뇨가 어려울 시에는 유치도 뇨관을 삽입한다.

- 자궁수축 사정
  - 단단함 수준: 15분마다 확인

정상	부드러울 경우
단단함	자궁저부가 단단해져서 복부 중앙에 위치할 때까지 마사지하고 혈괴를 배출함

  - 위치 확인

분만 직후	1시간 후	우측으로 치우쳐 있을 경우
자궁저부는 제와부 바로 아래에 있음	제와부로 상승하여 12시간쯤 그 상태를 유지함	방광팽만을 확인해야 함 ▶ 자궁수축 저하(자궁이완), 산후출혈, 요정체, 감염 등

095 ⑤

해설 | **양막파열**

- 양수
  - 양상: 투명하고 노르스름한 신선한 냄새가 나는 맑은 액체

양	비중	pH
임신 말기: 800~1,200 ml - 양수과소증: 500 ml 이하 ▶ 태아의 비뇨 · 요로계 문제 - 양소과다증: 2,000 ml 이상 ▶ 태아의 위장계 문제	1.007~1.025 (물에 가까움)	7.0~7.5 (중성~약알칼리성)

  - 기능
    ⓐ 외부(외상)으로부터 태아 보호, 압력 완화
    ⓑ 태아의 체온 일정하게 유지
    ⓒ 태아와 난막 분리 ▶ 태아가 균형 있게 자랄 수 있는 공간 제공(근골격계 발달)
    ⓓ 태아가 삼킬 수 있는 구강액의 근원
    ⓔ 태반조기박리 방지
    ⓕ 분만 시 압력을 가해 자궁경관 개대에 도움이 됨

- Nitrazine test: Nitrazine paper는 기본적으로 밝은 노란색임. 산성에는 변화가 없고, 알칼리성에는 청색이나 자주색으로 변화함
  ▶ 질 분비물은 노란색으로, 양수는 청(록)색으로 나타남

▶ Nitrazine test

- 양막파열: 바로 병원에 가야 함
  - 34주 이후: 경우는 진통이 곧바로 시작되지 않으면 유도분만을 하고 경우에 따라서는 제왕절개 수술을 한다.
  - 34주 이전(조기양막파열): 파막 후 24시간 이상 분만이 지연된다면 자궁내감염 위험 있음
    ▶ 항생제 투여(감염 예방), 제대 압박 · 태아 상태 악화 · 조기 진통에 대한 모니터링 실시
  - 양막파열 시 간호중재

태아의 심음청취	파막 후 태아 움직임 감소함 ▶ 가장 우선적으로 시행
제대탈출 여부 확인	파막 후 선진부 하강 없으면 제대탈출 및 제대압박 가능성 증가
감염 징후 사정	체온 측정, 양수의 특성(색깔, 냄새 등) 확인

096 ②

해설 | **Meperidine (Demerol)**

- 종류: 마약성 진통제

- 목적: 진통감소 + 경관이완(▶ 분만 진행에 도움이 됨)

- 합병증

  − 임부의 흡인성 폐렴

  − 태아의 호흡정지(호흡중추 억제) 위험: 호흡억제 → 이산화탄소 축적 ▶ 뇌혈관 확장, 뇌혈류의 증가, 뇌척수압의 상승 등

  🄒 Morphine이 심혈관계에 미치는 영향과 비슷함

- 주의점: 초산부의 경우 경부개대 3~4 cm일 때 투여하도록 하며, 투여 후 1~4시간 내(약물 효과 피크)에 분만을 피해야 함

097 ⑤

해설 | **양수과소증**

- AFI (amniotic fluid index): 양수지표(초음파검사상 양수량이 정상범위인지 판단)

- 양수과소증

  − 정의: 양수의 양이 500 mL 이하[정상 시 800~1,200 mL (임신 말기)]

  − 원인: 태아의 요로계 이상(요로폐쇄, 콩팥결손증), 태아 이상(유산, 과숙아, 기형 등), 양수의 만성적 누수

  − 병태생리: 양수과소증 → 제대압박 → 태아곤란증(fetal distress) ▶ 태변방출 및 흡입

  − 증상

모체에 미치는 영향	태아에 미치는 영향
임신 주수에 비하여 자궁의 크기가 작음, 복벽으로 태아가 쉽게 촉지됨, 태동이 불충분함, 자궁내 성장지연(IUGR) 등	폐성숙 저하 ▶ 분만 후 태아 사망 가능성 증가

  − 치료 및 간호

태아상태 집중관찰	계속적 태아전자감시기 부착
유도분만 시도	AFI≤5 cm: 재태기간과 관계 없이 유도분만 시행
수분공급 ▶ 제대압박 완화	• 수분섭취 증진: 단, 분만 준비 시에는 제한 · 금지함 • 양막내 수액주입(생리식염수): 태변 희석 ▶ 태변흡입증후군 감소
정맥확보	−

POWER 특강

양수과다증 vs 양수과소증

- **양수과다증**: 태아의 신경계, 소화기계 이상 → 태아가 양수를 먹지를 못해 양수량 증가함 → 자궁이 무지하게 늘어남

  ▶ 조기파막, 조산(양수가 너무 많음), 제대탈출(제대가 마음대로 돌아다님), 산후출혈(자궁이 너무 늘어나서 수축이 잘 안 됨)

- **양수과소증**: 태아의 요로계 이상 → 태아가 양수를 먹기는 하는데 배설을 못하니 양수량 감소 ▶ 제대압박 및 태아 저산소증

098 ③

해설 | 조기양막파열(PROM)

- 정의: 임신 37주 전에 양막이 파열됨
- 리토드린(Yutopar)
  - 종류: β_2교감신경 자극제로, 자궁수축 억제제(자궁근육 이완제)
  - 적응: PROM, 절박유산, 월경전 증후군 등
  - 금기: 선진부 하강이 진행되었을 때 or 경관개대가 진행되었을 때
  - 심각한 부작용 ▶ 투여용량 감소 or 정맥주입 중단이 필요하다.

모체가 받는 영향	빈맥, 흉통, 심근허혈, 폐부종, 고혈당, 저혈압, 두통, 변비, 구토 등
태아가 받는 영향	빈맥, 체중감소 등
신생아가 받는 영향	저혈당, 저칼륨혈증, 고빌리루빈혈증 등

***cf* 경관개대에 따른 분류(분만1기)**

잠재기	활동기: 개대 본격 시작		이행기: 선진부 하강
0~3 cm	4~7 cm		8~10 cm(완전개대)

comment

최근 경구투여는 하지 않는다. 심혈관계 부작용 위험으로 식약청에서 판매중지 및 회수 조치되었다.

099 ③

해설 | 자궁내막증

- 정의: 자궁 안에 있어야 할 자궁내막 조직(선, 기질)이 자궁 밖 복강에 존재함
- 호발 부위 및 시기
  - 부위: 골반장기(▶ 골반유착), 난소, 복막
  - 시기: 초경 후 ◀ 자궁내막의 성장과 발달이 에스트로겐의 자극에 영향을 받기 때문임
- 원인: 자궁내막 조직의 이소성 이식(월경혈이 난관을 통해 역류되어 파종 · 이식된다는 이론), 에스트로겐 의존성, 유전적 이상, 자가 면역질환 등
- 증상: 월경통, 성교통, 직장 · 요관 · 방광 포함하는 하부 요통, 비정상적 자궁출혈, 자연유산, 불임 등

comment

자궁을 완전히 적출한 경우가 아니라면 자궁내막증은 치료 후에도 높은 재발률(5년 기준 40%)을 보이며, 예방법 역시 확실히 밝혀지지 않은 상태이다.

100 ③

해설 | **혈전성 정맥염**

- 증상: 통증, 부종, 창백한 피부, 권태, 오한, 발열, 백고종(milk's leg)

  ① 산후감염 중재에 해당하지 않음

  ② 예방을 위해 운동을 권장하지만, 발생 후에는 침상안정을 함

  ③ 침범된 오른쪽 다리를 상승시킴

  ④ 마사지를 하면 혈괴가 떨어져 나가 색전위험이 있음

  ⑤ 반좌위는 자궁내막염일 때 상행 감염을 예방하기 위한 자세임

POWER 특강

산후감염

- **원인**

산전	분만 중	산후
• 산전관리 부족 • 파막 후 성교	• 조작적 중재: 태반용수박리, 내부 태아감시장치, 기계분만(겸자분만, 흡인분만) • 제왕절개 • 빈번한 내진, 도뇨 • 파수 후 분만지연, 난산 • 회음절개, 생식기계 외상 및 열상	• 산후출혈 • 태반 잔류

- **증상: 38 ℃ 이상의 발열(분만 후 24시간 이내는 제외), 빈맥, 전신쇠약(피로, 식욕부진)**

- **합병증: 골반혈전성 정맥염, 패혈증(색전증, 쇼크 등), 골반농양, 신생아 감염 등**

- **치료 및 간호**

  - **항생제 및 진통제 투여: 모유수유에 지장 없다.**

  - **회음부 청결: 2~3시간마다 회음패드 교환**

  - **반좌위: 질분비물 배설 촉진, 상행성 감염 방지**

- **예방: 정기적 산전관리(임신 중 빈혈·영양실조 교정)**

101 ③

해설 | **자궁기능부전(고긴장성)**

- 정상 시 자궁수축 강도

  : 이완기 8~15 mmHg, 최대 50~75 mmHg

- 고긴장성 vs 저긴장성 자궁기능부전 비교

	고긴장성	저긴장성
원인	• 발생시기: 분만 1기 잠재기(초기) • 초산부 • 자궁저부 수축<자궁체부 수축 • 수축이 자궁의 여러 군데에서 발생	• 발생시기: 분만 1기 활동기(중기) • 경산부에서 잘 발생 • 자궁 과도신전(다태임신, 양수과다) • 진통제, 경막외마취 • 태아 측 요인: 아두골반불균형, 이상태위
증상	• 극심한 통증 • 태아질식 초기부터 발생	• 자궁수축 시 저부 부드러움 • 통증 경미하거나 없음 • 태아질식 늦게 발생

합병증	• 태반조기박리 • 태아저산소증	• 산부의 탈진 및 탈수 • 자궁개대 · 선진부하강 지연 → 분만지연 　▶ 자궁내 감염(파막 후)
약물요법	• 옥시토신: 절대 금기 • 진정제: 효과 좋음	• 옥시토신(정맥투여): 자궁수축 촉진 • 진정제: 효과 없음
간호	• 태아질식 감시: 태아질식 시 prn 제왕절개 • 산부 안정 및 휴식, 수분공급 • 정맥내 수액공급 ▶ 수분전해질 균형 유지	• 인공파막 ▶ 자궁수축 자극 • 제왕절개: 협골반, 이상태향, 태아질식 시

102 ③

해설 | 회음열상

③ 분만 24시간 이내에 발생하는 출혈은 정상적이며, 자궁은 제와부 1 cm 아래에서 딱딱하게 만져지고 있으므로 자궁퇴축 역시 정상적
  이다. 따라서 초산부이며 회음부 통증을 감안하며 회음열상을 의심할 수 있다.

• 범위(1~4°): 질 점막에 국한되기도 하며 열상이 항문이나 직장에까지 미치는 경우가 있다.

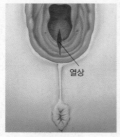 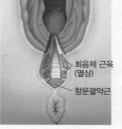 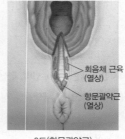 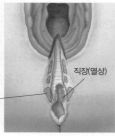

1도(음순소대 및 회음부)　　2도(회음체 근막 및 근육)　　3도(항문괄약근)　　4도(직장강 노출)

• 원인: 태아가 큰 경우와 급속분만 때에 흔히 볼 수 있다.
• 예방: 사전에 회음절개수술을 행한다.
  – 시기: 아두가 3~4 cm 보일 때(발로 상태)
  – 방법: 정중선 회음절개(일반적)

장점	단점
• 통증과 실혈량이 적고 봉합이 용이하며 치유가 잘됨 • 성교통의 속발이 드묾	항문 괄약근 및 직장 손상의 가능성이 증가됨(3~4° 열상)

103 ①

해설 | 자궁저부 높이(HOF)

• 자궁저부 높이(HOF)와 자궁무게: 분만 24시간 이후부터 하루에 1 cm 하강하며, 매일 아침 배뇨 후 같은 시간에 자궁 위치를 측정
  한다.

	자궁저부 높이(HOF)	자궁 무게
분만 직후	**제와 바로 밑**(배꼽 아래 2 cm)	1,000 g(임신 전 10배)
분만 12시간 후(↑)	**제와 바로 위**(배꼽 위 1 cm 수준) ▶ 골반상 근육이 회복되고, 방광과 직장이 충만되어 자궁이 상승하므로	
분만 6일째(점점 하강↓)	치골결합과 제와부 중간	500 g
분만 9~10일 후	복부에서 촉진할 수 없음 ▶ 자궁이 골반강 속으로 들어감	
분만 6주 후	퇴축 종결	50~60 g(분만 전 크기)

오답 ③ 백색 오로: 크림의 냄새가 없는 질 분비물로, 분만 후 10일~3주에 정상적으로 나타난다.

POWER 특강

오로 비교: 적색 → 장액성 → 백색

	적색 오로	장액성 오로	백색 오로
시기	분만 직후~3일	분만 후 4~10일	분만 후 10일~3주
구성	• 혈액성분 • 탈락막, 영양막, 박테리아 등	• 시일 지난 혈액 • 혈청, 백혈구 등	• 다수의 백혈구 • 점액, 혈청, 탈락막, 상피세포, 박테리아
특징	• 특징적인 육류냄새 • 서 있거나 수유, 활동 시 일시적으로 증가함	냄새 없고 양이 감소함	냄새 없고 아주 소량임
비정상	• 큰 응혈이 많음 • 악취 • 패드가 푹 젖음	• 악취 • 패드가 푹 젖음	• 악취 • 지속적 장액성 오로 • 2~3주 이상 갈색 분비물 지속

104 ②

해설 | **자궁근종**

• 종류

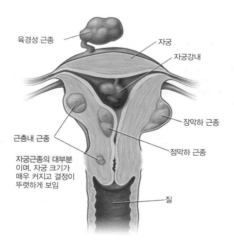

육경성 근종 / 자궁 / 자궁강내 / 근층내 근종 / 장막하 근종 / 점막하 근종 / 자궁근종의 대부분이며, 자궁 크기가 매우 커지고 결정이 뚜렷하게 보임 / 질

• 원인: 확실히 밝혀지지는 않음

– 35세 이상(40~50대)에서 호발

– 에스트로겐 증가: 비만, 임신, 경구피임제

– 가족력, 임신경험 없음 등

- 증상
  - 이물감(덩어리) 촉지
  - 골반압박 ▶ 요관 및 방광압박(빈뇨, 배뇨곤란, 요정체), 장압박(변비, 장폐색), 하지정맥울혈, 혈전성 정맥염 등
  - 월경 이상: 월경과다, 월경기간 증가, 월경통, 비정상적 자궁출혈
  - 불임 및 유산, 분만 시 출혈, 분만 후 자궁이완
- 치료: 환자의 연령, 출산력, 임신계획, 근종의 크기 등에 따라 달라짐
  - 정기적 검진: 근종 크기가 작고 증상이 없으면 6개월마다 검진 시행하며 관찰함
  - 호르몬요법: 프로게스테론(Provera, danazol ▶ 에스트로겐 수치 감소), 성선자극호르몬분비호르몬 길항제(Lupron, Zoladex
    ▶ 월경과다 방지) 등
  - 외과적 처치
    ⓐ 종류: 자궁내막소파술, 근종절제술, 자궁절제술
    ⓑ 적응증: 근종의 크기가 큼(자궁 크기가 임신 12주 이상), 빈혈(비정상적 출혈 지속), 만성적인 심한 통증, 폐경 후 갑작스런 크기
       증가(육종성 변성 의심) 등

--- comment ---

자궁근종은 에스트로겐의 영향을 절대적으로 받기 때문에, 폐경 후에는 크기가 감소한다. 따라서 폐경 전후에 무증상 자궁근종이라면 수술
하지 않아도 된다.

105 ④

해설 | 아두골반불균형(CPD)

- 정의: 태아 머리가 모체의 골반보다 커서 골반을 통과할 수 없다고 판단되는 상태
- 합병증
  - 하강이 잘 일어나지 않음, 비정상적 선진부 or 태향 유발, 제대탈출, 태아외상
  - 질 분만 시 연조직 손상, 산후출혈
- 치료: 제왕절개

POWER 특강

제왕절개	
• 적응증	

모체 측	태아 측
• 아두골반불균형: 시술의 가장 흔한 원인 • 자궁기능부전: 비정상적인 자궁수축, 경부 개대 불능, 분만지연, 유도 분만 실패 등 • 태반 이상: 전치태반, 태반조기박리 • 내과 합병증: 심질환, 임신성 고혈압, 당뇨병 등 • 감염: 양막파수 시, HIV, 음부포진	• 둔위, 횡위, 후방후두위(POP) • 태아질식 • 제대탈출: 단, 태아가 살아있을 때 • 태아기형: 뇌수종 등
• 금기증: 태아 사망, 미숙아 등	

2교시

001 ①	002 ④	003 ②	004 ⑤	005 ①	006 ③	007 ③	008 ④	009 ②	010 ④
011 ②	012 ③	013 ⑤	014 ②	015 ⑤	016 ②	017 ④	018 ⑤	019 ⑤	020 ①
021 ②	022 ①	023 ⑤	024 ④	025 ⑤	026 ⑤	027 ⑤	028 ④	029 ③	030 ③
031 ③	032 ①	033 ②	034 ③	035 ④	036 ①	037 ①	038 ④	039 ①	040 ①
041 ④	042 ②	043 ⑤	044 ⑤	045 ①	046 ②	047 ①	048 ④	049 ④	050 ②
051 ④	052 ③	053 ③	054 ⑤	055 ①	056 ⑤	057 ②	058 ①	059 ⑤	060 ③
061 ⑤	062 ①	063 ③	064 ⑤	065 ①	066 ②	067 ⑤	068 ①	069 ②	070 ⑤
071 ④	072 ①	073 ⑤	074 ①	075 ③	076 ②	077 ③	078 ⑤	079 ②	080 ④
081 ⑤	082 ④	083 ⑤	084 ④	085 ②	086 ⑤	087 ⑤	088 ⑤	089 ⑤	090 ④
091 ②	092 ⑤	093 ②	094 ④	095 ⑤	096 ⑤	097 ⑤	098 ③	099 ④	100 ④
101 ③	102 ①	103 ⑤	104 ②	105 ②					

아동간호학

001 ①

해설 | 아동의 발달단계별 의사소통

발달단계	의사소통
영아기	• 주로 비언어적 의사소통을 사용하고 이해 • 안정되고 부드러운 손놀림과 조용하고 온화한 말씨에 반응 • 크고 거친 목소리와 갑작스런 움직임은 공포를 줄 수 있음 ▶ 익숙해지게끔 시간을 갖고 천천히 접근해야 함
유아기	• 언어를 문자 그대로 이해하고 유아적 언어를 사용 • 자신에게 초점이 맞춰져있으므로 아동에게 직접 경험해 볼 수 있는 기회를 주는 것이 협조를 구하기 쉬움 • 행위 직전에 절차에 대한 교육을 함
학령전기	• 행위를 설명하기 위해 놀이, 그림책, 인형 등을 사용 • 단순하고 간결한 언어로 반복적으로 설명, 직접적이고 구체적인 언어 사용 • 행위 1~3시간 전에 절차에 대한 교육을 함
학령기	• 사진, 책, 비디오 등의 매체나 의학놀이를 통해 설명 • 상실에 대한 두려움을 가지고 있어 관심을 말로 표현하여 불안을 줄이고 안심시킴 • 비교적 단순한 설명을 필요로 하나, 구체적으로 생각할 수 있어 의사소통이 한결 쉬워짐 • 행위 1~5일 전에 절차에 대한 교육을 함
청소년기	• 가식적이거나 자신의 말이나 생각을 존중하지 않는 사람은 거부하므로 주의 • 함께 시간을 보내야 하며, 말을 주의 집중하여 여러 번 들어줘야 함 • 판단이나 평가하지 말아야 하고 온화하며 개방적인 태도를 지녀야 함 • 행위 1주일 전 절차에 대한 교육을 함

002 ④

해설 | Piaget 인지발달이론: 구체적 조작기

- 7~11세

- 귀납적 사고에서 연역적 사고 가능 → 논리적 조작 가능 ▶ 정확 · 구체적인 설명

분산	동시에 한 가지 특성 외에 관심을 둘 수 있음
가역성	사건을 역으로 되짚을 수 있음
보존성	순서 · 형태 · 모양이 바뀌어도 물질의 속성이 유지됨)을 인지 ex 물 → 얼음, 얼음 → 물

- 사물을 일정한 속성에 따라 분류하며 관찰 가능한 구체적 사건이나 사물에 의한 인지 발달

- 수집을 좋아하며 관심 있는 일에 대해 말하는 것 좋아함

- 자기중심적 사고에서 벗어나 자신과 타인의 관점 차이를 인식하기 시작

- 상황을 통해 생각할 수 있으며, 결과를 예측할 수 있음

- 유사점과 차이점을 구분하고, 규칙과 가치를 이해하고 합리적인 기대를 가짐

- 죽음의 불가역성을 알고 자연적이고 생리적인 죽음을 이해하게 됨(9~10세경 성인 수준의 죽음에 대한 인식 가능)

- 체벌 시 사전에 처벌에 대한 규칙을 세워두고 논리적으로 잘못된 점을 설명하여 이해시킴

POWER 특강

Piaget 인지발달

발달단계	시기	특징
감각 운동기	0~2세	• 목적성 없이 우연하게 경험한 행위 반복 ex 손가락 빨기, 웃기, 딸랑이나 봉제인형, 모빌 같은 외부환경 물체 포함 • 대상영속성 발달(부분적으로 가려진 물건을 알아차리고 찾아냄) ▶ 숨기기 놀이, 까꿍놀이 유용 • 단순문제 해결을 위해 두 개 이상의 행동 조합(목표 지향적) • 신체 부분을 지적할 수 있음 ex '코-코-코-눈 놀이' 가능 • 자신과 타인이 분리된 것을 지각 • 시간감각 시작
전조작기; 전개념기	2~4세	• 직관적 사고, 미술적 사고, 상징적 사고 • 물활론(animism): 무생물이 살아있다고 믿는 것 ex 인형이 말하고 듣는다고 생각 • 퇴항 스트레스에 대한 반응(병원 입원 등)
전조작기; 직관기	4~7세	• 죽음을 일시적이며 가역적인 것으로 생각 ▶ 수면, 이별로 받아들임 • 질병을 죄에 대한 벌이라고 생각 ▶ 통증에 대한 불안이 큼, 마술을 쓰면 질병이 사라진다 생각
구체적 조작기	7~11세	• 논리적 사고: 초기에는 귀납적 사고, 후기에는 연역적 사고 가능 • 분산, 가역성, 보존개념 이해 • 죽음의 불가역성 이해 • 체벌 시 사전에 처벌에 대한 규칙을 세워두고 논리적으로 잘못된 점을 설명하여 이해시킴
형식적 조작기	11~15세	• 사회적, 도덕적 이슈 관심 ▶ 사회적 역할을 규정, 가치관을 확립 • 철학적 사고

003 ②

해설 | 평행놀이

- 개념: 다른 아동이 사용하고 있는 것과 같은 장난감을 갖고 놀지만 같은 공간에서 서로 어울려 노는 것은 아니고 따로 놂

- 특성

  - 자기중심적

- 다양한 감촉을 즐기고 운동 기술이 발달
- 극화 놀이, 성인의 지시를 흉내
- 장난감
  - 차나 트럭, 밀고 당기는 장난감 ▶ 근육협동력을 길러줌
  - 장난감 전화기 ▶ 상상력 발달에 유용
  - 동물 인형(솜인형), 그림책
  - 블록, 큰 퍼즐, 공
  - 모래놀이, 물놀이, 손가락 페인트 놀이

POWER 특강

발달단계별 놀이

영아기	단독놀이	• 같은 장소에서 다른 장난감을 갖고 혼자 독립적으로 노는 것 • 자신의 신체부위를 가지고 탐색 • 반복적, 기능적, 연습적 • 장난감: 모빌, 노래상자, 딸랑이 등
유아기	평행놀이	• 다른 아동의 옆에서 비슷한 장난감을 갖고 상호작용 없이 노는 것 • 장난감: 밀고 당기는 장난감, 장난감 전화기, 동물 인형 등
학령전기	연합놀이	• 동일한 놀이를 다른 아동과 함께 하며 장난감을 빌려주기도 함 • 함께 어울리지만 조직이 없고 공동의 목표는 없음 • 역할모방: 모방적이고 상상력이 풍부한 극적인 놀이를 즐김
학령기	협동놀이	• 조직적인 집단에서 규칙을 지키며 목표와 성취를 달성하기 위해 조직의 대표와 추종자 관계가 설정되고 각자의 역할이 있음 • 소속감이 형성, 규칙놀이 • 장난감: 활동적인 스포츠, 독서, 수수께끼, 낱말게임 등

004 ⑤

해설 | 할리퀸 색조 변화(harlequin color change)

- 정의
  - 신생아가 측위일 때 보이는 피부색의 변화: 체위변화에 따른 단순한 일시적 증상
  - 몸의 중앙선을 경계로 침요에 닿은 부분은 붉고, 눌리지 않은 반쪽(윗부분)은 창백함
- 원인: 자율신경계의 부조화 ▶ 체위 변화에 따른 일시적 현상으로 질병의 의미는 없음

005 ①

해설 | 영아기의 성장 지표(체중)

- 아동의 영양 상태와 단기간의 성장 지표를 확인하는 데 가장 많이 활용
  - 3, 4개월: 출생 시의 2배
  - 1세(12개월): 출생 시의 3배
  - 2세: 출생 시의 4배
- 체중은 신장 증가와 정적인 상관관계에 있음

오답 ③ 비정상적으로 빠른 머리둘레 성장은 수두증(뇌실 · 지주막하의 비정상적 뇌척수액 축적)을 의심할 수 있다.

006 ③

해설 | **이유식 준비(곡분)**

③ 태아의 철분 저장이 끝나면서 철분이 부족해지기 때문이다.

- 곡분: 쌀의 분말

  - 곡분은 철분 함유량이 많고, 소화가 잘 되며 알레르기 유발이 가장 적다는 장점이 있다.

- 주의사항

  - 6개월 이후 시작: 타액 및 장효소 생성되고 위장관의 소화능력이 발달한다.

    ⓐ 너무 일찍 시작하면 음식에 대한 알레르기 및 과체중을 유발할 수 있다.

  - 이유식을 시작하더라도 주식은 모유나 조제유로 유지한다.

POWER 특강

이유식 주의사항

- 고형식이는 한 번에 한 가지 음식만 제공하고, 한 가지를 적어도 3~7일간 제공
- 모유나 조제유를 먹이기 전에 이유식을 먼저 제공
- 곡분 → 쌀 → 야채 → 과일 → 고기 순으로 제공하며 1 tsp 등 소량씩 시작
- 영아가 음식을 만질 수 있도록 허용하고 유쾌한 분위기를 형성
- 영아가 이유식을 먹지 않고 뱉어낼 경우 혀 뒤쪽으로 넣어줌

---

007 ③

해설 | **영아 돌연사 증후군(sudden infant death syndrome, SIDS)**

정의	1년 미만의 건강한 영아의 갑작스러운 사망으로, 대개 수면 중 발생
위험요인	• 2~4개월의 영아, 남아 > 여아, 조산아(저체중아), 젖병수유 > 모유수유 　- 영아의 중추신경계 장애 및 호흡부전 경험 　- 산모의 흡연 및 약물경험 　- 수면습관: 푹신한 침대·쿠션·인형(◀ 뒤집기가 용이하지 않음), 과열(열스트레스), 복위 및 측위, 양육자와 함께 잠
원인	정확한 원인은 알려지지 않음
예방	• 무호흡 모니터링 　- 무호흡: 최소 20초 이상 호흡정지, 서맥, 청색증, 창백증 등이 동반됨 　- 알람 울린 후 30초 내로 달려가서 아이에게 촉각 자극을 주거나 CPR 시행 　- 잘 들리지 않는 상황 시 적어도 한 사람은 아이 옆에 있도록 함 • 엎드려서 재우지 않음 • 수면 중 인공젖꼭지를 물려줌
간호중재	• 무호흡 모니터링 • 가족에 대한 심리적 중재 필요

008 ④

해설 | **아동간호사의 역할**

· 옹호자

  – 아동과 가족에게 최선의 의료서비스를 받을 수 있도록 치료와 그 절차에 대한 정보를 제공

  – 아동과 가족이 스스로 의사 결정할 수 있도록 허락하고 결정에 대해 지지함

  – 아동이 가장 흥미를 가지는 활동을 하도록 가족을 보조함

간호 제공자	아동의 발달단계에 대한 이해를 기초로 아동과 가족에게 직접 간호수행
교육자	질병손상을 예방하고 건강증진을 위해 아동과 가족에게 교육을 제공
간호 관리자	직원을 교육 및 관리하고 전반적으로 아동 간호를 계획하고 조정
연구자	과학적인 연구로 지식체를 발전시키며 연구의 타당성 검토 및 평가
협력자	다른 건강관리요원과의 협력

009 ②

해설 | **미숙아(premature infant)**

정의(WHO)
출생 체중과 관계없이 37주 이전에 출생한 신생아 or 최종월경일에서 259일 전에 태어난 신생아

특징
· 머리가 상대적으로 크고, 매우 작고 수척해 보이며 머리카락은 가늘고 솜털 같음 · 반사(reflex) 미약: 파악반사, 빠는 반사, 연하반사, 기침반사가 없거나 미약함 · 눈은 돌출되어 있고 눈 사이가 가까우며 귀의 연골발달이 미약하여 얇고 부드러움 · 솜털이 과다하고 태지는 거의 없음, 피부와 점막이 연약, 체온조절 능력 저하 · 손·발바닥의 주름이 적거나 없고 부드러움

· 근골격계: 관절이 이완되고 늘어져 있음(신전) ▶ 스카프 징후(+)
· 호흡기계: 호흡이 불규칙적이고 무호흡 증상이 있을 수 있음 ▶ 산소공급
  – 산소공급 시 산소의 농도를 고려: 고농도 산소 투여 시 미숙아 망막증 위험
· 위장관계: 빠는 능력이 부족하고 잘 삼키지 못함 ▶ 위관영양 적용
· 생식기계
  – 여아: 소음순과 음색이 돌출되어 있음
  – 남아: 음낭의 주름이 거의 없고 고환은 내려오지 않음

스카프 징후

· **팔꿈치**

미숙아	만삭아
팔꿈치는 별 저항 없이 쉽게 가슴을 가로지름 	팔꿈치는 가슴의 중앙부까지 닿고 중앙선을 넘어가려면 머리가 같은 방향으로 돌아감

010 ④

해설 | **APGAR score**

• 정의: 신생아의 최초의 적응을 사정하는 도구

	0	1	2
피부색(Appearance)	청색, 창백함	몸통은 분홍색, 팔·다리는 청색	전신이 분홍색
맥박수(Pulse)	없음	느림, < 100회/min	> 100회/min
근긴장도(Grimace)	늘어져 있음	팔·다리의 약간의 굴곡	잘 굴곡됨
자극에 대한 반응(Activity)	반응 없음	얼굴을 찡그림	울음 또는 재채기
호흡(Respiration)	없음	불규칙적이고 느리며 허약한 울음	양호하고 힘찬 울음

• Score
  − 0~3점 이하: 심한 적응 곤란
  − 4~6점: 중등도의 곤란
  − 7~10점: 정상

━━━ comment ━━━

APGAR score는 출산 시 신생아의 상태를 평가하는 데 사용하는 것으로, 스코어에 따라 집중관리 대상이 결정된다. 따라서 내용을 충분히 이해하고 실제로 점수를 계산할 줄 알아야 한다!

011 ②

해설 | **낯가림**

• 정의: 영아가 양육자에게 애착을 보이면서 낯선 사람을 구분함. 건강한 애착의 신호임
• 시기: 6~8개월에 시작되어 9~10개월에 심해짐
• 특징
  − 낯선 사람에 대한 공포와 불안을 두드러지게 표현함: 울기, 꼭 붙어 있기, 낯선 사람을 멀리함 등
  − 낯선 사람을 안전하게 경험할 수 있는 기회(예 친척들의 잦은 방문)를 갖도록 함
    ▶ 영아 후반기에는 아동이 다른 사람들과 친해져 부모가 자유시간을 가질 수 있게 됨

POWER 특강

사회화

• 생후 1년 동안 주 양육자와의 관계를 통해서 '애착'이 형성됨
• 인지기능과 대상영속성의 발달로 낯가림과 분리불안이 나타나며, 이는 자연스러운 현상임
  − 대상영속성: 대상이 눈으로 식별되지 않거나 탐지할 수 없을 때, 그 대상이 계속 존재하며 그 사물과 사물을 인지하는 아동이 독립적으로 공존한다고 믿음

1개월	물체와 얼굴을 구별함
2개월	배냇짓(사회적 미소, social smaile)을 보임
4개월	일차 돌봄 제공자(주 양육자, caregiver)를 알아봄
6~8개월	낯선 이와 함께 있을 경우 수줍어 함 ▶ 낯가림 시작
9~10개월	분리불안을 느끼며 낯가림이 심해짐

012 ③

해설 | **거부증**

특징	• 자율성(독립성)의 표현 • 독립된 의지를 가진 존재로서의 정체감을 표현하기 위해 계속적으로 부정적인 반응을 보이는 유아기 아동의 전형적인 행동 • 제안에 동의하면서도 표면적으로는 "싫어", "안 해요" 등의 부정적인 표현을 사용하고, 소리를 지르고 발로 차고 때리거나 호흡을 참기도 함
대처방안	• 가능한 아동이 "싫어"라고 대답할 질문을 하지 않음 • 무조건적인 명령이 아닌 아동이 선택할 수 있는 질문을 함: 질문의 내용과 상관없이 "싫어"라고 대답하므로 "~할래?"라고 말하기보다 "~하자!"라고 말함 • 피곤하고 배고플 때에는 과제를 주지 않음

POWER 특강

유아기 자율성의 표현

유형	개념	대처
분노발작	독립적인 욕구가 좌절될 때 격렬하게 저항함으로써 자율성을 표출함 ex 숨이 넘어갈 듯 울기, 바닥에 드러눕기 등	• 부모는 반응을 보이지 말고 일관적인 태도로 대하되, 자리를 떠나지 않고 아이를 진정시킴 • 그 후 아동을 위로하고 한계를 확실히 설정해줌
의식주의 (ritualism)	안정된 일상생활 반복이 통제감과 자율감을 느끼게 하므로 이에 집착함 ▶ 하지 않으면 스트레스와 불안 증가함 ex 같은 컵 사용, 같은 의자에 앉기 등	• 아이의 행동을 존중해 줌 ▶ 안정감 증진

013 ⑤

해설 | **말더듬**

- 원인: 감각과 운동이 통합되지 않은 상태에서 머릿속 단어를 얘기하려고 하기 때문임
- 특징
  - '어–' 등을 말 중간에 넣거나 단어나 절을 반복함
  - 아동이 흥분했을 때, 길고 복잡한 문장을 만들 때, 특정 단어를 생각해 낼 때 심해짐
  - 2~5세에 나타나는 것은 정상이며, 남아에게 더 흔함
- 간호
  - 아이가 더 불안해지지 않도록 말더듬는 것을 나무라지 않고, 말더듬을 적절히 무시해야 함
  - 정확한 어조 + 친숙한 단어를 사용하여 단순하고 짧은 문장을 반복적으로 천천히 말함
  - 인형, 동물 등을 이용하여 대화를 나눔
  - 5세 이후에도 계속 더듬을 경우 언어치료사와 상담하고 의사의 진찰을 받도록 함

014 ②

해설 | 폐혈류량에 따른 심질환

폐혈류량	비청색증형 심질환	청색증형 심질환
증가	• 심실중격결손(VSD) • 동맥관개존증(PDA) • 심방중격결손(ASD)	대혈관전위(TGA)
정상	• 대동맥협착(AS) • 대동맥축착(CoA)	-
감소	폐동맥협착(PS)	• Fallot 4징후(TOF) • 삼첨판폐쇄증(TA) • Eisenmenger syndrome

- 비청색증형 심질환
  - 우심과 좌심 사이의 비정상적인 개구부 발생으로 인하여 좌 → 우 단락이 발생
  - 빈번한 상기도감염, 심잡음, 허약 및 발육부진이 특징적임
- 청색증형 심질환
  - 비산화혈이 산화혈에 혼합되어 체순환으로 유입되는 경우
  - 우심과 좌심 사이의 비정상적인 개구부 또는 혈관으로 인하여 우 → 좌 단락이 발생하며 순환하는 산소포화도가 감소됨
  - 산소가 불포화된 혈액이 우심에서 좌심으로 흐르고, 체순환을 하게 되어 청색증이 나타남

POWER 특강

	Follot 4징후
정의	① 폐동맥 협착, ② 우심실 비대, ③ 심실중격결손, ④ 대동맥 우위의 4가지 해부학적 이상을 갖고 있는 선천성 심질환
병태생리	• 4가지 해부학적 이상으로 인하여 혈류 감소 및 우심실 비대 초래 • 대부분 심실중격결손이 크기 때문에 우심실과 좌심실의 압력이 대체로 동일
증상	갑작스런 청색증, 특징적인 심잡음, 곤봉형 손가락, 적혈구 과다증, 웅크린 자세, 성장 지연, 운동성 호흡곤란 등
치료 및 간호	• 호흡곤란이 동반된 청색증 발작 시: 슬흉위를 취해주고 morphine과 산소를 투여함 ⓓ 대사증 산증 시 bicarboate IV 투여 • 구강위생: 치주질환으로 인한 감염을 예방하기 위해 구강 위생을 청결히 해야 함 • 철결핍성 빈혈 교정: 철분 투여 • 좌측이나 우측 쇄골하 동맥에서 폐동맥으로 혈액을 공급하기 위해 수술을 시행함

015 ⑤

해설 | 근면성 vs 열등감(Erikson의 심리사회적 발달)

- 근면성 vs 열등감
  - 과업 수행을 통해 건전한 근면성을 개발 ▶ 학문적 · 신체적 · 사회적 자존감 형성
    ⓐ 스스로 문제를 풀고 책임감 있는 선택을 하도록 수용하고, 실수의 결과를 책임지도록 함
  - 부모와 심리적으로 분리되지 못하거나 달성 목표가 너무 높으면 열등감이 생길 수 있음
    ⓐ 열등감을 극복하기 위해 열심히 공부함
    ⓑ 성공하고 싶은 욕구 및 실패에 대한 두려움 때문에 경쟁심 증가함
  - 성취 욕구가 강하며 경쟁하고 협동하는 것을 배우고 규칙을 배움

- 또래 친구가 생기고 사회적으로 어울리고 싶은 욕망이 있음

- 학교에서의 물질적 보상, 특권 부여, 표창과 같은 외적 강화에 격려 받음

- 학교 공포증: 학교에 가기 싫어하거나 학습이 부진한 것 외에도 두통, 복통 등의 신체증상을 보임. 신체증상은 학교를 벗어나 집에 오면 사라진다는 특징이 있음

POWER 특강

Erikson의 심리사회적 발달이론

발달단계 및 시기	특징
• 신뢰감 vs 불신감 • 영아기(0~1세)	• 주 양육자와의 애착 관계가 신뢰감 형성의 기초 • 양육자와의 신체 접촉은 애착 형성에 매우 중요 • 일관성 있고 사랑이 담긴 어머니의 돌봄이 주요 요소
• 자율감 vs 수치심 • 유아기(1~3세)	• 거부증: 자율성의 성취 과정에서 부정적인 표현을 사용함 • 분노발작: 자신의 욕구가 좌절될 때 격렬하게 저항 ▶ 일관적인 태도와 무관심한 태도를 보여줘야 함. 단, 자리를 떠나서는 안 됨 • 퇴행: 스트레스에 대한 불편이나 긴장의 표현으로 배변을 못 가리거나 손가락을 빠는 등 퇴행행동을 일시적으로 보임
• 솔선감 vs 죄책감 • 학령전기(3~6세)	• 자기 주도적으로 무엇인가를 시도하고자 하는 시기 • 역할모델(role model)을 모방 • 풍부한 상상력: 상상 속의 친구를 이용한 가상놀이 가능
• 근면감 vs 열등감 • 학령기(6~12세)	• 열등감을 극복하기 위해 열심히 공부함 • 경쟁심 증가 ◀ 성공에 대한 욕구와 실패에 대한 두려움 • 협동, 규칙을 배움 • 학교 공포증이 나타날 수 있음
• 정체감 vs 역할혼돈 • 청소년기(12~18세)	• 부모로부터 독립하려 함 • 주체성 형성, 자아의식 발달 • 동료로부터의 인정과 거부가 가장 큰 관심사 • 기분변화 잦음

---

016 ②

해설 | 솔선감 vs 죄책감(Erikson의 심리사회적 발달)

② 입원 환경이라고 해서 행동을 모두 통제하면 솔선감을 형성하지 못하고 죄책감을 느끼게 되므로 허용 범위 안에서 자율성을 보장해 주어야 한다.

• 학령전기는 활기차게 학습하는 시기

• 마음껏 놀고 공부하고 생활하며 그 안에서 진정한 성취감과 만족감을 느낌

• 자율감 → 자기 주도적(자기중심적) 시도 ▶ 활동으로부터 만족감 획득 ⓔⓧ "내가 할게요."

• 활발하고 적극적인 행동, 진취적인 정신, 풍부한 상상력이 나타나며, 다양한 경험 및 장난감을 체험하고자 함

• 역할모델(role model)을 모방: 같은 역할 수행 시, 모델을 닮으려고 시도하며 자신을 모델과 동일시함

• 풍부한 상상력

  - 현실(reality)과 상상(fantasy)을 자주 혼동하는 시기로, 상상 속의 친구가 있기도 함(가상놀이) ▶ 꾸짖지 말고 동의해줌

  - 괴물 등에 대한 상상적 공포, 과장된 두려움으로 밤에 잠들지 못함 ▶ 미등을 켜둠

017 ④

해설 | **전조작기 중 직관기(Piaget 인지발달 이론)**

- 4~7세
- 질병을 죄에 대한 벌이라고 생각
  - 통증에 대한 불안이 큼 ▶ 주사공포증 등
  - 마술을 쓰면 질병이 사라질 수 있다고 생각함
- 물활론: 생명이 없는 대상이 살아있다고 믿음 @ 돌부리에 걸려 넘어졌을 때 돌을 때려달라고 말함
- 죽음을 일시적이며 가역적인 것으로 생각함: 수면 or 단순히 떨어져 있는 이별로 여김
- 퇴행(regression): 불편감이나 스트레스에 대한 반응으로, 전 발달단계에서 성공적이었던 행동 양상으로 되돌아감. 정상적인 반응이며 특별한 치료가 필요하지 않음
- 중심화
  - 한 측면에만 초점을 둠: 전체의 관점에서 모든 부분을 생각하지 못함
  - 시각적 지각을 바탕으로 결론지음
- 비가역성: 사건의 과정 또는 순서를 역으로 생각하지 못함
- 유아기보다는 덜하나 자기중심적: 자신의 경험한 것을 다른 사람도 경험한다고 생각함
  - @ 엄마가 슬퍼하면 자신이 좋아하는 인형을 안겨줌
- 시공 개념의 증가: 오늘, 내일, 오후, 다음 주 등의 개념을 인식

018 ⑤

해설 | **혈우병**

- 정의: 혈액응고인자의 결핍으로 인해 발생하는 일련의 지혈장애
- 유형
  - 80% 가량은 반성 열성 유전 ▶ X 염색체 연관 열성 유전, 가계도상 유전력 확인 가능
  - Hemophilia A (factor VIII 결핍)와 hemophilia B (factor IX 결핍)가 흔함

▶ 혈우병 가계도

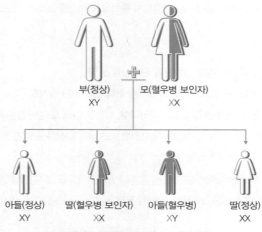

A. 엄마가 혈우병 보인자(carrier)일 경우

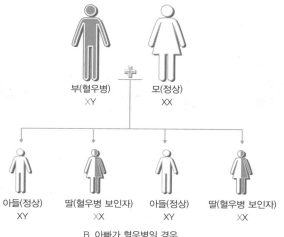

부(혈우병)
XY

모(정상)
XX

아들(정상)
XY

딸(혈우병 보인자)
XX

아들(정상)
XY

딸(혈우병 보인자)
XX

B. 아빠가 혈우병일 경우

- 증상

    - 과도한 출혈반점, 피하 및 근육 내 출혈 ◀ 응고시간 연장

    - 관절강 내의 출혈이 가장 흔히 발생함 ▶ 혈관절증(무릎, 발목, 팔꿈치에 흔함), 호발부위 '무릎'임

    - 혈종으로 인한 통증, 부종, 운동제한

    - 검은 혈변(내출혈)

- 치료 및 간호

    - 결핍인자 보충: factor Ⅷ or factor Ⅸ 농축제, 신선냉동혈장(FFP) 등

    - 코르티코스테로이드 투여: 관절부위의 염증 감소시킴

        cf 비스테로이드계 항염제(aspirin, indomethacin)는 혈소판 기능을 억제하므로 투여 금지

    - 침습적 처치(근육주사, 정맥천자 등) 금지: 가급적 경구투여함

POWER 특강

혈우병 vs 특발성 혈소판 감소성 자반증

항목	혈우병	특발성 혈소판 감소성 자반증
혈소판	정상	감소
출혈시간	정상	연장
응고시간	연장	정상
PTT (partial Thromboplastin Time)	지연	정상
PT (Thromboplastin Time)	정상	정상

019 ⑤

해설 | **척추측만증**

· 척추만곡증

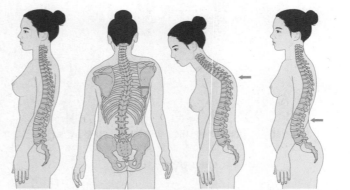

A. 정상　　B. 척추측만증(scoliosis)　C. 척추후만증(kyphosis)　D. 척추전만증(lordosis)

· 개념: 청소년기에 가장 흔한 척추골 기형

  – 척추골이 측방으로 만곡되거나 편위되어 있는 상태: 척추가 측면으로 10° 이상 만곡됨

  – 성장이 빠른 14세 전후(12~16세) 여아에게 호발함

· 진단(아담스 전방굴곡 검사)

  – 전방으로 90° 구부렸을 때 등의 높이 차이를 사정함

  – 똑바로 선 자세에서 양팔을 편안히 늘어뜨린 채 허리를 앞으로 굽힐 때 흉곽의 한쪽이 다른 쪽보다 높음

· 간호

보조기 착용 교육 (20~45° 만곡)	· 운동 및 목욕 시를 제외한 때에는 언제나 착용하여 이행시간을 지키도록 함 · 목욕 후 재착용 전 피부를 완전히 건조시키고 매일 상체의 피부를 관찰하여 피부손상 예방 · 단단한 침요 사용 ▶ 푹신하고 부드러운 침요 사용 시 척추통증 증가함
꾸준한 운동 격려	치료과정 동안 보조기 착용과 더불어 물리치료 및 적절한 운동을 통해 척추와 복부 근육의 위축 예방
적절한 식이 권장	고칼로리, 고당식이 제한 ◀ 비만이 척추측만증을 악화시킬 수 있음
정서적 지지 제공	신체상 지지 및 동료와의 사회화 격려

020 ①

해설 | **신생아 신체검진(활력징후 및 ABGA)**

① 호흡수 증가, PaO_2 감소, $PaCO_2$ 증가된 상태이므로 O_2 공급이 필요하다.

· 활력징후 정상범위

호흡	· 30~60회/min: 복식호흡을 하므로 1분 동안 복부를 관찰하여 측정
심박동수	· 120~160회/min: 1분 동안 측정 · 잠자는 동안 100회로 떨어지며, 울 때 180회까지 올라감
체온	· 36.5~37 ℃: 액와 측정하도록 함 – 직장 측정은 천공의 우려가 있으므로 하지 않음
혈압	· 출생 시: 평균 혈압은 80/46 mmHg · 출생 후 1~3일: 65/41 mmHg으로 저하될 수 있음

- ABGA (동맥혈가스검사)

  – 시행목적: 신체의 산염기 균형과 산소공급상태를 파악하기 위해서

  – 측정법: 일반적으로 손목에 있는 요골동맥에서 채취하는데, 정맥 채혈보다 환자의 고통이 심해지고 채혈이 쉽지 않다는 문제가 있음

  – 정상범위

pH	PaO$_2$	PaCO$_2$	HCO$_3$$^-$
7.35~7.45	80~100 mmHg	35~45 mmHg	22~26 mEq/L

021 ②

해설 | **생리적 황달**

- 정의: 기저질환 없이 생후 2~4일경에 나타나 수일간 지속되는 가벼운 신생아 황달

  – 1주일 정도 지나면 자연 소실됨

  – 혈청 빌리루빈 수치 5 mg/dL 이상 시

- 증상: 피부, 공막, 손톱에 황달이 나타남

- 병태생리

  – 간의 미성숙으로 인한 효소(glucuronyl transferase) 활성부족으로 인해 비결합 빌리루빈(지용성)이 결합 빌리루빈(수용성)으로 전환되지 못함

  – 높은 적혈구 수치(성인의 2배), 필연적으로 파괴되는 적혈구가 없음과 짧은 적혈구 수명(70~90일)으로 비결합 빌리루빈 증가

  – 모유수유: 빌리루빈 포합을 방해하는 모유 속 성분에 의해 생후 5~7일에 황달이 나타났다가 모유수유를 계속하면 서서히 감소하여 3~10주 동안 낮은 농도로 유지됨

POWER 특강

생리적 황달 vs 병리적 황달

	생리적 황달	병리적 황달
혈청 빌리루빈 수치	5 mg/dL 이상	12 mg/dL 이상
황달 발현 시기	생후 2~4일경	24시간 이내
예후	• 1주일 정도 지나면 자연 소실됨 • 피부, 공막, 손톱이 오렌지색으로 변함	• 2주 이상 지속 • 뇌저 신경절에 빌리루빈 축적 → 핵황달 발생 → 잘 안 먹고 축 늘어짐, 발열, 팔다리를 뻣뻣하게 뻗는 등 중추신경계 억압 증상이 나타남 ▶ 뇌성마비, 정신지체, 난청 등
치료	대부분 필요치 않음	교환수혈, 알부민 투여, 광선치료

comment

빌리루빈을 지칭하는 다양한 명칭도 함께 기억해두도록 하자!

- **비결합 빌리루빈: 비포합 빌리루빈, 간접 빌리루빈**
- **결합 빌리루빈: 포합 빌리루빈, 직접 빌리루빈**

022 ①

해설 | **선천성 갑상선 기능저하증**

① 치료시기가 빠를수록 정신지체의 정도가 약하므로 조기 발견과 치료가 중요하다.

원인	• 선천적인 갑상선 형성부전 • 갑상선 기능이 저하되어 있는 상태 • 출생 시 일시적 상태: 미숙아의 시상하부와 뇌하수체 미성숙이 원인이며, 특별한 치료 필요 없음
증상	• 생후 2~3개월까지는 무증상일 수 있음 ◀ 모체의 갑상선호르몬 전달받음 • 수유저하, 기면, 목쉰 울음소리, 황달, 변비 • 서맥, 호흡곤란, 청색증, 건조하고 차게 느껴지는 얼룩덜룩한 피부 • 건조하고 부서지기 쉬운 머리카락, 골발육의 지연으로 대천문이 열려 있음 • 신경계 발달지연 ▶ 정신지체(심각한 지능저하 유발)
진단	• 혈중 thyroxine (T4), triiodothyronine (T3) 상승 　– Thyroxine: 세포의 대사율을 증가시킴 　– Triiodothyronine: 가장 강력한 갑상선호르몬으로 체온이나 심박동수, 성장 등 체내의 모든 과정에 관여함 • 갑상선 자극 호르몬(TSH) 측정
치료	• 갑상선호르몬의 평생 투여가 필요함 • 출생 직후 치료를 시작하면 정상적인 성장이 가능하며 지능발달도 정상임
간호	• 조기에 선별검사를 통해 호르몬 결핍여부 확인해야 함 • 갑상선호르몬 과량 투여 시 부작용 교육: 호흡곤란, 빈맥, 발열, 발한 등 • 산모에게 별다른 이상 없는 한 모유수유 가능함을 안내 • 아동의 성장에 따라 호르몬 양 증가되어야 하며, 생후 1년이 특히 중요

POWER 특강

신생아 선별검사

• 3~7일경에 실시하며, 기본 6종으로 구성되어 있다.

　– 페닐케톤뇨증(PKU): 땀과 오줌에서 곰팡이 냄새가 나는 것이 특징적

　– 단풍당뇨증(MSUD)

　– 선천성 갑상선 기능 저하증

　– 갈락토즈혈증(galactosemia)

　– 호모시스틴뇨증(homocystinuria)

　– 선천성 부신 과형성증(선천선 부신성기 증후군)

023 ⑤

해설 | **철분제 투여 시 주의사항**

• 경구용 철분 보충제 투여 방법

　– 음식이 철분의 흡수를 방해하므로 식간에 복용

　– 액상의 철분제제는 일시적 치아 착색 가능성이 있으므로 빨대나 점적기 이용하도록 함

　– 오렌지 주스나 Vit. C와 함께 먹으면 철분 흡수에 도움이 됨

• IM일 경우 Z-track 방법을 이용하여 큰 근육에 깊이 주사함

　– Z-track: 피하조직을 자극하거나 통증을 유발하는 약물을 주사 시 근육 깊이 주사함

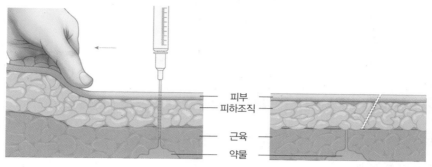

		피부
		피하조직
		근육
		약물

− 주사 후 피부 착색과 자극을 최소화하기 위해 마사지하지 않음

• 우유는 철분의 흡수를 방해하므로 투여 시 유제품 제한(하루 1 L 이하)

• 철분 섭취 시 대변이 청록색 또는 검은 녹색이 될 수 있고 변비 발생 가능함을 교육

POWER 특강

경구투여 vs 근육주사

	경구투여	근육주사
장점	• 편리하고 경제적 • 피부를 손상시키지 않음 • 약물이 대상자에게 많은 부담을 주지는 않음	• 경구투여가 불가능한 경우 투여 가능 • 피하조직에 자극을 주는 약물도 안전하게 투여 • 투여한 약물이 거의 모두 흡수 • 반복투여 시 부위를 바꿔가며 투여가능
단점	• 흡수가 늦고 흡수량 측정이 부정확 • 오심/구토가 심한 대상자, 연하곤란, 무의식, 금식 대상자는 부적합 (위관영양 대상자는 투여 가능) • 흡인 위험 있음 ▶ 특별한 검사나 수술 전에는 투약 불가 • 위장장애, 치아변색 등의 부작용	• 약물이 빠르게 흡수되므로 경구투여보다 부작용 빨리 나타남 • 신경과 혈관에 손상 위험 • 감염, 공기색전, 조직손상 위험 • 통증, 불안

024 ④

해설 | 급성 사구체신염

• 정의: A군 용혈성 연쇄상구균 감염(대부분 상기도 or 피부 감염)의 부산물로서 신장에 발생하는 면역복합체 질환

• 역학: 여아보다 남아에게 2배 이상 발병률이 높음. 6~7세에 호발하는 편

• 증상

　− 비뇨기계 증상: 혈뇨, 핍뇨, 단백뇨

　− 나트륨 및 수분 정체 ▶ 얼굴 부종: 아침과 안와주위가 특히 심함

　− 식욕부진, 복부 불편감, 구토, 배뇨곤란, 창백, 빈혈, 무기력 등

• 합병증: 두통, 시각장애, 수면, 혼수, 어지러움, 고혈압을 동반한 뇌증이 흔히 발생

• 진단

　− 혈뇨, 단백뇨, 요비중의 증가

　− BUN, Creatinine의 혈중 농도 상승, 적혈구 침강속도 증가, ASO titer 상승, 보체 감소

- 치료 및 간호

치료	• 항생제, 혈압강하제, digitalis, 항경련제(발작 시), 이뇨제(필요시) 투여 • 심한 부종 및 울혈 시 투석
간호	• 수분불균형 감시: V/S(특히 혈압), I/O(매시간 소변량 측정), 매일 체중측정 • 식이요법: 수분제한, 저염식이, 단백질 섭취 제한(신기능부전 시) • 급성기 시 침상안정 및 휴식 → 점차적으로 적절한 운동 및 체위변경 시행 • 호흡기 감염 시 접촉 피함 ▶ 회복기 동안 감염 예방

025 ⑤

해설 | **출생 후 신생아 혈액순환**

- 단락(shunt): 출생 후 순환이 전환되며 난원공, 동맥관, 정맥관이 폐쇄됨으로써 발생함

- 기전

폐혈류 증가	첫 호흡 → 폐가 혈액을 받아들임 → 우심방, 우심실, 폐동맥의 압력이 낮아짐 → 폐혈관 확장(저항 감소) ▶ 폐혈류 증가
동맥관 폐쇄	혈액내 산소량 증가 → 대동맥압 및 동맥혈 산소분압 증가 → 혈관벽 자극 ▶ 산소분압에 매우 예민한 동맥관 폐쇄됨
제대 결찰 시	• 체순환 혈관 저항이 증가 → 좌심방 압력 증가 → 난원공 폐쇄 • 제대정맥으로 혈액공급 중단 → 정맥관 위축 → 정맥관 기능적 폐쇄

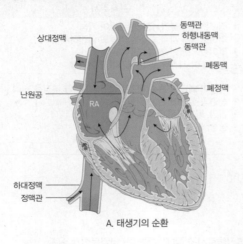

A. 태생기의 순환

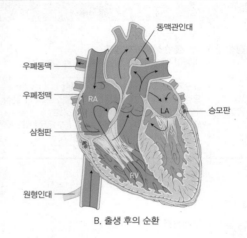

B. 출생 후의 순환

026 ⑤

해설 | **식도기관루**

- 특징적인 증상

  − 3C: 기침(coughing), 질식(chocking), 청색증(cyanosis)

  − 거품이 섞인 과도한 타액분비 및 침 흘림

  − 무호흡증, 수유 후 호흡곤란(기침 or 청색증 등) 증가

  − 카테터를 삽입하기 어렵고, 저항감이 강하게 느껴짐

  − 흡인성 폐렴으로 수포음(rale) 청진 가능

식도기관루(tracheoesophageal fistula, TEF)

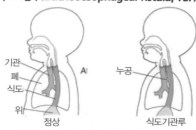

정상   식도기관루

정의	• 식도에 나타나는 선천성 기형 • 단독 or 복합적으로 발생. 조기에 치료하지 않으면 치명적 • 태생기에 식도가 기도로부터 분리되는 과정에서 결손이 발생
증상	• 거품이 섞인 다량의 타액 • 3C 증상: 기침(coughing), 질식(chocking), 청색증(cyanosis) • 수유 시 기침이나 청색증, 흡인성 폐렴으로 수포음 청진 가능
수술 전 간호	• 사정: V/S, 피부색, 호흡곤란, 복부팽창, 분비물 양상 • 반좌위: 우는 동안 복압상승으로 인해 위 분비물이 역류하는 것을 방지 • 기도폐쇄 예방: 인두 내 분비물 흡인, 엎드려 놓거나 고개를 돌려놓도록 함, 경구 섭취 대신 비경구적 or 위루술을 통한 영양보충
수술 후 간호	• 기도 유지: 호흡상태 관찰, 비위관을 통해 자주 구강·비강 분비물 흡인 • 적절한 영양 공급: 수술 후 10~14일까지 위관영양 공급, 위루관 설치술 환아의 경우 빠는 욕구의 충족을 위해 노리개 젖꼭지를 빨게 함

027 ⑤

해설 | **탈수 증상**

• 의식수준 변화: 안절부절 못함 → 기면, 자극에 대한 반응 감소, 쇼크

• 낮은 혈압, 체중 감소, 쇠약감, 피부긴장도 저하, 칙칙한 피부색

• 움푹 들어간 눈, 대천문 함몰, 요비중 증가(1.030 이상), 소변량 감소

• 맥박 상승, 혈압 저하, 쇼크, 구강점막 및 입술 건조, 눈물 및 타액 감소

• 테타니 및 경련: 부갑상선 저하증, 인의 과다섭취, 저마그네슘혈증, 저칼슘혈증의 후기 증상

탈수(dehydration)의 종류

경증 탈수	중등도 탈수	중증 탈수
체중의 5% 손실	체중의 5~10% 손실	체중의 10% 손실

	등장성 탈수	저장성 탈수	고장성 탈수
원인	수분손실≒염분 손실	수분 손실<염분 손실	수분 손실>염분 손실
병태생리	삼투력 변화 없이 세포외액 소실 지속 → 혈장량 감소 → 저혈량성 쇼크	세포내액 농축 → 수분이 세포 내로 이동 → 세포외액의 손실 → 쇼크	세포외액 농축 → 수분이 세포 외로 이동 → 갈증 → ADH 분비

증상	피부창백, 건조, 탄력성 부족, 말초혈류 감소	구토, 설사, 출혈, 피부가 차고 끈적끈적함, 창백, 순환부전, 탄력성 및 긴장도 저하, 움푹 들어간 눈, 혼수	• 피부가 붉어짐
			  – 혈량 유지 ▶ 순환장애 없음
			  – 세포외액이 비교적 잘 보존되어 피부 긴장도와 탄력성은 정상일 수 있음

028 ④

해설 | 제1형 당뇨병(소아형)

- 증상
  - 갑작스러운 발병이 특징적이며, 20세 이하에서 발생함
  - 심한 당뇨성 케톤산증이 빈발함
- 원인: 인슐린 형성능력(−) *Cf* 비만증과 관련 없음
- 치료: 인슐린 대체가 결정적인 요소
  - 경구용 혈당저하제 복용하지 않음
  - 운동 및 식이요법 병행함
    ⓐ 식이

권장	• 식사와 간식은 인슐린 최고작용시간을 기준으로 조절 • 칼로리의 분배는 아동의 활동양상에 따라 계산함: 음식과 인슐린 및 운동이 균형을 이룰 수 있도록 함
금기	• 농축된 단 음식은 피하도록 함

POWER 특강

인슐린요법

- 인슐린의 기능: 모든 세포에서 포도당 사용을 강화시켜 혈당을 저하시킴

인슐린 요구량 증가	과식, 정서적 긴장, 발열, 급성 상기도 감염
인슐린 요구량 감소	활동적인 운동

- 투여법: 반드시 피하주사 ◀ 단백질이므로 경구복용 시 위에서 모두 파괴됨
- 주사부위
  - 부위 간 최소 1 inch(2.5 cm) 떨어진 자리에 주사, 배꼽 가까이 하지 않음
  - 같은 부위에 연달아 놓지 말고 주사부위를 회전시켜 매회 교체함
  - 피하지방의 손상과 위축을 방지하기 위해 주사부위를 매일 교체해야 함
  - 주사 후 비비지 말고 눌러줌(마사지는 금기임)
- 부작용
  - 저혈당(가장 흔함): 심한 공복감, 어지럼증, 식은땀, 진전, 언어표현 장애
    ⓐ 원인: 인슐린 과다투여, 투여 후 식사를 거름, 작용 최대 시간에 무리한 활동 · 운동 실시
    ⓑ 치료 및 간호

의식 있을 때	의식 없을 때
속효형 탄수화물 제공 (초콜릿, 꿀, 주스 등)	• 50% 포도당 20~50 mL를 서서히 정맥주입 • 수액요법 어려울 시 글루카곤 근육주사

  - 피하지방 위축 or 비후, 감염, 부종
- 인슐린 종류별 차이

	효과발현시간	최대효과시간	지속시간	투여시간	투명도
초속효성	5~15분 후	30분~1시간 30분	3~4시간	식사 직전	투명
속효성(RI)	30분~1시간 후	2~4시간	3~6시간	식사 30분 전	
중간형(NPH)	2~4시간 후	6~10시간	10~16시간		혼탁
지속형	1~2시간 후	특별히 없음(일정함)	24시간		투명

029 ③

해설 | **급성 인두염(acute pharyngitis)**

- 정의: 바이러스나 세균 등의 감염에 의해 인두에 염증이 생긴 질환
- 원인

바이러스(대부분)	세균
Adenovirus, coronavirus, enterovirus 등	A군 β형 용혈성 연쇄상구균(가장 흔함)

- 증상
  - 초기: 발열, 전신권태, 식욕부진, 쇠약
  - 중등도 인후통, 연하곤란, 연하 시 통증으로 침을 흘림
  - 경부 림프절의 중등도 비대, 백혈구 수 증가
  - 연쇄상구균 감염 시: 증상이 좀 더 심함 ▶ 고열, 두통, 오심·구토, 설사
- 진단: 인후 배양검사를 통해 바이러스성과 세균성 감별함

종류	바이러스 감염	연쇄상구균 감염
치료	• 특별한 처치가 필요하지 않음 • 해열제가 처방되기도 함 • 7일 내 대부분 회복	• 급성 증세 치료하고 격리 • 류마티스열(합병증) 예방: 10일간 페니실린 요법 시행 　- 페니실린 과민반응 시 erythromycin, cephalosporin 사용
합병증	드물게 화농성 중이염 합병증	• 회복 후 추후 검사가 필요함 　- 급성 사구체신염, 뇌염, 골수염 　- 류마티스열, 성홍열 　- 편도 주위 농양, 중이염, 폐렴
간호 (공통)		• 급성 시 침상안정 • 인후통 호소 시 　- 경한 진통제 투여 or 목에 냉습포나 온습포 적용 　- 따뜻한 생리식염수 함수 및 따뜻한 증기 흡입 　- 차고 부드러운 유동식으로 연하 시 동통 줄여줌 • 체온 자주 측정하고, 발열 시 미온수 마사지 시행 • 주사부위의 압통 시 온습포 적용

— **comment** —

급성 인두염의 원인이 바이러스성인지 세균성인지에 따라 치료와 합병증이 달라지므로 구별하여 기억하도록 하자.

030 ③

해설 | **발작 치료 및 간호**

항경련제 투여	• 복용법: 임의로 중단하지 않고 꾸준히 복용 • 부작용: 현기증, 시력장애, 졸림
응급처치	• 안전 유지 　- 아동을 눕히고 부드러운 담요 등으로 머리를 보호해 주고 그대로 지켜봄 　- 옷을 느슨하게 풀어주고 주변의 위험한 물건은 치움 　- 억제대로 묶지 않고 침대난간을 올려줌 • 기도 유지: 분비물이 기도로 흡인되지 않도록 머리를 옆으로 돌려줌
기록	• 발작시간, 지속시간, 발작 양상을 관찰하여 정확히 기록함
기타	• 문을 닫거나 스크린을 쳐서 아동을 다른 사람의 시야에서 보호함

오답 ⑤ 설압자를 넣는 과정에서 치아·이물질이 부러져 기도를 막는 등 더 큰 위험이 있으므로 사용하지 않는다.

근육간대경련(myoclonus)

- 정의: 돌발적이며 짧고 전기충격과 같은 형태의 순간적인 근육의 수축 or 근긴장도 저하
- 치료: 가장 좋은 방법은 경련의 원인질환을 치료하는 것

약물	• 항경련제: valproate, gabapentin 등 • clonazepam (항간질제), piracetam (뇌기능 개선제) 등
한계	약물로 인한 이상 증상과 일부 질환을 제외하면 원인 질환 치료가 불가능함

031 ③

해설 | 정상발달(뇌성마비 증상과의 비교)

- 개월수에 따른 정상발달 양상

3개월	어머니와 다른 사람을 구별하며 크게 웃음, 주로 손을 펴고 있음
4개월	모로반사 및 긴장성 경반사 소실, 머리와 등을 잘 가눌 수 있음
6개월	바로 누운 자세에서 엎드린 자세로 뒤집음
7개월	손을 짚고 혼자 앉을 수 있음
10개월	가구를 잡고 일어설 수 있음, 작은 물건을 손가락으로 집을 수 있음

- 모로반사

  ⓐ 등과 팔다리를 쭉 펴면서 외전

  ⓑ 팔은 포옹하려는 듯이 움직임

  ⓒ 손가락은 따로따로 펴서 엄지와 검지가 'C' 모양을 보임

- 긴장성 경반사(펜싱반사): 머리를 돌린 쪽의 팔과 다리를 뻗고(신전) 반대쪽의 사지는 굴곡됨

- 뇌성마비 증상(지적 발달장애: 가장 흔하게 나타남)

신체적	행동적
• 3개월 이후에도 목을 가누지 못함 • 8개월까지 혼자서 앉지 못함 • 팔다리가 뻣뻣하고, 축 늘어진 자세 • 몸을 뒤로 젖히거나 밀어냄 • 신체의 여러 부분 활용하지 못함: 한 부분만을 사용하거나, 기어갈 때 팔만 사용함	• 3개월까지 미소를 짓지 못함 • 6개월 이후 음식을 혀로 밀어냄: 정상발달 시 6개월 때 밀어내기 반사 소실 ▶ 흡인 위험 감소 • 자주 보채고 울음 • 수유곤란: 수유 시 지속적 기침 or 역류

뇌성마비

- 정의: 미성숙한 뇌에 비진행성 병변이나 손상이 발생하여 임상적으로 운동과 자세의 장애를 보이게 되는 상태 ▶ 중추신경계의 손상으로 수 의근의 힘이나 조절이 결핍됨
  - 비진행성 장애, 영구적 신체 불구(아동기에 가장 흔함)
  - 지각문제, 언어결핍 + 지능문제가 동반될 수 있음
- 분류(신경운동장애)

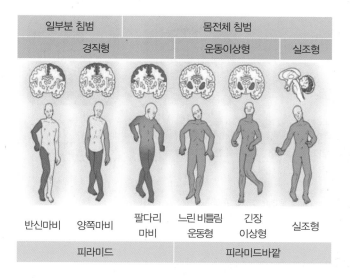

일부분 침범		몸전체 침범		
경직형		운동이상형		실조형
반신마비	양쪽마비	팔다리 마비	느린 비틀림 운동형	긴장 이상형	실조형
피라미드		피라미드바깥		

- 원인
  - 주원인: 저산소증
  - 허혈, 출혈, 두부손상의 합병증, 산전 및 출생 후 감염
  - 선천성 기형, 분만 중 외상질식, 모체의 임신 중 풍진감염 or 약물중독
- 진단: 바빈스키 징후(+), 정위 반사(+), 불수의적 움직임, 강직
- 치료 및 간호: 완치가 아니라 합병증을 예방하면서 최적발달을 도모하는 것이 목표임

가족의 정서적 지지	부모의 죄책감을 덜어주고, 대처능력을 증진시킴
영양 유지	적은 양의 음식 자주 제공, 흡인 예방을 위한 음식제공기술 교육
일상생활 유지	• 연령과 능력의 범위 내에서 일상생활활동 수행 격려 • 운동기능 및 감각 향상을 위한 활동 및 특수훈련 프로그램 적극 참여
긍정적 자아상 도모	자조집단 참여

032 ①

해설 │ **성홍열(급성 인두염)**

- 원인균: A군 β형 용혈성 연쇄상구균(감염자나 보균자의 비인두 분비물로 감염됨)

- 증상

전구기	갑작스런 고열, 빈맥, 구토, 두통, 오한, 불안, 복통

발진기	• 혀 색깔: white → red
	   – 1~2일째: 혀가 부어서 흰 딸기 모양
	   – 4~5일째: 백태 벗겨지며 붉은 딸기 모양
	     ⓐ 딸기혀(strawberry tongue): 유두가 현저히 두드러짐
	
	 • 얼굴을 제외한 전신에 바늘 크기의 붉은 반점
	 • 홍조: 겨드랑이, 서혜부 등의 접히는 부위에 심하게 나타남

낙설기	1주 말경 안면에서 시작하여 3주까지 전신의 피부 낙설

- 치료 및 간호

  – 약물투여: 경구 항생제인 penicillin 투여(매우 효과적), 과민성 시 erythromycin 투여

  – 경부에 온습포를 적용하고 따뜻한 생리식염수로 함수

  – 식이

    ⓐ 연식 및 유동식 제공(급성기 시 자극성 음식 제한)

    ⓑ 발열 및 인후통 동반 시에는 수분섭취를 충분히 하도록 함

- 인후통 경감: 약한 진통제 투여, 목에 냉습포나 온습포 적용, 따뜻한 생리식염수 함수 등

- 격리 및 활동

  – 치료 시작 후 24시간은 전염성 때문에 격리(피부발진 사라져도 전염력 있을 수 있음)

  – 회복기에 점차적인 활동 증가를 권장함

033 ②

해설 │ **홍역의 증상**

전구기(카타르기)		발진기		회복기
• 발열, 권태감, 24 시간 내 콧물, 기침, 결막염 • Koplick 반점: – 발진 2일 전 나타남 – 구강 협부 점막의 특징적인 모래알 같은 발진(불규칙한 홍색 반점)	⇨	• Koplik 반점 발생 1~2일 후 • 안면에서 홍반성 구진으로 시작하여 아래로 확산됨: 머리 → 몸통 → 하지 • 고열, 식욕부진, 복통, 전신성 림프선종	⇨	• 발진은 나타났던 순서대로 소실, 색소 침착 • 허물 벗겨지면 발진이 7~10일 이내에 소실 • 합병증 호발에 주의함: 폐렴, 중이염, 신경계합병증

오답 ⑤ 나비모양 발진은 자가면역질환인 SLE (전신홍반루푸스)에서 나타나는 특징적인 증상이다.

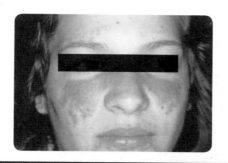

POWER 특강

		월령별 예방접종 시기	
기본접종	생후 1주 이내	B형 간염 # 1
	생후 4주 이내	BCG, B형 간염 #2
	2개월	DTaP # 1, polio # 1
	4개월	DTaP # 2, polio # 2
	6개월	DTaP # 3, polio # 3, B형 간염 # 3
	12~15개월	MMR
	12~24개월	일본뇌염(첫해 2회 접종, 일 년 후 1회 추가)
추가접종	15~18개월	DTaP
	4~6세	DTaP, polio, MMR
	14~16세	성인용 Td

034 ③

해설 │ **신장모세포종(Wilms' tumor) 수술 전 간호**

- 빌름스 종양 정의: 신장모세포종(nephroblastoma)이라고 하기도 하며, 신장에 생기는 고형 종양으로 아동기에 흔함. 미분화된 원시 세포에서 유래하는 배아세포종양(embryoma)으로 신장의 어느 부위에서나 생길 수 있고, 성장이 빠르며, 대부분은 일측성이며 특히 왼쪽이 오른쪽보다 더 잘 발생

- 수술 전 간호
  - 복부 촉진 금지: 촉진 시 덩어리의 촉진으로 종양의 피막이 파열되면 암세포가 퍼질 수 있기 때문. 침상에 복부 촉진 금지라는 표시를 부착, 아동을 다루고 목욕을 시키는 경우 조심하도록 설명
  - 혈압측정: 종양에 의한 신동맥 압박으로 인해 레닌(renin)이 과도하게 생성되어 고혈압이 발생. 또한 수술하는 과정에서 신장 혈관의 결찰로 인해 혈행이 차단되어 생명을 위협하는 저혈압에 노출될 수 있으므로 평상시 혈압을 확인하는 것이 필요

035 ④

해설 │ **백혈병의 간호중재**

④ 코를 세게 풀거나 후비면 미세혈관 손상으로 인해 출혈이 발생할 수 있다.

- 방사선 조사와 약물중독 관리
- 출혈 예방 및 빈혈의 사정과 조절이 필요

- 부드러운 칫솔로 양치하도록 함
- 격한 운동을 금함
- 좌약 삽입 등 침습적인 행위를 금함
- 감염 예방 및 관리: 방문객 제한, 광범위 항생제 투여 등
- 생리식염수 함수: 오심 · 구토 · 구강점막 손상 시 생리식염수로 자주 입을 헹구어 줌
- 충분한 식사와 수분 섭취를 권장하도록 하며, 지속적 신체간호와 정서적 지지를 제공함

오답 ① 아스피린 복용 시 출혈 위험이 증가하므로, 아스피린 투여를 금지한다.

POWER 특강

백혈병 치료

- 정의: 백혈구에 발생한 암. 비정상적인 백혈구(백혈병 세포)가 과도하게 증식하여 정상적인 백혈구와 적혈구, 혈소판의 생성이 억제됨

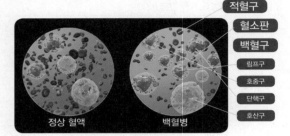

정상 혈액 / 백혈병
적혈구 / 혈소판 / 백혈구 (림프구 / 호중구 / 단핵구 / 호산구)

- **관해요법**

	관해			유지
P	Prednisolone	6-MP		6-mercaptopurine
A	L-asparagine	V		Vincristine
V	Vincristine	P		Prednisolone

- **약물 부작용**

Methotrexate	Prednisone
· 백혈구 감소 · 출혈, 빈혈, 골수 억제, 감염증 · 설사, 구토 · 피부의 색소침착 · 쇼크	· 체액정체, 체중증가 · 만월형 얼굴(달덩이 얼굴) · 기분변화, 식욕증가, 소화불량 · 불면증

- 부작용의 증상이 정상적인 반응인지 독작용인지 구분함: 일반적으로 오심 및 구토로 인해 약물중단 조치를 취하지는 않으나, 감염증상, 출혈성 방광염, 심한 구토 등은 중재가 필요함

지역사회간호학

036 ①

해설 | **우리나라 보건의료전달체계의 특징과 문제점**

수도권에 전국 의료기관의 80%가 몰려있는 것은 우리나라 보건행정체계의 문제점 중 하나로 의료기관 및 인력의 지역 간 불균형 분포를 보여준다. 이러한 특성은 의료기관 및 인력의 분포성 특성에 해당한다.

037 ①

해설 | 노인장기요양보험 제도

① 노인장기요양보호법에 의해 국민건강보험공단에서 관리한다.

> **오답** ② 노인장기요양보험제도 재원: 장기요양보험료, 국가 및 지방자치단체의 부담금, 본인 일부 부담금으로 이루어진다.
>
> ③ 가정전문간호사가 아닌 지역사회 방문간호사에 의해 간호가 제공된다.
>
> ④ 기능상태의 수준에 따라 등급을 나누고 각 등급에 해당하는 대상자의 요구에 따른 간호를 제공한다.
>
> ⑤ 소득에 관계없이 노인장기요양보험 가입자와 그 피부양자는 신청이 가능하나 소득수준과 우선순위에 따라 제공 대상자가 결정된다.

038 ④

해설 | 코호트 연구의 장점

- 위험요인 노출부터 질병진행의 전 과정을 관찰 가능
- 위험요인 노출수준을 여러 번 측정할 수 있음
- 연구하고자 하는 요인을 연구자 뜻에 따라 포함시킬 수 있고 높은 수준으로 측정할 수도 있음
- 위험요인에 노출된 군과 그렇지 않은 군별로 발생률과 비교위험도를 구할 수 있음
- 원인–결과 해석 시 선후관계가 비교적 분명함
  - ①, ②, ③, ⑤는 환자–대조군 연구의 장점

039 ①

해설 | 우리나라 보건의료전달체계

우리나라 보건의료제도는 사회보험형 전국민건강보험제도와 민간 위주의 의료공급체계가 상호작용하는 복지지향형의 특성을 가진다.

> **오답** ② 자유기업형 의료전달체계는 미국
>
> ③ 사회주의형 의료전달체계는 구소련
>
> ④ 사회보장형 의료체계는 영국의 의료체계에 해당한다.

040 ①

해설 | 집단검진의 조건

지역사회 보건간호에 의한 각종 건강검진은 암질환, 심혈관질환, 성인병 등을 예방하고 조기에 발견하기 위한 목적으로 시행된다. 때문에 건강검진의 도구는 민감성과 특이도가 높고, 예측도가 높아야 한다. 건강 문제의 발생을 예견하여 효율적인 예방법을 개발할 수 있지만, 직접적으로 치료방법을 개발할 수 있는 것은 아니다.

041 ④

해설 | 출생지수

- 일반출산율 = (같은 기간 내의 총 출생수 / 특정 기간의 가임연령 여성의 연중앙인구) × 1,000
- 합계출산율: 한 여성이 평생 동안 낳을 수 있는 자녀의 수(연령별 출산율의 합). 국가별 출산력 수준 비교지표로 사용
- 재생산율: 한 여성이 평생 동안 낳는 여자 아기 수로 인구 증감에 중요한 요인 = 합계출산율 × (여아 출생수 / 총 출생수)

- 순재생산율: 태어난 여자아이가 가임연령까지 생존하는 생존을 고려하여 1 이상이면 인구증가, 1 이하이면 인구감소. 여아의 가임연령까지의 생존수 / 여아 출생수

042 ②

해설 | **신뢰도**

신뢰도는 동일대상에 대한 반복측정이 얼마나 일정성(consistency)을 가지고 일치하느냐를 검정하는 것이다. 동일인이 동일 대상을 반복측정, 동일 대상을 동일 측정도구로 여러 사람이 측정, 생물학적 변동에 따른 오차를 고려하는 등의 검토가 필요하다.

043 ⑤

해설 | **차창 밖 조사(지역시찰)**

지역사회 간호사가 자동차를 이용하거나 걸어서 지역을 두루 살피는 것으로, 지역사회의 다양한 면을 신속하게 관찰할 수 있다.

044 ⑤

해설 | **건강형평성 제고**

인구집단 간 건강격차를 해소하는 것은 국가 전체의 건강수준 향상을 위해 중요한 정책 목표가 될 수 있다. 이는 지역 간의 불균형을 줄이고, 소득에 따른 차이가 없도록, 건강형평성을 제고하기 위한 우리나라 의료보장제도의 특성에 해당한다.

045 ①

해설 | **가족구조도(가계도)**

3세대 이상에 걸친 가족구성원에 관한 정보와 그들 간의 관계를 도표로 기록하는 방법으로 가족의 수, 구조 및 특성, 질병력, 상호작용, 가족 문제 등을 한눈에 짐작할 수 있다.

046 ②

해설 | **부양비**

- 총 부양비: {(0~14세 인구 + 65세 이상 인구) / 15~64세 인구} × 100
- 유년부양비: (0~14세 인구 / 5~64세 인구) × 100
- 노년부양비: (65세 이상 인구 / 15~64세 인구) × 100
- 노령화 지수: (65세 이상 인구 / 0~14세 인구) × 100

047 ①

해설 | **인구정책**

- 인구조정정책: 출생, 사망, 이동을 중심으로 발생되는 인구문제에 국가가 직접 관여하여 바람직한 방향으로 해결하고자 하는 적극적인 접근 방법
  - 인구성장억제정책: 가족계획, 해외이주사업

- 인구분산정책: 수도권인구집중억제사업, 인구 재배치 사업
- 인구자질향상정책: 보건사업, 인력개발 사업
- 인구대응정책: 인구변화로 야기되는 제반 사회적·경제적 문제를 해결하기 위해 국가가 추구하는 정책으로 **식량정책, 자원개발정책, 주택정책, 고용정책, 경제개발정책, 교육정책, 사회복지 정책** 등 인구의 질적 향상을 도모하고 인구와 관련된 사회문제에 대처하기 위한 정책

048 ④

해설 | **다문화가족**

다문화가족을 간호하기 이전에 간호사 스스로가 다양한 문화를 존중하는 마음가짐을 갖고 있는지를 확인하고 이를 위해 노력해야 한다.

049 ④

해설 | **감시와 감독**

감시는 사업의 목적달성을 위해 계획대로 진행되는지를 확인하는 것으로 투입, 과정, 결과에 대한 감시를 한다. 감독은 감독계획을 만들어 정기적으로 지역사회를 방문하여 실시하는 것으로 목표 진행정도의 평가, 주어진 업무 수행 수준의 결과, 사업 진행 동안 발생한 문제와 개선점을 토의하고 필요시 조언을 수행하는 활동이다.

050 ②

해설 | **체계이론**

- 투입자원 평가(투입): 간호시간, 가정방문 횟수, 물품소비 정도 등을 모두 포함한 소비량 산출
- 사업진행평가(과정/변환): 계획된 일정대로 사업이 수행되었는지 순서와 진행 정도 파악
- 목표의 달성 정도 평가(산출): 계획된 목표 수준에 어느 정도 도달했는지 **구체적 목표성취 여부**를 평가
- 사업효율성 평가(산출/투입): 투입된 노력, 자원을 비용으로 환산하여 그 사업의 **단위목표량에 대한 투입비용 정도**를 산출
- 사업적합성 평가: 지역사회의 요구에 적합한지, 사업의 실적은 합당한지 등에 대한 충족 정도 평가

051 ④

해설 | **로이의 적응이론**

- 초점자극: 즉각적이고 직접적인 사건이나 상황 변화로 임신, 시험 등에 해당한다. 이 사례에서는 고혈압 자체가 초점자극이 된다.
- 잔여자극: 인간행동에 간접적인 영향을 주는 태도, 신념, 성격, 습관 등으로 환자의 임의 판단대로 항고혈압제 증상에 따라 복용을 중단하는 것이 해당된다.
- 역할 기능 양상: 사회적, 통합성에 대한 적응양상, 환경 내 다른 사람과 작용하고 적절한 역할 행동을 수행하는 것으로 고혈압에 대한 의사소통양상을 관찰하는 것이다.
- 상호의존 양상: 사회적 통합성 중에서도 특히 상호작용에 초점을 둔 적응양상, 상호 의존감은 독립심과 의존심 사이의 균형으로 의미 있는 타인이나 지지체계와의 관계, 사랑, 존경, 가치를 주고받는 것과 관련되며, 고혈압치료와 관련하여 전적으로 의료진에게 의존하는 것은 상호의존이 아닌 독립심과 의존심의 균형이 깨진 상태이다.

052 ③

해설 | 평가의 유형

- 구조평가: 사업에 투입되는 자원의 적절성을 평가
- 과정평가: 사업에 투입된 인적, 물적 자원이 계획대로 실행되고 있는지, 일정대로 진행되고 있는지를 평가하는 과정
- 결과평가: 설정한 장·단기 목표가 얼마나 달성되었는가를 평가

053 ③

해설 | 사례관리자의 역할

- 조정자: 대상자의 욕구에 부합하는 자원이 무엇인지 결정하고, 상황에 따라 서비스를 안내하고 정리, 경우에 따라 서비스 통제
- 옹호자: 대상자가 자기문제 직면하고 자기문제를 해결할 수 있도록 자기직면과 자기옹호능력을 지원
- 상담자 및 교육자: 대상자가 문제와 욕구를 스스로 파악하고, 인식하도록 도우며, 서비스의 질과 적합성을 판단하는 방법을 교육시키고, 책임성을 어느 정도 분담하도록 격려

054 ⑤

해설 | 지역사회 보건사업(기획)

지역사회 보건사업을 기획할 때에는 각 사업의 영역에 해당하는 정책과 방향을 살피고 이에 따른 목적과 목표를 설정하는 것이 중요하다.

055 ①

해설 | 의사소통 매체

대상자에게 인기있고 친근감을 줄 수 있으며 가장 빠르게 많은 대상자에게 전달할 수 있는 장점이 있는 간호 매체는 방송이다.

오답 ③ 벽보는 시각을 자극해 많은 주민에게 전파할 수 있으나, 장기적으로 게시할 수 있는 장소 및 시설이 필요하다는 단점이 있다.
④ 유인물은 대상자가 보관하면서 보고 싶을 때 볼 수 있고 보건교육 내용이 조직적·계획적으로 남을 수 있다는 장점이 있다.

056 ⑤

해설 | 보건교육 수행

학습과정의 조직에서 도입활동은 3~4분 정도의 짧은 시간 동안 이루어지고 흥미유발과 동기부여를 위해 설명이나 해석을 제시하고 이전 시간에 배운 것과 앞으로 배울 내용을 제시하며 대상자가 심리적으로 안정감을 느끼도록 돕는다. 전개활동은 직접적인 학습내용을 습득하는 시간으로 학습내용에 해당하는 지식·기능·이해 등을 습득하는 과정이다. 종결활동은 전개단계에서 행한 활동을 종합하여 설정된 목표에 의해 성취감으로 나아가는 단계이다.

057 ②

해설 | 평가의 유형

- 구조평가: 사업에 투입되는 자원의 적절성을 평가
- 과정평가: 사업에 투입된 인적, 물적 자원이 계획대로 실행되고 있는지, 일정대로 진행되고 있는지를 평가하는 과정
- 결과평가: 설정한 장·단기 목표가 얼마나 달성되었는가를 평가

058 ①

해설 | **건강생활지원센터**

- 설치기준: 읍·면 동마다 1개씩(보건소 설치지역 제외)
- 지방자치단체가 보건소의 업무 중에서 특별히 지역주민의 만성질환예방 및 건강한 생활습관 형성을 지원하기 위함
- 건강생활지원센터 설치 및 운영은 지속적으로 증가하고 있는 추세

059 ③

해설 | **선천성 대사이상 검사**

태어날 때부터 몸의 생화학적인 대사 경로에 결함이 있어 발생하는 질환을 조기 진단하기 위해 신생아 시기에 선별 검사를 시행해야 한다. 페닐케톤뇨증, 단풍당뇨증, 호모시스틴뇨증, 갈락토스혈증, 갑상선기능저하증, 부신기능항진 등의 기본 6종 선별 검사가 포함된다.

060 ③

해설 | **폭력가족(학대가족)**

- 1차 예방 및 조기발견: 가족 사정 시 심층적으로 접근
- 2차 예방: 폭력과 학대가 발생한 것을 확인했을 경우 위기중재
  - ▶ 관련기관 신고 및 피해자 격리, 학대자·피해자·가족에 대한 치료
- 3차 예방: 발생한 학대가 재발하지 않도록 예방 ▶ 대처기술 부족 등 취약요소 감소

061 ⑤

해설 | **가족간호 체계이론**

가족을 하나의 개방체계로 이해하며, 체계는 상호작용하는 여러 요소들의 복합체라고 정의하는 이론. 가족체계는 끊임없이 내·외부 환경과 상호작용하면서 스스로 높은 적응력과 분화에 의해 성장한다.

062 ①

해설 | **WHO 제1차 국제건강증진회의(1986.11. 캐나다 오타와) 5대 활동전략**

㉠ 건강한 공공정책의 수립: 건강증진은 보건의료서비스를 초월하여 모든 부문에서 정책입안자들이 정책결정의 결과가 건강에 미치는 영향을 인식하게 함으로써 국민건강에 대한 책임을 환기시키는 것

㉡ 지지적 환경의 조성: 일과 여가생활은 건강에 좋은 원천이 되므로 안전하고, 건강을 북돋우며, 만족과 즐거움을 줄 수 있는 직장환경과 생활환경을 조성하는 것

㉢ 지역사회활동의 강화: 건강증진사업의 목적 달성은 우선순위와 활동범위를 결정하고, 전략적 계획과 실천방법을 모색하는 데서 구체적이고 효과적인 지역사회활동을 통해 수행하는 것

㉣ 개인의 기술 개발: 건강증진활동을 통해 개개인은 건강과 환경에 대한 통제능력을 향상시키고, 건강에 유익한 선택을 할 수 있는 능력을 갖는 것

㉤ 보건의료서비스의 재정립: 보건의료 부문의 역할은 치료와 임상서비스에 대한 책임을 뛰어넘어 건강증진 방향으로 전환되어야 하는 것

063 ③

해설 | **우선순위 결정**

MATCH (Multi–Level Approach To Community Health)

① 지역사회 보건사업 전략을 생태학적인 여러 차원에 단계적으로 영향을 주 도록 고안된 모형

② 개인의 행동과 환경에 영향을 주는 요인들을 개인에서부터 조직 지역사회 국가 등의 여러 수준으로나누어 지역사회 보건사업을 기획

③ 질병이나 사고에 대한 위험요인과 예방 방법이 알려져 있고 우선순위가 정해져 있을 때에 실제 수행을위한 지역사회보건사업을 개발할 때에 적합한 방법

④ MATCH 의 단계는 목적 설정, 중재 계획, 지역사회보건사업 개발, 실행, 평가로 구성

064 ⑤

해설 | **만성 퇴행성 질환**

직접적인 원인이 존재하지 않으며, 여러 가지 원인이 복합적으로 작용하여 규명이 힘들고 잠재기간이 길고 일단 발생하면 장기간에 걸쳐 치료와 간호를 요한다. 또한 회복과 악화를 반복하고 연령이 증가하면 유병률도 증가한다.

065 ①

해설 | **감염성 질환**

병원체의 낮은 감염력, 불충분한 병원체의 양, 부적절한 침입경로, 숙주의 낮은 감수성, 숙주의 저항성(특이면역)은 감염의 실패를 야기한다. 그러나 숙주가 높은 감수성을 가지고 있으면 감염이 용이하기 때문에 질환을 일으킨다.

066 ②

해설 | **노인보호시설**

단기보호시설은 부득이한 사유로 가족의 보호를 받을 수 없이 일시적으로 보호가 필요한 심신이 허약한 노인이나 장애노인을 보호시설에 단기간 입소시켜 보호함으로써 노인 및 노인가정의 복지증진을 도모하기 위한 목적으로 존재한다. 반면 주간보호시설은 낮 시간 동안에만 보호하고 방문요양서비스, 재가복지서비스는 직접 가정에 방문하여 실시하는 것이다.

067 ⑤

해설 | **건강예방수준**

- 1차 예방간호: 질병예방 및 건강유지 및 증진
- 2차 예방간호: 조기진단, 조기치료, 진단, 치료 및 신체손상 최소화(합병증의 예방)
- 3차 예방간호: 기능의 회복 및 장애의 최소화 및 사회에의 복귀, 재활 및 만성질환으로 인한 장애치료 등

068 ①

해설 | **납중독 예방 및 대책**

납중독을 예방하기 위해 납분진이 건조한 상태로 작업하고 분진 발생을 억제하기 위해 바닥을 축축하게 유지한다. 개인보호구를 착용하고 최소한 주 1회 깨끗이 닦고 갈아입어야 한다.

②, ④ 고무장갑 등을 사용해 피부에 물질이 닿지 않도록 하고 비중격 점막에 바셀린을 바르는 것은 크롬중독을 예방하기 위한 활동이다.

③ 우유와 달걀 흰자를 먹여 수은과 단백질을 결합시켜 침전시키는 것은 수은중독을 예방하기 위한 활동이다.

069 ②

해설 | **감압병(잠함병)**

고기압하에서 액화된 질소가 감압 시 기화 → 기포형성 → 모세혈관에 혈전형성 → 통증성 관절장애 → 잠수작업, 잠함업자들에게 나타남

070 ⑤

해설 | **재난의 유형**

- 인적재난: 화재, 붕괴, 폭발, 교통사고, 화생방 사고 등 인간의 부주의로 발생하는 사고성 재해와 고의적으로 자행되는 범죄성 재해 그리고 공업의 발달에 따라 부수되는 제반 피해
- 자연재난: 태풍, 홍수, 호우, 강풍 등의 자연현상으로 인하여 발생하는 재해
- 특수재난: 인위적인 원인에 의한 불특정 다수에 대한 범죄행위로 공공테러, 연성테러(감염성 미생물 테러), 컴퓨터 바이러스 테러, 괴질, 불법 시위 등
- 사회적 재난: 에너지, 통신, 교통, 금융, 의료, 수도 등 국가 기반체계의 마비와 감염병, 가축 전염병 확산 등으로 인한 피해, 공공성이 큰 국가 사회기반 시설물에서 발생하는 재난으로 건축물, 에너지 시설, 해상 사고, 유조선 사고, 환경시설 사고 등

정신간호학

071 ④

해설 | **방어기제**

부모, 형제 등과의 동일시를 통해 초자아를 발달시키며, 동성의 부모와의 동일시를 통해 성 역할을 습득한다.

POWER 특강

동일시(identification)

- 다른 사람의 바람직한 속성이나 태도, 행동을 들여와서 자신의 성격의 일부로 삼는 것으로 단순한 흉내, 역할모델, 모방
- 자아와 초자아의 성장에 가장 큰 역할을 하며 성격발달에 매우 중요한 역할을 함
- 초기 아동기(3~6세)에 시작되고 부모상을 받아들임
- 성인기에도 동일시가 발현되기는 하나 이 경향이 지배적인 것은 자아발달 이상을 의미하며 병적인 경향을 나타냄

    ex 어린 남자아이가 아버지의 굵은 목소리를 흉내 냄

072 ①

해설 | **자살 간호중재**

자살에 관련된 중재는 그 우선순위가 가장 높다. 일반적으로 간호중재는 기도유지, 자살 예방 등 생명에 직결된 문제를 가장 우선순위로 둔다.

POWER 특강

자살예방 간호

· 심한 우울증이 갑자기 많이 호전된 경우 자살 위험이 최대이므로 특히 주의를 요해야 하는데, 죽음에 대한 양가감정의 해결로 자살시도 위험 높고 기회 증가와 에너지가 생기기 때문임

· 지속적 1:1 관찰, 불규칙적으로 병실순회, 잠들기 전까지 혼자 두지 않음

· 위험한 소지품 제거 및 복용약물 관찰, 외출해서 환자가 가지고 오는 소지품에 주의

· 자살예방의 문서화

· 스트레스 상황에 대한 인식, 충동조절을 지지

· 자살의지를 표현하는 경우 심각하게 받아들이고 양가감정의 수용, 위기상황에 대한 이해

073 ⑤

해설 | **사회적 모형**

사회적 모형은 1차 예방을 위해 사회적 · 환경적 상황의 개선하고 지역사회 정신건강 증진, 국가의 노력 강조하는 것으로, 지역사회자원을 활용하여 중재를 수행하는 것이다.

오답 ① 의사소통 모형

② 의학적 모형

③ 실존적 모형

④ 정신 분석모형

POWER 특강

정신건강간호의 개념적 모형

	이상행동에 관한 견해	치료적 접근
정신분석 모형	해결되지 않은 갈등으로 인한 불안을 다루려는 자아의 비효과적인 방어	· 자유연상, 꿈 분석 기법 · 저항과 전이현상 해석
대인관계 모형	초기 대인관계에서 형성된 부정적 자기체계로 인한 대인관계의 왜곡	신뢰관계 형성, 대인관계 안정감
사회적 모형	사회적 · 환경적 요인이 스트레스 일으키며 불안과 증상의 원인	· 사회적 · 환경적 상황의 개선 · 지역사회 정신건강 증진, 국가의 노력 강조
실존모형	자아수용, 자아인식의 결여로 인한 자기소외	자기존재에 대한 진정한 인식 되찾고 행동을 통제하도록 함
의사소통 모형	언어 및 비언어적 메시지가 왜곡된 의미로 사용됨	의사소통 유형 사정 → 장애 진단 → 피드백 제공
행동 모형	불안감소를 위해 지속되는 바람직하지 않은 습관의 학습	인지행동치료: 자신의 행동에 대해 객관적으로 감시하고 이해함으로써 대처행동을 획득하고 자기통제 방법을 학습
의학적 모형	중추신경장애(신경전달물질의 이상)	진단에 따른 치료: 약물치료, 전기충격요법, 대인관계 기술
간호 모형	스트레스원에 대한 잠재적 · 실재적 부적응 반응과 대처의 행동화	대상자 참여 방법으로 간호과정 적용하여 대상자의 건강한 강점을 활용

074 ①

이외에 항불안제로 사용할 수 있는 약물은 Benzodiazepine, Lorazepam, Alprazolam 등이 있다.

POWER 특강

항불안제
Benzodiazepine계
• Alprazolam (Xenax), lorazepam (Ativan), oxazepam, diazepam (Valium)   • 적응증: 불안장애, 알코올 금단의 해소, 수면유도, 항경련제, 항정신병 약물 부작용 해소   • 장점: 안전, 치료역 넓고 상호작용 적음, 배설 느림   • 단점: 알코올과 상승작용 및 교차내성, 진정작용, 기억력 장애, 의존(고용량, 장기간, 반감기 짧은 약일수록)
기타 항불안제
• Buspirone (Buspar): 도파민, 세로토닌 차단 ▶ 범불안장애에 사용   • Barbiturate sulfate: 중추신경계 억제제   • SSRI: 강박장애, 공황장애, 사회공포증

075 ③

해설 | 치료적 의사소통

환자가 말한 것의 내용을 명확히 이해하기 위해 다시 질문하는 명료화 기법이다. 개방적 질문은 대화를 시작할 때 환자에게 대화주제를 선택하게 하는 등의 목적으로 주로 사용하는 기법이다.

--- **comment** ---

반영(reflection)

대상자의 입장에서 대상자가 느끼고 생각하고 경험한 것을 치료자가 그대로 나타내 보이는 기술하는 것으로, 대상자가 상황을 객관적으로 볼 수 있고 문제를 정확히 대할 수 있도록 돕는다. 반영의 예로는, "최근 일어난 일에 대해 슬픔과 죄책감을 느끼고 있군요.", "정말 속이 상하셨군요.", "말하자면 그 사람이 싫으신 모양이군요." 등이다. '반영' 기법은 시험에서 가장 많이 출제된 개념 중 하나이다.

정신건강간호학

076 ②

해설 | 외상과 스트레스 관련 장애 종류

반응성 애착장애(reactive attachment disorder)는 나이에 적절하게 사회적 관계를 갖는 데 어려움을 느끼고 타인과의 관계 형성이 어려우며 정서표현이 제한되어 있는 상태를 말한다. 양육자와의 상호작용에서 주로 불안정, 두려움, 슬픔을 보인다. 부모와의 적절한 애착 형성 결핍을 원인으로 보고 있다.

077 ③

해설 | 정신분석 모형

프로이드는 정신분석모형에서 불안이 무의식적인 욕구와 그에 대한 초자아의 갈등으로 인해 발생된다고 하였다.

오답 ①, ⑤ 설리번과 페플로우의 대인관계모형

② 설리번의 대인관계모형

④ 에릭슨의 발달단계모형과 관련된 설명이다.

POWER 특강		
정신분석 모형(Freud)		
이상행동에 관한 견해	어린 시절 해결되지 않은 갈등으로 인한 불안을 다루려는 자아의 비효과적인 방어	
치료적 접근	• 자유연상, 꿈 분석 기법 • 저항과 전이현상 해석	
치료자 – 환자 역할	• 환자는 생각과 꿈을 언어화하고 치료자는 해석함 • 치료: 갈등과 의존 욕구를 해결함으로써 현실화	

078 ③

해설 | 스트레스 관리

스트레스에 대한 대처방식에는 크게 문제 중심적 대처방식과 정서 중심적 대처방식으로 나뉜다. 그 중 문제 중심적 대처는 스트레스를 유발하는 개인과 환경적 문제에 직면하여 스트레스의 원인을 밝혀내고 이를 중심으로 문제를 해결하려는 대처방식을 의미한다.

POWER 특강		
스트레스 관리		
인지적 전략	• 비합리적 신념 수정: 과장("약속 시간에 늦은 것을 보니 나를 싫어하는구나."), 절대화("나는 반드시 실수 없이 유능해야만 해.") • 사고중지 기법: 강박사고가 머릿속에 떠오를 때마다 의식적으로 "그만!", 고무줄 잡아당기기 • 긍정적 자기진술	
심리적 전략	상황적 지지: 인적 · 환경적 자원 확보 및 심리적 지지	
극복 기술	• 이완요법: 심호흡, 점진적 근육이완, 명상, 심상법, 바이오피드백 • 감정표현: 나 전달법, 자기주장훈련 • 생활양식 관리: 영양, 수면, 운동, 여가활동, 인간관계 유지 • 대응전략: 문제중심 대응전략(문제를 재정의하고 대안방안을 모색하여 결정하고 실행함), 정서중심 대응전략(현재 객관적인 상황에 대한 의미를 바꾸기 위해 소리를 지르거나 울분을 터뜨림)	

079 ②

해설 | 지역사회 정신건강 간호

전통적 치료에서 벗어나 지역사회를 기반으로 하는 지속적이고 포괄적인 통합적 치료 접근, 지역사회 정신 건강을 목적으로 지역사회 내에서 행해지는 모든 활동으로, 지역사회 정신보건 사업, 즉 일종의 정신건강 예방운동이다.

	1차 예방	2차 예방	3차 예방
	건강증진, 질병예방	조기발견, 조기치료	재발방지, 재활
	• 건강증진: 건강한 사람들의 안녕 유지 • 질병예방: 잠재적 위험에 대한 보호 • 질병에 걸리기 전에 원인요소를 변화시킴으로써 질병발생률을 낮추는 것	현존하는 정신건강 문제를 조기에 확인하고 정신질환 유병기간을 감소	• 정신질환으로 인한 부차적인 정신적 결함이나 사회적응장애를 줄임 • 재발방지, 재활과 지속적인 관리, 사회복귀

080 ④

해설 | **지역사회 정신건강 간호**

지역사회간호는 시설에서 벗어나 실제 생활환경인 지역사회중심의 치료를 지향하며, 대상자에 대한 치료와 지지적 환경의 구축을 통해 정신질환을 가진 대상자가 기능을 최대한 증진하여 일상생활과 사회생활을 독립적으로 유지할 수 있도록 돕는다.

081 ⑤

해설 | **망상**

	관계망상	과대망상
정의	아무 근거도 없이 주위의 모든 것이 자기와 관계가 있는 것처럼 생각하며 자기에게 어떠한 의미를 가진 것이라고 생각하는 망상	자신이 실제보다 더 위대하고 전능하며 남들이 모르는 재능이나 통찰력을 가졌거나 정부의 직책을 맡았다고 과대평가하여 믿음
예시	① TV 화면에 나오는 여자 연예인이 나를 보고 웃는다고 해석하거나, ② 빨간 신호등 색깔이 하느님이 자신에게 어떤 경고를 주는 것으로 생각하여, 만약 거리에서 빨간 신호등을 우연히 보았을 때에는 아무 일도 하지 않고 곧바로 집에 들어가 꼼짝하지 않고 지내는 등 일상생활에서의 어떤 사건들이 자신과 아주 특수한 관련성이 있다고 생각함	자신이 초능력 인간이 되었다거나, 또는 영적인 힘을 지니게 되어 무슨 일이든지 할 수 있다고 믿는데, 이런 증상은 자신의 열등감 · 패배감 · 불안감 등을 보상하기 위해 노력하다가 생기는 경우가 많음

병적으로 생긴 잘못된 판단이나 확신으로, 이유나 논리로 교정되어질 수 없는 논리적으로 그릇된 믿음이다. 망상은 사고내용의 이상에 해당된다.

POWER 특강

망상장애의 진단

- 발병은 급성적 양상을 보이며 진행은 만성적 양상이다.
- 명백히 지속되는 피해망상과 질투망상(망상이 대개 한 가지 주제)
- 때에 따라 환청이 있을 수 있으나 조현병과 같이 뚜렷하지는 않다.
- 인격이 비교적 온전하고 사회적 · 직업적 기능은 대체로 유지된다. 그러나 병에 대한 병식은 없다(망상만 있을 뿐 다른 일은 비교적 잘 함).
- 망상에 대한 정서반응이 비교적 적절하다.
- 인격의 황폐화는 없다.

082 ④

해설 | **행동수정요법**

행동수정요법은 바람직한 행동에 대해 양성의 강화자극을, 바람직하지 못한 행동에 대해서는 음성의 강화자극을 주는 등으로 바람직한 행동을 촉진하는 요법이다.

POWER 특강

	행동수정요법
개념	인간의 행동은 상과 벌의 균형에 따라 학습되거나 소멸된다는 이론에 근거한 행동치료 방법
적응증	공포증, 섭식장애(신경성 식욕부진증, 신경성 폭식증, 비만증), 알코올의존, 성 장애, 집중력결핍증, 학습장애
기법	• 긍정적 강화: 긍정적인 보상을 제공함으로써 바람직한 행동을 증가시킴(ex 토큰경제) • 부정적 피드백: 바람직하지 못한 행동을 감소시킴(ex 소멸, 무관심, 처벌, 반응손실, time out)

083 ⑤

해설 | **전환장애**

스트레스에 대해 신경학적 증상(마비, 감각이상, 시력마비), 감각기관이나 수의적 운동의 극적인 기능상실이 나타나는 것은 전환장애이다. 이러한 증상은 스트레스를 부적절한 방식으로 표출하여 나타나는 것이므로, 유발요인을 확인 및 차단하고 올바른 대응방법을 교육하여야 한다.

POWER 특강

환장애의 특징

• 증상이 갑자기 발생하고 극적으로 심해져 주위 사람에게 전시효과가 큰 것이 특징
• 내적 긴장을 푸는 1차 이득과 관심, 보호, 체면유지의 2차 이득 있음
• 만족스런 무관심(la belle indifference): 환자는 자신의 심각한 신체증상에 대해 걱정하지 않음
• 가성경련(히스테리성 간질): 다치지 않을 곳에서 남이 볼 때 쓰러지는 것으로, 특징적 증상이 없고 정신 멀쩡하며, 혀 깨물기, 요실금, 반사변화, 오심·구토, 두통 등 동반되지 않음
• 병전 인격: 수동공격형, 의존성, 반사회적, 연극적 인격
• 방어기제: 억압, 전환

084 ④

해설 | **성격장애의 간호진단**

비효율적 대응은 일반적으로 스트레스나 자극에 대해 대처하는 반응과 다르게 부정적, 부적응인 반응이 나타나 올바르지 않은 대처방식을 취하는 것을 의미한다.

— comment —

성격장애 대상자의 간호 목표는 성격(인격) 자체가 교정되는 것이 아니고 특정 인격 특성을 가지고도 이탈된 행동을 하지 않도록 자기 행동에 책임을 질 줄 아는 능력을 키우는 것이다. 즉 증상경감, 정서적 균형 유지, 사회적 관계 형성, 현실생활에 적응하도록 돕는 것이다.

085 ②

해설 | 양극성관련장애 대상자 간호중재

양극성 장애 환자를 중재할 때는 내면에 있는 감정을 표출하게 하여 숨겨진 욕구나 문제점 등을 표현하게 하는 것이 가장 중요하다. 일반적으로 양극성관련장애 조증 대상자는 내면에 우울감이 깔려있음을 부정하고 있다는 것을 이해하고, 바람직한 행동 시 칭찬과 격려로 자존감을 증진시키는 것이 간호사의 역할이다.

오답 ①, ③, ④, ⑤ 자극을 제한하고 조증환자끼리는 분리시켜야 한다. 다른 사람과 어울리도록 장려할 필요는 없으며, 가끔 혼자 있게 하거나 혼자 걷도록 하는 것이 도움이 된다.

086 ⑤

해설 | 자살 단서

자살 위험 대상자에서 자살단서를 사정해야 하는데, 자살 단서란 자살하려는 의도를 타인에게 알리는 행동양상으로, 언어적 · 비언어적 단서로 나타난다.

	언어적	비언어적
직접적	• "더 이상은 못 살겠어, 자살할 거야." • "이 약을 먹고 고통 없이 죽을 거야." • "이 세상은 내가 없으면 더 좋을 거야."	• 약을 먹고 자해를 하거나 목을 맬 줄을 만드는 등 • 위험한 생활양식, 타인의 도움 거부 • 소유물을 다른 사람에게 양도
간접적	• "나를 위해 기도해 줘." • "네가 돌아오면 난 여기 없을 거야." • "이제 곧 편안해질 거예요."	• 불안해하던 사람이 갑자기 평온해짐 • 묘지를 사는 것

087 ⑤

해설 | 양극성관련장애 조증 임상양상 및 약물요법

위의 대상자는 양극성관련장애 조증의 임상양상을 보이고 있다. 조증에서는 항조증제이자 기분안정제인 Lithium을 투약하는데, 부작용으로 오심 · 구토, 설사, 다뇨, 구강건조, 졸음, 피로감, 손의 미세한 진전 등 발생할 수 있다.

생리적	인지적	정서적	행동적
• 탈수 • 수면부족 • 영양결핍 • 체중감소 • 탈진	• 야심적 • 현실감 부족 • 주의산만 • 고양감 • 사고의 비약 • 과대망상 • 착각 • 판단력 장애 • 연상의 장애 • 주의력 저하	• 다행감 • 의기양양 • 자존감의 고조 • 거리낌 없음 • 유머, 익살 • 비난을 참지 못함 • 심한 기분의 동요 • 의심 • 무절제	• 활동증가, 과다행동, 과대망상적 행동 • 공격적 • 과도한 돈의 낭비 • 성욕 및 성활동 증가 • 충동적, 도발적 • 흥분, 논쟁적, 다변증, 참견, 조종 • 민감성 • 개인위생에 대한 무관심, 기괴한 몸치장 • 무책임

088 ⑤

해설 | 조현병 스펙트럼 및 기타 정신병적 장애

대상자는 정신운동성 초조의 양상을 보이고 있으며, 타인에게 폭력 위험의 모습을 보이고 있다.

조현병 스펙트럼 및 기타 정신병적 장애의 간호진단

1) 사고과정장애
2) 감각지각장애
3) 폭력위험성: 타인지향 폭력위험성, 본인지향 폭력위험성
   ▶ 정신운동성 초조

4) 사회적 고립
5) 비효율적 대응
6) 자가간호 결핍
7) 수면양상의 장애
8) 언어적 의사소통의 장애

089 ⑤

해설 | 우울장애 간호

우울장애 환자는 식욕부진 때문에 영양불균형이 일어날 수 있다. 환자로 하여금 기호식품을 선택하게 하고 식욕을 돋우는 모양과 색깔의 음식이나 맛있는 음식으로 자극하여 식이를 돕는다. 소량씩 자주 제공하여 섭취량과 배설량을 확인하여 기록하고 체중을 측정한다. 영양 불균형이 심할 경우에는 간호사가 먹여주기도 하며, 최후의 방법으로 위관영양을 실시하기도 한다.

우울장애 환자의 자가간호

개인위생	• 활동 저하, 관심 상실, 자긍심 저하로 몸치장과 위생 소홀 • 스스로 목욕할 수 없으면 목욕 시켜주고 머리손질, 구강 청결, 손톱, 면도 등에 신경 쓰게 함 • 옷의 선택을 돕고 예쁘게 옷 입도록 격려, 옷은 화려하고 자극적인 색깔 권장, 빨래와 다림질을 하도록 함
활동 및 수면	• 휴식기간과 또 다른 수면에 대해 계획하여 규칙적인 수면습관 유도 • 낮에는 가능한 침상에 있지 않도록 하고 적절한 활동 권장하며, 가벼운 운동으로 피로감을 갖게 함 • 신체적 불편 제거, 소음이나 자극물 제거하여 편안한 환경 제공 • 등마사지, 샤워, 따뜻한 우유 제공
변비	수분섭취 및 고섬유 식이 권장, 가벼운 운동이나 산책 시행, 하제 사용하기도 함

090 ④

해설 | 불안의 수준

불안이란 내·외적으로 인한 내적인 조절능력의 상실로 마음속으로부터 일어나는 모호하고 막연한 주관적 감정으로, 염려, 긴장, 걱정되는 상태로서 임박한 위기에 대한 두려움, 무엇인지 확실하지 않으나 어떤 커다란 위험이 닥쳐오리라는 생각에 압도당하는 상태이다. 불안의 단계를 연속적으로 표현하는 모형에서 불안은 경증, 중등도, 중증, 공황 단계의 총 4단계로 구분한다.

경증 불안	• 일상생활을 하면서 느끼는 긴장 상태로, 지각영역이 확대되고 행동이 민첩해지는 수준 • 신체적 징후 없음 • 예전보다 잘 보고 듣고 파악, 집중력 증가하여 학습을 동기화, 성장 및 창조성 유도하는 유용한 감정
중등도 불안	• 스트레스 상황을 극복할 수 있지만 지각영역이 다소 좁아져 당면문제만 관심 집중 • 지각영역 협소, 선택적인 부주의(전보다 덜 보고 듣고 파악) • 의식적 대처기전, 무의식적 방어기제 사용 • 약간의 발한, 근육긴장 있음

중증 불안	• 지각영역이 현저하게 축소 • 모든 행동은 불안을 경감시키는 데 집중하며 사소한 것에 주의를 기울여 다른 것은 생각하기 어려움 • 수많은 방어기전 이용 • 신체적 증상 급격히 증가: 몸을 떨며, 몸의 과도한 움직임, 동공확대, 심한 발한, 설사 및 변비, 불안이 심하여 근육계통까지 영향을 미쳐 동작이 안절부절 못함 • 심리적으로 극도로 고통스러움, 위협을 주는 대상에 집중할 수 없음
공황 장애	• 극심한 불안상태로, 도움을 주어도 아무것도 할 수 없을 것 같은 느낌을 받는 상태로, 즉각적인 중재가 필요 • 논리적 사고와 의사결정 능력 불가 • 증가된 정신운동 활동, 성격 분열, 대인관계 능력 감소, 왜곡된 인지, 합리적 사고의 상실 • 순간적으로 정신증적 상태가 되어 자신이나 타인에게 신체적으로 해를 입힐 수 있음

091 ②

해설 | **마리화나**

마리화나는 가장 널리 사용되는 환각제 중 하나로, 주로 담배 · 봉으로 흡입하고 구강 복용한다.

중독증상	• 결막충혈, 경한 빈맥, 기립성 저혈압, 다행감, 무감동, 무감각, 이인증, 인지장애, 섬망, 식욕증가, 구갈 • 발암성의 탄화수소를 흡입하여 만성호흡기 질환 폐암 위험 증가 • 플래쉬백(flashback): 장기복용자에서 한동안 약물 중단 시 잠깐 동안 강한 환시 등 중독증상이 나타남 • 무동기 증후군(amotivation syndrome): 무감동, 무감각, 우울증, 사회활동의 위축
의존	심리적 의존은 있으나 신체적 의존은 없음

092 ⑤

해설 | **강박충동관련장애**

강박충동관련장애는 자신의 의지와는 상관없이 반복적인 사고인 강박사고(obsession)와 강박행동(compulsion)을 되풀이하는 것을 말하며, 대상자는 강박적 행동을 통해 불안을 완화시킨다.

강박충동관련장애의 간호중재

- 강박(의식)행동을 할 수 있는 시간 허락, 강박행동에 대한 환자의 욕구를 알아주고 공감
- 강박행동을 금지시키면 오히려 불안을 조절할 수 없어 공황상태가 될 수 있음
- 기본욕구(식사, 휴식, 청결 등)가 충족되었는지 확인
- 강박과 강박행동의 관련성을 이해하도록 도움
- 서서히 제한을 가하여 강박행위를 줄여가며 긍정적인 비의식적 행위(바람직한 대처기전) 강화(예: 단순한 활동, 게임, 과제 마련)
- 강박행위가 건강을 해칠 정도로 심할 때는 제한

---

093 ②

해설 | **알코올 금단(alcohol withdrawal)**

환자의 증상으로 보아 알코올 금단현상이 나타나고 있음을 알 수 있으며, 자율신경 기능항진에 대한 중재를 시행한다.

알코올 금단

반복적으로 장기간 고용량으로 복용한 후에 완전히 또는 어느 정도 중단했을 때 생기는 증상군이다(대개 5~15년의 과음 경력). 금단 증상은 대개 금주 후 4~12시간 이내에 시작 되어 이틀째 피크에 도달하며, 진전섬망이 없는 한 4~5일째 개선된다. 알코올 금단 시 자율신경 기능항진 증상(빈맥, 혈압상승, 체온상승, 발한), 진전증가, 불면증, 불안, 오심·구토, 일시적 환시·환청·환촉, 착각, 정신운동성 초조, 전신성 발작을 보인다.

> **DSM-5 진단기준**
>
> 지속적으로 과량의 알코올을 복용하다가 중단 혹은 감소한 후 몇 시간 혹은 며칠 이내에 다음 항목 중두 가지 이상이 나타날 때 진단
> - 자율신경기능항진(발한 혹은 맥박수 〉 100)
> - 진전증가
> - 불면증
> - 오심 및 구토
> - 일시적인 환시, 환청, 환촉 혹은 착각
> - 정신운동성 초조증
> - 불안증
> - 전신성 발작

---

094 ②

해설 | **치료적 의사소통**

대상자가 말을 시작하거나 다시 생각을 할 때까지 중지시키지 않고 기다려주는 것으로, 대상자가 자신의 생각을 정리하고 자신의 문제를 알게 해주는 기회를 갖게 한다.

─ comment ─

미숙한 침묵기술이나 할 말이 없어서 말을 안 하는 것은 오히려 대상자로부터 불편한 느낌을 갖게 한다.

095 ⑤

해설 | 인지장애

인지장애가 있을 시, 최대한의 기본기능과 인지능력을 유지, 향상시키는 방법의 중재를 해야 한다. 이를 위한 방법으로 자극이 적고 익숙한 환경(익숙한 물건, 동일한 치료자)의 조성, 계획되고 일관성 있는 생활 패턴을 유지하는 것, 기본적인 일상생활 활동 중 가능한 활동을 하도록 격려하는 것 등이 있다.

POWER 특강

인지장애 대상자 간호중재

- 소음 없는 상태에서 분명하고 낮은 목소리로 대화, 일관성 있는 태도로 환자를 대함
- 짧고 간단한 문장 사용하여 천천히 명확하게 이야기하고, 폐쇄적 질문 사용, 이해하지 못할 때는 같은 단어를 사용하여 반복
- 꾸며낸 이야기(작화증)에 대한 반응은 환자 표현의 느낌에 반응
- 자극이 적은 환경, 익숙한 환경 제공
- 면회객 제한, 동일한 치료자
- 정확하고 간단하면서 일관성 있고 구조화된 일과로 기억력, 지남력 증진
- 회상요법: 과거 경험, 오래된 기억을 활용하여 즐거움과 슬픔이나 분노를 표현

---

096 ⑤

해설 | 신경성 식욕부진(A/N)

현재 A씨는 167 cm, 35 kg로, 신장에 비해 비정상적인 체중 상태에서도 지속적으로 음식을 먹는 것을 거부하는 행동을 보아 신경성 식욕부진증으로 판단할 수 있다. 신경성 식욕부진 대상자는 체중과 음식에 강박적으로 집착하면서 낮은 체중임에도 체중 증가에 대한 강한 공포로 인한 잘못된 자아상을 갖고 극도로 날씬해지려는 욕구를 지닌 질환으로, 체중 감소를 위한 행동과 독특한 음식 다루기를 보인다.

신경성 식욕부진증

1) 임상적 특징
- 기대 정상체중의 85% 미만(15% 이상 감소)
- 체중증가에 대한 극심한 공포
- 체형, 신체의 크기에 대한 심각한 지각장애
- 월경 여성에서 최소 3회 이상의 무월경(체중감소로 인함)
- 실제적인 식욕상실은 없음

2) 치료
- 체중 회복이 가장 중요하며, 지나친 체중감소는 관영양(tube feeding) 또는 TPN 고려
- 입원치료 적응증: 3개월 동안 30% 이상의 체중 감소, 심한 대사장애, 심한 우울, 자살위험, 정신장애, 조절되지 않는 당뇨병
- 약물: TCA, 식욕촉진제

097 ⑤

해설 | **수면위생**

수면의 돕는 방법을 수면위생이라고 한다. 수면장애의 치료 및 간호중재의 목표는 수면장애를 일으키는 원인을 해결(강박적 성격 성향, 정신–신체적 질환, 신체 구조적 결함, 스트레스, 생활주기 변화, 약물 또는 기타 물질 사용 등), 수면 문제와 관련된 감정을 표현하도록 격려하고, 표현된 감정은 수용하며, 수면위생을 지키고 건전한 수면습관을 가지도록 하는 것이다.

수면위생법

일정 시간 지키기	기상시간, 취침시간(낮잠 X), 식사시간, 운동시간
침대에서	편한 수면환경 만들기(소음, 불빛 X), 침대에서 무언가를 하지 않음
자기 전	• 운동, 자극 피함(운동은 낮에) • 20분 정도 따뜻한 목욕(물은 너무 뜨겁지 않게) • 자기 전 이완요법(독서, 명상, 복식호흡)
약	중추신경계 작용하는 것 피함(카페인, 술, 담배, 중추신경 자극물질)

098 ③

해설 | **성관련장애 간호중재 시 간호사의 태도**
- 먼저 간호사 자신의 성에 대한 가치관을 인식하고 다른 사람이 자신과 다를 수 있음을 인식
- 따뜻하고 개방적, 비지시적 · 비판단적인 태도로 대상자를 있는 그대로 수용
- 정직하고 객관적인 태도, 편안하고 공손하며 평범한 태도 유지
- 대상자가 나타내는 정보에 과소 · 과잉반응 보이지 않고 사무적인 태도로 경청
- 정보수집 시 대상자의 사생활이 보장되는 장소와 시간 정함

- 성적인 관심사 경청, 성에 관한 잘못된 정보와 믿음 사정
- 환자가 자신의 성에 대한 가치관, 신념, 의문점들을 탐색하도록 도움
- 환자와 함께 분명한 목표 설정
- 환자와 배우자 간의 개방적 의사소통 격려, 환자의 긍정적인 성적 태도 강화
- 이완요법, 관심사의 전환, 체위변경, 적절한 성적 표현방식 격려

099 ④

해설 | **품행장애(conduct disorder)**

품행장애는 다른 사람의 기본적인 권리를 침해하거나 규칙이나 규범을 위반하는 행위가 지속되는 질병이며, 소아나 청소년에게 흔하다. 일관성 있고 따뜻한 환경을 조성하는 것이 중요하며, 바람직한 행동을 증가시키고 바람직하지 못한 행동을 감소시키는 행동치료가 유용하다.

품행장애 증상

- 약자 괴롭힘, 신체적 공격, 잔인한 행동, 동물학대, 욕설, 방화, 기물파괴
- 공공연하거나 은밀한 도둑질, 거짓말과 사기, 학교 무단결석, 도주행위
- 감정이입 · 죄책감 · 양심의 가책 결여, 반항적 · 적대적, 다른 사람들을 비난함, 건방지고 불복종, 허세, 무모함
- 죄책감이나 후회 없고 문제발생을 남 탓으로 돌림

— comment —

행동수정요법은 내적 억제력과 긍정적 자아상을 회복하여 새로운 적응능력을 회복시키기 위해 적용된다. ① 바람직한 행동에 대하여 token economy와 같이 온정적으로 성취를 보상하고, ② 공격적 행동, 과도한 떼쓰기에는 time out 등과 같은 기법을 적용한다.

100 ④

해설 | **주의력결핍 과잉행동 장애(ADHD)**

주의력이 결핍되어 산만하고 정신없이 돌아다니는 패턴은 ADHD 환자에게서 보여지는 대표적인 증상이다. 과잉행동에 대하여 소아의 한계를 받아들이고 운동, 노래 등 과다한 에너지를 배출할 수 있는 출구를 제공해야 한다. 또한 비체벌적인 한계를 설정하고 일상적인 활동을 조직하여 훈련시키며, 인지행동 치료법으로 긍정적 강화(토큰경제)와 부정적 피드백(소멸, 무관심, 처벌, time out)을 제공한다. 긍정적인 성공경험을 제공하여 긍정적 강화를 할 수 있다.

오답 ①, ②, ③ 다양한 활동에 참여하게 하거나, 활동을 한 번에 끝내게 하는 것, 활동을 계속적으로 지속하도록 강요하는 것은 오히려 대상자의 증상이나 반감을 증가시킬 수 있다.

101 ③

해설 | **성격장애**

C군 성격장애는 억제되어 있고 불안과 두려움이 많은 성격장애가 포함되는데, 회피성, 의존성, 강박성 성격장애가 C군에 해당된다. 회피성 성격장애(avoidant PD)의 특성은 다음과 같다.

- 거절과 배척에 대한 극도의 예민성(사회적 위축)
- 친밀감을 강하게 원하지만 거절에 대해 지나치게 민감하고 두려워하기 때문에 조건 없이 확고한 보장을 받을 수 있는 관계만 원함
- 자존심이 낮고 열등감이 있으며, 타인이 자신을 평가하는 것에 집착함
- 상처를 받으면 사회로부터 떨어져 나와 은둔생활을 함

---

comment

불안정한 대인관계를 형성한다는 점에서 경계성과 헷갈릴 수 있으나, 경계성은 대인관계를 형성하기 위해 필사적이며, 자살 및 자해 등의 극단적인 행동을 한다는 것에서 구분된다.

POWER 특강

경계성 성격장애(borderline PD)

- 정서, 행동, 대인관계의 불안정과 주체성의 혼란으로 모든 면에서 변동이 심한 이상 성격
- 상대방을 지나치게 이상화 또는 지나치게 평가절하(splitting)
- 항상 위기에 놓여있는 것처럼 보임
- 만성적인 공허감, 권태
- 평상시에도 기분 변동이 심함
- 버림받을까 봐 혼자 있는 것을 참지 못함
- 자살행동이나 자해행위를 통해 주변 사람들을 조종하려는 경향(projective identification)
- 돌발적이며 예측할 수 없으며 낭비, 성적문란, 도박, 약물남용이 많음
- 일시적으로 정신병적 증상이 나타날 수 있음
- 가족 중 우울증, 물질남용장애가 많음

102 ①

해설 | **위기 중재**

위기에는 정상적인 성장발달과정과 관련 있는 위기로 모든 사람이 겪는 성숙위기, 사회, 문화적 상태와 관련 없이 특정하고 개인적인 사건으로 유발되는 상황위기, 우발적이고 흔하지 않으면서 다양한 상실이나 광범위한 환경적 변화를 포함하는 사회적 위기가 있다.

오답 ②, ③, ④ 상황위기
     ⑤ 사회적 위기

103 ⑤

해설 | **망상에 대한 간호중재**

망상을 호소하는 환자에게는 망상의 정당성에 대해 직접적으로 도전하지 않는다. 비논리적인 망상의 본질을 파악하기보다는 그 이면의 정서적 느낌에 대해 반응해야 하며, 환자의 감정을 부정하지 않고 자신의 생각과 불안, 두려움에 대해 표현하도록 격려해야 한다. 그러나 궁극적으로는 환자에게 현실감을 제공하고 망상에서 벗어나 현실에 초점을 둘 수 있는 활동을 계획하는 등의 환경을 조성해 줘야한다.

104 ②

해설 | **가정폭력**

가정폭력은 반복적 · 장기적이며, 갈수록 폭력 유형이 다양화되고 심화되어 세대 간에 전수된다는 특징이 있다.

가정폭력의 피해자	가정폭력의 가해자
• 자신을 비난함, 만성적인 자존감 저하가 장기간의 우울증에 영향, 가해자를 떠나는 것보다 머물러 있는 것이 낫다고 생각 • 외상 후 스트레스장애 경험, 기억손상, 집중력 저하, 문제해결능력 손상 • 만성적 스트레스로 자살 등 왜곡된 방법으로 문제 해결하거나 가해자에 의해 타살되기도 함	• 낮은 자존감 • 정서적으로 미성숙하며 자기도취적, 타인에게 자신의 결점을 투사하여 자신의 폭력을 정당화 • 쉽게 좌절하며 공격적인 충동의 자제력 부족 • 타인에 대한 불신

105 ②

해설 | **방어기제**

취소(undoing)란 용납될 수 없는 자신의 생각이나 행동에 대한 책임을 면제받고자 어떤 행위(ritual)를 하는 것으로, 선물 주기, 진심인 듯 사과하기 등의 의례적인 행동을 통해서 성적, 공격적 의도를 제거하거나 자신의 행동에 대한 책임을 면제받고자 하는 방어기제이다. 동생의 실수를 아버지께 고자질한 후 강박적으로 손을 씻는 경우, 남편이 부인을 때리고 꽃을 사다 주는 경우가 이에 해당된다.

001 ③	002 ⑤	003 ③	004 ①	005 ①	006 ①	007 ⑤	008 ③	009 ④	010 ①
011 ③	012 ④	013 ⑤	014 ①	015 ⑤	016 ④	017 ①	018 ③	019 ②	020 ④
021 ①	022 ①	023 ③	024 ②	025 ②	026 ②	027 ⑤	028 ⑤	029 ②	030 ①
031 ①	032 ③	033 ④	034 ④	035 ②	036 ⑤	037 ④	038 ④	039 ④	040 ③
041 ⑤	042 ④	043 ④	044 ③	045 ④	046 ②	047 ⑤	048 ②	049 ④	050 ③
051 ①	052 ⑤	053 ④	054 ②	055 ②	056 ①	057 ⑤	058 ①	059 ⑤	060 ④
061 ⑤	062 ③	063 ①	064 ②	065 ①	066 ④	067 ③	068 ①	069 ②	070 ④
071 ⑤	072 ①	073 ⑤	074 ①	075 ②	076 ④	077 ③	078 ⑤	079 ⑤	080 ①
081 ②	082 ③	083 ⑤	084 ⑤	085 ⑤					

간호관리학

001 ③

해설 | **전략적 기획**

• 조직의 목표를 설정하고 이를 달성하기 위해 요구되는 전반적인 기획의 체계로 최고관리자가 수행하게 됨

• 미래에 초점을 둔 장기기획으로 조직의 내외적 환경에 대한 기회와 위기를 조직의 지원과 기능에 맞추는 데 초점을 둠

002 ⑤

해설 | **비정형적 의사결정**

• 비반복적, 항상 새로우며 구조화가 제대로 되지 않은 문제에 대하여 해결안을 찾는 방법

• 일정한 절차와 방법이 없어서 프로그램화가 어려우며 의사결정자의 경험, 직관, 판단 등과 같은 질적인 방법에 의존하는 의사결정

003 ③

해설 | **명목집단법**

• 조직구성원들 상호 간의 대화나 토론 없이 각자 서면으로 아이디어를 제출하고 토론 후 표결로 의사결정을 하는 기법

• 의사결정을 방해하는 타인의 영향력을 줄일 수 있음

004 ①

해설 | **영국의 간호**

• 입원환자의 임상간호에 총력을 기울였으며, 병원 안에서의 실습 교육을 중요시했다.

• 간호사 사이의 직업적 규율이 엄격했으며, 펜위크와 간호사들의 지속적인 투쟁으로 1919년 면허법을 통과시켰다.

005 ①

해설 | 간호과정 – 사정

- 대상자의 건강 상태를 파악하고 평가하기 위해 체계적, 지속적으로 객관적/주관적 자료를 수집, 확인하며 의사소통하는 과정
- 이 문제에서는 윤리적 딜레마 상황에 대해서 들었으므로, 수집해야 할 객관적/주관적 자료에 윤리적 문제, 문제상황, 개인의 가치가 해당함

006 ①

해설 | 베너의 전문직 사회화 모델

- 간호직의 전문성 개발에 있어서 '경험'을 강조
- 전문기술이 부족한 초심자로부터 고도의 기술을 사용하는 전문가로 발전함을 설명
    - 1단계(초보자): 제한적 업무, 융통성 부재
    - 2단계(신참자): 좁은 범위의 업무 수행
    - 3단계(적임자): 조직능력, 기획능력 발휘
    - 4단계(숙련자): 전체적인 상황 이해 및 장기적인 목표에 집중
    - 5단계(전문가): 매우 능숙하고 융통성 있는 업무수행, 직관적인 상황 파악 및 업무수행

007 ⑤

해설 | 윤리강령의 의미와 한계

- 윤리강령이 도덕문제의 해결을 위해 답을 주는 것은 아니며, 최소한의 지침을 주는 것
- 규약은 상반되는 지침을 피할 수 없으며, 그에 따라 광범위한 수용을 하게 됨
- 규약이 간결성과 단순의 유용성을 잃게 되면 매우 많은 양의 부피를 가지게 됨
- 모든 가능한 상황에 분명한 지침을 주는 목표를 가진다면, 규약이 아무리 구체적이라 할지라도 그러한 규약은 항상 불완전한 것임
- 시대적 상황에 따라 변화하는 한계가 있음

008 ③

해설 | 1962년 의료법 개정

- 간호사 국가고시제 시행: 간호학교 졸업자는 간호사 국가고시 응시 자격을 받음
- 간호사 자격 검정고시제도 완전 폐지
- 조산사의 교육과정 분리
- 의료업자 연차신고제: 간호사는 매년 5월 중에 그 취업동태를 보건사회부에 보고

009 ④

해설 | 자율성 존중의 원칙

환자는 간호사로부터 간호행위를 제공받기 전 충분한 설명을 들을 권리가 있으며, 그 설명을 기초로 간호를 제공받을 것인지 여부를 대상자 스스로가 결정할 권리가 있음

010 ①

해설 | 효율성과 효과성

- 효율성: 자원을 최소로 활용하여 목표를 달성했는가의 능률성을 나타내는 것
- 효과성: 목적에 부합했는가의 문제, 목표 달성의 정도를 나타냄

011 ③

해설 | 개인정보보호법

- 정보주체(본인)의 동의를 얻은 경우, 개인정보 수집 및 수집 목적 범위 내에서의 이용이 가능하다.
- 환자가 14세 미만인 경우, 법정 대리인의 동의를 받고 개인정보를 수집한다.

012 ④

해설 | 리더십 유형

- 지시적 리더: 부하직원의 과업성숙도가 낮고, 관계성숙도가 높은 경우
- 설득적 리더: 부하직원의 과업성숙도와 관계성숙도가 모두 낮은 경우
- 참여적 리더: 부하직원의 과업성숙도가 높고, 관계성숙도가 낮은 경우
- 위임적 리더: 부하직원의 과업성숙도와 관계성숙도가 모두 높은 경우

013 ⑤

해설 | 상황적합성 이론

- 상황변수가 리더십 유효성을 결정짓는다는 전제 아래 주요 상황요소가 리더십 유효성에 미치는 영향 연구
- 리더십의 효과성은 리더의 행동유형과 상황이 적합할 때 높아진다고 본다.

014 ①

해설 | 조직문화

조직문화는 조직 구성원들이 공유하는 기본 가치 체계로써 조직의 구성원들에게 정체성을 공유하고 조직에서 내리는 의사 결정의 근거가 된다.

015 ⑤

해설 | 경력개발제도

- 개인의 경력목표를 설정하고 이를 달성하기 위한 경력계획을 수립하여 조직의 욕구와 개인의 욕구가 합치될 수 있도록 각 개인의 경력을 개발하는 활동
- 단기적으로 간호조직 내 간호사의 직무태도와 성과를 제고시키고, 장기적으로 간호사의 정체감과 적응력을 높인다.

016 ④

해설 | 간호 관리료 차등제

- 입원 진료 시 간호서비스의 질이 저하되는 현상을 해소하고 의료기관의 간호서비스 질 향상을 유도하고자 입원 병상 당 간호사 수

를 늘려야 한다는 전제하에 만들어진 제도
- 입원환자 대비 간호사 수를 등급으로 환산하여 1등급~7등급으로 분류하고, 그 등급에 따라 입원료에 대한 가산율을 적용하여 입원료를 차등 지급하는 제도

017 ①

해설 | **간호수가 산정**
- 간호수가: 간호사가 대상자에게 제공한 간호서비스에 대한 보상으로써 지불되는 비용으로 간호 관리료 또는 간호료를 말하며 간호원가와 추가되는 이윤을 포함한다.
- 환자의 중증도, 제공된 서비스의 단위당 가격과 서비스의 양, 질병군별 간호, 일정한 환자 수 등의 방법에 근거하여 수가를 책정한다.

018 ③

해설 | **라인조직(계선조직)의 장점**
- 조직 구조가 단순해 조직을 이해하기 쉬움
- 권한과 책임의 소재가 명백함: 업무 수행이 쉬움
- 분업전문화로 조직의 효율성 증가
- 의사 결정이 신속함
- 조직의 안녕을 기할 수 있음
- 관리 내용이 간단한 소규모 조직에 적합함

019 ②

해설 | **팀 간호방법**
- 팀 리더로 지정된 전문직 간호사의 지휘에 따라 간호사, 간호보조원이 한 팀이 되어 간호계획을 세우고 수행, 평가하는 방법
- 팀원 모두 공동 목적의 성취를 위해 협력한다는 가정 아래 수행되며, 팀은 분담 받은 환자의 모든 간호에 대한 책임을 진다.
- 간호 단위 관리자인 수간호사는 팀 구성원을 이끄는 팀장과 협의하여 팀 간의 업무를 조정한다.

020 ④

해설 | **직무기술서**
- 직무 분석을 통해 얻은 특정 직무에 대한 자료와 정보를 직무의 특성에 중점을 두고 체계적으로 정리
- 부서, 직무명, 근무위치, 직무개요, 임무, 기구와 장비, 사용될 물품과 서식, 감독내용, 근무조건, 위험성 등을 서술
- 구체적인 직무평가를 위한 기록 자료로서 임금과 급료행정, 인력계획의 근거자료로 활용된다.

021 ①

해설 | **직원 훈육**
- 공개적으로 보다는 프라이버시를 지켜주면서 훈육
- 간호사가 최선을 다할 것이라고 기대하는 긍정적인 태도를 취함
- 위반 행동과 처벌과의 관계가 불명확해지지 않도록 신속하게 대처

- 간호사 자체가 아닌 간호사가 잘못한 행동에 초점을 맞춤
- 규칙을 일관성 있게 적용
- 융통성이 있어야 함
- 간호사의 행동이 변화되었는지를 확인하는 추후관리 실시

022 ①

해설 | **환자분류체계**

- 환자분류(경환자군, 중환자군, 위독환자군)로 각 군에 대한 원가를 산정
- 환자의 중증도를 정확히 판정
- 간호행위의 표준화
- 간호수가의 기준 확보

023 ③

해설 | **서비스 마케팅 믹스(촉진)**

- 제품에 대해 소비자들에게 알리고 설득하며 기억시키는 것
- 광고, 판매촉진, 개인적 PR
- 선의광고: 태도의 변화와 함께 관심 대상자들에게 우호적인 이미지를 심어주기 위한 목적을 가지고 있음
- 간호서비스 이미지 관리로 간호서비스의 수요와 가치 창출
- 간호서비스의 가시화로 대중에게 홍보, 공중매체 활용

024 ②

해설 | **물품 관리**

- 비품은 침상 수에 따라, 소모품은 환자 수에 따라 설정
- 표준량 확보 파악
- 소독품은 소독날짜가 최근 것일수록 뒤에 배치

025 ②

해설 | **소급평가와 동시평가**

- 소급평가: 환자가 간호를 받은 이후 평가(퇴원 환자 기록 감사, 설문지 조사, 환자 면담), 간호를 제공받은 대상자 본인은 혜택을 받을 수 없음, 차후 다른 환자의 간호계획에 반영함으로써 간호의 질을 높일 수 있음
- 동시평가: 간호행위가 이루어지는 과정 중 평가(입원 환자 기록 감사, 환자 면담과 관찰, 직원 면담과 관찰, 직원 집담회), 환자의 만족도와 간호의 질을 높일 수 있음, 변화가 필요한 구체적인 간호 중재의 개선을 가능하게 함

026 ②

해설 | **의사소통 유형(원형)**

- 위원회, 테스크포스팀

- 집단 구성원 간에 뚜렷한 서열이 없는 경우에 나타나는 의사소통 유형
- 공식적 리더가 있으나 권력의 집중과 지위의 고하가 없음
- 장점: 의사소통 목적이 명백할 경우 구성원의 만족도가 비교적 높음
- 단점: 일반적으로 정보전달 및 수집, 종합적인 상황 파악, 문제해결이 가장 느림

027 ⑤

해설 | **내적보상(비금전적 보상)**

- 비금전적인 형태로 지급되는 보상으로 구성원 개인이 심리적으로 느끼는 보상
- 직무 만족의 결과로 내적 보상을 획득하게 됨
- 종류에는 성취감, 도전감, 확신감 등이 있음
- 내적 보상이 중요한 이유: 내적 보상이 외적 보상보다 동기유발에 효과적임, 직무 내용에 내적 보상이 담기면 직무 비용이 덜 들게 됨, 외적 보상의 한계성을 극복할 수 있음

028 ⑤

해설 | **안전사고**

- 근접오류: 이차사고라고도 하며, 환자 안전사고가 발생하였으나 환자에게 도달하지 않아 해가 미치지 않은 상황 또는 환자에게 도달하였으나 아무런 해를 미치지 않은 경우이지만 재발 시 중대한 위험을 가져올 수 있는 프로세스 오류를 포함함
- 위해사건: 환자의 치료과정 중에 해가 발생하여 환자에게 도달한 경우로, 그에 대한 치료나 중재가 필요하며 입원기간이 연장되거나 퇴원 시 장애를 일으키는 사고를 일컬음
- 적신호사건: 사고발생으로 인해 환자가 영구적 손상을 입거나 사망하게 되는 경우

029 ②

해설 | **감염성 환자격리**

- 가능하다면 대상자로 하여금 1인실을 사용하도록 하며, 다인실을 사용할 경우 같은 감염 대상자끼리 함께 하도록 함
- 병실에 들어갈 때마다 장갑을 착용하며, 감염된 물질을 만지고 난 후에는 장갑을 교환함
- 감염된 표면이나 물건과 접촉할 때, 대상자의 분변 혹은 상처의 분비물과 접촉할 가능성이 있을 때에는 가운을 착용함
- 대상자가 방 밖으로 출입하는 것을 제한하며, 대상자를 간호한 기구들을 다른 대상자들에게 사용하는 것을 피함

030 ①

해설 | **낙상사고 예방**

- 보행이 불편하고 허약한 환자는 움직이거나 걸을 때 부축함
- 병실이나 복도에 물을 흘린 채로 두지 않음
- 60세 이상 노인 또는 15세 미만 아동, 수술이나 처치로 의식이 명료하지 않은 환자는 반드시 침상난간을 올려줌
- 필요시 의사의 처방 하에 억제대 사용
- call bell 사용법 교육
- 환자 입원 시 낙상 가능성에 대해 환자와 보호자에게 주지시킴

031 ①

해설 | 구조적 평가(조건에 대한 평가)

- 구조: 의료 제공자의 자원과 작업여건 등의 구조적 환경
- 간호를 제공하는 데 필요한 인적, 물적, 재정적 자원 측면에서 각각의 항목이 표준에 부응하는지 여부를 평가
- 투입의 요소: 정책, 절차, 직무기술서, 조직구조, 간호 인력의 배치, 업무량, 교육 및 연구, 재정, 시설, 장비, 물품, 물리적 구조
- 장점: 병원 경영을 효율적으로 하도록 유도함
- 단점: 물적 및 인적 자원의 확보를 위한 비용이 많이 들고 간호가 제공되는 환경, 시설, 인적 자원 등의 간접적인 것을 평가함, 시설 및 장비 등은 설치 후 변경이 어려움

032 ③

해설 | 개인 간 갈등의 원인

개인적 요인	업무적 요인	조직적 요인
• 상반된 가치관 • 지나친 기대 • 미해결된 갈등 • 타인의 감정을 손상시키는 언행	• 공동의 책임의 업무 • 무리한 업무 마감, 시간적 압박 • 애매한 업무 처리 기준 • 중복된 업무	• 제한된 자원 • 의사소통의 결핍 • 조직계층의 복잡성 • 산만한 의사결정 • 불명확한 정책, 원칙 규범 등

033 ④

해설 | 집권화와 분권화

- 집권: 의사결정의 권한이 중앙 또는 상위기관에 집중
- 분권: 의사결정의 권한이 지방 또는 하급기관에 집중

	집권화	분권화
장점	• 통일성 • 전문화 • 경비 절약 • 신속한 위기 대처 • 중복과 혼란 피함	• 대규모 조직에 효율적 • 신속한 업무 처리 • 참여 의식 권장과 자발적 협조 유도 • 조직 내 의사전달 개선
단점	• 관료주의, 권위주의 • 창의성, 자주성, 혁신성 결여 • 조직의 비탄력적 대처	• 중앙의 지휘 감독 약화 • 업무의 중복 초래 • 조정의 어려움, 협동심 저하 • 전문화가 어려움

034 ③

해설 | 일선관리자의 역할

- 간호단위를 대표해 간호부서의 회의에 참여
- 간호 순회 시 면담과 관찰을 통해 환자의 상태와 요구 파악
- 의료진과 협조하여 양질의 의료가 제공되도록 배려
- 간호단위의 재정관리, 물품관리, 약품관리, 장비관리, 환경관리, 안전관리에 대한 책임
- 환자의 간호요구를 파악하여 업무를 적절히 배당
- 간호 단위의 정기회의와 학술 집담회를 지휘, 필요한 교육을 제공

035 ②

해설 | **선의의 간섭주의**

환자의 자율성 존중의 원칙과 의료인의 선행의 원칙이 갈등을 일으킬 때 환자의 자율성이나 자유가 희생되는 것

기본간호학

036 ⑤

해설 | **혈압 측정(커프 사용)**

• 커프: 팔이나 대퇴 위의 약 2/3를 덮는 정도의 크기 사용

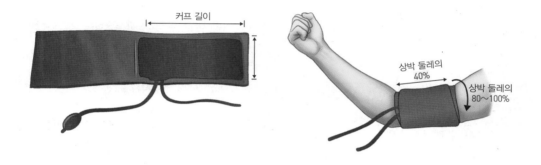

커프 길이

상박 둘레의
40%

상박 둘레의
80~100%

• 혈압 측정법

   – 반복 측정하고자 할 때는 30초 여유를 두어야 함(정맥울혈 완화)

   – 대퇴혈압은 상완동맥 혈압보다 10~40 mmHg 정도 더 높게 측정됨

   – 좌우 혈압 차가 5~10 mmHg 이하이어야 함

   – 상완혈압 측정 시 대상자의 팔이 심장과 같은 높이에 있게 해야 함

• 비정상적 혈압이 측정되는 경우

높게 측정되는 경우	낮게 측정되는 경우

• 커프의 폭이 좁거나 느슨히 감는 경우
• 운동 및 활동 직후
• 밸브를 너무 천천히 풀 때, 공기를 너무 느리게 주입한 경우
  ▶ 이완기압이 높게 측정됨
• 수은기둥이 눈높이보다 높게 있을 경우
  ▶ 수은기둥을 올려다볼 때
	• 커프의 폭이 넓거나 세게 감은 경우
	• 밸브를 너무 빨리 풀 때 ▶ 수축기압은 낮게, 이완기압은 높게 측정됨
	• 충분히 공기를 주입하지 않은 경우 ▶ 수축기압이 낮게 측정됨
	• 대상자가 누워 있다가 갑자기 상체를 세우는 경우
	  ▶ 수축기압이 낮게 측정됨
	• 수은기둥이 눈높이보다 높게 있을 경우 ▶ 수은기둥을 올려다볼 때

comment

커프를 이용한 혈압 측정은 간호사의 아주 기본적인 중재 중 하나이다. 따라서 출제빈도도 높으니 잘 기억해두자.

037 ④

해설 | **체액과다**

④ 적혈구와 백혈구의 수치는 정상범위이나, Hb(혈색소)과 Hct(적혈구용적비)의 수치는 저하되어 있고, 섭취량/배설량에서 섭취량이 증가되어 있는 상태이다. ▶ 체액과다

- 혈구: 적혈구, 백혈구, 혈소판으로 구성되어 있다.

적혈구	• 기능: 산소 · 이산화탄소 운반, pH 및 전해질 균형 유지, 혈액점도 유지 • 정상범위: 여 400만~550만/mm³, 남 450만~ 600만/mm³
	Hb 정상범위: 여 12~16 g/dL, 남 13.5~18 g/dL
백혈구	• 기능: 식균작용 • 정상범위: 4,000~10,000/mm³
혈소판	• 기능: 지혈 · 응고작용 • 정상범위: 5만~45만/mm³

- Hct
  - 정의: 전 혈액 중에 차지하는 적혈구 용적을 %로 표시한 것 ▶ 혈액 농축의 지표가 되며, 빈혈과 탈수증의 진단에 도움이 된다.
  - 정상범위: 여 38~47%, 남 40~50%
- I/O(섭취량/배설량)

섭취량(input)	배설량(output)
• 구강으로 섭취된 모든 액체 • 비위관 · 공장루 · 영양보급관 통해 주입된 수분 • 비경구적인 수분섭취 및 복막주입액 포함	• 체외로 배출되는 모든 것 • 소변, 설사, 구토, 위 흡인액, 흉부 튜브나 배액관 통한 배출액 모두 포함

038 ④

해설 | **급성 호흡곤란 간호**

- Pursed-lip breathing(복식호흡)
  - 적응: COPD 등 호흡곤란 호소 시 우선적으로 적용한다.
  - 방법: 입술을 오므리고 호기를 흡기보다 2~3배 길게 한다.
  - 기전: 폐로부터 공기의 흐름에 대한 저항을 만듦 → 기관지 내 압력 증가, 세기관지의 허탈 예방, 평상시보다 더 많은 이산화탄소 제거 ▶ 기도허탈 예방, 호흡속도 및 깊이 조절, 불안완화
- 산소공급: 4 L/min으로 시작한다.
- 반좌위: 똑바로 앉아서 다리를 아래로 내리는 자세 or 탁자에 베개를 대고 앞으로 기댄 자세 등

— **comment** —

저산소혈증이 없는 만성 호흡곤란의 경우에는 산소공급은 부적절하다.

039 ③

해설 | **산소공급 시 구강간호의 필요성**

③ 지속적인 산소공급 시 구강 내 수분이 증발한다. 자극과 감염에 취약해지기 때문에 구강간호가 필요하다.

- 침의 감염저항 및 보호기능
  - 구강 내 또는 음식, 공기 중에 있는 감염 물질에 직접적으로 접촉하여 방어작용을 한다.

– 4가지 침 · 침샘의 보호기능: 기계적 보호작용, 충치예방작용, 항균작용, 항신생물(antineoplastic)작용
- 침의 기타 기능
  – 연하, 기계적 청소, 면역적 방어를 돕는 윤활제 역할
  – 음식물을 부드럽게 하고, 효소분해로 소화 작용을 도움
  – 호르몬과 호르몬 유사물질의 생산
  – 내분비 기능, 항상성(homeostatic) 기능
  – 혈액 응고 및 상처치유 등

POWER 특강

특별 구강간호

- **적응증: 매우 허약하거나 의식이 없어 스스로 구강간호를 할 수 없는 경우**
- **목표: 구강건조와 구내감염 위험을 감소시키기 위해서이다.**
- **방법**
  – 섭자를 거즈로 감싼 후 함수용액에 적셔 치아와 구강을 닦는다.
  – 2~8시간마다 실시한다.
  – 과산화수소와 물로 1:1 희석하여 사용한다.
  – 치아의 애나멜질 손상 예방을 위해 철저히 헹군다.
  – 바셀린 젤리: 입술 건조를 방지한다.

040 ③

해설 | 약물용량계산

③ (90×20)/60=30

- gtt: 1분당 적적되는 방울 수 ▶ 1 gtt=1분에 1방울
  – gtt/min → cc/hr로 바꾸는 공식: *3
    ⓔ 42 cc/hr ▶ 1,008 mL/day
  – cc/hr → gtt/min로 바꾸는 공식: / 3
    ⓔ 21 gtt/min(3초에 1방울)
- 약물: 투여량 = (처방된 약물용량/약의 용량) × 용액의 양
- 수액
  – 분당 방울 수: [1일 수액주입량(mL)×ml당 방울 수] / 24시간 × 60분
  – 1방울 적적 시 소요되는 시간: 24시간 × 60분 × 60초 / [1일 수액주입량(mL) × ml당 방울 수]

--- comment ---

약물용량계산은 처음 접할 때는 누구에게나 어렵다. 그런 생각에서 이 한 문제야 틀려도 시험에서 탈락하지 않는다며 넘기는 사람이 있을 수도 있다. 하지만 투약오류는 환자의 생명과도 직결되는 중요한 문제이므로 반복 학습하여 완전히 체득하도록 하자.

041 ⑤

해설 | 내관간호(무균술)

- 외과적 무균술을 적용하며, 내관은 과산화수소수로 소독 후 증류수에 헹군다. 습기가 차면 물방울을 형성하여 흡인될 수 있으므로 내관의 습기는 제거한다.
- 무균술(asepsis): 내과적 무균술 vs 외과적 무균술

종류	내과적	외과적
정의	병원균의 수를 줄이고 병원균이 한 곳에서 다른 곳으로 이동하는 것을 막는 것	물품이나 구역에 균이 완벽하게 없는 상태를 유지하는 것
방법	• 손씻기, 격리 • 물품 소독: 세척제 · 소독약 · 방부제 등을 사용해서 병원성 혹은 비병원성균의 수를 감소시키는 것	물리적 멸균법: 고압증기멸균법, 가스멸균법, 건열멸균법, 자비법, 소각법 등

=== comment ===

무균술은 수술간호사와 관련된 문제로도 출제된다. 소독간호사는 멸균활동을, 순환간호사는 비멸균활동을 담당한다는 것을 기억해두자.

042 ④

해설 | 관장의 종류

- 구풍관장(carminative enema)
  - 시행목적: 장내 가스 배출 ▶ 팽만 완화
  - 용액: 50% magnesium sulfate 30 cc + glycerine 60 cc + 물 90 cc 혼합(37.7~43.3 ℃)
- 청결관장(배출관장)
  - 시행방법: 직장내로 용액을 주입 후 용액 5~15분 보유하게 함
  - 시행목적: 연동운동(장 팽창 or 장점막 자극)을 일으켜 변 제거함
- 정체관장(retention enema)
  - 시행방법: 정해진 일정 시간 동안(30분 이상) 장내에 소량의 관장액을 보유하게 함
  - 시행목적: 배변, 투약, 체온하강, 수분과 영양소 공급, 구충 효과
    ⓐ 투약관장

Neomycin	Kayexalate (양이온 교환수지)
장수술 전(▶ 장내세균 감소), 간성혼수 시	고칼륨혈증(▶ 양이온과 장관내 칼륨을 교환 → 칼륨을 대변으로 배출함)

043 ④

해설 | 관장 시행법

④ 심한 경련, 출혈 혹은 갑작스런 심한 복통 등이 발생하면 관장을 멈춘다. 빠른 유입속도, 과다주입 등의 원인을 사정한다.

- 시행절차(성인 기준)
  - 관장액 양/온도: 200~250 cc/40~43 ℃, 관의 굵기: 22~30 Fr, 삽입 길이: 7.5~10 cm
  - 좌측위 또는 심스체위를 취하게 한 후, 천천히 심호흡하여 이완되도록 한 뒤 윤활제를 바른 직장관을 직장 안으로 부드럽게 삽입하여 배꼽 방향으로 밀어 넣음
  - 관장용기를 항문에서 30~45 cm 높이 위로 들어 용액이 들어가게 함

– 심한 경련, 출혈 혹은 갑작스런 심한 복통 등이 발생하면 관장을 멈춤

POWER 특강

관장의 금기증

• 장염, 장폐색 등과 같은 장 질환자: 관장으로 인한 장파열 등의 합병증 위험

• 관장액 주입 시 장천공, 출혈가능성, 장점막 괴사 및 손상 가능성 시

• 순환과잉, 수분중독증, 고칼륨혈증 환자

• 장수술 및 부인과 수술 직후

• 절대안정 시: 두개내압 상승, 급성 심근경색증 등

044 ③

해설 | **비정상 요배설**

• 다뇨증

– 24시간 배뇨량이 3,000 mL 이상

– 증상: 오줌의 양이 많고 배뇨횟수도 잦다. 수분섭취를 줄이면 갈증이 심해지고 오줌도 물처럼 묽어진다. 피로감과 야뇨도 나타난다.

– 원인: 당뇨병, 요붕증, 위축신장 등 or 뇌졸중 등의 뇌질환 등

– 치료 및 간호: 기저질환을 치료하고, 알코올·카페인 등 방광을 자극하는 음식을 피한다.

오답 ① 핍뇨: 24시간 배뇨량이 100∼400 mL 이하이다.

② 무뇨: 24시간 배뇨량이 100 mL 이하이다.

④ 긴박뇨: 배뇨욕구가 긴박하게 발생하여 변기에 도달하기 전 배뇨, 참을 수 없음

⑤ 배뇨곤란: 배뇨의 시작이 어렵고 통증, 작열감, 불편감이 있는 경우

comment

핍뇨, 무뇨, 다뇨의 수치는 반드시 기억해두자. 보기로도 자주 출제된다. 또한 배뇨와 관련하여 요실금은 단골로 등장한다. 요실금의 종류를 구분하고 치료 및 간호에 대해서도 암기하자. 치료 및 간호는 케겔 운동 등 공통된 부분이 많다.

045 ④

해설 | **유치도뇨**

④ 일반적으로 수분섭취를 제한할 필요 없다.

• 단순도뇨 vs 유치도뇨

	단순도뇨(간헐적도뇨)	유치도뇨(정체도뇨)
정의	일회용의 곧은 도뇨관을 삽입함 ▶ 방광이 비워지면 즉시 도뇨관을 제거	장기간 도뇨관을 유치함 ▶ 주기적인 도뇨관 교체가 필요함
적응증 (목적)	• 무균적 소변 검사물 채취 • 배뇨 후 방광의 잔뇨량 측정 • 진단검사 실시 전 방광 비움 • 방광팽만의 즉각적 완화 • 척수손상 및 근육·신경계 퇴행으로 불완전한 방광기능을 가진 대상자의 장기적인 관리	• 소변배출 폐쇄 증상 완화(전립선비대, 요도협착 등) • 중증 대상자의 시간당 배뇨량 측정 • 실금하는 혼수 환자, 지남력이 손상된 대상자의 피부 손상 예방 • 장시간 전신마취하에 수술을 하는 경우, 오염 및 감염 예방 • 수술 후 혈액응고 물질로부터 요도폐쇄 예방 • 하복부 수술 시 방광의 팽창 예방

① 유치도뇨는 침습적 처치이므로 외과적 무균법으로 삽입한다.

③ 유치도뇨를 장기간 적용 시 감염의 소지가 될 수 있으므로 주기적인 교체가 필요하다.

⑤ 소변을 채취 시에는 배액관을 잠구어야 한다.

046 ②

해설 | **신체역학**

· 원리

신체역학의 원리	활용 방법
기저면이 넓을수록 신체균형 높아짐	다리를 벌리고 서 있는 것이 붙이는 것보다 편함
무게중심이 낮을수록 신체균형 높아짐	앉는 것은 서 있는 것보다 무게중심이 낮으므로 편함
중력선이 기저면의 중심을 지나면 물체는 평형을 유지함	대상물에 가능한 한 가깝게 설 것
강한 근육군을 사용할수록 근력은 크고 근육의 피로와 손상을 막음	물체를 들어 올릴 때 둔부와 다리의 근육을 사용하기 위해 무릎을 구부리며 허리를 곧게 펼 것
굴리는 것, 돌리는 것은 들어올리는 것보다 적은 힘이 듦	물체를 들어 올리는 것을 대신해서 당기거나 밀치거나 회전할 것
마찰은 미는 것보다 들어 올리면 감소됨	· 옮겨야 할 대상의 표면적이 클수록 마찰은 커짐 · 부동 상태에 있거나 수동적인 대상자를 움직일 때 마찰은 더 커짐

· 신체선열

– 정의: 수평선과 수직선에 의한 신체의 한 부분과 다른 부분과의 관계 ▶ 올바른 신체선열은 즉 좋은 자세를 의미한다.

– 기능: 최적의 근골격계 균형과 움직임을 가능하게 하고 좋은 신체기능을 증진시킨다.

047 ⑤

해설 | **수면주기**

⑤ 몽유병, 야뇨가 나타나는 것은 NREM 4이다.

· 수면–각성 주기: NREM 1, 2, 3, 4단계 → NREM 3단계 → NREM 2단계 → REM 수면

– NERM (non–rapid eye movement): 안구운동이 느린 수면

ⓐ 단계

1단계	밤 동안 수면의 50%, 가벼운 수면
2단계	
3단계	깊은 수면/혈압, 맥박, 호흡, 산소소모량↓
4단계	

ⓑ 특징: 몽유병 및 야뇨증이 나타나는 시기이며, 특히 4단계 수면은 골격성장, 단백질 합성, 조직재생을 위한 성장 호르몬이 분비됨

– REM (rapid eye movement): 안구운동이 빠른 수면

ⓐ 특징: 대뇌기능(뇌파) 활발함, 생생한 꿈을 꿈('꿈 수면'), 전체 수면의 20~25% 차지함, 코골이가 사라짐 등

━━ comment ━━

몽유병은 수면보행증이라고도 한다. 모든 연령대에서 몽유병을 경험할 수 있지만, 어린 시절에 주로 나타난다.

특별한 치료보다는 스트레스를 완화하고 수면을 잘 취하며, 안전한 환경을 만들도록 한다.

048 ②

해설 | **표준주의(격리)**

② 병원 내의 모든 환자들에게 표준적으로 적용하는 격리지침이다.

- 격리
    - 표준예방조치

적용 대상	질병 종류나 감염 상태와 관계없이 병원에 있는 모든 대상자
적응 내용	혈액, 체액, 배설물, 땀을 제외한 분비물, 손상된 피부, 점막 등

적응 방법	• 장갑
	  – 오염된 물체와 접촉 시 청결한 장갑 착용
	  – 오염되지 않은 물건이나 표면을 접촉하기 전에 장갑 벗음
	  – 장갑 착용 여부와 관계없이 혈액 등 오염된 물체와 접촉한 후 즉시 손씻기
	  – 오염물질이 튈 것으로 예상 시에는 마스크, 보안경, 안면가리개, 깨끗한 비멸균 가운 착용
	  – 오염된 린넨, 기구들이 타인 및 주변환경을 오염시키지 않도록 관리
	  – 심폐소생술 시 입과 입 대신에 mouth piece, 인공호흡기, 심폐소생술 백 사용
	  – 적절한 개인위생 유지를 못하거나 주변을 오염시킬 경우 독방으로 이동

- 역격리(보호격리)
    - 정의: 질병이나 면역억제제의 사용으로 인해 면역력이 약화된 환자(백혈병, 림프종, 장기이식 환자)를 감염으로부터 보호하는 것이다.
    - 방법
        ⓐ 내과적 무균법 실시
        ⓑ 마스크, 신발덮개, 가운 등 모든 물품을 멸균·소독한 후 사용함
        ⓒ 장갑은 직접적 접촉에만 착용함
        ⓓ 문은 닫아두어 공기순환 없도록 함: 외부공기 유입차단
        ⓔ 욕실과 변기가 개인실에 따로 있어야 함

오답 ③, ④, ⑤ 감염병 환자의 감염경로에 따른 격리이다.

POWER 특강

감염의 전파경로

경로	개념	질환
접촉	직접: 감염된 한 사람에게서 다른 사람으로 실제적 신체전파	단순포진, 미만성 수두포진, 농가진, 옴, 호흡기 바이러스 등
	간접: 오염된 물건과 민감한 사람과의 접촉	
비말	비말핵(5 μ 이상)이 1 m 반경 내에 다른 사람에게 전파	디프테리아, 백일해, 유행성이하선염, 풍진 등
공기	비말핵(5 μ 이하)이 수증기화 된 물방울이나 먼지입자에 붙어 1 m 이상 거리로 이동하는 경우	수두, 홍역, 결핵 등

049 ④

해설 | **충수돌기염 간호**

- 합병증: 충수천공 → 복막염, 농양(골반 내, 횡격막하, 복강 내)
    - 천공으로 복막염 위험 시 항생제 투여와 외과적 배액법 사용
    - 마비성 장폐색 위험 시 비위관 삽입으로 위장관 감압

- 치료 및 간호

  - 충수절제술: 증상이 나타나고 24~48시간 내에 실시함

  - 수술 전후 간호

수술 전	수술 후
• NPO • 항생제 투여	• 반좌위 ▶ 절개부위와 복부긴장 완화, 통증 완화 • 봉합사 제거(5~7일) → 2~4주 후 정상활동 시작 • 수술 후 장음소리가 나기 전까지 금식하고, 장음소리가 난 후 맑은 유동식을 섭취함 • 조기이상, 감염예방, 충분한 수분섭취

- 금기사항

  - 증상을 가릴 수도 있기 때문에 확진 시까지 진통제 투여는 보류함

  - 관장 및 변완화제 투여, 복부 열요법

050 ③

해설 | **안약 투여**

- 안약

  - 손을 깨끗이 씻고, 대상자는 눕거나 앉은 채 머리를 뒤로 젖힘

  - 소독된 생리식염수로 내안각 → 외안각 쪽으로 닦음 ▶ 비루관으로의 미생물 침투 예방

  - 안약 투여 시에 천정 쪽을 보도록 지시함 ▶ 순목반사(blinking reflex) 예방

  - 하안검을 피부 아래쪽으로 잡아당긴 후,

안약	안연고
처음 방울을 버리고, 처방된 방울만큼 아래쪽 결막낭에 떨어뜨림	조금 짜내 버리고, 아래쪽 결막낭의 하안검 내측 → 외측으로 1~2 cm 정도 길게 바름

  - 눈을 서서히 감은 후 눈동자를 굴림 ▶ 약물 고르게 퍼짐

오답 ② 고개는 비정상측으로 틀어 점적함으로써 감염을 예방한다.

④ 일반적으로 양안에 안약 점적 시 정상 측에 우선 점적한다. 단, 모든 경우에 정상 측에도 약물을 주입하는 것은 아니다.

051 ①

해설 | **무균법**

오답 ③, ④ 멸균영역에 최대한 닿지 않기 위해 키트에서 약간 떨어진 곳에서 따른다.

⑤ 가장 깨끗한 영역인 손을 가장 위에 두어 덜 깨끗한 영역인 팔꿈치의 물이 흘러내리지 않게 한다.

052 ⑤

해설 | **위관영양 시행방법**

- 영양액은 방안 온도와 비슷하게 만듦 ▶ 오한 · 경련 방지

- (반)좌위를 취함 ▶ 역류방지

- 삽입된 튜브의 위치를 확인함 ▶ 기도흡인 예방

- 위 잔류량 측정: 잔류량이 100 cc를 초과한 경우 주입을 멈추고 의사에게 보고함 → 기도흡인의 위험을 줄이기 위해 30분 내에 잔류량 재확인함

- 물을 20~30 ml 넣어준 후 튜브를 풀어줌 ▶ 30 cm 이상 높이지 않음
- 위 내용물이 비워지기 직전 튜브를 조여 공기 들어가는 것 방지
- 영양액 주입 후 물 30~60 ml 주입함 ▶ 튜브세척 목적
- 주사기에 물이 모두 주입되면 튜브를 막아둠 ▶ 공기유입 방지
- 주입 후 최소 30~60분간 침대 머리를 높여줌 ▶ 역류 방지
- 주사기가 비워지게 되면 공기가 주입되므로 완전히 비워지지 않도록 계속해서 주입함
- 30분에 걸쳐서 천천히 주입하며 주사기로 밀어 넣지 않음

053 ④

해설 | 중심정맥관(CVC)

④ 중심정맥관이 색전으로 인해 막혀 혈액순환이 원활히 되지 못하여 나타나는 증상들이다.

- 정의: 신체의 중심에 위치한 큰 정맥에 삽입하는 카테터로, 경정맥 · 쇄골하정맥 · 하대정맥으로 관을 삽입하여 상대정맥이나 우심방 끝에 관이 위치하게 됨
- 적응증
  - 비경구적인 방법을 이용해 다량의 약물, 수액, 혈액 공급
  - 중심정맥압(CVP) 측정, 중심정맥 채혈
- 종류
  - 말초삽입 중심정맥관(PICC), 터널형 중심정맥관, 피하이식형 포트

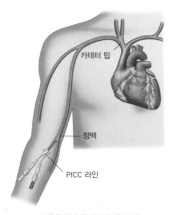

A. 말초삽입 중심정맥관(PICC)

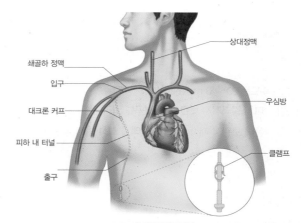

B. 터널형 중심정맥관

오답 ① 패혈증: 미생물에 감염되어 발열, 빠른 맥박, 호흡수 증가, 백혈구 수의 증가 또는 감소 등의 전신에 걸친 염증 반응이 나타나는 상태이다.

③ 레이노병: 추위나 심리적 변화로 인해 손가락이나 발가락 혈관에 허혈 발작이 생기고 피부 색조가 변하는 질환이다.

⑤ 저혈량성 쇼크: 혈액이나 체액을 다량 손실하여 전신순환 혈액량이 부족한 상태로, 혈량의 약 15~25% 소실 시 쇼크가 발생한다.

054 ②

해설 | **수혈**

② 일반적으로 18~20G의 굵은 바늘을 사용하나, 때에 따라 22 G까지 사용할 수 있다.

- 수혈절차

수혈 전	• 혈액 보관법: 전혈, RBC, FFP는 1~6 ℃ 냉장보관하고, 혈장 및 혈소판은 실온보관함 • 혈액형, 혈액종류, 혈액번호, 환자이름 및 나이, 등록번호 확인: 2명의 간호사가 확인하고 서명함 • 활력징후 측정: 열이 나는 경우에는 수혈 연기함
수혈 시작	• 혈액주입 시작: 18~20 G 혈관 카테터로 정맥천자를 시행함 → 수혈세트의 Y자 관에 생리식염수를 연결함 ▶ 혈액주입 시작함 • 체임버(chamber)는 3/4 정도만 채움 ▶용혈반응(혈구파괴) 예방 • 주입시간 및 부작용 관찰: 처음 15분간은 15 gtt로 주입하고, 부작용이 없다면 주입량 증가하여 4시간 이내에 마치 도록 함 • 활력징후 측정: 첫 1시간 동안은 15분마다, 수혈이 끝날 때까지 30분마다 확인함 • 수혈 중 튜브에 다른 투약은 하지 않도록 함
수혈 끝	• 수혈이 끝나면 수혈세트의 조절기를 잠그고 생리식염수를 연결하여 20~50 ml를 주입시켜 튜브에 남은 혈액을 정 맥으로 완전히 흘려 보냄 • 수혈 시작 및 종료 시간, 혈액량, 혈액번호, 담당간호사를 기록하고 수혈 전표를 순서대로 붙임

- 수혈 부작용

반응	원인	증상	간호

용혈	ABO 부적합	오한, 열, 빈맥, 저혈압, 두통, 핍뇨, 황달,
		호흡곤란, 청색증, 흉통 등
		아나필락시스 반응
			• 수혈 후 첫 15분 동안 환자를 자세히 관찰하고 반응이
			  나타나면 즉시 수혈을 중단함
			• 생리식염수 정맥주입을 유지함
			• 쇼크 치료: 혈압 및 호흡 유지, I/O 측정(▶ 신기능 파악),
			  검사표본과 소변 채취, 의사에게 알림

알레르기	혈액 내 단백질, 수혈자의 항원에 대한 항체반응	두드러기, 천식, 관절통, 전신 가려움, 기관지 경련	• 아나필락시스 반응 관찰 • 소양증 시 주입속도를 늦춤 • 항히스타민제, 스테로이드, 혈관수축제 투여 • 심한 반응 시 수혈을 중지하고 의사에게 알림

오답 ③ 수혈 시 속도는 20~40 gtt/min이다.

④ 거름망은 미처 걸러지지 못한 깨진 혈구를 걸러내는 데 사용한다.

⑤ 혈액을 상온에 보관할 때 or 고장성 용액과 희석할 때 혈구가 터진다.

055 ②

해설 | **욕창**

- 정의: 뼈 돌출 부위와 외피 사이의 연조직이 장기간 압박을 받음 → 혈액순환장애 ▶ 국소적인 조직괴사 궤양 유발됨

- 발생요인

내재적	외재적
기동성 장애, 습기(요실금 등), 영양부족 및 빈혈, 혈압 및 혈관질환(쇼크, 저혈압, 당뇨병 등), 감각지각장애(피부감각 저하 등), 발열	압력, 마찰, 응전력(전단력; 압력과 마찰력이 합쳐진 물리적인 힘)

• 단계

단계	증상	드레싱
1	**표피** 발적은 있으나 피부 손상은 없음 욕창 1기 표피 / 피하조직 / 뼈	• 드레싱 적용 안 함 ▶ 2～3시간마다 체위변경 • 투명 드레싱이나 하이드로 콜로이드
2	**표피 + 진피 일부** 표재성 궤양, 장액성 수포 욕창 2기	• 투명 드레싱 • 하이드로 콜로이드
3	**진피 + 피하조직** 광범위한 손상, 깊게 패인 상처 욕창 3기	• 삼출물이 적은 경우: 하이드로 콜로이드 + 하이드로 겔 • 삼출물이 많은 경우: 칼슘 알지네이트 팩킹
4	**피하조직 + 근막, 근육, 뼈** 삼출물, 괴사조직 및 사강이 있음 욕창 4기	하이드로 콜로이드 + 하이드로 겔 + 칼슘 알지네이트 팩킹

POWER 특강

장기 침상안정 시 합병증

• 관절의 경축 및 근육 약화
• 순환장애로 욕창 등 피부통합성 장애 발생 위험도 증가
• 신체의 움직임에 의한 장의 연동운동 자극 저하 ▶ 변비
• 체중부하 운동을 하지 않음 → 칼슘이 뼈에서 유리됨
  ▶ 고칼슘혈증
• 장기간 유치도뇨관 적용 시 방광근육의 긴장도가 감소함
  ▶ 요정체
• 순환기계 약화 → 체위성 저혈압 발생 ▶ 보행 시 뇌혈류혈류량의 급격한 감소로 어지럽거나 실신할 수 있음

056 ⑤

해설 | 욕창 간호(드레싱)

• 괴사조직 제거(debridement)
  – 생리식염수 거즈(wet-to-dry dressing), 효소제제(Elase, Travase), 월풀 목욕
  – 수술: 일차봉합, 피부이식 등
• 욕창 단계별 드레싱: 괴사조직은 촉촉하게 습윤상태 유지 + 주변 조직은 건조하게 유지

1	드레싱이 없거나, 투명 드레싱 or 하이드로 콜로이드 드레싱
2	투명 드레싱, 하이드로 콜로이드 드레싱 사용
3	• 삼출물이 적은 경우: 하이드로 콜로이드+하이드로 겔 • 삼출물이 많은 경우: 칼슘 알지네이트 팩킹
4	하이드로 콜로이드 + 하이드로 겔 + 칼슘 알지네이트 팩킹

▶ 하이드로 콜로이드 드레싱

▶ 하이드로 겔 드레싱

▶ 칼슘 알지네이트 드레싱

• 삼출물 발생 시 감염예방 위해 항생제 사용함

POWER 특강

드레싱 종류별 장단점

• **거즈 드레싱**

장점	단점
• 상처에 자극이 적으므로 생리식염수 등에 적셔 사용해도 안전하게 드레싱 보존 가능	• 상처를 사정할 수 없음 • 상처 위에 연고를 바르지 않고 드레싱을 하면 육아조직이 헝겊섬유에 붙음

• **투명 드레싱**

장점	단점
• 드레싱이 있는 상태에서 상처를 사정할 수 있음 • 거즈보다 얇고 고정을 위해 테이프를 사용하지 않아도 됨 • 상피세포 성장에 적절한 습도가 유지됨 • 드레싱 제거 시 들러붙지 않아 주위조직의 손상 없음	• 흡수성이 낮아 삼출물이 많은 경우 부적합함 • 감염되었거나 괴사된 조직은 제거 불가

• **하이드로 겔**

장점	단점
깊은 상처의 사강을 감소시켜주며 세척이 용이함	고정하기 위한 2차 드레싱이 필요함

• **하이드로 콜로이드**

장점	단점
• 주변의 분비물이 상처로 유입되는 것을 방지해 줌 • 세포성장 및 상처치유를 촉진시킴 • 상처환경을 촉촉하게 유지하여 1~3일 유지 가능함	젤이 누런 고름처럼 보이고 냄새가 좋지 않음

• **칼슘 알지네이트**

장점	단점
• 삼출물의 흡수력이 뛰어남 • 겔 형성으로 상처의 표면을 촉촉하게 유지	• 2차 드레싱이 필요함 • 겔이 농이나 부육으로 혼동 가능함 • 건조한 상처나 괴사조직이 덮인 상처에는 부적합함

057 ⑤

해설 | **냉요법**

• 금기증

  − 개방형 상처: 혈류 감소로 조직손상 초래함

  − 말초순환장애: 조직의 혈액순환 더욱 감소함

  − 냉에 민감한 사람으로, 이상반응이 나타나는 사람

  − 감각장애가 있는 부위 or 사람

POWER 특강

레이노병(Raynaud's disease)

• **정의:** 원발성 혈관 수축성 질환이며, 45세 이전의 여성에서 호발한다.

• **원인:** 찬 공기 or 물에의 노출, 정서적 흥분, 카페인 섭취, 흡연, 손을 많이 쓰는 직업 등

• **증상**

  − 양측성 및 대칭성

  − 주로 상지, 손가락 끝, 중수 수지관절을 많이 침범함

  − 급성통증을 유발하고 피부색이 변화함[창백(혈관 수축), 발적]

• **치료 및 간호**

  − 예방: 추위 노출 최소화(환측 보온), 상해 및 스트레스 예방, 카페인 or 초콜릿 섭취 제한

  − 약물(경련 조절): 교감신경차단제, 칼슘채널길항제

  − 교감신경절제술(sympathectomy): 증상이 심할 경우 시행

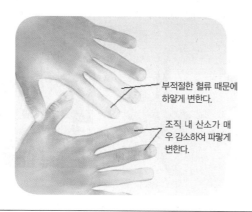

부적절한 혈류 때문에 하얗게 변한다.

조직 내 산소가 매우 감소하여 파랗게 변한다.

---

058 ①

해설 | **사후간호**

① 눈을 곱게 감도록 쓸어내리는데, 만약 감기지 않을 때는 거즈로 덮는다.

오답 ② 정상적인 안면윤곽 유지를 위해 의치를 다시 삽입한다.

    ③ 이름표 제거 시 환자의 신원을 확인하기가 힘들다. 2개의 이름표를 사용하는데, 먼저 사체를 누인 후 한쪽 발목에 이름표를 붙인다. 그 다음 홑이불로 사체를 완전히 싸고, 어깨, 허리, 다리를 묶은 후 두 번째 이름표를 붙인다.

④ 머리를 낮추면 혈액이 얼굴로 몰리게 되므로 낮추지 않는다.

⑤ 남겨진 개인 물품은 기록하고, 장신구는 제거하여 가족에게 전달한다.

POWER 특강

임종의 징후

- 근긴장도 상실: **안면근 이완, 실금**
- 순환속도 저하: **피부 차가워짐, 청색증, 말초부종**
- **맥박 빠르고 약해짐**, Cheyne-Stokes 호흡
  - Cheyne-Stokes 호흡

원인	중증의 뇌질환 · 혼수 · 요독증, 심부전 → 호흡중추의 기능저하, 특히 혈액 속의 이산화탄소에 대한 감수성 저하 ▶ 이상호흡
양상	얕고 빠른 호흡 → 점차 깊고 완만한 호흡 → 다시 얕은 호흡 → 호흡정지(몇 초에서 수십 초 계속됨) → 다시 얕고 빠른 호흡으로 돌아감(반복됨)

- **반사 소실, 동공 확대, 청력은 유지되다가 마지막에 상실됨**

059 ⑤

해설 | **억제대**

- 목적
  - 낙상과 같은 대상자의 안전사고에 대비한다.
  - 대상자의 움직임을 제한함으로써 안정된 치료를 받도록 한다.
  - 어린이나 혼돈상태에 있는 대상자가 자해할 위험을 감소시킨다.
  - 공격적인 대상자가 다른 사람에게 상해를 입히는 것을 방지한다.
- 종류

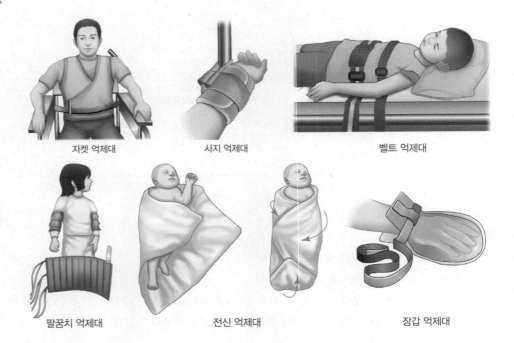

자켓 억제대   사지 억제대   벨트 억제대

팔꿈치 억제대   전신 억제대   장갑 억제대

- 적용 시 주의점
  - 최후의 수단이기에, 임의로 적용하거나 해지할 수 없다(기관의 방침, 의사의 처방 필요).
  - 대상자에게 억제대 적용의 목적과 일시적인 기간 제한이 있음을 알려준다.
- 적절한 사용법
  - 가능한 최대한의 움직임(ROM)을 허용한다.
  - 뼈 돌출부위에 패드를 대어 피부손상을 방지한다.
  - 사지의 올바른 신체선열을 유지하도록 적용한다. ▶ 근육수축과 근골격계 손상 예방
  - 매듭은 잡아당길 때 억제대가 조여져서는 안되며 응급 시 쉽게 풀 수 있어야 한다.
  - 억제대는 침상 난간이 아닌 침대 틀에 묶도록 한다.
  - 사지억제대 적용 시 억제대와 대상자의 손목, 발목 사이에 손가락 2개 들어가도록 한다.
  - 매 2~4시간마다 적어도 10분간은 풀어 놓도록 한다. ▶ 혈액순환 및 피부손상 확인
  - 억제대 재적용하기 전, ROM 운동을 시행한다.

---

comment

ROM (range of motion)의 정의를 한번 상기시켜보자. '동통을 유발하지 않고 신체 각 관절에서 실시할 수 있는 가능한 최대 운동범위'가 그 정의이므로, ROM 운동은 대상자의 연령, 관절의 유연성 수준, 부동 등의 상태에 따라 다르게 적용된다.

---

060 ④

해설 | 내과적 무균법

④ 손을 씻을 때는 알코올 젤 또는 물과 비누를 사용한다.

- 손씻기: 병원감염을 예방하기 위한 가장 중요하고 효과적인 방법이다. 손이 팔꿈치보다 아래로 있게 하며, 흐르는 물에 비누나 세제를 묻혀 30초 정도 강하게 비비면서 씻는다. ▶ 기계적 마찰로 먼지 · 유기물 제거

오답 ② 가운을 밖에서 벗게 되면 밖까지 균을 가지고 나오는 것이 된다.
⑤ 용액을 따르는 동안 뚜껑을 들고 있을 경우 뚜껑의 안쪽 면이 아래로 향하게 들고 있다.

뚜껑을 들고 있을 경우	뚜껑을 테이블 위에 놓을 경우
뚜껑의 안쪽 면이 아래로 향하게 들고 있음	뚜껑의 안쪽 면이 위를 향하게 놓아야 함

---

061 ⑤

해설 | 경구 투여의 장단점

장점	단점
• 편리하고 경제적임 • 피부를 손상시키지 않음 • 약물이 대상자에게 부담이 적음 • 부작용의 발생 위험도 낮음	• 흡수가 늦고 흡수량 측정이 부정확함 • 소화액에 의해 약효가 변화될 수 있음 • 적응 불가(부적합): 심한 오심 · 구토, 연하곤란, 무의식, 금식(단, 위관영양 대상자는 가능함) • 부작용: 흡인, 위장장애, 치아 변색 등

- 일반적 간호사항
  - 대상자 침상에 약을 놓아두는 데 그치지 말고, 약을 다 먹는 것을 확인해야 함
  - 대상자가 금식인 경우 약물 투여를 금함

– 특별한 경우가 아니면 약의 형태를 변경하지 않고, 특히 장용제피는 씹어먹거나 부수어 먹어서는 절대로 안 됨

– 특별한 지시가 없으면 두 가지 이상의 약물을 섞어 주지 않음

POWER 특강

투약간호		
· 기본원칙		
5 right	정확한 약물, 정확한 용량, 정확한 대상자, 정확한 경로, 정확한 시간	
5 right	정확한 기록, 정확한 교육, 거부할 권리, 정확한 사정, 정확한 평가	

· 투약과오 예방

– 투약 전 대상자 문진: 과거력, 과거 약물의 부작용, 대상자 가족력 등

– 사전검사: 과민반응을 일으킬 수 있는 약물은 투여 전 피부반응검사(AST) 실시

– 약물 설명서의 주의사항, 부작용 및 금기 사항에 대한 확인

062 ③

해설 | **관절의 움직임**

(1) 어깨 및 팔꿈치

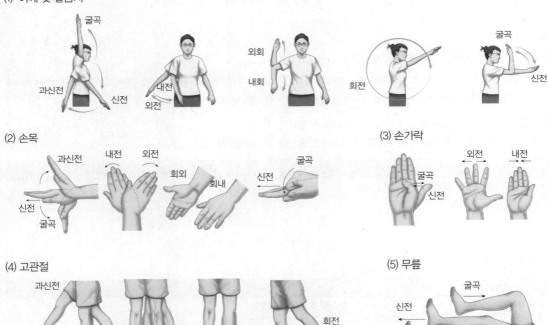

(2) 손목

(3) 손가락

(4) 고관절

(5) 무릎

(6) 발목

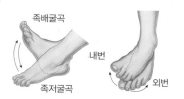

족배굴곡

내번

족저굴곡 외번

(7) 발가락

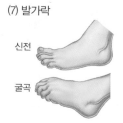

신전

굴곡

063 ①

해설 | 목발보행

- 체중부하

  – 손목, 손바닥, 팔로 체중을 지탱함 ▶ 상지운동으로 근력강화를 도모해야 함

  – 액와에 체중부하 시 ▶ 목발마비

- 보행법

  – 4점 보행: 양쪽 하지에 체중부하 가능한 경우

  – 2점 보행: 양쪽 하지에 체중부하 가능한 경우

  – 3점 보행: 한쪽 다리가 불완전하여 반대편 하지(건측)에 전체 체중부하가 가능한 경우

  – 그네보행(swing–to gait): 양쪽 발에 체중부하 불가능한 경우

  – 건너뛰기 보행(swing–through gait)

오답 ④, ⑤ 관절가동범위는 ROM의 한글명이다. 대상자가 스스로 시행하면 능동, 간호사 등의 의료진이 대상자에게 시행해주면 수동이다.

064 ②

해설 | 비특이적 면역반응

- 면역: 비특이적인 항원과 항체 내지 T세포와의 반응에서 방아쇠가 당겨져, 그 항원에 특이적인 반응이 성립하는 것이다.

- 면역의 종류(특이 vs 비특이)

특이면역	정의: 특정한 미생물에 대해서만 선택적으로 작용하는 특이적 방어기전
	• 유형 – 능동면역: 숙주가 직접 병원균과 접촉하여 얻는 면역 – 수동면역: 다른 개체의 면역혈청 · 면역세포를 투여하여 얻는 면역
비특이면역	정의: 항원자극에 의한 항체 생산 또는 세포성 면역에 의하지 않는 면역반응의 총화에 의한 면역
	유형: 라이소자임(lysozyme), 인터페론 활성, 식작용, 염증반응 및 감염에 대한 화학적, 물리적 장벽 등
	• 적용: 생체방어(세포파괴, 바이러스 감염방어 등) • 부작용: 조직상해현상

면역의 종류(선천 vs 후천)

	선천면역(자연면역)	후천면역(획득면역)
정의	태어날 때부터 지니는 면역	후천적으로 얻어지는 면역
개념	항원에 대해 비특이적으로 반응하며 특별한 기억작용은 없다.	처음 침입한 항원에 대해 기억할 수 있고 다시 침입할 때 특이적으로 반응하여 효과적으로 항원을 제거할 수 있는 특징이 있다. ▶ 선천면역 보강
유형	• 피부, 위산, 보체 등 • 대식세포, 다형핵백혈구, K세포 등	• 체액성 면역: B림프구가 항원을 인지한 후 분화되어 항체[면역글로불린(IgG · IgM · IgA · IgD · IgE 등)]를 분비한다. 이 항체는 주로 감염된 세균을 제거한다. • 세포성 면역: T림프구가 항원을 인지하여 림포카인을 분비하거나 직접 감염된 세포를 죽이는 역할을 한다.

065 ①

해설 | 낙상

① 시력저하와 근력저하를 근거로 기동성장애와 낙상위험, 2가지의 간호진단이 가능하다. 그러나 낙상 경험이 있기 때문에 본 대상자가 낙상위험이 높은 군에 속하므로 가장 적절한 간호중재는 낙상위험이다.

• 위험요인
  - 노인, 아동
  - 시력 및 균형감각 손상, 보행 또는 자세 변화, 혼돈, 지남력이 손상된 자
  - 이뇨제, 신경안정제, 항우울제, 수면제, 진정제, 최면제, 진통제 등 약물 복용자
  - 체위성 저혈압, 혼돈, 기동성 장애 등
  - 과거 낙상 경험자(6개월~1년), 입원한 지 1주일 이내의 낯선 환경

• 낙상 예방 간호중재
  - Stretcher car나 침상에 있을 때는 난간(side rail)을 항상 올려놓도록 함
  - 미끄럼 방지 슬리퍼, 매트 등을 이용하여 바닥이 미끄럽지 않도록 하며, 변기 옆이나 목욕탕에 안전 손잡이를 설치함
  - 밝은 조명을 사용하고, 야간등을 설치하여 바닥도 밝게 비춤
  - 체위성 저혈압(◀ 하지정맥의 혈액정체)을 예방하기 위해 서서히 일어서도록 격려함
  - 근력 강화, 유연성 제고, 균형 감각 향상시킬 수 있도록 운동을 규칙적으로 실시함

• 낙상 발생 시 대처
  - 대상자의 체중을 지지해 주면서 앉거나 눕도록 함
  - 의식, 활력징후, 머리, 목, 척추 등의 손상 여부 사정

— comment —

65세 이상의 노인에서의 대퇴골 골절은 대부분 그 원인이 낙상이다. 심한 통증과 보행장애가 발생하고 적절한 치료를 받지 못하면 증상은 더욱 악화될 수 있다. 욕창이나 패혈증 같은 합병증까지 나타날 수 있고, 이는 급격한 체력저하와 후유증으로 생명에 지장을 줄 수도 있으니 낙상 예방은 기본 중의 기본이다.

066 ④

해설 | 변사체 신고(의료법 제26조)

의사 · 치과의사 · 한의사 · 조산사는 사체를 검안하여 변사한 것으로 의심되는 경우 사체의 소재지를 관할 경찰서장에게 신고하여야 한다.

067 ③

해설 | 보수교육(의료법 시행규칙 제20조)

다음 각 호의 어느 하나에 해당하는 사람에 대하여는 해당 연도의 보수교육을 면제한다.

1. 전공의

2. 의과대학 · 치과대학 · 한의과대학 · 간호대학의 대학원 재학생

3. 신규 면허취득자

4. 보건복지부장관이 보수교육을 받을 필요가 없다고 인정하는 사람

068 ①

해설 | 의료지도원(의료법 제69조)

관계 공무원의 직무를 행하게 하기 위하여 보건복지부, 시 · 도 및 시 · 군 · 구에 의료지도원을 둔다.

069 ②

해설 | 조산 수습의료기관 및 수습생 정원(의료법 시행규칙 제3조)

조산 수습의료기관으로 보건복지부장관의 인정을 받을 수 있는 의료기관은 「전문의의 수련 및 자격인정 등에 관한 규정」에 따른 산부인과 수련병원 및 소아청소년과 수련병원으로서 월평균 분만 건수가 100건 이상 되는 의료기관이어야 한다.

070 ④

해설 | 기록 열람(의료법 제21조)

환자가 사망하거나 의식이 없는 등 환자의 동의를 받을 수 없어 환자의 배우자, 직계 존속 · 비속, 형제 · 자매(환자의 배우자 및 직계 존속 · 비속, 배우자의 직계존속이 모두 없는 경우에 한정) 또는 배우자의 직계 존속이 친족관계임을 나타내는 증명서 등을 첨부하는 등 보건복지부령으로 정하는 요건을 갖추어 요청한 경우 그 기록을 열람하게 하거나 그 사본을 교부하는 등 그 내용을 확인할 수 있게 하여야 한다.

071 ⑤

해설 | 결격사유(의료법 제8조)

1. 정신질환자. 다만, 전문의가 의료인으로서 적합하다고 인정하는 사람은 그러하지 아니하다.

2. 마약 · 대마 또는 향정신성의약품 중독자

3. 금치산자 · 한정치산자

4. 의료 관련 법령을 위반하여 금고 이상의 형의 선고를 받고 그 형의 집행이 종료되지 아니하거나 집행을 받지 아니하기로 확정되지 아니한 자

072 ①

해설 | 개설(의료법 제33조)

종합병원·병원·치과병원·한방병원 또는 요양병원을 개설하려면 보건복지부령으로 정하는 바에 따라 시·도지사의 허가를 받아야 한다. 이 경우 시·도지사는 개설하려는 의료기관이 제36조에 따른 시설기준에 맞지 아니하는 경우에는 개설허가를 할 수 없다.

073 ⑤

해설 | 정의(감염병의 예방 및 관리에 관한 법률 제2조)

"제2급감염병"이란 전파가능성을 고려하여 발생 또는 유행 시 24시간 이내에 신고하여야 하고, 격리가 필요한 다음 각 목의 감염병을 말한다. 다만, 갑작스러운 국내 유입 또는 유행이 예견되어 긴급한 예방·관리가 필요하여 질병관리청장이 보건복지부장관과 협의하여 지정하는 감염병을 포함한다.

제2급감염병	결핵(結核), 수두(水痘), 홍역(紅疫), 콜레라, 장티푸스, 파라티푸스, 세균성이질, 장출혈성대장균감염증, A형간염, 백일해(百日咳), 유행성이하선염(流行性耳下腺炎), 풍진(風疹), 폴리오, 수막구균 감염증, B형헤모필루스인플루엔자, 폐렴구균 감염증, 한센병, 성홍열, 반코마이신내성황색포도알균(VRSA) 감염증, 카바페넴내성장내세균속균종(CRE) 감염증, E형간염

074 ③

해설 | 업무 종사의 일시 제한(감염병의 예방 및 관리에 관한 법률 시행규칙 제33조)

일시적으로 업무 종사의 제한을 받는 감염병환자 등은 다음 각 호의 감염병에 해당하는 감염병환자 등으로 하고, 그 제한 기간은 감염력이 소멸되는 날까지로 한다.

1. 콜레라
2. 장티푸스
3. 파라티푸스
4. 세균성이질
5. 장출혈성대장균감염증
6. A형간염

   ② 법 제45조제1항에 따라 업무 종사의 제한을 받는 업종은 다음 각 호와 같다.

1. 「식품위생법」 제2조제12호에 따른 집단급식소
2. 「식품위생법」 제36제1항제3호 따른 식품접객업

075 ②

해설 | 마약류취급자의 허가 등(마약류 관리에 관한 법률 제6조)

1. 식품의약품안정청장의 허가: 마약류 수출입업자, 마약류 제조업자, 마약류 원료사용자, 마약류 취급학술연구자
2. 특별시장·광역시장·특별자치시장·도지사 또는 특별자치도지사의 허가: 마약류 도매업자
3. 특별자치시장·시장·군수 또는 구청장의 허가: 대마재배자

076 ④

해설 | 수입한 마약 등의 판매(마약류 관리에 관한 법률 제20조)

마약류수출입업자는 수입한 마약 또는 향정신성의약품을 마약류제조업자, 마약류원료사용자 및 마약류 도매업자 외의 자에게 판매하지 못한다.

077 ③

해설 | 부가급여(국민건강보험법 제50조)

공단은 이 법에서 정한 요양급여 외에 대통령령으로 정하는 바에 따라 임신 · 출산 진료비, 장제비, 상병수당, 그 밖의 급여를 실시할 수 있다.

078 ⑤

해설 | 정의(검역법 제2조)

"검역감염병"이란 다음 각 목의 어느 하나에 해당하는 것을 말한다.

가. 콜레라

나. 페스트

다. 황열

라. 중증 급성호흡기 증후군(SARS)

마. 동물인플루엔자 인체감염증

바. 신종인플루엔자

사. 중동 호흡기 증후군(MERS)

아. 에볼라바이러스병

자. 가목에서 아목까지의 것 외의 감염병으로서 외국에서 발생하여 국내로 들어올 우려가 있거나 우리나라에서 발생하여 외국으로 번질 우려가 있어 질병관리청장이 긴급 검역조치가 필요하다고 인정하여 고시하는 감염병

079 ⑤

해설 | 건강보험심사평가원의 관장 업무(국민건강보험법 제63조)

1. 요양급여비용의 심사

2. 요양급여의 적정성 평가

3. 심사기준 및 평가기준의 개발

4. 제1호부터 제3호까지의 규정에 따른 업무와 관련된 조사연구 및 국제협력

5. 다른 법률에 따라 지급되는 급여비용의 심사 또는 의료의 적정성 평가에 관하여 위탁받은 업무

6. 건강보험과 관련하여 보건복지부장관이 필요하다고 인정한 업무

7. 그 밖에 보험급여 비용의 심사와 보험급여의 적정성 평가와 관련하여 대통령령으로 정하는 업무

　② 제1항제2호 및 제7호에 따른 요양급여 등의 적정성 평가의 기준 · 절차 · 방법 등에 필요한 사항은 보건복지부장관이 정하여 고시한다.

080 ①

해설 | 보건지소장(지역보건법 시행령 제14조)

보건지소장은 보건소장의 지휘·감독을 받아 보건지소의 업무를 관장하고 소속 직원을 지휘·감독하며 보건진료소의 직원 및 업무에 대하여 지도·감독한다.

081 ②

해설 | 의사 또는 의료기관 등의 신고(후천성면역결핍증 예방법 제5조)

1. 감염인을 진단하거나 감염인의 사체를 검안한 의사 또는 의료기관은 보건복지부령으로 정하는 바에 따라 24시간 이내에 진단·검안 사실을 관할 보건소장에게 신고하고, 감염인과 그 배우자(사실혼 관계에 있는 사람을 포함한다. 이하 같다) 및 성 접촉자에게 후천성면역결핍증의 전파 방지에 필요한 사항을 알리고 이를 준수하도록 지도하여야 한다. 이 경우 가능하면 감염인의 의사(意思)를 참고하여야 한다.
2. 학술연구 또는 제9조에 따른 혈액 및 혈액제제(血液製劑)에 대한 검사에 의하여 감염인을 발견한 사람이나 해당 연구 또는 검사를 한 기관의 장은 보건복지부령으로 정하는 바에 따라 24시간 이내에 질병관리청장에게 신고하여야 한다.
3. 감염인이 사망한 경우 이를 처리한 의사 또는 의료기관은 보건복지부령으로 정하는 바에 따라 24시간 이내에 관할 보건소장에게 신고하여야 한다.
4. 제1항 및 제3항에 따라 신고를 받은 보건소장은 특별자치시장·특별자치도지사·시장·군수 또는 구청장(자치구의 구청장을 말한다. 이하 같다)에게 이를 보고하여야 하고, 보고를 받은 특별자치시장·특별자치도지사는 질병관리청장에게, 시장·군수·구청장은 특별시장·광역시장 또는 도지사를 거쳐 질병관리청장에게 이를 보고하여야 한다.

082 ③

해설 | 지역보건의료계획의 수립 등(지역보건법 제7조)

1. 보건의료 수요의 측정
2. 지역보건의료서비스에 관한 장기·단기 공급대책
3. 인력·조직·재정 등 보건의료자원의 조달 및 관리
4. 지역보건의료서비스의 제공을 위한 전달체계 구성 방안
5. 지역보건의료에 관련된 통계의 수집 및 정리

083 ⑤

해설 | 특정수혈부작용(혈액관리법 시행규칙 제3조)

1. 사망
2. 장애(장애인복지법에 의한 장애)
3. 입원치료를 요하는 부작용
4. 바이러스 등에 의하여 감염되는 질병
5. 의료기관의 장이 위의 부작용과 유사하다고 판단하는 부작용

084 ⑤

해설 | **응급의료의 설명ㆍ동의**

- 응급의료의 설명ㆍ동의

  (응급의료에 관한 법률 제9조)

1. 응급의료종사자는 다음 각 호의 어느 하나에 해당하는 경우를 제외하고는 응급환자에게 응급의료에 관하여 설명하고 그 동의를 받아야 한다.

   가. 응급환자가 의사결정능력이 없는 경우

   나. 설명 및 동의 절차로 인하여 응급의료가 지체되면 환자의 생명이 위험하여지거나 심신상의 중대한 장애를 가져오는 경우

2. 응급의료종사자는 응급환자가 의사결정능력이 없는 경우 법정대리인이 동행하였을 때에는 그 법정대리인에게 응급의료에 관하여 설명하고 그 동의를 받아야 하며, 법정대리인이 동행하지 아니한 경우에는 동행한 사람에게 설명한 후 응급처치를 하고 의사의 의학적 판단에 따라 응급진료를 할 수 있다.

- 응급의료의 설명ㆍ동의의 내용 및 절차

  (응급의료에 관한 법률 제3조)

응급의료종사자가 의사결정능력이 없는 응급환자의 법정대리인으로부터 동의를 얻지 못하였으나 응급환자에게 반드시 응급의료가 필요하다고 판단되는 때에는 의료인 1명 이상의 동의를 얻어 응급의료를 할 수 있다.

085 ⑤

해설 | **건강증진사업(국민건강증진법 제19조)**

① 국가 및 지방자치단체는 국민건강증진사업에 필요한 요원 및 시설을 확보하고, 그 시설의 이용에 필요한 시책을 강구하여야 한다.

② 특별자치시장ㆍ특별자치도지사ㆍ시장ㆍ군수ㆍ구청장은 지역주민의 건강증진을 위하여 보건복지부령이 정하는 바에 의하여 보건소장으로 하여금 다음 각호의 사업을 하게 할 수 있다.

   1. 보건교육 및 건강상담

   2. 영양관리

   3. 신체활동장려

   4. 구강건강의 관리

   5. 질병의 조기발견을 위한 검진 및 처방

   6. 지역사회의 보건문제에 관한 조사ㆍ연구

   7. 기타 건강교실의 운영등 건강증진사업에 관한 사항

③ 보건소장이 제2항의 규정에 의하여 제2항제1호 내지 제5호의 업무를 행한 때에는 이용자의 개인별 건강상태를 기록하여 유지ㆍ관리하여야 한다.

④ 건강증진사업에 필요한 시설ㆍ운영에 관하여는 보건복지부령으로 정한다.

2회 정답 및 해설

1교시									
001 ①	002 ⑤	003 ⑤	004 ③	005 ①	006 ④	007 ⑤	008 ⑤	009 ⑤	010 ②
011 ①	012 ②	013 ⑤	014 ①	015 ③	016 ⑤	017 ③	018 ③	019 ④	020 ⑤
021 ①	022 ②	023 ③	024 ③	025 ③	026 ④	027 ⑤	028 ⑤	029 ④	030 ④
031 ④	032 ④	033 ③	034 ④	035 ①	036 ④	037 ④	038 ⑤	039 ④	040 ①
041 ①	042 ②	043 ②	044 ②	045 ③	046 ④	047 ②	048 ⑤	049 ④	050 ⑤
051 ②	052 ②	053 ①	054 ②	055 ⑤	056 ②	057 ④	058 ⑤	059 ⑤	060 ④
061 ④	062 ③	063 ①	064 ⑤	065 ④	066 ①	067 ④	068 ①	069 ⑤	070 ④
071 ④	072 ②	073 ③	074 ⑤	075 ②	076 ①	077 ③	078 ⑤	079 ②	080 ④
081 ⑤	082 ①	083 ①	084 ⑤	085 ②	086 ⑤	087 ①	088 ④	089 ③	090 ①
091 ③	092 ①	093 ④	094 ⑤	095 ②	096 ④	097 ⑤	098 ②	099 ②	100 ②
101 ③	102 ②	103 ③	104 ②	105 ⑤					

성인간호학

001 ①

해설 | 장기이식

조직적합성이란 조직을 이식할 때에 이것이 거부반응을 일으킬 것인가 아닌가를 결정하는 요인이다. 이를 위해 수혜자와 공여자의 HLA (human leukocyte antigen)을 비교한다. HLA란, 장기이식 시 자기와 비자기 조직을 인식하는 능력이 있고 면역세포 간의 제어기능을 담당하는 것으로 적혈구를 제외한 모든 혈액세포에 존재한다. 장기이식 시 합병증으로 이식거부와 급성, 만성 이식편대숙주병이 있다. 이를 예방하기 위해 조직적합성 항원 검사를 통해 수혜자와 공여자의 HLA를 비교하여야 한다.

POWER 특강

HLA (사람백혈구항원)

조직적합성 항원(histocompatibility antigen)의 하나로, 유전자에 의해 형태가 결정된다. HLA가 적합하지 않은 것 사이의 이식은 다른 동종이형항원이 적합하지 않은 것 사이의 이식보다도 거절반응이 생기는 경향이 강하므로 이식항원에서는 가장 중요하다.

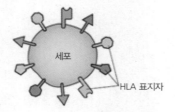

002 ⑤

해설 | 유방암

오답 ①, ②, ③, ④는 정상 소견이며 피부함몰과 딱딱한 결절은 유방의 악성종양이 노출됨을 뜻한다.

POWER 특강

유방암

- 유방암이란 유방에 생긴 암 세포로 이루어진 종괴(만져지는 덩어리)로, 일반적으로 유방암은 유방의 유관과 소엽에서 발생한 암을 말함
- 유방 종괴(만져지는 덩어리)는 유방암의 증상 가운데 약 70%를 차지하는 가장 흔한 증상으로, 유방에 종괴가 있을 때 유방암과의 감별이 필요 → 유방 종괴 다음으로 흔한 증상은 유두 분비
- 유방암이 진행됨에 따라 피부의 궤양, 함몰, 겨드랑이 종괴 등이 나타남

=== comment ===

유방에 통증이 느껴지는 것(유방통)은 전체 여성의 반 이상이 경험하는 증상으로서 유방암과 연관되는 경우는 매우 드물다!

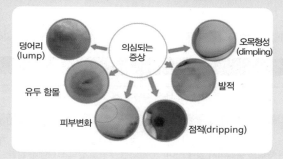

003 ⑤

해설 | 전신홍반성 낭창증(SLE, 루푸스)

전신홍반성 낭창증(SLE)의 증상 중 가장 유념해서 봐야 할 것은 혈뇨, 단백뇨, 소변량 감소이다. 이는 신부전으로 인해 나타나는 증상으로 전신적으로 나타날 수 있어 위험하다. 따라서 환자에게는 신증상인 전신부종, 소변량 감소 등의 증상이 나타나면 즉시 병원에 연락하여 적절한 치료를 받는 것을 교육해야 한다.

POWER 특강

자가면역 질환

- 면역이란 외부에서 침입한 병균으로부터 우리 몸을 방어하는 작용을 말하며, 이러한 면역기능을 담당하는 세포들이 면역세포이다. 자가면역 질환이란 이러한 면역기능에 이상이 발생하여, 신체의 면역세포들이 체내 장기나 조직을 공격하여 발생하는 질환을 말한다.
- 교원병: 병리조직학적으로 혈관의 결합조직에 팽창이나 괴사 따위의 변화가 발견되는 모든 질환을 일괄한 집약개념
- 전신홍반성 낭창증: 면역계의 이상으로 온몸에 염증이 생기는 만성 자가면역 질환으로, 주로 가임기 여성을 포함한 젊은 나이에 발병한다. 루푸스는 만성적인 경과를 거치며 시간에 따라 증상의 악화와 완화가 반복된다. 증상은 피부점막증상, 관절염 없는 관절통, 신장증상, 뇌신경증상, 기타 장기 침범 증상(흉막염, 심낭염, 복막염)

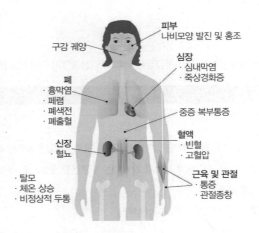

피부
나비모양 발진 및 홍조

구강 궤양

심장
· 심내막염
· 죽상경화증

폐
· 흉막염
· 폐렴
· 폐색전
· 폐출혈

중증 복부통증

신장
· 혈뇨

혈액
· 빈혈
· 고혈압

· 탈모
· 체온 상승
· 비정상적 두통

근육 및 관절
· 통증
· 관절종창

004 ③

해설 | **교상**

독사에게 물렸을 경우에는 가장 먼저 정맥혈류를 차단해서 더 이상 독이 퍼지지 않도록 하는 것이 중요하다. 따라서 정맥귀환 혈류를 차단하는 ③이 옳은 행동이다.

오답 ④는 동맥혈류가 아닌 정맥혈류이며 ⑤의 경우 독을 더 퍼지게 악화시키는 행동으로 부적절하다.

POWER 특강

뱀에 물렸을 때

해야 할 것	하지 말아야 할 것
· 독사의 색깔과 모양을 기억함 · 안심을 시키고 전신과 특히 물린 부위를 움직이지 않게 하여 독이 체내에 퍼지는 것을 막음 · 최대한 빨리 응급실로 이송함 · 교상 부위를 깨끗하고 마른 드레싱으로 덮음	· 교상 부위에 직접적으로 압박을 가하거나 토니켓을 적용하지 않음 · 교상 부위를 칼로 도려내지 않음 · 교상 부위를 절개하여 입으로 독을 뽑아내지 않음 · 교상 부위에 얼음을 적용하거나 물에 담그지 않음 · 술을 마시거나 진통제를 투여하지 않음

comment

· 국소요법으로는 교상 부위에서 심장 측을 끈 등으로 강하게 묶고 1시간 이내에 20~40 ㎖의 독사항혈청을 정맥주입해야 한다.

· 뱀에 물린 직후라도 절개흡인은 뱀독 제거 효과는 없이 감염과 이차중독의 위험이 있어 하지 않는다. 얼음찜질이나 동맥압착 지혈대 등은 교상 부위의 손상을 가중시키므로 하지 말아야 하며, 비스테로이드 소염제는 혈액응고기능 장애를 악화시킬 수 있으므로 주의한다.

005 ①

해설 | **알레르기**

첩포 검사인 patch test는 알레르기 접촉성 피부염 환자에서 원인이 되는 항원에 대한 제4형 지연성 과민반응을 찾아내는 검사로 특정 물질이나 상품화된 항원으로 선별검사를 한다. 알레르기 접촉피부염의 진단에 필수적으로 사용되며 자극접촉피부염의 진단에도 간접적으로 사용되는 방법이다.

comment

어떤 유형의 알레르기에서 어떤 검사가 이루어지는지에 대한 문제가 간혹 출제된다. 가장 많이 출제되는 patch test (첩포검사)로 4(포; four)형인 접촉성 피부염을 진단한다는 것을 기억해두자.

006 ④

해설 | **대상포진**

대상포진에 대한 설명이다. 대상포진은 Herpes zoster virus가 원인균이며 치료제로는 항바이러스제인 Acyclovir를 사용한다.

POWER 특강

대상포진

- 대상포진은 수두-대상포진 바이러스가 보통 소아기에 수두를 일으킨 뒤 체내 잠복상태로 존재하고 있다가 다시 활성화되면서 발생하는 질환이다. 보통은 수일 사이에 피부에 발진과 특징적인 물집 형태의 병적인 증상이 나타나고 해당 부위에 통증이 동반된다. 대상포진은 젊은 사람에서는 드물게 나타나고 대개는 면역력이 떨어지는 60세 이상의 성인에게서 발병한다.
- 이미 수두를 앓은 적이 있는 사람들에게는 대상포진이 전염되지 않으나, 이전에 수두를 앓은 적이 없는 사람들에게는 전염이 될 수 있으며, 대상포진 환자의 물집이 터져 진물이 흐르게 되면 이 진물이 전염될 수 있다.
- 수두를 앓은 적이 없는 사람이 대상포진을 앓고 있는 사람과 접촉했다면 발병을 차단하기 위하여 수두 예방접종을 고려할 수 있다.

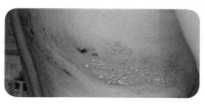

007 ⑤

해설 | 발작(seizure)

환자가 경련현상이 나타날 시, 손상방지 간호를 제공하는 것이 중요하다.

- 주변의 위험한 물건을 치우고, 침상난간에 푹신한 것을 대어줌
- 발작 동안 어떠한 것도 입에 넣지 않으며, 흡인을 막기 위해 측위 취해줌
- 발작 동안 억제대로 묶지 않고 단단한 옷을 풀어줌

오답 ② 경련은 산소부족이 발생하지 않기 때문에 산소를 공급할 필요는 없다.

— comment —

일단 발작이 시작되면 다른 사람이 멈출 수 없다. 발작이 자연적으로 멎을 때까지 가만히 있도록 한다. 인공호흡 등은 절대로 하지 말아야 하며, 발작 중에 절대로 환자의 입안에 무엇을 넣지 않는다. 또한 10분 이상 전신 발작이 지속되면 빨리 병원으로 옮겨 응급 치료를 받아야 한다.

008 ⑤

해설 | 임상 검사 수치

수치결과, 환자는 고나트륨혈증과 요비중이 상당히 높은 상태이다(정상 Na 135~145 mEq/L, 요비중 1.001~1.025). 또한 알부민은 정상치(3.5~5.0 g/dL)보다 낮은 상태이다. 이로 보아 소변이 제대로 나오지 않고, 그에 대한 결과로 혈중나트륨 증가, 요비중 증가와 같은 현상이 나타난다.

POWER 특강	

임상 검사 수치	
혈청 생화학검사(serum biochemistry)	
Na^+	135~145 mEq/L
K^+	3.5~5.0 mEq/L
Ca^+	8.5~10.5 mg/dL
Albumin	3.5~5.0 g/dL
Glucose	70~110 mg/dL
혈액 구성(blood composition)	
백혈구(WBC)	$4.0~10.010^3$
적혈구	남: $4.2~6.310^6$ 여: $4.0~5.410^6$
혈소판(platelet, PLT)	$130~40010^3$
혈색소(hemoglobin)	남: $13.0~17.010^3$ 여: $12.0~16.010^3$
헤마토크릿(hematocrit, HCT)	남: 32~52% 여: 36~48%

009 ⑤

해설 | 통증

P	통증의 부위(position)
Q	통증의 특성(quality) – 무딘, 예리한, 으스러지는
R	통증에 영향을 미치는 요인(relief or aggravating factor)
S	통증강도(severity or intensity)
T	통증의 시작 및 지속시간(time)

010 ②

해설 | 추간판탈출증

추간판탈출증이란 외상에 의해 추간판 내 수핵이 섬유륜을 뚫고 돌출되어 신경을 압박하여 요통 및 신경증상을 유발하는 질환으로, 외상이나 퇴행성 변화 등에 의해 섬유륜이 찢어지거나 파열되면 내부의 수핵이 밖으로 밀려 나와 주위조직, 특히 척추신경을 압박하면서 통증 등의 증상을 유발한다. 특히 요 · 천추간판 탈출증 시 하부요통, 자세의 기형을 보이고(허리를 굽히지 못하고 구부정한 자세), 침범된 등과 사지에 압통, 감각장애, 무감각 등이 나타나며, 침범된 하지의 심부건 반사가 감소되거나 발을 배굴 시 통증을 호소한다.

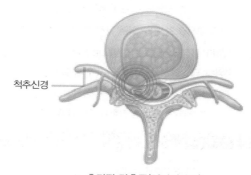

척추신경

▶ 추간판 탈출증(허리디스크)

011 ①

해설 | B형 간염

① 간염 환자는 추가적인 간의 손상을 예방하기 위해 정신적, 신체적 안정을 취해야 한다.

간염은 간세포 및 간 조직의 염증으로, B형 간염은 간세포 파괴, 손상과 염증반응이 6개월 이상 지속되는 만성 간염에 해당되며, 간경화나 간세포성 암종의 주요 원인이 된다. B형 감염의 감염경로는 일차적으로 혈액 및 타액, 모유수유를 통한 구강 경로, 성접촉 등이며, 약물중독자나 수혈자, 체액 · 혈액 · 혈액제품을 다루는 건강 관련 기관 종사자에게도 감염의 위험이 높다.

오답 ② 간염 환자는 고탄수화물, 적정 단백질, 저지방 식이를 소량씩 해야 한다.

③ 간염 환자는 평상시보다 더 안정을 취해야 한다.

④ 수분 섭취를 적절하게 해야 한다.

⑤ 활동성 간염 상태를 암시하는 증상이 나타나 있지 않다. 모든 방문객을 제한할 필요 없으며, 이는 정서적인 안정에 도움이 되지 않는다.

B형 감염 환자의 간호중재

- 원인 경로 차단: 점막이나 개방상처를 통한 모유, 타액, 정액, 질 분비물 등 혈액이나 체액의 직·간접 접촉 차단하며, 성교 시 콘돔을 착용하고, 전염의 위험이 없을 때까지 성교 금함
- 개인위생 철저히, 손 세척에 대한 중요성 강화함
- 개인용품 공동사용 금지: 면도기, 칫솔, 담배 등
- 오염된 바늘이나 체액 또는 혈액과 접촉된 기구에 의해 혈액이나 대상자의 체액의 접촉의 우려가 있을 때는 장갑, 마스크, 가운 등을 착용
- 바늘과 주사기는 1회용으로 사용하고, 소독해서 재사용하지 않으며 사용한 주사기 뚜껑 다시 씌우지 않음
- 수동면역(HBIG), 능동면역(HBV vaccine)
- 추가적인 간 손상을 예방하기 위해 안정 취함

012 ②

해설 | 소화성 궤양(peptic ulcer)

위의 사례에서 대변의 잠혈로 소화기관에 출혈이 생긴 것을 알 수 있으며, helicobacter pylori 검사에서 양성으로 나온 것으로 상부위장관인 위 혹은 십이지장의 문제임을 알 수 있다. 또한 식욕부진, 소화불량 등의 증상으로 소화성 궤양(peptic ulcer)을 생각할 수 있다. 궤양이나 출혈의 원인을 찾기 위해 상부위장관 내시경 검사(EGD)를 실시해야 한다.

오답 ① 바륨관장은 바륨을 직장으로 투입하여 결장을 사정하는 방법으로 하부위장관의 문제에서 사용되는 검사이다.
③ 담낭조영술은 담석을 찾아내기 위해, 담낭의 기능을 검사하기 위해 실시된다.
④ 결장경 검사는 결장의 문제를 사정하는 검사로 마찬가지로 위 상황에 맞지 않다.
⑤ Bernstein test는 흉통이 있을 때 식도점막의 문제로 인한 통증인지 확인하는 검사로서 맞지 않다.

POWER 특강

상부위장관 내시경(위내시경: EGD)

목적	상부위장관에 내시경을 입을 통해 식도로 삽입하여 위, 십이지장까지 점막의 병변을 관찰하고 이물을 제거하거나 생검을 위한 조직을 얻음
적응증	• 급·만성 식도 및 위장 출혈(GI bleeding)에 우선적으로 시행 　▶ 정맥류나 궤양 출혈 시 병변 보면서 지혈하기 용이함 • 식도 손상, 식도·위·십이지장 궤양 • 상복부에 덩어리 촉진 • 상복부 통증 및 불편감 • 급·만성 위염 • 악성빈혈, 잠혈 • 연하곤란, 소화불량, 식욕부진
검사방법	좌측으로 누운 상태에서 굴곡 내시경을 식도로 삽입하여 공기를 넣어 위장관을 확장시킨 후 위와 십이지장까지 점막의 병변을 관찰하며, 병변이 발견되는 등 필요시 조직검사를 함께 시행 • 검사 전 간호 　− 동의서 　− 8시간 동안 금식(폐흡인 예방 위해) 　− 의치, 장신구 미리 제거 　− 약물 투여 　　ⓐ 분비억제제: atropine (구강, 인두 분비물 감소) 　　ⓑ 진정제: diazepam (Valium), meperidine (Demerol)로 불안 감소시키고, 대상자 이완 　　ⓒ 국소마취제: 인두 후방까지 마취하기 위해 리도카인 액으로 양치 및 분무(인두 후방 불편감 완화, 구토 예방)

검사 중 간호	• 좌측위 또는 Sim's 체위 • 국소마취 후 튜브 삽입 후 침을 삼키지 말고 입 옆으로 흘러내리게 함(질식 예방)
검사 후 간호	• 구토반사(gag reflex) 돌아올 때까지 금식하며, gag reflex 돌아왔는지 확인하기 위해 설압자로 혀의 뒤쪽을 눌러 봄 • 국소마취가 풀릴 때까지 옆으로 눕히기 • 인후통 완화: 따뜻한 생리식염수 함수, 마취성 인후 함당정제 • 식도나 위 손상의 증상으로 출혈, 복통, 피하기종, 호흡곤란, 청색증, 체온상승 복부 강직 등의 유무 확인
금기증	중증의 상부 위장관 출혈, 식도 게실 ▶ 천공 위험성

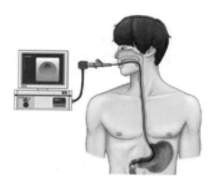

▶ 상부위장관 내시경(위내시경: EDG series) 모식도

013 ⑤

해설 | **충수돌기염(appendicitis)**

RLQ의 통증, 즉 Mcburney's point의 통증으로 충수돌기염을 의심할 수 있다. 특히 Rovsing's sign는 Mcburney's point (RLQ)의 대칭부위인 LLQ에 압력을 가했을 때 Mcburney's point에 통증을 느끼는 것으로 충수돌기염의 특징적인 증상 및 진단법 중에 하나이다. 폐쇄근 징후(obturator sign)는 바로 누운 상태에서 환자의 굴곡된 우측 대퇴부를 내측으로 회전시킬 때 유발되는 통증으로 나타나며, 이 역시 충수돌기염의 특징적 징후다.

cf $10,000 \sim 15,000/mm^3$으로 증가한 백혈구 수치로 보았을 때, $20,000/mm^3$ 이상 증가해야 하는 복막염이 아닌 충수돌기염임을 확실히 알 수 있다.

━━━ **comment** ━━━

충수돌기염을 그대로 방치해두면 복막염으로 발전할 수 있으므로 증상이 나타나고 24~48시간 내에 빨리 충수를 제거해야 한다.

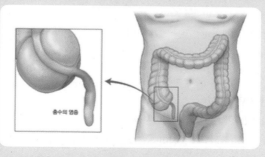

▶ 충수돌기염

014 ①

해설 | **복막염(peritonitis)**

복막염은 반동압통이 심하게 나타나며, 복부 근육에 강직과 경련이 나타난다. 따라서 복부강직을 확인해야 한다. 또한 WBC가 20,000/mm³ 이상 증가해 있다.

오답 ② 호흡의 경우에는 복막염 환자는 얕고 빠른 호흡을 보인다. 따라서 심호흡은 틀린 답이다.

⑤ 복막염은 마비성 장폐색, 복부 팽만 등이 나타날 수 있으며 이에 따라 장음이 증가하는 것이 아닌 소실된다.

POWER 특강

복막염 간호중재

감염관리를 위해 NPO하면서 광범위항생제를 투여하고 농이 골반강에 국한되도록 좌위를 취해준다. 또한 체액을 관리하기 위해 수액과 전해질을 IV로 공급하고 장관을 삽입하여 감압한다. 오심 · 구토가 심한 경우 진토제를 투여할 수 있다.

---

015 ③

해설 | **장폐색**

Rule out: 궤양을 오래 앓아온 환자이므로 궤양의 천공을 먼저 의심할 수 있으나 출혈이 의심되는 증상은 혈압 저하밖에 없으며, 복막염으로 인한 복부강직도 증상에서 나타나지 않는다. 따라서 천공 이외에도 오랫동안 반복적인 궤양 형성과 치유 과정으로 인한 반흔의 형성으로 유문부 폐색이 일어나지 않았는지, 살펴볼 필요가 있다. ▶ 폐색으로 인한 복부팽만(체액, 가스 축적), 쥐어짜는 듯한 극심한 복통, 오심 · 구토가 유발될 수 있기 때문이다. 폐색을 사정할 때는 섭취량과 배설량을 살펴야 한다.

POWER 특강

장폐색 관리

내과적 치료로 NPO하고 장관을 삽입하여 감압시켜 폐색을 완화시키고 구토와 복부팽만을 완화시켜야 하며, 위관을 삽입하여 위액을 흡인한다. 수분과 전해질 불균형을 교정해 준다.

---

016 ⑤

해설 | **위루술**

⑤ 위 잔류량이 200 mL를 넘는 환자에게 위 잔류량의 경향과 X-ray 상태, 환자의 신체적 상태를 잘 모니터링해야 한다.

오답 ① PEG 장치를 대체하는 경우는 막히거나 부러진 관을 교환하기 위해서다. 대체로 1년 정도 사용한다.

② 잔류하는 위 내용물을 간헐적 식이 때마다. 지속적 주입의 경우에는 4~8시간마다 측정해야 한다.

③ 역류와 폐흡흡의 위험을 줄이기 위해 머리를 30~45° 올리도록 한다.

④ 세균 성장의 기회를 낮추고 관이 막히는 것을 막기 위해 30~50 ml 물이나 생리식염수를 식이 제공 전후로 주입한다.

---

017 ③

해설 | **급속이동증후군(dumping syndrome)**

위절제술 후 음식물 섭취 시 나타나는 문제의 증상들은 십이지장 소화과정을 정상적으로 경유하지 못하므로, 공장으로 고장성 음식물이 유입됨으로써 나타나는 dumping syndrome의 증상이다. 고장성 음식물을 등장성으로 만들기 위해 장속으로 수분이 급속히 이동하며 이로 인한 순환혈액량의 감소로 나타나는 것이다. 또한 고탄수화물 음식으로 인해 혈당이 급격히 상승하여 인슐린의 과도한 분비를 일으키고 저혈당을 초래한다. 따라서 음식물이 최대한 천천히 공장으로 유입되도록 하고, 최대한 수분과 탄수화물이 적은 식이를 해야 한다.

오답 ① 식사 후 앙와위나 좌측위를 취해 공장으로 음식이 최대한 천천히 들어갈 수 있도록 해야 한다. 반좌위는 공장으로의 유입을 촉진시키는 체위이다.

② ④ 권장되는 식이는 저탄수화물, 수분이 적은 식이이며 고단백, 고지방 식이를 실시해 부족한 영양을 채워야 한다. 또한 급속한 음식물의 유입을 막기 위해 한 번에 조금씩 나눠 식사하는 것이 좋다.

⑤ 위장관 운동 촉진제는 공장으로의 급속한 음식 유입을 촉진시킨다.

POWER 특강

급속이동증후군의 간호중재

식이	• 소량씩 자주 섭취(6~8회/day) • 식이: 고단백, 고지방(위내 정체율 증가), 저탄수화물, 수분이 적은 식사를 하며, 국물과 함께 밥을 먹지 않도록 함 • 식전 1시간~식사 시~식후 2시간 동안 수분섭취 제한하여 위가 빨리 비워지는 것 방지 • 너무 뜨겁거나 차가운 음식 · 음료 피함
체위	• 식사 시: 횡와위, 반횡와위 • 식후: 음식이 천천히 내려가도록 누워있도록 함(앙와위, 좌측위로 20~30분)
약물	진정제, 항경련제 투여로 위 배출 지연

018 ③

해설 | 간경화(liver cirrhosis, LC)

복수가 발생하는 기전은 완전하게 알려지지 않았다. 문맥고혈압과 모세혈관압의 증가와 손상된 간을 통과하는 정맥혈의 폐쇄 등이 원인으로 언급된다. 또한 내장을 순환하는 혈관의 이완도 유력한 원인이며, 간에서의 알도스테론 대사 장애는 신장에서 나트륨과 수분의 정체를 증가시킨다. 나트륨과 수분 정체, 혈류량 증가, 림프액의 증가와 알부민 합성 감소 등은 수분이 혈관계에서 복강 내로 이동하는 데 기여한다. 간 손상의 결과로, 15L 이상 다량의 알부민을 함유한 체액이 복강 내에 축적된다. 알부민이 혈청에서 복강 내로 이동하여 혈청삼투압은 감소한다. 이는 문맥고혈압 상승과 함께 체액이 복강 내로 이동하도록 이끈다.

오답 ① 복막감염은 간경화 환자의 복수와는 상관없다.

② 간경화 환자에게는 저단백혈증이 나타난다.

④ 간경화 환자는 혈청 삼투압이 감소하여 복수가 증가한다.

⑤ 항이뇨 호르몬이 감소하면 수분, 나트륨이 체내에 정체되지 않고 빠져나간다.

POWER 특강

복수 대상자 간호중재

• **침상안정**
• **체위: 반좌위 or 좌위(복수로 인한 호흡곤란 완화)**
• **1,000 mL/day 이하로 수분제한, 저염식이, I/O 측정**
• **이뇨제 사용:** Aldacton, Lasix
• **알부민투여, 제한이 없다면 적정 단백 섭취**
• **복막천자**
• **복부정맥 측로술(LeVeen shunt): 한쪽 방향의 압력에 민감한 판막을 통하여 복강 내 차있는 복수를 관을 통해 상대정맥으로 빠져나가게 하는 것**

019 ④

해설 | 식도정맥류

식도정맥류 파열 시 혈관수축제인 Vasopressin을 투여해야 한다. Vasopressin은 뇌하수체 후엽에서 분비된 펩티드 호르몬으로 혈압 상승을 촉진하는 작용을 한다. 다른 이름은 항이뇨 호르몬(anti-diuretic hormone, ADH)로 강한 항이뇨 작용, 즉 수분 재흡수의 증가와 말초혈관의 수축을 통해 혈압을 상승시킨다. 이 약물은 식도정맥류 파열 시 혈관 수축제로 사용되는데, 혈압 상승효과가 강하므로 혈압을 주의 깊게 보아야 한다.

POWER 특강

문맥성 고혈압

간경화의 부작용으로 발생하는 문맥성 고혈압으로 인해 식도정맥류, 메두사머리(caput Medusae), 복수, 치질, 간비대 등이 나타난다. 식도정맥류를 예방하기 위해서는 거친 음식과 자극적인 음식을 제한하고, 음식 천천히 먹으며, 변비와 복압 상승을 예방하며, 알코올, 아스피린을 금지해야 한다. 식도정맥류 파열 시 혈관수축제이니 vasopressin을 투여하고 출혈 부위를 기계적으로 압박하기 위해 S-B tube를 적용하는데, 튜브 적용 시 기도폐쇄 증상이 나타날 경우 즉시 튜브를 잘라 공기를 뺀 다음 의사에게 보고해야 한다. 그러므로 항상 가위를 침상에 준비해두도록 한다.

020 ⑤

해설 | 담낭절제술

⑤ 배출된 담즙이 역류하지 않게, 자연스럽게 중력으로 배액될 수 있도록 담즙주머니는 수술 부위보다 아래에 두어야 한다.

오답 ① 호흡을 원활하게 하는 체위는 앙와위가 아닌 좌위, 반좌위이다.

② 절제 부위의 위치 때문에 심호흡, 기침이 힘들 수 있으나 수술 부위를 지지하여 할 수 있도록 격려해야 한다.

③ 진통제는 사용 가능한데, morphine은 오디 괄약근의 경련을 증가시키기 때문에 금기이다.

④ 보통 수술 후 처음 24시간 동안 소량의 장액 혈액성 액체가 배액된다.

POWER 특강

T-tube	
배액물	처음 혈액 섞임 → 녹색
배액량 & 양상	배액량이 1일 1,000 cc 이상 시 보고하며, 일반적으로 첫 24시간 동안 300~500 cc/day, 3~4일 후 200 cc/day 정도임
T-tube 관리	• 배액관은 담낭보다 아래 위치시켜 개방성 유지하여 자연스럽게 배액되도록 함 • 식사 전 · 후 1~2시간 동안 T-tube 잠금 • 배액관이 잡아 당겨지거나 꼬이지 않도록 주의 cf 침상안정 할 필요는 없음
T-tube 제거	• 수술 후 7~8일경 담관조영술 후 폐쇄 없을 시(총담관 개방성 확인될 때) 제거 • X선 검사상 담석이 발견되지 않음(주입염료 흐름이 원활) • 수술 후 7~10일경 대변이 회색 → 갈색으로 돌아오는 것이 정상

021 ①

해설 | 당뇨병

당화혈색소(glycosylated hemoglobin, HbA1C)는 지난 3개월간의 평균적인 혈당조절 상태를 반영한다. 6.5% 이상이면 당뇨병으로 진단할 수 있으며, 4~6%를 정상으로 본다.

022 ②

해설 | **인슐린요법 부작용**

NPH를 증량하였으나 이후 환자의 식사량이 부족하여 저혈당 증상이 발현되었다. 저혈당의 증상으로는 빈맥, 심계항진, 진전, 불안, 발한, 공복감, 이상감각, 두통, 쇠약감, 피로, 정신착란, 건망증, 시야곤란, 부분 신경학적 이상, 경련, 혼수, 언어표현 장애 등이 있다.

POWER 특강

합병증 간호중재

저혈당 시 치료 및 간호중재는 의식이 있을 때와 없을 때로 분류하여 중재한다.

의식 있을 때	의식 없을 때

• 속효성 탄수화물 경구 섭취(과일주스, 탄산수, 사탕, 초콜릿 등)
   – 단당류: 오렌지주스 1/2컵, 사탕 2~3개
   – 당질 10~15 mg이 함유된 응급식품 섭취: 2~3스푼의 탄산수, 꿀물
   – 혈당검사 시행
	• 포도당 정맥주입: 50% 포도당 20~50 ml 서서히 주입
	 • 수액요법 어려울 시 글루카곤 근육주사

023 ③

해설 | **결장암**

결장암의 위험요인으로는 연령(50세 이상), 가족력, 비만, 흡연, 결장 용종, 선종, 저섬유식이, 고지방식이, 정제된 음식, 좌식, 염증성 장 질환 등이 있다.

POWER 특강

식이(diet)

식이를 이해하고 위장 관계 질환의 치료 및 중재법에 접근하면 쉽게 이해가 된다.

• **잔유(residue):** 소화 과정이 끝난 후 장내 남아있는 성분

  – **저잔유식이:** 장내 남아 있거나 배설되는 성분이 매우 적은 식이(다 소화되어 버림)

  – **고잔유식이:** 장내 많이 남아 있고 배설되는 성분이 많은 식이(고섬유식이와 거의 동일한 의미로 사용됨)

• **고섬유 식이(high fiber diet)**

  – 수분흡수를 도와 대변의 양을 늘리고 모양을 형성하며 대변이 장을 통과하는 시간을 지연시켜 주는 식이

  – 변비, 설사 모두에 도움 됨

  – 고섬유식이는 치질, 과민성 장증후군에게 적용, 장게실, 장루 환자에는 적용하지 않음

024 ③

해설 | **급성 신부전**

③ 인슐린, 50% 포도당 정맥주입, 칼슘보충 등은 칼륨을 세포 내로 유입시키는 역할을 하여 고칼륨혈증을 교정하기 위해 사용된다.

급성 신부전이란 신기능이 빠르게 감소하여 체내에 BUN, creatinine과 같은 대사성 노폐물이 축적되는 상태이다. 이로 인해 수분전해질 불균형 증상이 나타나는데, 고칼륨혈증, 심전도 변화, 저나트륨혈증(축축하고 홍조를 띤 피부, 뇌부종, 의식변화), 수분 과잉, 칼슘 저하, 마그네슘 증가, 중탄산염(bicarbonate) 저하 등이 나타난다.

025 ③

해설 | **만성 신부전**

- 문제의 혈액수치는 사구체 여과율 감소, 고칼륨혈증(정상: 3.5~ 5.0 mEq/L), 혈청BUN 증가(정상: 5~25 mg/dL), 혈청크레아티닌 증가(정상: 0.5~1.5 mg/dL), 대사성 산증을 의미한다.

- 만성 신부전은 사구체 여과율이 60 ml/분 이하이며, 고칼륨혈증, 고인산혈증, 저칼슘혈증, BUN 감소, Cr 감소 등의 임상학적 변화를 보인다.

026 ④

해설 | **신장이식 거부반응**

신장 공여자와 수여자는 ABO 혈액형이 같고 HLA (human lymphocyte antigen)이 적합해야 한다. 보통 이식 신장은 수술 후 즉시 기능을 시작하는데, 배뇨를 통해 수술의 성공여부를 파악할 수 있다.

거부 반응	증상발현 시기	주요 임상소견	치료
초급성	수술 직후부터 수술 후 48시간 이내 발생	• 수여자 혈청 내 미리 존재했던 동종항체가 공여자 이식 신의 동종항원을 인식하여 공격 • 소변량 갑자기 감소, 고열, 신장부위 통증, 기능감소, 보체 · 혈소판의 격감	• 치료법 없음 • 즉시 신장적출술 실시
급성	• 수술 후 수일 내 ~3개월(early acute) • 3개월 이후(late acute)	• 세포중개성 면역반응에 의한 거부반응 • 무뇨, 핍뇨, 이식부위 통증, 발열, 부종, 갑작스런 체중증가, 고혈압, 전신쇠약 • 혈청 BUN, Cr 상승, Cr 청소율 저하 • 이식신의 증대 · 경화, 혈류량 감소	• 스테로이드 투여 • 단일항체 면역억제제 • 방사선 조사
만성	수개월~수년	• 신장기능 점차 악화 • 단백뇨, 고혈압	• 비가역적 변화 • 효과적인 치료 없음

027 ⑤

해설 | **요로감염**

방광염은 재발이 흔하기 때문에 장기적으로 치료해야 하고 예방적 항생제를 사용하기도 한다. 증상이 사라졌다고 해서 처방받은 약을 중단해버리면 재발의 위험이 높다.

── comment ──

방광염의 흔한 증상은 빈뇨, 긴박뇨, 배뇨곤란이다.

028 ⑤

해설 | **경요도절제술**

경요도절제술 시 지속적인 방광세척을 해야 하는데, 주입량과 배출량이 맞지 않을 때는 우선적으로 카테터의 개방성을 확인해 본다.

029 ④

해설 | **요로전환술**

요로전환술이란 소변 흐름을 비정상적인 출구로 전환시키는 방법으로, 소변 배출구와 피부 개구부를 만들어 주는 것이다.

오답 ① 소변주머니는 1/3~1/2 정도가 채워지면 비운다.

② 뜨거운 물로 세척하는 경우 주머니가 손상을 입을 수 있다.

③ 요루 주머니의 구멍은 요루의 크기보다 크게 자른다.

⑤ 요루 주변의 피부는 순한 비누와 물로 청결히 닦고 건조시키며, 접착물질은 접착제 제거제로, 결정체는 희석된 식초용액으로 닦는다.

POWER 특강

요루전환술 시 식이조절

- 비타민 C 섭취, 주스와 같이 요를 산성화시키는 음식 권장
- 소변의 냄새가 강해지게 하는 음식의 섭취를 제한
- 충분한 수분섭취: 소변농축으로 인한 결정체 형성 및 감염 방지(2,000 ml/day 이상)
- 가스 생성 음식 섭취제한

---

030 ④

해설 | **류마티스 관절염**

급성기에는 절대 안정을 취해 관절의 휴식과 보호를 증진시켜야 한다. 특히 류마티스관절염의 특징적인 증상인 **조조강직(아침의 강직 증상)**이 나타날 경우 따뜻한 물에 이환부위를 담그고 더운물 목욕을 해 준다. 침상안정 기간 중 근육강화를 위해 ROM, 등척성 운동을 한다.

▶ 류마티스 관절염의 주요증상

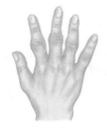

저림　　　　　　　　　　　관절염

아침의 저림
장시간 움직이지 않고 있으면, 관절이 잘 움직이지 않게 되는 상태가 된다. 기상 시에 가장 심하게 느낀다. 움직이는 동안에 경감된다.

관절의 종창·통증 등의 염증증상이 주체
⋮
관절의 변형으로

---

031 ④

해설 | **통풍**

통풍은 퓨린이 관절에 침착되어 통증을 유발하는 질환이다. 통풍 환자에게 aspirin은 요산 배설 촉진을 불활성화 시켜 요산을 축적시키기 때문에 금기이며 colchicine과 probenecid는 요산의 배출을 용이하게 하는 약물이며 allopurinol은 요산의 생성을 억제한다.

▶ 통풍(요신결정체가 관절에 축적)

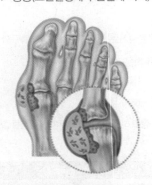

POWER 특강

통풍 환자의 식이요법

고퓨린 식이(붉은 고기, 내장류)와 알코올을 제한해야 한다.

고퓨린 식품	중등도 퓨린 식품	저퓨린 식품
• 내장류(곱창, 천엽, 간, 허파) • 진한 고기국물(곰국, 갈비탕) • 멸치(멸치조림, 멸치국물) • 술	• 고기류(쇠고기, 돼지고기, 닭고기) • 흰살 생선(조기, 갈치, 명태) • 콩류(강낭콩, 완두콩) • 곡류(현미, 통보리 등 도정 안 된 것) • 버섯류(표고, 양송이, 느타리) • 일부 야채류(시금치, 아스파라거스)	• 곡류(빵, 쌀밥, 감자) • 대부분의 야채류(시금치, 아스파라거스 제외) • 계란, 우유, 치즈 • 과일 및 주스류 • 당류(설탕, 꿀, 비만인 경우 제한)

032 ④

해설 | **요통**

허리를 과다굴곡, 과다신전하지 않고 물건을 들 때는 허리를 구부리지 않으며, 서서 일할 때는 한쪽 다리를 발판에 올리고 하는 것이 좋다. 목, 어깨, 복근 강화운동을 하도록 한다.

오답 ①, ② 엎드린 자세와 다리를 꼬는 자세는 허리에 무리를 줄 수 있다.

③ 물건을 들 때에는 신체 역학의 원리에 따라 무릎을 굽혀 신체를 낮추는 것이 좋다.

⑤ 굽이 높은 신발은 신체 무게 중심을 이동시켜 허리에 무리를 줄 수 있다.

033 ③

해설 | **근골격계 외상**

염좌로 인한 부종을 완화시키기 위해서는 냉찜질과 탄력붕대를 적용하는 것이 옳다. 부종이 완화된 후에는 혈액 순환을 촉진시켜 조직을 회복시키기 위해 온찜질을 적용한다.

	좌상	염좌
정의	건이 과신전되거나 근육이 심하게 긴장될 때	인대가 늘어나거나 찢어진 상태
원인	격렬한 운동 등	격렬한 운동(운동선수 호발), 교통사고, 낙상, 작업장 사고
증상	갑자기 심한 통증, 부종, 반상출혈(멍)	인대열상, 심한 통증, 종창, 반상출혈(멍)
치료	손상 부위 보호, PRICE법 적용	

② 관절 부위의 인대가 손상된 경우 해당 부위를 심장보다 높게 유지하는 것이 좋다.

⑤ 해당 부위를 움직이지 않고 안정을 취하는 것이 중요하다.

POWER 특강		

PRICE법		
P	protection (보호)	손상 부위 보호
R	rest (휴식)	손상된 관절 쉬게 함
I	ice (냉요법)	부종과 통증 완화 위해 첫 24~ 48시간 동안 적용(손상 직후)
C	compression (압박)	• 부종 부위 압박붕대로 고정 • 감각저하, 순환장애 나타나지 않게 주의 ▶ 8시간마다 풀었다 다시 감기
E	elevation (거상)	손상 부위 심장보다 높게 하여 부종 예방

— comment —

건은 근육과 뼈를 연결(ㄱ–ㄱ)	인대는 뼈와 뼈를 연결
좌상은 건과 근육의 손상	염좌는 인대의 손상(ㅇ–ㅇ)

034 ④

| **고관절치환술**

고관절치환술이란 고관절(골반 관절 또는 엉덩이 관절)을 이루는 골반골 부분인 비구와 대퇴골의 골두를 모두 인공으로 만든 삽입물로 교체하는 것을 말한다. 수술 후 삽입된 인공관절이 이탈되지 않도록 유의하고 대퇴관절 신체선열을 유지하기 위한 탈구예방 간호가 중요하다.

· 고관절 굴곡, 내전, 내회전 금지하고, 외전 및 외회전 유지함

· 다리 사이에 베개 적용하여 내전 금지

· 굴곡은 90° 이상 금지(구부리지 않음)이며, 높은 변기와 의자, 팔걸이 있는 의자 이용

· 수술한 다리 2~3개월 동안 중앙선 넘지 않으며, 내전 금지(다리 붙이거나 꼬지 않음)

· 발등이 밖을 향하게 유지하여 말단 부위의 내회전 금지

· 수술한 부위로 측위로 눕지 않음

▶ 고관절치환술(THA)

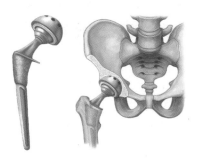

①, ⑤ 고관절치환술 후에 인공관절의 탈구를 방지하기 위해서는 다리를 꼬거나 바닥에 양반다리를 하고 앉는 것을 피하는 것이 좋다.

035 ①

해설 | **근골격계 수술 후 간호**

부종과 통증이 있는 상태이므로 환측 다리를 상승시켜 부종을 완화할 수 있도록 한다. 그 후 관절 경축 예방을 위한 운동을 실시하도록 한다.

036 ①

해설 | **부정맥 ECG 판독**

심방세동(atrial fibrillation, AF)은 심방 내 무질서한 전기적인 회귀회로가 일어나 심방의 여러 부위가 아주 빠르고 불규칙하게 흥분한 상태로 심방의 흥분이 여기저기서 뿔뿔이 일어나고 있는 상태이다. 위의 그림에서는 QRS파는 정상적인 파형으로 나타나고 있기 때문에 심실의 문제가 아닌 것을 유추할 수 있다. P파의 빈도와 파형이 일정하지 않은 것으로 보아 심방세동임을 알 수 있다.

오답 ② 심실세동: 심실이 미세하게 움직이는 상태로, 정상적인 수축이 이루어지지 않으니 심실이 혈액을 밖으로 내보내지 못해 심장마비, 심정지까지 이어질 수 있는 상황이다.

③, ④ 동성서맥은 심박률이 분당 60회 이하인 느린 규칙적 리듬이고, 동성빈맥은 심박률이 분당 100회 이상인 빠른 규칙적 리듬으로, 동성서맥과 동성빈맥은 모든 파형은 정상이지만 수축 빈도만 정상과 차이가 있어야 한다.

⑤ 심실조기수축: SA node에서 자극이 생기기 전에 심실의 자극이 발생하는 상태로 P파가 심실 조기수축 시에는 없으며, QRS 폭이 넓은 기괴한 모양을 보인다.

POWER 특강

심실조기수축(PVC=VPC=VPB)

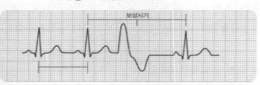

예상되는 시점보다 빠르게, 이상한 흥분이 심실에서 발생해 심장이 빠르게 수축되는 상태로, SA node에서 자극이 생기기 전에 심실의 자극 발생한다. 심실빈맥이나 심실세동 등으로 이행될 가능성 있다. 기저심장질환 없거나 증상(심계항진, 기절) 없으면 치료할 필요는 없고 휴식을 취해주며, 심실세동을 방지하기 위해 심근 진정효과가 있는 약물인 lidocaine을 정맥 주입한다. 흡연, 알코올, 카페인 등의 섭취를 금한다.

comment

1분에 5회 이상의 PVC가 있는 경우나 다양한 양상으로 나타나기도 하는데 이는 심실세동을 예고하며 심정지로까지 이어질 수 있는 위험한 상태이다. 3개 이상 PVC가 연이어 발생하는 경우 심실빈맥을 의미하므로 주치의에게 바로 보고해야 한다.

037 ④

해설 | **울혈성 심부전**

④ 문제의 사례에서 대상자는 혈액량이 많아 심장에 무리가 되고 있음을 유추할 수 있다. 심근의 수축력이 감소하여 1회 심박출량이 감소하였고, 보상적으로 맥박이 급격히 상승하였다고 볼 수 있다.

• 병태생리: 여러 가지 원인으로 인해 심장에 구조 및 기능 이상이 초래되어 신체조직의 대사요구에 충분한 양의 혈액을 공급하지 못하고 폐나 다른 조직에 혈액이 모여(정체가 생겨) 순환계에 불균형을 초래하는 심근의 기능장애이다.

좌심부전, 우심부전

우심부전의 가장 중요한 원인이 좌심부전이므로 임상적으로 좌·우심부전의 차이는 뚜렷하지 않으며 심부전이 수개월에서 수년 간 지속되어 만성화가 되면 이 둘의 구분은 사라짐

좌심부전	우심부전
좌심실의 펌프기능 장애로 전신혈관 속으로 동맥혈을 충분히 박출해 내지 못하는 상태	우심실의 펌프기능 장애로 폐순환계 속으로 정맥혈을 충분히 박출해 내지 못하는 상태
좌심실의 펌프에 문제가 생겼으니 좌심실로 혈액이 도착하기 직전 단계에도 문제 발생 : 폐로부터 산화된 동맥혈이 좌심실에서 전신으로 제대로 박출되지 못함 → 좌심방, 폐정맥으로부터 제대로 받아들이지 못함 → 좌심방, 폐정맥의 압력이 상승 → 혈액이 폐에 울혈 → 호흡기계 조절기전 장애(좌심부전에서는 폐증상이 나타남)	우심실의 펌프에 문제가 생겼으니 우심실로 혈액이 도착하기 직전 단계에 문제 발생 : 전신을 순환하고 이산화탄소와 노폐물을 담고 온 정맥혈을 우심실에서 제대로 폐동맥으로 박출해 내지도, 또한 대정맥을 통해 받아들이지 못함 → 정맥울혈이 증가하고 정맥귀환량이 감소 → 부종, 울혈(전신, 말초)

038 ⑤

해설 | **심근경색**

심근경색은 심근의 허혈이 지속되어 괴사가 진행된 것으로, 허혈성 심질환 중 가장 terminal한 단계이다. 심근경색 시 혈액검사에서 염증을 나타내는 수치인 백혈구와 ESR, CRP 모두 증가하는 양상을 보이며, 혈청내 심근 생화학적 지표인 CK, CK-MB가 증가한 것을 볼 수 있는데, CK-MB는 주로 심근에만 존재하는 동종효소로 더 특이한 검사로 이용되고 있다. 심근효소인 LDH와 Troponin 또한 상승한다. ECG에서는 ST분절이 상승하고 이상 Q파가 출현하는 소견을 보인다.

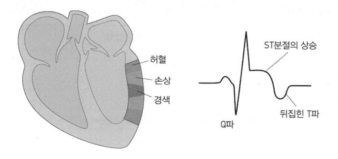

039 ⑤

해설 | **3도 방실차단(third degree AV block)**

3도 블럭(방실차단)은 심방과 심실의 전기 전도가 완전히 차단되는 것이다. 따라서 심방의 신호가 심실로 전달되지 않고 심방 박동수와 심실의 고유 박동수는 각각 분리되어 다르게 나타난다(심방실 해리현상). 그러므로 심방의 파형과 심실의 파형이 관련 없이 완전히 독립적인 형태로 나타난다.

─ comment ─

3° 블럭이 심방(P파)과 심실(QRS군)의 전기 전도가 완전히 차단(block)되어 P파 따로, QRS군이 따로 나타나는 양상을 보이며, P파는 정상으로 존재하지만 PR의 일정한 패턴은 없다. 방실차단 중 3° 블럭이 시험에 가장 많이 출제된 개념이다.

040 ①

해설 | Digitalis

강심제인 digoxin은 심근수축력을 강화시켜 심박출량을 증가시키는 약물로, 울혈성 심부전에서 투약된다. 심근수축력이 강화되면서 반사중추에서 동맥의 압력을 인식하여 동시에 맥박수를 감소시키므로 서맥을 주의해야 한다. 그러므로 digitalis 투여 전에는 1분 동안 심첨맥박을 반드시 측정해야 한다.

오답 ② 프로세마이드(furosemide): 심부전 약물 중 하나인 이뇨제로, 체액량을 조절하여 전부하를 감소시키는 작용을 하며, digitalis 요법이나 나트륨의 제한으로 심부전을 교정할 수 없을 때 적용된다.

③ 프로프라놀롤(propranolol): 교감신경차단제인 inderal의 상품명으로, 교감신경과 카테콜아민의 작용을 차단하여 심박동수를 저하하고, 심근수축력과 혈압을 하강시켜 심근의 산소요구량을 감소시키는 항허혈치료제이다.

④ 니트로글리세린(nitroglycerin): 혈관확장제로 심근의 산소요구량을 감소시켜 심근의 혈류를 증가시키는 작용을 하며, inderal과 함께 항허혈치료에 사용되는 약물이다.

⑤ 스피로놀락톤(spironolactone): 칼륨보존 이뇨제로 울혈성심부전 환자에서 전부하를 감소시키기 위해 투여되며, 고칼륨혈증을 유발할 수 있으므로 신장질환 환자에서는 투약을 금지한다.

041 ①

해설 | 심폐소생술

박동이 사라지고 심장이 무수축 상태에 들어갔다. 박동이 돌아올 때까지 산소가 녹아있는 혈액의 순환을 유지시켜 뇌세포의 손상을 막아야 한다. 6분 이상 뇌혈류 공급이 차단되면 비가역적인 세포 손상이 발생한다. 심폐소생술로 통상 순환의 1/3 정도의 효과를 기대할 수 있다.

POWER 특강	
심폐소생술(CPR) 시 가슴압박	
압박 : 인공호흡	1인, 2인 상관없이 30 : 2 비율로 시행
압박 깊이	5~6 cm
압박 속도	100~120회/min
자세	팔꿈치를 펴고 팔을 바닥과 수직으로 하여 체중을 이용해 압박

042 ②

해설 | 협심증 위험요인

협심증의 위험요인으로 고혈압, 당뇨, 흡연, 고령 등이 있다.

- 총콜레스테롤 정상 수치: < 200 mg/dL
- 저밀도 지방 단백질 정상 수치: < 130 mg/dL
- 중성지방 정상 수치: < 150 mg/dL

  ef 혈압 정상범위: 수축기 120 mmHg 이하, 이완기 80 mmHg 이하

043 ②

해설 | 항응고요법

와파린(Coumadin)은 비타민 K에 의존하는 혈액응고 인자들의 합성을 억제하여 PT (prothrombin time)를 연장한다. 와파린 투약 시, 환자의 PT와 정상인의 평균 PT의 비율인 INR (international normalized ratio)를 경과 관찰에 이용한다.

comment

헤파린 투여 시 aPTT 검사를 해야 한다.

044 ②

해설 | 이뇨제

푸로세마이드는 울혈성 심부전 및 부종 치료에 쓰이는 고리이뇨제(loop 이뇨제)다. 라식스(lasix)라는 상품명으로 가장 많이 판매되고 있다. 라식스의 독성효과는 주로 신장에 나타나며, 수분, 나트륨, 칼륨 이뇨에 의해 저나트륨혈증, 저칼륨혈증, 저염소혈증, 탈수의 발생 빈도가 높다. 바나나는 칼륨을 많이 함유하고 있는 음식으로, 라식스 적용 중인 환자의 저칼륨혈증 예방에 좋다.

comment

Thiazides 이뇨제와 loop 이뇨제의 경우 저칼륨혈증 유발이 가능하다.

045 ③

해설 | 절단

대개의 경우, 환상지통은 절단된 다리의 발가락, 발목 및 발에서 느껴지는 것 같으며 혹은 절단된 팔의 손가락 및 손에서 느껴지는 것 같을 수도 있다. 통증은 압착감, 작열감 또는 압좌감과 비슷한 느낌이 들 수 있으며, 다만 이전에 경험한 감각과는 다를 때가 많다. 어떤 사람들은 시간이 흐를수록 환상지통이 발생하는 빈도가 줄어들지만 어떤 사람들은 이러한 통증이 지속된다. 마사지는 때때로 통증을 완화하는 데 도움을 줄 수 있지만 때로는 약물요법이 필요하다.

POWER 특강

버거씨병(폐색성 혈전혈관염)

중간크기의 동맥, 정맥에 혈전을 형성하고 비화농성인 염증을 일으켜 혈관을 폐색시킴으로써 말초순환부전을 일으키는 질환으로, 주로 동맥 상지·하지의 말초부에 발병한다. 흡연자인 20~35세의 젊은 남성에서 호발하는데, 증상은 사지말단의 통증 및 괴사, 감각이상 등이 특징적이다.

▶ 폐색성 혈전혈관염(버거씨병)의 특징

046 ④

해설 | **고혈압**

고혈압의 중요한 치료 및 간호중재 중 하나는 치료지시의 불이행을 예방하는 것이다. 치료지시 불이행이란 처방된 약 복용 및 주사, 식이, 운동습관, 추후 약속 등을 따르지 않는 것을 의미한다. 환자에게는 의료인의 처방을 실천하기 위해, 자신의 행동을 억제, 변경하여 지시를 이행할 것이 기대된다.

POWER 특강

고혈압 치료법의 이행을 돕는 교육

- 자주 혈압을 측정하여 혈압확인
- 투약 교육: 약물 이름, 종류, 약리작용, 용량, 투약 스케줄을 교육하고, 약물 복용에 대해 기억하기 쉬운 방법을 검토(시간이 표기된 용기나 색깔이 다른 용기에 약물 준비 등)
- 증상이 없다고 혈압이 잘 조절되고 있는 것은 아니라는 사실을 환자에게 이해시키며, 질환이 악화될 때까지 증상은 나타나지 않는다는 사실을 환자에게 상기시킴
- 불쾌한 약물의 부작용과 비 약물요법에 대해 건강전문인과 상의할 수 있도록 격려
- 약물 부작용 교육: 약물 복용 직후 체위성 저혈압, 현기증이 있을 수 있음을 교육하고, 갑자기 약물 중단 시(치료요법에 비효율적 이행) 반동성 고혈압이 발생될 수 있다는 것을 교육함
- 의사의 처방 없이 복용 중단하지 않도록 함
- 약물로 인한 수분전해질 불균형을 예방하기 위해 적절한 식이를 섭취할 것을 교육
  - ⓔ thiazides 이뇨제와 loop 이뇨제의 경우 저칼륨혈증 유발 가능

047 ②

해설 | **심부정맥혈전증(DVT)**

심부정맥혈전증(DVT) 환자의 경우, 혈액순환 증진을 위해 질병이 있더라도 가능하면 오래 누워 있지는 않도록 한다. 침상 내에서라도 자주 다리를 움직여주도록 하며 다리를 높게 올리고 있는 자세를 유지시킨다. 탄력성 있는 압박 스타킹이나 탄력붕대를 적용하는 것도 DVT의 예방과 치료에 도움이 된다. 혈전증의 진행을 막기 위해 항응고제를 사용하거나, 혈전용해요법을 시행하기도 한다. 따라서 환측 다리의 마사지는 바람직하지 않을 수 있다. 얼음찜질은 혈관을 축소시키므로 바람직하지 않다.

— **comment** —

조기이상(O), 다리상승(O), 마사지(X)

048 ⑤

해설 | **본태성 고혈압(일차성 고혈압)**

본태성 고혈압은 고혈압의 원인을 알지 못하는 경우로, 평생 치료가 원칙이다. 약물 투여로 인해 혈압이 일시적으로 정상화되었다고 해서 완치를 의미하는 것이 아니다. 또한, 고혈압 환자의 운동요법은 약물과 병행되어야 하는 것으로, 운동 요법이 고혈압 치료의 전부가 아니다.

— **comment** —

고혈압은 꾸준한 관리가 필요하므로 환자교육이 특히나 중요하다.

049 ④

해설 | **백혈병**

항암화학요법을 받고 있는 환자의 경우, 점막 상피세포의 손상으로 인한 출혈을 예방하는 것이 중요하다. 내장점막의 출혈을 탐지하기 위하여 소변과 대변의 혈액이 섞여 나오지는 않는지 주의를 요한다.

> **오답** ① 변비를 예방하기 위해 충분한 수분을 섭취하며, 질정 및 좌약(관장)은 금한다.
>
> ②, ③ 손상된 구강 점막으로 감염이 일어날 수 있으므로 구강청결 관리도 철저해야 한다. 부드러운 칫솔모를 사용하고, 코를 후비는 행동, 다치기 쉬운 운동과 활동을 삼가도록 한다.
>
> ⑤ 공기 침요는 장기간 침대 생활이 요구되는 대상자의 욕창 예방을 위해 사용된다.

050 ⑤

해설 | **재생불량성 빈혈**

- 병태생리: 골수에 적혈구 전구체가 부족하여 생기는 빈혈로, 골수의 조혈조직이 감소되어 전혈구감소증(pancytopenia)이 발생한다.
- 간호: 재생불량성 빈혈환자는 세균 감염이나 출혈의 위험성에 주의하여야 하며, 혈소판 기능을 억제하는 아스피린 제제의 복용을 삼간다. 생과일이나 생야채는 손상된 위장 점막을 통한 감염의 가능성을 높이므로 될 수 있으면 음식은 모두 익혀서 먹도록 한다. 혈구감소증에 의한 증상이 심해지면 모자라는 혈구의 보충을 위한 수혈을 하게 되지만 전혈 수혈은 피하고, 충전 적혈구나 혈소판 농축액을 수혈한다. 중증이 아닐 경우 보조적인 치료로 수혈을 시도해 볼 수 있으나, 자주 수혈을 해야 할 경우 면역억제요법이 권고된다.

051 ②

해설 | **활동성 결핵**

활동성 결핵을 검사하는 방법으로는 흉부X선검사와 객담배양검사가 있다. 투베르쿨린반응검사는 결핵균 감염 여부를 파악하는 방법으로 활동성 여부는 알 수 없으며, 혈액검사는 일반적인 감염에 대한 검사로 결핵을 확진할 수 없다.

━━━ **comment** ━━━

투베르쿨린반응검사(Mantoux test)가 양성으로 나와도 반드시 활동성 결핵을 의미하는 것은 아니다. 이는 결핵균 감염 여부, 즉 잠복결핵을 가려내는 데 이용되는 검사이다.

052 ②

해설 | **호흡기계 감염**

증상이 없어졌다고 균이 사라진 것은 아니므로, 이후에도 균의 완전 박멸을 위해 며칠간 항생제를 더 복용해야 한다.

053 ①

해설 | **천식**

- 개념: 폐 속에 있는 기관지가 아주 예민해진 상태로, 때때로 기관지가 좁아져서 숨이 차고 가랑가랑하는 숨소리가 들리면서 기침을 심하게 하는 증상을 나타내는 기도의 만성 염증질환이다.
- 노력성 호기량(FEV$_1$)이란, 1초 동안에 내쉴 수 있는 최대의 공기량으로 기도의 폐쇄 정도를 평가할 수 있어 폐쇄성 폐질환을 가장 잘 판단하는 지표이다. 정상 수치는 예측값의 80% 이상으로 이보다 저하된 상태이면 폐쇄성 폐질환을 의미한다.
- 금기: 흡연 시 증상이 더욱 악화될 수 있으므로 금연 교육을 시행하도록 한다.

054 ②

해설 | 결핵

- 증상: 기침(2주 이상 지속, 점액성 · 화농성 객담 및 혈담, 가슴압박과 흉통 동반), 객혈, 야간발한, 체중감소 등이 있다.
- 진단: AFB는 결핵의 원인균으로, 3회의 객담배양검사 결과 모두 양성일 경우 결핵으로 확진할 수 있다.
- 간호: 결핵은 호흡기를 통해 전염되므로 다른 환자와 병실을 같이 써서는 안 되고, 음압을 유지해야 한다. 햇빛은 결핵의 증상 완화에 도움이 된다.

---

comment

항결핵 약물의 부작용은 자주 출제되는 문제이다.
- *Rifampin*은 'R'로 시작하니까 소변, 눈물이 오렌지색(orange)
- *Streptomycin*은 'S'로 시작하니까 청신경(Sound) 손상
- *Ethambutol*은 'E'로 시작하니까 시신경염(Eye)

055 ③

해설 | 비출혈

후비공 심지는 출혈부위를 확인할 수 없고 비출혈이 멈추지 않을 때 시행한다. 후비공 심지 적용 중 구강 호흡법을 교육하며, 혈액을 지속적으로 뱉어내어 삼키지 않도록 하고, 고개를 앞으로 숙여 혈액이 기도로 넘어가지 않도록 한다.

오답 ⑤ 온찜질은 혈관을 확장시키는 효과가 있으므로 적용하지 않도록 한다.

---

comment

코피가 나면 머리를 뒤로 젖혀야 할 것 같은데, 잘못된 통념이다. 고개를 뒤로 젖히면 혈액이 인두부로 흘러들어가 삼키게 되며, 이는 흡인과 오심 · 구토를 유발할 위험이 있기 때문이다.

056 ②

해설 | 편도염

세균성 감염의 급성기에는 항생제(penicillin, erythromycin) 투여를 가장 우선적으로 해야 한다. 재발이 잦을 경우 편도선절제술을 시행할 수 있다.

편도선절제술 후 출혈관리

- 출혈 징후 관찰: 자주 삼키는 행동, 빈맥, 불안 등 관찰, 정기적으로 목 뒤를 확인, 활력징후 사정
- 즉시 기침으로 객담 배출하지 않도록 함
- 수술 후 1~2주 동안 기침, 코 세게 풀기, 격렬한 운동, 무거운 짐 드는 것은 피함
- 수술 초기 차가운 물과 부드러운 음식 제공(얼음조각, 프루츠 젤리, 아이스크림 등)

057 ④

해설 | COPD 간호중재

객담이 끈적거리는 이유는 객담의 농도가 높기 때문인데, 이때 객담을 액화시켜 객담을 옅게 하면 객담을 뱉어내기가 수월해진다. 또, 진동요법을 시행하면 객담이 뭉쳐 뱉어내기 쉬워진다.

― **comment** ―

COPD 대상자의 산소요법 시 저농도 산소를 투여해야 하는데, 고탄산혈증 시 저산소성 환기구동을 억제하여 호흡자극 중추가 산소농도에 대한 조절능력을 상실하여 호흡정지 위험이 있기 때문이다. COPD 대상자의 산소요법 시 벤츄리마스크가 주로 이용된다.

058 ⑤

해설 | 호흡기계 검사결과 판독법

- 폐기능 검사

폐활량(VC)	힘껏 들이쉰 다음 내쉰 공기의 최대량으로 4.5 L가 정상이며, 이 이하는 폐쇄성 의미
잔기량(RV)	최대 호기가 끝난 후 폐 내에 남아있는 공기량으로, 1.5 L가 정상이며 이 이상은 폐쇄성 의미
노력성 호기량(FEV$_1$)	1초 동안에 내쉴 수 있는 최대의 공기량으로 예측값의 80% 이상이 정상인데, 이 이하는 폐쇄성 의미

- ABGA

산도(pH)	산소 분압(PO$_2$)	이산화탄소 분압(PCO$_2$)	중탄산염(HCO$_3^-$)
7.35~7.45	80~100 mmHg	35~45 mmHg	22~26 mmol/L

대상자의 경우 폐기능 검사와 ABGA를 통해 폐쇄성 폐질환이며 호흡곤란 상태임을 확인할 수 있다. 기관지가 좁아질 경우 호기가 힘들어져 잔기량이 많아지고 1초당 노력성 호기량이 일반인에 비해 감소한다. 그러므로 기관지확장제, 분무요법, 산소요법 등을 적용하여 호흡을 도모해야 한다.

― **comment** ―

폐쇄성 폐질환은 기도가 폐쇄되거나 좁아져 공기의 흐름이 폐쇄된 상태이다. 그러므로 내쉴 수 있는 공기량은 줄어들게 됨(폐활량↓, 노력성 호기량↓) → 내쉬는 데 오래 걸림(호기시간↑) → 공기가 폐에 많이 남아 있음(잔기량↑)

059 ⑤

해설 | **두개내압 상승(IICP)**

두개내압(ICP)이란 두개골 내의 압력으로 정상 압력은 5~15 mmHg이며, 20 mmHg 이상 시 두개내압 상승(IICP) 상태라고 한다. 원인은 두부손상, 뇌졸중, 뇌종양, 뇌수종, 뇌부종 및 이로 인한 뇌탈출, 대사장애, 중추신경계 감염 등이 있다. IICP의 임상증상은 다음과 같다.

(1) 의식수준 변화(가장 초기 증상)

(2) 쿠싱 3대 증상(Cushing triad): 맥압의 증가, 불규칙한 호흡(cheyne stokes 호흡, 실조성 호흡), 서맥(40~60회/min)

(3) 빛에 대한 동공반사 변화: 무반응 → 유두부종 → 양측 동공 확대

(4) 두통, 투사성 구토

> **comment**
>
> IICP 예방을 위해 침상머리를 15~30° 상승시켜 정맥순환계로의 유입량을 증가시키며, 등척성운동이나 과도한 굴곡, 기침, 구토 등은 피해야 한다. 수분섭취를 제한하고 삼투성 이뇨제(mannitol)를 투여하여 체액균형을 유지하는 것 또한 중요하다.

060 ④

해설 | **두개내압 상승(IICP)**

두개내압 상승증상을 확인하기 위해 가장 중요한 지표가 혈압상승과 서맥이다. 이는 뇌간 연수의 압력 증가로 인해 발생하는 활력징후의 변화이다. 뇌압상승 환자를 간호할 때에는 침상머리를 상승시키고, 기침, 관장 등 뇌압을 상승시킬 수 있는 행위를 피하도록 한다.

> **comment**
>
> IICP 증상 및 징후를 제시하고 이에 대한 중재법을 묻는 문제가 많이 출제된다. 침상머리를 상승시키는 것은 정맥순환계로의 유입량을 증가시켜 뇌압을 낮추기 위함이다.

061 ④

해설 | **안면신경 마비(Bell's palsy)**

증상으로 얼굴근육의 마비로 인해 환측 부분의 입이 비뚤어지고 눈이 잘 감기지 않으며 이마의 주름을 만들 수 없다. 또한 감각이 둔화되고 미각이 감소하며 혀의 마비와 구음장애가 올 수 있다. 얼굴, 눈, 귀 뒤에 통증이 있으며 눈을 깜박이지 못하여 각막이 건조한 토안이 있을 수 있다.

POWER 특강
안면신경 마비

- 안면근육을 지배하는 제7뇌신경을 침범하여 갑자기 마비를 초래하는 신경장애
- 제7뇌신경: 안면근육의 운동, 혀의 전면 2/3의 미각 담당
- 입이 비뚤어지고 얼굴의 이상감각, 환측 눈이 감기지 않음
  - (▶ 충혈) 혀의 마비 및 미각 감소

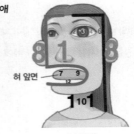

▶ 뇌신경

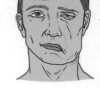

▶ 안면마비

062 ③

해설 | 소뇌기능 사정

Romberg 검사는 내이의 평형상태를 사정하는 것으로, 눈을 감고 두 발을 모으고 똑바로 서서 직립반사를 확인하는 것이다.

063 ①

해설 | 신경계 반사

심부건 반사에는 상완요골근건 반사, 이두근건 반사, 삼두근건 반사, 슬개건 반사, 아킬레스건 반사 등이 있다. 표재성 반사(피부반사)에는 각막반사, 복부반사, 거고근반사, 둔근반사 등이 있다.

─● comment ●─

바빈스키 반사(족저반사)는 영아기에는 정상적인 반응이나, 성인에서 발생 시 추체로의 병변이 원인이 되는 병적 반사이다.

064 ③

해설 | 경추손상

척추손상 시 즉각적인 응급처치가 필요하다. 손상부위를 부목으로 고정하여 신체선열을 유지하고(경추부목, 머리고정대), 목의 과신전을 피하고 머리와 경추 고정 후 후송해야 한다. 경추손상 환자는 목을 고정하여 움직이지 않게 하는 것이 가장 중요하다.

065 ④

해설 | 길랑-바레 증후군(GBS)

길랑-바레 증후군은 말초신경에 염증이 생겨 신경세포 축삭을 둘러싸고 있는 절연물질인 수초가 벗겨져 발생하는 급성 마비성 질환이다. 상행성·대칭성 근 약화가 대표적인 증상으로, 이로 인해 호흡부전, 장과 방광의 조절 상실 등이 나타난다. 이 중 호흡을 유지해주는 것이 가장 중요한 간호이다.

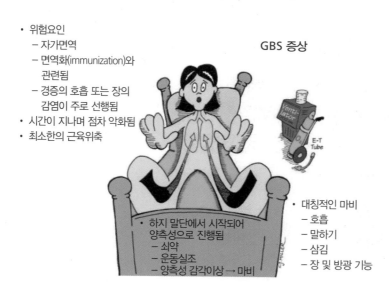

- 위험요인
  - 자가면역
  - 면역화(immunization)와 관련됨
  - 경증의 호흡 또는 장의 감염이 주로 선행됨
- 시간이 지나며 점차 악화됨
- 최소한의 근육위축

GBS 증상

E-T Tube

- 대칭적인 마비
  - 호흡
  - 말하기
  - 삼킴
  - 장 및 방광 기능

- 하지 말단에서 시작되어 양측성으로 진행됨
  - 쇠약
  - 운동실조
  - 양측성 감각이상 → 마비

066 ①

해설 | 무의식 환자 간호

측위를 통해 무의식 환자의 흡인을 방지하고 기도의 개방성을 유지할 수 있다.

POWER 특강

무의식 환자 간호

- 즉각적인 기도 청결, 목 주위의 옷을 느슨하게 해줌
- 기도유지 위해 인공기도 삽입, 기관내삽관, 필요시 인공호흡기
- 혀에 의한 기도 폐쇄 예방, 구강 분비물 배액 촉진으로 호흡기 합병증 예방
- 체위: 측위, 심스체위, 침상 머리를 30° 정도 상승
- 무의식이 장기화되면 기도유지 위해 기관절개술 요구
- 각막반사 없고 눈 뜨고 있는 경우 인공눈물 2시간마다 점적, 안대나 거즈 사용
- 안와 부종 시 찬물 찜질

067 ④

해설 | 갑상샘 기능저하증

갑상샘 기능저하증은 갑상샘호르몬 결핍으로 체내에 갑상샘호르몬 농도가 저하된 또는 결핍된 상태로, 조직의 느린 대사, 열 생산의 감소, 조직의 산소소모 감소를 초래하는 상태이다. 대사율 저하와 관련된 저체온을 제외한 나머지는 전부 갑상선 기능항진증과 관련된 증상 및 간호진단이다. 갑상샘 기능저하증의 대표적인 증상으로는 체온저하, 추위를 참지 못함, 체중증가, 혈청 콜레스테롤 증가 등이 있다.

오답 ③ 안구돌출은 갑상샘 기능항진증의 증상이다.

경도인 경우는 증상이 거의 없는
경우도 있으므로 주의한다.

〈 장기간 방출하면 〉

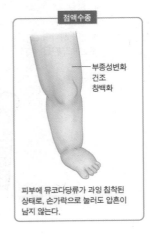

피부에 뮤코다당류가 과잉 침착된
상태로, 손가락으로 눌러도 압흔이
남지 않는다.

068 ①

해설 | **갑상샘 위기(thyroid crisis)**

증상으로는 고열(40~41 ℃), 발한, 불안, 복통, 설사, 구토, 부정맥 동반 빈맥(130~160회/분), 심계항진 등이 있다. 더 진행되면 섬망, 혼수, 사망의 위험이 있다.

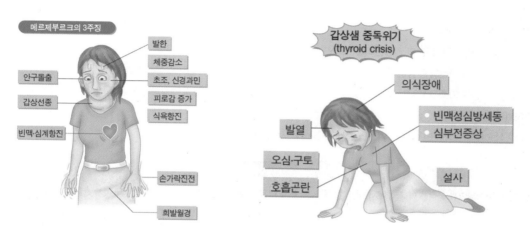

069 ⑤

해설 | **쿠싱증후군**

- 원인: 부신피질에서 당류 코르티코이드가 만성적으로 과다하게 분비되어 일어나는 질환으로, 코티졸과 ACTH의 장기간 사용과 관련된 의원성 원인이 가장 흔하다.
- 증상: 감염이 취약하다는 점인데, 이는 T림프구가 감소하고, 세포매개성 면역이 저하했기 때문이다. 또한 단백질 대사장애로 사지근육이 소모되어 팔·다리는 가늘고, 전신이 허약하며 피부가 얇고 약하다.
- 간호: 환자에게는 감염예방, 손상예방, 피부 통합성 유지, 신체상 증진, 휴식과 활동 권장, 사고과정 증진, 식습관 교정 등 간호가 필요하다.

070 ④

해설 | **메니에르병**

메니에르병은 내이에 발생하는 질환으로, 내림프액 압이 병적으로 증가하여 내림프수종을 일으키는 막미로의 대표적 질환이다. 3대 증상은 감각신경성 난청, 현훈, 이명이며, 이와 더불어 귀의 충만감 및 이물감, 균형장애 등이 나타난다. 갑작스러운 어지럼증이 발생했을 시 편평한 바닥에 누워 어지러움이 없어질 때까지 눈을 감고 있거나 머리 움직임을 제한하고 조명을 어둡게 한다.

여성건강간호학

071 ④

해설 | **여성건강간호의 개념**

- 여성의 일생을 통한 전 연령층의 건강관리를 제공하는 학문으로, 생애주기별 총체적 관리를 의미한다.
    - 여성중심: 여성이 자신의 건강문제를 인식하고 지식을 가짐으로써 스스로 결정하고 조정하는 능력을 가짐
    - 가족중심: 여성은 가족구성원의 핵심이므로 가족중심 접근방법으로 가족구성원의 역할과 기능을 통해 여성 개인뿐만 아니라 가족 전체의 건강을 도모
    - 인간중심: 여성으로서뿐만 아니라 인간의 신체적, 정신적, 사회적, 영적 측면을 모두 이해함

072 ②

해설 | **월경곤란증**

대상자는 월경 중 심한 통증이나 오심·구토, 양이 많고 지속되는 생리혈을 보이고 있으므로, 월경곤란증을 가지고 있는 것으로 확인된다. 경구피임약은 자궁내막을 프로스타글란딘 농도가 가장 낮은 초기 증식기 내막(배란 전 자궁내막) 상태로 만들어주기 때문에 월경곤란증에 효과적인 방법이다.

POWER 특강

원발성 월경곤란증

- 골반의 기질적 병변이 없는 생리통으로, 월경주기 분비기에 발생되는 프로스타글란딘이 과도하게 합성되어 자궁근의 과도한 수축을 촉진하여 발생한다.
- 비스테로이드성 항염증제(NSAIDs, 진통제)는 자궁수축을 일으켜 통증을 유발하는 물질인 프로스타글란딘의 생성을 억제하기 때문에 월경통 시작 직전 혹은 시작된 후 복용하기 시작하여 6~8시간마다 규칙적으로 복용하여 지속적으로 프로스타글란딘의 생성을 차단한다.
- 경구 복합 피임약도 일차성 월경통의 치료제가 될 수 있다. 복합 피임제는 배란을 억제하고, 자궁내막의 증식을 억제하는 효과가 있고, 자궁내막을 프로스타글란딘 농도가 가장 낮은 초기 증식기 내막(배란 전 자궁내막) 상태로 만들어주기 때문에 일차성 월경통에 효과적이다.

—— comment ——

간혹 월경곤란증(월경통)의 원인이 무엇인지 물어보는 문제가 출제된다. 월경곤란증은 프로스타글란딘(prostaglandin)이 과도하게 합성되어 발생하죠? ▶ 월경곤란증은 피(프)곤해!

073 ③

해설 | **유방 자가검진**

가임기 여성의 유방 자가검진은 월경 후 일주일 이내에 실시한다.

—— comment ——

유방 자가검진 방법

너의 눈, 손, 누워서까지 다~

① 눈(시진): 양쪽 유방의 피부, 윤곽, 크기의 대칭성 관찰

② 손(촉진): 손가락으로 유방 둥글게 촉진, 유두 분비물 짜보아 분비물이 나오는가 관찰

③ 누워서: 타월이나 베개를 왼쪽 어깨 밑에 넣고 오른손으로 왼쪽 가슴에 동심원을 그리며 세심하게 검사(반대편도 동일한 방법)

POWER 특강

유방암의 증상

- 유방에 덩어리, 혹이나 두꺼워진 조직 혹은 단단한 부분이 만져지는 경우
- 유방이 붓거나 붉어지거나 열이 나는 경우
- 유방의 크기나 모양의 변화
- 피부에 함몰부위가 발견되거나 피부 두께에 이상이 있을 경우
- 짜지 않은 상태에서 묻어 나오는 유두 분비가 있을 경우
- 전에 없던 유방의 부분적 통증

074 ⑤

해설 | **월경 전 증후군(PMS)**

오답 ① 고단백식이 권장

② 카페인 섭취 제한

③ 교육과 상담으로 대체요법, 자조모임에 대한 정보를 제공할 수는 있지만, 위의 증상만으로는 바로 정신과 진료를 의뢰하지는 않음

④ 부종 및 체중증가 예방을 위한 식이를 함

월경 전 증후군(PMS)

- 월경 전에 반복적으로 발생하는 정서적·행동적·신체적 증상들을 특징으로 하는 일련의 증상군으로 유방통, 몸이 붓는 느낌, 두통 등의 신체적 증상과 기분의 변동, 우울감, 불안, 공격성 등의 심리적 변화 등이 흔한 증상이다.
- 단계적 치료법이 권장된다: (1) 생활습관 교정(증상 기록, 식습관 교정, 유산소 운동, 스트레스 조절), (2) 보충제(칼슘, 마그네슘, Vit. B_6, Vit. E), (3) 약물(NSAIDs, Spironololactone, 항정신성 약물, 배란억제제)
- 충분한 영양 섭취를 하고 소금, 알코올, 카페인, 정제된 탄수화물 및 설탕의 섭취를 줄인다.

075 ④

해설 | **초경**

초경은 여성의 성 성숙도를 나타내는 지표로서, 정상적 발달위기이다.

오답 ① 초경과 처녀막은 상관이 없다.

② 초경하는 동안 샤워를 해도 된다.

③ 초경 후 바로 임신이 가능하다.

⑤ 초경은 대개 무통성인 경우가 많다.

— comment —

여성의 성숙위기는 사춘기이다. 키가 커지면서 제2차 성징이 발현하는 시기로, 여성으로 발달하는 중요한 시기이다.

076 ①

해설 | **갱년기 여성의 건강 문제**

에스트로겐이 저하되어 골형성을 억제하는 반면, 골흡수를 촉진하여 골 소실이 가속되고 골밀도가 저하되어 폐경 후 골다공증이 발생한다.

에스트로겐 역할

- 조골세포를 자극하여 뼈의 형성을 돕고, 파골세포에 의한 골흡수(골조직에서 칼슘이 빠져나가는 과정)를 방해
- 갑상선의 칼시토닌의 혈중 농도를 증가시켜 골흡수 억제
- 혈중 활성 Vit. D의 농도 증가 ▶ 장내 칼슘 흡수 촉진

077 ③

해설 | 자궁절제술

전자궁절제술 시 자궁내막이 없기 때문에 월경이 불가능하다.

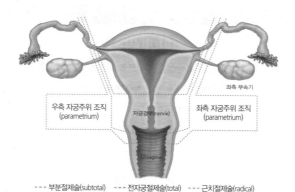

• 부분자궁절제술: 자궁목을 남겨두고 체부만 제거하는 수술로, 폐경기 이전이라면 수술 후 임신은 안 되지만 월경은 계속된다.
• 전자궁절제술: 자궁의 체부와 경부 전체를 제거하는 수술로, 폐경이 되지 않은 여성의 경우 수술 후 월경은 없어지나 난소는 그대로 존재하기 때문에 여성호르몬은 계속 분비되어 폐경증상은 나타나지 않는다.
• 일측 혹은 양측 난관난소절제술을 동반한 전자궁절제술: 한쪽 난소만 제거한 경우는 남아 있는 난소에서 여성호르몬이 분비되어 전자궁절제술과 같은 생리적 변화는 같으나, 양측 난소를 모두 제거한 경우는 여성호르몬 분비가 정지되어 폐경증상이 나타난다.
• 근치자궁절제술: 자궁경부암환자에게 시행하는 수술로, 자궁을 포함하여 질상부 1/3, 자궁천골인대, 자궁방광인대, 양측 자궁방결합 조직을 암의 진행 정도에 따라 제거한다.

	범위	여성호르몬	월경	임신	성관계
부분 절제술	경부는 남겨두고 체부만 절제	분비	지속	불가	가능
전자궁 절제술	경부, 체부 전체 절제	분비	불가		
난소를 포함한 전자궁 절제술	한쪽 혹은 양쪽 난소 절제를 포함하여 전자궁 절제	• 난소 한쪽 절제: 분비 • 난소 양쪽 절제: 정지	불가		
근치 자궁 절제술	자궁 전체, 양쪽 난소, 질의 일부, 자궁주의 림프, 인대까지 절제	정지	불가		

078 ⑤

해설 | 난소암 치료(항암요법)

항암제 치료 후 조혈세포 감소로, 백혈구 감소증이 발생할 수 있는데, 이때 병원균에 쉽게 감염될 수 있으므로 사람이 많은 곳은 피하고 마스크를 착용하며 청결한 환경을 유지해야 한다.

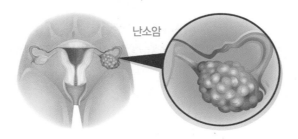

079 ②

해설 | 모닐리아성 질염(칸디다성 질염)

모닐리아성 질염의 위험요인은 임산부, 당뇨, 폐경기 여성이 있다.

칸디다성 질염

질염은 질 분비물, 냄새, 작열감, 소양감, 성교통, 배뇨통 등의 증상을 특징으로 하는 질의 감염 또는 염증 상태를 말하는데, 칸디다성 질염은 곰팡이균인 칸디다균에 의해 유발된 질염으로, 당뇨병, 항생제 사용, 에스트로겐이 증가되는 상황(에스트로겐 함량이 높은 경구피임약 사용, 임신, 에스트로겐 사용), 면역력 약화 시, 유전적 소인 등에 의해 발생한다.

cf 트리코모나스와는 다르게 성 매개질환은 아니다.

---

comment

트리코모나스 질염과 비교하는 문제가 자주 출제된다!

	트리코모나스 질염	칸디다성 질염
병원체	트리코모나스(원충)	칸디다 알비칸스(곰팡이)
증상	악취 및 화농성 분비물	소양감, 작열감, 흰색 분비물, 성교통
징후	화농성 분비물(녹황색), 외음부 및 질 홍반	외음부 홍반, 부종
질 산도(pH)	5.0~6.0	4.0~4.5
배양 검사	배양검사 필요	배양검사 필요
현미경상		

---

080 ④

해설 | 자궁선근증

비정상적으로 존재하는 자궁내막 조직에 의해서 자궁의 크기가 대칭적으로 커지는 증상을 말한다. 경산부에게 발생 위험이 높고 월경통과 월경과다가 특징적이다. 전형적으로 40~50대 여성에서 많이 나타난다.

cf 1/3 정도에서는 별다른 증상이 없다.

---

comment

자궁선근증 문제

경산부에서 월경통, 월경과다, 자궁비대가 나타나지만 임신반응은 음성(-)일 경우 자궁선근증을 의심해 본다!

081 ⑤

해설 | **자궁탈출증(자궁탈수증)**

자궁탈수증의 근본적 치료는 질식 자궁절제술이다. 자궁탈출 정도가 경미하거나 젊은 여성인 경우에는 페서리로 고정시키기도 하지만 현재 대상자는 60대이며 자궁탈출 정도가 심하므로 외과적 수술이 적절하다.

▶ 정상　　　　　　▶ 자궁탈수증

082 ①

해설 | **불임 검사**

불임을 사정할 시 일반적으로 남성이 먼저 검사를 받으며 6가지 불임 기초 검사(정액 검사, 배란 검사, 경관점액 검사, 난관 검사, 자궁내막 검사, 복막강 검사) 중 남성에게 해당하는 것은 정액검사이다.

POWER 특강	

정액 검사상 정상 결과	
총 사정액	2.0~5.0 ml
정자 수	2천만/ml 이상
운동성	정자 50% 이상
정자의 전향적 운동성	20% 이상
정자의 형태	• 정자세포의 60% 이상은 정상적인 형태를 보여야 함 • 엄격한 기준에 의한 정상 정자의 형태가 14% 이상

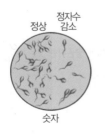  

정상　정자수 감소　　　정상　운동성 감소　　　정상　비정상

숫자　　　　　　운동성　　　　　　형태

083 ①

해설 | 배아기

주요 기관이 형성되는 시기는 배아(수정 2~8주) 때이며, 이 시기에 모든 주요기관이 형성되어 기형 발생 위험이 가장 높다. 그러므로 임신 1주 차에 먹은 감기약은 크게 걱정하지 않아도 된다.

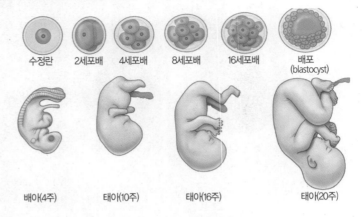

084 ⑤

해설 | 산과력

산과력을 나타내는 4자리 숫자체계는 '만삭 분만 수(F)-조기 분만 수(P)-유산 수(A)-현재 생존아 수(L)' 순서로 나타낸다. 현재 대상자는 '만삭 분만 1회(39주 분만), 조산 분만 1회(26주 분만), 유산경험 없음, 생존아 1명 있으므로 1-1-0-1'으로 산과력을 적으면 된다.

POWER 특강

산과력
• 두 자리 표기(G/P): 총 임신 횟수(Gravida)/출산 수(Para) • 네 자리 표기(TPAL): 만삭 분만 수(Term birth)-조기 분만 수(Preterm birth)-유산 수(Abortion)-현재 생존아 수(Living baby) • 다섯자리 표기(GTPAL): 출산과 관계없이 현재 임신을 포함한 총 임신 횟수(G)+네 자리 표기(TPAL)

— comment —

산과력 문제는 자주 출제된다! 개념을 잘 익혀두자. 만삭 분만을 했다고 반드시 아이가 생존하는 것은 아니고, 조산하였다 해서 아이가 반드시 유산되는 것도 아니다.

- *para 1-2-2-1* ▶ 만삭 분만 1회, 조산 2회, 유산 2회, 생존아 1명
- *para 4-2-1-1-3* ▶ 총 임신 횟수 4회, 그 중 만삭 분만 2회, 조산 1회, 유산 1회, 현재 생존아 3명(유산한 아이가 생존함)

085 ②

해설 | 분만예정일 추정

임신 주기를 28일로 가정

EDC: LMP에(+1년 -3개월 +7일) 또는 (+9개월 +7일)

    ⓔⓧ LMP 2018년 8월 22일 → EDC: 2019년 5월 29일

LMP: 마지막 월경 시작일로 계산

086 ⑤

해설 | **임신 2기 증상**

임신 시 프로게스테론의 작용으로 위장운동은 감소하고, 하부식도괄약근이 이완되어 위 내용물이 역류하면서 가슴앓이 증상이 나타난다.

POWER 특강

가슴앓이 증상의 예방법 및 간호중재

- 제산제 복용
- 기름기, 가스형성 음식, 양념 많은 음식, 카페인 섭취(커피 등) 삼가
- 소량씩 자주 식사
- 체위: 식후 몸통 세워서 유지
- 나비운동(flying exercise)이 도움 됨

087 ①

해설 | **임신성 고혈압**

임신성 고혈압의 3대 증상은 임신 20주 이후 나타나는 고혈압, 단백뇨, 부종이다. 체중을 측정하는 이유는 부종으로 인해 심한 체중증가 증상이 나타나기 때문에 임신성 고혈압을 조기에 발견하기 위해 주기적으로 시행한다.

POWER 특강

임신성 고혈압 → 자간전증 → 자간증

임신성 고혈압의 정확한 정의를 정확히 하자면, 임신 기간 중에 수축기 혈압이 140 mmHg 이상 또는 확장기 혈압이 90 mmHg 이상이고 단백뇨를 동반하지 않는 경우로, 분만 후 12주 이내에 정상 혈압이 되는 경우를 말한다. 즉 분만 후에 진단이 가능한 것이다. 그렇지만 자간전증(임신중독증)은 임신과 합병된 고혈압성 질환을 의미하는데, 임신 중 고혈압이 발생하게 되면 고혈압과 동반되어 단백뇨, 부종, 혈소판 감소, 신기능·간기능의 약화 증상이 동반되어 질병이 더 진행한 형태로 나타나기 때문에 일반적으로 임신성 고혈압의 3대 증상을 고혈압, 단백뇨, 부종이라고 한다. 여기에서 나아가 임신 중 고혈압성 원인을 원인으로 경련, 발작까지 일으키게 되면 자간증이라고 진단한다.

088 ④

해설 | **자궁외 임신**

자궁외 임신 시 수정란이 터지면서 한쪽 복부에서 갑작스럽게 칼로 찌르는 듯한 통증이 느껴지며 난관 파열로 인한 질 출혈이 있어 빈혈과 저혈압의 증상이 동반될 수 있다.

▶ 자궁외 임신 부위

POWER 특강

자궁외 임신

수정란이 정상적인 위치인 자궁 몸통의 내강에 착상되지 않고 다른 곳에 착상되는 임신으로, 그 임상 증상이 매우 다양하다. 일반적으로 월경 양상 이상이나 자연 유산의 느낌을 흔히 갖는데, 출혈 및 하복부 통증을 호소하는 환자가 흔하며, 이러한 증상도 그 심한 정도가 매우 다양하다. 이와 동반하여 어지럼증이나 현기증, 목 또는 어깨 부위의 통증을 호소하는 경우도 있다. 자궁 외 임신의 문제점은 점점 자라는 태아로 인해서 자궁 외 임신이 된 부위(특히 난관)가 태아의 크기를 견디지 못해서 파열되는 것이다. 그렇게 되면 많은 양의 출혈이 한꺼번에 발생하여(저혈량성 쇼크) 임산부가 생명을 잃을 수도 있다.

---

089 ③

해설 | 중증 자간전증

황산 마그네슘($MgSO_4$)은 중추신경계 억제제로서, 경련을 예방하기 위해 중증 자간전증에서 일차적으로 투여되는 항경련제이자 평활근이완제이다. 호흡수 12~16회/min 이하, 슬개반사 소실 시 투약을 중단해야 한다. 나머지 보기는 산모 및 태아에게 나타나는 정상 수치이다.

POWER 특강

$MgSO_4$ 투여 시 간호

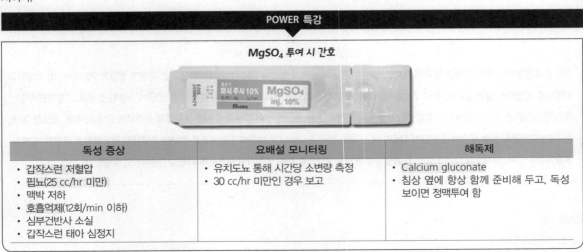

독성 증상	요배설 모니터링	해독제
• 갑작스런 저혈압 • 핍뇨(25 cc/hr 미만) • 맥박 저하 • 호흡억제(12회/min 이하) • 심부건반사 소실 • 갑작스런 태아 심정지	• 유치도뇨 통해 시간당 소변량 측정 • 30 cc/hr 미만인 경우 보고	• Calcium gluconate • 침상 옆에 항상 함께 준비해 두고, 독성 보이면 정맥투여 함

090 ①

해설 | **풍진**

임신 중 풍진에 감염되면 태아에게 사산, 심장기형, 수두증, 백내장, 청력 장애 등의 증상이 나타날 가능성이 매우 높다.

POWER 특강

풍진(rubella)

풍진 바이러스에 의한 감염으로 발생하며 미열과 홍반성 구진, 림프절 비대를 특징으로 하는 급성 감염성 질환이다. 풍진은 선천성 기형을 유발할 수 있다. 임신 초기에 산모가 처음 풍진 바이러스에 감염되면 태아의 90%가 선천성 풍진 증후군(congenital rubella syndrome)에 걸리게 되지만, 임신 16주에 감염되면 0~20%에서만 발생하고, 임신 20주 이후에는 드물다. 자궁 내 사망이나 유산, 또는 저체중아의 출산, 심장 기형, 뇌성 마비, 청력 장애, 백내장, 소안증, 녹내장, 뇌수막염, 지능 저하, 간비종대 등이 주요한 증상이다. 또한, 인슐린 의존형 당뇨병의 합병률이 높다. 대개 태어나자마자 발견되지만 가벼운 경우에는 수개월에서 수년 후에 발견되기도 하고, 불현성 감염에서도 선천성 풍진 증후군이 발생할 수 있다.

임산부가 환자와 접촉했다면 가능한 빨리 풍진 항체 검사를 시행해야 한다.

◄ comment ►

유아에서 MMR (수두-볼거리-풍진 혼합백신) 예방접종은 예방 접종은 생후 12~15개월, 4~6세에 시행해야 한다.

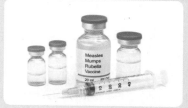

091 ③

해설 | **태아 시기별 주요 발달 과정**

임신 주수	주요발달 양상
4주	• 심장 발달 시작 • 신경관 형성 후 중추신경계로 분화 　*cf* 가장 먼저 발달하기 시작하는 것인 신경관이지만, 기능은 심맥관계가 가장 먼저 발휘함
6주	간에서 조혈기능 시작
8주	고환과 난소 구분(외생식기 구분은 안 됨)
9주	손가락, 발가락 생성과 움직임
12주	• 성별 구별가능(12주 말) • 태아심음 청취 가능(by 도플러) • 신장에서 소변 생성 → 방광으로 배뇨 가능 • 골수에서 혈액 생성 • 손 · 발톱 나타나기 시작 • 태반 완성
13~16주	• 비장에서 혈액 생성 활발 • 양수로 소변 배설(16주) • 두피에서 머리카락 나타남 • 대부분의 뼈가 신체에 뚜렷하게 나타남(16주)

20주	• 태아의 움직임이 강함(태동) ▶ 산모는 첫 태동을 느낄 수 있어 태아 애착이 형성됨 • 실제 아기와 같은 모습 갖춤 • 솜털(lanugo) 나타나고 태지(vernix caseosa) 형성 시작 • 태아심음 청진기로 청취 가능(17~20주) • 췌장에서 인슐린 생성
24주	• 피부는 주름이 많고 붉은색이며 태지로 싸여있음 • 청력 나타남 • 간에서 혈액생성 감소 → 골수에서 혈액생성 증가 • 폐포관과 폐포낭 나타남
28주	• 폐포 표면에서 lecithin (계면활성제) 생성 지속 ▶ 출생 시 생존가능 • 고환이 음낭으로 하강하기 시작 ▶ 32주에 음낭 내 이름
32~36주	• 고환이 음낭 내로 내려옴(32주) • 폐 성숙(36주): L/S 비율 >2:1 ▶ 조산 시 태아 폐 성숙 위해 스테로이드 투여 • 솜털이 몸에서 사라지고 머리에만 남아있게 됨
37~40주	• 솜털 거의 사라짐 • 얼굴과 신체에 피하지방의 침착 ▶ 몸체 포동포동해짐 • 피부 희거나 분홍빛

092 ①

해설 | **질식분만**

오답 ②, ③ 산모의 상복부에서 심음이 들리거나, 자궁저부에서 태아의 머리가 만져지는 것, 그리고 복부 아래쪽에서 태아의 둔부가 촉지되는 것은 태위가 둔위임을 의미한다.

⑤ 복부·전면에서 태아의 사지가 촉지되는 것은 후방후두위로 이는 모두 질식분만에 적절하지 않다.

— **comment** —

질식분만에 가장 적절한 경우는 아두가 골반입구까지 하강한 두정위이다. 태아의 태향이 후방후두위 시 분만이 진행되는 동안 정상적으로 전방후두위로 회전이 되는데, 이렇게 회전이 되지 않고 후방후두위가 지속되는 경우 난산의 원인이 된다. 분만 중 가장 흔한 태향은 LOA (좌전방두정위)이다.

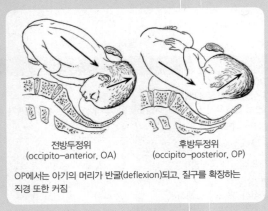

전방두정위
(occipito-anterior, OA)

후방두정위
(occipito-posterior, OP)

OP에서는 아기의 머리가 반굴(deflexion)되고, 질구를 확장하는 직경 또한 커짐

093 ④

해설 | **태향**

두정위의 준거지표는 후두골(occiput, O)이다.

POWER 특강			
선진부 준거지표			
두정위(O)	**안면위(M)**	**둔위(S)**	**견갑위(A)**
아두가 완전히 굴곡된 두정위	아두가 완전히 신전된 두정위	종위의 형태로 머리보다 둔부가 산모의 외음부로 먼저 나옴	횡위의 형태로 어깨가 선진부
후두골(occiput, O)	턱(mentum, M)	천골(sacrum, S)	어깨(acromion process, A)

comment

- 태향(position): 태아 선진부와 모체 골반과의 관계

선진부 준거지표	O (occiput; 후두골), M (mentum; 턱), S (sacrum; 천골), A (Acromion process; 견갑골 돌출부)
모체골반	Rt (오른쪽)/Lt (왼쪽), A (전방)/P (후방)

- **LOA**: Left (골반의 왼쪽)/Occipito (태아후두골)/Anterior (골반의 전방)
  ▶ 태아의 후두골이 모체의 골반 왼쪽 전방에서 만져짐(좌전방 두정위)

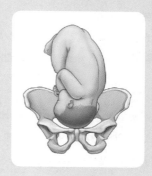

094 ⑤

해설 | **개대 및 소실**

경부 개대와 소실의 기전은 양수의 압력, 자궁근육의 수축, 그리고 태아 선진부의 압력이다.

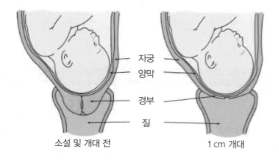
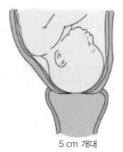
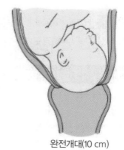

소설 및 개대 전　　　1 cm 개대　　　5 cm 개대　　　완전개대(10 cm)

POWER 특강
분만과정

- 분만 진통이 제대로 오고 정상적인 분만 과정임을 평가하기 위한 지표는 다음과 같다.

  (1) 진통의 간격, (2) 진통의 길이, (3) 진통의 강도, (4) 자궁 경부의 개대(벌어진 정도), (5) 자궁 경부의 소실(얇아진 정도), (6) 태아 머리의 하강 정도

- **소실(effacement)**: 자궁 경부는 원래 진통이 없을 때의 두께(보통 2 cm에서 4 cm 전후)에서 얼마만큼 얇아져 있는지에 따라 구분한다. 전혀 얇아진 것이 없으면 소실 없음(0%)로 기록하고 부분적으로 얇아져 있으면 부분 소실(partial efface, PE)라고 기록하며 반 정도로 얇아져 있으면 50% efface, 상당히 많이 얇아져 있으면 75% efface, 거의 완전히 얇아져서 종이장처럼 되면 almost라고 표시한다.
- **개대(dilation)**: 자궁경부가 전혀 벌어져 있지 않은 상태를 close, 손가락 하나 들어갈 정도로 벌어져 있을 때는 1횡지 개대(1FB, 1 finger breadth), 손가락 2개가 들어갈 정도로 벌어져 있을 때는 2횡지 개대(2FB, 또는 3 cm 개대)로 표시하고 그 이후는 개대 정도를 cm로 표시를 하며 완전 개대인 10 cm 정도 벌어진 것 경우는 full 혹은 full dilatation이라고 한다.
- 본격적 분만 진통 단계는 보통 완전 소실에 4 cm 이상 개대 시기에 해당하며 alm 4 cm이라고 표시하게 된다.
- 초산부는 개대가 일어나기 전 먼저 소실이 되고, 경산부는 개대와 소실이 동시에 일어난다.

095 ②

해설 | 분만 중 진통제 투약

개대 8 cm는 분만 1기 이행기에 해당하며 분만 1~2시간 전이므로, 이때 투여할 경우 태아 호흡중추가 억압되어 호흡이 감소할 수 있다. 진통제의 투여는 개대 3~4 cm인 분만 1기 활동기에 시행한다.

--- **comment** ---

Meperidine (Demerol)과 같은 진통제는 진통감소를 얻기 위한 목적으로 쓰이며, 경부를 이완시키기 때문에 분만 진행에 도움이 되기도 한다. 그러나 약물이 태반을 통해 태아에게 전달되므로 피크효과(약물의 효과가 피크인 시기로, 투약 후 1~4시간 이내)가 있고 약 2시간이 경과되었을 때 출산할 경우 태아호흡중추를 억압할 위험이 있다. 신생아 호흡저하 부작용을 예방하기 위해 마취길항제인 naloxone (Narcan)을 가까이 둬야 한다.

096 ④

해설 | 난산

후방후두위(POP)는 제대탈출과 분만지연의 위험이 높아 제왕절개의 적응증에 해당한다.

오답 ①, ②, ③, ⑤는 모두 정상적인 과정이다.

cf 정상 자궁수축 강도: 이완기 8~15 mmHg

POWER 특강

제왕절개(C/S)의 적응증

제왕절개는 산부의 복부를 절개한 후 자궁을 절개하고 태아를 분만하는 외과적 수술법이다.

모체 측	태아 측
• 아두골반불균형(CPD): 가장 흔함 • 이전의 C/S 분만 경험, 자궁수술력 • 자궁기능부전: 비정상적인 자궁수축, 경부 개대 불능, 분만지연, 유도분만 실패 등 • 태반이상: 전치태반, 태반조기박리 • 내과합병증: 임신성 고혈압, 심질환, 당뇨병 등 • 감염: 감염이 동반된 양막파수, HIV 감염, 생식기 음부포진 감염	• 둔위, 횡위, 지속적 후방후두위(POP) • 태아질식 • 제대탈출 시 태아가 살아있을 때 • 태아기형: 뇌수종 등

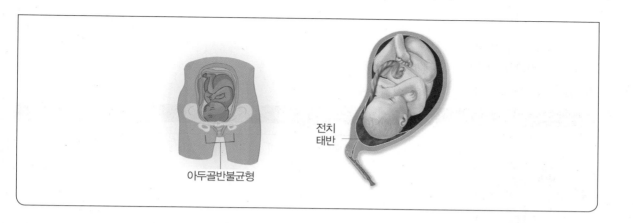

전치
태반

아두골반불균형

097 ⑤

해설 | **리토드린(Yutopar)**

리토드린은 조기진통 억제제로 임신 34주 이전에 사용하며, 부작용으로 저혈압, 빈맥, 부정맥, 폐부종, 흉통 등이 나타날 수 있다. 산모의 저혈압이 지속될 시 태아 상태에 악영향을 미칠 수 있으므로 빨리 리토드린의 주입량을 줄이거나 중단해야 한다.

━━ **comment** ━━

리토드린의 경구약은 심혈관계 부작용 위험으로 식약청에서 판매중지 및 회수 조치되어 더 이상 사용이 금지된 상황이다.

098 ②

해설 | **지연임신**

재태 기간이 42주 이상인 경우 지연임신에 해당하며, 양수과소증과 탯줄 압박, 태변흡입 증후군 등의 위험이 높아지므로 유도분만을 시행한다. 또한 태반은 임신 38주 이후부터 노화가 시작되므로 태아가사, 분만 손상 등을 야기할 위험이 있다.

POWER 특강

지연임신의 병태생리

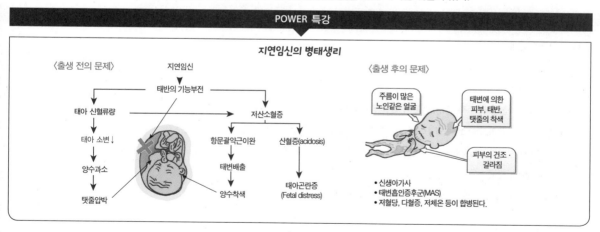

〈출생 전의 문제〉   지연임신   〈출생 후의 문제〉

태반의 기능부전

태아 신혈류량 → 저산소혈증

태아 소변↓   항문괄약근이완   산혈증(acidosis)

양수과소   태변배출   태아곤란증 (Fetal distress)

탯줄압박   양수착색

주름이 많은 노인같은 얼굴

태변에 의한 피부, 태반, 탯줄의 착색

피부의 건조·갈라짐

• 신생아가사
• 태변흡인증후군(MAS)
• 저혈당, 다혈증, 저체온 등이 합병된다.

099 ②

해설 | **옥시토신(oxytocin)**

자궁수축 기간이 90초 이상 지속되면 태아곤란증을 유발한다.

오답 ⑤ 태아심박동수 기본선 정상범위: 120~160회/min

POWER 특강		
옥시토신(Pitocin)		
효과	• 자궁근에 작용하여 수축 유발하여 분만유도에 효과적 • 태아에 직접적인 작용 없음	
부작용	• 자궁 과다수축(고긴장성, 강직성 수축) → 태반기능부전 → 태아산소 결핍, 뇌외상 • 자궁파열: 이전의 자궁수술 등으로 인해 자궁에 반흔이 있는 경우 사용 금기 • 수분중독 − 고용량에서는 항이뇨 효과 일어남 − 요배설량 감소, 두통, 시력장애, 행동변화, 호흡 상승, 수포음, 쌕쌕거림, 기침 • 순환기계 증상: 부정맥, 홍조 및 빈맥, 혈압상승, 일과성 혈압강하, 쇼크 • 두통, 복통, 오심·구토	
투여 방법	반드시 정맥투여함 금기: 근육투여 ◀ 약효가 1시간 지속됨	
간호 중재	• 태아상태 사정 • 자궁과다수축 징후 사정: 전두부 통증, 수분중독과 동반된 증상 • 활력징후 측정: 15분마다 혈압, 맥박 측정 • 자궁내압의 증가로 인한 위험증상(긴장성, 경련성 자궁수축 등)이 나타나면 주입을 즉각 중단 • I/O(섭취량/배설량) 정확히 기록 ▶ 소변량 감소되면 의사에게 notify • 옥시토신의 연속 주입으로도 분만에 실패할 경우 제왕절개 시행 준비	

── **comment** ──

자궁내압 75 mmHg 이상, 수축 지속 60~75초 이상, 수축 간격 2분 이하일 경우 옥시토신 주입을 즉각 중단하고 의사에게 notify

100 ②

해설 | **자궁수축제**

자궁이완 시 자궁저부 마사지

• 자궁수축제 투여

 − 옥시토신: 나선동맥 수축, 자궁으로의 혈류 감소시켜 자궁수축

 − 메틸엘고노빈(Methergine, IM): 자궁상부와 하부 수축, 고혈압, 심혈관질환, 자간전증 환자에게 금기

 − 프로스타글란딘: 옥시토신이나 메틸엘고노빈에 반응하지 않을 때

• 모유수유 권장: 자궁수축 자극

• 보존적 방법으로 출혈조절 안 되면 수술적 중재 요구

101 ③

해설 | **배뇨간호**

분만 후 발생할 수 있는 합병증으로 잔뇨증이 있을 수 있다. 방광근이 이완되거나 분만 동안 방광에 소변이 고여 있던 경우 발생하는 것으로 배뇨 후 단순도뇨를 통해 잔뇨의 양이 30 cc를 초과하는지 확인한다. 초과할 시에는 정체 도뇨관을 삽입한다.

> ── **comment** ──
>
> 분만 후 산모의 첫 자연배뇨를 반드시 확인해야 한다. 이는 산후출혈, 산후감염을 예방하고, 자궁압박을 완화하며, 방광기능을 확인하여 방광 팽만 시의 합병증을 예방하기 위함이다.

102 ②

해설 | **폐색전증**

- 원인
    - 혈액응고인자 증가(과응고 상태)
    - 감염, 혈전증, 출혈, 쇼크 이후 발생 가능
- 증상 및 징후
    - 갑작스런 호흡곤란(가장 흔한 증상)
    - 빈맥, 저혈압, 청색증, 출혈 및 쇼크, 의식불명, 혈액응고 이상 시
- DIC 소견
    - 작은 폐색전증: 갑작스러운 흉통, 기침, 혈액섞인 객담 등
    - 대량의 폐색전증: 강한 흉통, 호흡곤란, 실신, 청색증 등

103 ③

해설 | **산후 자궁퇴축 간호**

분만 후 HOF가 제와보다 위에 위치하고 물렁물렁한 양상은 자궁수축이 지연되는 증상으로, 이를 통해 산후출혈이 발생할 수 있다. 이와 같은 자궁이완 시 우선적인 중재는 치골 상부에 한 손을 올리고, 다른 손은 저부 위에 컵 모양으로 놓고 조심스럽게 회전하면서 혈괴를 배출하는 방식의 자궁저부 마사지를 시행하는 것이다.

> ── **comment** ──
>
> 자궁퇴축 간호의 목적은 결국 출혈예방이다. 자궁이완은 산후 출혈의 가장 흔한 원인이기 때문에 자궁저부 마사지와 배뇨를 통해 자궁이완을 예방하고 자궁의 탄력을 유지하도록 한다.

104 ②

해설 | **혈전성 정맥염**

Homan's sign 양성, 열감과 부종 등의 증상이 나타나는 산후 문제는 혈전성 정맥염이다. 이때 침범된 다리를 상승시키고 항생제 및 항응고제를 투여해야 한다.

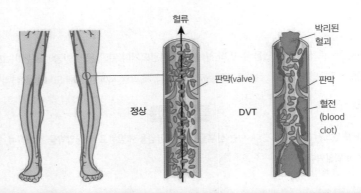

정상 　　혈류

판막(valve)

DVT

박리된 혈괴

판막

혈전(blood clot)

혈전성 정맥염

| 증상 | • 장딴지나 대퇴부위의 동통, 부종, 경직 → 피부 창백, 발열, 오한, 권태감
• 백고종(milk leg): 심한 통증과 부종, 감염부위가 하얗게 윤이 남
• Homan's sign (+): 다리를 뻗고 발등 쪽으로 발을 굴곡시켰을 때 통증이 있음
• 호발혈관: 복재정맥, 슬와정맥, 대퇴정맥 ▶ '복슬대' | 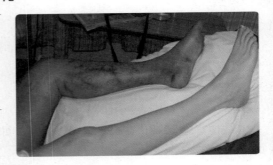 |

comment

항응고제 사용 시 모유수유는 중단한다. 수유 시 항히스타민제, 자궁수축제, 항응고제, tetracyclines 항생제는 등은 투여 금기이다.

105 ⑤

해설 | **산후혈종 중재**

• 공통: 통증 경감(좌욕 및 백열등 적용, 손상부위에 압력 가하지 않는 체위, 진통제 투여), 감염 예방(광범위 항생제 투여), 유치도뇨관 삽입

• 혈종의 크기에 따른 차이

  – 작은 경우: 외음부에 냉요법 및 열요법 적용하여 불편감 줄이고 혈종의 재흡수를 촉진함

  – 큰 경우(5 cm 이상 or 진행성): 절개배농(+항생제), 출혈 혈관을 결찰하고 지혈패킹함

comment

④는 틀리기 쉬운 보기이다. 현재 대상자의 혈종이 1 cm로 작다고 했기 때문에 크기 문제로 틀린 보기가 되기 때문이다. 혈종 크기에 대한 비교를 기억해두도록 하자.

2교시

001 ④	002 ①	003 ①	004 ④	005 ⑤	006 ②	007 ③	008 ⑤	009 ④	010 ③
011 ⑤	012 ④	013 ③	014 ③	015 ⑤	016 ③	017 ①	018 ③	019 ⑤	020 ⑤
021 ⑤	022 ⑤	023 ④	024 ①	025 ⑤	026 ⑤	027 ④	028 ④	029 ①	030 ④
031 ⑤	032 ④	033 ①	034 ④	035 ⑤	036 ③	037 ④	038 ⑤	039 ④	040 ①
041 ①	042 ①	043 ①	044 ④	045 ①	046 ③	047 ②	048 ④	049 ①	050 ①
051 ④	052 ②	053 ④	054 ④	055 ⑤	056 ③	057 ⑤	058 ③	059 ④	060 ⑤
061 ①	062 ①	063 ②	064 ①	065 ⑤	066 ④	067 ②	068 ①	069 ②	070 ⑤
071 ②	072 ⑤	073 ①	074 ④	075 ①	076 ①	077 ⑤	078 ⑤	079 ⑤	080 ②
081 ⑤	082 ⑤	083 ③	084 ④	085 ⑤	086 ①	087 ③	088 ⑤	089 ②	090 ②
091 ①	092 ④	093 ①	094 ③	095 ②	096 ②	097 ③	098 ⑤	099 ④	100 ①
101 ④	102 ④	103 ④	104 ②	105 ⑤					

아동간호학

001 ④

해설 | 학령기의 신체 발달

- 하지의 성장속도 증가 ▶ 상체에 비해 하체가 길어짐
- 키에 비해 머리둘레, 허리둘레 감소
- 골격이 자라고 지방이 줄어들면서 몸무게에서 근육의 비율이 증가
- 두개골보다 안면골 성장이 더 빨라져 얼굴의 비례가 달라짐
- 성장이 일정하면서 느림 ▶ 1년에 2~3 cm 자라며, 1.5~3 kg 체중 증가
- 초기 학령기에는 남아가 더 크며, 10~12세경부터 여아가 급성장하여 남아보다 큼

002 ①

해설 | 훈육(타임아웃)

- 개념
    - 사회적으로 용납될 수 있는 행동 또는 바람직한 인격형성을 위한 교육
    - 허용한계 설정은 확고하며 일관성이 있어야 하고, 현실적이고 연령에 맞는 훈육이어야 함
- 방법: 일시중지(time out), 주의전환, 긍정적 강화 등
    - ⓒ 체벌은 효과 없음
- 중재
    - 아동이 잘못했을 때 한 번 경고를 준 후, 잘못을 반복하였을 때 잘못된 행동이 이루어진 즉시 훈육을 시행함
    - 긍정적인 언어를 사용함 ⓔ '하지마!' 대신 'ㅇㅇ보다는 △△을 할 수 있어'로 순화함

- 아동의 행동에 초점을 맞추고, 아동이 지시에 반응할 시간을 제공해야 함

- 타인 앞에서 수치심을 느끼지 않도록 사생활을 보장

- 훈육이 끝난 이후 같은 일에 대해서 더 이상 야단치지 않도록 주의

오답 ③ 타임아웃은 아동의 연령에 따라 시간을 다르게 한다.

④ 아동에게 사전에 타임아웃에 대해 설명을 해야 한다.

003 ①

해설 | **Kohlberg의 도덕발달 이론; 전인습적 도덕기**

단계	연령	내용
0단계	0~2세	도덕 개념 없음
1단계 복종-처벌 지향	2~3세	• 상을 받거나 벌을 피하기 위해 행동 • 외부의 권위자가 만든 규칙에 따르며 옳고 그른 행동을 배움
2단계 상대적 쾌락주의	4~7세	• 자신, 타인의 욕구를 만족시키는 도덕가치가 판단 기준 • 양심 발달 • 눈에는 눈, 이에는 이 • 보상이 주어지는 상황에서만 행동을 취함

POWER 특강

Kohlberg의 도덕발달 이론; 인습적 · 후인습적 도덕기

수준	단계	연령	내용
인습적 도덕기	3단계: 착한 소년 · 소녀 지향	7~10세	• 착한 아동으로 승인을 얻기 위해 규칙에 순응 • 비난 피하고자 함, 사회적 시선 의식
	4단계: 사회질서와 권위 지향	10~12세	• 권위에 복종하고 의무를 다 함 • 사회적 질서를 유지하고 규칙을 준수하려고 함 • 사회 규율이나 관습에 따르며 권위적인 인물의 승인을 받고자 함
후인습적 도덕기	5단계: 공리주의 단계 (사회계약 정신으로서의 도덕성)	청소년기	• 전체에게 이익이 되는 사회복지에 가치를 둠 ▶ 최대다수의 최대이익 • 사회계약 지향 • 옳고 그름에 대한 도덕성, 계약, 다수의견, 실용성 등을 중요시 • 법의 절대성과 고정성을 벗어나 사회적 융통성을 인정
	6단계: 도덕적 원리 지향	성인기	• 법의 제약이나 타인의 의견에도 불구하고 자신이 옳다고 생각하는 것을 양심에 따라 판단하여 행동 • 인간의 존엄성과 정의를 원칙으로 함

004 ④

해설 | **성장발달**

• 개념

성장	발달
• 주로 생물학적인 변화로 신체의 양적 변화를 의미 　⊛ 신체의 크기, 세포 수의 증가 • 쉽게 관찰되고 측정 가능함	• 신체적 · 정서적 · 사회적 변화의 모든 양상과 과정을 포함하는 질적 변화를 의미 • 새로운 기능을 수용하고 습득하는 능력의 증가 　⊛ 언어습득 등 • 성장보다 광범위한 개념

- 특징
    - 복합성, 상호관련성, 순차적, 연속적
    - 일정한 방향성 존재
        - ⓐ 두미발달: 두부 → 미부
        - ⓑ 근원발달: 중심 → 바깥
        - ⓒ 세분화의 원리: 전체적 → 구체적
    - 유전 또는 환경적 요인에 따라 개인차가 존재
    - 결정적 시기(critical period; 최적기, 민감기)가 존재
        - ⓔⓧ 뇌는 생후 2년 동안 성인의 80%에 가깝게 성장
    - 성장발달은 정상범위 내 다양한 속도로 발달

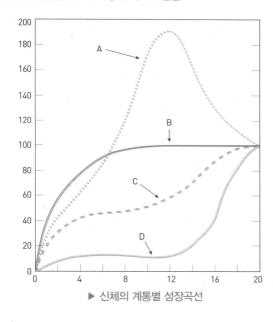

▶ 신체의 계통별 성장곡선

A: 림프계
B: 신경계
C: 신체 전반(외적 크기, 호흡기계, 소화기계, 신장계,
　　순환계, 근골격계)
D: 생식기계

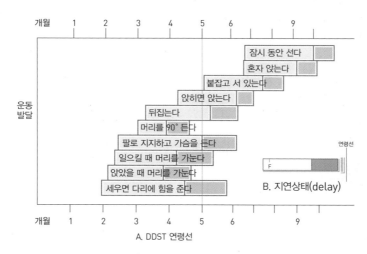

005 ⑤

⑤ 6개월의 영아는 한 손에서 다른 손으로 물건을 옮길 수 있다. 한 손에 가볍게 쥐는 것을 할 수 있으므로 흔들어 소리를 낼 수 있는 장난감이 가장 적합하다.

영아기	0~2개월	시각적, 청각적으로 다양한 자극을 줄 수 있는 모빌, 노래상자, 깨지지 않는 거울 등
	3~6개월	소리나는 모빌, 딸랑이, 손에 쉽게 쥘 수 있는 소리나는 장난감 등
	7개월	반복적으로 단추를 누르고 반응을 볼 수 있는 뮤직박스 등
유아기	1~3세	밀고 당기는 장난감(근육 협동력), 장난감 전화기(상상력 자극), 동물 인형(솜인형), 그림책, 모래놀이 등
학령전기	3~6세	자기표현을 할 수 있는 소꿉놀이, 인형의 집, 트럭, 비행기 등
학령기	6~12세	게임, 퍼즐, 마술트릭, 낱말게임 등

POWER 특강

		발달단계별 놀이
영아기	단독놀이	• 같은 장소에서 다른 장난감을 갖고 혼자 독립적으로 노는 것 • 반복적, 기능적, 연습적
유아기	평행놀이	• 다른 아동의 옆에서 비슷한 장난감을 갖고 상호작용 없이 노는 것
학령전기	연합놀이	• 동일한 놀이를 다른 아동과 함께 놀며 장난감을 빌려주기도 함 • 함께 어울리지만 조직이 없고 공동의 목표는 없음 • 역할모방: 모방적이고 상상력이 풍부한 극적인 놀이를 즐김
학령기	협동놀이	• 조직적인 집단에서 규칙을 지키며 목표와 성취를 달성하기 위해 조직의 대표와 추종자 관계가 설정되고 각자의 역할이 있음 • 소속감이 형성, 규칙놀이

006 ②

• 특징
  – 5~7세에 유치가 빠지면서 영구치가 나기 시작하므로, 치아관리가 매우 중요 ▶ 이가 빠지면, 다시 날 것이라고 얘기해줘야 함
  – 유치가 조기에 빠지면 부정교합 생김 ▶ 영구치가 다 난 이후에 교정
• 간호중재
  – 구강위생: 식후 양치질, 불소 이용, 1년에 2회 이상 검진
  – 사탕류보다는 고단백 식품이 좋음, 무기질과 비타민을 강화한 간식 제공
  – 올바른 칫솔질 및 치실 사용 교육
    ⓐ 아동의 칫솔질 시 부모의 도움과 감독을 받고, 치실 사용은 부모가 도와줘야 함
    ⓑ 칫솔은 솔 끝이 둥글고 부드러운 나일론 제형을 사용하며, 완전히 건조되도록 2개를 교대로 사용함

부정교합(malocclusion)

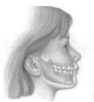 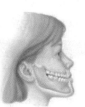

calss 1   calss 2   calss 3

정의	치아의 배열이 가지런하지 않거나 위아래 맞물림의 상태가 정상의 위치를 벗어나서 심미적, 기능적으로 문제가 되는 교합관계
원인	• 유전적: 치아, 턱 크기 등 • 환경적: 생활 습관, 충치 등
증상	• 저작기능 손상 • 안면기형 • 신체상 손상
치료	치아교정: 영구치가 다 난 이후인 학령기 후기, 사춘기 전기가 적절함
간호	교정기 착용 시 구강위생 중요성 설명하며, 자아상 손상되지 않도록 함

─ comment ─

생후 6~8개월경에 중앙 아랫니에서 유치가 나기 시작하고, 12개월엔 평균 6~8개의 치아가 출현한다. 2년 6개월경에는 20개의 유치가 모두 출현하고, 보통 6세가 되면 영구치가 난다.

007 ③

해설 | 모유의 보관방법

• 냉장 또는 냉동보관: 실온에서도 4~6시간 정도 놓아두었다 먹일 수 있으나 변질 위험 있음

  – 냉장보관: 72시간까지 보관 가능하나 가능하면 24시간 이내에 먹이도록 함

  – 냉동보관: 6개월까지 보관 가능하며, 해동 시 중탕 해동 또는 냉장실에서 해동함

    ⓒ 전자레인지에서 해동 시 젖병이 뜨거워져 화상의 위험이 있다.

• 먹다 남은 모유는 버림: 영아의 침에서 나온 효소 등이 섞임 → 세균성장의 배지 ▶ 설사

모유수유의 장점

• **락토즈(lactose; 유당)를 많이 함유하고 있음** ▶ 위장관에서 미생물의 성장을 자극하여 Vit. B를 합성하고 세균성장을 저지시킴

• **지방과 칼슘의 흡수를 증진시키는 불포화 지방산을 많이 함유하고 있음**

• **다량의 면역물질 및 항체 포함**

  – IgA, 림프구, 대식세포, 중성구 등 기타 물질들이 세균성장 억제함

  – Vit. A, Vit. B, Vit. E 풍부

• **수유 동안 모아 사이의 애착을 형성하며 정서적 안정을 높이고 태아의 사회성을 향상시킴**

• **적절한 양의 단백질을 함유하고 있으며 신생아의 인지 능력 발달에 도움이 됨**

008 ⑤

⑤ 신생아는 유문괄약근이 완전히 발달하지 못했으므로 수유 후 역류가 흔하게 일어날 수 있다. 이것을 방지하기 위해 수유 후에는 머리를 높인 상태로 눕히고 식도에서 위장으로 모유나 조제유가 쉽게 넘어갈 수 있도록 오른쪽으로 눕혀준다.

POWER 특강

신생아 수유 방법

- **수유 자세:** 가능한 영아를 안고 수유하며, 그렇지 않을 때는 머리와 가슴을 약간 상승시킨 채로 앙와위 or 우측위(아기의 배가 엄마의 배를 향하도록) 취해줌

- **수유 방법**

수유 전	기저귀를 갈아줌
수유 시	• 소량씩 자주 수유 • 안정을 위해 팔·다리를 마사지 해 줌 • 수유 중 청색증이 나타날 경우, 상체를 높이고 휴식을 취하면서 수유
수유 후	수유 후 트림을 시킨 후에 머리를 높이고 우측으로 높임

---

009 ④

④ 스카프 징후는 고위험 신생아에게 나타나는 증상으로, 팔꿈치가 신체의 중앙선을 아무 저항 없이 쉽게 넘어가는 것이다.

Apgar Score	신생아의 출생 후 1) 맥박수, 2) 호흡, 3) 근긴장도, 4) 자극에 대한 반응, 5) 피부색 등을 평가하여 영아의 상태가 안정적인지 확인
자세	• 자궁 내와 비슷한 굴곡된 사지, 주먹 쥔 손, 구부린 자세 • 사지를 잡아당기는 검사 시 구부러진 자세로 즉각 되돌아와야 함
피부	• 붉은색, 대리석양 피부 • 간의 미성숙으로 인해 생리적 황달 증상 ▶ 2주째에 자연소실 *cf* 2주 이상 지속 시 병리적 황달(혈청 빌리루빈 수치 12 mg/dL 이상) • 눈, 얼굴, 다리, 음낭 등에 부종이 있고 발바닥에 많은 주름이 있음 • 몽고반점, 솜털, 태지 등
활력 징후	• 호흡: 30~60회/min • 심박동수: 120~160회/min • 체온: 36.5~37 ℃ • 혈압: 출생 시 평균 혈압은 80/46 mmHg
신체 계측	• 머리 둘레: 가장 큰 둘레(평균 33~35 cm) • 체중: 생후 첫 7일 이내에 10% 정도의 체중감소가 있을 수 있음

구체적 신체 사정	머리	• 분만 시 압력으로 인한 손상: 주형(molding), 산류, 두혈종 • 천문: 대천문(12~18개월경) · 소천문(2개월경) 닫힘
	눈	• 시선 고정 가능, 출생 후~수 개월까지 눈물이 나오지 않을 수 있음 • 안구 진탕, 사시 ◀ 제5뇌신경 발달미숙으로 나타나는 정상 반응 • 각막반사 ⓘ 움푹한 눈, 일몰징후가 계속되면 수두증
	입	포유(rooting)반사, 흡철(sucking)반사
	귀	• 귓바퀴의 맨 위쪽이 외측 눈구석에 수평으로 만나야 함 • 귀약 점적 시 자세: 후하방(3세 이전), 후상방(3세 이상)
	가슴	• 전후경 ≒ 좌우경 • 유방울혈, 마유분비 가능(모체 호르몬 영향) ▶ 자연소실
	생식기	• 여아 − 대음순이 크고 부종이 있음 − 가성 월경: 혈액성, 점액성 질 분비물 보일 수 있음(모체 호르몬 영향) • 남아 − 음낭 및 음경: 둔위였을 경우, 음낭부종 ▶ 자연소실 − 음낭 촉진하여 고환 확인
	둔부	태변 배출 확인 ▶ 24시간 이내 배출되야 정상적인 항문 개방을 의미
	신경계 (반사)	• 입과 인후: 밀어내기(extrusion), 구역(gag), 포유(rooting), 흡철(sucking) • 사지: 바빈스키(babinski)반사 • 전신: 모로(moro)반사, 긴장성 경반사(tonic neck; 펜싱반사)

오답 ③, ⑤ 신생아는 정상적으로 생후 2~4주까지는 눈물샘이 작동하지 않으며 바빈스키 반사는 신생아의 정상반응으로 생후 12개월까지 지속된다.

POWER 특강

스카프 징후(scarf sign)

• 만삭아의 팔꿈치는 가슴의 중앙부까지 닿고 중앙선을 넘어가려면 저항이 있음

• 미숙아의 팔꿈치는 별 저항 없이 쉽게 가슴을 가로지름

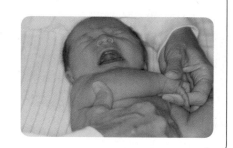

---

010 ③

해설 | **급성 림프구성 백혈병(acute lymphocytic leukemia, ALL)**

• 백혈병의 정의: 조혈조직에 미성숙된 백혈구가 악성으로 증식하여 생기는 질환

 − 급성 림프구성 백혈병 ▶ 소아백혈병

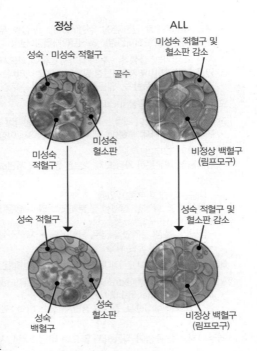

정상

ALL

성숙·미성숙 적혈구

미성숙 적혈구 및
혈소판 감소

골수

미성숙
적혈구

미성숙
혈소판

비정상 백혈구
(림프모구)

성숙 적혈구

성숙 적혈구 및
혈소판 감소

성숙
백혈구

성숙
혈소판

비정상 백혈구
(림프모구)

- 간호: 감염, 출혈, 빈혈에 중점을 둠
  - 생리식염수로 자주 구강세정 시행: 오심·구토, 구강점막 손상 시
    ⓐ 오심·구토가 있다고 해서 무조건 약물투여를 중단하지 않음: 부작용의 증상이 독작용인지 파악함
      ▶ 감염 증상, 출혈성 방광염, 심한 구토 등은 중재가 필요함
  - 감염 예방 및 치료: 광범위 항생제 투여, 방문객 제한 등
  - 출혈 예방 및 빈혈의 사정과 조절
    ⓐ 부드러운 칫솔로 양치함
    ⓑ 금지: 좌약삽입 및 침습적 행위, 격한 운동

011 ⑤

해설 | **이유식(고형식이)**

- 이유식: 젖을 떼는 시기의 아기에게 먹이는 젖 이외의 음식
- 주의사항
  - 이유식을 너무 일찍 시작하면 음식에 대한 알레르기 및 과체중을 유발할 수 있음
    ⓐ 알레르기를 유발할 수 있는 생우유, 계란 흰자, 등푸른 생선 등은 12개월 이후에 제공함
    ⓑ 우유 알레르기는 두유로 대체함
  - 이유식을 시작하더라도 주식은 모유나 조제유여야 하며, 이유식을 먼저 제공함
  - 시작 전에 신체적 준비가 되었는지 사정해야 함
  - 한 번에 한 가지 음식만 제공하며, 한 가지 음식을 적어도 3~7일간 먹임
  - 곡분으로 시작하여 쌀 → 야채 → 과일 → 고기 순으로 제공함
  - 영아가 음식을 만질 수 있도록 허용하고 유쾌한 분위기를 형성함
  - 영아가 이유식을 먹지 않고 뱉어낼 경우 혀 뒤쪽으로 넣어줌

① 조제유를 제공하기 전에 이유식을 먼저 제공한다.

④ 계란은 6개월 이후에 끓는 물에 완전히 익혀서 노른자만 제공한다.

POWER 특강

고형식이 시작 시기(4~6개월)

- 생후 4~6개월 모유분비량↓ + 성장속도↑ ▶ 모유만으로는 충분한 영양공급이 되지 않음

- 철분 저장이 고갈되는 시기이므로 철분 부족을 보충하기 위함

- 소화능력 향상

  ⓐ 6개월 이후에 타액 및 장효소 생성됨

  ⓑ 위장관과 소화능력이 발달하여 알레르기 위험이 적어짐

- 6개월경 밀어내기 반사(혀에 자극이 가해지면 혀를 앞으로 밀어냄)가 사라지고 삼키는 기술이 조절됨 ▶ 흡인 위험 감소

- 6~8개월에 첫 치아가 출현하고 7~9개월에 저작 운동이 시작됨

---

012 ④

해설 | **분리불안**

- 정의: 주된 애착 대상과의 분리에 대한 심한 불안 증상을 보임

- 원인: 불완전한 대상영속성(대상이 눈으로 식별되지 않거나 탐지할 수 없을 때, 그 대상이 계속 존재하며 그 사물과 사물을 인지하는
  아동이 독립적으로 공존한다고 믿음)

- 특징

  – 8~30개월 아동의 가장 큰 스트레스 요인

  – 저항기 → 절망기 → 분리기(부정기)의 3단계를 보임

저항기	• 울거나 부르짖음 • 부모에게 매달림
절망기	• 우울, 주위에 관심이 없으며 퇴행행동을 보임 ⓔⓧ 오줌싸기, 우유병 빨기 등 • 먹지 않거나 놀이를 거부하는 등 활동량이 적어짐
분리기(부정기)	• 주위 환경에 대해 좀 더 관심을 보임 • 낯선 사람이나 친숙한 간호제공자와 상호작용을 함

- 간호중재

  – 담요나 장난감 등을 주어 부모가 항상 아동과 함께 있음을 확신시켜 줌

  – 새로운 사람들과 익숙해지기 위해 가까운 친척들이 자주 방문하도록 함

  – 저항기나 절망기에 있을 때 아동이 자신의 감정을 표현할 수 있도록 우는 것을 허용함

  – 외출 중에는 전화를 걸어 아동이 부모의 목소리를 들을 수 있게 함

낯가림

- 정의: 영아가 양육자에게 애착을 보이면서 낯선 사람을 구분함. 건강한 애착의 신호
- 시기: 6~8개월에 시작되어 9~10개월에 심해짐
- 특징: 낯선 사람에 대한 공포와 불안을 두드러지게 표현함
  - ⓔⓧ 울기, 꼭 붙어 있기, 낯선 사람을 멀리함 등
- 간호중재: 낯선 사람을 안전하게 경험할 수 있는 기회(ⓔⓧ 친척들의 잦은 방문)를 갖도록 함 ▶ 영아 후반기에는 아동이 다른 사람들과 친해 져 부모가 자유시간을 가질 수 있게 됨

013 ③

해설 | 의식주의(ritualism)

- 안정된 일상생활의 반복이 통제감과 자율감을 느끼게 하므로 이에 집착하는 것
  - 의식행동을 하지 않으면 스트레스와 불안감 증가(정상적인 행동)
  - 같은 컵 사용, 같은 의자에 앉기 등

유아기의 자율성 표현	
거부증	• 자율성(독립성)의 표현으로, 의지가 분리된 존재로서의 정체감을 표현하기 위해 계속적으로 부정적인 반응을 보임(정상적인 반응) • 증상: 제안에 동의하면서도 표면적으로 "싫어!", "안 해요" 등의 부정적인 표현 사용, 소리를 지르거나 발로 참 • 대처방안: 선택할 수 있는 질문을 함, 피곤하고 배고플 때에는 과제를 주지 않음
분노발작	• 아동이 독립적으로 하려던 욕구가 좌절될 때 격렬하게 저항함으로써 자신의 독립성(자율감)을 주장함 • 증상: 바닥에 드러눕고 발로 차기도 하고 숨이 넘어갈 듯이 욺 • 대처방안 　- 진정될 때까지 아무런 반응을 보이지 않는 무관심으로 대함 　- 일관적인 태도로 아동을 대함, 자리를 떠나지 않음 　- 진정된 후에 아동을 위로하고 한계를 확실히 설정해 줌
퇴행	• 입원, 수술 등 스트레스에 대한 반응으로 불편이나 긴장의 표현 • 증상: 배변을 못 가리거나 손가락을 빠는 등의 퇴행행동을 일시적으로 보임
의식주의	• 통제감과 자율감을 느낄 수 있도록 안정된 일상생활의 반복에 집착함 • 의식행동을 하지 않으면 스트레스와 불안감이 증가 • 증상: 같은 컵 사용, 같은 의자에 앉기 등을 보임 • 대처방안: 아동의 의식주의 행동을 존중해 줌 　▶ 안정감 증진

014 ③

해설 | **배변훈련(toilet training)**

③ 대소변을 잘 가리다가도 스트레스나 환경적 변화가 있을 때 일시적 퇴행이 나타날 수 있음

- 대소변 가리기는 대부분 18~24개월경에 이루어짐
- 야간 대변 → 낮 대변 → 낮 소변 → 야간 소변(여아 5세, 남아 6세)의 순서로 진행
  - 대변이 규칙적이고 예측하기 쉽기 때문에 소변보다 먼저 가림
  - 낮 소변을 야간 소변보다 먼저 가림: 야간 소변 가리기는 4~5세까지 늦어져도 정상
- 배변훈련은 아동이 신체적 · 정서적 준비가 되어 있을 때 시작함
  - 부모의 긍정적 태도와 인내력에 영향을 받으므로, 부모는 인내심을 가지고 아동이 훈련에 성공할 때마다 충분히 칭찬을 함
    ▶ 엄격한 태도와 강압적인 배변훈련은 오히려 부정적으로 작용하게 됨

  cf 개인별로 훈련과 달성시기에 차이가 있을 수 있음

POWER 특강

배변훈련 전 준비	
신체적 준비	• 항문과 요도의 조임근이 수의적으로 조절될 때(대부분 18~24개월) • 소변을 두 시간 정도 보유할 수 있으며, 장운동이 규칙적일 때 • 변기에서 5~10분간 앉을 수 있을 때 • 아동이 혼자서 옷을 벗을 수 있을 때
정서적 준비	• 대소변이 급함을 인식하고 배변욕구를 말이나 행동으로 표현하는 기술이 있을 때 • 기저귀가 젖었다는 것을 알 때 • 기저귀를 당기거나 즉시 기저귀를 교환해 주기를 말로 반복표현함
부모의 준비상태	• 아동의 준비상태를 인식하고 여유 있게 기다려 줄 수 있어야 함 • 동생의 출생, 이사, 이혼 등의 환경적 변화나 스트레스 있을 시 일시적인 퇴행이 나타날 수 있음 • 욕실에 유아용 변기를 두고 배설물이 씻겨 내려가는 것을 아동이 관찰할 수 있도록 함 • 훈련시간은 5~10분/회로 제한하고 성공 이후 칭찬을 함

015 ⑤

해설 | **BMI (body mass index, 체질량 지수)**

- 비만 측정법 중의 하나로 체지방의 양을 추정하는 방법
- 체중(kg)÷[신장(m)]^2
- BMI 백분위 85 이상 95 미만인 경우 과체중에 해당
- 분류(국내기준)

분류	BMI
저체중	< 18.5
정상체중	18.5~22.9
과체중	23~24.9
비만	≥ 25

비만(obesity)	
정의	과다한 축적에 의한 몸무게의 증가
원인	• 신진대사장애 • 시상하부의 이상 • 유전적 · 사회적 · 문화적 · 심리적 요소가 포함
병태생리	열량섭취량이 열량요구량과 소비량보다 계속해서 증가할 때 나타남
진단	• 체질량 지수(BMI): 체중(kg)÷[신장(m)]² • 피부 두께 측정 • CT, MRI 등
치료 및 간호	• 식이요법: 식사의 영양학적 질 향상이 목표, 식습관 변화로 식이를 조절 • 운동요법: 신체적 활동, 텔레비전 시청과 같은 좌식 행위를 제한 ▶ 특히 TV를 보며 함께 음식을 섭취하지 않도록 함 • 행동수정요법: 행동치료와 집단 참여로 식습관 변화, 동기 유발이 중요 • 약물요법

016 ③

해설 | **청소년기(12~18세)의 신체 발달**

• 성장이 가장 빠른 시기로 사춘기에 접어듦

  – 여아가 남아보다 2년 정도 먼저 성장함

• 이차성징

성별	발달 순서	특징
여아	유방 → 음모 → 키 → 초경 → 몸무게	• 가슴 발달(가장 먼저) • 골반의 횡직경이 커짐, 음모 • 질 분비물의 변화, 초경 시작
남아	고환 → 음모 → 사정 → 키 → 몸무게	• 고환증대(가장 먼저) • 생식기 크기가 커짐, 몽정 시작, 음모 • 목소리 변화, 어깨 폭이 넓어짐

• 특징

  – 쉽게 피로를 느낌 ◀ 심장과 폐의 성장속도가 키나 몸무게의 성장보다 느리기 때문

  – 신체적 성장이 매우 빠름 ▶ 정신적 성숙이 신체적 성숙을 따르지 못해 갈등이 심함

  – 여드름이 나기 시작

오답 ② 일반적인 발달 순서가 알려져 있긴 하나, 개인의 영양 상태 또는 환경에 따라 성숙 시기 등이 달라질 수 있다.

017 ①

해설 | **학령전기 아동의 간호**

학령전기 아동은 질병이나 통증을 자신들이 잘못한 것에 대한 벌이라고 생각하며, 주사를 맞으면 몸에 구멍이 뚫린다고 생각하여 주사를 매우 무서워 한다. 그러므로 학령전기 아동들은 주사공포증을 개선시키는 것이 중요하다.

전조작기 중 직관기(Piaget 인지발달 이론)

질병	죽음

• 죄를 지어서 벌을 받는 것이라고 생각함
  – 마술적 사고: 마술을 쓰면 질병이 사라질 수 있다고 생각함
  – 통증에 대한 불안이 큼: 주사공포증 등
	일시적이며 가역적인 것으로 생각함
	▶ 수면 or 단순한 이별이라고 받아들임

• **물활론**: 생명이 없는 대상이 살아있다고 믿음

   ⑥ 돌부리에 걸려 넘어졌을 때 돌을 때려달라고 말함

• **퇴행(regression)**: 불편감이나 스트레스에 대한 반응으로, 전 발달단계에서 성공적이었던 행동 양상으로 되돌아감. 정상적인 반응이며 특별한 치료가 필요하지 않음

• **중심화**

  – 한 측면에만 초점을 둠: 전체의 관점에서 모든 부분을 생각하지 못함

  – 시각적 지각을 바탕으로 결론지음

• **비가역성**: 사건의 과정 또는 순서를 역으로 생각하지 못함

• **유아기보다는 덜하나 자기중심적**: 자신이 경험한 것을 다른 사람도 경험한다고 생각함

   ⑥ 엄마가 슬퍼하면 자신이 좋아하는 인형을 안겨줌

• **시공 개념의 증가**: 오늘, 내일, 오후, 다음 주 등의 개념을 인식

---

018 ③

해설 | **미이라 억제대(mummy restraint)**

정의	담요나 시트를 침대 위에 펴고 위쪽 모서리를 중앙 부위 쪽으로 접는 억제법
적응증	머리나 목 부위의 치료나 검사, 인후검사(후두경), 위관 영양, 경정맥 천자를 실시해야 하는 경우
방법	담요가 접혀진 부위에 어깨가 가도록 눕히고 접은 쪽의 반대편 모서리에 발이 가게 함 → 오른쪽 팔을 몸에 붙여 똑바로 펴고 오른쪽의 담요를 잘 잡아당겨 오른쪽 어깨와 가슴을 가로질러 왼쪽 몸에 고정 → 왼쪽 팔도 같은 방법으로 고정 → 오른쪽 모서리는 접어서 모 위로 가져와 안전핀으로 고정
특징	• 잠시 동안의 억제를 필요로 할 때 시행함 • 아동의 움직임을 효과적으로 통제

---

019 ⑤

해설 | **선천성 거대결장(megacolon congenitum)**

• 정의: 선적적으로 장 운동을 담당하는 장관신경절세포가 없음 → 항문 쪽으로 장의 내용물이 이동할 수 없음

  ▶ 기계적 장폐색이 초래됨

• 역학: 남아 > 여아(4배), 다운 증후군에서 호발함

• 병태생리: 결장문절의 부교감신경절 부재로 연동운동 없음 → 대변이 신경절세포가 없는 장의 상부·근위부 결장에 축적되어 장 정체됨 → 장의 이완 및 과증식 → 거대결장 ▶ 장의 하부는 연동운동이 전달되지 않아 장폐색 초래됨

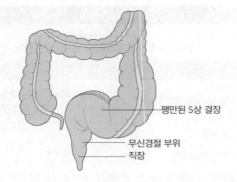

- 팽만된 S상 결장
- 무신경절 부위
- 직장

- 증상

  – 태변배출 지연, 만성적 변비, 복부팽만, 무기력, 식욕부진, 발열, 체중증가 없음

  – 리본 모양의 악취 나는 변, 대변 덩어리가 LLQ에서 촉진됨

  – 담즙성 구토, 직장검진 시 직장은 비어 있음

  – 장천공 및 패혈증 동반

- 진단

  – 바륨 관장, 단순 복부촬영

  – 직장 검사, rectal biopsy ▶ 신경절 부재 확진

- 치료 및 간호중재

치료	• 장 휴식 도모 및 영양균형 회복 위해 신경절 부재 부분을 절제해 일시적인 colonostomy (Sigmoid, T-colon) 실시 • 1세 되면 문합술 시행
간호 중재	• 변비 간호 – 등장성 관장: N/S (생리식염수) enema (소금 1 TS: 물 500 cc) – 저잔여식이를 소량씩 자주 섭취 • IV 수액 요법: 고영양요법(hyperalimentation), 장음청취 및 I/O 측정 • Stoma 관리 교육 및 정서적 지지 – 구불창자창냄술(sigmoid colonostomy) 시 기저귀 착용 가능 – T-colonostomy는 항시 stool bag 착용 및 통목욕하지 말 것을 교육 ⓒ 매일 stoma 및 주변 skin 사정

POWER 특강

선천성 거대결장 vs 장중첩증 vs 유문협착증

	폐쇄성		구조적 결함
	유문협착증	장중첩증	선천성 거대결장
구토양상	담즙 섞이지 않은 투사성 구토 (upper GI obstruction)	담즙 섞인 구토 (lower GI instruction)	담즙 섞인 구토
촉진	RUQ의 올리브 촉진	RUQ의 소시지 촉진	LLQ에서 대변덩어리 촉진
진단 및 치료	바륨연하(진단)	바륨관장(치료)	바륨관장, 직장 생검
간호	곡물 섞인 농도가 진한 우유 제공 (구토방지)	금식(감압)	생리식염수 관장(등장성 관장)
배변양상	• 변비(장까지 내려오지 못함) • 수유 후에도 배고픔 호소하며 보챔	젤리 모양의 점액 섞인 혈변	리본 모양의 악취나는 변 or 변비

020 ⑤

해설 | **태변흡인 증후군(meconium aspiration syndrome, MAS)**

정의	태아질식이나 자궁 내 스트레스로 인해 태아의 항문괄약근 이완 → 태변이 자궁강 내로 배출 → 태변이 함유된 양수가 태아나 신생아의 기도로 흡인되어 호흡곤란을 일으킴
증상	• 출생 시 피부나 제대에 태변 착색, 서맥, 근긴장도 저하 • 분만 시 질식기간과 관련되어 심폐 기능에 문제를 유발 • 빈호흡, 비익호흡, 헐떡거리는 호흡, 흉부함몰, 흉부의 과팽창 또는 원통형 흉곽, 저산소증, 청색증
치료 및 간호	• 신생아의 첫 울음 전에 구강인두 · 비인두 흡인으로 분비물 제거 ◀ 기도로 유입된 태변이 기관지와 폐포로 유입되지 않도록 하기 위함 • 체위: head down position ▶ 분비물의 배액과 제거 • 산혈증 치료: 중탄산나트륨 투여 • 산소공급, 기계적 환기요법

POWER 특강

APGAR score

• **정의: 신생아의 최초의 적응을 사정하는 도구**

	0	1	2
피부색(Appearance)	청색, 창백함	몸통은 분홍색, 팔다리는 청색	전신이 분홍색
맥박수(Pulse)	없음	느림(< 100회/min)	> 100회/min
근긴장도(Grimace)	늘어져 있음	팔다리의 약간의 굴곡	잘 굴곡됨
자극에 대한 반응(Activity)	반응 없음	얼굴을 찡그림	울음 또는 재채기
호흡(Respiration)	없음	불규칙적이고 느림+허약한 울음	양호하고 힘찬 울음

• **신생아가 활발히 움직이고 양수에 진한 태변이 있을 때 기관흡인 실시**

• **심박동수가 분당 100 이하이고 호흡곤란 시 기관흡인 실시**

---

021 ⑤

해설 | **선천성 갑상선 기능저하증**

원인	• 미숙아의 시상하부와 뇌하수체 미성숙으로 인한 선천적인 갑상선 형성부전 ▶ 갑상선 기능이 저하되어 있는 상태 • 출생 시 일시적 상태로 특별한 치료 필요 없음

증상	• 모체의 갑상선호르몬 영향으로 생후 2~3개월까지는 무증상일 수 있음
	• 수유저하, 기면, 목쉰 울음소리, 황달, 변비
	• 서맥, 호흡곤란, 청색증, 건조하고 차게 느껴지는 얼룩덜룩한 피부
	• 치료하지 않을 경우의 전형적인 증상
	  – 건조하고 차게 느껴지는 얼룩덜룩한 피부, 건조하고 부서지기 쉬운 머리카락,
	  – 신경계 발달지연 ▶ 정신지체(심각한 지능저하 유발)
	  – 골발육의 지연으로 대천문이 열려있음
	  – 좁은 이마, 낮은 콧날, 큰 혀, 푸석한 안검

진단	• 혈중 thyroxine (T4), triiodothyronine (T3) 저하 혹은 경계치
	  – Thyroxine: 세포의 대사율을 증가시킴
	  – Triiodothyronine: 가장 강력한 갑상선호르몬으로 체온이나 심박동수, 성장 등 체내의 모든 과정에 관여함
	• 갑상선 자극 호르몬(TSH) 경계치 혹은 증가

치료	• 갑상선호르몬의 평생 투여가 필요함 • 출생 직후 치료를 시작하면 정상적인 성장이 가능하며 지능발달도 정상임
간호	• 조기발견 가장 중요 ▶ 선별 검사를 통해 호르몬 결핍 여부 확인해야 함 • 갑상선호르몬 과량 투여 시 부작용 교육: 호흡곤란, 빈맥, 발열, 발한 등 • 산모에게 별다른 이상 없는 한 모유수유 가능함을 안내 • 아동의 성장에 따라 호르몬 양 증가되어야 하며, 생후 1년이 특히 중요

022 ⑤

해설 | **수분전해질 불균형**

- 기초대사량이 높으며, 호흡수가 빨라 수분상실이 많음
- 체중에 비해 체표면적이 커 불감성 손실이 많음
- 체중당 수분요구량이 높음
- 세포외액의 물 분포가 성인에 비해 많음
- 위장관 공간이 넓어 설사 시 다량의 수분이 손실
- 신장기능 미숙 ▶ 사구체 여과율이 성인보다 낮아 물 보존이 어려워 항상성 조절 미숙

POWER 특강

탈수(dehydration) vs 수분과다(water intoxication)

	탈수	수분과다
원인	• 등장성: 수분손실≒염분손실 • 저장성: 수분손실〈염분소실 • 고장성: 수분손실〉염분손실	• 정맥으로 다량의 수액 급속 주입, 과다수분 섭취 • Na^+ 급격한 감소 • 수돗물 관장, 저장성 용액 부적절 투여 • 급하게 시행한 투석
증상	• 맥박 상승, 체중 감소, 혈압 저하, 쇼크 • 구강점막 및 입술 건조, 눈물 생성 저하, 타액 감소 • 피부탄력도 저하, 칙칙한 피부색, 쇠약감 • 요비중 증가(1,030 이상), 소변량 감소 • 움푹 패인 눈, 대천문 함몰 • 테타니 및 경련: 부갑상선 저하증, 인의 과다섭취, 저마그네슘혈증, 저칼슘혈증의 후기 증상	• 중추신경계 증상: Na^+ 농도 감소로 인한 경련, 구토, 설사, 혼수 등 • 전신부종, 폐부종, 고혈압, 체중증가 • 뇌척수압 증가, 서맥

간호중재	• 사정
	  – V/S, I/O check, 부종, 탈수 증상
	  – 고칼륨혈증 등 전해질불균형 증상
		• 수분섭취 제한(경미한 수분과다)
		• 이뇨제 투여
		• 주기적 활력징후 측정

023 ④

해설 | **설사**

원인	• 영아: 24개월 미만
	• 병원체
	  – 바이러스: Rota virus (가장 흔함)
	  – 박테리아: 대장균
	• 영양장애, 장흡수 저하, 음식 알레르기, 고당 · 고지방 · 고섬유식이, 과식
	• 감염, 항생제 장기 사용으로 정상 세균총이 파괴된 경우
	• 간, 췌장, 갑상선 장애 등, 정서적 요인, 위생불량

증상	• 탈수, 전해질 불균형 ▶ 소변량 감소(24시간 동안 젖은 기저귀가 6개 이하, 4시간 이상 소변을 보지 않음), 입술 건조, 체중 감소 • 식욕부진, 복부 불편감, 영양장애, V/S, I/O 및 체중 매일 측정 • 피부 사정: 건조한 점막, 피부탄력성 저하, 대천문 함몰, 창백, 건조한 피부 • 물 같은 대변, 녹색 대변, 농과 혈액이 섞인 대변
치료	• 재수화: 심한 탈수와 구토의 경우 비경구적 수액요법 • 박테리아성 설사 시 항생제 치료, 금식(장휴식)

간호 중재	• 원인균 판명될 때까지 격리 • 탈수 교정: 처방된 수액 주입 • 케톤산 증가에 의한 산혈증으로 대사성 산독증 발생 ▶ 과다 호흡 관찰 • 식이요법 　– 항생제 장기간 복용에 의해 정상 상주균이 없어진 경우 요거트 섭취 권장 　– 차가운 액체는 장운동을 증가시키므로 실온 정도로 제공 　– 모유수유를 중단할 필요는 없음, 조제유는 낮은 농도로 시작해서 서서히 정상 농도로 조정 　– 설사 심하면 금식하고 증상 호전 시 맑은 액체로 식이 시작 　– 제한: 야채나 과일 섭취는 설사를 유발하므로 피하고, 고당 · 고지방 음식은 섭취 중단하도록 함 • 감염예방 　– 손씻기 　– 원인균 판명될 때까지 격리, 감염 경로의 차단을 위해 배설물 관리를 철저히 시행

— comment —

구토는 HCl⁻ 손실로 대사성 알칼리증이, 설사는 HCO_3^- 손실로 대사성 산증이 야기된다.

024 ①

해설 | **급성 경련성 후두염(비감염성 크룹)**

• 침범부위: 후두

• 호발연령: 3개월~3세

• 원인: 알레르기 성분을 포함한 바이러스

• 발현양상: 밤에 갑자기 진전(낮에는 무증상)

• 증상

　– CROUP=Cough (기침) + Restlessness (불안정, 안절부절못함) + Out of breath (호흡곤란) + Unusual sounds (이상한 소리)

　　+ Pain and pyretic (통증 및 발열)

　– 발열: 없음

　– 폐쇄 경과: 다양하게 진행

　– WBC 소견: 대개 정상

• 치료

　– 밤에 증상 나타났다가 낮에 호전되므로 낮에 내원하여 정확한 진단을 받도록 함

　– 항히스타민제, 스테로이드

감염성 크룹(후두-기관지염 vs 급성 기관지염 vs 급성 후두개염)

분류	감염성 크룹		
	Viral croup	Bacterial croup	Epiglottitis
명칭	후두-기관지염	급성 기관염	급성 후두개염
침범부위	주로 후두	주로 기관	후두개
호발연령	3개월~8세	1개월~6세	1개월~8세
원인	바이러스 (parainfluenza virus)	세균 (S.aureus)	세균 (H.influenzae)
발현양상	다양함(12~48시간)	점차 진행	급속히 진전(4~12시간)
발열	다양함(주로 미열)	대개 고열	고열
쉰목소리/개짖는소리	(+)	(+)	(−)
폐쇄 경과	다양하게 진행	다양하게 진행되나 대개 심함	빨리 진행(응급!)
WBC 소견	경도 상승	다양하게 상승	현저히 상승
치료	• 크룹텐트(습도) • 에피네프린 • Corticosteroid	• 습도 유지 • 항생제 • 기관내삽관	• 항생제 • 기관내삽관 (응급 상황)

025 ⑤

해설 | **Fallot 4징후**

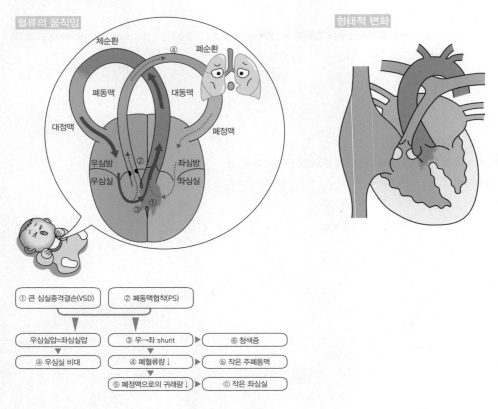

정의	다음의 4가지 해부학적 이상을 갖고 있는 선천성 심질환 1) 폐동맥 협착 2) 우심실 비대 3) 심실중격결손 4) 대동맥 우위
병태생리	• 4가지 구조적 결함이 합병되면서 혈류 감소 및 우심실 비대 초래 • 대부분 심실중격결손이 크므로 우심실과 좌심실의 압력이 대체로 동일 **⑪** 단락의 방향은 폐순환과 체순환의 저항에 따라 결정되며, 울혈성 심부전은 동반되지 않음
증상	갑작스런 청색증, 특징적인 심잡음, 곤봉형 손가락, 적혈구 과다증(낮은 산소포화도), 슬흉위(웅크린 자세; squatting position), 성장 지연, 운동성 호흡곤란 등
진단	심전도상 우심실 비대, 흉부X선상 부츠(장화)모양의 심장 윤곽
치료 및 간호	• 호흡곤란이 동반된 청색증 발작 시: 슬흉위를 취해주고 morphine과 산소를 투여, 대사증 산증 시 bicarboate IV 투여 **⑪** 청색증 발작은 아침, 심하게 울 때, 모유수유, 대변 후에 잘 일어남 • 치주질환으로 인한 감염을 예방하기 위해 구강 위생을 청결히 해야 함 • 철결핍성 빈혈 교정: 철분투여 ▶ Hct 55~65% 유지함 • 좌측이나 우측 쇄골하동맥에서 폐동맥으로 혈액을 공급하기 위해 수술을 시행함

POWER 특강

폐혈류량에 따른 심질환

폐혈류량	비청색증형 심질환	청색증형 심질환
증가	• 심실중격결손(VSD) • 동맥관 개존(PDA) • 심방중격결손(ASD)	대혈관전위(TGA)
정상	• 대동맥협착(AS) • 대동맥축착(CoA)	
감소	폐동맥협착(PS)	• Fallot 4징후(TOF) • 삼첨판폐쇄증(TA) • Eisenmenger syndrome

026 ⑤

해설 | **이물질 흡인**

• 원인: 영아의 구강기적 발달 특성에 의해 손에 잡히는 대로 입으로 가져가거나, 삼키려하므로 흡인유발 가능성 높음

   ▶ 영아에게서 일어나는 가장 흔한 사고

• 증상

   − 후두기관 부위의 폐쇄: 호흡곤란, 기침, 협착음, 쉰 목소리, 청색증

   − 기관지 부위의 폐쇄(우측)좌측): 발작적인 기침, 천명음, 비대칭적인 호흡음, 호흡곤란

   − 심할 경우 의식소실, 사망까지 초래

• 중재

   − 어떤 물질을 삼켰는지 확인(가장 우선적으로)

   − 이물질 배출

     ⓐ 등 두드리기(1세 이하): 머리를 몸통보다 낮추고 구조자의 팔 위 or 무릎 위에 놓아 지지하며 견갑골 사이, 즉 흉부에 압박을 가하여 등을 두드림

ⓑ Child heimlich maneuver (1세 이상): 공기를 밀어냄으로써 인위적인 기침을 유발하여 이물질을 기도 밖으로 배출시킴

ⓒ 기관내삽관

ⓓ 이물질 제거 후 24~48시간 동안 차가운 증기 흡입, 기관지확장제 투여

ⓔ 구역반사 회복된 이후부터 구강섭취 가능

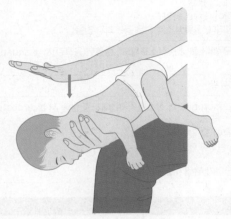
A. 등 두드리기(영아)

아이 발이 바닥에서 떨어질 정도로 세게 당기지는 않도록

B. Heimlich maneuver (1세 이상 아동)

027 ④

해설 | 편도선 절제술(tonsillectomy)

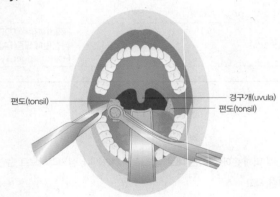

편도(tonsil) 경구개(uvula)
편도(tonsil)

* 편도선의 위치: 구강 후하방의 구강인두 양 옆에 위치

적응증	• 편도선 과잉 증식 상태일 경우 • 구개 편도선염의 잦은 재발, 편도비대로 인한 기도폐쇄 시(극도의 호흡곤란) • 편도 주위의 농양, 중증 중이염 합병증 시
합병증	• 출혈 sign (가장 흔함) – 잦은 연하반응 ▶ 혈액을 계속적으로 삼킴 – 창백하고 찬 피부 – 안절부절 못함, 빈맥(120회/min 이상), 토혈

| 수술 후 간호 | • 안정 및 안위 도모
  – 측위 or 복위 ▶ 분비물 배액 촉진, 흡인방지
  – 수술 부위를 자극하는 행위 금지 ▶ 기침, 빨대 사용 금지
• 인후통 관리
  – 차가운 ice collar
  – 진통제: acetaminophen 등 직장이나 비경구로 투여
• 출혈 예방
  – 아스피린 금지
  – 출혈징후 사정: 잦은 연하운동, 꿀떡꿀떡 삼키는 양상(출혈의 가장 명백한 징후), 빈맥(맥박 12회/min 이상),
    창백, 분비물과 구토물(토혈)
• 음식물과 수분 제공
  – 의식 회복 전 섭취 금지 → 처음에는 찬물, 시원한 보리차나 과일 주스 → 이후에 찬 유동식 ▶ 혈관 수축하여
    출혈예방, 통증감소, 부종 가라 앉히기 위함
  – 붉은색이나 갈색 액체 금지
  – 빨대 사용 금지 |

POWER 특강

편도선염(tonsillitis)

- 정의
  - 편도선 염증에 의한 부종으로 편도선, 구개가 비대해져 공기나 음식물의 통과 방해
  - 발적이나 염증 증상 없이 단순히 편도의 크기가 큰 것만으로는 편도선염을 판단할 수 없음
    - *cf* 편도선: 병원체 침입 시 병원체를 여과하여 호흡기와 소화관을 보호하고, 항체형성에 관여하는 인두강에 위치한 림프조직 덩어리.
      아동의 편도는 청년이나 성인의 편도보다 큰 것이 정상(12세에 성인의 크기로 됨)
- 원인
  - 바이러스나 세균성 감염, 잦은 상기도 감염이 주된 원인
  - 주로 인두염과 함께 발생
- 증상
  - 반복적 인후통, 구개편도 비대, 연하장애 ▶ 음식물이나 공기를 삼키기 어려움
  - 호흡곤란, 구강호흡, 코맹맹이 소리
  - 비감염, 만성 중이염
  - 아데노이드(adenoid; 인두편도가 여러 장애를 일으키는 질환): 후비공 폐쇄로 호흡곤란 유발 ▶ 아동은 구강호흡을 함

028 ④

해설 | **급성 사구체신염의 진단**

④ 위 검사결과는 급성 사구체신염을 나타내는 것으로, 대부분 상기도 감염 혹은 피부 감염 1~3주 후에 발병하는 특징이 있다.

- 혈뇨, 핍뇨, 단백뇨, 요비중의 증가
- BUN, Creatinine의 혈중 농도 상승, 적혈구 침강속도 증가, ASO titer 상승, 보체 감소
  - *cf* ASO (antistreptolysin-O): 용혈성 연쇄구균(hemolytic Streptococcus)이 생산하는 용혈소(hemolysin)에 대한 항체로, 용혈
    성 연쇄구균 감염의 지표가 됨
- 나트륨 및 수분 정체 ▶ 얼굴 부종: 아침과 안와주위가 특히 심함
- 식욕부진, 복부 불편감, 구토, 배뇨곤란, 창백, 빈혈, 무기력 등

급성 사구체신염	
정의	A군 용혈성 연쇄상구균 감염(대부분 상기도 or 피부 감염)의 부산물로서 신장에 발생하는 면역복합체 질환
역학	여아보다 남아에게 2배 이상 발병률이 높음. 6~7세에 호발하는 편
합병증	두통, 시각장애, 수면, 혼수, 어지러움, 고혈압을 동반한 뇌증이 흔히 발생
치료	• 항생제, 혈압강하제, digitalis, 항경련제(발작 시), 이뇨제(필요시) 투여 • 심한 부종 및 울혈 시 투석
간호	• 수분불균형 감시: V/S(특히 혈압), I/O(매시간 소변량 측정), 매일 체중측정 • 식이요법: 수분제한, 저염식이, 단백질 섭취 제한(신기능부전 시) • 급성기 시 침상안정 및 휴식 → 점차적으로 적절한 운동 및 체위변경 시행 • 호흡기 감염 시 접촉 피함 ▶ 회복기 동안 감염 예방

029 ①

해설 | 골절

• 특성
  – 성장판, 골단 부위 호발(인대파열 전에 골단 분리가 먼저 발생)
  – 성인보다 골절융합이 빠르며, 어릴수록 회복이 더욱 빠름
    ⓐ 골막이 성인보다 두껍고 강하며 유연성 있음
    ⓑ 혈액공급이 풍부
  – 움직임이 증가하는 시기이므로 흔히 발생
  – 생목골절(green-stick fracture)이나 팽륜(팽창)골절이 가장 흔함
  – 5P 사정: Pain (통증), Pallor (창백), Pulse (맥박), Paresthesia (지각 이상), Paralysis (마비)
• 치료
  – 석고붕대(cast) ▶ 골격 고정
    ⓐ 순환계, 신경계, 피부통합성 사정(CMS)
    ⓑ 환부의 elevation ▶ 부종 경감
    ⓒ 근육, 관절의 수동적 운동
    ⓓ 석고붕대 제거 시 학령전기 이전의 아동은 신체 절단의 공포를 느끼므로 사전에 잘 설명함
  – 견인(traction) ▶ 골절된 사지의 휴식, 탈구치료, 기형교정

Bryant 견인	• 대퇴 골절 시, 선천성 고관절 탈구 정복, 고관절 안정을 위해 적용하는 피부견인 • 견인선이 한 방향(한쪽 방향으로만 당김) • 2세 이하 or 12~14 kg 이하 아동 ▶ 체중이 역견인 역할 • 둔부는 90°로 구부리고 다리는 신전시키며 둔부가 침상에서 약간 떨어지도록 함 • 한쪽 다리만 골절되었다 하더라도 항상 양측에 같은 무게를 적용 • 주기적인 방사선 촬영으로 아동의 자세와 골격의 배열 점검
Buck 신전 견인 (Buck's extension traction)	• 다리 하부에 근육경축, 뼈의 기형 치료 시 적용하는 피부견인 • 다리를 뻗친 상태에서 시행 • 짧은 기간에 적용 • Bryant 견인보다 환아의 체위변경이 쉬움 ▶ 다리가 안정을 유지할 때 옆으로 눕는 자세가 허용됨 • Bryant 견인과 달리 둔부를 굴곡하지 않음

| Russell 견인 | • 무릎 손상과 대퇴골절, 둔부골절에 적용하는 피부견인
• 무릎 아래 패드를 대고 하지에 견인을 적용
   ▶ 견인선이 두 방향 ┌ 한 방향: 하지와 수평 방향
                  └ 다른 방향: 수직 방향
• 대퇴의 굴곡은 골절부위와 지시된 각도를 유지해야 함
   ▶ 골절 아래 직접적 받침이 없어 피부견인이 미끄러질 수 있으므로 주의
• 무릎 아래의 비골신경 손상으로 수족(foot drop)이 유발될 수 있음
   ▶ 베개 등을 이용하여 적절히 예방
• 하지의 부종이나 순환상태를 반드시 확인하도록 함 |

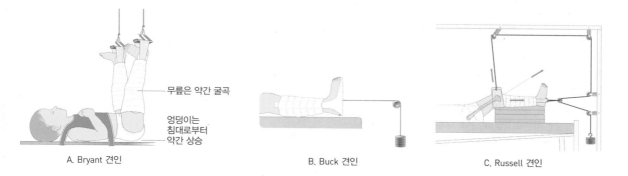

A. Bryant 견인   무릎은 약간 굴곡   엉덩이는 침대로부터 약간 상승   B. Buck 견인   C. Russell 견인

030 ④

해설 | 제1형 당뇨병(소아형)

• 정의: 탄수화물, 지방 및 단백질의 대사장애를 일으키는 만성질환 ▶ 인슐린 대사장애

• 증상

  – 갑작스러운 발병이 특징적이며, 20세 이하에서 발생함

  – 심한 당뇨성 케톤산증이 빈발함

  – 비만증과 관계없고(저체중) 인슐린 형성 능력이 저하됨

• 원인: 원인불명 ⓔⓧ 유전, 자가면역질환, 바이러스 감염 등

• 병태생리: 췌장의 바이러스 감염 → β세포 파괴 → 인슐린 결핍 → 혈당 증가(인슐린의 절대량 결핍)

• 치료: 인슐린 대체가 결정적인 요소

  – 경구용 혈당저하제 복용하지 않음

  – 운동 및 식이요법 병행함

    ⓐ 식이

권장	• 식사와 간식은 인슐린 최고작용시간을 기준으로 조절 • 칼로리의 분배는 아동의 활동양상에 따라 계산함: 음식과 인슐린 및 운동이 균형을 이룰 수 있도록 함
금기	농축된 단 음식은 피하도록 함

오답 ② 당뇨 환자에게는 발과 같은 말초 부위의 관리가 중요한데, 활동 시에 너무 꼭 맞는 신발을 신으면 상처 및 압박 등에 의한 합병증의 위험이 커지기 때문에 피해야 한다.

③ 저혈당 응급 증상에 대비하여 초콜릿, 사탕 같은 단당류를 소지하도록 해야 한다.

⑤ 인슐린 주사 시에는 4주 간격으로 여러 부위를 돌아가면서 주사해야 한다.

당뇨 약물요법 적용 시 저혈당

- 정의: 혈당 70 mg/dL 이하
- 원인: 인슐린 or 경구 혈당강하제 과량투여, 부적절한 투여시간 or 종류
- 증상
  - 자율신경계: 진전, 빈맥, 발한, 공복감, 불안 등
  - 신경학적: 신경학적 이상, 언어표현 장애, 경련, 혼수, 두통, 복시, 건망증 등
- 치료 및 간호

의식 있을 때	의식 없을 때
속효형 탄수화물 제공(초콜릿, 꿀, 주스 등)	• 50% 포도당 20~50 ml를 서서히 정맥주입 • 수액요법 어려울 시 글루카곤 근육주사

- 예방
  - 규칙적인 식사와 규칙적인 혈당측정
  - 인슐린 작용 최고일 때, 공복 시에는 운동 피함
  - 신체활동량 증가 시 간식과 음식을 추가 섭취함
  - 환자와 가족에게 저혈당 증상을 교육함

031 ⑤

해설 | **간질(epilepsy)**

치료	• phenytoin (Dilantin), phenobarbital, carbamazepine 투여
	  – 부작용 관찰: 잇몸비후, 다모증, 운동실조, 안구진탕증, 오심 등
	    🔖 잇몸비후 감소시키기 위하여 구강관리의 필요성 교육함
	  – 항경련제는 정확한 시간과 식간에 투여해야 하며, 2~3년간 발작이 없을 때까지 계속 투여하고 어떠한 경우에도 갑자기 끊으면 안 됨
	  – 투여 시 혈액검사, 요분석, 간기능 검사 자주 실시하여 혈청 내 농도 확인 필요

간호중재	• 간질 발작 시 주변을 치우고 안전한 환경을 확보하여 신체 손상 최소화
	  – 분비물이 기도로 흡인되지 않도록 머리를 옆으로 돌림
	  – 억제는 하지 않고, 주변에서 지켜보도록 함
	• 발작 후 응급조치를 요하는 경우 확인
	  – 첫 번째 발작 시
	  – 호흡 정지
	  – 발작의 5분 이상 지속, 간질 발작적 지속 상태
	  – 발작 후: 깨어나지 않거나 통증에 무반응, 비대칭적인 동공, 30분간 구토

032 ④

해설 | **수두(chickenpox, varicella)**

원인	• 병원체: 수두대상포진 바이러스(Varicella zoster virus) • 감염원: 감염자의 호흡기 분비물, 피부병변이나 점막 배설물, 오염된 물건 등 • 감염경로: 직접 접촉, 공기전파, 비말감염
감염 기간	• 잠복기간: 2~3주(13~17일) • 전염기간: 발진 1일 전(전구기) ~ 첫 수포 발생 후 6일(가피 형성)까지

증상	• 발진 24~36시간 전 미열, 전신권태, 식욕부진, 두통 • 발진 양상 　– 홍반 → 구진 → 수포 → 농포 → 가피 형성(각 단계의 발진이 동시에 있음) 　– 가슴, 배, 몸통 → 얼굴, 어깨 → 사지(몸통에서 가까운 부위에 발진이 밀집되어 있는 구심성 발진) • 심한 소양증 • 중증 시 연구개 점막에 병변 발생
예방 접종	• Varicella 생백신 사용 ▶ 능동면역 • 수두위험성 높은 환아는 varicella–zoster immune globulin (VZIG) 사용
치료	• 약물치료: 항바이러스제, 항히스타민제, 해열제, 피부 보호제 　🈯 라이증후군의 위험성으로 인해 아스피린은 투여 금기 • 수동면역: 수두에 노출되었고 합병증이 크게 우려되는 고위험 아동일 경우 3일 이내에 면역 글로불린을 이용하여 수동 면역을 실시
간호 중재	• 격리(수포가 사라질 때까지) • 긁어서 상처가 나지 않도록 장갑을 끼우고 손톱을 잘라줌 • 2차 감염예방: 항생제 투여, 오염된 물품 소독, 침구와 의복 청결 유지 • 소양증 간호: 피부병변 전분 목욕, 칼라민 로션 도포, 비누 사용하지 않은 차가운 스폰지 목욕, 소양증에서 관심을 돌리 기 위해 재미있는 게임을 시킴
합병증	피부를 긁으면 세균 침입 등으로 인해 2차 감염 발생함: 괴저, 봉와직염 발생, 패혈증, 폐렴, 괴사성 근막염

POWER 특강

홍역 vs 풍진

	홍역(measles)	풍진(rubella)
원인	Briareus morbillorum (바이러스)	Rubella virus
감염 경로	비말감염, 공기전파	비말감염
전염 기간	발진 4일 전~발진 5일 후(전구기)	발진 출현 7일 전~발진 5일 후
증상	• 전구기: Koplick 반점 • 발진기: 귀, 안면에서 홍반성 구진 → 아래로 확산 　(머리 → 몸통 → 하지) • 회복기: 발진소실, 허물 벗겨짐	• 발진 　– 얼굴에서 시작 　– 24시간 내 전신 • 합병증: 임신 3개월 이내 감염 시 태아기형 유발
치료	• 생후 12~15개월 MMR 혼합백신의 형태로 예방접종 • 감염 후 3일 내 gamma globulin 투여	생후 12~15개월 MMR 혼합백신의 형태로 예방접종
간호	• 격리(발진 5일째까지) • 눈간호 　– 눈 분비물 나옴 　– N/S로 눈세척 　– 광선과민증(수명) 　– 방의 조명을 어둡게	• 격리: 환아와 임산부의 접촉제한 • 특히 가임기 여성의 임신 전 예방접종

033 ①

해설 | **유행성 이하선염(볼거리)**

• 감염경로: 감염자의 타액 → 직접접촉, 비말감염

　– 침샘을 주로 침범하고, 이하선·설하선·악하선이 동반 침범됨

• 감염기간: 종창이 시작되기 전후(전염력 가장 강함) ▶ 종창이 가라앉을 때까지 격리시킴

　🈯 잠복기간(14~21일)

• 증상

전구기	• 쇠약, 식욕부진, 발열 • 저작 시 악화되는 이통, 두통
급성기	일측 or 양측 이하선(귀밑샘)이 팽창, 통증, 압통
그 외 일반 증상	• 전신증상 수반 • 고열, 오한, 권태, 식욕부진, 두통, 연하곤란

• 간호

– 격리: 종창 발생 1~2일 전~발생 후 5일까지 전염예방을 위해 격리함

– 통증 경감

ⓐ 국소적 냉습포나 온습포 적용

ⓑ 식이: 저작 경감을 위해 액체나 유동식을 권장하며, 신맛은 침샘을 자극하므로 제한함

ⓒ 필요시 해열진통제 투여

034 ④

해설 | **백혈병**

• 정의: 백혈구에 발생한 암. 비정상적인 백혈구(백혈병 세포)가 과도하게 증식하여 정상적인 백혈구와 적혈구, 혈소판의 생성이 억제됨

• 치료: 항암약물요법

– 약물 부작용

ⓐ 부작용의 증상이 정상적인 반응인지 독작용인지 구분: 일반적으로 오심 및 구토로 인해 약물중단 조치를 취하지는 않으나, 감염 증상, 출혈성 방광염, 심한 구토 등은 중재가 필요함

Methotrexate	Prednisone
• 백혈구 감소 • 출혈, 빈혈, 골수 억제, 감염증 • 설사, 구토 • 피부의 색소침착 • 쇼크	• 체액정체, 체중증가 • 만월형 얼굴(달덩이 얼굴) • 기분변화, 식욕증가, 소화불량 • 불면증

• 간호

– 방사선 조사와 약물중독 관리

– 출혈 예방 및 빈혈의 사정과 조절이 필요

ⓐ 부드러운 칫솔로 양치하도록 함

ⓑ 격한 운동을 금함

ⓒ 좌약 삽입 등 침습적인 행위를 금함

– 감염 예방 및 관리: 방문객 제한, 광범위 항생제 투여 등

– 생리식염수 함수: 오심 · 구토 · 구강점막 손상 시 생리식염수로 자주 입을 헹구어 줌

– 충분한 식사와 수분 섭취를 권장하도록 하며, 지속적 신체간호와 정서적 지지를 제공함

– 골수검사, 요추천자 등 침습적인 검사의 방법 및 효과에 대하여 설명

오답 ① 식욕 감퇴 시 시원한 음식을 제공하는 것이 식욕을 돋운다.

② 5세 아동에게 아스피린 투여 시 라이 증후군이 발생할 수 있으므로 피한다.

③ 가급적 경구영양을 시행한다.

⑤ 알코올이 함유된 구강청결제는 자극이 강하므로 사용하지 않도록 한다.

라이 증후군(Reye syndrome)

- 정의: 급성 뇌증과 간기능 이상을 동반하는 독성 뇌질환
- 원인(불확실함)
  - 상기도 감염과 같은 바이러스 감염
  - 아스피린을 복용한 소아의 일부에서 동반되기도 함
- 병태생리: 미토콘드리아의 손상으로 인한 대사장애 → 간, 심내막, 췌장, 신소관 내 지방 침윤 → 심한 뇌부종, 내장(특히 간)의 퇴행
- 증상

		일반적 증상
뇌압상승 관련 증상	1단계	• 심한 구토 • 무기력, 졸음
	2단계	• 혼수 • 깨울 수 있음
	3단계	깨어나지 않으나 자극에 움직임
	4단계	• 통증에 반응 • 동공반사 존재
	5단계	• 무기력, 통증에 무반응 • 동공반응 없음

- 치료
  - ICP 상승 완화에 초점(mannitol, phenobarbital 투여)
  - 혈중 암모니아 수치를 낮추기 위해 neomycin 혹은 lactulose enema 시행

--- comment ---

아래 표를 잊지 말도록 하자!

	관해 도입		관해 유지
P	Prednisolone	6-MP	6-mercaptopurine
A	L-asparagine	V	Vincristine
V	Vincristine	P	Prednisolone

035 ⑤

해설 | **가와사키 질환(kawasaki disease)**

- 정의: 어린 아동에게 호발하는 급성 열성 전신성 혈관염. 중간 크기 혈관에 주로 침범. 주로 관상동맥 침범
- 원인: 자가면역반응 추정
- 특징
  - 피부 점막 림프절 증후군이라고 불리며 신체 계통의 이상 초래
  - 5세 미만 호발, 남아, 여름(6~8월)과 겨울(12~1월)에 호발
  - 특히 관상동맥에 영향. 시간이 경과함에 따라 혈관이 협착되거나 폐쇄될 수 있음
- 가와사키병의 진단 기준 및 임상증상

진단기준	임상증상
다음 6가지 중 열을 포함해서 5가지 증상이 나타나거나 4가지 이하의 증상이 관찰되더라도 관상동맥 병변을 보이는 경우 가와사키병으로 진단할 수 있다. ①5일 이상 지속되는 열(다른 증상이 나타나면 더 짧은 기간으로도 진단 가능) ②화농(눈곱)이 없는 양쪽 눈의 결막 충혈 ③구강점막의 변화(홍반, 마르고 갈라지는 입술), 구강인두의 충혈, 딸기 모양 혀 ④사지 말단의 변화: 급성기에 손발의 부종 및 손바닥과 발바닥의 홍반 아급성기에 손톱과 발톱 주위의 피부 낙설 ⑤다형 발진(polymorphous rash) ⑥비화농성 경부 림프절 비대(1.5 cm 이상)	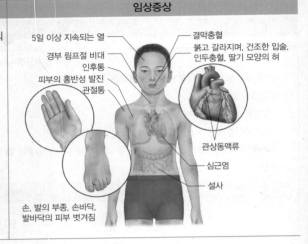

- 합병증: 동맥류 형성, 무균성 뇌막염, 심근경색증(가장 심각)
- 치료: 고용량의 주사용 면역 글로불린과 아스피린 투여(아스피린 부작용–오심, 구토, 이명, 발한, 과호흡, 혈액응고시간 지연, 레이증 후군 위험)
- 간호중재
  - 심장기능을 사정
  - 섭취량/배설량, 체중을 측정
  - 증상완화를 위한 간호를 제공
  - 시원하고 헐렁한 옷 입히기(피부 증상으로 인한 불편감 감소)
  - 맑은 음료와 부드러운 음식 제공(구강병변이 있는 경우). 건조한 입술에 윤활제 적용
  - 수동적인 정상범위 운동 제공(관절염)
  - 면역 글로불린이 주입되는 동안 알레르기 반응 여부를 관찰
  - 관상동맥류로 인해 아스피린 투여중인 경우 아스피린 독성에 대하여 정보 제공(라이증후군 위험성 감소 위해 독감 예방주사 접종)
  - 충분히 정보를 제공하여 심장병에 대한 추후관리(매년 추후검사)
  - MMR, 수두 접종: 면역글로불린 투여 후 11개월이 지난 시점 접종(이유: 백신의 면역 형성 과정을 방해)

지역사회간호학

036 ③

해설 | **의료비 지불제도**

	의료비 상승 억제	행정 처리 간편	의료 표준화 가능
봉급제	O	O	X
인두제	O	O	X
포괄수가제	O	O	O
총액계약제	O	O	X
행위별 수가제	X	X	O

037 ④

해설 | 일차보건의료 접근

WHO는 일차보건의료의 접근에 있어 지역주민들의 참여를 중요하게 제시했다.

038 ⑤

해설 | 사망지수

표준화 사망률은 인구구조를 고려하여 조정한 지표로, 인구구조가 다른 지역의 건강수준을 비교할 수 있다는 장점이 있다.

039 ④

해설 | 민감도

그 검사도구가 질병을 가진 사람에 대하여 얼마나 민감하게 유병 사실을 양성으로 감지해내는가에 대한 수치이다.

$$민감도 = \frac{검사 \ 시 \ 양성}{실제 \ 질병 \ 있음} \times 100(\%)$$

040 ①

해설 | 오렘의 자가간호이론

- 전체적 보상체계: 개인이 자가간호활동을 거의 수행하지 못할 때 간호사가 자가간호를 전적으로 도와주는 경우
- 부분적 보상체계: 손으로 하는 일이나 기동과 같은 행동 등을 간호사가 환자와 함께 수행하는 경우
- 교육적 보상체계
  - 대상자가 자가간호요구를 충족시키는 자원은 가지고 있으나 의사결정, 행위조절, 지식이나 기술을 획득하는데 간호사의 도움 필요
  - 지지, 지도, 발전적 환경제공, 교육 ▶ 환자가 도움을 받으면서 자가간호를 학습하고 실천

041 ①

해설 | 감염병 관련 용어 정의

- 감염력
  - 병원체가 숙주 또는 숙주의 표적 장기에 침입하여 증식할 수 있도록 하는 병원체의 힘
- 병원력
  - 병원체가 감수성 숙주에게서 임상적으로 질환을 일으키는 병인의 능력
  - 감염자 중에 현성증상을 나타내는 사람들이 차지하는 비율
- 치명률(독력)
  - 병원체 노출에 따른 질병의 위증도를 나타냄
  - 특정 병원체에 감염된 환자 중 중환과 사망의 경우가 차지하는 비율
  - 사망인 경우 치명률이라 함

042 ①

해설 | SWOT 분석

		강점(Strength)	약점(Weakness)
기회 (Opportunities)	SO전략(공격적 전략)		WO전략(국면전환 전략)
	자신의 강점과 기회를 모두 극대화시키는 전략 ▶ 영역 및 시장 확대		조직의 핵심역량을 개발하여 기회를 활용하려는 전략 ▶ 구조조정
위협 (Threats)	ST전략(다각화 전략)		WT전략(방어적 전략)
	위기에 능히 대처할 수 있는 조직의 강점을 활용하는 전략 ▶ 신기술 및 신고객 개발		약점과 위기를 모두 최소화하려는 전략 ▶ 사업 축소, 폐지

긍정적 내부요인은 강점, 조직의 발전을 돕는 외부요인은 기회에 해당된다. 시장의 기회를 활용하기 위해 강점을 사용하는 전략은 SO(Strength-Opportunity)전략이다.

043 ①

해설 | 지역사회 간호사업

이용 가능한 자원과 수단을 파악하고, 이를 조정한 후 적절한 자원을 선택하여 구체적인 행동목록을 계획한다.

044 ④

해설 | 건강불평등

건강불평등은 교육수준, 소득수준 등 사회경제적 격차에 의한 건강수준 차이를 뜻한다.

045 ①

해설 | 간호사의 역량

다양한 문화적 배경의 사람들을 간호하기 위해서는 간호사의 문화적 역량이 필요하다.

046 ③

해설 | PRECEDE-PROCEED 모형

소인요인은 개인의 건강문제에 대한 내재된 요인으로 지식, 태도, 신념, 가치관 등이 이에 해당된다.

047 ②

해설 | 범이론 모델

준비단계는 구체적인 행동 실행 계획이 있는 단계로, 1개월 이내에 행동변화를 하겠다고 생각하며 구체적인 날짜를 검토하게 된다. 건강행동을 실패했다가 다시 시작하는 경우, 준비단계에서부터 시작된다.

048 ④

해설 | BPRS 척도

BPRS에서 A는 문제의 크기, B는 문제의 심각도, C는 사업의 추정 효과를 의미한다.

049 ①

해설 | **결과평가**

결과평가는 설정한 목표가 얼마나 달성되었는가를 평가하는 것으로, 보기에서 체중변화율이 이에 해당한다.

050 ①

해설 | **지역주민의 참여단계**

아른슈테인의 지역주민참여 8단계 중 가장 적극적인 참여단계인 주도단계에 대한 설명이다.

051 ④

해설 | **지역자원 의뢰 및 연계**

오답 ① 대상자를 기관에 의뢰할 때에는 한 개인을 대상으로 한다.

② 대상자에게 의뢰 기관에 대해 설명하는 등 필요한 정보를 제공하여야 한다.

③ 의뢰 전 대상자와 의논하여 의뢰 사실을 결정해야 한다.

⑤ 의뢰서의 경우 대상자나 가족에게 제공하여 기관 방문을 시작하게 한다.

052 ②

해설 | **보건교사의 직무**

보건교사의 직무는 학교보건 계획의 수립, 학교환경위생의 유지관리 및 개선, 학생 및 교직원에 대한 건강진단 실시의 준비와 실시에 관한 협조, 각종 질병의 예방처치 및 보건지도 등이다.

오답 ①, ③은 학교의사의 직무, ④, ⑤는 학교약사의 직무에 해당한다.

053 ④

해설 | **지역사회 통합보건사업**

보건소와 지역담당제의 통합적 접근방식을 활용하여 간호 사업을 전개하는 것이다. 이를 통해 빠르고 정확한 사업 진행이 이루어지며, 지역사회의 여러 자원과의 연계를 통해 포괄적이고 지속적인 의료서비스를 제공할 수 있다.

054 ④

해설 | **노년 부양비**

15~64세의 생산인구에 대한 65세 이상 인구의 비로, 인구의 사회 경제적 구성을 나타내는 지표이다. 따라서 (150+10)/(500+300)×100=20명이 정답이다.

055 ④

해설 | **보건교육의 내용**

보건교육의 내용은 다양한 상황에서 활용할 수 있는 것, 너무 광범위하거나 피상적이지 않은 것(넓이와 깊이의 균형), 대상자가 살고 있는 현실적 여건에 적합한 것(적절성), 진부한 내용을 되풀이하지 않는 최신 이론이나 정보(참신성) 등의 기준을 참고하여 선정해야 한다. 지역사회 자원을 활용할 수 있는 것은 보건교육의 내용으로 적절하다.

056 ③

해설 | **영아사망률**

각 나라의 건강수준을 비교하는 지표 중 모자보건, 환경위생 등 일차보건의 수준을 비교할 수 있는 것은 영아사망률이다.

057 ⑤

해설 | **보건교육 프로그램 개발**

보건교육 프로그램 개발은 "보건교육 요구 사정 → 정보 수집 → 보건교육사업의 지침 및 기준 확인 → 우선순위 결정 → 목적 설정 → 집행 계획 → 평가 계획 → 계획서 작성"의 순서로 진행된다.

058 ③

해설 | **분단 토의**

분단 토의는 전체 참가자의 의견을 제한된 시간 내에 상호 교환할 때 유용하게 사용된다. 우선 교육에 참가한 전원을 6~8명의 소그룹으로 나누어 토의하게 한 후 전체 토의 시간을 가지므로 참석인원이 많아도 효과적이다.

059 ④

해설 | **Duvall의 8단계 가족생활주기**

첫 자녀가 13~20세일 때 가족의 발달단계는 5단계(청소년기)로, 10대인 자녀의 자유와 책임의 균형, 안정된 결혼관계와 수입 유지, 자녀들의 성 문제 대처, 세대 간의 충돌 대처 등의 발달과업이 주어진다.

> **오답** ① 부부역할 수립은 1단계(신혼기)에 해당한다.
> ②, ⑤ 부부관계의 재조정과 새로운 흥미 개발은 7단계(중년기)에 해당한다.
> ③ 자녀의 사회화 교육은 3단계(학령전기)의 발달과업이다.

060 ⑤

해설 | **가족간호 체계이론**

가족을 하나의 개방체계로 이해하며, 체계는 상호작용하는 여러 요소들의 복합체라고 정의하는 이론. 가족체계는 끊임없이 내·외부 환경과 상호작용하면서 스스로 높은 적응력과 분화에 의해 성장한다.

061 ①

해설 | **가족사정 도구**

가족관계와 외부체계의 관계를 그림으로 나타내며, 복지기관과 접촉하는 구성원이 누구인지, 지지체계가 어떠한지, 가족체계를 유지하는데 필요한 에너지의 결여는 없는지 등을 파악하는 도구는 외부체계도이다. 사회지지도는 가족 중 가장 취약한 구성원을 중심으로 주위의 지지 정도와 상호작용을 파악하는 도구이다.

062 ①

해설 | **학교장의 책임**

학교의 장은 전염병에 감염되었거나, 되었다는 혐의가 있거나, 감염될 우려가 있는 학생 및 교직원에 대하여 대통령령이 정하는 바에 따라 등교를 중지시킬 수 있다.

063 ②

해설 | **면역**

인공능동면역은 예방접종을 통해 얻을 수 있는 후천적 면역이다.

자연능동면역	불현성 감염 후, 이환 후 획득 면역
인공능동면역	생균(BCG, MMR, 소아마비, 광견병), 사균(장티푸스, 콜레라, 간염), Toxoid (DPT)
자연수동면역	모유, 모체, 태반을 통한 면역
인공수동면역	항독소, 면역혈청, γ-globulin (일시적 면역)

064 ①

해설 | **집단 면역**

- 집단면역은 면역을 가진 인구 비율이 높을 경우, 감염자가 감수성자와 접촉할 수 있는 기회가 적어져 감염 재생산수가 적어지게 된다. 따라서 지역사회 인구 중 면역을 획득한 비율이 어느 정도 되면 그 지역사회는 마치 해당 질병에 면역된 것처럼 유행이 발생하지 않게 되는 것이다.

  ※ 기본감염 재생산 수(Basic reproduction number, R0)

- 기본감염 재생산 수란 '어떤 집단의 모든 인구가 감수성이 있다고 가정할 때 단 한 명의 감염병 환자(index case, 발단 환자)가 감염 가능기간 동안 직접 감염시키는 2차 감염자의 수'이다.

065 ④

해설 | **예방 수준**

1차 예방은 개인 또는 집단의 건강 증진과 질병 예방 활동의 수준을 말한다. 2차 예방은 질병의 조기 진단 및 조기 치료를 목표로 하며, 3차 예방은 질병에 걸린 후 빠른 회복으로 기능 장애를 최소화하는 재활을 중점에 둔다.

오답 ①은 재활 시설을 확충하는 것으로 3차 예방의 사업이다. ②, ③, ⑤는 2차 예방 수준, 즉 질병의 치료에 초점을 두고 있다.

066 ④

해설 | **재활**

재활의 목표는 장애인의 능력을 가능한 최고수준에 도달하도록 회복시켜주는 것이다. 재활의 궁극적인 방향은 장애인의 사회 통합, 사회 복귀이다.

067 ②

해설 | **옹호자**

옹호자의 역할은 지역사회간호사가 대상자의 유익을 위해 행동하거나 그들의 입장에서 의견을 제시하며 법적 근거에 의해 보건의료제도나 보건지식이 적은 대상자들의 입장을 지지하고 대변해주는 역할이다. 지역사회간호사가 간호대상자를 대변하고 옹호하는 목적 중 하나는, 간호대상자가 좀 더 독립적으로 되도록 돕기 위함이다. 옹호자 역할로서의 간호사는 대상자 스스로 정보를 얻는 능력이 생길 때까지 알려주고 안내한다.

068 ①

해설 | **대기오염과 이상기후**

① 열섬현상: 도심은 콘크리트와 아스팔트 구조물로 뒤덮여 있어 쉽게 달궈지며, 도시 내에 공장, 주택, 자동차 등이 많아 많은 열이 발생한다. 따라서 주변 다른 지역보다 2~5 ℃ 가량 높은 온도를 형성하게 되어 자연적인 공기의 흐름이나 기류를 지연시킨다.

오답 ② 기온역전: 대기 중의 기온은 지표면이 덥고 상층부로 올라갈수록 기온이 낮아지므로 더운 공기가 위로 올라가기 때문에 공기의 수직흐름이 있게 된다. 기온 역전의 상태는 대기 중의 상부 공기층의 온도가 하부 공기층의 온도보다 높아서 공기의 대류가 일어나지 않는 현상

③ 온실효과: 대기 중의 이산화탄소, 수증기와 같은 잔류기체에 의해 대기 밖으로 방출되려는 열이 흡수되어 지구 온도가 올라가는 효과

④ 오존층 파괴: CFCs, 질소산화물, Cl 등으로 인해 성층권에 존재하는 오존층을 파괴하여, 해로운 단파장 자외선이 오존에 흡수되지 못하는 현상

⑤ 광화학스모그: 대기 중 질소산화물과 탄화수소가 강한 자외선에 의해 반응을 일으켜 생성되는 이차오염물질인 오존, 알데하이드, PAN 등과 같은 물질로, 산화작용이 강하여 생물에 피해를 미침

069 ②

해설 | **완속 여과법**

보통 침전법으로 침전시킨 후 여과지로 보내는 방법이다. 여과지 위에 가는 모래층을 60~150 cm, 아래는 굵은 모래 20~30 cm로 된 여상의 광대한 여과지가 필요하므로 건설비가 많이 든다. 수심은 항상 90~150 m를 유지해야 한다. 원수중 불순물은 여상의 가는 모래층상에 억류되어 콜로이드상 생물학적 여과막을 형성하는 것이 여과에 가장 중요한 것으로서 세균을 99%까지 포획할 수 있다.

070 ⑤

해설 | **재난의 유형**

⑤ 사회적 재난: 에너지, 통신, 교통, 금융, 의료, 수도 등 국가 기반체계의 마비와 감염병, 가축 전염병 확산 등으로 인한 피해. 공공성이 큰 국가 사회기반 시설물에서 발생하는 재난으로 건축물, 에너지 시설, 해상 사고, 유조선 사고, 환경시설 사고 등이 해당됨

오답 ① 자연재난: 태풍, 홍수, 호우, 강풍 등의 자연현상으로 인하여 발생하는 재해

② 인적재난: 화재, 붕괴, 폭발, 교통사고, 화생방 사고 등 인간의 부주의로 발생하는 사고성 재해와 고의적으로 자행되는 범죄성 재해 그리고 공업의 발달에 따라 부수되는 제반 피해

③ 특수재난: 인위적인 원인에 의한 불특정 다수에 대한 범죄행위로 공공테러, 연성테러(감염성 미생물 테러), 컴퓨터 바이러스 테러, 괴질, 불법 시위 등

④ 해외재난: 대한민국 밖에서 대한민국 국민의 생명, 재산 등에 피해를 주는 재난으로서 정부차원의 대처가 필요한 재난임

071 ②

해설 | **전치(displacement, 이동)**

전치는 타인에게 받은 화, 스트레스 등의 감정이 왜곡되어 원래의 대상으로부터 분리되어 전혀 다른 대상으로 이동(displacement)하는 것을 말한다. 속담 중 '종로에서 뺨 맞고 한강에서 눈 흘긴다' 등과 비슷한 맥락의 방어기전이다. 현재 간호사가 수간호사에게 받은 화를 간호학생에게 이동시켜 풀고 있으므로 전치에 해당된다.

오답
① 억압(repression): 용납될 수 없는 생각이나 욕구 등을 무의식의 영역에 묻어버리는 방어기제로, 무의식적인 과정
③ 전환(conversion): 심리적 갈등이 신체 감각기관과 수의근계의 증상으로 표출되는 것으로, 신체적으로 아무 이상이 없으나 고통을 느끼는 것. 주로 시력장애, 사지마비로 나타남
④ 투사: 본인의 탓으로 책임을 돌리자니 그대로 받아들이기가 너무 버거우므로 외부로 책임을 돌려버리는 것
⑤ 반동형성: 받아들일 수 없는 감정·행동을 반대로 표현함으로써 의식화를 막는 것으로, 인간에 대한 증오가 있는 사람이 박애주의자가 되는 경우 등이 해당됨

072 ⑤

해설 | **대인관계 이론**

대인관계 이론에서는 이상행동이 인간의 대인관계에서 발생하며 거절에 대한 두려움으로부터 기인한다고 설명한다.

POWER 특강

Sullivan의 대인관계 이론	
발달의 주요한 결정원인은 상황에 따른 불안의 수준이며, 유아는 엄마의 양육에 따라 다른 수준의 불안을 경험하면서 자아상을 형성한다.	
좋은 나 자아상	유아의 좋은 나의 자아상은 의미있는 대상인 어머니와의 만족스럽고 기쁨을 주는 대인관계의 산물
나쁜 나 자아상	바람직하지 못하고 불안을 야기하는 엄마의 행동들로 인해 유아는 나쁜 나 자아상 형성
나 아닌 나 자아상	불안이 크면 현실과의 접촉이 잘 이루어지지 않게 되고, 이에 따라 유아는 자신이 경험하는 것들을 제대로 조직화하지 못하게 되며, 때문에 인과관계의 추론 등이 어려워지게 되어 경험 내용과 경험에 대한 감정이 분리되게 됨

— comment —

설리반은 불안이 항상 대인관계에서부터 비롯된다고 믿었다. 불안을 유발하는 여러 원인들은 개인의 자기가치감과 유능감을 위협하여, 자아존중감을 손상시키기도 한다. 대인관계 현상 또는 대인행동에 관한 가장 보편적인 기초는 만족의 추구, 안정의 추구이다.

073 ①

해설 │ **치료적 인간관계**

치료적 인간관계 중 초기단계에서는 대상자와 신뢰감 형성, 대상자 관계의 한계 설정, 계약 설정과 면담시간 및 역할 설명 등을 해야 한다.

POWER 특강

치료적 인간관계의 단계

• 상호작용 전 단계 → 초기단계(오리엔테이션 단계) → 활동단계 → 종결단계

상호작용 전 단계	초기단계(오리엔테이션 단계)	활동단계	종결단계
관계 형성 전 간호사 자신을 탐구하는 단계	자기소개, 역할 설명을 통해 신뢰감을 형성하고 문제해결의 목표를 설정하는 단계	새로운 적응방법을 시도하여 실제적 행동변화를 일으키는 단계	목표달성 여부를 상호 평가하는 단계

---

074 ③

해설 │ **치료적 의사소통**

대상자가 불안감을 호소할 때는 자신의 감정을 말로 표현하고 구체화할 수 있도록 돕는 것이 바람직하다. 대상자의 감정을 무시하거나 근거 없이 안심시키는 등의 행위는 비치료적 의사소통에 해당한다.

오답 ④, ⑤ 상투적 반응: "모든 것이 잘 될 거예요." 등 뜻 없는 흔한 말로 지나쳐 버리듯 실속 없는 말을 함으로써 대상자에 대한 무관심, 독특성에 대한 이해 부족을 보여 대상자와의 상호작용의 가치를 절하시킨다.

---

075 ①

해설 │ **이상행동**

대상자는 과대망상 증상을 보이고 있으며, 이는 사고장애에 해당한다. 망상은 구체적으로 생각하고 판단하는 내용에 문제가 있는 장애로, 사고내용의 장애에 포함된다.

POWER 특강

망상

병적으로 생긴 잘못된 판단이나 확신으로, 이유나 논리로 교정되어질 수 없는 논리적으로 그릇된 믿음이다. 망상은 사고내용의 이상에 해당된다.

	과대망상	관계망상
정의	자신이 실제보다 더 위대하고 전능하며 남들이 모르는 재능이나 통찰력을 가졌거나 정부의 직책을 맡았다고 과대평가하여 믿음	아무 근거도 없이 주위의 모든 것이 자기와 관계가 있는 것처럼 생각하며 자기에게 어떠한 의미를 가진 것이라고 생각하는 망상
예시	자신이 초능력 인간이 되었다거나, 또는 영적인 힘을 지니게 되어 무슨 일이든지 할 수 있다고 믿는데, 이런 증상은 자신의 열등감·패배감·불안감 등을 보상하기 위해 노력하다가 생기는 경우가 많음	① TV 화면에 나오는 여자 연예인이 나를 보고 웃는다고 해석하거나, ② 빨간 신호등 색깔이 하느님이 자신에게 어떤 경고를 주는 것으로 생각하여, 만약 거리에서 빨간 신호등을 우연히 보았을 때에는 아무 일도 하지 않고 곧바로 집에 들어와 꼼짝하지 않고 지내는 등 일상생활에서의 어떤 사건들이 자신과 아주 특수한 관련성이 있다고 생각함

치료적 인간관계의 단계			
• 상호작용 전 단계 → 초기단계(오리엔테이션 단계) → 활동단계 → 종결단계			
상호작용 전 단계	초기단계 (오리엔테이션 단계)	활동단계	종결단계
관계 형성 전 간호사 자신을 탐구하는 단계	자기소개, 역할 설명을 통해 신뢰감을 형성하고 문제해결의 목표를 설정하는 단계	새로운 적응방법을 시도하여 실제적 행동변화를 일으키는 단계	목표달성 여부를 상호 평가하는 단계

076 ①

해설 | **강박장애**

강박장애는 자신의 의지와 무관하게 반복되는 강박적 사고와 행동을 하는 것인데, 강박행동은 대상자의 불안을 완화시켜준다. 대상자는 강박 사고와 행동을 하지 않으려고 하지만 멈출 수 없으며 만약 의식적으로 멈춘 경우에는 불안이 심해진다.

comment

강박사고(obsession thought)란, 자신이 비합리적이고 부적절한 쓸데없는 생각을 한다는 것을 알고 그 생각에서 벗어나려고 노력하는데 도 벗어나지 못하고 반복해서 같은 내용의 생각을 하는 것 때문에 고통을 받는 경우를 말한다.

077 ⑤

해설 | **항정신병 약물**

기립성 저혈압의 경우 갑작스럽게 일어날 때 어지러움증이 나타날 수 있기 때문에 천천히 일어나도록 하는 중재가 필요하다.

POWER 특강

항정신병 약물		
• 종류		
	전형적(typical)	비전형적(atypical)
특징	• 도파민 수용체 길항제, 도파민 수용체 차단 • 양성증상에 효과적 • 부작용 많음(EPS 등)	• 도파민 수용체에 작용, 세로토닌-도파민 길항제 • 양성, 음성 증상에 효과적 • 부작용 적음
약물	Chlorpromazine (Thorazine), haloperidol (Haldol)	Cloazapine (Clozaril), risperidone (Rispedal), olanzapine (Zyprexa), quetiapine (Seroquel), ziprasidone (Zeldox), aripiprazole (Abilify), Amisulpride (Solian)

- 약물부작용
  - 추체외로 증상(EPS): 파킨슨증상(진전, 경직, 운동완서), 급성 근긴장이상, 정좌불능증, 지연성 운동이상증 ▶ 치료 시 benztropine (cogentin) 사용
  - 과도한 진정작용
  - 항콜린성 부작용: 입마름, 시력장애(잘 안보임, 갈색 시야, 녹내장 악화), 배뇨장애, 변비
  - 기립성 저혈압 ▶ 천천히 일어나도록 함
  - 광선과민증, 피부발진
  - 무과립구증 ▶ Clozapine (Clozaril)의 치명적 부작용
  - 경련발작
  - 신경이완제 악성증후군(NMS): 고열(40 ℃ 이상), 자율신경계 항진증상(발한, 혈압변동, 빈맥, 과호흡), 심한 EPS (극심한 근육강직, 의식변화), WBC 15,000 이상

078 ⑤

해설 | **치료적 인간관계**

치료적 방식으로 불안을 해소하기 위해서는 병동 내 의료진과 환자들이 함께 의논하고 대책(목표)을 마련하는 것이 적절하다.

079 ③

해설 | **지역사회 정신보건사업**

정신보건사업의 내용 중 정신질환에 대한 인식 개선과 권익 증진을 위해서는 이에 대한 교육 및 홍보를 실시하는 것이 바람직하다.

─ comment ─

지역사회 정신보건사업은 예방적 접근에 중점(1차, 2차, 3차 예방)을 두고 모든 정신질환자의 정신사회적 재활을 중요시한다. 대상자 발생 시 지역사회 내에서 치료하여 위기 처리, 해결, 예방하고, 퇴원 후에는 사회생활로 복귀하여 일상생활을 하면서 필요시 치료를 병행하게끔 하여 의학적 치료 모형(병원중심)에 대한 하나의 대안으로 설명이 가능하게 되었다.

080 ②

해설 | **정신사회재활 프로그램**

집단가정은 10명 내외의 정신질환자들이 정신보건전문가와 24시간 함께 생활하며 사회 복귀를 준비하는 시설이다. 지정아파트는 정신질환자들이 정기적 감독을 받으며 준독립적 생활을 하는 곳이며 공동거주센터는 독립적인 생활이 어려운 정신질환자들이 함께 모여 살며 심리적인 안정을 찾고 자립능력을 키우는 시설을 의미한다.

POWER 특강

주거서비스 비교			
	집단가정	중간치료소	지정아파트
집단 거주	○		
임시 거주	○	○	○
관리감독 아파트	○	○	
준독립 아파트			○

081 ⑤

해설 | 위기

상황위기는 예상치 못한 사건이 개인의 생리적, 사회적, 심리적 통합을 위협할 때 발생한다.

성숙위기 (발달위기)	상황위기	우발위기(재난위기)
정상적인 발달과정에서 불안과 스트레스를 유발하는 사건으로 인해 생기는 부적응 상태로, 발달단계의 전환기에서 주로 발생	예상하지 못한 사건에 의해 신체적 · 정서적 · 사회적 통합의 위협으로 인해 발생되는 부적응 상태	우발적이고 흔하지 않은 다양한 상실이나 광범위한 환경적 변화를 포함하는 예상치 못한 위기로 발생되는 부적응 상태
대소변 가리기, 글자 익히기, 입학 및 졸업, 입대, 취업, 결혼, 출산, 부모되기, 양육하기, 노화과정 겪기, 자녀 결혼, 죽음 준비하기	실직, 사랑하는 사람의 상실, 원치 않은 임신, 이혼, 신체적 · 정신적 질병 발생, 학업실패, 부도 등	• 자연재해: 홍수, 지진, 화재 • 국가재난: 전쟁, 폭동 등 • 폭력범죄: 강간, 살인, 배우자 학대, 아동 학대 등

082 ⑤

해설 | 공격환자 간호중재

공격성이 있는 환자는 진정할 때까지 조용한 곳에서 격리시켜야 한다.

POWER 특강

공격성을 보이는 환자의 간호중재

- **공격의 위험성을 사정: 환경적 자극, 공격적 충동 · 적대감을 관찰**
- **환자 자신과 다른 환자, 의료진의 안전을 위해 공격환자에게 제한점을 줌**
- **샌드백 치기, 운동 등 비경쟁적 신체적 운동 및 언어를 통해 공격 에너지와 분노 감정을 발산**
- **환자의 의견을 무시하지 말고 진지하고 일관성 있는 태도 유지**
- **필요시 안정제 투약: diazepam, lorazepam, haloperidol**
- **필요시 최소한의 신체적 억제, 또는 격리**

083 ③

해설 | 망상환자 간호중재

망상 환자를 중재할 때는 논리적 설득과 비평보다는 신뢰관계 형성이 중요하며, 환자의 감정을 부정하지 않도록 한다. 문제에서는 대상자가 위협을 느끼고 잠을 못 자고 있는 상황이므로, 현실감을 제공하고 망상에서 벗어나 현실에 초점을 둘 수 있도록 도와야 한다.

오답 ⑤ 사회적 고립을 막기 위해 혼자 있는 시간을 줄이며, 현실에 둔 활동치료에 참여해야 한다.

POWER 특강

망상환자 간호중재

- **현실감 제공하고, 망상에서 벗어나 현실에 초점을 둘 수 있는 활동 계획**
- **단순하고 명료한 언어 사용**
- **환자의 감정을 부정하지 않고 자신의 생각과 불안, 두려움에 대해서 표현하도록 격려**
- **망상의 정당성에 대하여 직접 도전하지 않음**
- **자기중심적 사고로 오해가 생길 수 있으므로, 지나친 친절이나 신체적 접촉은 유의**
- **다른 환자와 이야기할 때 작은 소리로 속삭이거나 귓속말을 하지 않음**

084 ④

해설 | **망상환자 간호중재**

오답 ① 환자와 신뢰관계 형성이 중요하다. 사회적 고립을 줄이기 위해 혼자 있도록 하지 않으며, 현실에 둔 활동치료에 참여해야 한다.

②, ⑤ 망상에 초점을 맞춰서는 안 된다.

③ 망상의 정당성에 대하여 직접 도전하면 안 된다.

POWER 특강

망상장애와 조현병의 감별

- 망상장애는 환청, 조종당하고 있다고 믿는 기이한 망상이 없다.
- 남들이 자신을 조종하고 있다는 망상이 있더라도 보이지 않는 이상한 힘에 의한다는 생각은 없다.
- 조현병과 달리 사회적 · 직업적 기능의 장애가 적다.

---

085 ⑤

해설 | **우울장애**

외래 진료를 제외하고는 사회적 상호작용이 없으므로 우선적인 간호진단은 사회적 상호작용 장애이다.

POWER 특강

우울장애 간호목표

- 환경 내에서 경험하는 감정을 그대로 인식하고 솔직히 표현
- 스트레스원 분석으로 환자의 자존감 강화
- 환자의 정체감, 통제감과 선택의 인식 및 증진, 행동에 의한 책임감 증가
- 건강한 대인관계 경험 촉진
- 부적응적 정서를 이해하고 스트레스원에 대한 적응적 대처반응 습득

---

086 ①

해설 | **조현병**

거부증(negativism): 모든 요구에 대하여 거부하는 자세를 취함으로써 사실상 요구된 것에 반대로 행동으로, 함구증(mutism), 거식증 등을 포함한다.

오답 ② 강직증: 반복적 행동의 가장 심한 경우로, 한 가지 부동의 자세를 계속 유지하는 것

③ 상동증: 어떤 일정한 행동을 시작하면 무한정 그 행동을 꼭 같은 모양으로 되풀이하는 경우로, 무의식적 긴장이나 갈등을 해결하기 위한 방안임. 옷의 단추를 채웠다 풀었다 하거나 병실에서 복도 끝까지 왔다갔다 하는 행동 등

④ 자동증: 자신의 의지와는 별개인 듯 타인의 암시나 요구에 따라 강박적 또는 자동적으로 움직이는 행동으로, 타인의 언어를 그대로 흉내 내는 것은 반향언어, 동작을 그대로 따라 하는 것은 반향동작이라고 함

⑤ 납굴증: 타동적으로 취해진 자세를 그대로 유지하는 것으로, 환자의 사지관절이 양초같이 경직되어 구부러지거나 펴지며 인형의 관절처럼 한 자세를 계속 유지

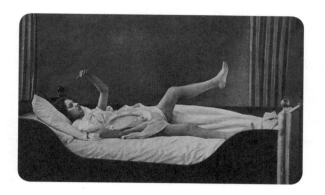

087 ③

해설 | **우울장애**

우울장애 환자에게는 라포 형성 및 환자의 자존감 증진을 위해 온화하고 안정된 환자를 이해하는 태도, 조용하되 쾌활한 태도 혹은 말 없이 환자 곁에 있어줘야 한다. 이때 주의할 점은 지나친 낙천성이나 명랑함은 피해야 한다는 것이다.

POWER 특강

우울장애 간호중재

- 환자가 쉽게 반응을 보이지 않는다 해도 옆에서 일반적인 대화를 함
- 치료 참석을 억지로 강요하지 않음, 제시간에 참여하도록 돕지만 늦어도 그대로 수용
- 지나치게 동정적인 태도나 위로와 관심의 말은 오히려 환자의 죄의식을 증가시킬 수 있음
- 공감, 적극적 경청, 질문과 진술 유도, 피드백, 직면 등 치료적 의사소통 전략 사용
- 대상자를 수용함으로써 자기 가치감 증진시키고 강점과 성취에 초점, 실패는 최소화
- 성취할 수 있는 목표 제시하고 실천하도록 하여 능력과 성취감 강화
- 자기표현기술 교육

088 ⑤

해설 | **자살예방 간호**

환자가 "이제 곧 편안해질 거예요."와 같은 자살 단서를 남기면 직접적으로 자살에 대해 질문해야 한다.

POWER 특강

자살예방 간호

- 심한 우울증이 갑자기 많이 호전된 경우 자살 위험이 최대이므로 특히 주의를 요해야 하는데, 죽음에 대한 양가감정의 해결로 자살시도 위험 높고 기회 증가와 에너지가 생기기 때문임
- 지속적 1:1 관찰, 불규칙적으로 병실순회, 잠들기 전까지 혼자 두지 않음
- 위험한 소지품 제거 및 복용약물 관찰, 외출해서 환자가 가지고 오는 소지품에 주의
- 자살예방의 문서화
- 스트레스 상황에 대한 인식, 충동조절을 지지
- 자살의지를 표현하는 경우 심각하게 받아들이고 양가감정의 수용, 위기상황에 대한 이해

089 ②

해설 | 조증 간호중재

조증 환자에게는 비도전적이고 비자극적인 편안하고 차분한 분위기가 조성된 환경을 제공해야한다.

---

comment

행동과다가 심한 환자는 매우 바빠 식사에 집중하지 못하므로 간편하게 들고 다니면서 먹는 음식을 제공하며 매주 1회 체중 측정해야 한다. 또한 대부분의 조증환자는 충분한 수면을 취하지 못하므로 취침 전에 적당한 운동을 통해 긴장을 완화시키고, 외부자극을 차단하여 조용한 분위기, 어두운 조명을 조성해 준다.

---

090 ②

해설 | 조증 간호중재

② 치료적 의사소통을 묻는 문제로, '반영' 기술을 사용하고 있다.

POWER 특강

조증 환자 중재 시 간호사의 태도

- 관계형성이 잘 되는 간호사가 일관성 있게 접촉
- 대상자가 내면에 우울감이 깔려있음을 부정하고 있다는 것을 이해
- 바람직한 행동 시 칭찬과 격려로 자존감 증진
- 어떤 상황에서도 격분해서는 안 되며 환자의 행동에 대해 항의하거나 논쟁 삼가
- 침착성 유지, 경솔한 대답이나 독단적인 지시 삼가
- 환자 행동이나 태도에 찬성 또는 반대를 보여주지 말아야 함
- 환자의 질문에 간결하고 진실한 대답을 해주어야 함
- 분노를 말로 표현하게 하면서 비판적 언어 및 바람직하지 못한 행동에는 사무적인 태도를 취함
- 친절하고 유머가 있어야 함

091 ①

해설 | 불안장애

불안이란 내·외적으로부터 오는 스트레스에 대한 반응으로, 주관적으로 경험되는 정서이다. 내적 조절능력의 상실로서 모호하고 막연한 감정이며 관찰될 수 없다. 불안장애 시 현실을 인식하는 현실검증에는 손상이 없다는 점에서 조현병과 구별된다.

092 ④

해설 | 정신건강 간호진단

성적 하락 후 부족한 과목을 보충한다거나 공부량을 늘리려는 건설적인 방법이 아닌 학교에 가는 것을 거부하고 게임을 하는 것은 현재 스트레스 상황에 대해 비효율적으로 대처하는 것이므로 ④번이다.

093 ①

해설 | 신체증상관련장애

인위성 장애가 꾀병과 구별되는 가장 큰 특징은 외적인 보상이 없다는 것이다. 어떠한 결과로 일을 회피하거나 범죄기소를 피하기 위해 또는 약물을 얻거나 재정적인 보상을 얻는 등의 외적인 보상을 얻기 위한 것은 꾀병이다.

POWER 특강

인위성 장애(허위성 장애)

인위성 장애란, 신체적이거나 심리적인 징후 또는 증상을 만들어 의도적으로 아픈 사람의 역할을 하는 것이다. 대상자는 극적인 방식으로 과거력을 표현하고, 의학용어와 병원관례에 관하여 광범위한 지식을 가지고 있어 듣는 사람이 속을 수 있는 방식으로 그들의 과거력과 증상에 대해 병적인 거짓말을 한다. 집중적인 검사를 통하여 아무런 문제가 없음이 판명된 이후에도 다른 심리적이거나 신체 문제들을 호소하는 등 더 많은 허위성 증상들을 만들어 내는데, 증상이 허위성이라는 증거에 직면하게 되면 이 장애를 가진 개인들은 대개 그 사실을 부인하거나 의학적인 조언에 반해서 재빠르게 퇴원한다. 꾀병과 달리 인위성 장애에서는 외적인 이득이 전혀 없다.

094 ③

해설 | 범불안장애

공포증이나 공황발작, 강박장애 없이 건강·경제·직업·인간관계 등 모든 부분에 비현실적으로 지나친 걱정과 불안을 만성적·지속적으로 광범위하게 느끼는 장애로, 보통 6개월이나 그 이상 지속되어 일상생활에 장애를 초래하는 상태를 말한다.

095 ②

해설 | 외상 후 스트레스 장애(PTSD)

PTSD의 주요증상은 위협적이었던 사고에 대한 원치 않은 반복적 회상이나 악몽이다. DSM-5에 따르면 외상적 사건에 노출 후

- 외상적 사건에 관한 침입적 증상
- 외상적 사건과 연관되는 자극을 지속적으로 회피
- 외상적 사건과 관련된 인지, 기분의 부정적 변화
- 외상적 사건과 관련된 각성, 반응의 현저한 변화

중 다음의 증상이 1개월 이상 지속되어 일상생활에 장애를 초래하여야 PTSD로 진단된다.

096 ②

해설 | A군 성격장애

A군 성격장애에는 편집성, 분열성, 분열형 성격장애로 3가지 종류가 있다. 편집성 성격장애는 타인에 대한 불신과 의심, 방어적인 태도가 특징이며, 타인이 자신을 부당하게 이용하고 속일 것이라 추측한다. 따라서 성격장애 환자를 간호할 때는 신뢰관계를 구축하는 것이가장 중요하다.

편집성 성격장애(paranoid PD)

- 타인의 행동을 계획된 요구나 위협으로 보고 지속적인 의심과 불신
- 의심에는 정당한 이유가 없음, 배우자에 대한 병적 질투심, 습관적 소송 및 투서
- 늘 긴장되고 냉담함
- 권력과 지위에 대한 집착력이 있음
- 자기보다 열등한 사람을 경멸함
- 방어기제: 분노를 타인에게 투사(projection)

097 ③

해설 | 조종환자 간호중재

환자의 의견이나 말은 무시하지 않고 진지하고 일관성 있는 태도를 유지해야 한다. 또한 명령보다는 환자 자신과 의료진의 치료적 관계를 위해 제한점이 있다는 것을 설명해주는 행동이 바람직하다.

098 ⑤

해설 | 알코올

교차내성이란, 특정 약물을 계속적으로 사용했을 때 비슷한 종류의 다른 약물에도 내성이 생기는 것이다. 알코올은 대표적인 중추신경억제제 약물이며, 여기서 동일계열의 중추신경억제제는 신경안정제로 사용되는 벤조디아제핀이다. 나머지 약물들은 중추신경계 흥분제로 알코올과의 교차내성이 없다.

--- comment ---

진정 수면제를 반복으로 사용하면 알코올에 대한 내성이 증가한다.

099 ④

해설 | 코카인

'비중격궤양'에 초점을 맞추면 쉽게 알 수 있다. 코카인은 코로 흡입하는 것이 대부분이기 때문에 코카인 남용자의 가장 큰 특징은 비중격과 코 점막의 헐음, 상처 등이 대표적이다

코카인(중추신경 흥분제)

중독증상	• 고양, 다행감, 식욕저하, 통증감소, 불안, 공황 • 환시, 환청, 환촉(cocaine bug), 편집증, 관계망상, 피해망상, 과대망상, 폭력 • 비중격 궤양
금단증상	• 우울증(가장 심각함) • 금단 2~4일간 가장 심하고 이후 1주일 이내 소실 • 치료: 항우울제

100 ①

해설 | **신경인지장애**

알츠하이머 환자는 과거의 일은 잘 기억하나 최근의 일은 잘 잊어버리는 경우가 많으므로 새로운 기술을 습득하는 치료요법은 옳지 않다. 대신 환자의 지적인 영역을 전부 이용하고 충분히 고려해서 성취할 수 있는 활동이 좋은데 환자가 상대적으로 잘 기억하는 회상요법을 이용하는 것이 적절하다.

POWER 특강

인지장애 대상자 간호중재

- 소음 없는 상태에서 분명하고 낮은 목소리로 대화, 일관성 있는 태도로 환자를 대함
- 짧고 간단한 문장 사용하여 천천히 명확하게 이야기하고, 폐쇄적 질문 사용, 이해하지 못할 때는 같은 단어를 사용하여 반복
- 꾸며낸 이야기(작화증)에 대한 반응은 환자 표현의 느낌에 반응
- 자극이 적은 환경, 익숙한 환경 제공
- 면회객 제한, 동일한 치료자
- 정확하고 간단하면서 일관성 있고 구조화된 일과로 기억력, 지남력 증진
- 회상요법: 과거 경험, 오래된 기억을 활용하여 즐거움과 슬픔 또는 분노를 표현

---

101 ④

해설 | **신경성 폭식증(B/N)**

- 신경성 폭식증이란 섭식장애 중 하나로 통제 불가능한 과식 혹은 폭식 행동을 반복적으로 나타내는 것을 말한다.
- 폭식 이후 체중증가를 억제하기 위해 강제적 구토, 설사제, 이뇨제, 관장약의 남용, 과도한 운동 같은 부적절한 보상 행동들을 반복적으로 행한다.
- 15세에서 21세 사이에 호발하며, 체중과 체형이 자기평가에 지나치게 큰 영향을 미치는 것이 특징적이다. 신경성 폭식증 환자의 체중은 흔히 정상 범위에 머물러 있으며, 일부는 심하게 저체중이 되어 결국 신경성 폭식증 대신 신경성 식욕부진증 진단 준거를 만족시키기도 한다.
- 또한 대부분의 폭식 행동은 죄책감과 함께 은밀하게 이뤄진다.

---

102 ④

해설 | **수면장애**

수면위생에 대한 문제이다. 질 좋은 수면을 위해서는 낮 시간의 활동량을 적절하게 증대시키고, 취침 2시간 전부터는 운동을 하거나 음식을 먹는 등의 활동을 하지 않도록 한다. 잠자리에 들고 나는 시간을 일정하게 유지하도록 노력하며, 잠자리에서는 수면 이외의 활동을 하지 않는다.

수면위생법	
일정 시간 지키기	기상시간, 취침시간(낮잠 X), 식사시간, 운동시간
침대에서	편한 수면환경 만들기(소음, 불빛 X), 침대에서 아무것도 하지 않음
자기 전	• 운동, 자극 피함(운동은 낮에) • 20분 정도 따뜻한 목욕(물은 너무 뜨겁지 않게) • 자기 전 이완요법(독서, 명상, 복식호흡)
약물	중추신경계에 작용하는 물질(카페인, 술, 담배, 중추신경 자극물질)을 피함

103 ④

해설 | **성관련 장애**

발기장애의 경우 흥분기의 장애로서 발기력이 약하거나 유지가 되지 않아 끝내 성행위를 성공적으로 끝내지 못하는 것을 말한다. 반복적으로 이런 경험을 할 경우, 성접촉을 회피하고 자신감이 많이 떨어진 모습을 보이며, 환자나 성교 대상자에게 심각한 심적 갈등을 유발하게 된다. 성 반응주기 중 절정기의 장애로는 사정지연이나 조루증이 있다.

성기능부전	
성욕감퇴 장애	성적활동에 대한 공상이나 욕구가 지속적·반복적으로 없거나 결여된 것으로 주로 여성에서 흔함
성적 혐오장애	성 파트너와의 성관계 중 성기접촉에 대한 혐오로 인해 이를 적극적으로 회피하는 것으로, 남녀 모두에서 흔함
성적 흥분장애	• 성행위가 일어나는 동안 성적인 흥분과 즐거움에 대한 주관적인 느낌이 지속적이거나 반복적으로 결여 • 여성은 흥분장애, 남성은 발기장애
성적 절정감장애	• 흥분기에 이어 지속적·반복적으로 절정감이 나타나지 않거나 지연 • 여성 절정감 장애, 남성 절정감 장애, 조루증 등 • 조루증(premature ejaculation): 성기를 삽입하기 전이나 혹은 직후에 대상자가 사정을 원하기 이전에 최소한의 성적 자극만으로도 지속적이거나 반복적으로 사정이 일어남
성교 통증장애	• 성교통증(dyspareunia): 성교가 일어나기 이전·성교 중·성교 후에 지속적이거나 반복적인 성기관의 통증 • 질경련증(vaginismus): 질 외부의 1/3 근육에서 반복적·지속적으로 불수의적 경련이 일어나 성행위가 방해됨

104 ②

해설 | **품행장애**

문제에 제시된 남아의 행동은 품행 장애이며 18세 이하 아동에 대해 진단하는 진단명이다. 반사회적 성격장애는 청소년기 이후 나타나는 것으로, 아동기 품행 장애와 함께 성장 이후 범법 행위, 성적인 문란행태, 무책임한 가정생활, 채무 불이행 등의 증상을 보인다. 반사회적 성격장애는 정신과 전문의와의 인터뷰와 다양한 검사, 사정도구를 통해 진단한다. 15세 이후부터 지속적으로 다른 사람의 권리를 무시하는 행동이 있고 18세 이상 되는 경우 진단을 내릴 수 있다.

---

comment

품행장애는 타인의 권리를 침해하고 반사회적인 행동을 보이는 양상이 나타나는데 반해, 적대적 반항장애는 권위에 저항 및 불복종, 부정적이고 적대적이며 도전적인 행동을 보이지만, 다른 사람의 기본 권리를 침해하지는 않는다. 잘 아는 어른이나 또래를 무시하며 자기 행동을 정당화시키는 행동을 보인다.

105 ⑤

해설 | **자폐스펙트럼 장애**

⑤에서와 같이 외부 자극에 관심이 없고 자신의 세계 안에 빠져있는 것이 자폐 스펙트럼 장애 아동의 특성이다.

오답 ①, ②, ③, ④ 모두 아동기의 전형적이고 정상적인 반응 특성이다.

POWER 특강

자폐스펙트럼장애의 임상 양상	
사회적 상호작용 장애	• 엄마와 눈을 맞추지 않는다거나 소리를 들을 수는 있으면서 고개를 돌려 쳐다보지 않음 • 안아주어도 좋아하지 않고 몸을 뻗치면서 밀어내거나 엄마를 보고도 안아달라는 자세를 취하지 않음 • 사회적 미소 없음, 분리불안 없음, 낯가림 없음(낯선 사람들에게도 아무 거리낌 없이 안김)
언어발달 장애	• 언어발달이 거의 일어나지 않거나 지연 있음 • 괴성이나 반향언어(echolalia; 타인의 말을 의미도 모르면서 그대로 메아리처럼 되받아서 따라 하는 말) 있음 • 혼자서 중얼거리기도 하고 노래도 하지만 옆에서 말을 걸면 적절한 대답을 하지 못함 • 표현성 언어뿐만 아니라 수용성 언어 발달에도 심각한 장애 • 지능장애가 있으나 어느 한 가지 기능은 탁월하기도 함
행동발달 장애	• 놀이가 다양하지 못하고 제한적, 특정 장난감이나 장난감의 기능을 이해하지 못하고 부분적 집착 • 상동적 행동의 증가, 괴상한 행동을 반복 • 주의가 산만하고 부산해서 가만히 있지를 못함 • 주위환경에 대한 변화 저항

001 ②	002 ①	003 ②	004 ⑤	005 ②	006 ④	007 ④	008 ④	009 ④	010 ⑤
011 ④	012 ⑤	013 ⑤	014 ②	015 ④	016 ④	017 ⑤	018 ④	019 ⑤	020 ②
021 ③	022 ③	023 ④	024 ②	025 ④	026 ⑤	027 ④	028 ④	029 ⑤	030 ③
031 ①	032 ⑤	033 ④	034 ⑤	035 ②	036 ⑤	037 ①	038 ③	039 ①	040 ⑤
041 ③	042 ①	043 ④	044 ⑤	045 ④	046 ⑤	047 ⑤	048 ③	049 ③	050 ②
051 ②	052 ④	053 ④	054 ⑤	055 ②	056 ⑤	057 ②	058 ②	059 ②	060 ③
061 ③	062 ⑤	063 ①	064 ④	065 ⑤	066 ⑤	067 ①	068 ③	069 ③	070 ⑤
071 ⑤	072 ④	073 ①	074 ⑤	075 ②	076 ②	077 ④	078 ④	079 ③	080 ③
081 ①	082 ⑤	083 ③	084 ①	085 ⑤					

간호관리학

001 ②

해설 | **국제간호협의회(International Council of Nurses, ICN)**

- 국제적으로 간호직과 간호사를 대변하는 공식기구
- 간호사업의 국제적 통계 및 정보 관리
- 국제적인 정치, 경제, 의료 및 보건단체들과 횡적인 교류를 함
- 회원국의 간호협회 지원
- 국가 단위로 할 수 없는 일 수행
- 전 인류의 건강 증진을 위한 사업을 수행

002 ①

해설 | **나이팅게일의 간호이념**

오답 ② 간호사는 자신을 희생하는 것이 아니라, 자신의 긍지와 가치관에 따른 간호활동을 하는 것이다.

③ 간호는 직업이 아닌 사명이다.

④ 간호사는 어디까지나 간호사이지 의사는 아니다.

⑤ 간호는 질병을 간호하는 것이 아니고 병든 사람을 간호하는 것이다.

003 ②

해설 | **펜위크(Bedford Fenwick)**

펜위크는 간호사 면허제도(자격제한)를 주장하였다.

004 ⑤

해설 | **투약사고**

간호사의 투약사고는 반드시 보고해야 하는 사항이며, 투약사고 당사자가 보고하도록 하여 윤리의식을 지키고 적절한 교육을 받을 수 있도록 도와주는 것이 적절하다.

005 ②

해설 | **환자의 권리**

환자는 의료인에게 자신의 질병상태 및 치료법에 대해 충분한 설명을 들을 권리(알권리)를 가지고 있으며, 이에 대한 동의를 스스로 결정할 권한(자기결정권)을 가진다.

006 ④

해설 | **윤리 이론(의무론)**

의무주의 이론은 행위의 일반원칙을 제시하여 그것을 절대기준으로 삼으므로 상황에 좌우되지 않는다. 따라서 환자에게 반드시 올바른 정보를 제공해야 한다는 간호사의 생각은 의무주의 이론에 근거한다.

007 ④

해설 | **간호사의 법적 의무(확인 의무)**

간호사는 간호의 내용 및 그 행위가 정확하게 이루어지는가를 확인해야 한다. 업무 지시 및 위임 시에는 간호보조행위에 대한 확인의 의무가 있다.

008 ④

해설 | **일선관리자의 의무**

- 수간호사, 간호파트장
- 업무를 적절히 배당
- 간호단위의 중요한 사항을 간호부서장이나 감독간호사에게 보고

009 ④

해설 | **전략적 기획**

전략적 기획은 조직이 지향하는 미래에 대한 목표와 방향을 제시하는 것이다. 특징으로는 주로 최고 관리자에 의해 기획되며 장기적, 포괄적이고 급변하는 환경에 대처할 수 있다.

오답 ①, ③은 운영적 기획에 대한 설명이며 ②, ⑤는 전술적 기획에 대한 설명이다.

010 ⑤

해설 | **선의의 간섭주의**

환자의 자율성 존중의 원칙과 의료인의 선행의 원칙이 갈등을 일으킬 때 환자의 자율성이나 자유가 희생되는 것이다. 선의의 간섭주의를 적용하는 동시에 환자에게 원칙과 이유를 분명하게 설명한다.

011 ④

해설 | 일반 간호사의 의사결정

일반 간호사는 임상에서 구체적이고 실제적으로 제시된 지침이나 절차에 따른 의사결정을 수행한다. 나머지 보기는 관리자들에 의해 수행되어지는 의사결정에 대한 설명이다.

012 ⑤

해설 | 목표관리(Management By Objective, MBO)

- 조직의 상급관리자가 하급관리자와 함께 공동목표를 설정하고 책임을 위임하며 기대되는 결과를 예측한다.
- 구체적이고 측정가능한 표준이 확립되어야 한다.

`오답` ①은 목적, ②는 철학, ③, ④는 규칙 및 규정에 해당한다.

013 ⑤

해설 | 간호관리료 차등지급제

환자 대 간호사의 수에 따라 수가를 조정하는 방식은 간호관리료 차등지급제에 대한 설명이다.

014 ②

해설 | 간호서비스 마케팅

- 유통전략은 간호서비스 제공의 편의성을 강조하여 물리적, 공간적 한계를 최소화하는 마케팅 전략이다. 따라서 전화서비스, 원격의료 등이 이에 해당한다.
- 촉진전략은 대중매체 등을 이용하여 간호서비스를 홍보하는 전략, 상품전략은 간호서비스의 질과 양을 향상시키는 것, 가격전략은 간호서비스의 비용을 합리적으로 낮추는 것 등을 의미한다.

015 ④

해설 | 조직구조의 유형

매트릭스 조직은 조직의 기능구조와 생산구조가 섞인 형태로 프로젝트 조직과 라인 조직이 함께 통합되어 운영되는 이원적 체계이다.

`오답` ① 팀 조직: 부서, 직급별 장벽을 허물고 실무자 간의 팀워크를 강조한 체계
② 프로젝트 조직: 특수 업무를 위해 조직된 임시조직
③ 직능 조직: 비슷한 업무별로 통합하여 운영하는 조직
⑤ 라인-스태프 조직: 수직적 라인 조직에 자문 · 조언을 제공하는 스태프가 추가된 조직

016 ④

해설 | 직무특성모형

직무특성모형은 직무의 특성을 파악하고 개인 간의 차이에 의한 다양성을 고려하여 동기부여하기 위한 직무설계이다.

`오답` ① 직무 충실화는 직무 내용과 환경을 재설계하여 업무의 질과 양을 향상시키는 것이다.
② 직무 확대는 업무의 종류와 수를 증가시키는 것이다.
③ 직무 순환은 업무를 바꾸어 수행하도록 하는 것이다.
⑤ 직무 단순화는 업무를 최대한 세분화, 단순화 하는 것이다.

017 ⑤

해설 | **주경로기법(critical pathway)**

Critical pathway는 주경로기법으로, 전체 사업 활동 중에서 일정 시간 내에 완성되어야 하는 활동의 배열 순서, 주경로가 제시간에 끝날 수 있도록 효율적으로 관리해야 할 때 사용되는 기법이다.

018 ④

해설 | **계획적 조직 변화**

사전에 바람직한 목표를 설정하고 이를 효율적으로 달성하기 위해 전략과 전술을 개발하며 외부환경에 탄력적으로 적응할 수 있도록 미리 계획을 수립하고 피드백을 주면서 변화해 나가는 과정이다.

019 ⑤

해설 | **근무계획표 작성 원칙**

- 개별성: 직무특성과 인적특성을 고려
- 융통성: 상호조정이 가능하도록 작성
- 공정성: 관리자와의 개인관계가 고려되면 안 됨
- 책임성: 서면으로 기록하여 책임 및 권한 확인

020 ②

해설 | **후광 효과**

후광 효과는 개인의 특성에 근거하여 모든 평가에서 높은 점수를 주는 것으로, 출퇴근 시간을 잘 지키는 것을 통해 다른 영역인 환자 간호 절차를 지키는 영역에서도 좋은 평가를 주게 된 오류이다.

021 ③

해설 | **내적보상(비금전적 보상)**

③ 내적보상은 비금전적인 보상을 말한다.

> **오답** ① 내적보상은 외적보상의 한계성을 극복할 수 있다.
> ② 개인이 심리적으로 느끼는 보상은 내적보상이다.
> ④ 조직에서의 인정과 자기 성장을 위한 기회는 내적보상이다.
> ⑤ 근무하고 싶은 시간에 일할 수 있게 되는 것은 복리후생으로 외적보상이다.

022 ③

해설 | **훈육 과정**

훈육 과정은 면담 → 구두 경고 → 서면 경고 → 무급 정직 → 해고의 순서로 이루어진다. 따라서 면담을 조치 받은 다음에는 구두 경고인 구두 견책의 징계를 받게 된다.

023 ④

해설 | ERG 이론

오답 ① 소속 및 애정 욕구는 관계욕구에 해당된다.

② 존경욕구와 자아실현욕구는 성장욕구에 해당된다.

③ 자아실현과 자기성장욕구는 성장욕구에 해당된다.

⑤ 상위 욕구가 좌절되는 경우 하위 욕구를 추구하므로 생리적 욕구의 중요도가 증가한다.

024 ②

해설 | 호손 효과

② 비공식적 조직은 조직원에게 소속감, 만족감을 제공하고, 의사소통을 촉진하며, 문제 해결에 도움을 주는 등의 방식으로 성과에 영향을 미친다.

오답 ① 직장 내 분위기와 관련 있다.

③ 기대가 충족될 때 생산성이 향상된다.

④ 근로자는 물리적, 금전적 보상보다 비금전적 보상인 내적 보상에 더 크게 반응한다.

⑤ 인간의 잠재력이 능동적으로 발휘될 수 있는 여건을 조성하는 것은 Y이론이다.

025 ④

해설 | 일선 관리자의 역할

업무분배가 제대로 되지 않은 상황이며, 신입 간호사에게 업무의 과다가 일어났음을 알 수 있다. 이에 수간호사는 경력과 능력에 따라 업무를 재조정해야 하는 것이 필요하다.

026 ⑤

해설 | 변혁적 리더십

조직의 미래에 대한 비전을 제시하고 구성원들이 가능하다고 생각하는 것보다 높은 수준의 동기를 촉진하고 고무하는 사람

오답 ①, ②, ③, ④는 모두 거래적 리더십에 관한 설명이다.

027 ④

해설 | 협상

협상을 할 때 자신의 주장만 너무 고집하지 않으며 서로에 대해 충분히 조사한 후에 협상을 시작한다. 또한 자신의 주장과 내용을 상대방에게 적절히 개방해야 한다.

028 ④

해설 | 총체적 질 관리(TQM)

병원조직 내의 모든 구성원(임상 · 비임상적인 모든 과정)이 계속적으로 서비스의 질을 높이고 그 수준을 유지하기 위해 병원에서 이루어지고 있는 모든 활동과 그 결과를 감시, 평가하는 작업에 직접 참여하게 되는 조직 차원의 틀을 말한다.

오답 ①, ②, ③, ⑤는 질 보장(QA)에 대한 설명이다.

029 ⑤

해설 | 구조적 평가

간호가 수행되는 환경이나 간호전달체계에 관련된 내용으로 필수조건에 대한 표준을 정하고 기준에 따라 점수화하는 것

- 정책, 절차, 직무기술서
- 조직구조
- 간호인력의 배치, 업무량
- 교육 및 연구
- 재정, 시설, 장비, 물품

오답 ①, ③, ④는 과정평가, ②는 결과평가이다.

030 ③

해설 | 약품관리

구두처방: 가능한 서면처방을 받되, 구두처방을 받아야할 경우에는 투약 후 24시간 이내 서면처방을 받도록 한다.

오답 ① 의사의 지시가 잘못되었을 수도 있으므로 항상 처방과 투약내용을 확인해야 한다.

② 재고는 반납해야 한다.

④ 마약의 경우 파손 시 파손된 것을 모두 약국에 반납해야 한다.

⑤ 한번 사용한 약품은 다시 사용하지 않는다.

031 ①

해설 | 간호사고의 예방

병원의 간호부에서 위험관리체계를 만들어 체계적으로 환자안전과 관련된 사항(교육, 실무지침 개발, 간호사고 발생위험 관리, 근무 환경 개선)을 관리해야 한다.

032 ⑤

해설 | 전동 시 환자관리

전과전동기록지에 전실 이유, 환자 상태 등 기록하여 전입병동 간호사에게 인계해야 한다.

오답 ①, ②는 퇴원 시, ③, ④는 입원 시 해야 할 일이다.

033 ④

해설 | 안전관리

오답 ① 사용한 주사기의 뚜껑을 닫는 과정에서 찔릴 위험이 있으므로 절대 바늘 뚜껑을 닫지 않아야 한다.

② 주사바늘이 몸 반대쪽을 향하도록 해야 한다.

③ 환자와 접촉한 후에는 장갑을 사용했어도 손 위생을 실시해야 한다.

⑤ 분비물이 손에 묻었을 경우 소독액을 사용해 손을 세척해야 한다.

034 ⑤

해설 | **물품관리**

병동의 물품을 관리하는 것은 간호단위 관리자의 역할이므로, 병동의 간호사는 물품의 재고량 때문에 불편함을 관리자에게 알리고 물품재고량을 점검하도록 할 수 있다.

035 ②

해설 | **환자분류체계**

중증도에 따른 환자분류(경환자군, 중환자군, 위독환자군)로 각 군에 대한 원가를 산정한다. 환자분류체계를 활용하면 각 분류군 별로 간호요구시간을 산출할 수 있고, 그에 따른 적절한 간호인력 배치가 가능해진다.

기본간호학

036 ⑤

해설 | **체인-스토크스(Cheyne-Stokes) 호흡**

원인	중증의 뇌질환 · 혼수 · 요독증, 심부전 → 호흡중추의 기능저하, 특히 혈액 속의 이산화탄소에 대한 감수성 저하 ▶ 이상호흡
양상	얕고 빠른 호흡 → 점차 깊고 완만한 호흡 → 다시 얕은 호흡 → 호흡정지(몇 초에서 수십 초 계속됨) → 다시 얕고 빠른 호흡으로 돌아감(반복됨) ▶ 과호흡/무호흡

• 호흡양상

호흡유형	양상	특성
빈호흡 (tachypnea)		• 빠르고 얕음(24회/min↑) • 호흡 깊이는 정상
서호흡 (bradypnea)		• 느리고 규칙적(10회/min↓) • 호흡 깊이는 정상
과환기 (hyperventilation)		• 호흡의 깊이, 빈도 증가 • 빠르고 과도한 호흡
Biot's 호흡 (호흡실조성; ataxic)		• 예측할 수 없는 호흡형태 • 빠르고 깊은 호흡을 하다가 갑자기 무호흡으로 바뀜
지속흡식성 호흡 (apneustic)		• 긴 흡기 후 호기성 정지 • 헐떡거리고 숨이 참
쿠스말 호흡 (kussmaul's)		• 발작적인 호흡곤란 • 대사성 산독증과 연관된 급속도의 깊고 빠르거나 또는 느린 호흡

037 ①

- 체위

흉부 전면	흉부 후면
반좌위 또는 누운자세	앉은 자세에서 양팔을 포개고 앞으로 숙인 자세

- 시행법: 쇄골 위부분에서 시작하여 늑간을 따라 내려가면서 양쪽 대칭성을 비교함

- 타진음: 정상일 때 복부는 고음(tympany)이, 간은 둔탁음(dullness)이 들림

유형	특징	원인
공명음	정상 폐에서 들을 수 있는 강도가 크고 둔근 저음	정상 폐
과공명음	• 공명음보다 더 길고 강도가 큰 저음(우르르~) • 과잉 팽창된 폐에서 들을 수 있음	기흉, 폐기종
고음	강도가 크고 음조가 높은 북치는 소리 같은 음	• 공기가 찬 정상 위 • 다량의 기흉
둔탁음	• 강도 및 음조가 중간 정도의 탁한 음 • 흉막강에 정상적 폐조직이 물, 딱딱한 조직으로 대체되었을 때 발생하는 소리 ▶ 추후 검사 필요	• 폐렴, 폐부종, 무기폐 • 흉막삼출액
단음	• 부드럽고 짧은 고음, 반사동 없음 • 밀도가 아주 높은 조직(뼈나 근육 많은)에서 들을 수 있음	다량의 흉막삼출

- 주의점

  - 뼈 돌출 부위는 피함

  - **흉통을 호소할 때는 시행하지 않음**

POWER 특강

흉부물리요법(CPT)

- **종류: 체위배액, 타진법 · 타격법, 진동법 등**

체위배액(중력이 가해지는 자세 이용)	
적응증	농흉, 폐농양, 기관지확장증 등의 분비물 생성 폐질환
시행법	• 횟수: 2~4회/일, 한 자세 최소 5~10분 이상 유지함 • 시기: 식전 1시간, 식후 1~3시간, 취침 전 ▶ 오심 · 구토 흡인 예방 • 시행 전 처방된 기관지확장제, 물, 생리식염수 등을 분무하거나 흡인함 • 시행 중 기침을 하게 하여 기관지 분비물을 끌어올림 • 시행 중 불편감 호소 시 중단함 • 시행 전후 청진하여 그 효과를 확인함
타격법	손을 컵 모양으로 오므려서 폐의 위쪽 → 아래쪽으로 주기적으로 흉벽을 두드림
진동법	호기 동안 흉벽에 분당 200회 정도의 진동을 한 분절에 3~5회 적용함

- 시행 순서: 체위배액(분비물 모음) → 타진(분비물 떨어뜨림) → 진동(분비물 묽게 하고 기침 유도함) → 흡인 or 기침 ▶ 분비물 제거

- 금기증

  - 체위배액: 청색증과 피로 증가 시

  - 타격 금지: 유방, 흉골, 척추, 신장 등 ▶ 조직손상 위험

  - 타격 및 진동 금지: 폐농양, 폐종양, 기흉, 폐출혈, 폐결핵 등

  - 골절 의심 시

038 ③

해설 | **비타민**

· 종류

수용성	· 물에 녹는 비타민 · 체액을 통해 배설되므로 과잉증은 나타나지 않으며, 매일 보충 필요함
	B(1,2,3,6,9,12), C, H, 판토텐산(pantothenic acid)
지용성	· 지방이나 지방을 녹이는 유기용매에 녹는 비타민 · 수용성 비타민보다 열에 강하여 식품의 조리가공 중에 비교적 덜 손실되며, 장내에서 지방과 함께 흡수됨
	A, D, E, K

· Vit. C

특징	기능		주요 식품원
· 조리 시 즉시 파괴됨 · 과다섭취 시 체내에 저장되지 않고 소변으로 배출됨 ▶ 소변색 짙어짐	· 건강한 뼈, 치아, 잇몸 형성 · 혈관 및 모세혈관벽 형성 · 적절한 조직과 뼈의 재생 · 철 보충 · 괴혈병 예방		감귤류의 과일과 주스, 토마토, 딸기류, 양배추, 녹색 채소, 감자

─ comment ─

질병의 예방 목적으로 비타민 C 제제를 복용하는 것보다는 야채와 과일을 충분히 섭취할 것이 추천된다. 성인 남성은 90 mg/일, 성인 여성은 75 mg/일, 임부는 85 mg/일, 수유부 · 노인 120 mg/일이 권장량이다. 또한 암 또는 심혈관계 질환의 예방에 있어 비타민 C의 섭취가 도움이 된다는 가설은 아직 입증되지 않았다.

039 ①

해설 | **COPD 간호**

① 고농도의 산소를 투여하면 체내 산소가 충분하다고 인식되어 호흡중추가 작용할 수 있다. 따라서 저농도의 산소를 투여하며 호흡을 자극하도록 해야 한다.

· COPD
  – 정의: 폐쇄성 폐질환은 기도가 폐쇄되거나 좁아져 공기의 흐름이 폐쇄된 상태이다.
  – 유형: 만성 기관지염(감염성 · 비감염성 자극물에의 지속적 노출), 폐기종으로 구분한다.
  – 폐기능 검사(PFT)
  – 노력 호기량(FEV1): 1초 동안 내쉴 수 있는 최대 공기량으로, 폐쇄성 폐질환을 가장 잘 판단할 수 있다.
  – 만성 폐쇄성 폐질환: 노력 호기량(FEV)↓, 1초간 노력 호기량(FEV1)↓, 폐활량(VC)↓

	비강 캐뉼라	단순 안면 마스크	부분 재호흡 마스크	비재호흡 마스크	벤츄리 마스크
구분	저유량 체계: 환자의 호흡양상에 따라 산소량이 달라짐				고유량 체계: 정확한 농도로 산소 투여 가능
제공 속도	1~4 L/분	5~8 L/분	6~10 L/분	5~15 L/분	3~15 L/분
산소 농도	약 22~44%	약 40~60%	약 60~90%	약 80~100%	약 24~50%
특징	• 말하거나 먹을 때 방해가 안 됨 • 6 L/분 이상으로 공급할 경우 비강과 인두점막 자극, 건조 유발	• 응급상태 또는 단기간 사용 • 5~6 L/분 이상으로 공급하지 않을 경우, 이산화탄소를 재흡인하게 되어 효과 없음	• 저장백이 있으나 밸브는 없음 • 호기된 이산화탄소의 일부가 산소와 혼합 됨	• 저장백과 one-way valve 있음 • 저유통체계 중 가장 높은 산소농도 제공(거의 100%) • 이산화탄소 재흡인하지 않음 • 저장백이 완전히 수축되지 않도록 주의	• 일정량의 실내공기와 산소가 섞여서 공급 • COPD환자에게 이용

산소공급장치

040 ⑤

해설 | **비위관 삽입**

- 비위관 길이: 코에서 귓볼을 지나 검상돌기까지
- 삽입 시 체위
  - 삽입 시 체위는 목을 뒤로 젖힌 채 좌위를 취하도록 함
    ▶ 흡인예방
  - 인두 지날 때 고개를 약간 앞으로 숙임 → 기도는 좁아지고 식도는 넓어짐 ▶ 삽입용이
- 튜브 위치 확인 → 고정
  - 튜브를 통해 위액을 10~20 cc 흡인: 맑고 황갈색·녹색 액체이면 위장으로부터 나온 것으로 추정함
  - 흡인된 액체의 산도 확인: 튜브 위치를 확인하는 가장 정확한 방법

pH 0~4	pH 5~6	pH 7 이상
위액	• 제산제 투약 • 십이지장으로부터 흡인된 액체	호흡기 내 위치하고 있으므로 즉시 튜브 제거

  - 복부 청진: 5~10 cc의 공기를 주사기를 통해 주입하면서 청진기로 상복부를 청진함
    ▶ "쉬익", "꾸룩꾸룩"하는 소리가 들리면 튜브가 위장 내에 있는 것이라 추정함
- 영양공급 시 주의점
  - (반)좌위
  - 위 잔류량 측정

간헐적 주입 시	지속적 주입 시
100 cc 이상 시 의사에게 보고한 후 30분이 경과하면 다시 확인함	매 4시간마다 영양액 주입을 중지하고 위 내용물을 흡인하여 잔여량을 조사함

  - 영양액 주입 전 물 20~30 cc 넣어줌

---

comment

비위관 삽입 후 급속이동증후군(dumping syndrome)이 발생할 수 있고, 그 과정은 다음과 같다. 고장액의 갑작스런 주입 → 수분이 순환 혈액으로부터 소장으로 이동 ▶ 허약감, 어지러움, 발한, 오심, 설사 등

---

041 ③

해설 | **흡인**

• 종류

구강 및 비강 흡인	기관 흡인
기침 유도 및 상부기도 청결을 위해 사용함	• 기관 · 기관지에서 분비물을 제거함 • 카테터 굵기는 기도관 크기의 절반 이하 　▶ 원활한 산소공급 유지

• 시행절차

　생리식염수 점적(분비물 연화, 윤활성 증가, 기침자극 향상) → 흡인 전후로 100% 산소 공급 → 흡인력 작동 안한 상태에서 완전히 삽입 → 10초 이내 흡인(저산소혈증 예방)

• 합병증: 호흡기계 감염(멸균법으로 예방), 저산소혈증(100% 산소공급으로 예방), 점막 손상의 경우,

[오답] ④ 흡인압력(mmHg): 영아 60~80, 소아 80~100, 성인 120~150, 노인(75세 이상) 80~120 정도가 적절하다.

 Wall O₂

　⑤ 금기에 해당하지 않을 시, 의식이 있는 대상자는 심호흡과 폐확장을 용이하게 하기 위하여 반좌위를 취해준다. 반면 무의식 환자의 경우 앙와위를 취해준다.

042 ①

해설 | **감염관리**

① 혈액, 체액, 분비물, 배설물을 만졌거나 오염된 물질을 만졌을 경우, 또는 손상된 피부나 점막을 만졌을 때에는 장갑의 착용과 상관 없이 손을 씻는다. 또한 감염부위 접촉 시 장갑을 착용하며, 장갑은 사용이 끝나면 즉시 벗고 손을 씻는다.

[오답] ② 바늘과 주사기는 1회용이다. 소독해서 재사용하거나, 사용한 주사기 뚜껑을 다시 씌우지 않아야 한다.

　④ 감염의 위험이 있거나 침습적인 절차를 시행할 때는 소독 비누를 사용한다.

　③, ⑤ 재사용하는 물품은 반드시 씻은 후 적절한 방법으로 멸균 · 소독하여 사용한다.

POWER 특강

소독&멸균

- **소독**
  - 자비소독(끓이는 소독)
  - 건열 소독: 의료용 기구 등 금속제품에 효과적
  - 자외선 소독
  - 화학적 소독: 70% 알코올, 포비돈-요오드(베타딘), 과산화수소(H_2O_2)
- **멸균**
  - 고압증기멸균법: 스테인레스 기구, 린넨류에 적용함. 높은 압력 및 온도로 모든 미생물과 아포를 파괴하는 가장 확실한 방법임
  - 산화에틸렌가스(EO gas)
    - ⓐ 마모되기 쉽거나 열에 약한 물품(세밀한 수술기구, 내시경, 각종 카테터 등 고무제품, 플라스틱 제품 등)에 적용함
    - ⓑ 독성이 있어 멸균 후 상온에서 8~16시간 동안 환기시켜야 함
    - ⓒ Wydex (Glutaraldehyde): 산화에틸렌가스로 멸균할 수 없는 열에 약한 물건에 적용함

043 ④

해설 | 배뇨에 영향을 주는 요인(배뇨곤란)

④ 알코올 및 카페인은 항이뇨호르몬(ADH)의 분비(수분재흡수)를 억제함으로써 이뇨작용을 촉진시킨다.

 cf 염분이 많은 음식은 요생성을 감소시킨다.

오답 ② 불안, 스트레스는 교감신경을 항진시켜 방광근은 이완시키고 괄약근은 수축시킨다.

 cf 배뇨는 부교감신경이 방광근을 수축하고 괄약근은 이완되어 일어난다.

③ 이뇨제: 요량을 증대시켜 체내의 불필요한 수분의 배출을 촉진하는 약제이다.

⑤ 노화 → 골반저근의 약화 → 방광의 근긴장도 감소 ▶ 빈뇨, 야뇨, 감염에의 취약성 증가

POWER 특강

심장질환에 적용되는 이뇨제

- **이뇨제는 심장질환에 연관되어서 많이 출제된다.**

Thiazide계	Loop 이뇨제	K$^+$ 보존 이뇨제
저칼륨혈증 위험 ▶ KCl와 병용 및 K$^+$ 함유식품 섭취	Furosemide (Lasix), bumetanide (Bumex) ▶ 모든 심부전에 효과적	Aldactone, Spironolactone ▶ 고칼륨혈증 위험

044 ⑤

해설 | 배뇨증진(마취 후)

⑤ 자연배뇨를 기다리는 동안 과다한 수분섭취는 방광팽만 시점을 앞당기게 된다.

- 반사신경이 아직 마취에서 풀리지 않아 배뇨장애를 겪고 있는 것일 가능성이 가장 높다. 따라서 자연배뇨가 되기를 먼저 기다려 보도록 한다. 6~10시간 이상 자연배뇨가 안되면 유치도뇨를 시행해야 한다.

④ 더운물로 좌욕을 실시하고, 손을 따뜻한 물에 담그는 것도 도움이 된다.

045 ④

해설 | 단순도뇨(여성) 시행절차

④ 소변이 나오기 시작하면 도뇨관을 2~4 cm 정도 더 삽입함으로써 도뇨관의 끝이 방광에 도착하도록 할 수 있다.

- 단순도뇨의 정의

정의	일회용의 곧은 도뇨관을 삽입함 ▶ 방광이 비워지면 즉시 도뇨관을 제거
적응증 (목적)	• 무균적 소변 검사물 채취 • 배뇨 후 방광의 잔뇨량 측정 • 진단검사 실시 전 방광 비움 • 방광팽만의 즉각적 완화 • 척수손상 및 근육 · 신경계 퇴행으로 불완전한 방광기능을 가진 대상자의 장기적인 관리

오답 ① 체위: 배둔위 상태에서 대퇴를 이완한다. ▶ 회음부 관찰 + 대변오염 위험 최소화

② 소변이 도뇨관 끝을 통해 나올 때까지 삽입하는데, 여성은 요도의 전체 길이가 4 cm로 짧기 때문에 5~7.5 cm 정도 삽입하게 된다.

③ 소독 순서: 대음순 → 소음순 → 요도구, 즉 요도구가 가장 마지막이다.

⑤ 삽입 시 대상자에게 배뇨할 때와 같이 아래로 힘을 주라고 하면서, 도뇨관을 요도구 안으로 삽입한다.

POWER 특강

유치도뇨

정의	장기간 도뇨관을 유치함 ▶ 주기적인 도뇨관 교체가 필요함
적응증(목적)	• 소변배출 폐쇄 증상 완화 – 전립선비대, 요도협착 등 • 중증 대상자의 시간당 배뇨량 측정 • 실금하는 혼수 환자, 지남력이 손상된 대상자의 피부 손상 예방 • 장시간 전신마취하에 수술을 하는 경우, 오염 및 감염 예방 • 수술 후 혈액응고 물질로부터 요도폐쇄 예방 • 하복부 수술 시 방광의 팽창 예방
삽입 시 주의점	• 엄지와 검지를 이용해 대음순과 소음순 분리시켜 요도구 노출시킴 • 소변주머니(urine bag)가 항상 방광보다 아래에 있도록 함 ▶ 역류 방지
제거 시 주의점	• 주사기로 카테터의 풍선 내 액체를 흡입 • 제거 후 4시간 이내에 스스로 배뇨를 해야 함 • 제거 후 8~10시간 동안 환자의 배뇨상태 관찰하며 배뇨 시마다 배뇨량 측정

046 ⑤

해설 | 청결관장(글리세린)

- 시행절차(성인 기준)

  – 관장액 양/온도: 200~250 cc/40~43 ℃, 관의 굵기: 22~30 Fr, 삽입 길이: 7.5~10 cm

  – 좌측위 또는 심스체위를 취하게 한 후, 천천히 심호흡하여 이완되도록 한 뒤 윤활제를 바른 직장관을 직장 안으로 부드럽게 삽입하여 배꼽 방향으로 밀어 넣음

- 관장용기를 항문에서 30~45 cm 높이 위로 들어 용액이 들어가게 함

- 심한 경련, 출혈 혹은 갑작스런 심한 복통 등이 발생하면 관장을 멈춤

• 청결관장(배출관장)

- 시행방법: 직장내로 용액을 주입 후 용액 5~15분 보유하게 함

- 시행목적: 연동운동(장 팽창 or 장점막 자극)을 일으켜 변 제거함

- 용액 종류

ⓐ 글리세린: 글리세린 150~200 ml를 물과 1:1 비율로 섞는다.

ⓑ 비눗물: 비누 5 g을 물에 1/200로 희석한다.

ⓒ 고장액 & 등장액 & 저장액

용액	양(mL)	장점	단점
고장액	70~130	용액량이 적어 피로와 통증 덜 느낌	• 수분전해질 불균형 • 나트륨 정체, 저칼슘혈증, 고인산혈증, 탈수
등장액	500~1,000	노인과 유아에게도 사용 가능함	나트륨 정체 가능성
저장액	500~1,000	자극 없어 직장질환자에게도 사용 가능함	• 수분중독(◀ 저장성 용액) • 금기증: 심부전, 신부전

• 정체관장(retention enema)

- 시행방법: 정해진 일정 시간 동안(30분 이상) 장내에 소량의 관장액을 보유하게 함

- 시행목적: 배변, 투약, 체온하강, 수분과 영양소 공급, 구충 효과

ⓐ 투약관장

Neomycin	Kayexalate (양이온 교환수지)
장수술 전 (▶ 장내세균 감소), 간성혼수 시	고칼륨혈증(▶ 양이온과 장관내 칼륨을 교환 → 칼륨을 대변으로 배출함)

• 구풍관장(carminative enema)

- 시행목적: 장내 가스 배출 ▶ 팽만 완화

- 용액: 50% magnesium sulfate 30 cc + glycerine 60 cc + 물 90 cc 혼합(37.7~43.3 ℃)

047 ⑤

해설 | **체위성 저혈압(침상안정)**

• 원인: 장기간 침상안정 후 일어서게 되면 하지정맥의 혈액 정체로 인해 체위성 저혈압이 나타날 수 있다.

▶ 낙상 등의 위험이 있으므로 천천히 일어나야 한다.

• 기전: 교감신경과 심폐압수용체의 반사반응 기전이 제대로 작동하면 심근수축력과 심박수의 증가, 세동맥의 혈관수축 및 신장의 수분 저류 등이 정상적으로 유발된다. 이들 기전 중 하나라도 제대로 작동되지 않으면 체위성 저혈압이 일어날 수 있다.

048 ③

해설 | **석고붕대 간호**

• 석고붕대 건조: 베개 위에 올려놓고 건조함(24~72시간 소요)

• 신경혈관계 손상 예방

- CMS 사정

- 손상부위 상승, 냉적용 ▶ 부종 감소
- 꽉 조이는 석고붕대는 자르거나 반원통으로 자름
- 5P 시 석고붕대 제거: 통증(pain), 창백 or 청색증(pallor), 맥박소실(pulselessness), 감각이상(paraethesia), 마비(paralysis)
- 피부 간호
  - 소양감
    ⓐ 옷걸이, 연필, 자 등으로 석고붕대 밑을 긁지 않도록 함
    ⓑ 소양감 반대 부위에 얼음 대주거나 진통제 투여함
    ⓒ 땀띠 파우더, 녹말가루 사용 금지
  - 2~3시간마다 체위변경
- 감염 예방
- 운동장애 간호: ROM 운동, 손상근육에 등척성 운동 적용 ▶ 근력 유지

오답 ① 수동운동: 능동적 근수축 없이, 외력에 의해 신체분절이 제한받지 않는 운동이다. 근위축 예방이나 근력, 지구력의 증가, 능동/수의적 근수축에 의한 순환계 보조 등의 효과를 낼 수 없다.

POWER 특강

등척성(isometric) 운동

- **정의**: 근섬유의 길이는 그대로, 근육장력만 변화시키는 운동(정적 운동)
- **목적**: 근육의 힘과 양을 유지 ▶ 근육의 불용성 위축이나 근력저하(근육허약증)를 방지
- **적응증**: 석고붕대에 의해 관절이 고정되어 있을 때 적용, 슬관절염(대퇴사두근 운동), 요통(복근 강화) 등

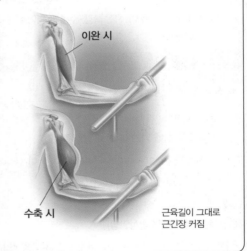

이완 시

수축 시

근육길이 그대로
근긴장 커짐

---

049 ③

해설 | **대전자 두루마리(trochanter roll)**

- **정의**: 타월 등을 직경 5~7.5 cm, 길이 25~30 cm의 크기로 말아, 그것을 대전자(대퇴골경 하방의 두 돌기)의 아래에 놓음
  ▶ 하지를 중간위로 유지
- **시행 이유**: 편마비나 대마비 등에서 환측 하지가 이완된 상태로 장기간 침상안정하는 경우, 고관절이 외전, 외회전된 상태 그대로 수축을 일으키는 일이 많기 때문이다. ▶ 즉, 올바른 신체선열을 유지하기 위해서

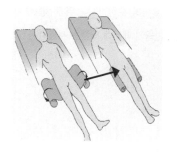 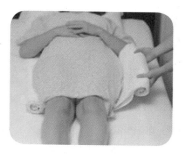

050 ②

해설 | **수면에 영향을 주는 요인**

- 약물

이뇨제	야뇨증 초래
알코올	REM 수면 방해, 수면 유도 촉진
카페인	수면 유도 방해
마약류(모르핀 등)	REM 수면 억제, 낮 졸음 증가
벤조 다이아제핀	수면시간 증가, 낮 졸음 증가

- 연령: 발달단계에 따라 수면의 패턴도 변화한다.
  - 신생아와 영아는 수면의 50%가 REM, 학령기 때는 20%가 REM임
  - 노인 때는 REM 수면 및 NREM 3, 4단계 수면이 감소함
- 따뜻한 우유(L-트립토판): 취침 3~4시간 전부터 수분을 포함해 음식물 섭취를 제한해야 한다. 단, 야식이 필요한 경우 가벼운 탄수화물이나 따뜻한 우유(L-트립토판)는 수면증진에 도움이 된다.

오답 ⑤ 중추신경계를 억제함으로써 진정과 수면을 유발하는 향정신성의약품의 일종이다. 불안과 불면증·간질의 치료약과 마취제로 쓰이는 등 다양한 용도로 폭넓게 사용되어 왔다. 알코올과 비슷하게 REM수면을 방해한다.

051 ②

해설 | **고체온 간호**

- 수분섭취 증가: 2,500~3,000 cc/day 권장, 섭취량/배설량 기록
- 구강간호: 탈수 → 입술, 혀, 구강점막이 갈라지기 쉬움
  - ▶ 윤활제 적용
- 휴식: 에너지 요구량을 최소화하기 위하여 활동을 최소로 유지
- 신체의 노출
  - 오한이 없으면 서늘한 환경 유지함
  - 옷은 가볍고 헐렁한 것으로 착용함
- 냉요법 ▶ 통증, 염증, 부종, 출혈 감소
  - 건냉: 얼음주머니
  - 습냉
    - ⓐ 냉찜질, 냉습포

ⓑ 미온수 스펀지 목욕: 스펀지를 이용하여 미온수(27~34 ℃)로 목욕하며, 오한방지를 위해 적용부위만 노출함

오답 ⑤ 알코올은 너무 단시간 내에 체온을 빼앗고 피부를 건조하게 만들기 때문에 요즘은 사용하지 않는다.

052 ④

해설 | 임종의 임박 징후

- 근긴장도 상실: 안면근 이완, 대소변 실금
- 순환속도 저하: 사지의 반점 형성, 청색증, 피부 차가워짐,말초부종
- 맥박 빠르고 약해짐, Cheyne−Stokes 호흡
  − Cheyne−Stokes 호흡

원인	중증의 뇌질환 · 혼수 · 요독증, 심부전 → 호흡중추의 기능저하, 특히 혈액 속의 이산화탄소에 대한 감수성 저하 ▶ 이상호흡
양상	얕고 빠른 호흡 → 점차 깊고 완만한 호흡 → 다시 얕은 호흡 → 호흡정지(몇 초에서 수십 초 계속됨) → 다시 얕고 빠른 호흡으로 돌아감(반복됨)

- 반사 소실, 동공 확대, 청력은 유지되다가 마지막에 상실됨

053 ④

해설 | 낙상

- 위험요인
  − 노인, 아동
  − 시력 및 균형감각 손상, 보행 또는 자세 변화, 혼돈, 지남력이 손상된 자
  − 이뇨제, 신경안정제, 항우울제, 수면제, 진정제, 최면제, 진통제 등 약물 복용자
  − 체위성 저혈압, 혼돈, 기동성 장애 등
  − 과거 낙상 경험자(6개월~1년), 입원한 지 1주일 이내의 낯선 환경
- 낙상 예방 간호중재
  − Stretcher car나 침상에 있을 때는 난간(side rail)을 항상 올려놓도록 함
  − 미끄럼 방지 슬리퍼, 매트 등을 이용하여 바닥이 미끄럽지 않도록 하며, 변기 옆이나 목욕탕에 안전 손잡이 설치함
  − 밝은 조명 사용하고, 야간등을 설치하여 바닥도 밝게 비춤
  − 체위성 저혈압(◀ 하지정맥의 혈액정체)을 예방하기 위해 서서히 일어서도록 격려함
  − 근력 강화, 유연성 제고, 균형 감각 향상시킬 수 있도록 운동을 규칙적으로 실시함
- 낙상 발생 시 대처
  − 대상자의 체중을 지지해 주면서 앉거나 눕도록 함
  − 의식, 활력징후, 머리, 목, 척추 등의 손상 여부 사정

054 ⑤

⑤ 장갑 억제대의 적용목적은 대상자의 신체에 삽입되어 있는 기구나 드레싱을 보호하고 피부질환(아토피염 등)이 있을 때 긁는 행위를 예방하는 것이다.

- 적절한 사용법
  - 가능한 최대한의 움직임(ROM)을 허용한다.
  - 뼈 돌출부위에 패드를 대어 피부손상을 방지한다.
  - 사지의 올바른 신체선열 유지하도록 적용한다.
    - ▶ 근육수축과 근골격계 손상 예방
  - 매듭은 잡아당길 때 억제대가 조여져서는 안되며 응급 시 쉽게 풀 수 있어야 한다.
  - 억제대는 침상 난간이 아닌 침대 틀에 묶도록 한다.
  - 사지 억제대 적용 시 억제대와 대상자의 손목, 발목 사이에 손가락 2개가 들어가도록 한다.
  - 매 2~4시간마다 적어도 10분간은 풀어 놓도록 한다.
    - ▶ 혈액순환 및 피부손상 확인
  - 억제대 재적용하기 전, ROM 운동을 시행한다.
- 억제대 종류

재킷 억제대	대상자의 등 쪽에서 잠겨지는 억제대 ex 의자, 휠체어에 앉아 있거나 누워 있는 동안 적용
사지 억제대 (8자 억제대)	손목, 발목 등 사지의 한군데나 전부를 움직이지 못하게 하는 것 ex 의식상태가 혼미한 경우, 자신과 타인을 보호하기 위해 적용
벨트 억제대	운반차, 휠체어에 누운 대상자의 안전을 도모함
팔꿈치 억제대	팔을 감는 헝겊에 주머니를 만들어 설압자를 넣음 ex 영아들의 팔꿈치 굴곡을 막기 위해 적용
전신 억제대 (미이라 억제대)	몸 전체를 홑이불로 감쌈 ex 영아의 머리나 목의 검사를 할 때 적용

055 ②

② 입과 코를 막는 행위는 빠져나가는 출구를 물리적으로 차단시키는 것이다.

- 감염경로 구성: 병원체, 병원소(저장소), 탈출구

	병원체	병원소	탈출구
개념	병원성 미생물: 세균, 바이러스, 진균 등	병원체의 성장과 증식을 위한 서식지: 사람, 동물, 환경(토양, 음식, 대소변) 등	병원성 미생물이 병원소에서 빠져나가는 출구: 소화기계, 호흡기계, 비뇨기계, 혈액, 피부 등
관리	• 세척 · 청결(철저한 손위생) • 소독 · 멸균	• 대상자를 물과 비누로 청결하게 유지 • 젖고 오염된 드레싱 자주 교환 • 사용한 물품 분리수거(특히 주사기, 바늘) • 용액이 든 병은 장시간 열어두지 않음	• 철저한 손위생 • 마스크, 장갑 착용 • 외과적 상처나 멸균드레싱 부위에 직접 호흡이나 기침 방지 ▶ 기침 시 입 가리기

056 ⑤

• 멸균

	적응	장단점
고압증기	스테인레스 기구, 린넨류	장점: 높은 압력 및 온도로 모든 미생물과 아포를 파괴하는 가장 확실한 방법임
산화 에틸렌가스 (EO gas)	마모되기 쉽거나 열에 약한 물품(세밀한 수술기구, 내시경, 각종 카테터 등 고무제품, 플라스틱 제품 등)	장점 • 멸균 후 화학적으로 결합되어도 생성물이 생분해성을 가지므로 안심할 수 있음 • 침투력이 강하고(기체라서 구석구석 잘 스며듦) 효과적(반응성이 매우 높음)임 단점 • 비경제적 • 액화 시 폭발의 위험이 높기 때문에 취급 시 전문성이 필요함 • 독성이 있어 멸균 후 상온에서 8~16시간 동안 환기시켜야 함

ⓒ Wydex (Glutaraldehyde): 산화에틸렌가스로 멸균할 수 없는 열에 약한 물건에 적응함

• 소독

　– 자비소독(끓이는 소독): 가정에서 쉽게 사용 가능하나, 아포를 가진 세균과 일부 바이러스는 제거하지 못함

　– 건열 소독: 의료용 기구 등 금속제품에 효과적

　– 자외선 소독: 이온화되지 않은 방사선을 약물 · 음식 · 열에 약한 물품에 적용하나, 비용이 비싸고 깊게 침투하지 못함

　– 화학적 소독: 70% 알코올, 포비돈–요오드(베타딘), 과산화수소(H_2O_2)

	적응	장단점
70% 알코올	체온계, 청진기 표면, 피부 소독에 이용	장점: 작용시간이 빠르고 착색이 되지 않음 단점 : • 아포에는 살균력이 약함 • 잔류 효과 없음 • 피부를 건조시킴 • 플라스틱 및 고무 제품 손상
포비돈–요오드 (povidone–iodine, PVP–I)	손상면의 소독, 수술 부위나 손가락의 소독, 상기도 및 구강내 감염증, 구강내 살균, 구취억제 등	장점: 작용시간이 빠르고, 피부자극성이나 조직장애가 적음 단점: 피부착색 및 금속부식

― comment ―

소독은 전염병의 전염을 방지할 목적으로 병원균을 멸살하는 것으로 비병원균의 멸살에 대하여는 별로 문제시하지 않는다. 반면 멸균(살균의 철저한 형태)은 병원성과 비병원성을 불문하고 미생물을 멸살하는 것으로서, 멸균 후는 완전한 무균 상태가 된다는 차이가 있다.

057 ②

해설 | **결핵 간호(전파 예방)**

- 감염전파 예방(비말전파)

  - 음압이 유지되는 1인실에 환자 격리하는데, 2~4주의 약물치료 후 격리하지 않아도 됨

  - 방안은 자주 환기시킴(단, 병실 문은 항상 닫은 채로 유지함)

  - 마스크 착용[환자 1 m 내 마스크(N95) 이용]

  - 기침 시 코와 입을 휴지로 가림

  - 휴지나 가래 등은 따로 비닐에 모아 소각함

  - 일광소독: 결핵균은 햇빛, 열에 파괴됨

- 투약교육

  - 복합약물 사용: 약제 간 상승작용 효과, 내성발생 예방

  - 6~18개월 이상 장기복용 중요성

  - 철저한 약물복용 시 타인에게 전염성 없음

- 식이: 고단백, 고칼로리, 비타민 보충

058 ②

해설 | **이동섭자 사용법**

② 이동섭자를 꺼내다가 섭자 끝이 섭자통 가장자리에 닿았을 때 멸균된 새 이동섭자를 사용한다.

- 멸균된 물품을 용기에서 꺼낼 때와 옮길 때만 사용함
- 섭자통에는 하나씩만 꽂아 사용함
- 섭자통 가장자리는 오염 영역으로 간주하므로 닿지 않도록 함
- 섭자 끝은 항상 아래로 향하게, 눈에서 보이게 함(허리 아래로 내려가지 않도록)
- 물건을 옮길 때 섭자의 끝이 소독 부위 면에 닿지 않도록 떨어뜨림
- 섭자통과 이동섭자는 매일 소독하고, 24시간마다 교환함

comment

섭자는 특별 구강간호와 관련해서도 나올 수 있다. 매우 허약하거나 무의식 대상자에게 구강건조와 구내감염 위험을 감소시키기 위해 특별 구강간호를 시행하는데, 섭자를 거즈로 감싼 후 함수용액에 적셔 치아와 구강을 닦는다.

059 ②

해설 | **투약관련 약어**

am	오전	q	매, ~마다
pm	오후	qd	매일(하루에 한 번)
ac	식전	qh	매시간
pc	식후	qn	매일 밤마다
hs	취침시간에	qod	격일로

bid	하루에 두 번	PO	경구로
tid	하루에 세 번	IM	근육 내
qid	하루에 네 번	IV	정맥 내
stat	즉시	NPO	금식
prn	필요시마다	KVO	정맥확보

OD	오른쪽 눈
OS	왼쪽 눈
OU	양쪽 눈

POWER 특강

투약간호

- **기본원칙**

5 right	정확한 약물, 정확한 용량, 정확한 대상자, 정확한 경로, 정확한 시간
5 right	정확한 기록, 정확한 교육, 거부할 권리, 정확한 사정, 정확한 평가

- **투약과오 예방**

  - 투약 전 대상자 문진: 과거력, 과거 약물의 부작용, 대상자 가족력 등

  - 사전검사: 과민반응을 일으킬 수 있는 약물은 투여 전 피부반응검사(AST) 실시

  - 약물 설명서의 주의사항, 부작용 및 금기 사항에 대한 확인

060 ③

해설 | **약물의 효과**

③ 축적효과(cumulative effect): 약물을 반복 사용하거나, 약물의 흡수에 비해 배설 또는 해독의 속도가 늦으면 체내에 약물이 축적된다. 그 결과 시간이 지날수록 약물 효과가 강하게 나타나며, 1회에 대량을 투여한 것과 같은 중독 반응을 일으킬 수 있다. 강심제인 Digitalis 사용 시 발생하기 쉽다.

- 약물 효과

효과	특성	예시
역효과 (adverse effect)	치료적 효과 이외의 의도하지 않은 예측할 수 없는 심각한 약물 반응	
부작용 (side effect)	• 예측하지 않은 이차적인 효과로서, 치료작용에 불필요하고 불쾌한 작용 • 역효과보다는 심각하지 않음	Digoxin (digitalis): 부정맥 치료 시 부작용으로 서맥 유발 ▶ 투약 전 맥박수 사정 필요함

독성 (toxic effect)	과도한 용량 투여 후 약물의 대사 및 배설장애로 인해 혈액 내 약물이 축적되거나 예기치 못한 민감성에 의해 초래	Morphine: 중추신경계 억압하여 통증 감소시키지만 축적되면 호흡억제
과민성 반응	약물의 치료적 효과나 이차적인 효과에 특이하게 민감한 반응을 일으키는 것으로, 예측할 수 없는 면역반응	아나필락틱 반응: 기관지 수축, 호흡곤란 등 전신반응
내성 (tolerance)	특정 약물 장기간 투여 → 약물에 대한 생리작용이 저하됨 → 점차 약물의 효과가 감퇴됨 ▶ 용량을 증가시키지 않으면 약물 효과가 나타나지 않는 상태	
약물 상호작용	약물의 한 종류만 투여했을 때보다 두 종류 이상의 약물을 동시에 투여했을 때의 효과	
	• 상승효과: 각 약물의 산술적 합 이상 효과 • 상가효과: 각 약물의 산술적 합의 효과 • 길항작용: 약물의 효과를 서로 감퇴시킴	

061 ③

해설 | **중심정맥관(CVC)**

③ **피하이식형 포트**: 피부 밑에 숨겨져 있는 카테터로, 감염 가능성으로부터 대상자를 최대한 보호할 수 있으며, 2,000번 정도 바늘 삽입이 가능해 수년간 활용 가능하다. 또한 정기적 헤파린 세척을 통해 개방성을 유지한다. ▶ 혈전 위험성 낮음

- 정의
  - 신체의 중심에 위치한 큰 정맥에 삽입하는 카테터
  - 경정맥·쇄골하정맥·하대정맥으로 관 삽입하여 상대정맥이나 우심방 끝에 관이 위치하게 됨
- 적응증
  - 비경구적인 방법을 이용해 다량의 약물, 수액, 혈액 공급
  - 중심정맥압(CVP) 측정, 중심정맥 채혈
- 종류
  - 말초삽입 중심정맥관(PICC), 터널형 중심정맥관, 피하이식형 포트

062 ⑤

해설 | **인슐린 요법**

• 인슐린의 기능: 모든 세포에서 포도당 사용을 강화시켜 혈당을 저하시킴

인슐린 요구량 증가	과식, 정서적 긴장, 발열, 급성 상기도 감염
인슐린 요구량 감소	활동적인 운동

• 투여법: 반드시 피하주사 ◀ 단백질이므로 경구복용 시 위에서 모두 파괴됨

• 보관법: 상온 15~20 ℃에서는 보통 1개월, 4 ℃ 냉장 보관에서는 유효기간까지 보관이 가능

• 인슐린 혼합: 속효성 인슐린(RI)을 빼고 중간형 인슐린(NPH; 지속형)을 뺀 순서로 섞음

    ▶ 환자 스스로 할 경우, '맑은 것 → 탁한 것' 순서로 빼서 섞으라고 설명

• 주사부위

    – 부위 간 최소 1 inch (2.5 cm) 떨어진 자리에 주사, 배꼽 가까이 하지 않음

    – 같은 부위에 연달아 놓지 말고 주사부위를 회전시켜 매회 교체함

    – 피하지방의 손상과 위축을 방지하기 위해 주사부위를 매일 교체해야 함

    – 주사 후 비비지 말고 눌러줌(마사지는 금기임)

▶ 인슐린의 주사부위

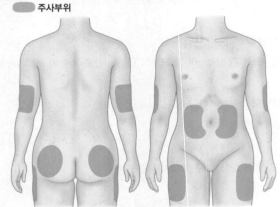

주사부위

인슐린의 흡수속도: 복벽 〉상완외측부 〉둔부 〉대퇴외측부

• 부작용

    – 저혈당(가장 흔함): 심한 공복감, 어지럼증, 식은땀, 진전, 언어표현 장애

        ⓐ 원인: 인슐린 과다투여, 투여 후 식사를 거름, 작용최대 시간에 무리한 활동 · 운동 실시

        ⓑ 치료 및 간호

의식 있을 때	의식 없을 때
속효형 탄수화물 제공(초콜릿, 꿀, 주스 등)	• 50% 포도당 20~50 ml을 서서히 정맥주입 • 수액요법 어려울 시 글루카곤 근육주사

    – 피하지방 위축 or 비후, 감염, 부종

- 인슐린 종류별 차이

	효과 발현시간	최대 효과시간	지속시간	투여시간	투명도
초속효성	5~15분 후	30분~1.5시간	3~4시간	식사 직전	투명
속효성(RI)	30분~1시간 후	2~4시간	3~6시간	식사 30분 전	투명
중간형(NPH)	2~4시간 후	6~10시간	10~16시간	식사 30분 전	혼탁
지속형	1~2시간 후	특별히 없음 (일정함)	24시간	식사 30분 전	투명

—— **comment** ——

당뇨병과 인슐린 요법을 연관시켰을 때, 제1형 당뇨병은 반드시 평생 인슐린 요법을 받아야 하고, 제2형은 인슐린요법으로 혈당 조절 상태가 개선되면 경우에 따라 경구혈당강하제로 전환할 수도 있다.

063 ①

해설 | **근육주사(삼각근)**

- 근육주사의 장단점

장점	단점
• 경구투여가 불가능한 경우 투여가능 • 피하조직에 자극을 주는 약물도 안전하게 투여가능 • 투여한 약물을 거의 모두 흡수함 • 반복투여 시 부위를 바꾸어가며 투여가능	• 경구투여보다 부작용 빨리 나타남 • 신경과 혈관에 손상 위험 • 감염, 공기색전, 조직손상 위험 • 통증, 불안

- 삼각근(deltoid muscle)

  – 개념: 어깨 곡선을 만드는 근육으로, 위팔을 모든 방향으로 움직이게 함

  – 위치: 견봉돌기 아래 5 cm 지점 ▶ 견봉돌기 하단과 액와선 사이에 형성하는 역삼각형 부위에 주사

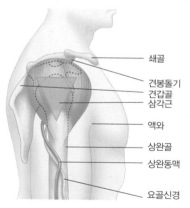

쇄골
견봉돌기
견갑골
삼각근
액와
상완골
상완동맥
요골신경

  – 적응증: B형 간염 예방접종, 빨리 흡수해야 하는 약물

  – 장단점

장점	단점
• 소량의 약물 주입 시 사용 • 근육 주사부위 중 흡수속도가 빠름(혈관분포 높음) • 욕창과 요실금으로 인한 오염 위험이 가장 적음	• 다른 주사부위보다 근육량 적음 • 정확하지 않으면 요골동맥 및 신경손상 위험 있음 • 영유아 금지

경구투여의 장단점

장점	단점
• 편리하고 경제적임 • 피부를 손상시키지 않음 • 약물이 대상자에게 부담이 적음 • 부작용의 발생 위험도 낮음	• 흡수가 늦고 흡수량 측정이 부정확함 • 소화액에 의해 약효가 변화될 수 있음 • 적응 불가(부적합): 심한 오심·구토, 연하곤란, 무의식, 금식(단, 위관영양 대상자는 가능함) • 부작용: 흡인, 위장장애, 치아 변색 등

064 ④

해설 | **욕창(전단력)**

④ 침상머리를 20~30° 상승시켰을 때 강해진다.

• 발생요인

– 내재적

기동성 장애	노인 환자 등 3시간 이상 신체 제한 및 부동 상태일 때 위험 증가함
습기	실금 등 → 피부조직이 습해짐 ▶ 탄력성이 감소하고 압력과 마찰에 의해 쉽게 상해를 입음
영양부족·빈혈	영양 및 산소 공급이 불충분한 세포는 손상이 쉽고 치유가 지연됨
혈압·혈관질환	쇼크, 저혈압, 당뇨병 등은 모세혈관에 손상을 줌
감각지각장애	피부감각 저하 ▶ 압력에 대한 불편감 부재
발열	조직의 대사요구량이 증가마찰력

– 외재적

종류	발생기전	영향	특징
압박(압력)	중력에 의해 발생	압박의 지속 → 접촉면의 혈관압박 ▶ 허혈, 염증, 괴사	압력의 크기보다 압력이 주어진 기간이 욕창발생에 더 중요하게 작용함
마찰력	외표면이 피부를 문질러 표피를 직접 잡아당기거나 자극할 때 발생		
전단력(응전력)	피부가 고정되어 있는 상태에서 피부 아래의 조직이 이동하거나 들려져 발생	심부조직의 이동 → 피부에 공급되는 혈류 감소 ▶ 피부 저산소증, 영양결핍, 허혈, 염증 및 괴사 유발	압력과 마찰력이 합쳐진 물리적인 힘임

• 체위별 호발부위

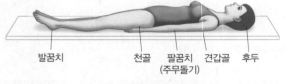

발꿈치　　　천골　　팔꿈치　　견갑골　후두
　　　　　　　　　(주무돌기)

앙와위

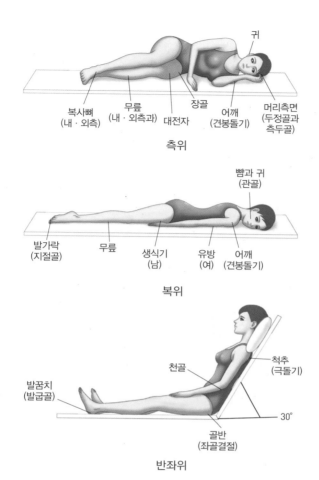

측위

복위

반좌위

065 ⑤

해설 | **두개내압 상승(IICP)**

⑤ 뇌압이 상승되지 않도록 머리를 상승시킨 자세를 취해야 한다. 또한 똑바로 누웠을 때는 천골에, 90°로 돌아누웠을 때는 대전자에 압박이 가해질 수 있으므로, 30°로 돌아눕도록 한다.

• 정의: 두개내압이 20 mmHg 이상

    ⑰ 정상 범위는 5∼15 mmHg

• 원인: 두부손상, 뇌졸중, 뇌종양, 뇌수종, 뇌부종 및 이로 인한 뇌탈출, 대사장애, 중추신경계 감염 등

• 증상: 의식수준 변화(◀ 뇌간 연수의 압력 증가), 활력징후 변화(Cushing traid; 맥압 증가, 서맥, 불규칙한 호흡), 동공반사 변화(동공 무반응 → 유두부종 → 양측 동공 확대), 두통, 투사성 구토

• 예방

권장	금기

• 15∼30° 정도 침상머리 상승 ▶ 정맥순환계로의 유입량 증가
• 저체온요법 ▶ 뇌의 신진대사 감소
• Corticosteroid 투여
   ▶ 혈관성 부종 감소
• 조용한 환경 제공
	• 등척성 운동, 과도한 굴곡, 기침, 구토
	• 배변 시 힘주기(Valsalva 수기), 관장 · 하제 투여
	   ⑰ 변완화제 투여는 권장됨
	• 불안 · 초조 등 정서적 긴장

066 ⑤

해설 | 의료인(의료법 제2조)

간호사는 다음 각 목의 업무를 임무로 한다.

1. 환자의 간호요구에 대한 관찰, 자료수집, 간호판단 및 요양을 위한 간호

2. 의사, 치과의사, 한의사의 지도하에 시행하는 진료의 보조

3. 간호 요구자에 대한 교육 · 상담 및 건강증진을 위한 활동의 기획과 수행, 그 밖의 대통령령으로 정하는 보건활동

4. 간호조무사가 수행하는 업무보조에 대한 지도

[오답] ① 의사의 임무, ② 치과의사의 임무, ③ 한의사의 임무, ④ 조산사의 임무

067 ①

해설 | 결격사유 등(의료법 제8조)

다음 각 호의 어느 하나에 해당하는 자는 의료인이 될 수 없다.

1. 정신질환자. 다만, 전문의가 의료인으로서 적합하다고 인정하는 사람은 그러하지 아니하다.

2. 마약 · 대마 · 향정신성의약품 중독자

3. 금치산자 · 한정치산자

4. 의료 관련 법령을 위반하여 금고 이상의 형을 선고받고 그 형의 집행이 종료되지 아니하였거나 집행을 받지 아니하기로 확정되지
   아니한 자

068 ③

해설 | 신고(의료법 제25조)

의료인은 대통령령으로 정하는 바에 따라 최초로 면허를 받은 후부터 3년마다 그 실태와 취업상황 등을 보건복지부장관에게 신고하여
야 한다.

069 ③

해설 | 보수교육(의료법 시행규칙 제20조)

• 다음 각 호의 어느 하나에 해당하는 사람에 대하여는 해당 연도의 보수교육을 면제한다.

　1. 전공의

　2. 의과대학 · 치과대학 · 한의과대학 · 간호대학의 대학원 재학생

　3. 면허증을 발급받은 신규 면허취득자

　4. 보건복지부장관이 보수교육을 받을 필요가 없다고 인정하는 사람

• 다음 각 호의 어느 하나에 해당하는 사람에 대하여는 해당 연도의 보수교육을 유예할 수 있다.

　1. 해당 연도에 6개월 이상 환자진료 업무에 종사하지 아니한 사람

　2. 보건복지부장관이 보수교육을 받기가 곤란하다고 인정하는 사람

070 ⑤

감염관리실은 다음 각 호의 업무를 수행한다.

1. 병원감염의 발생 감시

2. 병원감염관리 실적의 분석 및 평가

3. 직원의 감염관리교육 및 감염과 관련된 직원의 건강관리에 관한 사항

4. 그 밖에 감염 관리에 필요한 사항

071 ⑤

해설 | **자격정지 등(의료법 제66조)**

1. 의료인의 품위를 심하게 손상시키는 행위를 한 때

2. 의료기관 개설자가 될 수 없는 자에게 고용되어 의료행위를 한 때

2의 2. 제4조 제6항을 위반한 때(일회용 물품 재사용)

3. 진단서, 검안서 또는 증명서를 거짓으로 작성하여 내주거나 진료기록부 등을 거짓으로 작성하거나 고의로 사실과 다르게 추가기재, 수정한 때

4. 제20조를 위반한 경우(태아 성감별)

5. 의료인이 아닌 자로 하여금 의료행위를 하게 한 때

6. 의료기사가 아닌 자에게 의료기사의 업무를 하게 하거나 의료기사에게 그 업무범위를 벗어나게 한 때

7. 관련 서류를 위조, 변조하거나 속임수 등 부정한 방법으로 진료비를 거짓 청구한 때

8. 제23조의 2를 위반하여 경제적 이익 등을 제공받은 때

9. 그 밖에 이 법 또는 이 법에 따른 명령을 위반한 때

오답 ①, ②, ③, ④는 면허 취소에 해당하는 사항이다.

072 ④

해설 | **정의(감염병의 예방 및 관리에 관한 법률 제2조)**

"제3급감염병"이란 그 발생을 계속 감시할 필요가 있어 발생 또는 유행 시 24시간 이내에 신고하여야 하는 다음 각 목의 감염병을 말한다. 다만, 갑작스러운 국내 유입 또는 유행이 예견되어 긴급한 예방ㆍ관리가 필요하여 질병관리청장이 보건복지부장관과 협의하여 지정하는 감염병을 포함한다.

제3급감염병	파상풍(破傷風), B형간염, 일본뇌염, C형간염, 말라리아, 레지오넬라증, 비브리오패혈증, 발진티푸스, 발진열(發疹熱), 쯔쯔가무시증, 렙토스피라증, 브루셀라증, 공수병(恐水病), 신증후군출혈열(腎症侯群出血熱), 후천성면역결핍증(AIDS), 크로이츠펠트-야콥병(CJD) 및 변종크로이츠펠트-야콥병(vCJD), 황열, 뎅기열, 큐열(Q熱), 웨스트나일열, 라임병, 진드기매개뇌염, 유비저(類鼻疽), 치쿤구니야열, 중증열성혈소판감소증후군(SFTS), 지카바이러스 감염증

073 ①

해설 | **업무 종사의 일시 제한(감염병의 예방 및 관리에 관한 법률 시행규칙 제33조)**

• 일시적으로 업무 종사의 제한을 받는 감염병환자 등은 다음 각 호의 감염병에 해당하는 감염병환자 등으로 하고, 그 제한 기간은 감염력이 소멸되는 날까지로 한다

1. 콜레라

2. 장티푸스

3. 파라티푸스

4. 세균성이질

5. 장출혈성대장균감염증

6. A형간염

- 법 제45조제1항에 따라 업무 종사의 제한을 받는 업종은 다음 각 호와 같다.

1. 「식품위생법」 제2조제12호에 따른 집단급식소

2. 「식품위생법」 제36제1항제3호 따른 식품접객업

074 ⑤
해설 | 검역감염병의 최대 잠복기간(검역법 시행규칙 제14조 3)

1. 콜레라: 5일

2. 페스트: 6일

3. 황열: 6일

4. 중증 급성호흡기 증후군(SARS): 10일

5. 동물인플루엔자 인체감염증: 10일

6. 중동 호흡기 증후군(MERS): 14일

7. 에볼라바이러스병: 21일

075 ②
해설 | 검진(후천성면역결핍증 예방법 제8조)

1. 공중과 접촉이 많은 업소에 종사하는 자

2. 후천성 면역결핍증에 감염되었다고 판단되는 충분한 사유가 있는 자(감염인의 배우자 및 성 접촉자)

3. 해외에서 입국하는 외국인 중 장기체류자

4. 그 밖에 후천성면역결핍증의 예방을 위하여 검진이 필요하다고 보건복지부장관이 인정하는 자

076 ②
해설 | 급여의 제한(국민건강보험법 제53조)

공단은 보험급여를 받을 수 있는 사람이 다음 각 호의 어느 하나에 해당하면 보험급여를 하지 아니한다.

1. 고의 또는 중대한 과실로 인한 범죄행위에 그 원인이 있거나 고의로 사고를 일으킨 경우

2. 고의 또는 중대한 과실로 공단이나 요양기관의 요양에 관한 지시에 따르지 아니한 경우

3. 고의 또는 중대한 과실로 제55조에 따른 문서와 그 밖의 물건의 제출을 거부하거나 질문 또는 진단을 기피한 경우

4. 업무 또는 공무로 생긴 질병·부상·재해로 다른 법령에 따른 보험급여나 보상(報償) 또는 보상(補償)을 받게 되는 경우

077 ④

해설 | 자격의 취득 시기 등(국민건강보험법 제8조)

가입자는 국내에 거주하게 된 날에 직장가입자 또는 지역가입자의 자격을 얻는다. 다만, 다음 각 호의 어느 하나에 해당하는 사람은 그 해당되는 날에 각각 자격을 얻는다.

1. 수급권자이었던 사람은 그 대상자에서 제외된 날
2. 직장가입자의 피부양자이었던 사람은 그 자격을 잃은 날
3. 유공자 등 의료보호대상자이었던 사람은 그 대상자에서 제외된 날
4. 보험자에게 건강보험의 적용을 신청한 유공자 등 의료보호대상자는 그 신청한 날

078 ④

해설 | 지역보건의료계획의 수립 등(지역보건법 제7조)

특별시장 · 광역시장 · 도지사 또는 특별자치시장 · 특별자치도지사 · 시장 · 군수 · 구청장은 지역주민의 건강 증진을 위하여 다음 각 호의 사항이 포함된 지역보건의료계획을 4년마다 수립하여야 한다.

079 ③

해설 | 보건소장(지역보건법 시행령 제13조)

보건 등 직렬의 공무원을 보건소장으로 임용하려는 경우에 해당 보건소에서 실제로 보건 등과 관련된 업무를 하는 보건등 직렬의 공무원으로서 보건소장으로 임용되기 이전 최근 5년 이상 보건 등의 업무와 관련하여 근무한 경험이 있는 사람 중에서 임용하여야 한다.

080 ③

해설 | 사고 마약류 등의 처리(마약류관리에 관한 법률 제12조)

- 마약류취급자 또는 마약류취급승인자는 소지하고 있는 마약류에 대하여 다음 각 호의 어느 하나에 해당하는 사유가 발생하면 총리령으로 정하는 바에 따라 해당 허가관청(마약류취급의료업자의 경우에는 해당 의료기관의 개설허가나 신고관청을 말하며, 마약류소매업자의 경우에는 약국 개설 등록관청을 말한다. 이하 같다)에 지체 없이 그 사유를 보고하여야 한다.
  1. 재해로 인한 상실
  2. 분실 또는 도난
  3. 변질 · 부패 또는 파손
- 개설 등(의료법 제33조)
  - 의원 · 치과의원 · 한의원 또는 조산원을 개설하려는 자는 보건복지부령으로 정하는 바에 따라 시장 · 군수 · 구청장에게 신고하여야 한다.
  - 종합병원 · 병원 · 치과병원 · 한방병원 또는 요양병원을 개설하려면 보건복지부령으로 정하는 바에 따라 시 · 도지사의 허가를 받아야 한다. 이 경우 시 · 도지사는 개설하려는 의료기관이 제36조에 따른 시설기준에 맞지 아니하는 경우에는 개설허가를 할 수 없다.

081 ①

해설 | **마약류 관리자(마약류 관리에 관한 법률 제33조)**

4명 이상의 마약류 취급의료업자가 의료에 종사하는 의료기관의 대표자는 그 의료기관에 마약류 관리자를 두어야 한다. 다만, 향정신성의약품만을 취급하는 의료기관의 경우에는 그러하지 아니하다.

082 ⑤

해설 | **응급환자에 대한 우선 응급의료 등(응급의료에 관한 법률 제8조)**

응급의료종사자는 응급 환자가 2명 이상이면 의학적 판단에 따라 더 위급한 환자부터 응급의료를 실시하여야 한다.

083 ③

해설 | **보건의료기본법**

- 여성과 어린이의 건강 증진, 노인의 건강 증진, 장애인의 건강 증진, 학교 보건의료, 산업 보건의료, 환경 보건의료, 기후변화에 따른 국민건강영향평가, 식품위생 · 영양
- 주요질병관리체계(보건의료기본법 제39~43조)

  보건복지부장관은 국민건강을 크게 위협하는 질병 중에서 국가가 특별히 관리하여야 할 필요가 있다고 인정되는 질병을 선정하고, 이를 관리하기 위하여 필요한 시책을 수립 · 시행하여야 한다.

  − 제40조(감염병의 예방 및 관리)

  − 제41조(만성질환의 예방 및 관리)

  − 제42조(정신 보건의료)

  − 제43조(구강 보건의료)

  오답 ①, ②, ④, ⑤는 주요질병관리체계에 해당한다.

084 ①

해설 | **금연을 위한 조치(국민건강증진법 제9조)**

오답 ② 「유아교육법」· 「초 · 중등교육법」에 따른 학교[교사(校舍)와 운동장 등 모든 구역을 포함한다]

③ 객석 수 300석 이상의 공연장

④ 연면적 1천제곱미터 이상의 사무용건축물, 공장 및 복합용도의 건축물

⑤ 1천명 이상의 관객을 수용할 수 있는 체육시설

085 ⑤

해설 | **채혈 금지 대상자(혈액관리법 시행규칙 별표 1의 2)**

1. 체중이 남자는 50킬로그램 미만, 여자는 45킬로그램 미만인 자

2. 체온이 섭씨 37.5°를 초과하는 자

3. 수축기 혈압이 90밀리미터(수은주압) 미만 또는 180밀리미터(수은주압) 이상인 자

4. 이완기 혈압이 100밀리미터(수은주압) 이상인 자

5. 맥박이 1분에 50회 미만 또는 100회를 초과하는 자

NOTE